S0-BNJ-319

MARIANNE FREDRIKSSON

HANNAS TÖCHTER

~

SABRIYE TENBERKEN

MEIN WEG FÜHRT NACH TIBET

~

HENNING MANKELL

DIE FÜNFTE FRAU

Best Selection

MARIANNE FREDRIKSSON
HANNAS TÖCHTER

~

SABRIYE TENBERKEN
MEIN WEG FÜHRT NACH TIBET

~

HENNING MANKELL
DIE FÜNFTE FRAU

Weltbild

Marianne Fredriksson, Hannas Töchter
Die Originalausgabe erschien 1994 unter dem Titel
»Anna, Hanna och Johanna« im Verlag Wahlström & Widstrand, Stockholm.
© 1994 by Marianne Fredriksson.
Published by agreement with Bengt Nordin Agency, Sweden.
Aus dem Schwedischen von Senta Kapoun.
© 1997 Wolfgang Krüger Verlag, Frankfurt am Main.

Sabriye Tenberken, Mein Weg führt nach Tibet. Die blinden Kinder von Lhasa.
© 2000 by Verlag Kiepenheuer & Witsch, Köln

Henning Mankell, Die fünfte Frau
Die Originalausgabe erschien 1997 unter dem Titel
»Den fernte kvinnan« im Ordfront Verlag, Stockholm
© Henning Mankell 1996
Aus dem Schwedischen von Wolfgang Butt.
© Paul Zsolnay Verlag, Wien 1998

Illustrationen und Fotos
Hannas Töchter: S. 6/7 »Das Mädchen« von Hugo Erfurth,
Royal Photographic Society
Mein Weg führt nach Tibet: S. 206/207 © Paul Kronenberg
Die fünfte Frau: S. 322/323 »Le Poéme de l'âme: Le cauchemar«
von Louis Janmot, Musée de Beauy-Arts de Lyon.

Die Kurzfassungen in diesem Buch erscheinen
mit Genehmigung der Autoren und Verleger
© Weltbild Verlag GmbH, Augsburg 2001,
Sabriye Tenberken, Mein Weg führt nach Tibet.
© by Verlag Kiepenheuer & Witsch, Köln
Einband und Innentitel: HildenDesign, München
Gesamtherstellung: Clausen & Bosse, Leck
Printed in Germany

Best Selection

MARIANNE
FREDRIKSSON

HANNAS
TÖCHTER

MARIANNE
FREDRIKSSON

HANNAS TÖCHTER

Hanna, Johanna und Anna – Drei Frauen, drei Generationen, eine Familie. Anna, Tochter und Enkelin, begibt sich auf Spurensuche durch die Seiten des Familienalbums. Wird sie den Schlüssel zu ihrem Leben und zu dem ihrer Vorfahren finden?

MARIANNE FREDRIKSSON

Marianne Fredriksson wurde 1927 in Göteborg geboren. Ihr Vater war Schiffbauer. Ihre Eltern hätten sie von klein auf ermutigt, ihre Träume zu verwirklichen und einen Beruf zu finden, der sie unabhängig mache, sagt sie in einem Interview. So schlägt sie nach der Schule die Journalistenlaufbahn ein, gibt diesen Beruf auch nach der Geburt ihrer beiden Töchter nicht auf und leitet lange Jahre ein siebenköpfiges Ressort der größten schwedischen Tageszeitung »Svenska Dagbladet«.

Ihren ersten Roman beginnt Marianne Fredriksson erst mit 53, nachdem ihre Kinder das Haus verlassen und sie selbst eine schwere persönliche Krise überwunden hatte. Die Alzheimer-Erkrankung ihrer Mutter und das Erwachsenwerden der eigenen Töchter liefern die Initialzündung zu Marianne Fredrikssons bisher erfolgreichstem Roman, HANNAS TÖCHTER. »Ihr Verfall hat mich sehr mitgenommen. In dieser Zeit habe ich festgestellt, dass ich über ihr Leben eigentlich nichts wusste.«

Seit ihrem ersten Roman 1980 hat Marianne Fredriksson 11 weitere Bücher veröffentlicht. Sie ist auch in Deutschland eine der meistgelesenen Schriftstellerinnen.

Heute lebt die Autorin gemeinsam mit ihrem Mann in der Nähe von Göteborg auf einem kleinen Anwesen, wo sie dem Schreiben und er seinem Hobby, dem Kunsttischlern, nachgehen.

Anna

Prolog

Ihr Empfinden glich einem Wintertag, einem Tag so still und schattenlos, als wäre soeben Neuschnee gefallen. Schrille Geräusche drangen zu ihr durch, das Scheppern fallen gelassener Nierenschalen, Schreie.

Das erschreckte sie. Genau wie das Weinen aus dem Nachbarbett, das in dieses Weiß einbrach.

Es gab dort, wo sie war, viele, die weinten.

Vor vier Jahren hatte sie das Gedächtnis verloren. Nur wenige Monate später verschwanden die Wörter. Sie sah und hörte, aber weder Dinge noch Menschen konnten benannt werden und verloren damit ihren Sinn.

Nun also kam sie in das weiße Land, wo es die Zeit nicht gab. Sie wusste nicht, wo ihr Bett stand oder wie alt sie war. Aber sie fand eine neue Art, sich zu verhalten, und bat mit demütigem Lächeln um Nachsicht. Wie ein Kind. Und wie ein Kind war sie weit offen für Gefühle und für alles, was an wortloser Verständigung zwischen Menschen möglich ist.

Ihr war bewusst, dass sie sterben würde. Das war ein sicheres Wissen, nicht nur ein Gedanke.

Es waren die Angehörigen, die sie zurückhielten.

Ihr Mann kam jeden Tag. Mit ihm gab es Begegnungen der Wortlosigkeit. Er war über neunzig, war also auch nahe dieser Grenze. Aber er wollte weder sterben noch wissen. Da er sein und ihr Leben immer unter Kontrolle gehabt hatte, führte er einen harten Kampf gegen das Unausweichliche. Er massierte ihr den Rücken, beugte und streckte ihre Knie und las ihr aus der Tageszeitung vor. Sie konnte dem nichts entgegensetzen. Ihr gemeinsames Leben war lang und kompliziert gewesen.

Am schwierigsten war es, wenn die Tochter kam, sie, die weit weg in einer anderen Stadt wohnte. Die Greisin, die nichts von Zeit und Entfernung wusste, war vor dem Besuch immer unruhig. Es war, als habe sie schon beim Erwachen im Morgengrauen das Auto erahnt, das sich durchs Land bewegte, und mit ihm die Frau am Steuer, die eine törichte Hoffnung nährte.

Anna wusste, dass sie anspruchsvoll war wie ein Kind. Aber trotzdem, kaum ließ sie ihre Gedanken gewähren, gingen sie auch schon mit ihr durch. Nur noch einmal eine Begegnung und vielleicht eine Antwort auf eine der Fragen, die zu stellen ihre Zeit nie ausgereicht hatte. Doch wenn sie dann nach gut fünf Stunden auf dem Parkplatz des Krankenhauses ankam, hatte sie sich damit abgefunden, dass die Mutter sie auch diesmal nicht erkennen würde.

Trotzdem wollte sie die Fragen stellen.

Ich tue es um meinetwillen, dachte sie. Was Mama betrifft, ist es ja egal, worüber ich rede.

Aber sie irrte sich. Johanna verstand zwar die Worte nicht, spürte jedoch den Schmerz der Tochter und ihre eigene Machtlosigkeit. Sie erinnerte sich nicht mehr daran, dass es ihre Aufgabe war, dieses Kind zu trösten, das schon immer unsinnige Fragen gestellt hatte. Doch die Forderung bestand weiter und auch die Schuld an aller Unzulänglichkeit.

Sie wollte in die Stille flüchten, schloss die Augen. Es ging nicht, das Herz schlug und hinter den Augenlidern war das Dunkel rot und schmerzhaft.

Sie begann zu weinen. Anna versuchte zu trösten, schon gut, schon gut, trocknete die Wangen der Greisin und schämte sich.

Johannas Verzweiflung war nicht aufzuhalten, Anna bekam Angst; klingelte um Hilfe. Es dauerte wie üblich, aber dann stand die blonde Frau in der Tür. Sie hatte junge Augen, ohne Tiefe. Auf der blauen Oberfläche stand Verachtung, und für einen Augenblick konnte Anna sehen, was jene sah: eine Frau mittleren Alters, verängstigt und hilflos, neben der Uralten, lieber Gott!

»Schon gut, schon gut«, sagte auch sie, aber die Stimme war hart, ebenso hart wie die Hände, die der Greisin übers Haar strichen. Trotzdem gelang es. Johanna schlief so plötzlich ein, dass es unwirklich schien.

Anna flüchtete lautlos wie ein gescheuchter Hund durch den Tagesraum hinaus auf die Terrasse, griff nach ihren Zigaretten und machte einen tiefen Lungenzug. Das beruhigte, sie konnte denken.

Dann kamen die Selbstvorwürfe, diese junge Frau tat ihre, Annas, Arbeit, tat alles, was laut Naturgesetz sie hätte tun müssen. Aber nicht konnte, sich nicht überwinden konnte, selbst wenn Zeit und Platz vorhanden gewesen wären.

Zuallerletzt kam die staunenswerte Erkenntnis: Der Mutter waren die von ihr gestellten Fragen irgendwie nahe gegangen.

Sie drückte die Zigarette in der rostigen Blechdose aus, die jemand auf den entferntesten Tisch gestellt hatte. Mama, dachte sie, du wunderbare kleine Mama, warum kannst du nicht barmherzig sein und sterben?

Mit entschlossenen Schritten ging sie zur Tür der Stationsschwester, klopfte an und konnte gerade noch denken: Bringen wir's hinter uns, Märta.

Märta war die Einzige, die sie hier kannte. Sie begrüßten sich wie alte Freundinnen, die Tochter setzte sich in den Besucherstuhl und wollte gerade zu fragen beginnen, als die Gefühle sie übermannten.

»Ich will nicht heulen«, sagte sie und dann heulte sie doch.

»Es ist nicht leicht.« Die Schwester schob ihr den Karton mit Papiertüchern hin.

»Ich will wissen, wie viel sie mitkriegt«, sagte Anna und sprach von der Hoffnung, erkannt zu werden, sprach von den Fragen, die sie der Mutter gestellt hatte, die nichts begriff und doch verstand.

Märta hörte ohne Erstaunen zu: »Ich glaube, die Alten verstehen in einer Art, die wir nur schwer erfassen. Wie Neugeborene. Sie haben ja selbst zwei Kinder bekommen und wissen, dass schon Säuglinge alles mitkriegen, Aufregung und Freude, bestimmt erinnern Sie sich?«

Nein, sie erinnerte sich nicht, erinnerte sich nur ihres eigenen überwältigenden Gefühls von Zärtlichkeit und Versagen. Aber sie wusste, wovon die Krankenschwester sprach, denn sie hatte ihre Enkelkinder, von denen sie viel gelernt hatte.

Dann sprach Märta in tröstenden Worten vom Allgemeinzustand der alten Frau, man hatte die wund gelegenen Stellen in den Griff bekommen, körperliche Qualen litt sie also nicht.

»Aber sie ist nachts ein bisschen unruhig«, sagte Märta. »Es sieht aus, als hätte sie Albträume, sie wacht schreiend auf. Wir haben vor, ihr ein eigenes Zimmer zu geben. In ihrem jetzigen Zustand stört sie die andern im Saal.«

»Ein eigenes Zimmer, ist das möglich?«

»Wir warten Emil in Nummer sieben ab«, sagte die Krankenschwester und senkte den Blick.

Anna verbrachte eine Nacht mit wirren und klärenden Gedanken. Sie begannen mit den Gefühlen, die in ihr erwacht waren, als Schwester Märta sie nach ihren eigenen Kindern gefragt hatte: Zärtlichkeit und Unzulänglichkeit. So war es bei ihr immer gewesen, wenn ihre Gefühle stark waren, verlor sie selbst an Kraft.

Erst gegen drei Uhr war sie eingeschlafen. Sie hatte geträumt. Von Mama. Und der Mühle und dem Wildbach, der sich hinab in den lichten See stürzte. Im Traum war das große Gewässer still und blank gewesen.

Der Traum hatte sie getröstet.

Herrgott, wie konnte Mama erzählen! Von den Elfen, die im Mondlicht über den See tanzten, und von der Hexe, die mit dem Schmied verheiratet war und Mensch und Tier um den Verstand zaubern konnte. Je älter Anna wurde, umso mehr wuchsen die Märchen zu langen Erzählungen über Leben und Tod der Menschen in diesem magischen Grenzland an. Als sie elf und auch immer kritischer wurde, hatte sie gemeint, alles sei erlogen und es gäbe das seltsame Land nur in der Phantasie ihrer Mutter.

Später, als sie schon erwachsen war und einen Führerschein besaß, hatte sie die Mutter ins Auto gesetzt und sie heim an den Wildbach am langen See gebracht. Es waren dorthin nur 240 Kilometer. Sie konnte sich noch erinnern, wie zornig sie auf Papa gewesen war, als sie die Entfernung auf der Landkarte ermittelt hatte. Er besaß schon viele Jahre ein Auto und hätte wirklich die Strecke in wenigen Stunden mit Johanna und seiner Tochter fahren können, die so viel von diesem Land ihrer Kindheit erzählt bekommen hatte. Wenn er nur den Willen gehabt hätte. Und die Einsicht.

Aber als sie und die Mutter das Ziel an diesem sonnigen Sommertag vor dreißig Jahren erreichten, war der Zorn verraucht. In feierlicher Stimmung und voller Staunen stand sie dort und sah: Tatsächlich, hier lag es, das Land der Märchen, das Land mit dem lang gestreckten See tief unten, mit dem Wildbach und seinem Gefälle von gut zwanzig Metern und den stillen Norwegerseen oben in den Bergen.

Die Mühle war niedergerissen, ein Kraftwerk erbaut und wieder eingestellt worden, als der Atomstrom kam. Aber das schöne rote Holzhaus stand noch, seit langem der Sommersitz eines Unbekannten.

Der Augenblick war zu groß für Worte, also hatten sie nicht viel gesprochen. Mama hatte geweint und sich dafür entschuldigt: »Ich bin so dumm.« Erst als sie den Esskorb aus dem Wagen geholt und sich mit Kaffee und belegten Broten auf einem flachen Felsen am See niedergelassen hatten, waren die Worte gekommen und genau so wie damals, als Anna klein gewesen war. Ihre Mutter hatte die Geschichte vom Krieg gewählt, der nie zustande gekommen war:

»Ich war ja erst drei, als die Unionskrise begann und wir in die Höhle übergesiedelt sind. Dort drüben, hinter der Landzunge. Vielleicht glaub ich mich daran zu erinnern, weil ich die Geschichte, während ich heranwuchs, viele Male hab erzählen hören. Aber ich hab die Bilder so deutlich vor mir. Ragnar ist heimgekommen, stand so prächtig dort in seiner blauen Uniform mit den glänzenden Knöpfen und verkündete, dass es Krieg geben werde. Zwischen uns und den Norwegern!«

Das Staunen war ihrer Stimme immer noch anzuhören, das Erstaunen des Kindes vor dem Unbegreiflichen. Die Dreijährige hatte wie alle Grenzbewohner Verwandte jenseits der Norwegerseen, wo Mutters Schwester mit einem Fischhändler in Fredrikshald verheiratet war. Die Cousinen hatten viele Sommer im Müllerhaus verbracht und selbst war sie einen knappen Monat zuvor mit der Mutter zu Besuch in die Stadt mit der großen Festung gefahren. Sie konnte sich erinnern, wie der Fischhändler roch und was er gesagt hatte, als er die Festungsmauern betrachtete.

»Dort haben wir ihn erschossen, den Sauschwed.«

»Wen?«

»Den Schwedenkönig.«

Das kleine Mädchen hatte Angst bekommen, aber die Tante war von sanfterer Art als die Mutter und hatte sie hochgehoben und getröstet: »Ist schon ganz lang her. Und die Leute früher hatten so wenig Verstand.«

Aber vielleicht gab es etwas in der Stimme des Onkels, das sich im Kopf festgesetzt hatte, denn eine Zeit nach dem Norwegenbesuch befragte das Kind seinen Vater. Er lachte und sagte im Wesentlichen wie die Tante, dass das alles lange her war und die Leute sich damals noch von Königen und verrückten Offizieren herumkommandieren ließen.

»Aber es hat ja kein Norweger geschossen. Es war ein Schwede, ein unbekannter Held der Geschichte.«

Sie hatte das nicht verstanden, erinnerte sich aber der Worte. Und weit später, als sie in Göteborg zur Schule ging, hatte sie gedacht, er hat Recht gehabt. Es war ein gesegneter Schuss gewesen, der Karl XII. ein Ende bereitet hatte.

Sie waren damals lange auf dem Felsen sitzen geblieben, Mama und Anna. Dann waren sie langsam auf dem Weg um die Bucht durch den Wald zur Schule gewandert, die noch stand, aber viel kleiner war, als Johanna sie in Erinnerung hatte. Mitten im Wald gab es einen Felsblock, den Riesenwurf, dachte Anna. Mama war eine ganze Weile vor dem Stein stehen geblieben, erstaunt: »Wie klein der ist.« Anna, die ihre Kindheitsberge selbst auch mit Magie aufgeladen hatte, musste nicht darüber lachen.

Während des ganzen langen Samstags gelang es Anna, eine gute Tochter zu sein. Sie bereitete die Lieblingsspeisen ihres Vaters zu, lauschte ohne sichtbare Ungeduld seinen endlosen Geschichten und fuhr ihn zum Steg, wo das Boot lag, saß fröstelnd dort, während er Fender und Verdecke überprüfte, den Motor zur Kontrolle laufen ließ und Eiderenten mit Brotbrocken fütterte.

»Wie wär's mit einer Runde?«

»Nein, es ist zu kalt. Und ich muss ja noch zu Mama fahren.«

Er schaute spöttisch. Anna hatte nie ein Segel setzen oder einen Außenbordmotor anlassen gelernt. Wohl weil er ... aber es war besser, vorsichtig zu sein.

»Du«, sagte er. »Du hast dein Leben lang nichts anderes getan als die Nase in Bücher gesteckt.«

Er hatte mit voller Absicht verletzen wollen, und es war ihm gelungen.

»Ich habe mich gut damit durchgebracht«, sagte sie.

»Geld«, sagte er, und jetzt troff ihm der Hohn geradezu aus den Mundwinkeln. »Geld ist hier in dieser Welt nicht alles.«

»Das ist wahr. Aber es bedeutet doch eine ganze Menge für dich, der du dich über die Pension beschwerst und jedes Öre zweimal umdrehst.«

Jetzt hat die gute Tochter die Maske fallen lassen, dachte sie, verdammte ihre Verletzlichkeit und sackte vor dem unausweichlichen Streit in sich zusammen. Aber der Vater war unberechenbar wie immer. Das ist es, was ihn so schwierig macht, dachte sie.

»Du wirst nie verstehen können, wie es ist, hungrig und arm zu sein«, sagte er. »Ich habe schon früh lernen müssen, jedes einzelne Öre zu schätzen.«

Es gelang ihr, zu lächeln, zu sagen, ich hab ja nur Spaß gemacht, Väterchen. Und die Wolke zog vorüber und sie half ihm an Land und ins Auto.

Im Krankenhaus ging es heute auch besser. Anna tat, was sie musste. Sie sprach mit der alten Frau wie mit einem Baby, hielt ihre Hand, fütterte sie zu Mittag: ein Löffel für Papa, ein Löffel für Mama. Mitten in dieser Leier hielt sie inne, schämte sich. Es war menschenunwürdig.

Die alte Frau schlief nach dem Essen ein, Anna blieb sitzen und betrachtete das ruhige Gesicht. Wenn sie schlief, sah sie fast aus wie früher, und Anna, hin- und hergerissen zwischen ihrer Zärtlichkeit und ihrem Unvermögen, ging für eine Weile auf die Terrasse, um zu rauchen.

Mit der Zigarette in der Hand versuchte sie über die schwierigen Seiten ihrer Mutter nachzudenken, ihre Selbstaufopferung und ihre Schuldgefühle. Eine Hausfrau mit nur einem Kind und jeder Menge Zeit, es zu verzärteln.

Nichts tut so weh wie Liebe, dachte sie. Mein Fehler ist, dass ich zu viel davon abbekommen habe, darum kriege ich mich nicht in den Griff, weder was Mama noch was Rickard betrifft. Und überhaupt nie, wenn es um die eigenen Kinder geht.

Der Gedanke an ihre beiden Töchter tat ebenfalls weh. Ohne Grund, denn sie hatte keinen Grund, sich ihretwegen Sorgen zu machen. Auch sie hatten eine unzulängliche Mutter gehabt. Und nichts konnte ungeschehen gemacht werden.

Als sie wieder ins Krankenzimmer kam, wachte die Mutter auf, schaute sie an und versuchte zu lächeln. Es war nur ein Augenblick, vielleicht war es gar nicht geschehen. Dennoch war Anna so glücklich, als wäre sie einem Engel begegnet.

»Hallo, kleine Mama«, sagte sie. »Möchtest du wissen, was ich heute Nacht geträumt habe? Ich habe vom Norskwasser geträumt, von allem, was du erzählt hast.«

Vielleicht war es ein Wunschdenken, aber Anna meinte zu sehen, dass Leben in das Gesicht der alten Frau kam, es wechselte zwischen Erstaunen und Freude.

Sie lächelte.

Ich war immerzu der Meinung, es ist nicht möglich, aber ich sehe ja, dass es möglich ist, halte es fest, Mama, halte es fest.

Sie sprach weiter vom Wasserfall und dem Wald, und jetzt gab es keinen Zweifel mehr, das Gesicht veränderte sich wieder, diesmal zur Heiterkeit hin.

Die alte Frau versuchte Anna anzulächeln, es war eine große Anstrengung und es gelang ihr nicht, es wurde eine Grimasse. Aber dann geschah das Wunder wieder, die braunen Augen sahen direkt in die Annas, es war ein fester und bedeutungsvoller Blick.

Im nächsten Moment schlief sie. Anna blieb lange sitzen. Nach einer halben Stunde ging die Tür auf und die Blauäugige sagte: »Die Patienten müssen jetzt frisch gemacht werden.«

Anna wählte den Umweg am Strand entlang, blieb eine Weile im Wagen sitzen und blickte über die Bucht, in der sie schwimmen gelernt hatte. Wo Moschuskraut und rotes Leimkraut, Storchschnäbel und Hornklee sich zwischen den Felsen unter das harte Seegras gemischt hatten, gab es eine Bootswerft, die anspruchslosen Eigenheime waren durch Rauputz aufgefrischt und so diskret durch Anbauten erweitert worden, dass man sie kaum wiedererkannte.

Nur das Meer dort draußen war sich gleich geblieben und auch die Inseln, deren flache Profile sich am grauen Horizont abzeichneten.

Verlorenes Land, verlorene Kindheit.

Hier gingen wir einst über die Strandwiese, Hand in Hand. Mit Badetüchern und Esskorb versehen. Ich werde langsam erwachsen, dachte Anna und fühlte die Trauer. Und die Wut. Warum muss es sich so hässlich entwickeln, so barbarisch.

Meine Mutter war schön wie einst auch die Landschaft. Jetzt verfällt sie. Und ich versuche zu lernen, all das zu akzeptieren. Es ist an der Zeit, denn auch ich bin alt, bald alt.

Ich muss nach Hause.

Aber sie hätte sich nicht zu beeilen brauchen, denn der Vater schlief.

Leise wie ein Dieb schlich sie sich durch das Haus und fand schließlich, wonach sie suchte. Das Fotoalbum. Aber die Bilder weckten keine Erinnerungen, es waren reine Äußerlichkeiten. Ja, so haben wir ausgesehen.

Vorsichtig zog sie die Schublade heraus, um das alte Album wieder zu verstauen. Es verklemmte sich und es dauerte eine Weile, bis sie sah, weshalb. Unter dem geblümten Papier, mit dem Mama vor Jahren die Laden ausgelegt hatte, lag noch eine Fotografie. Gerahmt und hinter Glas. Großmutter!

Sie zog das Bild heraus, sah verwundert zur Wand, wo es immer neben Vaters Eltern, den Kindern und Enkeln seinen Platz gehabt hatte.

Merkwürdig, warum hatte er das Bild seiner Schwiegermutter entfernt? Hatte er sie nicht gemocht? Aber das hatte er doch!

Was weiß ich eigentlich? Was kann man von seinen Eltern wissen? Von seinen Kindern?

Bedächtig stahl sie sich die Treppe hinauf in ihr altes Kinderzimmer, legte sich aufs Bett, fühlte, wie müde sie war.

Sie erwachte, als der alte Mann in der Küche mit dem Kaffeekessel schepperte, fuhr hoch und wurde vom schlechten Gewissen die Treppe hinuntergejagt.

»Na also, da bist du ja«, sagte er lächelnd. »Mir war doch, als wärst du hier, um mich zu besuchen.«

»Du hattest es vergessen?«

»Ich vergesse heutzutage so leicht.«

Sie nahm ihm den Kaffeekessel aus der Hand, sagte: »Setz dich einstweilen auf die Küchenbank, ich mach das schon mit dem Kaffee.«

Sie nahm Zimtschnecken aus dem Gefrierfach, taute sie im Ofen auf und sah dann zu, wie das heiße Wasser durch den Papierfilter tropfte, roch den duftenden Kaffee und hörte dem alten Mann kaum zu, der schon mitten in einer Schilderung von seiner Begegnung mit den Walen war, als er einmal vom dänischen Skagen losgesegelt war. Es war eine alte, uralte Geschichte, Anna hatte sie schon viele Male gehört. Mit Vergnügen.

Jetzt hatte er die Fähigkeit verloren, Spannung zu vermitteln und bei der Sache zu bleiben. Seine Erzählung schleppte sich hin, machte Umwege, er verlor den Faden: Wo war ich noch?

»An der schwedischen Küste vor Varberg.«

Sie nahm die Zimtschnecken aus dem Ofen und ihre Verzweiflung war fast unerträglich. Das verfallende Gehirn, seine ungeordneten Erinnerungen waren entsetzlich.

Ich will nicht alt werden, dachte sie. Und während sie den Kaffee in die Tassen goss: Wie kann ich jemals wahrhaftig werden? Aber laut sagte sie: »Dein Wachstuch ist aber schon ziemlich verschlissen. Wir werden morgen ein neues kaufen.«

Nach dem Frühstück ging der alte Mann zum Fernseher, diesem gesegneten, abscheulichen Gerät. Dort, im alten durchgesessenen Lehnstuhl, schlief er wie üblich ein. Sie konnte das Mittagessen vorbereiten und hatte sogar noch Zeit für einen kurzen Spaziergang durch das Eichenwäldchen zwischen den Felsen und dem Haus.

Sie brachten die Mahlzeit hinter sich, Hackfleisch mit Rahmsoße und Preiselbeeren.

»Solches Essen kriege ich nur, wenn du hier bist«, sagte er. »Die anderen, die sonst hier rumrennen, die haben keine Zeit, richtiges Essen zu machen.«

Es klang wie ein Vorwurf. Da sie das nicht zu begreifen schien, wurde er deutlicher: »Du kannst doch ebenso gut hier bei mir schreiben.«

»Ich habe Mann und Kinder.«

»Die können dich ja hier besuchen kommen«, sagte er, und sie dachte, dass er im Grund gar nicht so Unrecht hatte. Ich könnte meinen Bericht sehr wohl oben in meinem alten Zimmer fertig schreiben. Wahrhaftig, dachte sie und lächelte in all ihrem Elend, wie wird man wahrhaftig? Man stelle sich vor, ich spräche aus, wie es sich wirklich verhält, dass ich keinen Augenblick Ruhe in deinem Haus habe, Papa, dass ich mir gerade jetzt nicht vorstellen kann, wie ich es noch zwei weitere Tage aushalten soll, ohne durchzudrehen.

»Ich würde dich nicht stören«, sagte er.

Es lag eine Bitte in den Worten, und sie war den Tränen nahe.

Aber sie begann von den Computern zu sprechen, die sie für ihre Arbeit brauchte, diesen Maschinen, die keinen Ortswechsel zuließen.

Wahrhaftig, dachte sie, während sie hier saß und ihrem Vater glatt ins Gesicht log. Als er vom Tisch aufstand und sich für das Essen bedankte, war Kälte in seiner Stimme. Ich mag ihn nicht leiden, dachte sie. Ich habe Angst vor ihm, ich halte ihn nicht aus, ich verabscheue ihn. Das Schwierige ist, dass ich ihn trotzdem liebe.

Sie spülte das Geschirr. Ein Nachbar kam, Birger, ein Mann, den sie mochte, ein liebenswerter Mann. Er war fröhlich wie immer, strich ihr über die Wange und sagte: »Es ist nicht leicht, ich weiß.«

Birger ging wieder, und es war bald Zeit zum Schlafengehen, gegen neun wurde der alte Mann plötzlich müde. Sie half ihm ins Bett, sanft und so nachsichtig, wie sie nur konnte. Seine Würde war verletzlich.

Sie nahm sich eine Tasse Tee mit hinauf ins Zimmer, das gehörte dazu. Mama hatte immer darauf bestanden, für jeden gab es eine Tasse Tee mit Honig vor dem Einschlafen. Als sie das süße Getränk zu sich nahm, erwachte die Kindheit zum Leben, die Erinnerungen, die sich ihr eingeprägt hatten. Der Duft von Honig im Tee, eine blaublumige Tasse und vor dem Fenster die Schreie der Sturmmöwen, die sich in übermütiger Lebensfreude vom Himmel fallen ließen.

Sie öffnete ihr Fenster und folgte der lärmenden Schar mit den Augen. Sie zogen dem Meer entgegen. Im nächsten Moment hörte sie in den Eichen, die schon die ersten Maiknospen trugen, die Schwarzdrossel singen.

Das war zu viel, solche Wehmut war nicht auszuhalten. Entschlossen nahm sie eine Schlaftablette.

Das goldene Licht weckte sie zeitig. Vielleicht nicht nur das Licht, denn bis hinein in die Träume der Nacht hatte sie das Vogelgezwitscher aus dem Garten gehört, schön und stark wie der Frühling selbst.

Die Schwalben sind gekommen und bauen Nester unter dem Dach, sinnierte sie und konnte für einen Augenblick spüren, dass alles war, wie es sein sollte.

Sie meditierte, der Gesang der Vögel half ihr auf dem Weg in die eigene Stille.

Dann holte sie sich Großmutters Fotografie und sah sie sich lange an.

Hanna Broman. Wer warst du? Ich habe dich seltsamerweise fast nur vom Hörensagen gekannt. Du warst eine Legende, großartig und fragwürdig. Ganz einmalig stark, sagte Mama.

Ich muss aber doch auch eigene Bilder haben, du hast ja gelebt, bis ich erwachsen war, heiratete und Kinder bekam. Die Fotografie hat mit meinen Erinnerungen an dich nichts gemein. Das ist verständlich, denn das Bild wurde aufgenommen, als du jung warst, eine Frau im schönsten Alter. Ich habe dich nur als alte Frau erlebt, wie eine Fremde, unglaublich groß und dick, eingehüllt in überweite, faltenreiche schwarze Kleider.

So also sahst du in jenen Tagen aus, als du im Vollbesitz deiner Kräfte warst, damals, als du mit einem Fünfzigkilosack Mehl zehn Kilometer weit, von der Mühle am Wasserfall bis zum Dorf an der Grenze, gingst. Dort hast du Mehl gegen Kaffee, Petroleum, Salz und andere Notwendigkeiten getauscht.

Kann das wahr sein? Du trugst den schweren Sack auf dem Rücken, hat Mama gesagt. Aber nur im Frühling und Herbst. Im Sommer bist du gerudert, im Winter zogst du den Schlitten übers Eis.

Wir wurden in verschiedenen Welten geboren, du und ich. Aber ich kann jetzt sehen, dass wir uns gleichen, die gleiche Stirn und der gleiche Haaransatz mit hohen Ecken. Gleich sind der breite Mund und die kurze Nase. Aber du hast nicht mein Kinn, nein, deines ist kräftig und eigenwillig. Dein Blick ist stetig, deine Augen halten Abstand. Ich erinnere mich, dass sie braun waren.

Lange sehen wir einander an. Zum ersten Mal sehen wir einander an!

Wer bist du? Warum haben wir einander nie kennen gelernt? Warum hattest du an mir so gar kein Interesse?

Ich muss zu dem zurückgehen, was ich selbst noch weiß.

Großmutter kam, als ich klein und sie noch kräftig genug war, den weiten Weg von der Bushaltestelle bis zum Haus am Meer, wo wir wohnten, zu Fuß zu gehen, manchmal vormittags zu Besuch. Sie brachte Wohlbehagen mit. Auch ihr Reden machte Freude, eine ulkige Sprache, halb Norwegisch, voll Leichtigkeit, manchmal unverständlich.

Wovon wurde gesprochen?

Von den Nachbarn im Amtmannhaus. Von Kindern, denen es schlecht ging, von versoffenen Männern und kranken Frauen. Tratsch. Nicht boshaft, aber auch nicht wohlwollend. Über sich selbst zu reden, wäre unmöglich gewesen. Schändlich.

»Weinst du nie Oma?«

»Nie. Es hilft nix«, sagte sie und wurde flammend rot.

Einmal kam Großmutter am Sonntag zum Mittagessen, von Vater im Auto geholt. Sie hatte lange schwarze Ketten aus Strass und weiße Rüschen um den Hals, schwieg bei Tisch, bis sie etwas gefragt wurde, und war gegenüber dem Schwiegersohn unterwürfig.

Plötzlich erinnerte sich Anna. Eine völlig klare Erinnerung, dachte sie verwundert. Am Mittagstisch herrschte Ratlosigkeit, die Aussage der Schullehrerin, dass Anna begabt sei, wurde gedreht und gewendet.

Begabt? Das war ein ungewöhnliches Wort. Das Fräulein hatte von höherer Schule gesprochen. Großmutter errötete und kicherte, fand das Gespräch geradezu verwerflich. Sie blickte das Mädchen lange an und sagte: »Zu was soll das gut sein? Bist doch bloß ein Mädchen. Hochmütig wird's und helfen tut's eh nix.«

Vielleicht waren es diese Worte, die über Annas Zukunft entschieden. ›Bloß ein Mädchen‹ erweckte Vaters Zorn, er, der nie eingestand, wie traurig es ihn machte, dass sein einziges Kind ein Mädchen war.

»Das wird Anna selbst bestimmen«, sagte er. »Will sie studieren, dann wird sie es dürfen.«

Wie habe ich diesen Sonntag vergessen können, dieses Gespräch, dachte Anna. Sie ging zum Bett zurück und sah die Fotografie nochmals an. Du hast dich geirrt, alte Hexe, sagte sie. Ich habe studiert, ich habe die

Abschlussprüfung gemacht, ich hatte Erfolg und bewegte mich in Welten, von denen du nicht einmal hast träumen können.

Hochmütig bin ich auch geworden, wie du gesagt hast und was alle sagen. Und was dich angeht, du wurdest zum Fossil, ein primitiver Überrest aus einer entschwundenen Zeit. Ich habe dich aus meinem Leben ausgeschlossen, du warst nur eine peinliche Erinnerung an eine Herkunft, deren ich mich schämte.

Deshalb habe ich dich nie kennen gelernt und habe keine Erinnerungen an dich. Aber es ist auch der Grund dafür, dass deine Fotografie mich so stark anspricht. Denn sie sagt ganz deutlich, dass auch du ein begabtes Mädchen warst.

Du hattest andere Vorurteile als ich, das ist wahr. Aber du hattest manchmal Recht und insbesondere dann, wenn du sagtest, auch ich werde alldem nicht entgehen. Auch auf mich wartete ein Frauenleben.

Ich trug keine Mehlsäcke von der Mühle zur Stadt, Großmutter. Und tat es doch.

Hanna

geboren 1871, gestorben 1964

H*annas* Mutter bekam ihre Kinder in zwei Lebensabschnitten. Die vier ersten starben während der Hungersnöte Ende der achtzehnhundertsechziger Jahre an der Seuche.

Aber achtzehnhundertsiebzig kam der Frühling mit Regen, wie sich das gehörte, die verbrannte Erde lebte auf und es gab wieder Brot auf dem Tisch. Es war keine Rede von Überfluss, aber im Herbst hatten sie Kohlrüben und Kartoffeln im Keller. Und Kühe, die wenigstens so viel Futter bekamen, dass sie wieder Milch gaben.

Und Maja-Lisa trug ein Kind.

Sie verfluchte ihr Schicksal, aber August, ihr Mann, sagte, dass sie dankbar sein müssten. Die bösen Jahre hatten sie nicht vom Hof vertrieben wie viele andere Kleinbauern in Dal.

Hanna wurde als ältestes Kind des neuen Nachwuchses geboren, dann kam ein weiteres Mädchen und schließlich drei Jungen. Was die Mutter aus dem Geschehen gelernt hatte, war, die neuen Kinder nicht zu sehr in ihr Herz zu schließen. Aber Schmutz und schlechte Luft zu fürchten.

Letzteres hatte sie in der Kirche gelernt.

In der Zeit vor den Jahren der Not hatten sie einen jungen, samtäugigen Pfarrer gehabt, der, so gut er konnte, in der Nachfolge Christi zu leben versuchte. Er teilte sein Brot mit den Alten, und wo immer er hinkam, brachte er Milch für die Kinder mit, obwohl das Essen auch im Pfarrhaus knapp war. Nachts betete er für die armen Leute.

Da die Gebete keine sichtbare Wirkung zeigten, tauschte er sie immer öfter gegen die Schriften aus, die ihm sein Bruder schickte, der Arzt in Karlstad war. So kam es, dass seine Predigten von der Bedeutung der Reinlichkeit zu handeln begannen. Die Schwindsucht hause im Schmutz und die englische Krankheit im Dunkel, verkündete er. Alle Kinder sollten hinaus ans Tageslicht. Sie starben nicht daran, dass sie froren, sondern an Dunkelheit und Dreck, wetterte er. Und Milch mussten sie bekommen.

Die Mütter horchten ängstlich auf, und Maja-Lisa gehörte zu denen, die die Predigt von der Reinlichkeit ernst nahmen.

Aber der samtäugige Pfarrer verschwand und wurde durch einen ersetzt, der sehr auf Branntwein erpicht war. Es war mit dem Pfarrer wie mit den meisten Dingen in dieser Gegend, alles wurde nach den Notjahren schlechter.

Als Hanna zwölf Jahre alt war, kam der neue Pfarrer nach Bråten zur Christenlehre und sagte, sie sollten Gott danken, dass sie an so einem schönen Ort wohnen dürften. Hanna blickte erstaunt über den See und die hohen Berge hin. Sie begriff nicht, wovon er sprach, dieser Pfarrer. Noch weniger verstand sie ihn, als er versicherte, dass Gott für seine Kinder sorge. Gott half nur dem, der harte Fäuste besaß und der gelernt hatte, auch das Geringste zu achten.

Im Alter von zwölf Jahren wurde das Mädchen auf den Hof an der Flussmündung geschickt, um als Magd zu dienen. Da war sie gerade so lange in die Schule gegangen, dass sie zur Not rechnen und schreiben konnte. Das reicht, sagte der Vater.

Auf Lyckan, also ›Glück‹, wie der Hof hieß, herrschte Lovisa, geizig, bekannt für Härte und Hochmut. Der Hof galt hier in der Armeleutegegend als reich, unten in der Ebene wäre es nicht mehr als eine dürftige Bauernwirtschaft gewesen. Lovisa hatte Pech mit ihren Kindern gehabt. Zwei Töchter hatte sie als Säuglinge im Schlaf erdrückt, ein Sohn war immer weniger geworden, schließlich verkrüppelt und an der englischen Krankheit gestorben. Jetzt war nur noch einer übrig, ein schöner Junge, gewöhnt, alle Wünsche erfüllt zu bekommen. Er unterschied sich auch im Aussehen von den anderen, er war dunkelhaarig und schwarzäugig.

Böse Zungen sprachen von einer Schar Zigeuner, die im Sommer vor seiner Geburt durchs Land gezogen war. Aber vernünftige Leute erinnerten sich, dass Lovisas Vater aus Spanien stammte, ein Schiffbrüchiger, dem auf Orust das Leben gerettet worden war.

Die Höfe waren miteinander verwandt, der Hausvater Joel Eriksson auf Lyckan war der Bruder von Hannas Mutter. Der Großvater wohnte noch auf dem Vorderhof, hatte aber seine Außengehöfte unter den Kindern aufgeteilt. Joel, der Sohn, bekam das Besitzrecht für Lyckan. Maja-Lisa und ihr Mann erhielten die Erbpacht auf Bråten, das dürftiger und kleiner war.

Als gäbe es doch noch Gerechtigkeit im Leben, bekam Maja-Lisa einen guten und fleißigen Mann, August Nilsson, geboren und aufgewachsen in Norwegen. Während der Sohn Joel an die schwierige Lovisa aus Bohuslän geriet.

Lovisa war bigott. Wie viele ihrer Wesensart fand sie Freude daran, ihre Mitmenschen in der Zucht und Lehre des Herrn zu halten, und konnte es sich im Alltag leisten, guten Gewissens grausam zu sein.

Nun war Hanna an lange Tage, schwere Arbeit und viele böse Worte gewöhnt. Also klagte sie nicht und bekam nie zu hören, dass die Nachbarn sie bedauerten und sagten, Lovisa behandle sie wie ein Stück Vieh. Das Mädchen durfte sich satt essen und an einem Tag im Monat auch freuen. Das war, wenn sie mit einem Scheffel Mehl zu ihrer Mutter heimgehen konnte.

Als im Oktober die Dunkelheit dichter wurde, bekam sie zum ersten Mal ihre Tage. Es tat weh und sie blutete stark, Hanna ängstigte sich sehr. Aber sie wagte nicht, zu Lovisa zu gehen. Sie nahm ihr verschlissenstes Leinenhemd, riss es in Streifen und kniff die Beine zusammen, um den blutigen Lappen an seinem Platz zu halten. Lovisa sah sie misstrauisch an und schrie: »Du läufst wie eine x-beinige Kuh, heb die Füße.«

Erst am Samstag, als sie heim zur Mutter kam, konnte sie weinen. Ein paar Tränen nur, denn die Mutter sagte wie immer, dass Heulen gar nichts nützt. Dann gab es Abhilfe durch richtige gehäkelte Binden und ein Band, das man über den Hüften befestigen konnte. Zwei kostbare Sicherheitsnadeln wurden aus Mutters Nähkasten geholt. Es war ein regelrechtes Vermögen. Jetzt sagte Maja-Lisa: »Musst wissen, dass es gefährlich ist. Lass nie einen Mann näher zu dir als auf zwei Ellen Abstand.«

Dann kam der Abend, an dem sie auf dem Heuboden einschlief. Sie hatte einen Schlafplatz in der Küche, aber dort gab es keine Ruhe, dort wurde abends gestritten. Oft wegen des Sohnes, den die Mutter verwöhnte, und aus dem der Vater einen richtigen Kerl machen wollte. Und dann hörte sie den schwarzen Rickard brüllen. Es war ein unheimliches und wütendes Aufheulen, wie ein Schrei aus der Unterwelt.

Die haben ihn aufgeweckt, Gott erbarm.

Sie schlich hinaus in den Stall. Vor dem Jungen hatte sie eine Sterbensangst, er hatte angefangen sie zu zwicken, sobald seine Mutter die Augen anderswo hatte.

Nun schlief sie also auf dem Heuboden wie ein müdes Tier und wachte erst auf, als er ihr den Rock herunterriss. Sie versuchte zu schreien, aber er drückte ihr den Hals zu und sie wusste, dass sie jetzt sterben würde. Mit dieser Erkenntnis schwieg sie still. Er war schwer wie ein Stier, als er sich auf sie wälzte, und als er in sie eindrang und sie zerriss, konnte sie mitten in diesem ungemeinen Schmerz Gott noch bitten, er möge sie bei sich aufnehmen.

Dann starb sie und war erstaunt, als sie nach vielleicht einer Stunde zu sich kam, blutig und zerfetzt. Sie konnte sich bewegen, zuerst die Hände, dann die Arme und schließlich die Beine. Endlich konnte sie einen Beschluss fassen oder zumindest einen Gedanken formen: heim zur Mutter.

Sie ging langsam durch den Wald, ließ eine blutige Spur hinter sich. Den letzten Kilometer kroch sie auf allen vieren, aber als sie vor der Hüttentür schrie, war ihre Stimme kräftig genug, die Mutter zu wecken.

Zum ersten und einzigen Mal im Leben sah Hanna ihre Mutter weinen. Das Mädchen wurde auf den Küchentisch gelegt, die Mutter wusch und wusch, konnte aber den Blutfluss nicht stillen.

»Gott im Himmel«, sagte Maja-Lisa, immer und immer wieder sagte sie es, bis sie sich endlich zusammennahm und den ältesten Jungen Anna holen schickte, die die Hebamme in der Gegend war und Maja-Lisa oft genug im Kindbett geholfen hatte. Sie war auch geschickt im Blutstillen.

»Schnell, schnell!« schrie sie dem Jungen nach.

Dann wollte sie dem Mädchen die zerrissenen Kleider ausziehen, besann sich aber. Ihr war selbst in ihrem wilden Zorn doch auch eingefallen, dass Anna nicht nur Hebamme war, sie war auch diejenige, die mit den schlimmsten Geheimnissen des Dorfes von Hütte zu Hütte rannte.

Hanna schlief oder war bewusstlos, Maja-Lisa konnte das nicht genau feststellen. Die Küche sah aus wie ein Schlachthaus, und immer lauter rief sie Gott um Barmherzigkeit an, während die Kinder rundum sich Augen und Ohren zuhielten.

Dann endlich kam Anna, tatkräftig und besonnen. Sie hatte fein geriebene Tormentillwurzel dabei, vermischte sie mit Rindertalg und Schweinefett und rieb den Unterleib des Mädchens mit der Salbe ein.

Hanna wachte während der Behandlung auf und fing leise an zu wimmern. Die Hebamme beugte sich über das Kind und fragte: »Wer?«

»Der schwarze Rickard«, flüsterte das Mädchen.

»Hab ich's mir gedacht«, sagte Anna grimmig. Dann gab sie dem Kind zu trinken, einen Sud aus Mistel und weißer Taubnessel. Jetzt müsste das Bluten aufhören und einen Schlaf schenken, tief wie der Tod, sagte sie. Aber Gott weiß, ob sie je wird Kinder kriegen können. Und heiraten wird sie keiner.

Maja-Lisa machte dabei kein trauriges Gesicht und ahnte doch nicht, dass sich beide Weissagungen Annas als falsch herausstellen würden. Jetzt schickte sie die Kinder ins Bett in die Kammer, kochte Kaffee, räumte die Küche auf und entdeckte, dass das Gewehr nicht mehr an der Wand hing und August verschwunden war.

Da fing sie wieder an zu schreien, die Kinder kamen aus der Kammer gerannt, aber Anna, die Maja-Lisas Blick gefolgt war, schnaubte: »Männer! Beruhig dich, Weib, da können wir nix machen.«

»Er endet noch auf der Festung!« schrie Maja-Lisa.

»Glaub kaum, dass es ihm gelingen wird.«

Das bewahrheitete sich. Als August nach Lyckan kam, war der Sohn verschwunden. Die beiden Bauern beruhigten sich mit Branntwein und beschlossen, der Junge müsse zur Heirat gezwungen werden, sobald Hanna heiratsfähig sei, und dass sie bis dahin als Tochter im Haus zu respektieren sei.

Aber aus der Übereinkunft wurde nicht viel. Hanna sagte, lieber ginge sie in den Fluss, bevor sie diesen Rickard heiraten würde, Maja-Lisa verbiss sich ihre Machtlosigkeit und Lovisa konnte ihrem Sohn auf geheimen Pfaden die Botschaft zukommen lassen, er möge sich um Christi willen vom Hof fernhalten. Die alte Anna sprach vom Bezirksrichter und sagte, dass man von einem gehört hatte, der zum Tod verurteilt worden war, nachdem er einer Dienstmagd Gewalt angetan hatte.

Aber weder August noch Maja-Lisa wollten der Verwandtschaft auf Lyckan solche Schmach antun.

Das Gerede in den Hütten ließ nicht nach, die Leute begannen Lovisa und Lyckan zu meiden. Bis eines Tages offenkundig wurde, dass Hanna schwanger war und man immer mehr zu dem Schluss kam, dass sie wohl doch nicht gar so unwillig gewesen sein musste, das Mädchen. Und das Getuschel, sie sei grausig zugerichtet, das sei glatt erlogen. Die alte Anna hatte wohl wie üblich den Schnabel mal wieder gehörig gewetzt.

Kaum dreizehn Jahre alt, am fünften Juli, gebar Hanna ihr Hurenkind, einen prächtigen Jungen mit schwarzen Augen. Er tat sich schwer mit dem Loslassen und es wurde eine lang dauernde und schwere Entbindung. Als er endlich auf der Welt war, befiel sie eine seltsame Zärtlichkeit für den Buben.

Obwohl er seinem Vater glich.

Das Gefühl war so erstaunlich, dass sie nicht anders konnte, als sich den Beschlüssen zu beugen, die gefasst werden mussten. Sie wusste ja, dass der Hof der Eltern nicht zwei weitere Münder sättigen konnte. Sie musste zurück nach Lyckan. Der Bauer dort versprach ihr hoch und heilig, sie werde wie eine Tochter gehalten werden, und soweit er vermochte, stand er zu seinem Versprechen. Er gewann den Buben lieb, der schnell wuchs und in die Welt hineinlachte. Es war seltsamerweise ein glückliches und kräftiges Kind.

Hanna arbeitete ebenso hart wie zuvor, und Lovisa war nicht freundlicher.

Alle drei warteten sie auf Rickard, aber keiner sprach je ein Wort über den Verschwundenen. Dann ging das Gerücht im Dorf um, er sei in der Gegend irgendwo gesehen worden.

Zu der Zeit beschloss Hanna, flussaufwärts zum Runenmeister im Wald hinter der Teufelskluft zu gehen. Sie hatte lange darüber nachgedacht, hatte sich aber abschrecken lassen durch böses Geraune über den Alten und sein Hexenweib.

Jetzt bat sie den Bauern, sich um das Kind zu kümmern. Es war Sonntag, und sie sagte, sie wolle zur Kirche. Er nickte zustimmend.

Es war eine gute Meile bis zur Kirche am Flussufer und dann ging es am Wasserfall vorbei steil bergauf. Danach, im ruhigen Gewässer, fand sie die Furt und dann war es nur noch eine Wanderung von einer halben Stunde durch den Wald zur Berghütte am Ende des Pfades. Sie fand hin, denn sie war als Kind mit der Mutter dort gewesen und hatte schwören müssen, es niemals jemandem zu erzählen. Ihr Herz klopfte laut vor Angst, aber die beiden Alten empfingen sie ohne Erstaunen. Sie wolle einen Runenstab haben, nahmen sie an. Das Mädchen wagte nicht zu sprechen, nickte aber und schaute ängstlich in die Stubenecke, wo das Runenvolk, wie es hieß, das abgeschnittene Glied eines Mörders aufbewahrte, der vor vielen Jahren auf dem Galgenberg gehenkt worden war.

Sie sah sofort, dass es kein männliches Glied war. Nein, es stammte von einem Hengst und konnte sie nicht schrecken. Solche hatte sie schon öfter im letzten Winkel von Hütten gesehen, wo der Kindersegen ausblieb.

Die alte Frau legte Hanna die Hände auf, zunächst auf die Stirn, dann aufs Herz. Währenddessen sprach sie mit dem Mann in einer ungezügelten und fremdartigen Sprache. Er nickte, schnitzte. Eine Rune nach der andern entstand auf dem kleinen Stab. Als er fertig war, sah er fröhlich aus und lächelte zu seinen Worten, dass das, wovor sie sich am meisten fürchtete, ihr nicht zustoßen werde und dass ihre Schande vergehen werde.

Sie bezahlte mit den armseligen Münzen, die sie gespart hatte, machte einen tiefen Knicks und lief, den geheimnisvollen Runenstab zwischen ihren Brüsten versteckt, den weiten Weg nach Hause zurück, bekam eine Ohrfeige, weil sie zu lange ausgeblieben war, und nahm sie ohne Murren hin.

Zwei Tage später kam Rickard heim, aufgeputzt wie ein Gockel, in hohen Stiefeln und einer Uniform mit blanken Knöpfen. Er lachte über das Erstaunen der Eltern und machte sich wichtig. Laut sprach er, besonders laut, als er verkündete, dass er nie und nimmer ein Bauer werden und sich auf diesem unglückseligen Hof krumm arbeiten würde. Hanna solle sich ihn aus dem Kopf schlagen, er heirate keine Hure.

Nur einmal wurde er unsicher. Das war, als der Vierjährige in der Küchentür auftauchte und ihm freimütig ins Gesicht lachte. Aber dann drehte der Soldat sich auf dem Absatz um und verschwand.

Lovisas Weinen wurde zum Geschrei. Aber der Bauer sah erst das Kind und dann Hanna an. Beide hatten Schwierigkeiten, ihre Erleichterung zu verbergen, und keiner sagte ein Wort des Trostes zu Lovisa.

Hanna drückte ihren Runenstab unter dem Leibchen an sich. Und von diesem Tag an wachte sie jeden Morgen mit dem Gefühl auf, dass ihr etwas Seltsames widerfahren werde.

Um Mittsommer kam ein Mann ins Dorf, einer aus Värmland. Ein Müller, sagten die Leute, die mit ihm gesprochen hatten, ein Müller mit Plänen, die alte Mühle am Norwegerwasser instand zu setzen. Er ist schon alt, sagten die Jungen. Er ist ein Mann in den besten Jahren, sagten die Älteren. Dass er still und verschwiegen war, was sein Leben betraf, darüber waren sie sich einig. Nur zur alten Anna hatte er gesagt, dass Frau und Kinder ihm dort oben in Värmland weggestorben waren. Und dass er mit dieser Einsamkeit nicht mehr dort in seiner Mühle bleiben konnte.

Jetzt ging er von Gehöft zu Gehöft, um den Bedarf zu erfragen. Überall traf er auf Bauern, die versicherten, dass sie am Norskvatten mahlen lassen würden, wie sie und ihre Vorväter es früher getan hatten.

Dennoch zögerte er.

Er kam aus einer wohlhabenderen Gegend mit umgänglicheren und redseligeren Menschen. Eins der Gespenster, die ihn von daheim vertrieben hatten, war der Neid, der belauerte, maß und verglich. Hier, wo die Natur karg war und die Armut unerbittlich, hatte dieses schlimme Übel noch ärger zugeschlagen, hatte Nutzen aus den Jahren der Not gezogen und vergiftete jede Begegnung.

Nun war da also die Mühle, es brauchte viel Arbeit, um sie instand zu setzen. Aber der Durchlass aus Eichenholz hatte ebenso überdauert wie das Schaufelrad und das Wehr oben am See. Die beiden Mahlsteinpaare waren neu und aus Naturstein aus Lugnås und sahen aus, als hätten sie gute Schärfe. Er berechnete das Gefälle des Mühlbachs auf gut dreißig Ellen, was einen sicheren Betrieb versprach.

Vorratshaus und Kuhstall waren vorhanden. Und das Wohnhaus war in gutem Zustand, ein festes Haus mit einer Wohnstube hin zum See, einer kleinen Kammer und großer Küche.

So also stand es.

Er hatte nie zuvor eine Gegend von solch wilder Schönheit gesehen. Er blickte auf die in den Himmel ragenden, senkrecht abfallenden Berge, sah die Horste der Wanderfalken in den Felswänden und den Flug der Kaiseradler über den Klüften. Er lauschte dem Donnern des Wildbachs und dem leisen Plätschern der dunklen Norwegerseen, sah auch nachdenklich auf die sanften Hügel, wo die Schafe weideten. Er verschloss die Augen nicht davor, dass die Felder armselig und die Wälder ungepflegt waren, in weiten Teilen undurchdringlich. Als wären sie seit Urzeiten unberührt geblieben, dachte er.

Und doch, es war prachtvoll.

Der einzige nähere Nachbar war der Schmied, der ein guter Mann zu sein schien. Und ein Zugang zur Schmiede war notwendig wegen der Mühlpicken.

Der schwerwiegendste Grund war aber doch das Geld. Er hatte in Värmland seine eigene Mühle verkauft und diese hier würde er pachten können. Erik Eriksson auf dem Vorderhof war geizig wie alle Bauern, war aber widerwillig darauf eingegangen, zu den nötigen Reparaturen beizutragen.

Die Einzige, mit der er in der Gegend zu einem vertraulicheren Verhältnis kam, war die alte Anna, die Hebamme. Sie kochte auch besseren Kaffee, sodass er immer öfter in ihrer Küche gesehen wurde. Sie war es, die in Worte kleidete, was er seit langem gedacht, aber immer verdrängt hatte: »Er braucht ein Weib, ein fleißiges und geduldiges Mensch. Dort oben im Wald kommt keiner zurecht ohne eine Hausmutter.«

Es blieb lange still, nachdem sie das gesagt hatte. Er saß da und fühlte plötzlich, wie müde er war. Und alt, viel zu alt, um neu anzufangen.

»Hab wohl nimmer die rechte Lust«, sagte er schließlich.

»Junger Kerl, der du bist!« sagte sie.

»Schon vierzig vorbei.«

»Mann in den besten Jahren.«

»Hab kein Glück mit den Weibern«, sagte er.

Als er am nächsten Abend wieder kam, hatte Anna nachgedacht. Sie war schlau, fing also ein wenig beiläufig an von Hanna zu reden, arme Haut, der das Leben so übel mitspielt. Eine große Schande sei das, sagte sie, das Mädchen ist doch ein Enkelkind vom Eriksson vom Vorderhof. Den Müller erbarmte die Geschichte von der bösen Vergewaltigung, sie sah es seinem Gesicht an und zweifelte nicht mehr daran, als er unterbrach: »Sie hat nicht zufällig einen Schnaps?«

Er bekam seinen Branntwein und war wohl ein wenig unsicher auf den Beinen, als er irgendwann im Dunkeln heimwärts zog. Was er dachte, darüber sagte er nichts, aber Anna hatte das peinliche Gefühl, durchschaut worden zu sein.

Als John Broman zu dem verlassenen Müllerhaus kam, sah er zum ersten Mal, wie schmutzig es in Zimmer und Küche war. Diese Entdeckung löste praktische Gedanken aus, er brauchte wohl eine Hausfrau. Als er ins Bett kroch, wuchs das Bedürfnis nach Lust, das Blut pochte in seinen Adern und das Glied war steif. Mein Gott, wie lang, wie lang ist's her, dass er ein Weib gehabt hatte.

Er dachte an Ingrid, und die Lust verließ ihn, das Glied erschlaffte. Sie hatten es in Bett und Küche nicht gut miteinander gehabt. Wie hatte sie ausgesehen? Er kam nicht drauf, erinnerte sich nur an ihr ewiges Gekeif ums Geld, das ihr nie ausreichte. Und um den Branntwein, den er sich am Samstag gönnte.

Wenn das Bild der Ehefrau eher nebelhaft war, so war die Erinnerung an Johanna klar, als sähe er sie vor sich. Er hatte eine Tochter gehabt, von der Schwindsucht dahingerafft, als sie gerade acht Jahre alt war.

Wie er das Kind vermisste.

Als er am nächsten Morgen aufwachte, hatte er praktische Gedanken. Das Mädchen wäre ihm großen Dank schuldig. Er konnte damit rechnen, bei ihr die Oberhand zu behalten. Dass sie schon einen Sohn hatte, war gut, er mochte Kinder gern, wollte aber nie mehr eigene haben. Gar nicht so dumm, dass das Mädchen verwandt mit dem Großbauern war.

Später am Morgen ging er nach Lyckan.

Hanna erwachte wie gewöhnlich mit dieser seltsamen Erwartung und faltete die Hände um den Runenstab wie im Gebet. Dann weckte sie den Jungen, der da neben ihr in der Ausziehbank in der Küche auf dem Strohsack lag.

»Ragnar, mein Lieber«, sagte sie.

Sie räumte die Küche auf und machte das Frühstück. Der Bauer kam, sobald der Haferbrei gekocht war, setzte sich schwerfällig an den Tisch und aß. Sie stand hinter ihm am Herd und aß wie immer, mit dem Jungen auf dem Arm.

Etwa eine Stunde später kam der Fremde. Das Mädchen beobachtete ihn und fand den Breitschultrigen mit dem quer gestutzten Bart stattlich. Wie ein richtiger Herr. Er musterte sie aus schmalen Augen, das war ja schrecklich, wie der herstarrte.

Das tat er wirklich und er fand, dass sie schön anzusehen war und einen wachen Blick hatte. Ist eine von den Aufmerksamen, eine mit offenen Augen, dachte er. Kraftvoll, ist verwunderlich unbeschadet durch alles Finstere und durch die Schande gekommen.

Er schämte sich plötzlich wegen seiner Träume am Abend und der praktischen Überlegungen am Morgen. Aber er entkam der Verlegenheit, als das Kind in die Küche stürmte, ein kleiner Junge, der Stielaugen machte, neugierig und furchtlos. Er schaute seine Mutter an und lachte.

Der Müller hockte sich hin, streckte die Hand aus und sagte:

»Schönen guten Tag, ich heiße John Broman.«

»Guten, guten Tag«, sagte der Junge und legte beide Hände in seine.

Es war das erste Mal, dass jemand dem Buben höflich begegnete, und Hannas Augen strahlten. Dann kam Joel Eriksson in die Küche gestapft und sagte: »Tummelst dich halt mit den Rüben. Und den Buben nimmst mit.«

Das Mädchen verschwand durch die Tür, John Broman schaute ihr nach, sah, dass sie einen sehr aufrechten Gang hatte, als sie mit dem Jungen an der Hand über den Acker ging. In diesem Augenblick fasste er seinen Entschluss: Weg vom Hof sollten die beiden, sie und auch der Junge.

Dann trank er seinen Kaffee und bekam die Zusage, dass auch Lyckan sein Mehl in der Mühle am Norskwasser mahlen lassen würde.

Auf dem Heimweg ging er bei Anna vorbei und sagte kurz, kommt alles, wie du's gewollt hast, alte Fuchtel. Aber jetzt sorg auch dafür, dass ich mit dem Mädchen reden kann.

Das war nicht leicht einzurichten. Seit Hanna Tochter auf Lyckan geworden war, bekam sie nie frei. Aber Anna ging zu Maja-Lisa, die einen von ihren Buben mit der Nachricht losschickte, Hanna möge am Wochenende heimkommen und ihre Eltern besuchen.

Am Samstagnachmittag holte die alte Anna das Mädchen von Bråten ab. Zu Maja-Lisa sagte sie, dass sie beide, Hanna und sie, in den Wald gehen wollten. Anna brauche Kräuter für ihre Medizinen, sagte sie. Maja-Lisa machte ein erstauntes Gesicht, aber Hanna freute sich. Sie streifte gern durch Wald und Feld. Dann kamen sie beide zum Mühlenhaus, wo Broman wartete. Anna wolle irgendwo am nördlichen Bach Bilsenkraut suchen, sagte sie und verschwand.

Er führte Hanna herum, sie fand alles großartig in dem prächtigen Haus mit Küche, Kammer und einer Wohnstube mit zwei Fenstern hinaus zu der herrlichen Aussicht über den See. Ein weiteres Stockwerk gab es mit Schlafstube und Dachboden.

John sprach, sie horchte vielleicht nicht so genau auf die Worte, aber seine Absicht war klar. Er brauchte eine Frau im Haus, und sie drückte insgeheim ihren Runenstab unter dem Hemdchen.

Als er von Heirat zu reden begann, war sie wie versteinert vor Staunen.

»Aber der Junge …«, sagte sie schließlich.

Er nickte, er hatte darüber nachgedacht, den Jungen sollte sie mitbringen, er hatte Kinder gern. Sobald ihr Entschluss feststand, würde er alles regeln, damit die Vormundschaft für ihren Ragnar auf ihn überging.

»Wir kennen einander nicht«, sagte er.

Da lächelte sie zum ersten Mal und meinte, wir haben ja Zeit genug.

»Wird ein schweres Leben«, sagte er. »Viel Arbeit.«

»Ich bin schwere Arbeit gewöhnt und genügsam im Essen.«

Es war, als bekäme sie Angst, er könnte es bereuen, hörte er heraus und sagte deshalb recht kurz: »Wohl sollst du und der Bub sich satt essen können.«

Dann war Anna wieder da und sprach davon, wie geheim alles bleiben müsse. Kein Wort zu niemand, bevor nicht das Aufgebot in der Kirche verkündet wäre. Bis dahin müssten die Vormundschaftspapiere in Ordnung sein, und Erikssons auf Lyckan ohne eine Möglichkeit, Rickard irgendwie rechtzeitig zu erreichen und ihn dazu zu bewegen, dass er die Vaterschaft anerkannte.

»Du musst sofort mit August reden«, sagte sie. »Er ist ein verschwiegener Mann.«

Hanna ging wie benommen in dem Gefühl durch den Wald nach Hause, das alles sei zu viel. Sie sollte Frau im eigenen Haus werden, ebenso groß und fein wie auf Lyckan. Der Bub sollte gehalten werden wie ein Sohn, hatte Broman gesagt. Es war Schluss mit der Schande, dachte sie. Keiner konnte sie beide mehr Hurenkind und Hure schimpfen.

Das ist zu viel, sagte sie sich. Denn sie wusste ja, dass Glück seine Grenzen hat und es einen teuer zu stehen kam, wenn man zu viel davon erhielt. Aber dann streckte sie sich, warf den Kopf zurück und dachte, dass sie längst für alles bezahlt hatte.

»Gerechtigkeit«, sagte sie laut. »Nie hätte ich geglaubt, dass Gott gerecht sein kann.«

Sie machte sich Kummer wegen der Möbel, die dort im Haus fehlten, und wegen Teppichen und Handtüchern und anderem, was sie nicht besaß. Nicht einen Gedanken widmete sie dem Mann, mit dem sie Leben und Bett teilen sollte.

Hanna tat ihre Arbeit wie gewohnt. Nach einer Woche sagte sie nach dem Frühstück in aller Ruhe zu Joel Eriksson, dass sie heim zu ihren Eltern gehen und den Jungen mitnehmen wolle. Er nickte verdrossen und riet ihr, schnell zu machen und loszugehen, bevor Lovisa aufwachte.

»Sieh zu, dass du am Abend rechtzeitig zum Melken daheim bist«, sagte er.

Es war beißend kalt, als sie auf dem Pfad durch den Wald ging. Aber Hanna spürte den schneidenden Wind nicht, ein Gefühl der Dankbarkeit wärmte sie.

Zum ersten Mal dachte sie an Broman und daran, wie sie ihm das lohnen sollte. Sie war ordentlich und stark, sie hatte gelernt, was von einer Hausfrau auf einem Hof verlangt wurde. Geld hatte sie nie verwaltet, aber sie konnte rechnen, sie sei gut im Rechnen, hatte der Schullehrer gesagt. Sie würde alles ordentlich besorgen, sodass er stolz sein könnte auf sein Heim und auf sie.

Der Junge jammerte, er fror, sie hob ihn hoch und wickelte ihn in den Wollschal, als der Pfad das letzte Stück bergauf durch den Wald zu Augusts Feldern führte. Sie arbeiteten schon auf dem Kartoffelacker, aber die Mutter unterbrach ihre Arbeit und kam ihnen entgegen.

»Hast doch frei gekriegt«, sagte Maja-Lisa, ihre Stimme war wärmer als ihre Worte, und als Hanna in das verbrauchte Gesicht schaute, waren darin Freude und Stolz. Das war so ungewohnt, dass dem Mädchen die Worte fehlten, nachdem sie ihr ›grüß Euch Mutter‹ gesagt hatte.

Sie kochten Kaffee, setzten sich an den Küchentisch und lutschten begierig an ihren Zuckerstücken, die sich von dem heißen Getränk im Mund auflösten.

Dann sagte die Mutter die schrecklichen Worte: »Kann bloß hoffen, dir bleiben drei oder gar vier Gören erspart.«

Hanna richtete sich hoch auf, holte tief Luft und dachte, die Mutter sei wohl verrückt geworden. John Broman sollte mit ihr das machen, was Rickard Joelsson getan hatte? Jede Nacht dort im Bett in der Kammer?

Er hatte es fast schon gesagt, hatte gesagt, hier werden wir ein Bett haben, mein Mädchen.

Die Mutter sah ihre Bestürzung und sagte beruhigend: »Schau nicht so ängstlich. Mit so was müssen wir Frauen uns abfinden, und mit der Zeit ist es nicht mehr so schlimm. Vergiss nicht, du wirst Bäurin auf dem eigenen Hof, und dass dein Mann besser zu sein scheint als die meisten.«

»Warum will er mich haben?«

»Du bist jung und sauber. Und fleißig.«

Mitten in all dem Schrecken sah Hanna ihre Mutter erstaunt an. Nie war es vorgekommen, dass sie etwas Gutes über Hanna zu sagen gehabt hatte. Lob war gefährlich, es forderte das Schicksal heraus. Aber Maja-Lisa fuhr fort: »Wir müssen schauen, dass du anständige Kleider bekommst, neue für alle Tage. Für die Hochzeit ... hab mir gedacht, wir könnten mein altes Brautkleid umändern.«

Sie wirkte unsicher. Hanna schwieg, und schließlich sagte Maja-Lisa: »Unsereins weiß ja nicht, was er so denkt, er sieht fast aus wie ein richtiger Herr.«

Sie sah Hanna bittend an.

»Mutter«, sagte sie. »Es geht nicht, ich kann nicht.«

»Unsinn«, sagte Maja-Lisa. »Warum sollst du nicht können, was alle anständigen Frauen können. Man gewöhnt sich daran, hab ich gesagt. Das Schlimme ist nicht der Beischlaf, Hanna, es ist das Gebären.«

Hanna entsann sich der Entbindung, sie war nicht leicht gewesen, aber doch längst nicht so grauenhaft wie der Tod auf dem Heuboden mit dem schwarzen Rickard.

»Augen zu und mit dem Leib nachgeben«, sagte die Mutter und wurde rot. »Ist nichts Unanständiges dabei, wenn der Pfarrer seinen Segen gegeben hat.«

Hanna hörte kaum zu, ihr Körper war noch immer steif und eiskalt trotz der Wärme in der Küche. Als sie am Abend nach Lyckan zurückging dachte sie zum ersten Mal daran auszureißen, mit dem Kind davonzugehen, sich den Bettlerscharen anzuschließen, die seit den Jahren der Not durch die Lande zogen. Dann sah sie den Jungen an und ihr fielen die zerlumpten Kinder ein. Da wusste sie, das würde sie nicht tun können.

Unsereins gewöhnt sich wohl daran, so wie die Mutter gesagt hatte. Augen zu und nachgeben.

Am nächsten Morgen war die größte Angst vorbei. Und als sie aufstand, um im Herd Feuer zu machen und die schweren Holzgefäße in den Stall zu schleppen, versuchte sie sich auszumalen, wie anders sie alles an jenem Tag empfinden würde, an dem sie im eigenen Herd Feuer machen und zu den eigenen Kühen gehen würde.

Es schneite, als sie aus dem Stall kam, große, schwere Flocken. Um die Mittagszeit ging der Schneefall in Regen über und einige Tage später schien wieder die Sonne. Der Winter machte kehrt, der Herbst glühte im Ahorn, wie es sich gehörte, es wurde warm und erleichtert sprachen die alten Leute vom Altweibersommer. Wie im Herbst üblich, zogen die Frauen in den Wald und sammelten Preiselbeeren. Auch Hanna war dabei, sagte einfach zu Lovisa, dass sie es der Mutter versprochen habe und ihr beim Beerenpflücken helfen wolle. Dann ging sie, die wütende Lovisa auf den Fersen, die ihr böse Schimpfwörter nachschrie.

Einmal wandte sich Hanna um und lachte Lovisa mitten ins Gesicht.

Ende Oktober kam John Broman aus Värmland zurück, wo er Möbel und anderen Hausrat für das Müllerhaus am Norskvatten geholt hatte. Er kam mit Pferd und schwer beladenem Karren. Einen Mann hatte er dabei, einen Vetter aus Värmland.

Zwei Tage später stand Broman unerwartet in der Küche von Lyckan und teilte den Erikssons mit, dass sie jetzt Abschied nehmen müssten von Hanna und dem Jungen. Am Sonntag würde für ihn und Hanna das Aufgebot verkündet. Lovisa war derart verblüfft, dass ihr zum erstenmal im Leben die Worte fehlten. Aber Joel Eriksson wollte dagegen ankämpfen.

»Der Junge bleibt hier, er ist der Enkel vom Haus.«

»Der Junge gehört mir«, sagte John Broman ruhig. »Das habe ich schriftlich.«

Als sie den Hof verließen, weinte Hanna. John, der den Jungen trug, merkte es nicht und es ging auch bald vorüber. Aber Hanna war verwirrt, sie hatte noch nie etwas von Freudentränen gehört.

Sie gingen direkt zum Pfarrer, der sie ohne Verwunderung empfing, ihnen alles Glück wünschte, ihnen sogar die Hand schüttelte. Als sie weitergingen, sagte Hanna: »Den hat das gar nicht gewundert.«

»Er hat's bereits gewusst«, sagte John. »Ich hab für den Jungen ja Kirchenpapiere erbitten müssen. Wird's dir zu viel, wenn wir den Weg ums Norskwasser nehmen?«

Da musste Hanna lachen. Sie gingen langsam, streiften einfach durch den Wald.

Sie setzten sich unter der Wolfsklippe an den Bach und tranken sich an dem frischen Wasser satt. Der Fels, der senkrecht vom Boden in die Wolken aufragte, lag seit Urzeiten im tiefen dunkelblauen Schatten. Goldenes Birkenlaub wirbelte die Steilhänge herab und die Wanderfalken segelten in den Aufwinden.

»Prächtig ist es hier«, sagte Broman, und Hanna lächelte wie immer, wenn sie nicht begriff. Dann stand sie auf, ging zum Wasser, wusch sich

Gesicht und Arme, kam zurück und setzte sich schweigend ihm gegenüber.

Er begann zu sprechen. Es war ein zaghaftes Berichten von dem Leben, das er hinter sich gelassen, und von der Frau, die ihn wegen des Branntweins verflucht hatte.

»Du musst wissen, am Samstag, da sauf ich halt«, sagte er. Sie schien weder erschrocken noch erstaunt: »Das tut mein Vater auch. Und der Joel Eriksson.«

Da lachte er sie an und sprach weiter von seiner kleinen Tochter, die ihm gestorben war und die er so unvorstellbar lieb gehabt hatte.

»Man darf nie seine ganze Freude an ein Kind hängen, wie ich das getan hab.«

»Die Schwindsucht?«

»Ja.«

Er vermochte nicht von den düsteren Erinnerungen an die Frau zu sprechen, die mit dem Essen gegeizt hatte. Dann errötete er, sagte, Hanna müsse wissen, dass es schwer sei, wieder von vorn anzufangen: »Manchmal glaub ich, ich schaff's nicht.«

Hanna wurde traurig, schluckte: »Wir müssen halt zusammenhalten.«

Da sagte er, dass ihm der neue Platz gefalle und auch Hanna, die so jung und schön sei.

Hanna spürte, wie die alte Angst in ihr aufstieg.

Es wurde aber trotzdem einer der glücklichsten Tage in ihrem Leben. Das frisch gestrichene Holzhaus war so schön wie der Bauernhof auf dem Schaubild in der Schule, Hanna schlug vor Glück die Hände zusammen, als sie das sah.

Der Vetter aus Värmland war mit Pferd und Karren abgefahren, aber die Möbel standen im Stall. Sie waren prächtiger, als Hanna es sich je hätte träumen lassen, einige davon waren poliert und hatten Messingbeschläge. Da gab es ein Sofa aus Birkenholz mit runder Rückenlehne und blau gestreiftem Bezug aus … nein, das konnte nicht sein!

»Seide«, sagte sie und strich ganz behutsam über den Stoff, als fürchte sie, er könne bei der Berührung brechen.

John aber blickte finster.

»Es ist ein Ungetüm«, sagte er. »Kannst nicht drauf sitzen und nicht drauf liegen. Wir schmeißen's weg.«

»Seid Ihr verrückt!« schrie Hanna, hielt sich aber gleich die Hand vor den Mund, um den bösen Worten Einhalt zu gebieten. »Ich mein halt, ich hab noch nie so ein prächtiges Möbelstück gesehen, nicht einmal im Pfarrhaus. Wir können es doch in den Saal stellen.«

Er lachte: »Du bist's, die über die Möbel bestimmt.«

Er lachte wieder, als sie die Möbel in die Wohnstube trugen, den Sekretär, die Regale, den Schreibtisch und die Stühle mit der gleichen Rundung der Lehne wie am Sofa.

»Jetzt hat hier ja kein Mensch mehr Platz«, sagte John. Und zu ihrer großen Enttäuschung musste Hanna ihm Recht geben, ein Teil dieser Pracht musste auf den Dachboden.

Der Sekretär bekam seine Wand in der Kammer, und John sagte: »Ich hab das Bett nicht mitgenommen. Ich will uns ein neues zimmern. Aber Teppiche und Handtücher liegen in der Truhe.«

Zum Schluss kamen die langen Sitzbänke, der Klapptisch und das Ausziehsofa in der Küche an ihren Platz. Hanna sah das Leinen in der Truhe durch, es gab viele feine Stücke, aber es war feucht eingepackt worden und hatte schlimme Stockflecke. Sie jammerte deswegen ganz verzweifelt, beschloss aber, alles zu ihrer Mutter zu bringen und auszukochen.

Schließlich entdeckte sie noch die Kiste mit dem Porzellan. Es war so hübsch, dass sie ein paar Tränen vergießen musste.

John hatte Brot und Käse in der Küche, sodass es für eine einfache Mahlzeit reichte, bevor sie schwer beladen zurück zu Hannas Eltern gingen. John trug die Truhe mit dem Leinen, Hanna den Jungen, und der Junge sein Spielzeug.

In der folgenden Woche schleppten Hannas Brüder trockenes Bauholz durch den Wald zum Norwegerwasser, während Hanna und ihre Mutter Teppiche, Decken und Handtücher auskochten und wuschen. Die Nachbarinnen rannten wie aufgescheuchte Hühner in der Waschküche herum, neugierig und neidisch. Die alte Anna sagte, die Leute hätten seit Jahr und Tag nicht mehr so viel zu bereden gehabt. Und dann sagte sie: »Jetzt fangen die alten Leute an zu tuscheln, dass die Hanna Zauberkraft besitzt und den Värmlänning verhext hat.«

Anna lachte mit Maja-Lisa darüber. Keine von ihnen sah, dass Hanna aus der Waschküche verschwand und draußen auf dem Hof stehen blieb, den Runenstab unterm Hemdchen fest in der Hand. Ängstliche Gedanken gingen ihr durch den Kopf, konnte es möglich sein, dass der Runenmeister und sein Hexenweib solche Macht hatten?

Am Freitagnachmittag ging Hanna durch den Wald zum Norskwasser. Die Sonne zeigte auch jetzt, Ende Oktober, noch ihre Kraft, die Luft war glasklar und das Atmen fiel leicht. Doch Hanna freute sich nicht über das prächtige Wetter. Der Runenstab war schuld. Und dann waren es die Worte, die die Mutter geflüstert hatte, als sie von zu Hause fortging. »Bleib über Nacht dort.«

Dann hatte die Mutter gelacht. Hanna wollte es nicht glauben, aber das Lachen hatte eigenartig lüstern geklungen.

Sie kam an der Wolfsklippe vorbei und fasste schnell einen Entschluss. Sie wollte den Runenstab loswerden. Sie kletterte die steile Felswand hoch, umwickelte den Stab mit Eichenlaub, band einen biegsamen Zweig darum und warf alles in den Abgrund.

»Du hast getan, was du konntest«, sagte sie und fügte sicherheitshalber hinzu: »Für diesmal. Sollt ich dich je wieder brauchen, weiß ich, wo ich dich finde.«

Dann ging sie weiter, überquerte den Bach und kam schließlich zur Steigung. Es war steil, aber nicht mühsam, denn hier gab es einen Karrenweg bis zur Mühle. Bald konnte sie das Tosen des Wasserfalls hören.

Sie brauchte eine Weile, bis sie begriff, dass es noch eine andere Melodie als die des Mühlbachs gab, fast ertränkt vom Rauschen des Wassers, aber doch hörbar. Geigenspiel! Hanna blieb vor Schreck wie versteinert stehen: Der Wassermann, der böse Nöck war unterwegs, um John Broman in den Mühlbach und in den Tod zu locken.

Bei diesem Gedanken konnte sie endlich die Beine bewegen, sie lief, bis sie ganz außer Atem war und Seitenstechen bekam. Eine Faust an die Brust gepresst, erreichte sie die Mühle, wo Broman am Wasserfall saß und auf einer Geige kratzte.

»Du bist's«, sagte er und schaute das Mädchen erstaunt an, das mit wehenden Röcken auf ihn zurannte. Sie blieb stehen, sah ihn an und rang nach Luft.

»Hast du dich erschrocken?«

»Ich hab geglaubt, es ist der Nöck.«

Er lachte laut, legte den Arm um sie.

»Hanna, ich hab nicht geglaubt, dass du mit dem Wassergeist rechnest. Du bist doch sonst so schlau. Ich spiele für die Berge und den Mühlbach«, sagte er. »Und für die Bäume und den See. Ich kann aber die Töne nicht finden.« Er schwieg eine Weile, ehe er nachdenklich weitersprach: »Die rechte Melodie finden ist genauso schwer, wie sich an seine Träume erinnern.«

Der spinnt, dachte Hanna. Der ist aus dem Irrenhaus da oben in Värmland entlaufen. Herr Jesus, steh mir bei, was soll ich bloß tun! Dann sah sie den Branntweinkrug, der neben ihm an einem Stein lehnte, und merkte erleichtert, dass er getrunken hatte. Betrunkene Männer brauchen Zustimmung, das hatte die Mutter ihr beigebracht. Er folgte ihrem Blick zum Schnapskrug, nahm ihn trotzig in die Hand und sagte: »Jetzt nimmst du auch einen Schluck, damit du dich beruhigst.«

Er goss den Becher halb voll, reichte ihn ihr und führte selbst den Krug zum Mund.

»Jetzt stoßen wir an, Hanna.«

Sie hatte noch nie Branntwein getrunken und bekam gleich den ersten Schluck in die falsche Kehle. Er aber drängte sie, also nahm sie noch einen Zug und merkte, wie eine seltsame Wärme sich in ihrem Körper ausbreitete. Sie spürte eine ungewohnte Leichtigkeit und kicherte. Dann fing sie an zu lachen und konnte einfach nicht aufhören. Wollte es auch nicht. Zum ersten Mal in ihrem Leben fühlte Hanna sich frei, ohne Kümmernis. Es ist wie im Himmel, wo du keine Angst haben musst, dachte sie. Genau wie der Pfarrer immer sagt. Dann sah sie, dass die hohen Baumstämme schwankten: »Warum stehn die Bäume nicht still?«

»Sie tanzen den Brauttanz für dich«, sagte er, und nun dachte sie nicht mehr, dass er verrückt sei. Als er sie in die Kammer trug und sie entkleidete, war die Leichtigkeit noch in ihr und nichts schien gefährlich oder gar verwerflich. Ihr gefiel, wie er ihre Brust und ihren Schoß liebkoste. Es tat auch nicht weh, als er in sie eindrang, sie fand sogar, dass alles viel zu schnell vorbei war.

Dann musste sie eingeschlummert sein und lange geschlafen haben. Denn als er sie weckte, war schwarze Herbstnacht vor den Fenstern.

»Herrje!« Hanna war plötzlich hellwach. »Wo ist der Korb, ich wollte doch backen. Falls jemand zum Aufgebotskaffee kommt.«

Dann fing sie an zu jammern, als sie hörte, wie der Regen auf den Hang prasselte, wo die Kiepe lag. John ging sie holen, sie war aus Leder, und das meiste Mehl war trocken geblieben.

Sie mischte Mehl und Hefe, Rosinen und Zucker für den großen Kranz, den sie geschickt flocht, deckte ein Handtuch darüber und ließ ihn gehen. John sah ihr zu, genoss, wie flink ihre Finger waren und wie sicher sie sich in der Küche bewegte.

»Ich hab das Glück auf meiner Seite gehabt«, sagte er, aber Hanna verstand nicht, was er meinte. Sie machte Feuer im Ofen, um ihn für das Backen am andern Tag vorzuwärmen. Rahm hatte sie mit, Zucker und Kaffee waren in der Speisekammer vorrätig, wo sie auch noch einen Laib Brot und ein Stück Käse fand. Sie waren beide hungrig.

»Wenn Ihr einen Schluck Milch habt, kann ich Brotsuppe machen«, sagte sie.

Ja, er hatte Milch im Keller.

Nach dem Essen schliefen sie Seite an Seite in dem großen Bett ein. Er rührte sie nicht an, und ihr kam der Gedanke, dass er vielleicht doch nicht allzu lüstern war und es wohl nicht so oft vorkommen würde.

Er schlief am nächsten Morgen noch, als Hanna den Ofen stark heizte. Sie konnte der Versuchung nicht widerstehen, den Tisch mit dem schönen Porzellan zu decken, und freute sich an dem Gedanken, wie erstaunt sie wohl wären, die ganzen verdammten Weiber. Als John aufwachte, war er matt und hatte verquollene Augen. Hanna kochte Kaffee. Sie hatte für ihn ein kleines Brot gebacken, und als John gegessen und getrunken hatte, sagte er: »Ich hab die Woche eine Kuh auf dem Markt gekauft.«

Da schlug sie die Hände zusammen, und er fuhr fort: »Ich hab auch ein Brautgeschenk.«

Es war ein Kopftuch aus Seide, grün mit roten Rosen.

»Ich hab mir gedacht, es wär schön zu deinem Haar«, und sie wusste, nun konnte sie in die Kirche gehen wie alle anderen. Mit diesem prächtigen Tuch, gebunden, wie es sich für eine Ehefrau gehörte. Keine Rede mehr vom Hurentuch.

Die ärgerlichen Tränen nahmen ihr die Sicht, und John sah sie verwundert an. Es würde dauern, bis er gelernt hatte, dass Hanna nur aus Freude weinte und nie aus Not und Unglück.

Sie saßen sehr aufrecht in der Kirchenbank, als der Pfarrer ihr Aufgebot verlas, und nie, weder davor noch danach, hatte Hanna solchen Stolz empfunden. Das Müllerhaus bekam viele Gäste, genau wie sie vermutet hatte. Die Augen schweiften über all die Pracht in der Stube, und Hanna strahlte. Alle brachten sie Geschenke mit, wie es der Brauch war, ihre Eltern kamen mit vier Säcken Kartoffeln und die alte Anna mit vier Legehennen und einem jungen Hahn.

Auch Joel Eriksson kam mit einer ganzen Pferdefuhre Heu an. Alt-Erik habe gesagt, es sei im Vorderhof noch mehr zu holen, sagte er und Hanna atmete vor Erleichterung auf. Sie hatte sich viele Sorgen gemacht, wie sie für die Kuh, die John gekauft hatte, Futter beschaffen sollten.

Und es kamen Kupferkessel und Kaffeetopf und eine Wanduhr von Tante Ingegerd. Sie wetteiferten in ihrer Großzügigkeit, denn Hannas Heirat hatte die Ehre der Familie wiederhergestellt.

Hanna schenkte starken Kaffee aus und John Branntwein. Es wurde ein fröhlicher Nachmittag mit vielen deftigen Scherzen. Hanna hatte solche schon früher gehört, aber nie verstanden. Jetzt lachte sie wie die anderen.

Drei Wochen später wurden sie im Pfarrhof getraut. Hannas Schwester lag in Fredrikshald im Wochenbett und konnte nicht kommen. Aber sie hatte der Braut ein prächtiges Kleid gekauft.

Johns Schwester kam mit Mann und Tochter aus Värmland zur Hochzeit. Hanna war erschrocken, als sie von John gehört hatte, dass sie kommen wollten.

»Was habt Ihr ihr von dem Jungen geschrieben, von Ragnar?«

»Ich hab gesagt, was dir passiert ist.«

Das war nicht gerade ein Trost, aber als Alma kam, beruhigte sich Hanna. Sie war ein aufrechter und lieber Mensch.

»Er ist schwermütig, mein Bruder«, sagte Alma. »Schon immer.«

Hanna war erstaunt, sie hatte noch nie jemanden so über jemanden reden hören, wenn der daneben stand. Aber John nickte und meinte: »Es ist gut, wenn du das weißt, Hanna. Damit du dich nicht schuldig fühlst, wenn mein Sinn sich verdüstert.«

Das verstand sie nicht.

Hanna ließ das schöne Brautkleid nach der Hochzeit noch lange im Saal hängen. »Zur Freude«, sagte sie.

Eines Abends sah John sie an und meinte: »Die Kuh muss bis Mittwoch vom Markt in Bötteln abgeholt werden. Nur, ich kann schlecht hier weg. Kannst du wohl allein gehn?«

»Das werd ich wohl können«, sagte sie. »Ich lass den Jungen halt bei meiner Mutter.«

Und so wurde es gemacht. Hanna wanderte im Dunkeln vor Tagesanbruch los, versehen mit der Quittung für die Kuh und einem Beutel Geld in der Bluse versteckt. Broman sagte: »Das Geld wirst du brauchen, wenn die Kuh nichts taugt. Dann leg halt was drauf für eine bessere.«

Die Verantwortung für einen so großen Entschluss lastete auf ihren Schritten, als aber das Morgenlicht kam, fiel das Wandern leichter. Sie würde den Auftrag erledigen können.

Noch nie hatte sie so viele Menschen gesehen wie auf dem Jahrmarkt. Doch sie fand Anders Björum und sie stellte fest, dass die Kuh, die Broman gekauft hatte, jung war und vor kurzem gekalbt hatte. Es würde den ganzen langen Winter hindurch genug Milch geben.

»Du wirst sicher auch ein Kalb brauchen«, sagte der Viehhändler.

Das war für Hanna eine starke Versuchung, aber Broman hatte nichts von einem Kalb gesagt. Und doch, es war ein schönes Tier. Hanna sah es sehnsüchtig an, dachte, dass sie für den Winter reichlich Futter hatte, dass nichts dagegen sprach und dass sie nächstes Frühjahr mit dem Kalb zum Stier gehen könnte und so ein Schlachtkalb und Milch zum Buttern bekäme.

Mit zwei Kühen hätte sie auch immer Milch für den Jungen und für Broman. Bevor sie noch lang überlegen konnte, fragte sie: »Wie viel kriegt Ihr dafür?«

Er nannte seinen Preis, sie hatte ausreichend Geld dabei. Trotzdem feilschte sie, wollte ein Drittel herunterhandeln. Björum lachte und meinte, wie ich seh, bist gar nicht so dumm, wie du jung bist.

Sie einigten sich auf die Hälfte, und Hanna zog mit zwei Tieren und großer Angst, was der Mann sagen würde, heimwärts. Es brauchte seine Zeit, weil das Kalb schwer in Schach zu halten war und immer nur kurze Strecken am Stück laufen konnte. Erst um Mitternacht waren sie zu Hause, und John Bromans Erleichterung war nicht zu übersehen.

»Ich hab auch ein Kalb gekauft«, sagte sie, um die Angst so schnell wie möglich loszuwerden.

»Das hast du gut gemacht«, sagte er. »Du verstehst von so was mehr als ich.«

Da ließ sie sich mitten auf dem Hof fallen, um die Erleichterung so richtig auszukosten. Und dort blieb sie sitzen, bis John die Tiere in den Stall geführt und ihnen Heu und Wasser gegeben hatte.

Hanna umsorgte ihre Kühe, als wären sie kleine Kinder, und in der Gegend hieß es, ihr Stall sei so sauber, dass man vom Boden essen könne. Die Kuh hörte auf den Namen Lyra, aber das Kalb blieb namenlos, bis eines Tages John Broman sagte, wir nennen es Stern. Das ist gut, dachte Hanna, und sah das braune Kalb liebevoll an, das einen gezackten weißen Fleck auf der Stirn hatte.

Als die Arbeiten in der Mühle so gut wie abgeschlossen waren, erhielt Broman einen Brief von seiner Schwester, die schrieb, dass die Mutter schwer krank sei und dass er sie besuchen solle. Er hätte Hanna gerne mitgenommen, aber sie bat so inständig, nicht mitzumüssen, dass er nachgab.

Er war düsteren Sinnes, als er ging.

Ein Fuhrmann nahm ihn mit, kaum hatte er die Landstraße erreicht. Broman war froh, ab der Grenze wieder allein zu sein, er wollte nachdenken.

Er hatte alte Männer sagen hören, das Schlimmste an einer schwierigen Frau sei, dass sie einem nie aus dem Kopf geht. Und bei ihm war es auch so, dass er viel über seine junge Ehefrau nachgrübelte. Aber Hanna war nicht schwierig. Als er den Weg hinauf zur Värmlandgrenze quer durch die Wälder abkürzte, meinte er, eine lange Liste mit Hannas Tugenden aufstellen zu können. Sie war gehorsam und still, verbreitete keinen Klatsch, kochte gut und hielt Haus und Stall sauber. Das Beste an ihr war, dass sie sich nie beklagte oder ihm Vorwürfe machte. Und ordentlich war sie und tüchtig im Haushalt und mit dem Geld. Und dann war sie auch schön anzusehen und nicht unwillig im Bett.

Dann fiel ihm der Abend ein, an dem der Junge geschrien und sie mitten im Beischlaf die Augen aufgemacht hatte. Ihr Blick war so voller Furcht gewesen, dass ihm seine Lust vergangen war.

»Vor was hast du denn Angst?«

»Es ist wohl der Junge, der sich ängstigt.«

Sie log, und das war ungewöhnlich, denn sie griff selten zur Lüge.

Es dauerte lange, bis er die Erinnerung an diesen Abend und an ihren Blick abschütteln konnte. Er hatte die Lust verloren und sie eine ganze Woche nicht angerührt.

Sie war voller Rätsel, und er war jemand, der verstehen wollte. Wie etwa die Sache mit Gott. Jeden zweiten Sonntag machte Hanna den weiten Weg zur Kirche. Aber es gab etwas Erschreckendes im Gottesglauben seiner Ehefrau, etwas Heidnisches und Hexenhaftes. Dann verscheuchte Broman den Gedanken, Hanna war keine Hexe. Sie war nur ehrlicher als die meisten anderen.

Bevor er den Heimatbezirk erreichte, machte er Rast und aß seine Wegzehrung. Es schmeckte gut, und er wäre am liebsten dort am Bach im Wald geblieben. Er seufzte tief, ehe er den Weg zum Heimathof einschlug. Als er das Bauernhaus erblickte, war ihm, als hätte er so viel an Hanna gedacht, um nicht an die Mutter denken zu müssen. Schließlich gab er sich einen Ruck und ging über den kiesbestreuten Weg zur Haustür.

Dann saß er da und blickte auf seine Mutter. Sie röchelte, der Atem kam spärlich und flach, als stünde sie am Abgrund des Todes. Sie sah friedlich aus, und für einen Augenblick wünschte sich John, Zärtlichkeit für sie empfinden zu können. Doch dann bekam die Verbitterung die Oberhand und er dachte, wäre Gott barmherzig, würdest du sterben, und ich wäre frei. Dann könnte ich mein Erbteil haben. Gott weiß, wie gut ich das Geld brauchen kann.

Es waren nur Gedanken, aber die Mutter wachte auf und sah ihren einzigen Sohn aus so vorwurfsvollen Augen an, dass er den Blick abwenden musste.

»Ach so, jetzt kommst du!« schrie sie und hatte diesmal reichlich Luft in den Lungen. »Aber die neue Frau, die hast du nicht dabei, die Hure vom Zigeunerdorf unten in Dal. Die traut sich wohl nicht, ihre Schwiegermutter zu besuchen.«

Er antwortete nicht, denn er wusste aus Erfahrung, dass vernünftiges Reden nur noch mehr schmerzen würde. Dieses Mal aber reizte das Schweigen sie bis zum Irrsinn, sie schrie wie eine Verrückte. Da erhob er sich und ging. In der Tür drehte er sich um und sagte ergeben: »Adieu also, Mutter.«

Da schrie die alte Frau noch einmal die alten Worte, dass er Schande über Familie und Hof gebracht habe, genau wie sein Vater es vorausgesagt hatte.

John Broman eilte durch die Küche und lief über den Hof zum Pfad hin, der zu Almas Gehöft führte. Das Erbe war noch ungeteilt, und in Erwartung von Mutters Tod lebten Alma, ihr Mann und die Kinder als Anerben im Wirtschaftshof am Wald.

»Du siehst ja ganz verstört aus«, sagte sie zur Begrüßung. »Es war wohl nicht so gut, kann ich mir denken.«

Sie schwiegen beide in Anbetracht des Unfassbaren. Schließlich sagte Alma: »Und doch war's ihr so wichtig, dass ich dir schreibe. Ich hab mir irgendwie eingebildet, sie will sich versöhnen.«

Alma begann ihn nach Hanna zu fragen, nach dem Jungen und der Mühle, und John erzählte, wie gut sie da oben im Müllerhaus zurechtkamen, wie tüchtig Hanna war und wie lieb er den Jungen inzwischen gewonnen hatte.

Gleich nach dem Abendessen gingen alle zu Bett. Zu seinem Erstaunen spürte John, dass der Schlaf ihn überkam, kaum hatte er in der Dachkammer den Kopf auf das Kissen gelegt. Er schlief die ganze Nacht und dachte nicht mehr an seine Mutter. Als er durch den Wald nach Hause wanderte, war er schwer beladen: eine neue Petroleumlampe und ein alter Spiegel mit Goldrahmen, den Alma aufgefrischt hatte.

»Noch ein paar Hochzeitsgeschenke für Hanna«, hatte sie gesagt, und er dachte, als er so ging, dass sich seine Frau darüber freuen werde. Aber vor allem dachte er an die Übereinkunft mit Almas Mann, der unter Androhung eines Rechtsstreits einen Vorschuss aufs Erbe fordern wollte. Nächstes Mal, wenn John heimkäme, solle er Pferd und Wagen mitnehmen.

Er rastete dort, wo der Weg auf den langen See traf und wo die hohen Berge in den Himmel ragten.

Dies war kein Land für Bauern, sondern eines für wilde Tiere und verwegene Jäger. Dennoch hatte das sture und erdgebundene Volk sich an die mageren Äcker geklammert, hatte Kirche und Schule gebaut, geheiratet und Kinder geboren. Zu viele Kinder.

»Hart ist es hier immer gewesen, aber die Not ist erst gekommen, als die Leute sich wie die Kaninchen vermehrten«, hatte August gesagt.

Während der ganzen Wanderung hatte John die Wolken über den Himmel im Süden ziehen sehen. Jetzt ballten sie sich am Horizont dort zusammen, wo sein Haus lag und seine Frau wartete.

Er erhob sich, nahm sein Gepäck auf, schritt dem Regen entgegen und wurde nass bis auf die Haut, ehe die Wolken sich verzogen und die Sonne in den letzten Stunden des Tages Wald und Wege, Mensch und Tier trocknete. Broman hatte sich nicht gewundert, er hatte sich daran gewöhnt, dass das Wetter hier ebenso wechselhaft war wie die Landschaft.

Als Broman sein Haus erreichte, war der Abend schon weit fortgeschritten. Aber der Kienspan brannte in der Küche, und Hanna bügelte. Sie fürchtet sich wohl in der Einsamkeit, dachte er und rief, ehe er an die Tür klopfte.

»Hanna, ich bin's.«

Sie eilte ihm entgegen, und im Dunkeln konnte er die dummen Tränen sehen, die sie sich mit dem Handrücken abwischte.

»Mein Gott, wie freu ich mich«, sagte sie.

»Hast du Angst gehabt?«

»Nicht doch. Mein Bruder schläft ja oben unterm Dach.«

Da erinnerte sich John, wie August und er vereinbart hatten, dass Rudolf im Müllerhaus schlafen sollte, wenn Hanna allein war.

»Du stehst hier im Dunkeln und bügelst?«

»Die Stunden am Tag reichen mir nicht aus.«

Sie berührten einander nicht, aber sie strahlten vor Freude. Broman erinnerte sich an die Petroleumlampe und er sagte: »Räum die Wäsche weg und setz dich an den Tisch, Hanna.«

Er sah sie nicht an, als er die Lampe zusammensetzte und Petroleum einfüllte. Aber als er sie anzündete, wich sein Blick nicht von Hannas Gesicht, und als sie so in dem hellen Licht standen, genoss er ihr Staunen und ihre schier unfassbare Freude. Schließlich flüsterte sie: »Es ist hell wie ein Sommertag.«

Es war so hell, dass Ragnar davon aufwachte und sagte: »Ist es vielleicht schon Morgen?«

Dann erblickte er John und lief dem Stiefvater geradewegs in die Arme. Er umarmte den Jungen, wie er seine Frau hätte umarmen mögen, es aber nicht wagte.

Erst am nächsten Morgen fiel John Broman der Spiegel ein.

»Ich hab noch ein Geschenk von Alma.«

Dann hängte er den prächtigen Spiegel im Saal an die Wand. Hanna stand daneben und stöhnte vor Freude, strich lange mit der Hand über den vergoldeten Rahmen, mied aber ihr Abbild im Glas.

»Jetzt schau schon in den Spiegel, schau doch, wie schön du bist«, sagte John.

Sie gehorchte, und Röte überzog ihre Wangen. Sofort schlug sie die Hände vor ihr Gesicht und lief hinaus.

Als sie ihm den Morgenkaffee einschenkte, fragte sie: »Wie war's mit Eurer Mutter?«

»Wie gewöhnlich«, sagte er, und das war alles, was über den Besuch in Värmland gesprochen wurde.

In der Woche danach nahmen sie die Mühle in Betrieb, das Tosen des Wildbachs wurde schwächer, der hölzerne Durchlass hielt das Siel, Broman war zufrieden, froh auch, dass er noch Geld übrig hatte, August und dessen Söhne für die geleistete Arbeit zu bezahlen.

Aber Hanna sagte er es so, wie es war, dass jetzt das letzte Kleingeld aus dem Beutel war. Und sie antwortete, wie er gehofft hatte: »Wir kommen zurecht.«

Sie fühlte sich sicher, sie hielt sich für reich. Sie hatte die Kühe, den Keller voller Kartoffeln und Rüben, Preiselbeerwasser und Multbeerenmus. Die Hühner legten und ein Schwein hatte sie von einem Vetter bekommen. In der Speisekammer stand das Bier und auf dem Dachboden gluckste es in Bromans Gärkessel. Mehl würden sie im Überfluss haben, an Brot würde es im Müllerhaus nicht mangeln.

Der Alltag war angefüllt mit Arbeit. Hanna hatte vorher nicht gewusst, dass die Bauern Kaffee haben wollten, während sie auf das Mahlen warteten, und dazu gern auch ein Stück Brot oder etwas Hefegebäck aßen.

»Es ist, als hätte ich ein Wirtshaus«, sagte sie zu ihrer Mutter. Aber es freute sie, Leute um sich zu haben, die viel schwatzten, scherzten und lachten.

Als der erste Schnee fiel, kamen andere Gäste. Wie immer im Winter hielten die Bettler Einzug in den Hütten, standen in der Küchentür, mit Augen, die so tief in den Höhlen lagen, dass sie schwarz wirkten. Am schlimmsten war der Anblick der Kinder. Hanna konnte sie nicht abweisen, sie backte Brot und gab es ihnen, und das in einem fort.

»Ich schaff es nicht, sie rauszuschmeißen«, sagte sie zu John, der nickte, und sie verstand. Aber je mehr Hanna verteilte, desto mehr verbreitete sich ihr Ruf, und der Bettlerstrom nahm von Tag zu Tag zu.

»Es ist schwer für dich«, sagte er, als er sie abends die Küche scheuern sah, den Fußboden, den Tisch, die Bänke. Es waren nicht nur Läuse und Flöhe, die sie fürchtete, sie glaubte allen Ernstes, dass im Dreck, den die Bettler hinterließen, Krankheiten lauerten. Broman lachte über sie, sagte aber nichts. Er wusste längst, dass er gegen ihre abergläubischen Vorstellungen nichts tun konnte.

Das Schwerste in diesem ersten Winter, in dem Hanna lernte, Müllersfrau zu sein, war, zusehen zu müssen, wie Broman sich so elendig abrackerte. Von Müdigkeit und Mehlstaub bekam er Husten, einen schweren Husten, der ihn nachts wach hielt.

»Ihr arbeitet Euch glatt zu Tode«, sagte Hanna.

Wenn es schlimm kam mit den Säcken, die hinauf in die Kornkammer mussten, half sie beim Tragen mit. Aber da schämte sich Broman und er sagte, du kümmerst dich um deins, ich kümmer mich um meins. Hanna sprach mit ihrer Mutter darüber, und gemeinsam schmiedeten sie einen Plan. Hannas jüngster Bruder, der daheim nicht mehr gebraucht wurde, sollte in der Mühle arbeiten. Er war vierzehn Jahre alt und kräftig. Der Lohn sollte in Mehl abgegolten werden.

Jetzt musste Hanna zur Frauenlist greifen. Sie sollte ganz beiläufig zu Broman sagen, dass die Eltern sich Sorgen um Adolf machten, der nur daheim herumlungerte und die Zeit totschlug. Gleichzeitig wollte Maja-Lisa zu August sagen, dass sie fürchtete, das Mehl würde über den Winter nicht reichen.

»Ich fürchte mich richtig davor«, sagte sie.

Aber so kam es, dass August eine gute Idee hatte und mit der Frage zu Broman ging, ob Adolf am Norskwasser als Müllerknecht arbeiten könnte. Er bekam wie besprochen seinen Lohn in Mehl. Aber er musste nicht auf der Bank in der Küche schlafen, denn Hanna, die mehr als zufrieden war, richtete ihm die Dachkammer her.

Broman brauchte nicht mehr so schwer zu schuften. Aber der böse Husten befiel ihn am Abend doch und beunruhigte Hanna.

Zudem hatten sie noch Kummer mit dem Mehl. Die Bauern von Dal bezahlten den Müller nämlich auf die alte Art, zwei Scheffel Mehl für ein Fass Korn. Und so mussten sie dann das Mehl mehr als eine Meile weit zur Stadt an der Grenze schleppen, wo sie es gegen Kaffee, Salz und Zucker tauschen konnten. Und gegen Geld. Wenn Eis auf dem langen See lag, übernahm Hanna diese Aufgabe, zog den schweren Schlitten zu Alvar Alvarssons Kaufladen und kehrte mit notwendigen Waren und etlichem Bargeld zurück.

Broman schämte sich, es war harte Arbeit für eine Frau, auch wenn sie jung und kräftig war. Aber er freute sich, als er ihrem Bruder neben dem vereinbarten Mehl endlich einen Reichstaler im Monat zahlen konnte. Tag für Tag wartete er auf eine Nachricht wegen des Pferdes aus Värmland,

aber es zog sich hin, und Hanna meinte, das sei nur gut so. Sie hatten für ein Pferd über den Winter nicht genug Futter.
Nach der Christmette aßen sie in diesem Winter ihr Frühstück bei August und Maja-Lisa auf Bråten. Der Tisch war gedeckt mit dem gepökelten Weihnachtsschinken und Reisbrei. Hanna kochte den Kaffee, denn Maja-Lisa war noch auf den Kirchhof gegangen, wo sie Tannenkränze auf die Gräber ihrer Kinder legte. John Broman blieb bei ihr, und vielleicht war es seine Freundlichkeit, die sie zum ersten Mal von den Toten reden ließ. Es war auf dem langen Heimweg, als sie sagte: »Es ist immer noch schwer, denn ich hab sie so lieb gehabt. Es war am schwersten, Maria verlieren zu müssen. Sie war so heiter und schön außen und innen.«

Dann schnäuzte sie sich in die Finger und schüttelte den Rotz in den Schnee.

»Ich hab das noch nie jemandem gesagt, aber jetzt muss es raus. Als die Astrid auf die Welt gekommen ist, nur ein Jahr nach der Hanna, hat sie ausgesehen … ausgesehen, als ob die Maria zurückgekommen wäre. Die Leute sagen, das ist Blödsinn. Aber ich glaube, es ist wahr, weil sie ist wie die Verstorbene, nicht nur dem Wesen, auch dem Aussehn nach.«

Sie näherten sich Bråten, und Maja-Lisa ging hinter das Haus, um sich das Gesicht zu waschen, während John in die warme Stube verschwand und sich an den Weihnachtstisch setzte. Er brauchte einen kräftigen Schluck, Hanna sah es ihm an und reichte ihm einen vollen Becher.

Eines Samstags zu Beginn des Frühlings, als der Schnee schon geschmolzen, die Nächte aber noch kalt waren, kam John Broman mit der Nachricht heim, dass Rickard Joelsson auf der Bärenjagd in Trösil aus Fahrlässigkeit erschossen worden war.

»Jetzt ist er also tot, der Vater von unserem Ragnar«, sagte John.

Hanna wurde weiß wie ein Leichentuch und stocksteif dazu.

»Ist das wahr oder redet Ihr nur so daher?« flüsterte sie.

»Es ist wohl wahr. Der Landjäger ist in Lyckan gewesen und hat es den Alten gesagt. Es ist schwer für die beiden.«

Jetzt wurde Hanna über und über rot und fing an zu zittern.

Und plötzlich schrie sie: »Denen gönn ich's, diesem verdammten Pack!«

Broman sah seiner Frau erstaunt an, wie alle Schande von ihr abfiel und zugleich auch Vernunft und Würde. Sie stürzte zur Tür hinaus und rannte auf dem Hof im Kreis herum. Wie eine Verrückte schrie und lachte sie abwechselnd. Sie stieß Flüche aus, Wörter, die er bei ihr nie für möglich gehalten hätte.

»Hölle und Teufel, Satansbrut, die verdammte Lovisa hat gekriegt, was sie verdient – o Gott, wie gönn ich ihr das. Wohl bekomm's, wohl bekomm's, liebe Tante.«

Und dann lachte sie wieder, so laut, dass die Vögel aus den Bäumen aufflogen.

»Ragnar, Ragnar, wo bist du, Kind? Du bist frei, du bist endlich befreit von dem Bösen.«

Erschrocken ging John ihr nach, als sie hinunter zum See rannte und ihr ›Ich bin frei, Ragnar!‹ rief. »Wir sind von den Schrecken erlöst. Weil jetzt dein Vater in der Hölle schmort.«

Dann rannte sie wieder aufs Haus zu und warf sich hitzig auf die Erde. John ging zu ihr hin, strich ihr über den Kopf und sie hielt mitten im Schluchzen inne und flüsterte: »Ihr wisst, ich kann nur weinen, wenn ich mich freue.«

»Das weiß ich wohl«, sagte Broman. Dann schwieg er lange, ehe er fortfuhr: »Ich hab nie gewusst, dass es dir so schwer war.«

Sie unterbrach das ungestüme Weinen, und ihre Stimme war fest, als sie sagte: »Ihr, John Broman, seid ein viel zu gütiger Mensch, um so etwas zu verstehen.«

Jetzt zögerte er lange, sagte aber schließlich: »Das stimmt nicht. Ich hab mich auch gefreut, als mein Vater ums Leben kam.«

Da versiegten die Tränen, sie setzte sich auf, wischte das Gesicht an der Schürze ab und sagte mit großem Erstaunen: »Dann sind wir gleich, Ihr und ich. Jedenfalls ein bisschen.«

Zum ersten Mal sah sie ihm gerade in die Augen, Blick traf auf Blick, und sie wich nicht aus, als er äußerte, dass es wohl so sei.

Jetzt bemerkte er, dass sie fror, und sagte, jetzt musst du mit ins Warme kommen, bevor du dich verkühlst. Sie gehorchte.

Im nächsten Augenblick stürmte der Junge ins Haus und rief, dass der Schmied sagt, dass der Rickard auf Lyckan im Wald ermordet worden sei.

»Nein«, sagte John Broman mit fester Stimme. »Es war ein Unfall. Der Jäger, der geschossen hat, hat den Rickard für einen Bären gehalten.«

»Und hat sich geirrt?«

»Ja, so was passiert. Jagdunfall nennt man das.«

»Ich weiß«, sagte der Junge leise.

Aber als John, der sich auch gut auf den Fischfang verstand, vorschlug, an den See zu gehen, um nach der Reuse zu sehen, wurde er wieder lebendig.

»Darf ich mit dem Boot mitfahren, Mutter?«

»Das darfst du«, sagte John Broman statt ihrer. »Die Mutter hat keine Zeit zu rudern, also darfst du's tun, und sie richtet das Abendbrot her.«

Im Boot wurde der Junge wieder ernst, nahm schließlich all seinen Mut zusammen und stellte die Frage: »Der war mein Vater, nicht wahr?«

»Ja«, sagte Broman. »So war's.«

Zum ersten Mal suchte an diesem Abend Hanna ihren Mann. Danach schlief sie sofort ein, doch John blieb aus Angst um seine Frau lange wach liegen. Er hatte sich weit mehr erschrocken, als er zugeben wollte, und dachte, sie sei verrückt geworden und es könnte alles nur Erdenkliche passieren. Aber er dachte auch an seine eigene wilde Freude, als sie damals mit der Nachricht gekommen waren, der alte Broman sei ins Eis eingebrochen. John hatte Staunen erregt, weil er beim Begräbnis so viel weinte.

War er wie Hanna und weinte aus Freude?

Am Morgen, als Hanna Feuer im Herd machte, überkam sie ein schicksalsschweres Gefühl. Jetzt bin ich schwanger, dachte sie.

Nach diesem Tag war die Luft im Müllerhaus reiner. Und am Donnerstag, als ihre Eltern überraschend mit der Nachricht zu Besuch kamen, dass Joel auf Lyckan seine Frau erwürgt und dann in den Stall gegangen war und sich erschossen hatte, gelang es Hanna, anständig entsetzt dreinzuschauen. Aber ihre Augen ließen Bromans Blick nicht los, sie versenkten sich tief in seine.

Er wich nicht aus, fühlte sich aber seltsam schuldig.

Am Freitag arbeiteten sie auf dem Kartoffelacker. Hanna spannte sich vor den Pflug und John Broman schämte sich, wie er so hinter seiner Frau herging und die Furchen zog. Irgendwie musste er ein Pferd beschaffen.

Er hatte gleich nach Weihnachten einen Brief von Alma bekommen. Der Versuch, mit Hilfe des Gesetzes einen Vorschuss auf das Erbteil zu erlangen, war fehlgeschlagen, und die Mutter ließ nicht mit sich reden.

Es stand nicht ein Wort des Vorwurfs im Brief der Schwester, aber John las zwischen den Zeilen. Denn es verhielt sich ja so, dass die Erbschaft geteilt worden wäre, wenn er zu Hause geblieben und als einziger Sohn den Hof übernommen hätte. Alma und ihre Familie hätten es dann besser gehabt. Aber er hatte schon in jungen Jahren den Hof verlassen, war im Nachbardorf in die Müllerlehre gegangen und hatte zu allem Unglück auch noch geheiratet.

Obwohl Selbstmörder in der Gegend geächtet waren, kam viel Volk zu Joel Erikssons Begräbnis. Und damit alles so war, wie es sein sollte, wurden Mann und Frau nebeneinander und neben dem Sohn beerdigt, dessen fahrlässig erschossener Körper von Trösil hierher überführt worden war. Erik Eriksson stand aufrecht wie ein Baum am Grab, und als der Begräbniskaffee getrunken war und die Gäste gegangen waren, legte er seine Pläne dar. August sollte Lyckan übernehmen und sein ältester Sohn Bråten. Aber zum ersten Mal in seinem Leben wurde dem alten Großbauern widersprochen. August sagte, dass er Lyckan nicht haben wolle, dafür aber die Besitzurkunde für Bråten. Und der Sohn teilte mit, dass er sich für Amerika entschieden habe.

Erik Eriksson, dem noch nie widersprochen worden war, sackte förmlich auf seinem Platz dort im Saal von Bråten in sich zusammen, sein Rücken wurde krumm, und plötzlich konnten alle sehen, dass er alt war und das Unglück ihn hart mitgenommen hatte. Wie immer kamen die erlösenden Worte von Ingegerd. Sie schlug vor, die Höfe zusammenzulegen und auf August zu überschreiben, der dann über das Erbe verfügen sollte.

»Das werden lange Wege für dich, wenn du dir einbildest, auf Bråten wohnen bleiben zu können«, sagte sie zu dem Schwager. »Aber das ist deine Sache.«

August gab sich alle Mühe, nicht zu zeigen, wie zufrieden er war. Dies war eine Lösung, wie er sie erhofft hatte. Hanna sah ihre Tante Ingegerd mit großen Augen an und dachte wie schon viele Male zuvor, die ist aufrecht und schön, die älteste Tochter von Erik Eriksson. Sie war schon fünfzig und sieben Jahre älter als Maja-Lisa. Aber sie sah viel jünger aus.

So kann eine Frau werden, dachte Hanna, wenn sie ohne Mann und Kinder auskommt. Dann schämte sie sich, weil sie wusste, dass Frauen sich dem Brauch zu beugen hatten. Denn schließlich mussten Kinder geboren werden.

Mit ihrer Mutter ging Hanna in die Küche, um nach dem Begräbnis aufzuräumen. Sie sprachen von Ingegerd, die schon in ihrer Jugend schön und klug gewesen war.

»An Freiern hat's der nie gefehlt«, sagte Maja-Lisa. »Die sind scharenweise gekommen, aber nur ausgelacht hat sie die. Und dem Vater war's recht, der wollte sie behalten.«

Es standen oberhalb des Hauses und unweit des Ufers der Norskseen fünf große Ahornbäume dicht beisammen. Als sie in diesem Frühjahr blühten, duftete der ganze Müllerhof nach Honig, und Hanna sagte, es ist schon schade, dass man den süßen Saft nicht gleich aus den Bäumen trinken kann. Aber Broman, der sah, wie es hellgrüne Blüten über das dunkle Wasser regnete, lachte sie aus und merkte nicht, dass sie ihm das übel nahm.

»Ihr müsst mir helfen, das feine Sofa auf den Dachboden zu tragen«, sagte sie. »Ich brauche in der Stube Platz für den Webstuhl.«

Ihm war das recht. »Du weißt ja, was ich von dem Sofa halte.«

Sie fauchte, das mit dem Webstuhl sei nur vorübergehend, und dass sie ihr prächtiges Möbelstück bald wiederhaben wollte.

»Protzsofa, auf dem du kaum sitzen kannst«, sagte er.

Da wurde sie fuchsteufelswild und tobte, es gibt im Leben Wichtigeres als Sitzen. Er sah sie erstaunt an.

»Du denkst in letzter Zeit nicht gerade weit.«

»Ich kriege ein Kind«, schrie sie, hielt sich die Hand vor den Mund und dachte, dass ihr das ähnlich sah. Jetzt hatte sie sich seit Wochen den Kopf zerbrochen, wann sie es ihm sagen und wie sie die Worte wählen sollte!

Sie sah wohl, dass er nicht erfreut war, aber er legte ihr den Arm um die Schulter, als er schließlich sagte: »Ja, das war wohl zu erwarten.«

Sie konnte die Kartoffeln noch ausgraben und im Keller lagern, ehe im November der Junge kam. Die Entbindung war von der Art, dass sie Broman fast den Verstand raubte. Und es wurde nicht leichter, als die alte Anna wegen einer Tasse Kaffee in die Küche huschte und sagte, die ist ja im Unterleib ganz zerfetzt, deine Frau. Was anderes war nicht zu erwarten.

Im Morgengrauen weckte Anna ihn, sagte feierlich, jetzt hast du einen Sohn gekriegt, John Broman.

»Was ist mit Hanna?«

»Die schläft sich gesund. Sie ist stark, deine Frau.«

Ein Gefühl der Erleichterung durchflutete John, und Annas Feierlichkeit färbte auf ihn ab. Er wusch sich sorgfältig in der Küche und zog ein frisches Hemd an, ehe er sich leise in die Kammer schlich. Sie war blass, sein Mädchen, aber sie schlief tief und atmete in langen Zügen.

Der Junge lag in der Wiege am Fußende des Bettes, es war ein hässliches und kümmerliches Bündel mit einem feuerroten Schopf auf dem Schädel. Broman schaute das Kind lange an, erkannte die Gesichtszüge wieder und dachte, mit dem Jungen werde er es schwer haben. Dann hörte er, dass der erste Bauernkarren unterwegs zur Mühle war, und ging an die tägliche Arbeit.

Gegen Abend kamen Maja-Lisa und August mit Ragnar, den John Broman nach Bråten geschleppt hatte, als die Geburtswehen einsetzten.

Es wurde beschlossen, der neugeborene Junge solle nach seinem Vater auf John getauft werden.

»Schon nächsten Sonntag«, sagte Maja-Lisa so bestimmt, dass keiner zu sagen wagte, diesmal sei es nicht so eilig. Und Hanna bekam eine lange Reihe Verhaltensmaßregeln. Keine ungebetenen Gäste im Haus in der kommenden Woche. Und Hanna solle sich gut vor der hinkenden Malin in Acht nehmen, der Frau des Schmieds, der man viel Böses nachsagte, auch, dass sie den bösen Blick haben könnte.

Als die Schwiegereltern gegangen waren, machte John für sich und den Jungen in der Ausziehtruhe in der Küche das Bett zurecht. Sie schliefen, von der großen Anspannung müde, sofort ein. Aber Hanna lag in der Kammer lange wach, sah sich das neue Kind an und sagte vor sich hin: Kleiner hässlicher Fratz, du.

Sie empfand dieselbe verwunderliche Zärtlichkeit wie damals für Ragnar. Dann dankte sie Gott dafür, dass es vorbei war und außerdem ein Junge.

Der Schnee kam gegen Ende des Monats, musste sich aber glücklicherweise noch dem Regen aus Norwegen ergeben. John Broman überwand seinen Stolz und ging zu Erik Eriksson, um sich Pferd und Karren zu borgen. Der Alte liege mit Fieber und Brustschmerzen im Bett, sagte Ingegerd, und John schämte sich ob seiner Erleichterung.

Er mochte Ingegerd als eine der wenigen hier im Tal, mit denen er reden konnte. Jetzt gab sie ihm Kaffee, und sie blieben in der Küche sitzen und redeten über alles und jedes, auch über Maja-Lisas Kinder.

Ingegerd erzählte von Astrid, Hannas Schwester, die sich vornehm nach Fredrikshald, nach Norwegen, verheiratet hatte.

Als junges Mädchen habe sie ihr einen Dienstplatz in Norwegen besorgt. Sie ist zu einer guten Familie gekommen, keine Bauernwirtschaft, sondern ein Kaufmannshaus. Dann hat sich der Fischhändler von dort in sie verliebt und es hat eine Hochzeit in Fredrikshald gegeben. Ihr Mann ist einer, der mit beiden Füßen auf dem Boden steht.

»Die Maja-Lisa meint, sie gleicht einem von den toten Kindern.«

»Tut sie. Aber da ist ja nichts Merkwürdiges dran. Geschwister gleichen sich oft wie ein Ei dem anderen.«

John fühlte sich von der ruhigen Stimme und der vernünftigen Erklärung getröstet. Er hatte seit dem letzten Weihnachtsfest eigenartige Gedanken gehabt, seit Maja-Lisa von Astrid und der toten Schwester erzählt hatte.

Schließlich brachte er sein Anliegen vor. Zum eigenen Erstaunen erzählte er von seiner Mutter, die sich zu sterben weigerte, vom Erbe, das nicht aufgeteilt werden konnte, und wie lange und vergeblich er schon darauf wartete, vom Hof ein Pferd zu bekommen.

»Wir schaffen's nicht ohne«, sagte er. »Hier bezahlt kein Bauer mit Geld, und einmal im Monat muss ich fort und mein Mehl verkaufen. «

»Broman, du kannst Pferd und Karren haben, um nach Fredrikshald zu fahren«, sagte Ingegerd. »Der Vater braucht nichts wissen, der kommt in der nächsten Zeit eh nicht auf die Beine. Und bis dorthin werd ich mir was einfallen lassen.«

Er war verwundert über das Wohlwollen, als er das Pferd einspannte, das stark und jung und vor dem Karren nicht gar so leicht zu handhaben war. Aber als er sich verabschiedete, wurde ihm manches klar.

»Wir zwei, Broman, du und ich, wir haben viel Gemeinsames«, sagte Ingegerd. »Es ist schon schwer, wenn man den Alten das Leben wegwünschen muss.«

Hanna war zutiefst erstaunt, als er mit dem Pferd heimkam. Aber die

Sorge überwog die Freude, als er sagte, dass er mit dem Mehl bis nach Fredrikshald wolle.

»Dann bleibt Ihr ja viele Tage weg.«

»Du hast doch deinen Bruder da.«

»Aber der ist doch nicht das Gleiche. Der schweigt ja die ganze Zeit.«

Broman dachte, dass alle Kinder von Bråten schweigsam waren, nicht zuletzt Hanna selbst. Aber laut sagte er: »Hab geglaubt, dir sind mein Geschwätz und meine Geschichten zuwider.«

»Das ist bloß, weil es sich so gehört«, sagte sie, und da lachte er über sie und merkte zu spät, dass sie das traurig machte.

Anderthalb Jahre nach der Geburt des kleinen John kam der nächste Junge und geriet, wie erwartet, der Eriksson'schen Familie nach, hatte braune Augen, eine gerade Nase und dunkelbraune Haare. Maja-Lisa war stolz, als hätte sie ihn selbst geboren, und bestimmte, dass der Junge nach ihrem Vater Erik heißen sollte.

Die Entbindung war auch dieses Mal schwer, und als Broman Hannas Qualen sah, gelobte er sich selbst feierlich, seine Frau nie mehr anzurühren. Aber das war ein Versprechen, das er nicht halten konnte, denn als Erik zwei Jahre alt war, wurde der dritte Junge geboren und bekam den Namen August nach Hannas Vater.

Der letzte Junge war schwächer als die anderen. Hanna sah das sofort nach der Geburt, noch ehe die Hebamme das Kind gewaschen hatte. Und als sie ihn das erste Mal an die Brust legte, spürte sie, dass er wenig Lust aufs Leben hatte.

Der gerät seinem Vater nach, dachte sie.

Sie lebte in ständiger Sorge um ihren Mann, dessen Husten von Jahr zu Jahr schlimmer wurde und oft so bösartig war, dass ihm selbst das Husten schwer fiel. Dann musste er zum Haus hinauslaufen und keuchend nach Luft ringen. Die alte Anna kam, wenn es am schlimmsten war, legte dem Müller Breiumschläge auf die Brust und sprach lange und beruhigend auf ihn ein.

»Er sollte zum Doktor«, sagte sie, und gegen den Frühling, als in der Mühle am wenigsten zu tun war, fuhr Broman mit Tante Ingegerd den weiten Weg nach Vänersborg, wo ein hitzköpfiger Arzt sagte, er habe Asthma und müsse sofort mit dem Mahlen aufhören.

»Wie ich meine Familie versorgen soll, wenn ich die Mühle aufgebe, darüber konnte er mir nichts sagen«, meinte John zu seiner Frau, als er heimkam. Die Medizin, die er bekommen hatte, war schnell verbraucht. Aber das war egal, denn sie half ihm sowieso nicht.

Mit dem Pferd wurde es, wie Erik Eriksson es bestimmt hatte, August bekam zwei Drittel des Tieres und John Broman eines. Broman war verbittert, aber Hanna meinte, das sei eine gute Abmachung. Sie hatten hier oben zwischen den Felsen nicht genug Weideland für das große Tier, und sie brauchten das Pferd nicht mehr als eine Woche im Monat, dann, wenn das Mehl zum Verkauf nach Norwegen sollte.

Wie Ingegerd vorausgesagt hatte, wurde es zu viel für August, auf Bråten zu wohnen und Lyckan zu bewirtschaften. Vorsichtig griff er gegenüber Maja-Lisa die Frage auf, aber sie meinte kurz und bündig, dass sie auf gar keinen Fall auf den Unglückshof übersiedeln werde. Als John in den Zwist hineingezogen wurde, überlegte er lange und kam nur zögerlich mit seinem Vorschlag heraus. Wir reißen das alte Haus ab und bauen oben auf dem Hügel ein neues, sagte er. »Das wird schöner, ein neues Haus mit Aussicht auf Wildbach und See.«

Aber August hatte kein Geld für einen Neubau. Und nicht die Kraft. Es kam also doch zu einem Umzug auf das alte Lyckan, wo August, seine Söhne und John Broman die Decken und Wände mit Leimfarbe strichen und den Herd kalkten.

Zur Mittsommerzeit zogen sie mit ihrem Hausrat auf Lyckan ein. Maja-Lisa hörte auf zu jammern, aber sie konnte sich in ihrem neuen Heim nicht einleben. Es dauerte eine Weile, bis jemand merkte, wie es um sie stand, und eines Tages sagte John zu seiner Frau, deine Mutter geht dort auf Lyckan ein. Hanna erschrak fürchterlich und flüsterte, die gehen wirklich dort um, die bösen Geister. Aber Broman schnaubte nur und meinte, dass das, was Maja-Lisa plagt, eine Krankheit sei von der Art, die im Körper sitzt.

Hanna ging, sooft sie konnte, mit ihren Kindern die Mutter besuchen und stellte fest, dass sie jedesmal noch dünner und blasser geworden war.

»Habt Ihr irgendwo Schmerzen, Mutter?«

»Nein. Ich bin bloß so elend müde.«

Hanna tat für ihre Mutter, was sie konnte, ließ fast täglich ihre Kinder allein bei der alten Anna in der Hütte und rannte mit dem kleinen August an der Brust nach Lyckan, um dafür zu sorgen, dass Eltern und Brüder wenigstens zu essen hatten. Eines Tages entfuhr ihr die Frage, die sie nie und nimmer zu stellen vorgehabt hatte: »Ist das so, dass die Toten auf dem Hof gespenstern, Mutter?«

»Ja«, sagte Maja-Lisa und lächelte dabei. »Aber das sind nicht der Joel und die Lovisa von hier. Es sind meine Kinder, der Anders und der Johan. Und manchmal kommt auch die kleine Elin.«

»Aber die haben doch nie hier gewohnt!«

»Jetzt tun sie's halt.«

Als Hanna heimkam und erzählte, was die Mutter gesagt hatte, meinte John Broman, dass Trauer nie vergeht. Die ist da und zehrt am Leben, nimmt einem ein Stück nach dem anderen weg. »Die, die viel Tote haben, verlieren die Lebenslust mehr und mehr.«

August, der die Krankheit seiner Frau nicht ertragen konnte, schrieb an Johannes einen Brief. Er war mit dem weithin bekannten Heiler verwandt und brachte mühselig zustande, dass du jetzt, Vetter, halt kommen musst, weil ohne mein Weib komm ich nicht zurecht.

Als Hanna John von dem Brief erzählte, sagte er erstaunt, es ist doch Vieh, was er heilt, der Johannes.

»Leute auch. Ihr habt bestimmt gehört vom Veteran, der mit Krebs im Sterben lag, und wie der Johannes in die Hütte gekommen ist und einen Tee gebraut hat und das Getränk in den Alten hineingezwungen hat. Dann hat er ihn aufstehen lassen. Es wär ausgemacht, dass er lebt, bis er neunzig ist, hat er gesagt. Und genauso ist es gewesen.«

Diese Geschichte hatte John noch nicht gehört. Aber viele andere, eine seltsamer als die andere. Johannes hatte großes Ansehen, auch in Värmland. John hatte den Gerüchten nie geglaubt, aber er sagte zu Hanna, dass sein Besuch August und Maja-Lisa vielleicht ein Trost sein könnte.

Doch John war im Irrtum. Am Sonntagnachmittag, als die Familie sich auf Lyckan versammelt hatte, kam Johannes, begrüßte alle mit Handschlag und ging in das Zimmer, in dem Maja-Lisa lag. Er warf nur einen Blick auf sie, ehe er sagte: »Du bist also auf dem Weg zum Fortgehen, du.«

Nun konnte sie es vor sich selbst und vor den anderen zugeben. »Ich bin so müde«, sagte sie. »Wann wird's sein?«

»Wird wohl noch diese Woche sein. Und du brauchst keine Angst vor Schmerzen zu haben. Du gehst im Schlaf hinüber.«

»Und werd ich dann die Kinder treffen?«

»Würde ich meinen. Alle außer der Maria, aber das weißt du selber.«

John Broman stand in der Küche und hörte jedes einzelne Wort, wollte aber nicht glauben, dass er richtig gehört hatte. Dann kam Hanna heraus, weiß wie ein Geist, dicht gefolgt vom Vater, der aussah, als wäre er es, dem das Todesurteil gesprochen worden war. Keiner brachte ein Wort heraus, aber schließlich meinte Ingegerd: »Wir müssen der Astrid wohl Post schicken.«

Obwohl sie flüsterte und Johannes noch im Zimmer bei Maja-Lisa war, hörte er es und sagte laut: »Nein, die Astrid braucht nicht zu kommen.«

»Richtig«, sagte Maja-Lisa. »Die Astrid soll nicht kommen. Aber einen Pfarrer will ich haben, falls der Trunkenbold von der Kirche einen ganzen Tag nüchtern bleiben kann.«

Hanna blieb auf Lyckan, um für alle zu kochen. Aber John kehrte in die Mühle zurück, wo der zehnjährige Ragnar mit den kleinen Brüdern alleine war. Er konnte mit Ingegerd fahren, sie hatte es eilig, heim zum alten Erik zu kommen, der schon über ein Jahr sterbenskrank war.

Der Pfarrer war leicht angetrunken, als er am Montag kam und Maja-Lisa das Abendmahl reichte. Sie war ruhig, fast erwartungsvoll. Aber August war starr vor Angst und stumm, als wäre er in ein fremdes Land verwiesen worden.

Am Dienstag bekam Maja-Lisa starke Schmerzen in der Brust und Atembeschwerden. In der Nacht auf Mittwoch wachte die Familie an ihrem Bett und es verlief wie vorausgesagt. Sie schlief, tat irgendwann einen tiefen Seufzer und hörte auf zu atmen.

John saß nicht am Sterbebett, denn jemand musste zu Hause bei den Kindern sein. Er hatte sie gerade schlafen gelegt, als es an der Tür klopfte und Johannes ins Haus trat.

John kochte Kaffee, tischte Brot auf. Aber seine Bewegungen waren eckig, er mochte den Gast nicht. Sie schwiegen, doch als der Kaffee getrunken war, sagte Broman: »Fällst du deine Todesurteile immer so freiheraus?«

»Nur für die, die's hören wollen«, sagte Johannes und lächelte dabei. »August, der macht's auch nicht mehr lang. Aber dem nutzt es nicht, wenn er's weiß.«

John dachte an sein Asthma und seine elende Müdigkeit. Aber er wagte nicht zu fragen, und es war auch nicht nötig.

»Du, Broman, hast noch mehr Lebensjahre vor dir, als du eigentlich willst. Ich könnte mir denken, du lebst noch ein ganzes Stück hinein ins zwanzigste Jahrhundert.«

Als sie sich am Abend hingelegt hatten, konnte Hanna trotz Müdigkeit nur schwer einschlafen. Die Erinnerungen an die Mutter kamen und gingen ihr durch den Sinn, und manche davon taten weh.

»Du schaust ganz ausgelaugt aus«, sagte Broman, als sie ihr Frühstück aßen.

»Ich hab böse Gedanken.«

Sie wurde rot, aber es musste heraus: »Wie in dem Winter, als ich mit Ragnar schwanger war. Die Mutter hat mich beim Schlachten gebraucht, hat mich gezwungen, dass ich den Blutkübel halte! Und eine Frau im Ausgedinge am Bach ist gestorben. Und ob Ihr's glaubt oder nicht, die Mutter hat mich hingeschickt, dass ich die Leiche wasche. Und das alles, dass das Kind in meinem Bauch ungesund wird und stirbt.«

Hanna lächelte mit schiefem Mund und deutete auf Ragnar, der in der Ausziehkiste schlief: »Dann ist er gekommen und war gesünder und schöner als wie ein jedes von ihren eigenen Kindern.«

John konnte nur den Kopf schütteln. Aber als er in der Tür stand, um zu seiner Arbeit zu gehen, drehte er sich um und sagte: »Eines kann man aber daraus lernen. Die ganze alte Gespensterseherei schadet keinem.«

Mitten in der mühsamen Erntearbeit bekam August Olsson Schmerzen in der Brust und legte sich unter einen Baum, um sich auszuruhen. Als ihn seine Söhne nach einer guten Stunde wecken wollten, war er tot. Schweigend umstanden sie ihn und waren wohl weder erstaunt noch erschrocken. Der alte August hatte eigentlich nicht mehr gelebt, seit Maja-Lisa unter der Erde war.

Es gab kein Testament, also gingen die Höfe auf die Söhne über. Robert, der sich die Amerikapläne aus dem Kopf geschlagen hatte, und Rudolf, der ebenso arbeitseifrig war wie Hanna, richteten sich auf Lyckan ein. Nur Adolf blieb noch etliche Jahre in der Mühle am Norskwasser wohnen. Als die Müllersöhne groß genug waren, die schwere Arbeit auf sich zu nehmen, ließ Adolf sich sein Erbe auszahlen und fuhr nach Amerika.

Keiner von Hannas Brüdern heiratete.

Zum Begräbnis ihres Vaters war Astrid mit Mann und Kindern gekommen. John Broman, der seine Schwägerin noch nie gesehen hatte, betrachtete sie immer wieder aufmerksam. Er fand sie stattlich in dem geblümten städtischen Kleid. Sie war einfach ein schöner Anblick und freundlich zu allen, sprach gerne und viel, sang den Kindern Wiegenlieder vor und den Kühen Weisen.

Im Wesen glich sie keinem der Geschwister. Trotzdem hatte sie dieselbe aufrechte Haltung wie Hanna, und wenn man genau hinschaute, konnte man in den Gesichtszügen Ähnlichkeiten erkennen.

Aber die elegante Schwester ließ Hanna schwerfällig und bäurisch wirken. Wenn Astrid über den Boden schwebte, ging Hanna mit festem Schritt. Astrids Gesicht spiegelte jedes Gefühl wider und war so wechselhaft wie das Aprilwetter. Hannas war verschlossen. Astrid redete und sang. Hanna schwieg. Astrid warf den Kopf zurück und lachte. Hanna konnte manchmal kichern, hielt sich aber sofort die Hand vor den Mund, immer verlegen, wenn es geschah. John hatte Mitleid mit seiner Frau. Doch manchmal wurde er zornig und dachte, die könnte doch ihr Kopftuch abnehmen und ihr schönes Haar zeigen. Und sich anders kleiden als immer bloß in schwarze oder braun gestreifte Wolle.

Eins aber stand außer Zweifel, die beiden Schwestern hatten einander gern. Es gab keinen Funken Neid oder das Bedürfnis, Abstand halten zu wollen bei Hanna, auch wenn sie dies und das über Hochmut und Eitelkeit fallen ließ.

John, gebannt von Astrids lichtem Wesen, fühlte sich zu der Schwägerin hingezogen. Aber sie erschreckte ihn auch, und daher wurden sie nie vertraut. Einmal sagte er: »Du bist nicht ganz von dieser Welt.« Sie lachte ihn aus, aber er sah, dass Hanna erschrocken war.

Doch der Schwager pflichtete bei: »Meine Gattin ist ein Engel«, sagte er. »Wenn sie nicht ein Troll ist. Du wirst einsehen, ich hab's nicht leicht.«

Mit der Zeit schloss John den Fischhändler ins Herz, einen zuverlässigen Mann mit großem Herzen und gutem Kopf. Während der Fischzüge frühmorgens auf dem See wurden sie Freunde. Es war hier im Boot, wo Broman bewusst wurde, dass sich zwischen Norwegen und Schweden eine Krise oder gar Schlimmeres anbahnte.

Arne Henriksens Stimme hallte mit solcher Kraft über den See, dass er die Fische rasch in die Flucht trieb.

»Es sollte endlich Schluss sein mit den schwedischen Herrenmanieren«, sagte er. »Sonst kracht's. Verlass dich drauf. Wir haben Waffen und wir haben auch Leute.«

John dachte an seine eigenen Reisen nach Fredrikshald, wo die armen Kleinbauern aus Dal reihenweise demütig auf dem Markt standen, um ihre Schafe, ihr Heu und ihre Butterfässer anzubieten.

»Ich rede von den Herren in Stockholm«, sagte Arne. »Nicht von euch.«

»Aber wir sind es, die in die Schlacht ziehen, wenn Ihr mit Waffen kommt.«

»Ihr müsst gemeinsame Sache mit uns machen und euch von diesem Fuchs von einem König lossagen.«

Der Müller hörte zu, ohne richtig zu begreifen. Aber als Henriksen schilderte, dass das Storting, die norwegische Volksvertretung, für acht Millionen Reichstaler neue Panzerschiffe gekauft hatte und dass der neue norwegische Verteidigungsminister, der Stang hieß und Oberstleutnant war, entlang der ausgedehnten Grenze zu Schweden Festungen bauen ließ, bekam John Broman Angst.

Die norwegischen Verwandten nahmen es übel, als sie erfuhren, dass John Broman einmal im Monat in Fredrikshald war. Warum hatte er sich nie gemeldet? John fiel die Antwort schwer, aber schließlich sagte er, dass er wohl schüchtern sei.

»Dummes Zeug«, sagte Arne, aber Astrid lachte wie üblich und meinte, das müsse sich jetzt ändern. Broman müsse nächstes Mal bei Henriksens übernachten, das müsse er, bitte schön, versprechen. In ein paar Monaten konnte der kleine August abgestillt werden, und dann müsse John auch Hanna mitbringen.

»Das erlaubt Mutter mir nie«, sagte Hanna und wurde rot, als ihr einfiel, dass Maja-Lisa tot war.

»Ich meine«, sagte sie. »Ich meine halt, will man gesunde Kinder haben, muss man ihnen die Brust zwei Jahre geben.«

Ausnahmsweise wurde Astrid böse: »Es ist an der Zeit, dass du dich von der Mutter freimachst und von ihren ganzen schrecklichen Ammenmärchen. Wir leben in einer neuen Zeit, Hanna.«

Da sagte Hanna etwas, das John sehr erstaunte. »Das ahne ich wohl. Aber ich habe Angst. An was soll man denn glauben, wenn das ganze Alte verkehrt war?«

»Das muss jeder selber herausfinden«, sagte Astrid, als wäre es die einfachste Sache der Welt.

Astrid verliebte sich in Ragnar, den schwarzäugigen Elfjährigen mit dem aufblitzenden Lächeln und dem fröhlichen Wesen.

»Ein göttliches Kind«, sagte sie. »Das Leben ist unbegreiflich, Hanna.«

»Er gleicht seinem Vater«, sagte Hanna und fügte schnell hinzu, aber nur, was das Äußerliche angeht. Vom Wesen her sei Ragnar lieb und fröhlich.

»Es muss schwer sein, ihn nicht zu verwöhnen.«

Das stimmte. Hanna musste zugeben, dass Broman eine Schwäche für den Jungen hatte, ihn viel mehr liebte als die eigenen Söhne.

Aber Henriksen sagte zu John, dass er mit dem Jungen aufpassen müsse.

»Die werden schwer erwachsen, die sich alles erschmeicheln können, was sie haben wollen.«

John nickte, er hatte daran auch schon gedacht.

Als die Norweger heimfuhren, war ausgemacht, dass John auf seinen Fahrten mit dem Mehl nach Fredrikshald bei ihnen wohnen sollte und dass er Hanna jeden Sommer einmal mitbringen musste.

»Wir kaufen dir neue, schöne Kleider und gehen mit dir zum Fotografen«, sagte Astrid, und Hanna machte sich vor Angst ganz klein. Und vor Freude, John sah es wohl.

Es war früh am Morgen und die Sonne stand noch tief, als der norwegische Wagen mit den schlafenden Kindern über die Berge zur Grenze fuhr. Hanna stand winkend im Hof vor dem Haus, während Broman bis zum Gatter mitging. Als die Gäste hinter der Biegung verschwunden waren, wandte er sich um, blieb eine Weile stehen und sah seine Frau an. Ihr Schatten war lang in dem schrägen Licht, schwarz und scharf sein Umriss.

Hannas erste Reise in die lebhafte Stadt war ein großes Ereignis. Ihr gefiel alles, was sie sah, die Betriebsamkeit auf den Straßen und die vielen Geschäfte. Aber das Beste von allem war, von Fremden umgeben zu sein.

»Denk nur«, sagte sie zu John. »Denk nur, durch all die Straßen und in all die Geschäfte gehen zu können und nicht einen einzigen Menschen grüßen zu müssen.«

Gedrängt von ihrer Schwester, probierte sie fertige Kleider in Modegeschäften an. Es war eine Qual, sie so zu sehen; tödlich verlegen, lief ihr der Schweiß aus den Achselhöhlen über Brust und Bauch.

»Ich schäme mich so furchtbar«, flüsterte sie. Aber Astrid gab nicht klein bei, zog ihr ein weiteres Kleid über und forderte sie auf, in den großen Spiegel zu schauen. Das wagte Hanna nur für ein paar kurze Augenblicke, dann schlug sie die Hände vors Gesicht.

Schließlich gab sie doch nach und kaufte ein Kleid mit Volants und grünen Blumen auf weißem Grund. Als man sie aber zum Fotografen nötigte, zog sie ihr bestes Kleid von zu Hause an, das braun Karierte. Sie schaute die ganze Zeit mit ernstem Gesicht direkt in die Kamera.

Sie würde von dem Bild tief beeindruckt sein, es zu Hause hinter Glas und Rahmen im Saal an die Wand hängen und oft davor stehen bleiben. Als könnte sie nicht genug bekommen von dem Blick, der dem ihren begegnete.

Aber nie traute sie sich, das geblümte Kleid aus dem Modegeschäft anzuziehen.

Mit dem Buttern hatte Hanna Glück. Nie misslang ihr die Butter, nicht einmal, wenn eine Bettlerin in die Küche kam und das Butterfass mit dem bösen Blick bedachte. Aber eines Tages sagte Malin, die Frau des Schmieds, das hat man ja schon immer gewusst, dass die Huren Glück mit der Butter haben.

Da verlor Hanna die Beherrschung und schrie: »Raus hier, du hinkende Giftnudel. Und lass dich nie mehr im Müllerhaus blicken.«

Das war schon Jahre her. Aber seit jenem Tag herrschte Feindschaft zwischen den beiden Häusern an den Norwegerseen. Broman erfuhr nie, was vorgefallen war. Aber es bereitete ihm Kummer, denn er war in vielerlei Hinsicht auf den Schmied angewiesen, nicht nur, weil sie an den Samstagabenden miteinander soffen.

Alle zwei Monate musste er die Mühlsteine zum Behauen wegheben. Das war eine schwere Arbeit, und zum Reinigen der Mahlfurchen in den Steinen brauchte er geschliffene Mühleisen.

Er machte Hanna Vorwürfe.

»Wir müssen doch gut auskommen mit den wenigen Nachbarn, die wir noch haben.«

Aber sie blieb hart. Die hinkende Malin kam ihr nie wieder über die Schwelle.

»Frag sie«, schrie Hanna. »Frag sie, warum ich Glück mit dem Buttern hab.«

Also ging Broman mit seiner Frage ins Haus des Schmieds, und Malin sagte, dass es wohl so war, wie Hanna sagte, dass sie Butterglück hatte, weil sie Stall und Küche immer sauber hielt.

Erst am Abend, als er mit Malins Antwort heimkam, erfuhr er, was sie tatsächlich zu Hanna gesagt hatte. Da wurde er so zornig, dass er zu den Nachbarn ging und die Schmiedfrau beschimpfte. Jetzt mussten die Männer mit ihrem Branntwein in die große Höhle unten am Langsee gehen.

Dann geschah es eines Tages im Spätwinter, dass Ragnar blutig und zusammengeschlagen aus der Schule kam. Ja, er hatte sich geprügelt. Die anderen seien noch schlimmer zugerichtet als er, sagte er und wischte sich mit dem Handrücken das Blut von der Oberlippe.

Da schickte Hanna nach Broman.

Er kam und verlangte heißes Wasser, um die Wunden auszuwaschen, kratzte dem Jungen die schlimmsten Blutkrusten vom Gesicht und sagte, jetzt will ich aber wissen, was da passiert ist.

»Sie haben mich Hurensohn genannt«, sagte der Junge.

»Aber du lieber Gott!« schrie Hanna. »Das ist doch kein Grund zum Streiten, es ist doch die Wahrheit!«

Im nächsten Augenblick drehte Broman sich um und schlug ihr mit der flachen Hand mitten ins Gesicht. Hanna taumelte durch die Küche und schlug mit dem Rücken gegen die Sitzbank unter dem Fenster.

»Seid Ihr übergeschnappt!« schrie sie.

»Kann schon sein«, entgegnete Broman wütend. »Du treibst mich noch zum Wahnsinn.« Dann ging er hinaus und knallte die Tür hinter sich zu.

Ragnar weinte, aber trotz der Tränen konnte sie sehen, dass seine Augen eiskalt waren.

»Ihr seid es, Mutter, die übergeschnappt ist.«

Dann verschwand auch er nach draußen.

Hanna zitterte am ganzen Körper, fing sich dann aber. Sie sah sich ihr Gesicht im Spiegel genau an, es war geschwollen und lief schon blau an. Aber sie blutete nicht. Das mit dem Rücken war schlimmer, er schmerzte stark nach dem Aufprall auf die Sitzbank.

Hanna bewegte sich steif, als sie bei Tisch bediente und abzuwaschen anfing. Als Broman sie ansah, sagte sie entschuldigend, dass sie mit dem Rücken gegen die Sitzbank gefallen sei. Da schämte er sich noch mehr.

Ragnar, der in den Wald gerannt war, um nachzudenken, kam, als sie die Betten für die Nacht zurechtmachte. Er verhielt sich wie Broman, schwieg.

Guter Gott, wie soll ich's erklären?

Als sie sich niedergelegt hatten, sprach Broman eben dieses an: »Ich will wissen, warum du nicht verzeihen kannst, wenn die Malin dich Hure schimpft, du es aber richtig findest, wenn sie dem Ragnar Hurensohn nachrufen.«

Sie schwieg lange, sagte schließlich: »Ich bin keine Hure, ich bin überfallen worden. Aber der Ragnar ist … unehelich geboren, das kann niemand abstreiten.«

»Also bist du unschuldig und er ist schuldig.«

»So mein ich das nicht.«

Am Morgen konnte sie sich kaum bewegen, aber Broman tat, als bemerke er ihre Schmerzen gar nicht, und versuchte es nochmals: »Hanna, du bist nicht dumm, du kannst denken. Jetzt musst du mir und dem Jungen endlich alles erklären.«

Sie grübelte den ganzen Tag, fand aber nichts, was den anderen ihre Worte begreiflich machen konnte. Für sie war alles verständlich. Beim Abendessen sagte sie zu Ragnar, ist mir halt die Zunge durchgegangen.

»Ich hab so große Angst gehabt, dass ich mir nicht anders hab helfen können«, sagte sie.

Das war für sie die größtmögliche Annäherung an eine Bitte um Verzeihung, aber dem Jungen genügte es nicht. Seine Augen blieben eisig. Es kam zu einer gespenstisch stillen Woche im Haus, sie waren alle groß im Schweigen. Ragnar, Hanna und Broman. Die Tage gingen dahin, ihr Rücken wurde besser, die blauen Flecke und Schwellungen verschwanden allmählich. Aber hinter den Augen blieb es schwarz vor Scham und Traurigkeit.

Dann eines Morgens, ehe Ragnar und die Brüder in die Schule gingen, sagte der Junge: »Du, Mutter, du bist ganz schön dumm im Kopf.«

Es war das erste Mal, dass er du sagte und Mutter. Sie blieb lange still am Küchentisch sitzen und ihr wurde bewusst, dass sie ihn verloren hatte und dass er ihr das Liebste von allem gewesen war.

Wieder wünschte sie sich, doch weinen zu können. Aber es war wie immer trocken in ihrer Seele.

Broman fuhr mit dem Mehl nach Fredrikshald, und Hanna befürchtete, er könnte der Schwester erzählen, was sich zugetragen hatte. Sie versuchte sich damit zu beruhigen, dass es nicht seine Gewohnheit war, Klatsch zu verbreiten.

Als er spätabends heimkam, war ihr klar, dass sie sich geirrt hatte. Er sagte ganz kurz, er habe mit dem Schwager abgesprochen, dass Ragnar, sobald er dreizehn geworden sei, Arbeit in der Fischhandlung bekäme und dort als Laufbursche die bestellte Ware ausliefern solle.

Als John ihre Verzweiflung sah, meinte er, sie müsse begreifen, dass der Junge langsam erwachsen werde und ihm sein eigenes Leben zustünde. In diesem Augenblick fasste Hanna einen Entschluss. »Er wird wohl selber wählen dürfen«, sagte sie.

»Natürlich, er entscheidet selber.«

»Wir fragen ihn morgen beim Mittagessen«, sagte Hanna, und Broman nickte.

Sobald die Männer am nächsten Morgen verschwunden waren, fing Hanna an einen Sandkuchen zu rühren. Sie sparte weder mit Butter noch Zucker und kostete den Teig immer wieder, bis er angenehm süß und fett war. Dann ging sie mit ihrem Kuchen ins Schmiedhaus, wo die hinkende Malin vor Staunen fast umgefallen wäre. »Ich hab mir halt gedacht, wir Nachbarn müssen zusammenhalten.«

Malin war völlig verblüfft. Sie sprachen eine Weile über Malins Jungen, die sich gut entwickelten, wie Malin sagte. Und über den Winter, der nicht nachgeben wollte.

Dann ging Hanna nach Hause und sagte zu Ihm im Himmel, jetzt habe ich das Meine getan. Jetzt musst Du großzügig sein und mir meinen Willen lassen.

Aber am Mittagstisch, als Broman dem Jungen erzählte, was in Fredrikshald ausgemacht worden war, geriet Ragnar fast außer sich vor Glück.

»Und ob ich will!« rief er. »Seid Ihr noch bei Trost, Vater. Und ob ich will …!«

Und da wusste Hanna, dass Gott auch diesmal nicht zugehört hatte.

Es wurde leer im Haus, als Ragnar abgereist war, und Broman dachte sich, dass dieser fröhliche Junge das Haus mit seinem Lachen gefüllt hatte. Auch Hanna machte ihm Kummer, sie war niedergeschlagen und müde.

Als der Frühling kam, hatten sie sich daran gewöhnt. Sogar Hanna gewann langsam ihre alte Frische wieder, und ihr Interesse an den anderen Söhnen wuchs. Broman schaute den kleinen John an, seinen rothaarigen ältesten Sohn von kleinem Wuchs, und stellte überrascht fest, dass es dem Jungen fast schon gelungen war, die Leere zu füllen, die Ragnar hinterlassen hatte. Er war voller Einfälle, hatte dasselbe Lachen wie sein Halbbruder und die gleiche Fähigkeit, Unbekümmertheit und Freude zu verbreiten.

Er war auch mitfühlend, die Traurigkeit der Mutter fiel ihm auf, und er tat, was er konnte, um sie zu trösten. Mit dem Vater hatte er nie auf gutem Fuß gestanden, doch musste Broman jetzt zugeben, dass John von den Söhnen derjenige war, der am härtesten arbeitete.

»Du hast mehr Durchhaltevermögen als dein Bruder«, sagte er eines Tages fast widerwillig. Als der Junge vor Freude rot wurde, bekam Broman Schuldgefühle. Er hatte seine Söhne vernachlässigt. Nicht nur John, sondern auch Erik und August, den Jüngsten, der ihn ärgerte, weil er andauernd krank und weinerlich war.

Erik war gut in der Schule. Es dauerte nicht lange, da hatte der Küster ihm schon fast alles beigebracht, was er selbst konnte.

Jetzt fing Broman an, in seinen alten Büchern auf dem Dachboden zu suchen, die nach dem Umzug von Värmland nie ausgepackt worden waren. Er fand *Robinson Crusoe* und lächelte wehmütig, als er sich erinnerte, wie dieses Buch seine Kinderträume genährt hatte.

»Kein Wort davon, dass es unnötig sei«, sagte er warnend zu Hanna, als er mit dem Buch vom Dachboden kam. Zu dem Jungen sagte er, als sie sich zum Abendessen gesetzt hatten, hier hab ich für dich ein Geschenk.

Erik wurde rot wie sein Bruder. Dann verschwand er in die Schlafkammer auf dem Dachboden, wo es eiskalt war.

Bald fand Erik allein den Weg zu der Kiste mit Bromans alten Büchern.

August hatte in diesem Frühjahr Keuchhusten. Hanna trug den Jungen nächtelang auf dem Arm, gab ihm heiße Milch mit Honig. Aber es half nicht, oft erbrach er sein Essen. John versuchte vergebens, seine Ruhe in der Kammer zu finden, aber der schreckliche Husten fachte auch noch seinen eigenen an. Vater und Sohn husteten um die Wette.

»Euch ist es doch so lange Zeit gut gegangen«, sagte Hanna beunruhigt.

Zum ersten Mal erkannte Broman, dass der böse Husten ihn nicht mehr geplagt hatte, seit der Heiler Johannes ihm ein langes Leben versprochen hatte.

Henriksen war eifersüchtig. Astrid, die Unmut im Gemüt anderer spüren konnte, lange bevor sie es selbst merkten, hatte sich in den Beschluss, Ragnar nach Fredrikshald zu holen, nicht eingemischt.

Sie mochte den Jungen und behielt das ganz für sich, begrüßte ihn, als er ankam, freundlich, aber kurz, und verwies ihn in die Gesindekammer unterm Dach. Er soll nicht bevorzugt werden, nur weil er mit uns verwandt ist, hatte sie zu Henriksen gesagt.

»Der ist von zu Hause aus verwöhnt«, sagte der Fischhändler.

»Das ist er. Wir werden ihm das abgewöhnen.«

So kam es, dass Henriksen freundlicher zu dem Jungen war, als er sich vorgenommen hatte, nur um die Sturheit seiner Frau aufzuwiegen.

Als Erstes musste Ragnar lernen, seine schwedische Ausdrucksweise abzulegen. Jetzt sollte er norwegisch sprechen. Die beiden Sprachen waren einander recht ähnlich, und so lernte er es in einer Woche.

»Er hat einen flinken Kopf«, sagte Henriksen.

Im ganzen ersten Halbjahr zog er den Karren mit dem bestellten Fisch eigenhändig. An jeder Tür zeigte er sein herzliches Lächeln, und die Frauen schmolzen dahin. Bald teilte er Henriksen mit, dass er mehr Fische verkaufen könnte als nur die bestellten, und nach einiger Zeit war der Leiterwagen zum Verkaufsladen geworden.

»Er ist ein sehr tüchtiger Kaufmann«, sagte Henriksen. Wenn seine Frau keine Antwort gab, wurde er böse und fügte hinzu: »Und außerdem ist er ehrlich und fleißig. Er jammert nicht wegen der langen Arbeitstage und er steht für jedes einzelne Öre gerade.«

Eines Tages hatte Ragnar in den engen Gassen unterhalb der Festung eine Begegnung, die sein ganzes Leben prägen sollte. Es war ein Herr aus Kristiania, der da kam – im Auto mit Chauffeur! Der unglaubliche Wagen musste wegen des Jungen anhalten, der daraufhin seinen Karren in eine Toreinfahrt schob.

Später fragte er Henriksen, was so eine Maschine wohl kosten mochte.

»So um die fünftausend Kronen.«

Das war für den Jungen eine unvorstellbare Summe.

Von diesem Tag an sparte er jeden noch so kleinen Betrag, den er verdiente.

Die alte Hebamme Anna war Witwe geworden, blieb aber auf ihrem Hof wohnen. Ihre Söhne waren in Amerika, und so musste sie Grund und Boden an den Nachbarhof verpachten. In dem besonders strengen Winter um die Jahrhundertwende hatten John und Hanna sie überredet, bei ihnen im Müllerhof zu wohnen. Beide fanden, dass sie Wohlbehagen um sich verbreitete, und vermissten sie, als sie sich im Frühling in den Kopf gesetzt hatte, wieder auf den eigenen Hof zu ziehen.

Als Broman heimkam, nachdem er Anna bei dem Umzug geholfen hatte, war er bedrückt. Die alte Schwermut schien ihn wieder packen zu wollen. Jetzt waren sie allein, und Schweigen schien sich im Haus einzunisten.

Er war mit den Jahren wortkarger geworden und hatte sich damit abgefunden, dass er mit seiner Frau nie vertraut werden würde. Er schwieg wochenlang, und sprach er einmal ein Wort, war es boshaft.

»Du hast nichts als Sägemehl im Kopf.« Oder: »Du siehst aus wie ein alter Besen.«

Sie hatten auch Kummer mit dem Lebensunterhalt. Ein Hof nach dem anderen wurde in der Gegend stillgelegt, es gab folglich auch in der Truhe des Müllers immer weniger Mehl. Umso größer wurde die Abhängigkeit von Kartoffelacker, Kühen und Fischfang.

Außerdem beunruhigte ihn die Krise mit Norwegen. Die Zeitung, die er zweimal in der Woche in Alvarssons Laden an der Grenze holte, schrieb von ständig neuen Gegensätzlichkeiten und immer heftigeren Worten. Als Astrid mit ihrem Mann zu Besuch kam, vermieden sie jedes Gespräch über Politik. Henriksen war schweigsamer als gewöhnlich, und Broman zweifelte nicht daran, dass auch der Norweger sich vor dem fürchtete, was bevorstand.

Jetzt war es Ragnar, der das Mehl von der Mühle nach Fredrikshald brachte. Broman sagte, er sei froh, es nicht tun zu müssen, er habe die Kraft nicht mehr. Aber die Fahrten fehlten ihm.

In diesem Frühjahr musste er eine Anleihe auf den Vorderhof aufnehmen, um überhaupt das Überleben sichern zu können. Ragnar half mit kleinen Beträgen aus, die er erübrigen konnte. Dem Jungen ging es in Norwegen gut, so gut, dass Arne Henriksen sagte: »Wär er kein Schwede, ich hätt ihn zum Kompagnon gemacht.«

Es kam ein kalter und verregneter Sommer, der sie ins Haus zwang. Sie rieben sich immer mehr aneinander. Broman hustete nachts, wenn die Verlassenheit seinen Körper beschlich, schlimmer als sonst. In einer solchen Nacht näherte er sich seiner Frau. Der Beischlaf besänftigte beide.

Im November zog die alte Anna wieder bei ihnen ein. Sie brachte große Neuigkeiten. Anders Olsson, Augusts jüngerer Bruder und Hannas leiblicher Onkel, hatte sie besucht und angeboten, ihren Hof zu kaufen. Er hatte viele Jahre in Fredrikshald auf der Werft gearbeitet, den Verdienst gespart und wollte nun nach Hause zurückkehren.

»Aber das ist doch nie sein Elternhaus gewesen«, sagte Hanna verblüfft. »Er ist in Norwegen geboren wie mein Vater auch.«

»Ich hab ihn das auch gefragt«, sagte Anna. »Aber er hat gemeint, wie die Zeiten jetzt sind, ist Schweden die Heimat, wenn einer ein Schwede ist.«

Hanna schaute John an und dachte an Ragnar.

»Für Ragnar gibt's wohl eine andere Lösung«, sagte John. »Der wird bald einberufen und ein schwedischer Soldat.«

»Ihr glaubt, es gibt Krieg?«

»Wir haben ein neues Gesetz zur Wehrpflicht.«

Sollte Anna verkaufen? Ein Nachbarhof mehr, das wär wichtig, mehr Leben in der Umgebung. Anders Olsson hatte vier Söhne und drei Töchter. Der älteste Sohn hatte sich schon umgehört wegen des Kaufes von Svackan, dem Hof unterhalb Trollåsen. Der war schon seit Jahren dem Verfall preisgegeben, aber es gab dort gutes Weideland.

Anna spürte, was die Müllerfamilie dachte, und nickte dazu, sie hatte bei sich genauso gedacht. Aber sie wusste auch, was sie wollte: »Ich will die Kammer für mich haben und eigene Möbel. Und ich werde anständig für mich zahlen.«

»Mit dem Zahlen, das soll sein, wie's kommt«, sagte John.

»Du kannst das mit Arbeit begleichen«, sagte Hanna.

»Ich weiß, wie ihr's mit dem Geld habt«, sagte die Alte. »Und ich mag euch halt. Aber zur Last will ich nicht werden, also wird's, wie ich's mir vorgenommen hab.«

John war fast glücklich, als er auf den See hinausruderte. Er bekam zwei Hechte an die Angel. Die bringt uns jetzt schon Glück, dachte er.

Die neue Freude hielt einige Monate an, während eingekocht und Saft gemacht wurde und sich die Küche mit guten Gerüchen und Weibergeschwätz füllte. Als aber der Herbst das Tageslicht verdrängte, erkannte Anna, wie es um Hanna bestellt war.

»Hast ein neues Kind unterwegs«, sagte sie zu Broman.

»Wir müssen zu Gott beten«, sagte sie, denn diese Entbindung konnte Hanna das Leben kosten.

John ging in den Wald, beladen mit Angst und Schuld.

Hanna war wie immer, flink in ihren Bewegungen und tatkräftig. Wie jeden Morgen, seit die alte Anna im Haus war, hörte er sie vor sich hin sagen, dass ihr das Sofa fehle, jenes Sofa, das schließlich auf dem Dachboden gelandet war, als Anna die Kammer bekommen und John und Hanna ihr Bett im Saal aufgestellt hatten.

Kann sie's vergessen haben, dachte er. Oder hat sie keine Angst vor dem Tod?

Vergessen hatte sie es nicht, das wurde ihm klar, als er sie zufällig eines Tages mit den Söhnen reden hörte. Flüsternd gab sie ihnen Ratschläge fürs Leben. Es ging um die Sauberkeit von Kleidern, Körper und Lebensart. Und dass sie ihr versprechen mussten, gut auf den Vater Acht zu geben, sollte ihr etwas zustoßen.

Er war gerührt, aber die Jungen lachten sie aus.

»Ihr werdet leben, bis Ihr hundert Jahre alt seid«, sagte Erik.

»Genau«, sagte Hanna. »Aber wenn ich's nicht tu, dann vergesst nicht, was ich euch gesagt habe.«

Anna hatte ausgerechnet, dass das Kind im März kommen würde. Schon ab Mitte Februar zwang sie Hanna, im Bett zu bleiben. Jetzt sollte sie sich ausruhen und zu Kräften kommen. Sie sprachen von vielen Dingen, auch vom Tod.

»Ich will anständig ins Grab kommen«, sagte Hanna. »Da drüben im Kasten hab ich mein Buttergeld aufgehoben, das ich auf die Seite hab legen können. Das nimmst du und achtest darauf, dass die Jungen schwarze Anzüge zum Begräbnis kriegen.«

»Das verspreche ich.«

Hanna musste hin und wieder aufstehen, um auf den Abtritt zu gehen. Am fünfzehnten Februar kam sie von dort zurück und teilte Anna mit, dass sie blutete. Die Hebamme machte ein zufriedenes Gesicht und braute ein Getränk aus Kräutern mit zusammenziehender Wirkung.

»Das trinkst du jetzt und wir kriegen's in Gang. Gut, dass es zu früh ist, dann ist auch das Kind nicht so groß.«

Hanna presste und schrie, aber das Kind steckte wie festgewachsen in der Gebärmutter. Anna probierte alle überlieferten Künste aus. Schließlich musste Hanna sich an einen Deckenbalken hängen, die Presswehen kamen in immer kürzeren Abständen, aber das Kind rührte sich nicht von der Stelle.

»Jetzt schneid ich dich auf.«

»Tu das.«

Anna hatte genug Verstand, ihre scharfe Schere in das kochende Wasser auf dem Herd zu tauchen, ehe sie den Muttermund aufschnitt. Das Kind flutschte heraus wie ein Kork aus der Flasche, Hanna wurde ohnmächtig, aber die Blutung war nicht so stark, wie Anna befürchtet hatte. Nähen konnte sie nicht, aber sie drückte den Schnitt zusammen, so gut sie konnte, und bestrich ihn mit Mistelsalbe.

Langsam kam wieder Leben in Hanna, und Anna flüsterte:

»Du hast es geschafft, Hanna. Es ist alles vorüber. Schlaf jetzt.«

Das Kind war blutig und blau, aber mit einem Klaps auf den Hintern bekam Anna die Atmung in Gang, nabelte es ab und badete es.

»Ist ein Mädchen«, sagte sie und hörte Hanna auf der Schwelle zum Schlaf flüstern: »Gott erbarm sich deiner, armes Kind.«

Als Erik mit der Nachricht zu Broman kam, dass alles vorbei sei und Hanna schlafe, wollte er es zunächst gar nicht glauben. Erst als Anna ihm einen großen Schnaps brachte, wurde ihm die Nachricht bewusst. »Du hast eine Tochter gekriegt«, sagte die Alte.

Die Worte rührten an eine alte Erinnerung.

»Sie soll Johanna heißen«, sagte er.

Aber die Wehmutter hatte Einwände und flüsterte: »Es führt zu nichts Gutem, wenn man Kinder nach toten Geschwistern benennt.«

Der Blick, den er ihr zuwarf, sagte deutlicher als Worte, dass sie nicht begriffen hatte.

Was die Hebamme ins Wasser gab, mit dem sie täglich Hannas Unterleib wusch, erfuhren sie nie. Aber es roch in den nächsten Wochen stark nach einem geheimnisvollen Gebräu in der Küche.

Ihre Mühe zeigte gute Wirkung, Hanna wurde gesund und nach vierzehn Tagen stieg sie aus dem Bett. Aber ihre Beine zitterten noch und es dauerte eine Weile, bis sie die Verantwortung für den Haushalt wieder übernehmen konnte.

»Ich kümmere mich ums Haus, du kümmerst dich ums Kind«, sagte Anna.

Daraus wurde aber nichts. Broman kümmerte sich fast allein um das Kind, wickelte es und rieb es ein, gab kindliche Laute von sich und wiegte es auch.

»Er ist ja schlimmer als eine Frau«, sagte Hanna und schämte sich.

»Er ist alt und müde. Warum sollen wir ihm die Kleine nicht gönnen, wenn er so eine Freude mit ihr hat?«

»Das ist gegen die Natur«, sagte Hanna, die froh war, dass sie so abgelegen wohnten. Die hinkende Malin kam nicht mehr zu Besuch, also gab es keine Weiberaugen und keine Mäuler, die rundum böse Worte verbreiteten. Als die neuen Nachbarn zu Besuch kamen, war ihr sehr daran gelegen, dass sie die Tochter an der Brust hatte.

Es waren beides angenehme Menschen, der Onkel und die Tante aus Norwegen. Hanna freute sich, es war etwas Besonderes, nach den einsamen Jahren wieder Verwandte hier zu haben.

Ragnar kam nach Hause und gewann die kleine Schwester sofort fast ebenso lieb wie Broman. Geschenke hatte er dabei von Astrid, Kleider für die Kleine, das feinste Leinen für die Wiege.

Auch Hanna bekam ein Geschenk. Es war eine Kette aus Jettsteinen, so lang, dass sie sie dreimal um den Hals legen konnte. Ragnar selbst hatte sie irgendwann gekauft, als Astrid beiläufig erwähnte, dass Hanna das letzte Mal, als sie in Fredrikshald war, diese Steinkohlenperlen ganz sehnsüchtig betrachtet hatte.

Hanna weinte, wie immer, wenn sie sich freute, und der große Junge wurde rot. Nie, aber niemals soll sie erfahren, was Astrid und ich miteinander im Bett treiben, wenn Henriksen geschäftlich in Kristiania ist.

Es kam ein warmer und zeitiger Frühling. Broman flocht einen Buckelkorb aus Birkenrinde, kleidete ihn mit einem Schaffell aus und wanderte mit seiner Tochter auf dem Rücken entlang der Seen. Er lehrte sie sehen, die Leberblümchen, die vorsichtig aus dem Vorjahrsgras krochen, die Plötze, die durchs Wasser flitzte, den ersten Schmetterling, die wandernden Wolken, den blauen Himmel.

Die alte Anna lachte über ihn, das Mädchen sei viel zu klein, solches Geschwätz zu verstehen, sagte sie. Aber Broman sah dem Glitzern der honigbraunen Augen an, dass das Mädchen begriff.

Er lehrte sie auch das Hören. »Horch, wie der Seetaucher ruft.«

Um die Mittsommerzeit starb endlich der alte Eriksson vom Vorderhof. Er hatte ohne Sinn und Verstand seit Jahren wie ein Stück Holz im Bett gelegen. Ingegerd kam selbst mit der Nachricht zur Mühle, gratulierte zur Tochter und bat Broman, die Verwandtschaft am nächsten Samstag im Müllerhaus zu versammeln, wo alles aufgeteilt werden sollte.

»Es wird doch wohl ein Testament da sein?«

Es war Hanna, die fragte, aber Ingegerd schüttelte den Kopf, sagte, dass er nie zum Schreiben gekommen war, bevor die Krankheit ihm das Denken genommen hatte.

Am Samstag legte Ingegerd klar und vernünftig ihre Pläne dar. Sie wollte den Vorderhof verkaufen und das Geld sollte zu gleichen Teilen an sie selbst und an Hannas Brüder gehen. Hanna sollte das Besitzrecht an Mühle und Müllerhaus bekommen und dazu jene Einrichtungsgegenstände aus dem alten Familienbesitz, die sie gerne haben wollte. Außerdem sollten ihr die Tiere gehören, die sie aus Hühner-, Kuh- und Schweinestall brauchen konnte. Astrid sollte den alten Familienschmuck aus der Zeit der Großmütter bekommen.

»Ich hab alles schätzen lassen und weiß, dass Astrids Erbteil nicht geringer ist als der eure.«

Alle hielten die Teilung für gerecht. Nur eins wunderte sie, dem unehelichen Ragnar sollten tausend Reichstaler zufallen.

»Er ist doch verwandt, sowohl auf Mutters als auf Vaters Seite«, sagte Ingegerd.

Broman war zufrieden, es war gut, in der eigenen Mühle zu sitzen. Und etliche von den Tieren konnten sie verkaufen.

»Aber du selber. Was hast du vor?«

Da kriegten sie zu wissen, dass Ingegerd eine Stellung als Wirtschafterin in einem Kaufmannshaus in Stockholm angenommen hatte.

Sie hatte schon alle Papiere besorgt, bis ins kleinste Detail war alles unmissverständlich niedergeschrieben.

»Lest alles genau durch«, sagte sie. »Es ist wichtig, dass ihr verstanden habt, denn ich will hinterher keinen Streit.«

Sie lasen und setzten ihre Namen unter die Vereinbarung.

In diesem Herbst erlebten sie im Müllerhaus ein Wunder. Der Seetaucher schrie wie immer in der Abenddämmerung, und plötzlich sagte Johanna, die bei ihrem Vater auf dem Schoß saß: »Hö, hö. Aucher, Aucher.«

Vater und Brüder jubelten, aber Hanna wechselte einen beunruhigten Blick mit Anna. Noch nie hatten sie von einem achtmonatigen Mädchen gehört, das sprechen konnte.

»Ich bin so erschrocken«, sagte Hanna, als die Frauen später in der Küche allein waren. »Bedeutet es am Ende, dass sie nur ein kurzes Leben haben wird?«

»Nein, das ist nur ein Aberglaube«, sagte Anna. Aber sie hatte während des Herbstes selbst an die alte Redensart gedacht, dass der, den die Götter lieben, jung stirbt. Das kleine Mädchen war ein außergewöhnlich schönes und kluges Kind.

Als Johanna etwa einen Monat später in der Küche ihre ersten Schritte machte, mussten die beiden Frauen in die Freude einstimmen.

»Wer hat schon jemals ein solch gescheites Mädchen gesehn«, sagte Hanna, hin- und hergerissen zwischen Angst und Stolz.

Broman war müde und saß in diesem Winter viel hinterm Ofen. Aber der schlimme Husten setzte ihm nicht so zu wie früher und er war frohen Mutes.

»Noch nie hab ich ihn so gut aufgelegt gesehen«, sagte Hanna.

»Ich hätte nie geglaubt, dass er so viel Sagen und Geschichten kennt und dass er so eine Singstimme hat«, sagte Anna.

Johanna lachte genauso viel wie seinerzeit Ragnar, und Hanna dachte, wie seltsam es doch war, dass gerade die Kinder, die sie unter allergrößten Schmerzen geboren hatte, die sonnigsten waren unter den Geschwistern.

Ich meine halt, du sollst fahren«, sagte John zu Hanna. »Weiß keiner, wann ihr euch wieder treffen könnt, du und die Astrid.«

»Sieht's denn so schlimm aus?«

»Ja. Nimm das Mädchen mit, weil die ist was zum Herzeigen.«

Hanna nickte, es stimmte, was er sagte.

Ragnar war kurz zu Besuch gekommen, bevor er zum letzten Mal nach Fredrikshald fahren würde, um ›Auf Wiedersehen‹ zu sagen und seine Sachen zusammenzupacken. Von Fredrikshald musste er weiter nach Vänersborg, um sich beim Västgöta-Dals-Regiment als Rekrut einzufinden. Zwölf Monate Wehrpflicht!

Er war froh, von Norwegen wegzukommen. Es war der Mai neunzehnhundertfünf und die norwegische Regierung war zurückgetreten. Als der König in Stockholm die Annahme des Rücktritts verweigerte, erklärte das Storting, dass die Herrschaft dieses Königs, was Norwegen betraf, beendet und die Union aufgelöst sei. In Schweden wurde das als Revolution gewertet. Die Norweger verstärkten ihre Grenzbefestigungen.

In der Zeitung las John Broman, dass das schwedische Volk von gerechtem Zorn erfüllt sei. Aber hier im Grenzland duckten sich die Menschen in Angst vor dem, was geschehen würde, auch wenn die eine oder andere boshafte Bemerkung über die großmäuligen Norweger zu hören war.

Hanna hatte das Gerede über die Unionskrise nicht ernst genommen, sie hatte wie üblich genug zu tun mit den Sorgen des Alltags. Als sie aber sah, wie es an der Grenze und in der Stadt Fredrikshald nur so von Soldaten wimmelte, bekam sie Angst. Noch erschreckender war die Begegnung mit Astrid, die wie ein gefangener Vogel herumflatterte, viel zu nervös war zum Stillsitzen und Reden. Es stand auch schlecht zwischen ihr und dem Fischhändler, er hatte begonnen, alles zu hassen, was schwedisch war.

Nur zwei Tage dauerte der Besuch. Als sie die Grenze passierten, atmete Hanna erleichtert auf und sagte zu Ragnar: »Ich begreif nicht, wie du das ausgehalten hast.«

»Es ist nicht leicht gewesen.«

Hanna sah erstaunt, dass er rot wurde.

Nur wenige Wochen später hatten Schweden und Norwegen in Karlstad ein Abkommen getroffen. Die Grenzbefestigungen verschwanden, die Menschen auf beiden Seiten atmeten erleichtert auf und Bromans konservative Zeitung zitierte, was Hjalmar Branting schon im Frühjahr in der Zeitung *Socialdemokraten* geschrieben hatte: »Am 27. Mai 1905 verschied die Königsunion zwischen Norwegen und Schweden im Alter von neunzigeinhalb Jahren. Was jetzt noch bleibt, sind Begräbnis und Nachlassverwaltung. Wir müssen uns wie Brüder in Frieden trennen.«

Es war nicht nur John Broman, der all seine freie Zeit der kleinen Johanna widmete. Auch die alte Anna kümmerte sich um sie, lehrte sie die Aufgaben der Frauen und erzählte ihr alle bemerkenswerten Geschichten der Gegend.

Auf diese Weise gab es für Hanna wenig Platz im Leben der Tochter. Ihr blieb nur die Aufgabe überlassen, dem Mädchen Zucht und Gehorsam beizubringen. Das tat sie mit Hingabe. Zu Vertraulichkeiten zwischen Mutter und Tochter kam es nie.

Johanna hatte schon mit fünf Jahren lesen und schreiben gelernt. Als Hanna das entdeckte, wurde sie zornig. Was würden die Leute sagen? Sie wusste genau, wie getuschelt wurde, wenn es um Andersartige oder Fortschrittliche ging. Und was würde die Lehrerin mit dem Mädchen anfangen, wenn es in die Schule kam?

Broman hieß sie den Mund halten. Aber er sah ein, dass an der Meinung seiner Frau etwas Wahres dran war. Da er ein freundschaftliches Verhältnis zu der neuen Lehrerin hatte, suchte er sie auf und erklärte ihr, wie es um Johanna stand.

Die Lehrerin lachte nur und meinte, das mit dem lesekundigen Mädchen sei ein eher vergnügliches Problem. Sie sei immerhin eine so gute Lehrerin, dass sie das Kind beschäftigen könne, während sie den anderen Anfängern Buchstaben beibrachte.

»Sie darf zeichnen und malen«, sagte sie. »Und dann werde ich wohl Bücher heraussuchen müssen, die sie während der Schulstunden allein lesen kann.«

John war beruhigt. Aber sowohl er als auch die Lehrerin hatten nicht mit den anderen Kindern gerechnet. Johanna hatte es schwer, sie blieb allein, war unbeliebt und wurde oft gehänselt. In der ganzen Gegend wurde genauso geredet, wie Hanna es vorausgesagt hatte.

Aber das Mädchen verschwieg die Schulnöte. Den Zorn der Mutter hätte sie leicht aushalten können, aber den Vater traurig machen, nein.

Als Johanna gerade sieben geworden war, starb die alte Anna. Der Tod kam schnell. Sie hatte einige Tage lang Schmerzen in der Brust gehabt, und an einem Samstagabend sah Hanna sie eine Medizin zubereiten, die lindern sollte. Hanna beobachtete mit Staunen, welch große Mengen Tollkirsche und Bilsenkraut sie in den Trank mischte.

»Ihr tut doch nicht zu viel hinein!« sagte sie.

»Ich weiß, was ich tu«, sagte die Alte.

Am Morgen fanden sie sie tot auf. Hanna stand bleich und starr neben dem Bett, die Jungen weinten und zogen die Nasen hoch. John Broman stand, Johanna auf dem Arm, mit feuchten Augen feierlich dabei.

»Jetzt ist sie beim lieben Gott«, flüsterte das Kind, und John nickte und warf Hanna einen strengen Blick zu, aus Angst, sie könnte dem Mädchen den Trost nehmen. Hanna sah den Blick nicht, merkwürdige Gedanken beschäftigten sie. Aber nie sagte sie auch nur ein Wort von dem Trank, den die Alte sich am Vorabend zusammengebraut hatte.

Eines Tages während der Schneeschmelze hatten die Leute aus dem Müllerhaus teil an einem Ereignis, das keiner je vergessen würde. Es war während des Mittagessens, als Broman plötzlich mit der Faust auf den Tisch schlug und schrie: »Still!« In der Stille konnten sie es hören, das Rumpeln, Dröhnen, Quietschen. John und die Jungen stürzten voller Angst, dass mit der Mühle etwas passiert sein könnte, aus dem Haus.

Die Schleuse.

Aber es war kein Schaden am Damm. Sie blieben am Hang stehen und erkannten alle gleichzeitig, dass der Lärm von weit her kam, von der Straße.

Er näherte sich.

Hanna nahm, wie gelähmt vor Schreck, Johanna in den Arm und dachte an den Teufel in Person, der am Jüngsten Tag in seinem Feuergefährt daherkommen würde, um die schlechten Menschen in die Hölle zu holen.

Eine Art Feuergefährt war es. Das sahen sie, als das Ungetüm in einem Tempo, wie aus der Kanone geschossen, über den Bergrücken gefahren kam. Aber nicht der Teufel war der Fahrer, es war Ragnar, der geradewegs auf den Hang zusteuerte, mit kreischenden Bremsen anhielt und wie ein Irrer hupte.

Dann war es still, und sie standen mit großen Augen und offenen Mündern da.

»Das ist ein Automobil«, sagte Broman. »Dieser Teufelskerl hat sich ein Automobil angeschafft!«

Dann fing er an zu lachen, und als Ragnar von dem Ungetüm heruntergeklettert war, lachten Vater und Sohn, dass die Tränen liefen.

Hanna ging mit zitternden Knien ins Haus, um das kalt gewordene Mittagessen aufzuwärmen, während die Brüder das Fahrzeug wie die Bienen umschwärmten.

»Hast du das vom eigenen Geld gekauft?« fragte Broman.

»Ja. Ich habe, seitdem ich angefangen habe für den Fischhändler zu arbeiten, jeden Reichstaler gespart. Und alles, was ich in Göteborg auf dem Bau verdient habe, auch. Und dann war da noch das Erbe. Jetzt soll das Automobil mich versorgen.«

Ragnar aß und erklärte alles mit vollem Mund, und Hanna traute sich nicht, auch nur ein Wort über seine Tischmanieren zu verlieren. Die Stadt an der Mündung des Göta Älv wurde immer größer. Fredrikshald ist nur ein Bauernhof im Vergleich zu der Großstadt am Meer. Es gab reichlich Leute, die Häuser und Fabriken bauten, aber es war schwierig, Bauholz, Ziegel und Mörtel dorthin zu befördern.

Die Transportmittel hielten mit der Entwicklung nicht Schritt, sagte er. Pferde und Karren blockierten die Straßen. Das Automobil sei die Lösung. Er konnte Arbeit bekommen, so viel er nur wollte.

Hanna verstand im Wesentlichen, was er sagte, doch eine Frage drängte sich ihr auf: Was, in aller Welt, redete der nur für eine Sprache?

Schließlich sprach sie es aus, und Ragnar lachte wieder und antwortete: »Schwedisch, Mutter. Ich habe endlich schwedisch sprechen gelernt.«

»Du klingst, wie's in den Büchern steht«, sagte Johanna tief beeindruckt.

Neunzehnhundertzehn kam der Frühling sehr allmählich nach Dalsland hinauf.

Die Stare kamen frühzeitig angeflogen und fanden ihr Zuhause im Norden freundlicher vor als gewöhnlich. Regen fiel, die Sonne schien und die Buschwindröschen lösten die Leberblümchen ab. Eines Morgens im Mai blühte der Ahorn und das Norwegerwasser war in Honigduft gehüllt.

John Broman war müder als sonst, wenn er mit seiner kleinen Tochter durch den Wald streifte. Aber es war der Körper, der müde war, seine Sinne hatten nie zuvor solche Schärfe besessen.

Gemeinsam sahen er und Johanna, wie die Zugvögel zurückkamen und ihre alten Nistplätze in Besitz nahmen. Als die Schwalben Lehmnester an den Hängen der Wolfsklippe bauten, gab es beim Seetaucher schon Eier und beim Wanderfalken Junge.

John war glücklich, und das Kind merkte sich alles.

In diesem Frühling wurde Johanna zum religiösen Menschen. Sie sollte es bleiben. Auch später als Sozialistin und Gottesleugnerin.

Es dauerte bis in den Sommer, ehe John den Schluss aus seiner eigentümlichen Heiterkeit zog, in der er sich befand, dass nämlich Tod und Leben sich in ihm begegnet waren. Er konnte sich vorstellen, wie sie einander wie gute Freunde zuprosteten, denn das Gefühl, das sich in seinem Körper ausbreitete, erinnerte an das leichte Berauschtsein, wenn man den ersten Schluck getrunken hat.

Er erschrak nicht, als er, am Bach sitzend, wo Johanna im schäumenden Wasser ihren Durst löschte, den Zusammenhang begriff. Er war erleichtert und traurig zugleich. Aber die Trauer war nicht von dieser belastenden Art, sie war blau wie die Wehmut, die der Welt ihre Tiefe verleiht.

Plötzlich befiel ihn die Gewissheit, dass seine Mutter sterben würde, sobald sie erfuhr, dass er aus dem Leben geschieden war.

Er musste Ragnar einen Brief schreiben, sie mussten ein langes und klärendes Gespräch über das Erbe führen, ehe es zu spät war.

Die Mühle war einiges wert, obwohl sie jetzt, wo die Höfe rundum in der Gegend verlassen waren, oft stillstand. Doch John hatte ein erstaunliches Angebot bekommen.

Dann war da die Erbschaft aus Värmland.

Wie dringend war es?

Ragnar kam Ende Juli. Im Auto hatte er eine schüchterne Frau von städtischer Blässe.

»Armselig«, sagte Hanna.

Aber Johanna erwiderte, Lisa sei lieb.

»Hat einen Kurzwarenladen in Göteborg, also so armselig, wie sie ausschaut, kann sie kaum sein«, sagte Hanna zu John. Und er, der erkannt hatte, dass Lisas Nachgiebigkeit nur Ragnar betraf, dass sie eine von diesen Bedauernswerten war, die zu viel lieben, sagte zu seiner Frau: »Pass ja auf, Hanna, dass du keine böse Schwiegermutter wirst.«

Aber die Worte fielen nicht auf fruchtbaren Boden. Keine von Hannas Schwiegertöchtern würde gut genug sein für ihre Söhne.

John hatte die Dachkammer in Ordnung gebracht, den Klapptisch aufgestellt und alle seine Papiere zurechtgelegt. Seiner Frau sagte er, dass er Ragnar gebeten hatte, herzukommen und ihm beim Schreiben des Testaments zu helfen. Und dass er sie dabeihaben wollte, wenn sie alles durchgingen.

Hanna sprach nicht viel an dem Tisch, an dem Broman, Ragnar und sie einen ganzen Nachmittag lang sitzen geblieben waren. Nicht einmal, als Ragnar sagte, dass, sollte das Schlimmste eintreten, Mutter und die Kinder nach Göteborg ziehen müssten.

»Was haltet Ihr davon, Mutter?«

»Ich muss nachdenken.«

»Hier gibt's keine Zukunft für die Jungen«, sagte Broman. »Die können von der Mühle nicht leben, du weißt das. Und ich will nicht, dass du allein in der Einöde hocken bleibst.«

»Ihr könnt es doch versuchen, dass Ihr noch eine Weil lebt«, sagte sie, bereute es aber sofort. Ragnar sah seinen Stiefvater lange an. In diesem Augenblick war ihm bewusst, dass Broman dahinscheiden würde, ehe der Winter und der Husten einsetzten.

Ragnar fühlte seinen Hals rau werden.

Aber Broman fuhr fort, als wäre nichts gesagt worden. Jetzt war es an der Zeit, von dem Angebot zu sprechen.

Letzten Herbst, als Hanna zum Preiselbeerpflücken im Wald gewesen war, hatte ein Ingenieur von der Verteilergesellschaft in Ed das Norskwasser aufgesucht, hatte sich lange das Wildwasser angesehen, ja, John sogar gebeten, das Wehr zu öffnen. Dann hatte er gesagt, es wäre vorstellbar, dass die Gesellschaft den Besitz kauft. Fünftausend Reichstaler wollten sie bezahlen. Bar.

»Wieso habt Ihr nichts gesagt?«

»Ich wollte dich nicht aufregen.«

Hanna schwieg. Ragnar sagte, er wolle Kontakt zu der Gesellschaft in Ed aufnehmen. Seiner Stimme war die Erleichterung anzuhören.

Dann war da noch das mit Värmland. John wusste nicht, wie viel der Hof dort oben wert war: »Es wird allmählich Ödland, dort wie hier«, sagte er. »Aber meine Mutter kann nicht mehr lang leben, sie ist jetzt achtundneunzig. Du, Ragnar, musst es übernehmen, die Verbindung mit meiner Schwester Alma aufrechtzuhalten. Die und ihr Mann sind ehrliche Leute und werden euch mit der Erbschaft nicht betrügen.«

Er sagte nichts von seiner Gewissheit, dass die Mutter aufgeben würde, sobald sie die Nachricht vom Tod ihres Sohnes bekäme.

Am nächsten Vormittag setzte Ragnar das Testament mit ungelenker Handschrift und schlechter Rechtschreibung auf. Er tat sich nur beim gesprochenen Wort leicht.

»Wir müssen Lisa bitten, dass sie das ins Reine schreibt«, sagte er, und die Eltern nickten. Broman zögerte, wagte die Frage aber dann doch, ob sich da eine Heirat anbahne. Ragnar wurde rot und sagte, es gehe wohl irgendwie in diese Richtung.

Sogar Hanna musste zugeben, dass das Testament schön aussah und dass Lisa eine Schrift wie ein Pfarrer hatte. Der Schmied wurde gerufen, um zusammen mit Lisa als Zeuge zu unterschreiben.

Als Lisa am Nachmittag das Auto bepackte, sah sie, wie Ragnar beide Hände des Stiefvaters lange in den seinen hielt. John hatte feuchte Augen, Ragnar weinte. Hanna sah den beiden auch zu und erinnerte sich an damals vor vielen Jahren, als der fremde Müller dem Hurenkind die Hand gereicht und gesagt hatte: »Guten Tag, ich heiß John Broman.«

Als der erste Herbststurm die Blätter von den Bäumen riss, hustete John Broman sich zu Tode.

Es war das erste und einzige Mal, dass die Kinder am Norskwasser ihre Mutter weinen sahen. Hanna war selbst verwundert. Nie hätte sie gedacht, dass es in ihrem Kopf so viel Wasser gibt, sagte sie. Sie schluchzte und weinte sich durch die Tage, während sie die Beerdigung anordnete und vorbereitete.

Niemand im Haus widmete Johanna, die sich ganz eigenartig bewegte und ungemein fror, auch nur einen Gedanken.

Nie fiel ihnen auf, dass das Mädchen kein Wort sprach. Erst als Ragnar kam, wurde es offenbar: »Johanna ist stumm geworden«, schrie er. »Habt Ihr das nicht bemerkt, Mutter!«

Hanna schämte sich. Ragnar ging mit dem Kind im Arm ums Haus, schwatzte, lockte. Ihr wurde wärmer, sie wollte aber nichts sehen, weder die Norskwässer noch den Wildbach oder den großen See. Und er brachte sie nicht zum Weinen oder Sprechen.

Drinnen im Haus backte Hanna Hefebrot und Plätzchen, während Lisa den Tisch für das Totenmahl deckte. Ragnar ging mit dem Kind direkt auf sie zu und sagte: »Willst du's versuchen, Lisa?«

Lisa war zu schwach, um das Kind zu tragen, aber das Mädchen legte seine Hand in ihre, als sie zum Stall gingen, wo Broman aufgebahrt war.

Lisa zog das Tuch vom Gesicht des Toten und sagte: »Johanna. Das, was hier liegt, ist nicht dein Vater, es ist nur seine äußere Hülle. Er selbst wartet im Himmel auf dich.«

Das reichte aus. Johanna weinte in den Armen der fremden Tante und schließlich konnte sie flüstern, dass sie sich das selbst auch schon gedacht hatte.

Sie blieben lange so stehen. Dann sagte Lisa, sie wolle, dass Johanna mit ihr nach Göteborg führe, sobald das Begräbnis vorbei sei. Sie beide würden es in der Zeit, bis die Mutter und die Brüder nachkämen, gut miteinander haben.

Und so war es dann auch. Am Tag nach der Beerdigung brachte Ragnar Lisa und Johanna zur Bahn. Er selbst suchte den Ingenieur in Ed auf.

Dann wollte er zu Mutter und Brüdern zurückkehren. »Um das Gröbste in Ordnung zu bringen.«

Es lief besser als erwartet bei der Verteilergesellschaft, schon im Frühjahr sollte der Kauf abgewickelt werden. Als Ragnar den holprigen alten Weg am See entlang nordwärts fuhr, war er zufrieden. Aber hauptsächlich dachte er daran, dass er Bromans Worte beim Abschied jetzt verstanden hatte. »Du musst mir versprechen, dass du dich um die Hanna kümmerst. Weißt du, die ist von einer anderen Art.«

Schon am Morgen nach Johns Tod hatte Hanna Erik mit einer Nachricht zu Alma nach Värmland geschickt. Er kam nach Hause zurück und machte große Worte, als er schilderte, wie stattlich der Brohof sei, wie vielfältig die Ackerflächen und wie weitläufig die Viehweiden.

Davon hat John nie ein Wort gesagt, dachte Hanna. Aber ich hab ihn ja auch nicht gefragt.

Am Abend des Tages, an dem Ragnar abgereist war, klopfte es an der Tür. Draußen stand ein Mann, den sie noch nie gesehen hatte. Er war Värmländer und sagte, er sei Almas Schwiegersohn. Er komme mit der Nachricht, dass die Alte vom Brohof am Sonntag gestorben sei. Ob sie zum Begräbnis kommen könnten?

Hanna briet Speck und nahm Brot heraus, während der Fremde sein Pferd in den Stall brachte. Erik machte Feuer in der Dachkammer und Hanna wärmte das Bettzeug für den Gast. Am folgenden Morgen sagte sie, dass sie vorhabe, ihre zwei ältesten Söhne zum Begräbnis zu schicken. Selbst habe sie dort nichts verloren, sagte sie.

Der Mann nickte, als verstehe er das, und sie schieden als Freunde.

Als er fort war, saß Hanna lange still auf der Klappbank in der Küche und dachte über die Merkwürdigkeit nach, dass die Alte auf den Tag genau eine Woche nach ihrem Sohn gestorben war.

Am Mittwoch, dem zweiundzwanzigsten April neunzehnhundertelf, ging Hanna zu den Nachbarn, um Adieu zu sagen. Die Tiere hatte sie an die Verwandten, die während der Unionskrise von Norwegen hierher gezogen waren, verkauft.

Ragnar hatte gesagt, sie solle nur das Notwendigste mitnehmen, »kein altes Gerümpel«.

Doch die värmländischen Möbel wollte sie mitnehmen. Sagt er ein Wort übers Prunksofa, kriegt er von mir was zu hören, dachte Hanna.

Aber als Ragnar mit dem Auto kam, sagte er nur: »Ihr werdet kaum Platz für das Sofa haben, Mutter. Aber Ihr könnt es vielleicht verkaufen und gut dafür bezahlt werden.«

Als alles verstaut und auf der Ladefläche festgebunden war und die Jungen sich so bequem wie möglich eingerichtet hatten, blieb Hanna noch auf dem Hof stehen und nahm noch einmal das Haus, den Mühlbach und den langen See in Augenschein. Dann seufzte sie schwer, und als sie im Fahrerhaus neben Ragnar Platz genommen hatte, schluchzte sie auf.

»Ihr werdet doch wohl nicht weinen, Mutter?«

»Nicht mal dran denken«, sagte Hanna, und die Tränen flossen.

»So übers Jahr fahren wir her zu Besuch.«

»Nein, Junge, da komm ich nicht mehr her.«

Als sie ein Stück gefahren waren, fragte sie nach Johanna, wie sie dort in der Großstadt bei Lisa zurechtkam.

»Sie ist wohl nicht ganz so lustig wie früher. Aber sie ist zufrieden und hängt sehr an Lisa.«

»Denk mir's«, sagte Hanna kurz.

Dann schwiegen sie auf dem kurvigen Weg, der am See entlang nach Ed führte. Als der Kirchturm auftauchte, sagte Hanna: »Wann wollt ihr heiraten, du und die Lisa?«

Er wurde rot und seine Stimme war eisig, als er erwiderte: »Mischt Euch nicht ein, wo es Euch nichts angeht.«

Da wurde Hanna zornig: »Hat eine Mutter nicht das Recht, dass sie erfährt, wann ihre Kinder heiraten?«

Ragnar hatte es schon bereut, gab aber nicht klein bei.

»Das ist in der Großstadt anders, Mutter. Da kümmert sich keiner, wenn Leute, die sich gern haben, zusammen wohnen und nicht heiraten.«

»Da muss ich viel Neues lernen«, sagte Hanna verblüfft.

»Ja, Ihr müsst sicher bei fast allem umlernen, Mutter.«

Sie verließen Ed, und nun war Hanna auf unbekanntem Boden. Weiter als bis hierher war sie nie gekommen. Bei Vänersborg machten sie Rast und aßen ihre mitgebrachten Brote. Hanna starrte über den Vänersee, sah das Wasser in weiter Ferne sich mit dem Himmel vereinen. »Ist das das Meer?«

»Nein, Mutter. Das Meer ist noch weitaus größer als das da.« Er lachte über sie und da wollte sie nicht weiter fragen. Aber ihr war nur schwer verständlich, wie irgendein Gewässer größer sein konnte als dieses hier. Sie schwieg auf dem Weg durch das Flusstal, antwortete nicht, als er sagte, das hier sei schon auch eine prächtige Landschaft.

Erst als sie in die steinerne Stadt einfuhren, fand sie wieder Worte.

»Nein, nicht im Traum hätte man sich so was ausdenken können.«

Sie schlängelten sich zwischen Pferdewagen, Menschen und Automobilen zum Järntorg durch. Und als sie schließlich durch das große Hoftor der Amtmannbauten fuhren, strahlte Hanna wie die Sonne.

»Wie … wie elegant«, sagte sie. »Und wo wohnen wir?«

»Dort oben«, deutete der Sohn mit einer Handbewegung. »Fast im Himmel«, staunte die Mutter.

»Drei Treppen hoch mit Aussicht zur Straße«, sagte Ragnar stolz. Im nächsten Augenblick kam Johanna durch eine der vielen Türen gesprungen.

Hanna sah das Mädchen lange an, dachte: Mein Kind, mein Kind. Dann sagte sie: »Wie du schön angezogen bist!«

»Ich hab neue Kleider bekommen. Stadtkleider. Lisa hat sie selber genäht.«

Hanna machte kein glückliches Gesicht, gab sich aber alle Mühe zu denken, ich muss lernen, sie zu mögen, sie ist ein guter Mensch.

Neugierige Augen starrten sie aus Fenstern und Türen an, als sie die Möbel hinauftrugen. Wir schauen bäurisch aus, dachte Hanna, schämte sich und wollte weg, um sich den Blicken zu entziehen. Trotzdem musste sie fragen, was das für lange, niedrige Gebäude waren, die sich auf dem großen Hof unter den Kastanien entlangzogen. »Es sind die Aborte und Abstellkammern. Jede Familie hat ein Abteil mit eigenem Schlüssel.«

»Wie elegant!«

Man kam direkt in die Küche und sie war ganz besonders geräumig und mit einem eisernen Herd ausgestattet, wie Hanna ihn schon bei Astrid in Fredrikshald bewundert hatte. Dann gab es einen Spülstein, einen Ausguss und eine Wasserleitung. Hanna hatte von dieser merkwürdigen Sache reden hören, die Fließwasser hieß, und jetzt stand sie hier und drehte den Hahn auf und zu.

»Hört das nie auf?«

»Nein, Mutter, das geht nie zu Ende.«

»Jesus!«

Es gab einen Kachelofen im Zimmer und einen spiegelblanken Kiefernholzboden, es war hochherrschaftlich, fand Hanna.

Aber das Merkwürdigste von allem und das, worüber sie noch viele Jahre reden und lachen würden, war das Licht.

Zum Glück war es diesmal nicht Hanna, die sich blamierte, sondern John.

»Es wird dunkel, Mutter. Ich muss runterlaufen, die Petroleumlampen holen.«

»Nicht doch«, sagte Johanna. »Schau, man macht bloß so.« Und dann drehte sie am Lichtschalter an der Wand neben der Küchentür und das Licht flutete über sie hinweg.

Als Hanna sich von ihrem Staunen erholt hatte, dachte sie, es sei schon gut, dass Ragnar nicht gesehen hatte, wie ihnen der Mund offen geblieben war. Er war weggegangen, um etwas zu essen zu kaufen und Lisa abzuholen. Sie kamen mit warmer Suppe, die Lisa gekocht, und mit Brot und Butter, die Ragnar eingekauft hatte.

»Willkommen in der Stadt«, sagte Lisa.

»Du bist schon ein guter Mensch«, sagte Hanna. »Danke schön, dass du mein Kind so wunderbar angezogen hast.«

Lisa sagte, dass es ihr nur Freude gemacht habe.

»Und morgen werden wir für euch auch neue Kleider kaufen, Schwiegermutter.«

»Ich brauch bestimmt überall Hilfe, wo's nur möglich ist«, sagte Hanna zu Lisa, die nicht einmal ahnen konnte, welch unglaubliche Äußerung das war.

Aber die Söhne erschraken. Noch nie hatten sie ihre Mutter etwas Ähnliches sagen hören.

Dann richteten sie sich in ihrer Einzimmerwohnung im Amtmannbau ein. Die Jungen bekamen ein Ausziehsofa im großen Zimmer und August ein modernes Bett, das zusammengeklappt und in die Kleiderkammer gestellt werden konnte.

Mitten im Raum prangte ein großer runder Tisch, auch er war modern und passte gut zu den alten Stühlen aus Värmland, fand Johanna.

Hanna und Johanna schliefen in der Küche auf einem neuen Küchensofa.

»Is direkt unheimlich, wie mir's Geld durch die Finger rinnt«, sagte Hanna zu Ragnar. Er tröstete sie: »Du kannst es dir leisten, Mutter.«

Als das neue Heim fertig eingerichtet war, lud Hanna die Nachbarsfrauen zum Kaffee und einer unwahrscheinlich teuren Konditortorte ein. Das sei so Sitte, sagte Lisa. Hanna hatte ein neues gekauftes Kleid an. Modern. Gekommen waren die verschiedensten Gäste und alle sprachen ihr Beileid aus, als Hanna sagte, dass sie erst kürzlich Witwe geworden war, und niemand mokierte sich über die Mundart, die sie sprach.

»Sie kommen aus Norwegen?«

»Das nicht gerade«, sagte Hanna. »Wir sind schon Schweden, aber wir haben genau auf der Grenze gewohnt. Und mein Vater war aus Norwegen und meine Schwester ist in Norwegen verheiratet.«

Hulda Andersson, die gleich über den Gang wohnte, war Hanna von ihrer Art her gar nicht so unähnlich. Die beiden freundeten sich schnell an. Am Tag nach der Einladung sagte Hulda: »Bist du reich, oder musst du arbeiten?«

»Klar brauch ich Arbeit.«

»In Asklunds Dampfbäckerei an der Risåsgata brauchen sie immer Leute. Ich arbeite selber dort. Kannst du backen?«

Hanna musste laut lachen und sagte, wenn eine Müllersfrau was lernt, dann ist es wohl das Backen.

So kam es, dass Hanna Bäckerin wurde. Es war eine harte Arbeit. Sie musste jeden Morgen um vier Uhr anfangen. Aber das hatte sein Gutes, denn sie hörte um zwei Uhr mittags auf und hatte dadurch Zeit genug, die Wohnung in Ordnung zu halten.

Am Ersten Mai stand sie auf dem Järntorg und sah die roten Fahnen über den marschierenden Menschen wehen, die da sangen:

»Völker, hört die Signale ...«

Hanna bekam es mit der Angst zu tun.

»Die sind nicht gescheit«, sagte sie zu Hulda, die ganz ihrer Meinung war.

Noch erschrockener waren die beiden Bäckerinnen eines Morgens, als sie den Platz überquerten und ein paar aufgedonnerten Frauenzimmern mit rot angemalten Mündern begegneten.

»Was sind das für Frauen?«

»Huren«, sagte Hulda. »Die verkaufen sich an die Matrosen im Hafen und sind jetzt wohl auf dem Heimweg.«

Es dauerte lange, bis Hanna sich zu fragen getraute: »Meinst, die haben jede Nacht einen neuen Mann?«

»Nein, nein, die brauchen jede Nacht mehrere. Sonst ist das kein Geschäft.«

Hanna fehlten die Worte, in ihrem Kopf war Leere.

In der Bäckerei musste Hanna Hefekränze flechten. Das ging ihr gut von der Hand, sie waren schön anzusehen, und der Vorarbeiter machte ein zufriedenes Gesicht.

Sie fühlte sich bei der Wärme und dem Weibergeschwätz in der Bäckerei bald wohl, wo der Tratsch die Runde machte, sobald der Vorarbeiter außer Sichtweite war. Hier gab es viele Frauen wie sie, Bauersfrauen und Frauen von Tagelöhnern, die einen noch hässlicheren Dialekt sprachen als sie. Und die mit einer Stube voll kleiner Kinder noch schlimmer dran waren als sie.

Die Bäckerei war groß wie ein Schloss und wie eine Festung um einen großen Hof herumgebaut. Alle vier Flügel waren drei Stockwerke hoch, mit Ziegeln verkleidet und mit grünen Steinfiguren geschmückt.

Es gab für Hanna viel Neues zu erfassen und zu begreifen und sie hatte oft das Gefühl, dass das alles keinen Platz in ihrem Kopf fand. Eines Tages fragte Hulda den Vorarbeiter, ob sie Hanna die Mühle ganz oben in der Burg zeigen dürfe. Hier gab es einen Müller und eine ganze Reihe Müllerburschen, und hier wurde das Mehl für die verschiedenen Brotsorten gemischt und gesiebt.

»Wo nehmen die bloß die Kraft her?« flüsterte Hanna und erfuhr nun von den Dampfmaschinen, die rund um die Uhr rumpelten, und von dem Dynamo, der die erzeugten Kräfte in Strom umwandelte.

Broman wäre in Ohnmacht gefallen, wenn er das gesehen hätte, dachte Hanna.

Aber das Seltsamste von allem gab es im zweiten Stock, und da verstummte Hanna. Hier stand eine riesige Teigknetmaschine neben der anderen und erledigte diese schwere Frauenarbeit.

Sie fuhren mit dem Fahrstuhl nach unten, und auch das erschreckte sie.

Ihre Söhne trieben sich in der Stadt herum und füllten ihre innere Leere mit Branntwein auf. Genau wie der Vater es getan hatte. Aber die Angst ließ sich mit solchen Mitteln nicht in die Flucht schlagen.

Ragnar verschaffte ihnen Arbeit auf dem Bau, aber dort wurden sie wegen ihrer komischen Sprache und ihrer zarten Müllerhände verspottet. Da ließen sie die Arbeit stehen, gingen nach Hause und stärkten sich mit einem neuen Rausch. Als es so schlimm wurde, dass sie den ganzen Tag das Bett nicht mehr verließen, knöpfte Ragnar sie sich ernsthaft vor. Sie antworteten mit Hohngelächter, es kam zum Handgemenge, und aus Hannas schönen Värmlandstühlen wurde Brennholz.

»Nie!« schrie Ragnar. »Nie hätte ich geglaubt, dass ihr so verdammt verwöhnt seid. Schämt ihr euch nicht? Ihr lasst euch von eurer Mutter versorgen, erwachsene Kerle, die ihr seid.«

Künftig nahm Ragnar John, den Ältesten und Stärksten, im Lastwagen mit.

»Viel Lohn kann ich dir nicht bezahlen. Aber säufst du während der Arbeit, schlag ich dich tot.«

Die beiden andern gingen zur See.

»Da werden sie euch schon beibringen, wie es zugeht«, sagte Ragnar.

Hanna wagte keinen Einwand, aber sie jammerte nachts im Schlaf aus

Sorge um ihre Söhne. Und mit dieser Sorge musste sie ein ganzes Jahr leben. Aber sie überlebten, kamen nach Hause und waren grobschlächtiger, schwerer und ernster. Sie bekamen feste Anstellungen, heirateten einer nach dem anderen und tranken nur noch an den Wochenenden.

Hannas Leben verlief einsam. Die Tochter war meistens bei Lisa. Mit John, der zu Hause wohnte, wurden nicht viele Worte gewechselt. Aber sie hatte ihre Nachbarschaft, und zu Hulda Andersson sagte sie, wenn ich dich nicht hätte, ich würde verrückt werden.

Mit Lisa wurde sie nie vertraut. Aber sie hatte eine Möglichkeit, sich für die Hilfe zu bedanken, die die Schwiegertochter ihr hatte zukommen lassen. Wo sie ja eigentlich gar keine richtige Schwiegertochter war, da Ragnar sich weigerte, sie zu heiraten.

Lisa wurde schwanger. Sie suchte ihre Schwiegermutter auf und jammerte erbärmlich, fand Hanna. Sie übernahm es aber dann, mit Ragnar zu reden. Was sie während des langen Gesprächs in der Küche sagte, erfuhr niemand, aber sicher war da von Hurenkindern die Rede und von der Schmach, sein eigenes Kind zu einem Leben in Schande zu verdammen.

Jedenfalls sagte Ragnar zu Lisa, dann heiraten wir eben. Aber du musst mich nehmen, wie ich bin, und du weißt, dass man mir nicht trauen kann, was Frauen betrifft.

Lisa war dankbar.

Hanna trauerte den schönen Värmlandstühlen nach, holte aber mit Huldas Hilfe das Sofa herauf. Es hatte eigentlich keinen Platz, aber sie und auch Hulda fanden, dass es richtig elegant aussah.

Wenn die Söhne nach Hause kamen, benutzten sie das Seidensofa, um dort ihre dreckigen Arbeitskleider abzuwerfen. Hanna stöhnte und schimpfte mit Johanna, dass sie den Jungen nicht nachräumte. Das Mädchen wurde immer schweigsamer, aber das fiel Hanna gar nicht auf. Es gab nicht viel Behaglichkeit in ihrem Heim, sie verschloss die Augen vor dem ständigen Streit und den Saufgelagen Wochenende für Wochenende. Ihr tat der Rücken weh.

Der Schmerz strahlte von der Wirbelsäule in die Schulterblätter aus. Anfangs dachte sie, das werde vergehen, aber dann erfuhr sie, dass die meisten Frauen in der Bäckerei das gleiche Leiden hatten. Und dass es mit den Jahren immer schlimmer wurde.

Musst es halt aushalten, sagten sie sich. Kein Wort zum Vorarbeiter, sonst wurde man entlassen.

Lisa hatte ihren Sohn zur Welt gebracht und es geschah das Seltsame, dass Ragnar sich so sehr über den Jungen freute, dass er jede freie Minute zu Hause verbrachte. Er hatte immer weniger Zeit für seine Mutter und seine Geschwister übrig.

Die Jahre schleppten sich dahin, es war Weltkrieg und das Essen knapp. In Haga gab es Hungerkrawalle, es wurden Polizei und Militär eingesetzt. Die Menschen machten ihrem Hass auf die Königin Luft, die eine Deutsche war und beschuldigt wurde, Lebensmittel aus Schweden hinauszuschmuggeln, um sie dem verrückten Kaiser zukommen zu lassen.

Hanna biss ob ihrer Rückenschmerzen die Zähne zusammen und dankte dem Schicksal für die Arbeit in der Bäckerei, wo sie ihren Lohn in Brot ausbezahlt bekommen konnte. Sie und ihre Kinder hungerten nicht. Dann brach die spanische Grippe aus, und wieder war Hanna dankbar dafür, dass keiner in der Familie von der schrecklichen Krankheit befallen wurde.

Johanna hatte die Schule beendet und konnte zur Versorgung beitragen. Es war jetzt ruhiger zu Hause, denn die Jungen waren endlich ausgezogen. Und ordentlicher. Aber Hanna und Johanna vertrugen sich nicht gut. Das Mädchen war frech und widerspenstig, nicht so nett und nachgiebig wie die Söhne. Sie beschimpfte die Mutter, dumm und ungebildet zu sein, sie berichtigte ihre Aussprache und schrie sie an, sich doch endlich von all dem Aberglauben frei zu machen und zu denken. Anfangs versuchte Hanna sich zu verteidigen. Mit Worten. Aber Johanna hatte so viel mehr Worte als sie und weitaus klarere Gedanken.

Die ist doch immer schlauer gewesen als die anderen, dachte Hanna.

Als Johanna an der Erste-Mai-Demonstration teilnahm, schämte Hanna sich in Grund und Boden.

»Hast du deinen Verstand ganz verloren«, schrie sie.

»Das könnt Ihr nicht beurteilen, denn Ihr habt nie einen gehabt«, schrie die Tochter zurück.

Der Rücken schmerzte mit den Jahren immer schlimmer, Hanna ging gebeugt und bewegte sich schwerfällig. Aber sie hielt durch bis zur Pension, wo sie sich zum ersten Mal im Leben ausruhen durfte. Sie hatte ihre eigenen Ansichten bezüglich der Pension, die sie jeden Monat bekam. Es ist eine Schande, wenn man Geld kriegt, was man nicht ehrlich verdient hat, sagte sie zu Johanna. Das sagte sie aber nur ein einziges Mal, denn das Mädchen wurde so wütend, dass Hanna erschrak.

Johanna heiratete. Hulda Andersson starb.

Hanna bekam so viele Enkelkinder, dass sie sie nicht auseinander halten konnte. Nur Johannas widerwärtiges kleines Mädchen kannte sie heraus. Es war ein Kind mit durchdringendem Blick, der die Menschen anklagte und genau durchschaute. Schlecht erzogen und hässlich war sie, mager und hatte dazu noch schrecklich dünnes Haar.

In den Vierzigerjahren wurde in Kungsladugård ein Pensionärshaus gebaut, und Johanna sorgte dafür, dass Hanna dort ein modernes kleines Apartment bekam. Sie hatte das Gefühl, im Paradies zu sein, es gab Badezimmer und WC, Warmwasser und Zentralheizung.

»Was soll man bloß tun, wenn man nicht dauernd einheizen muss?«

»Ihr sollt Euch ausruhen, Mutter.«

Hanna ruhte sich aus und ihr war seltsamerweise nie langweilig. Sie konnte lesen, hatte aber große Mühe mit dem Durchbuchstabieren, sodass sie die Zusammenhänge oft nicht begriff. Dann und wann hörte sie Radio, aber sowohl die Sprecher als auch die Musik machten sie nervös.

Mit der Zeit wurde sie unverhältnismäßig dick. Nach langen Streitereien konnte Johanna sie endlich zu einem Arzt bringen, der von einem Magenleiden sprach, das leicht zu operieren sei. Bei seinen Worten traf Hanna fast der Schlag, sie fürchtete sich beinahe genauso viel vor dem Messer wie vor dem Krankenhaus. Nach diesem Arztbesuch musste Johanna versprechen, sich zu Hause um sie zu kümmern, wenn es Zeit zu sterben war.

»Ich werde nicht lästig sein.«

»Es wird bestimmt alles gut gehen, Mama.«

Als August sich das Leben nahm, trauerte sie sich fast zu Tode. Sie alterte in einem Monat um zehn Jahre.

Aber sie war bis zu ihrem Tod im Alter von fast neunzig Jahren kristallklar im Kopf. Auf den Tag genau eine Woche später starb Ragnar auf der Elchjagd in Halland.

Es war ein tödlicher Jagdunfall wie bei seinem Vater.

Aber es gab schon niemanden mehr, der sich an Rickard Joelsson und seinen Tod erinnern konnte, zu einer Zeit, als die Bauern in den Wäldern von Dalsland noch Bären jagten.

Johanna

geboren 1902, gestorben 1987

*M*ein Leben teilt sich in zwei Hälften. Die erste dauerte acht Kinderjahre, die somit gleich lang waren wie die übrigen siebzig. Wenn ich auf die zweite Hälfte zurückblicke, finde ich vier Ereignisse, die mich veränderten.

Das erste war, als mich eine unsichtbare Hand daran hinderte, eine Tür zu öffnen. Das war ein Mirakel und es gab mir die Zusammenhänge zurück.

Das nächste Entscheidende geschah, als ich eine Arbeit bekam, die mir gefiel, ich mich selbst versorgen konnte und Mitglied der Sozialdemokratischen Partei wurde.

Dann waren da noch die Liebe und die Ehe.

Das vierte war, als ich meine Tochter zur Welt brachte und ihr den Namen der alten Hebamme am Norskwasser gab. Und als sie Kinder bekam und ich Enkelkinder.

Was sich zwischen diesen Ereignissen abspielte, war gewöhnliches Frauenleben. Viel Unruhe, harte Arbeit, große Freude, viele Siege, mehr Niederlagen. Und dann natürlich die Traurigkeit, die hinter alldem lag.

Noch eines muss ich sagen, ehe ich mit meiner Geschichte beginne. Ich habe im kindlichen Glauben, dass es sie gibt und dass sie unteilbar ist, immer nach der Wahrheit gestrebt. Erst als sie in Hunderte verschiedene Wahrheiten zerfiel, wurde mir das Denken immer schwerer.

Ich habe keine Worte, die groß genug sind für meine ersten acht Jahre in Dalsland.

Das Stadtkind Johanna wurde in einem Kurzwarenladen an der Ecke Haga Nygata und Sprängkullsgata geboren. Dort roch es gut nach neuen Stoffen, es war eng wie in einer Puppenstube und es gab Hunderte Schubladen voller Geheimnisse. Bänder, Einziehgummis, Spitze – alle nur erdenklichen Herrlichkeiten, die auf dem polierten dunkelbraunen Ladentisch vor mir ausgebreitet wurden.

Lisa lachte selten und schrie nie vor Verwunderung oder Zorn auf. Sie war still und beständig, und das gab mir Sicherheit. In den ersten Tagen hütete ich den Laden, während sie in dem kleinen Hinterzimmer an der Nähmaschine saß und mir aus klein kariertem Baumwollstoff in Grau und Weiß ein Kleid nähte.

»Wir müssen mit der Farbe vorsichtig sein. Im Gedanken an deine Mutter«, sagte sie.

Aber sie machte Manschetten, Kragen und Taschenklappen aus hellgrüner Baumwolle mit rosa Röschen darauf.

Es war, als sie mir das neue Kleid anzog, dass ich das Leben als eine andere begann, weit weg vom Vater und dem Wasserfall. Das war nicht leicht und viele Male habe ich gedacht, wenn es Lisa nicht gegeben hätte, ich wäre in den Rosenlund-Kanal gegangen.

Zuerst war da das Schreckliche mit den Wörtern, den alten Wörtern, die mir aus dem Mund flossen, ehe ich noch überlegen konnte. Ich war in der Schule in Dalsland doch tüchtig gewesen, und ich hatte schöne neue Kleider an, als ich zum ersten Mal in die Stadtschule ging. Natürlich hatte ich Angst, aber immerhin … ich dachte, ich bin wie die anderen. Und vielleicht wäre es gegangen, wenn es da nicht die Wörter gegeben hätte. Lieber Gott, wie haben die über mich gelacht.

Ich musste ein Stück aus einem Buch vorlesen. Aber ich kam wegen des gemeinen Gelächters nie bis zum Schluss. Und die Lehrerin sagte: »Johanna, hast du nie überlegt, dass man alles so ausspricht, wie man es schreibt? Es müssen im Mund dieselben Wörter sein wie im Buch. Gehe jetzt nach Hause und präge dir das gut ein.«

Sie war sicher nicht boshaft, sie konnte ja nicht wissen, wie es für mich war, wenn ich heimkam zu den ungemachten Betten, den Bergen von Schmutzwäsche, den Stapeln von angetrocknetem Geschirr. Und dann die dreckigen Schuhe der Brüder, die ich putzen musste. Ich hatte nur eine halbe Stunde Zeit, bis Mutter aus der Bäckerei kam, aufgebracht wie immer, wenn die Kräfte versagten. Du bist ein faules Mädchen, verwöhnt vom Vater, als du klein warst, schrie sie. Einmal gab sie mir eine so heftige Ohrfeige, dass ich am nächsten Tag nicht in die Schule gehen konnte.

Von diesem Tag an floh ich zu Lisa, sobald Mutter nach Hause kam. Ich sah wohl, dass sie traurig war, aber sie sagte nichts. Sie wagte es wohl nicht, denn ich hätte es ja Ragnar erzählen können.

Im Zimmer hinter Lisas Laden las ich Tag für Tag laut. Ich fand bald heraus, dass das, was die Lehrerin gesagt hatte, nicht ganz stimmte. Das eine oder andere wurde sogar damals schon ganz anders ausgesprochen.

Aber mit Lisas Hilfe lernte ich sprechen wie ein einigermaßen gebildeter Mensch.

Mit der Zeit wurde ich eine gute Schülerin, auch wenn ich nie eine Freundin fand und die Mitschüler weiterhin über mich lachten. Die Zustände zu Hause verschlimmerten sich. Meine Brüder gaben das Arbeiten auf, saßen zu Hause herum und tranken. Während ich versuchte mich in die Küche zurückzuziehen, hörte ich sie von Weibern reden, von Huren und vom Bumsen, von Schwänzen und Fotzen. Ich spülte Geschirr, horchte und hasste.

Damals fasste ich meinen ersten Entschluss: Ich wollte niemals heiraten und nie, in welcher Weise auch immer, mit einem Mann zu tun haben.

Als es so weit kam, dass Ragnar eingriff und die Brüder und die Möbel zusammenschlug, stand ich in einer Ecke und freute mich. Mutter schrie vor Angst, und ach, wie sehr gönnte ich ihr das. Danach durfte ich bei Lisa und Ragnar wohnen, und ich fühlte eine große innere Ruhe. Ich ging weiterhin von der Schule direkt nach Hause und beseitigte die gröbste Unordnung. Aber ich achtete streng darauf, dass ich verschwunden war, wenn Mutter den Schlüssel in die Tür steckte.

Da hatte ich angefangen, sie zu verachten. Sie benimmt sich wie ein Zigeunerweib, sagte ich zu Lisa.

Lisa wies mich zurecht, bereicherte mich aber um ein Wort, das ich nie wieder vergaß: »Natürlich ist sie ein wenig … primitiv«, sagte sie.

Primitiv. Wie die Eingeborenen, dachte ich, denn ich hatte in der Schule etwas über die Wilden in Afrika gelernt, damals, als Stanley und Livingstone einander begegneten.

Nach dem Gespräch mit Lisa fasste ich meinen zweiten Entschluss: Ich wollte ein zivilisierter und gebildeter Mensch werden.

In Lisas Wohnung, die der unseren auf der anderen Seite des Hofes genau gegenüberlag, gab es viele Bücher. Mindestens zehn, vielleicht sogar fünfzehn. Ich las sie alle, sie handelten von Liebe, und ich fand das komisch. Als ich Lisa das sagte, wunderte sie sich und dachte lange nach, ehe sie antwortete: »Aber so ist es doch, Johanna. Ich zum Beispiel bin hoffnungslos in Ragnar verliebt. Es macht mich fertig, aber ich kann einfach nicht ohne ihn sein.«

Ich muss komisch ausgesehen haben, ich erinnere mich, dass ich mich im Laden auf einen Stuhl setzte und den Mund aufriss, ohne einen Ton herauszukriegen. Ich wollte ihr sagen, dass Ragnar ein lieber Kerl war und ein ungewöhnlich guter Mann, ich wollte sie trösten.

Trösten?

»Also deswegen bist du so traurig«, sagte ich schließlich und war selbst erstaunt, denn ich hatte bisher nie über das nachgedacht, was doch so offensichtlich war, nämlich dass Lisa traurig war.

Ich erinnere mich nicht an ihre Antwort. Es dauerte viele Jahre, bis ich den Zusammenhang zwischen dem Reden von Ragnar als Weiberheld und der Prahlerei der Brüder von Schwänzen in Fotzen von Huren am Järntorg begriff.

Lisa lehrte mich drei wichtige Dinge: andere zu verstehen, geduldig alles zu ertragen und in einem Laden zu stehen.

Lisa war ein verständnisvoller Mensch, und sie musste deshalb weit mehr aushalten als angemessen war. Ihr Vater war Alkoholiker gewesen, der Frau und Kinder schwer misshandelt hatte. Zwei Brüder starben, einer ging nach Amerika, und Lisa flüchtete schon als Zwölfjährige nach Göteborg.

Darüber, wie sie sich durchschlug, wollte sie nach Möglichkeit nicht sprechen, aber aus dem wenigen, was sie sagte, schloss ich, dass sie betteln ging und in Toreinfahrten schlief, bis sie Arbeit in der Spinnerei bekam, wo der Staub ihre Lungen schwer schädigte. Es war schrecklich, sie während der langen nassen Göteborger Herbstmonate husten zu hören. Ragnar hielt das nicht aus, und wenn der Husten einsetzte, verschwand er wie ein Gejagter hinaus durch die Tür und hinunter in die Stadt.

Als ihre Mutter draußen auf dem Land starb, beging der Vater Selbstmord. Lisa war Alleinerbin des Hofes, da die Geschwister unauffindbar waren. Jetzt zeigte sich, dass sie geschäftstüchtig war. Sie verkaufte das Vieh auf einer Auktion, die Felder an den Nachbarbauern, den Wald an ein Unternehmen und das Haus an einen Großhändler, der an der Küste von Halland einen Sommersitz suchte.

Das Geld verwendete sie für den Kauf des Kurzwarenladens, der auf der Grenze zwischen dem Arbeiterviertel Haga und der Vasastadt der feinen Leute lag. Sicher war sie bis zu dem Tag, an dem sie Ragnar kennen lernte und sich so hoffnungslos verliebte, ein freier und selbstständiger Mensch gewesen.

War sie damals glücklich? Ich weiß es nicht.

Aber glücklich wirkte sie, als sie sich verheiratete, Frau und ehrbar wurde. Dass Ragnar mit ihr zum Pfarrer ging, sei Hanna Bromans Verdienst gewesen, sagte sie. Und dafür war sie dankbar, solange sie lebte. Ich erinnere mich, dass ich mir lange darüber den Kopf zerbrach, was Mutter zu Ragnar gesagt haben mochte. Nie hatte ich je beobachtet, dass er etwas, das sie sagte, ernst nahm. Er lachte sie aus.

Ich lachte meine Mutter nicht aus. Ich hasste sie, beschimpfte sie und schämte mich ihrer.

Mitten im Krieg, als das Essen am knappsten war, bekam ich einen Busen und meine Tage. Mutter sagte, jetzt fängt das Elend erst richtig an, jetzt konnte die Schande jederzeit über mich kommen. Ich erinnere mich noch genau, denn sie wurde weiß wie die Wand und hatte entsetzte Augen, als sie mir zeigte, wie man eine Binde befestigt.

»Du musst mir versprechen, dass du vorsichtig bist«, sagte sie. »Und auf dich aufpasst.«

Ich wollte sie fragen, auf was ich aufpassen sollte, aber da schnaubte sie nur, wurde rot und schwieg.

Alles, was ich zu wissen bekam, war, dass ich mit Männern aufpassen müsse. Den Rest reimte ich mir selbst zusammen. Ich dachte an die scheußlichen Wörter, die ich von meinen Brüdern gehört hatte, die von den Schwänzen und den Fotzen. Und dann half mir eine Kindheitserinnerung. Mir fiel ein, wie wir eine von Mutters Kühen durch den Wald getrieben hatten, die zum Stier auf Urgroßvaters Hof sollte. Es waren Erik und ich gewesen, und als wir endlich angekommen waren, bekamen wir von einer der Tanten Plätzchen und Saft.

Dann guckte ich zu, wie der Stier die Kuh besprang. Ich hatte Mitleid mit ihr.

Klar wusste ich, wie es zuging.

Es war Sommer, als Lisa ihr erstes Kind bekam, und ich allen Ernstes lernte, einen Laden zu führen. Ich konnte das gut, ich rechnete und maß, schnitt ab und redete mit den Kunden. Lisa sagte, ich sei für mein jugendliches Alter bemerkenswert tüchtig. Sie kam um die Mittagszeit mit Kind und Essen für mich, zählte das Geld und war vor Freude ganz außer sich.

»Lieber Gott! Hätte ich doch nur Geld, dich anzustellen.«

Die feinen Damen aus der Vasastadt sagten, ich hätte einen guten Geschmack. Das war nur Schwindel. Ich lachte heimlich über sie, weil sie nicht begriffen, dass ich immer ihrer Meinung war, wo die gelben Bänder am besten dazu passten, und dass Blau Frau Holm besonders gut stand.

Ich lernte viel dazu, mehr über Menschen als über Stoffe und Bänder. Aber am meisten lernte ich über die Kunst, in einem Laden zu stehen.

Lisa hatte liebe Kinder, ruhig und zutraulich. Gemeinsam entdeckten wir den Schlosswald, der war wie zu Hause am Wildbach, nur feiner natürlich, mit grasbewachsenen sanften Hügeln und seltsamen Bäumen, die ich nicht kannte. Und dann all diese Blumen!

Das war die Zeit, zu der ich begann über das Loch nachzudenken, das ich hatte, das Loch, aus dem jeden Monat Blut floss.

Ich begann es zu untersuchen. Es war nichts Besonderes daran, es war wie ein Mund, der sich dehnte, wenn man mit dem Finger darin herummachte. Das Besondere war etwas anderes, dass es mir nämlich angenehm war, dass es mich erregte. Hatte ich einmal damit angefangen, war das Aufhören schwer, ich tat es nun jeden Abend, ehe ich einschlief.

Ein halbes Jahr half ich Lisa bei den Kindern und im Kurzwarenladen. Dann bekam ich Arbeit bei Nisse Nilsson, der im Basar Alliance eine Delikatessenhandlung hatte. Er war ein Freund von Ragnar, sie machten miteinander Geschäfte und gingen im Herbst zusammen auf die Jagd. Er war ein freundlicher, sonniger Mensch, besonders am Nachmittag, wenn die Schnapsflasche zur Hälfte geleert war.

»Ich brauche jemanden, auf den ich mich verlassen kann«, sagte er.

Aber er trank nie mehr, als er vertrug. Eine Flasche reichte für zwei Tage.

Man schrieb jetzt das Jahr neunzehnhundertachtzehn, und die Schlangen vor den Brotläden wurden kürzer. Der Hunger in der Stadt hatte nachgelassen. Da aber begannen die Menschen an der spanischen Krankheit zu sterben, die nur eine ganz gewöhnliche Grippe war. Und so starben sie eigentlich an Unterernährung, die Kinder in der Wohnung unter uns, die Frau, die Lisas Flurnachbarin war, und viele andere. Ich hatte dauernd Angst, gab gut Acht auf Lisas Kinder und auf Mutter, die mit jedem Tag müder wurde.

Die Besorgnis legte sich jedoch, als ich jeden Morgen um acht Uhr den langen Weg zu meiner neuen Arbeitsstelle ging. Zum ersten Mal sah ich, dass die Stadt mit ihren glitzernden Wasserstraßen und den hohen Bäumen, die sich über die Kaianlagen wölbten, schön war. Und ich fühlte, dass ich hier zu Hause war. Ich war eine der vielen, die im allgemeinen Trott zur täglichen Arbeit ging.

Allmählich kam der Frühling mit Sonne und Wärme, und wir dachten, er würde der Spanischen ein Ende machen. Aber der Sommer verlieh der Krankheit neue Kraft, immer mehr Menschen starben in den elenden Kellerlöchern von Haga.

In der großen Markthalle riefen wir einander einen guten Morgen zu, während wir die Stände öffneten und die Leckereien des Tages auf unseren Ladentischen ausbreiteten. Greta, der die Käsehandlung gehörte, war fast immer als Erste fertig und rief, jetzt stelle ich Kaffeewasser auf.

Wir tranken im Stehen und aßen weiße, mit Käse belegte Brötchen, konnten gerade noch den letzten Rest Kaffee hinunterschlucken, ehe die Tore geöffnet wurden und die Leute hereinkamen, die zum Frühstück knuspriges Gebäck, frische Butter und manchmal auch Kuchen haben wollten. Ich hatte in den ersten Stunden nicht allzu viel zu tun, die Göteborger dachten erst gegen Mittag an Delikatessen. Und am Nachmittag standen sie bei mir Schlange.

Ich lernte viel, geräucherten Lachs in hauchdünne Scheiben schneiden, viele Sorten marinierte Heringe unterscheiden, Aal häuten, leckere Soßen machen, fühlen, wann die Königskrabben fleischig genug waren, lernte die kleinen Garnelen zu kochen, Hummer am Leben zu halten und Tausende andere nützliche Dinge. Wie etwa abzuwiegen und zusammenzurechnen. Und ich legte durch tägliche Übung meine Schüchternheit ab und lernte sprechen. Nicht auf den Mund gefallen zu sein, wie Nisse Nilsson das nannte.

»Das ist das Wichtigste von allem, Johanna. Vergiss das nicht.«

Nisse war morgens im Fischereihafen und in den Räuchereien und nachmittags, nun, da war es eben so, wie es mit ihm war. Zum Schluss machte ich fast alles, Kasse und Buchführung, Einkaufslisten und Bankgeschäfte.

»Herrgott, was für ein Prachtstück«, sagte er, wenn Ragnar ab und zu vorbeischaute.

Ich war stolz.

Aber das Beste war, dass ich Kollegen hatte. Einige wurden sogar Freunde fürs Leben, Greta vom Käse, Aina von der Wurst und Lotta von der Konditorei.

Und natürlich Stig, der Sohn des Fleischhändlers. Er sei in mich verliebt, hieß es. Aber ich ging nie darauf ein, und so konnten wir Freunde bleiben.

Es war hier in der Halle, wo ich erfuhr, dass ich hübsch war. Die Schönheit der Markthalle, sagte Nisse, der immer übertrieb. Aber wenn ich durch die Reihen lief, pfiffen die Jungs immer hinter mir her, also musste doch etwas Wahres dran sein.

Es passierte an einem stürmischen Apriltag des Jahres neunzehnhundertzwanzig. Kurz vor dem Andrang um Mittag.

Ich war allein im Geschäft, die Theke war schmierig, denn ich hatte Aal für einen Kunden geschnitten, der mir erzählte, dass draußen ein Orkan tobte und dass die Kanäle überliefen. Als er gegangen war und ich den Tisch sauber machen wollte, stellte ich fest, dass ich kein Wasser hatte.

Wir hatten in den Verkaufsbuden kein fließendes Wasser. Aber unter der großen Glaskuppel in der Mitte des Basars gab es einen runden Hof mit einem Brunnen und einer Pumpe. Ich bat Greta vom Käse, auf meinen Stand aufzupassen, während ich Wasser holen ging.

»Na lauf schon«, sagte sie.

Ich rannte also los. Aber als ich gerade die schwere Tür zu dem Glashof öffnen wollte, fiel mir der Eimer aus der Hand und schepperte über das Steinpflaster. Verärgert versuchte ich mich zu bücken, um ihn wieder aufzuheben. Es ging nicht.

Dann wollte ich die rechte Hand heben, um die Tür zu öffnen. Das ging auch nicht, und ich hatte das Gefühl, versteinert zu sein. Einen Augenblick lang dachte ich an Kinderlähmung. Aber ich fürchtete mich nicht, es war so still um mich herum. Und in mir. Ein solcher Friede, dass ich weder denken noch Angst empfinden konnte. Es wurde auch merkwürdig hell. Es war irgendwie … feierlich.

Es vergingen einige lange Minuten und nur ein einziges Mal dachte ich daran, dass ich es eilig hatte.

Dann kam der Krach, als die Glaskuppel dem Sturm nicht mehr standhielt und mit einem Getöse herunterfiel, das Tote hätte aufwecken können. Die Tür sprang auf, donnerte mir gegen den Kopf und schleuderte mich über den Gang mitten in die Wand. Glassplitter wirbelten herum, es stach in meinem Arm, aber ich hielt die Hände vor die Augen und wurde im Gesicht nicht verletzt. Von überall her kamen Menschen gelaufen, schrien, Gott sei Dank ist Johanna hier. Sie ist noch rechtzeitig rausgekommen, ehe … aber sie blutet. Ruft die Polizei! Den Krankenwagen!

Es war ein netter Arzt im Sahlgren'schen, der mir den Splitter aus dem Arm zog und die Wunde nähte.

»Sie hatten mehr als nur einen Schutzengel, Fräulein«, sagte er.

Dann waren Polizeibeamte und der Feuerwehrhauptmann da. Nein, das Fräulein hatte nichts Ungewöhnliches gesehen oder gehört.

»Ich war so in Eile«, sagte ich.

Sie glaubten mir.

Über das Unglück wurde viel gesprochen, denn der Lärm war in der ganzen Stadt zu hören gewesen. Es stand allerlei darüber und auch über mich in der Zeitung: »Das Mädchen mit dem Schutzengel.« In der Halle wurde ich deswegen aufgezogen: »Und wie geht's dir mit den Engeln?«

Eines Tages wurde es mir zu viel, ich brach in Tränen aus. Stig tröstete mich und putzte mir die Nase, und dann war Schluss mit den wachenden Engeln.

Aber Mutter las in der Zeitung von mir und sagte etwas Merkwürdiges: »Ich hoffe, du begreifst, dass es wahr ist.«

Ich gab keine Antwort, aber zum ersten Mal seit vielen Jahren sahen wir einander verständnisvoll an. Sie lächelte ein wenig und fragte dann: »War's dein Vater, Johanna?«

»Ich weiß nicht, Mutter.«

Das stimmte, ich wusste es nicht. Noch heute weiß ich es nicht. Ich wollte keine Erklärung haben. Weder damals noch später.

Als Einziges wusste ich, dass es ein Wunder gewesen war, und von da an konnte ich mich an Vater erinnern und an die Wälder, den tosenden Wasserfall, den Haubentaucher, der in der Dämmerung schrie, die Märchen, die Vater erzählte, die Weisen, die wir sangen. Das hatte ich bisher nicht gewagt. Jetzt überfluteten mich die Bilder, erst in den nächtlichen Träumen und dann im hellen Tageslicht. Es war, als hätte sich eine Schleuse geöffnet.

Ich träumte, dass wir flogen, Vater und ich. Wir flogen über die Seen, den Langen See und die Norwegerseen und alle die tausend kleinen Gewässer im Wald.

Die Flugträume erfüllten mich mit unbeschreiblicher Freude, einem Siegesgefühl. Einem Gefühl der Macht, ja, wirklich Macht.

Tagsüber war es anders. Da wurde ich erinnert. Alles, alles konnte mich an etwas erinnern. Ein Vogel sang auf dem Heimweg durch die Allee, ich blieb stehen, lauschte und wusste: Das ist ein Buchfink. Ich besuchte Ernst, den Bäcker aus dem Basar, spürte plötzlich, wie es aus einer Tonne nach Mehl roch und sah die Sonnenstrahlen mit dem Mehlstaub in der Mühle zu Hause tanzen.

Fast ebenso seltsam war es mit Mutter. Ich hatte geglaubt, mich von ihr befreit zu haben. Jetzt kam sie mit all der Macht zurück, die eine Mutter hat. Sie war ja trotz allem diejenige, die immer für mich da war.

Ich führte lange Gespräche mit ihr. Stumme Gespräche, aber für mich waren sie wirklich. Wir saßen am Ersten Mai am Mittagstisch, ich war, als mittlerweile überzeugte Sozialdemokratin, beim Umzug mitgegangen, hatte die Kampflieder gehört und das Knattern der roten Fahnen im Wind.

Ich sagte: »Was findet Ihr falsch daran, dass die armen Leute ihr Recht fordern?«

Und sie antwortete: »Es wird schlecht ausgehen, wenn die Leute keine Demut mehr kennen. Wer soll denn das alles tun, was getan werden muss, wenn es nicht die armen Leute machen? Du glaubst doch wohl nicht, dass die Reichen und Mächtigen sich je um ihren eigenen Dreck kümmern werden.«

»Mutter, Ihr müsst begreifen, dass eine neue Zeit gekommen ist.«

»Ich hab schon begriffen. Das Volk hasst.«

»Da ist was dran, Mutter. Endlich reift der Hass und wird bald Früchte tragen.«

»Und wie schmecken die?«

»Ich glaube, das wird bitter, wie Schlehen, Mutter, von denen Ihr immer gesagt habt, sie sind so gesund.«

»Von Schlehen kann keiner leben.«

»Nein, aber von ehrlichen Löhnen und sicherer Arbeit. Es ist etwas Neues, Mutter, etwas, woran Ihr nie gedacht habt.«

»Und was sollte das sein?«

»Gerechtigkeit, Mutter.«

»Es gibt keine Gerechtigkeit in dieser Welt. Gott lenkt, wie er es immer getan hat.«

»Denkt Euch, wenn es Gott nicht gibt, diesen bösen Gott, an den Ihr glaubt. Denkt Euch, wenn wir es selbst sind, die lenken.«

»Du weißt wohl nicht, wovon du redest, Kind. Manche werden blind, krank und lahm. Unschuldige Kinder sterben. Vielen wird das Leben zum Verhängnis, lange bevor sie denken gelernt haben.«

»Viel mehr Menschen würden leben dürfen und gesund sein, wenn sie bessere Nahrung und Wohnung hätten.«

»Genau. Aber es kommen immer neue Herren.«

»Nein. Wir werden eine Welt haben, in der jeder Mensch sein eigener Herr ist. Das habe ich den Redner auf dem Järntorg gerade vorhin sagen hören.«

Sie schüttelte den Kopf.

»Wie Larsson in der Nummer drei also«, sagte sie. »Der mit seiner Werkstatt ist ja reich und braucht vor keinem zu kriechen. Aber er schlägt seine Kinder kreuzlahm und säuft wie eine Sau. Die Leute werden nicht besser, nur weil sie es besser haben.«

Ich dachte hinterher lange über das Gespräch nach. Mutters Unglück war nicht, dass sie dumm war. Sondern dass sie sich nicht ausdrücken konnte.

Dann stand Ragnars vierzigster Geburtstag bevor. Es sollte ein Fest mit einem langen kalten Büfett unter den großen Bäumen im Hof geben. Das Wetter war schön, Lisa backte Hefebrot und Mutter Plätzchen. Nisse Nilsson packte eine große Kiste voll mit Hering, Lachs, Pasteten und anderen Köstlichkeiten.

Es sollten viele Menschen kommen, Ragnar hatte überall in der Stadt Freunde.

Als der Tisch gedeckt dastand, waren wir Frauen stolz. Es sah schön aus mit Blumen und Birkenlaub und grünen Bändern. Man dachte fast überhaupt nicht daran, dass die weißen Tücher Bettlaken waren und dass das Geschirr unterschiedlich war, zusammengeborgt bei den Nachbarn.

Das Fest war ein Erfolg, die Leute sangen und aßen, und im gleichen Maß, in dem der Schnapspegel in den Flaschen sank, wurde es lauter und lauter. Mutter wirkte ängstlich, beruhigte sich aber, als Lisa ihr zuflüsterte, Ragnar habe nichts getrunken und werde dafür sorgen, dass keine Raufereien oder anderes Unheil entstünde. Mutter brach früh auf, sagte leise zu mir, sie sei müde und habe Rückenschmerzen. Ich brachte sie nach oben, half ihr ins Bett und breitete eine Decke über sie.

Sie war irritiert. Hilfe oder Freundlichkeiten hatte sie nie entgegennehmen können.

»Jetzt wird unten im Hof getanzt. Geh runter und amüsier dich.«

Ich tanzte eine Runde mit Nisse Nilsson. Aber ich hatte keine Freude dabei, ich dachte die ganze Zeit an Mutter und war nicht nur verärgert, sondern auch traurig. Warum konnte sie sich nicht freuen wie andere Menschen, wie all die Frauen, die hier in der Abendsonne saßen und tratschten und lachten? Viele waren viel älter als sie. Sie war erst dreiundfünfzig.

Sie war dreiundfünfzig!

Etwas unfassbar Schreckliches wollte heraus, bohrte sich durch den Kopf.

Nein.

Doch. Sie war dreiundfünfzig und ihr Sohn wurde heute vierzig.

Im Alter von dreizehn Jahren hatte sie ihn geboren.

Ich zählte neun Monate zurück, kam zum Oktober.

Da war sie zwölf.

Ein Kind!

Das war doch nicht möglich. Er war vielleicht ein Pflegekind.

Nein, sie sind sich zu ähnlich!

Ich hatte immer gewusst, dass Ragnar einen anderen Vater hatte als ich und die Brüder. Wen? Ich hatte gehört, dass Mutter in ihrer Jugend in einen Vetter verliebt gewesen war, aber das war ja auch nicht möglich. Eine Zwölfjährige verliebt sich nicht so heftig, dass sie mit einem Mann ins Bett geht. Jemand hatte gesagt, dass sie vor Traurigkeit fast umgekommen wäre, als sie erfuhr, dass er einem Jagdunfall zum Opfer gefallen war. Wer? Ich muss Lisa fragen. Was konnte sie wissen?

Ich brach ebenfalls zeitig auf, sagte zu Lisa, ich müsse mich um Mutter kümmern.

»Ist sie krank?«

»Ich weiß nicht, ich mache mir Sorgen.«

Ich lief die Treppen hinauf und wusste, dass ich die Frage stellen musste: »Mutter, schlaft Ihr?«

»Nein, ich ruh mich nur ein bisschen aus.«

»Ich habe gerade ausgerechnet, dass Ihr zwölf Jahre alt wart, als Ihr schwanger wurdet, und knapp dreizehn, als Ihr niederkamt.«

Sie setzte sich auf, trotz der Dämmerung konnte ich sehen, dass flammende Röte in ihrem Gesicht aufstieg. Schließlich sagte sie: »Du bist schon immer schlau gewesen. Komisch, dass du nicht schon früher nachgerechnet hast.«

»Ja, das ist komisch. Aber jemand hat gesagt, dass Ihr in Ragnars Vater verliebt wart und furchtbar traurig, als er starb. Das war wohl der Grund, warum ich weder darüber nachgedacht noch gefragt habe.«

Da fing sie zu lachen an, ein unheimliches Lachen. Als hätte sie den Verstand verloren. Als sie sah, dass ich erschrocken war, hielt sie sich den Mund zu. Es wurde ganz still.

Dann sagte sie: »Ragnars Vater war ein Gewalttäter und ein Unmensch. Nie im Leben hab ich mich mehr gefreut als damals, als sie ihn totgeschossen haben. Ich hab immer Angst vor ihm gehabt. Brauchte ich aber eigentlich nicht, weil, da war ich ja schon mit Broman verheiratet und hab Kirchenpapiere gehabt für den Jungen.«

»Wie lange wart Ihr mit Ragnar allein, bis Ihr Vater kennen gelernt habt?«

»Vier Jahre war ich eine Hure und lebte in Schande.«

Ich wagte sie nicht anzusehen, als wir uns auszogen und die Betten machten. Aber ich kroch zu ihr auf die Küchenbank und weinte mich in den Schlaf, während die Ziehharmonikas dudelten und der Tanz im Kreis um Bäume und Tische, Aborte und Schuppen unten im Hof weiterging.

Wie tanzte ich doch in jenem Sommer, als die Stadt dreihundert Jahre alt wurde und sich Liseberg selbst zum Geschenk machte! Jetzt meinen die Leute, es sei ja nur ein Vergnügungspark mit Karussells und Berg-und-Tal-Bahn. Auch wenn die meisten zugeben müssen, dass es schön ist.

Für uns, die wir dabei waren, als man ihn baute, wurde ein Märchen wahr. Häuser, so schön wie Tempel, standen in diesem Park mit Spiegelteich und Seerosenteich, mit Bächen, die an den Hängen sangen, Orchestern, die spielten, Theatern, Balletts in den Säulengängen und Tausenden, nein Hunderttausenden von Blumen.

Ich habe in wenigen Wochen drei Paar Schuhe durchgetanzt. Und ich erinnere mich an die erste Hälfte der Zwanzigerjahre als die heiterste Zeit meines Lebens.

Es war nicht nur Liseberg.

Wir hatten einen Achtstundenarbeitstag. Das war wichtig für Mutter, deren Rücken sich etwas besserte. Dann bekamen wir Urlaub, und Aina und Greta und ich fuhren mit der Eisenbahn nach Karlstad. Von dort wanderten wir durch das Frykstal nach Sunne und Mårbacka. Schon allein die Reise war ein Abenteuer, nicht zuletzt für die Bevölkerung am See. Drei junge Frauen in langen Hosen (!), die ganz allein eine Wanderung machten, ja, das war schon etwas Besonderes in jener Zeit.

Und natürlich war es mit uns wie mit allen anderen Mädchen in unserem Alter: eine nach der anderen, hatten wir nur noch Gedanken für den »einzig Richtigen« im Kopf und machten die Ehe zum Ziel unseres Strebens.

Es war ja so, dass Göteborg gegen Ende der Zwanzigerjahre das Tempo mäßigte. Die Menschen bekamen weniger Geld, zwei Stände in der Halle machten Konkurs, Männer ohne Arbeit begannen sich in den Straßen herumzutreiben.

Die große Depression war eingeleitet. Aber damals am Anfang kannten wir weder das Wort noch dessen Bedeutung.

Die Zeitungen schrieben, dass die Frauen den Männern die Arbeit wegnahmen. Man forderte neue Gesetze, die verheirateten Frauen eine Berufstätigkeit verbieten sollten. In jedem Geschäft der Stadt wurde den Verkäuferinnen gekündigt und die Besitzer stellten sich selbst hinter den Ladentisch. Ich, die es als Selbstverständlichkeit angesehen hatte, mich immer selbst versorgen zu können, wurde immer ängstlicher.

Es ist fast unmöglich, den jungen Frauen von heute zu erklären, dass die Sehnsucht nach Liebe sich mit der Angst paarte und zu einer verzweifelten Jagd führen sollte. Für uns ging es ums Überleben. Wir waren wieder dort angekommen, wo Mutter einmal gestanden hatte, einzig mit dem Unterschied, dass das Bauernmädchen auf der Suche nach einem Mann, der es versorgen konnte, die Unterstützung der Familie im Rücken hatte.

Wenn jemand empfänglich für die große Liebe war, dann war das sicher ich, als ich Arne kennen lernte. Er war Werkmeister auf einer der großen Werften, und bis dorthin konnte die Krise wohl doch nicht reichen? Aber dieses Gedankens schämte ich mich und später, als Mutter sagte, das ist ein gestandener Mann, der kann eine Familie immer versorgen, wurde ich wütend: »Den würde ich auch heiraten, wenn er Straßenkehrer wäre.«

Die einfache Wahrheit ist wohl, dass ich mich gezwungen sah, mich zu verlieben, jetzt, wo Nisse Nilsson kaum noch genug Lachs verkaufte, um meinen Lohn bezahlen zu können, und wo Greta, der der Käsestand gehörte, in Konkurs ging und sich als Dienstmädchen verdingen musste.

Aber ich war auch verliebt. Es passierte etwas in meinem Körper, als ich Arne Karlgren zum ersten Mal sah. Ich bekam feuchte Hände, Herzklopfen und ein Kribbeln im Unterleib. Zum ersten Mal wurde mir bewusst, dass es in dem Loch, das ich hatte, eine Begierde geben konnte und ein heißes Verlangen im Blut.

Es war auf einer Versammlung in der sozialdemokratischen Vereinigung. Ein Mann nach dem anderen stand auf und sagte das Übliche von Ungerechtigkeit, und dass wir trotz der elenden Zeiten an unseren Forderungen festhalten müssten. Gegen Ende trat ein wahrer Riese vor und sagte, dass die Frauen den Männern nicht nur Arbeit wegnahmen. Sie würden auch dazu beitragen, die Löhne niedrig zu halten, wenn sie die gleiche Schwerarbeit leisteten wie die Männer, aber nicht Verstand genug hätten, den gleichen Lohn zu verlangen.

Ich fühlte eine solche Wut, dass ich meine Schüchternheit vergaß, mich zu Wort meldete und fragte, wie man sich denn vorzustellen habe, wie Frauen von versoffenen Männern, unverheiratete Frauen oder Witwen und allein stehende Mütter ein Dach über dem Kopf haben und Nahrung für sich und ihre Kinder beschaffen sollten?

Unmutsäußerungen wurden in der Versammlung laut.

Da ging er, Arne, hinauf ans Rednerpult und sagte, dass er der Vorrednerin zustimme. Und dass die Gewerkschaften alle Kräfte einsetzen müssten, um die Frauen auf ihre Seite zu bringen und sich für ihre Belange einzusetzen.

Gleicher Lohn für gleiche Arbeit, sagte er, und hier hörte ich diese Worte zum erstenmal.

Das Publikum pfiff missbilligend.

Aber ich sah ihn an, und es passierte all dieses Körperliche, das ich schon geschildert habe. Er sah einmalig aus. Groß und blond, ein feinfühliges, aber auch kraftvolles Gesicht, blaue Augen und ein kämpferisches Kinn.

Endlich!

Nach der Versammlung kam er zu mir und fragte, ob er mich zu einer Tasse Kaffee einladen dürfe. Es gab ein Café in der Södra Allégata, dort gingen wir hin und stellten fest, dass wir doch keinen Durst hatten. Wir gingen also weiter durch die Allee und an den Kanälen entlang. Wir spazierten die halbe Nacht durch die ganze Hafengegend.

Aber die Nacht wurde kälter, wir froren, und er brachte mich nach Hause. Im Hoftor sagte er, dass er noch nie etwas so Wunderbares gesehen habe wie das Mädchen auf der Versammlung, das da oben gestanden und vor Zorn gesprüht hatte.

Er besaß ein Segelboot, er hatte es selbst gebaut. Am Freitag, als wir gerade unseren Stand schließen wollten, tauchte er in der Markthalle auf und fragte, ob ich am Samstag mit ihm segeln gehen wolle. Wir könnten die Schären nordwärts mit Kurs auf Marstrand durchkreuzen und uns die Festung ansehen.

Dann sagte er: »So ein Törn kann seine Zeit dauern. Du musst damit rechnen, dass wir im Boot übernachten müssen.«

Ich nickte, ich hatte verstanden, ich war bereit.

Er machte auch ein paar Vorschriften: Warme Kleidung. Und leichte. Eier, Brot, Butter und Wurst wollte er besorgen. Wenn ich sonst noch etwas haben wollte, konnte ich das ja übernehmen.

Samstagmittag säuberte ich den Laden und nahm alle leckeren Reste mit. Ich hatte doch gesehen, dass er, als er vor den Auslagen stand, beim Anblick all der köstlichen Dinge, die wir verkauften, sehnsüchtige Augen gemacht hatte.

Was mir von diesem Wochenende am besten in Erinnerung geblieben ist, war weder Arne noch die Liebe in der engen Koje. Nein, es ist das Meer. Und das Boot.

Es ist merkwürdig. Ich wohnte zu der Zeit schon seit Jahren in Göteborg, ich hatte wahrgenommen, dass die Stadt nach Meer und Salz roch, wenn der Wind von Westen kam. Aber ich hatte das Meer noch nie gesehen. Alle Ausflüge hatten landeinwärts in die Wälder und zu den hohen Bergen geführt, nicht an die Küste. Gewiss war ich durch den Hafen gestreift wie alle anderen, hatte die fremden Schiffe bestaunt und die Düfte von Gewürzen und Hanf und Früchten wahrgenommen.

Jetzt saß ich in einem Boot, das mit gesetzten Segeln über die Unendlichkeit dahintanzte. Blaue Weiten bis ans Ende der Welt, Windgebraus, Wellenspritzer, Glitzern – so funkelnd, dass es in den Augen schmerzte.

»Ich geb dir eine Schirmmütze«, sagte Arne.

»Ganz weit dort draußen siehst du Vinga. Wenn wir dorthin kommen, wenden wir und kreuzen dann nordwärts in der Fahrrinne zwischen Invinga und Vinga. Das Boot wird sich dann neigen, aber das ist nicht gefährlich.«

Ich nickte, doch als er das Ruder betätigte und das Boot sich auf die Seite legte, schrie ich auf, aber nicht aus Angst, eher wegen dieses kribbelnden Gefühls.

»Macht's dir Spaß?«

»Es ist wunderbar!« schrie ich.

Wir kreuzten außerhalb des Schärengürtels hart am Wind die Küste entlang, er sang in den Segeln, brauste vom Meer daher und fegte Salzwasser über uns hin.

»Wenn du dich fürchtest, kann ich reffen.«

Ich wusste nicht, was das bedeutet, sondern lachte wieder und schrie, ich fürchte mich nicht.

»Ich halte auf Stora Pölsan zu und komme unterhalb Klåverö in den Windschatten«, brüllte er. »Dort gibt es einen guten Hafen, den sie Utkäften nennen.«

Das alles klang meiner Meinung nach, als läse er Gedichte vor. Der Wind nahm zu, und Arne brüllte wieder:

»Wir müssen wohl die Fock runterholen.«

Ich zeichnete ein großes Fragezeichen in die Luft, er lachte schallend und schrie: »Übernimm du jetzt das Ruder, ich muss mal eben nach vorn.«

Ich nahm die Ruderpinne, er zeigte mir den Kurs an, genau auf die Spierentonne da vorn zu, weißt du. In wenigen Minuten hatte ich gelernt, Kurs zu halten.

Als die Fock niedergeholt war, richtete das Boot sich auf, wir verlangsamten die Fahrt. Kurz danach glitten wir in Lee hinter die Insel und es wurde paradiesisch still.

Es gab jetzt nur noch das leise Rauschen des durch das Wasser gleitenden Bootes. Eine Möwe schrie und danach war die Stille noch tiefer. Dann ein gewaltiges Plätschern, als Arne den Anker ins Wasser warf, um dann als Erster mit einem Tau an Land zu springen.

»Hier liegen wir gut«, sagte er, als er wieder an Bord kam. »Was ist denn los, du weinst ja?«

»Es ist so großartig.«

Dann standen wir an Deck, küssten und umarmten uns.

»Gott!« sagte er. »Du bist das Mädchen, auf das ich mein ganzes Leben gewartet habe.«

Dann zeigte er mir das Boot. In die Kajüte hinunter führte eine Treppe, und die Tritte waren zugleich die Griffe von großen, geräumigen Schubladen. In ihnen war eine ganze Küche untergebracht, Gläser, Porzellan, Messer, Besteck, Töpfe – einfach alles. Die Essvorräte hatte er unter dem Boden der Kajüte verstaut, zeigte mir den Petroleumkocher und wie ich damit umzugehen hätte.

Ich kochte uns etwas zu essen, während er sich um die Segel kümmerte, es roch himmlisch, Salz und Tang und Spiegeleier und Wurst. Wir aßen, als wären wir am Verhungern.

»Die See zehrt«, sagte er.

»Was bedeutet das?«

»Dass man vom Meer Hunger kriegt.«

Dann gingen wir zurück zum Boot und küssten weiter, und jetzt fühlte ich, dass die Luft zwischen uns stach, als wäre sie elektrisch aufgeladen, und dass das Blut in den Adern rauschte.

Dann weiß ich noch, dass es wehtat, und dann war es vorbei. Es war irgendwie enttäuschend. Nicht überwältigend.

Mutter und ich waren allein in der Wohnung und konnten schön Ordnung halten. Ich hatte vom Blumenhändler in der Halle ein paar übrig gebliebene Geranien bekommen und Mutter pflegte sie, dass es vor unsern Fenstern die reine Pracht war. Sogar werktags gönnten wir uns schöne gestickte Decken auf dem Wohnzimmertisch.

Sie hatte bessere Laune, und das hatte seinen Grund nicht nur darin, dass wir vertrauter wurden und so gut miteinander auskamen. Nein, es war wohl hauptsächlich, weil es für die Brüder hoffnungsvoller geworden war. Alle drei hatten Arbeit und waren ordentlich verheiratet.

Gar nicht so selten wurde sie gesprächig. Wir konnten ganze Abende dasitzen und von alten Zeiten reden, uns alles ins Gedächtnis rufen. Ich erinnerte mich ja vor allem an die Seen, die Wanderfalken an der Wolfsklippe und das Vogelgezwitscher in der Abenddämmerung. Mutter erinnerte sich an die Menschen, an die Schmiedfrau mit dem bösen Blick, den Schmied, der den Vater zum Schnaps verführte. Und an Anna, die Hebamme.

»Du musst dich auch noch an sie erinnern. Sie hat bei uns gewohnt, als du klein warst«, sagte sie, und da konnte ich es. Dieser sonnige Mensch, der mich alles gelehrt hatte vom Kochen und Backen, von Kräutern und Medizinen.

»Ein ehrlicher Mensch, das war sie«, sagte Mutter. »Und lieb.«

Sie war wie ein Engel, dachte ich. Warum, wieso hatte ich sie vergessen können?

»Du hast dein Leben bloß ihrer Tüchtigkeit zu verdanken«, sagte Mutter, und ich bekam alles über diese schreckliche Entbindung zu hören und von dem Kind, »das nicht raus in die Welt wollte. Es hat sich festgebissen, bis die Anna mich hat aufschneiden müssen.«

Ich war entsetzt, wagte nicht an den Samstag in Arnes Boot zu denken.

Wir sprachen von Vater und seinen Märchen, von Ingegerd, der Tante, die nie geheiratet hatte und, obwohl eine Frau, ein freier und selbstständiger Mensch gewesen war. Mitten im Erzählen hielt Mutter inne und dann sagte sie etwas Seltsames: »Die hat ein eigenes Leben gehabt. Und deshalb hat sie immer können wahrhaftig und ehrlich sein.«

Wir schwiegen lange. Dann erzählte ich von Arne.

Sie wurde rot, wie immer, wenn sie sich aufregte: »Kann er dich und die Kinder versorgen?«

»Ja.«

Da dachte sie lange nach, und dann sagte sie:

»Hast du ihn gern?«

»Ich glaube schon.«

»Ist zum Anfang gar nicht so wichtig. Ist er ein guter Mann, magst du ihn schon mit der Zeit.«

Ich hoffte nur, dass sie Recht hatte.

Dann kam der Samstag, an dem Arne uns besuchen sollte. Inzwischen hatte ich ihm von Dalsland und von Vater, von meinen Brüdern, die solche Schwierigkeiten mit der Großstadt gehabt hatten, und von Ragnar erzählen können, der für uns wie ein Vater gewesen war, »er ist großartig und ein bisschen verrückt, aber jetzt hat er drei Autos, und alles gelingt ihm immer noch so gut wie bisher«.

Als die Rede auf Ragnar kam, wirkte Arne verbissen. Als ich aber von Mutter sagte, dass sie nett war, aber drauflosplapperte wie ein kleines Mädchen, strahlte er:

»Solche Menschen mag ich«, sagte er. »Die lügen nicht.«

»Du liebe Zeit«, sagte ich. Das stimmte ja, und ich hatte nie daran gedacht. Und obwohl wir uns auf der Straße befanden, blieb ich stehen und umarmte ihn. Die Leute lachten, und Arne wurde verlegen.

Zu Hause war alles wunderschön, die teuersten Tassen und das teuerste Tischtuch und zum Kaffee sieben Sorten Gebäck, wie sich das in Schweden gehörte. Mutter trug ihr schwarzes Wollkleid, das Strasshalsband, Rüschen am Hals und eine blendend weiße Schürze.

»Wir haben genau die gleiche Wohnung, nur umgekehrt, wenn ihr versteht«, sagte Arne.

Dann fiel sein Blick auf das Värmlandsofa: »Was für ein schönes Möbelstück! Eine wunderschöne Arbeit.«

Mutter hätte vor Freude fast der Schlag getroffen.

»Ich sag Ihnen, Arne, wegen dem Sofa bin ich die ganzen Jahre von den ganzen Leuten immer nur ausgelacht worden.«

Alles lief an diesem Nachmittag wie geschmiert. Arne erzählte von seiner Arbeit bei den Götawerken und dass er für die Tischlerwerkstatt verantwortlich war, wo die Inneneinrichtung für die großen Schiffe hergestellt wurde.

Inneneinrichtung, das war ein neues Wort für mich und auch für Mutter.

»Meinst du die Möbel?«

»Ja, aber es sind keine gewöhnlichen Möbel. Das meiste ist eingebaut. Wie in meinem kleinen Boot. Nur eleganter, Mahagoni und Walnuss und so weiter.«

»Muss schön sein«, sagte Mutter.

Am späteren Nachmittag schaute Ragnar herein, und die zwei Männer musterten einander, als müssten sie gegenseitig ihre Körperkräfte abschätzen, ehe sie losschlugen. Doch sie schüttelten sich brav die Hände, und dabei fing Ragnar an zu lachen. Ich habe es wohl bisher noch nicht gesagt, aber er tut das in einer Weise, dass kein Mensch seinem Lachen widerstehen kann. Es lässt Raum und Geschirr beben und geht direkt ins Herz, zwingt jeden, der dieses Lachen hört, mitzulachen. Arne machte erst ein erstauntes Gesicht, dann lachte er, und dann lachten alle gemeinsam, dass die Blütenblätter der Geranien abfielen.

»Ich begreif nicht ganz, was da so lustig ist«, sagte Mutter. »Aber ich koch einen frischen Kaffee.«

Dann fingen die beiden Männer an, über Autos zu reden, Ragnar führte das große Wort, aber es zeigte sich bald, dass auch Arne gar nicht so wenig über Motoren wusste. Nach einiger Zeit fingen sie an, von Booten zu reden, und Ragnar gab klein bei: »Davon verstehe ich nichts. Man ist eben eine Landratte.«

»Komm halt mit auf einen Törn.«

Also wurde ausgemacht, dass wir am nächsten Tag segeln gehen würden, wenn Wind und Wetter mitspielten. Aber Mutter wollte nicht: »Ich hab halt so eine Angst vorm Meer.«

Ich bekam am nächsten Tag meine Blutung, ging also auch nicht mit zum Segeln. Aber es war unverkennbar, dass die Männer, als sie gegen Abend heimkamen, ihren Spaß gehabt hatten. Darüber freute ich mich fast ebenso wie über die gesegnete Blutung.

Ragnar sagte an diesem Abend zu mir, du bist immer ein tüchtiges Mädchen gewesen, also ist es auch klar, dass du dir einen ordentlichen Mann finden konntest.

Arne strahlte vor Stolz, als Ragnar sich verabschiedete.

Arnes Mutter saß in der Mitte des Sofas im Wohnzimmer des Amtmannwohnsitzes in Majorna. Allein. Sie war eine kleine Person, die viel Platz brauchte.

Sie war schön, glich den chinesischen Elfenbeinstatuetten, die in den eleganten Geschäften an der Avenue verkauft wurden. Aufrecht, langer Hals, fein gezeichnete Gesichtszüge, blaue Augen. So wie ihr Sohn. Aber sie waren kälter als seine, viel kälter. Ich machte einen tiefen Knicks vor ihr und streckte die Hand aus. Sie nahm sie nicht. Da bereute ich den Knicks. Es gab dort noch eine Frau, jünger und einfacher.

»Das ist Lotte, sie ist mit meinem Bruder verheiratet«, sagte Arne.

»Gustav kommt bald«, sagte sie. »Er hatte nur noch etwas zu erledigen.«

Ich mochte sie sofort, und sie schüttelte meine Hand ordentlich und lange, als wolle sie mir Mut machen.

Es dauerte eine Weile, bis ich seinen Vater erblickte, einen großen Mann, der überhaupt keinen Platz brauchte. Er saß im Winkel hinter der Küchentür und las Zeitung, er hatte etwas Scheues an sich, und er sah mir nicht in die Augen, als wir uns begrüßten. Aber er gab mir die Hand. Ich begriff sofort, dass er Angst hatte.

»Das also ist Johanna, die sich mit meinem Jungen verheiraten will. Vermutlich erwartet sie ein Kind«, sagte die Eiskönigin.

»Nicht dass ich wüsste«, sagte ich. »Im Übrigen ist es wohl vor allem er, der sich verheiraten will.«

Das elfenbeingelbe Gesicht errötete vor Zorn, ehe es weiß wurde. Wie das des Sohnes.

»Mama.« Arnes Stimme war beschwörend.

Sie bot nichts an, nicht einmal die einfachste Tasse Kaffee. Alle schwiegen, es war gespenstisch. Dann stürzte Arnes Bruder herein und nahm mich fest in die Arme:

»Herrje, was hast du da für ein hübsches Mädchen erwischt«, sagte er zu seinem Bruder. Zu mir sagte er: »Lass dich bloß nicht von unserer Mutter erschrecken, die ist nicht so mächtig, wie sie aussieht.«

Die Elfenbeindame griff sich ans Herz, und Lotte sagte, dann gehen wir also. Gustav und Arne wollten ja das neue Segel ausprobieren.

Wir rannten alle vier die Treppe hinunter. Keiner sagte Adieu. Außer mir. Ich gab dem alten Mann die Hand.

Wir gingen nicht zum Boot, wir gingen nach Hause zu Gustav und Lotte. Sie hatten eine schöne Zweizimmerwohnung am Allmänna vägen, und dort war der Kaffeetisch gedeckt. Darauf stand sogar eine Torte, um mich willkommen zu heißen.

»Du hast hoffentlich keinen Schreck gekriegt, Mädchen«, sagte Gustav.

»Ein bisschen schon. Aber vor allem war ich erstaunt.«

»Arne hat also nichts gesagt?« Lotte stellte die Frage, und ihre Stimme war eisig.

»Was zum Teufel hätte ich denn sagen sollen? Das kann doch keiner beschreiben, wie Mutter ist.«

»O doch«, sagte Lotte, und der Frost klirrte in den Worten. »Sie ist selbstsüchtig und leidet an Größenwahn.«

Jetzt sah ich, wie er erst weiß und dann rot wurde. Danach schlug er mit der Faust auf den Tisch und schrie: »Sie hat nur einen einzigen Fehler, und zwar liebt sie ihre Kinder zu sehr.«

»Jetzt beruhige dich schon«, schrie Lotte. »In unserm Haus benimmt man sich menschlich.«

Gustav versuchte zu vermitteln: »Das ist nicht so leicht, Lotte. Sie war eine gute Mutter, bis sie Herzbeschwerden bekam.«

»Und das kam ihr gerade gelegen, als ihre Söhne anfingen, sich Frauen zu suchen.«

»Jetzt gehen wir, Johanna«, sagte Arne wütend.

»Ich nicht«, sagte ich. »Ich habe nicht vor, diejenige zu sein, die Unfrieden zwischen euch stiftet. Und du musst wohl zugeben, dass sie sich nicht gut benahm, als sie mir die Hand nicht gab und nicht einmal Kaffee anbot. Einen solchen Empfang habe ich bisher noch nie erlebt.«

Erst jetzt merkte ich, wie traurig ich war, ich schluckte den Kloß im Hals herunter, konnte aber nichts gegen die Tränen tun.

Gustav und Lotte trösteten mich, Arne wirkte verzweifelt.

»Könnt ihr nicht versuchen, mir das zu erklären, ohne Streit anzufangen.«

Das konnten sie nicht, und es wurde ganz still. Ich sagte: »Mir hat euer Papa so Leid getan. Der muss sich furchtbar geschämt haben. Warum hat er nichts gesagt?«

»Der hat sich schon vor Jahren das Reden abgewöhnt«, sagte Gustav. »Das ist schrecklich.«

»Aber er hätte sich ja behaupten können«, schrie Arne. »Warum, zum Teufel, ist er so feige, dass er sich nur verkriecht und schweigt?«

»Er fürchtet sich vor ihr«, sagte Lotte. »Genau wie du und Gustav.«

»Ich fürchte mich doch verdammt noch mal nicht vor ihr.«

»Dann zeig's ihr, geh erst wieder nach Hause, wenn sie sich entschuldigt hat. Und heirate Johanna.«

»Ich weiß nicht, ob ich noch will«, sagte ich und stand auf, bedankte mich für den Kaffee und ging. An der Tür hörte ich, wie Lotte Arne anschrie, dass er zuließ, wie seine Mutter sein Leben zerstörte. Er lief mir auf der Treppe nach, doch ich drehte mich um und sagte, dass ich allein sein wolle, dass ich nachdenken müsse.

Aber ich brachte es nicht recht fertig, die Gedanken überschlugen sich in meinem Kopf und gerieten ganz durcheinander.

Jedenfalls war es so, dass ich meine Schwiegermutter verabscheute, solange sie lebte. Und im Laufe der Jahre begann ich die Seiten an Arne zu hassen, die an sie erinnerten, seine Forderung, immer im Mittelpunkt zu stehen, seine Art, dauernd seinen Willen durchzusetzen, seinen Zorn und seine ewige Gereiztheit.

Aber damals hatte ich keine Wahl. Denn drei Wochen später bestand kein Zweifel mehr, dass ich schwanger war. Wir tauschten Ringe, wir versicherten einander, dass wir zusammengehörten, und ich überzeugte mich selbst, dass er lieb und zuverlässig war.

Mutter sagte: »Du brauchst nicht zu heiraten. Wir schaffen das Kind schon, du und ich.«

Das fand ich großartig.

Aber nun musste ich ihr sagen, wie schlecht es um Nisse Nilssons Laden bestellt war, dass die Einnahmen kaum größer waren als die Ausgaben.

An diesem Abend konnte ich schlecht einschlafen. Ich wälzte mich im Bett, versuchte die Bilder von Arne ins Lot zu bringen. Der junge Mann, der in der Versammlung mutig aufgestanden war und sich hatte verhöhnen lassen, weil er für die Rechte der Frauen eintrat. Der Segler, der auf See seine verwegenen Halsen machte. Politisch klarsichtig, intelligent und aufgeschlossen. Werkmeister! Und dann dieser Jammerlappen, der sich vor seiner Mutter drückte.

Wir wollten uns in Kopenhagen trauen lassen. Dorthin segeln. Aber erst sollte zu Hause bei Mutter das Aufgebot gefeiert werden. Sie hob Erspartes ab und nähte eine Aussteuer wie für eine Gutsbesitzerstochter, Laken und Kissenbezüge, handgewebte Handtücher, feinste Spitzen für Vorhänge und zwei Damasttischtücher.

Dann kam dieser schreckliche Montag. Ich war im dritten Monat schwanger, hatte aber merkwürdige Menstruationsschmerzen, als ich morgens zur Arbeit ging. Dort bei Nisse Nilsson brach ich zusammen und hatte einen Blutsturz. Aina brachte mich im Taxi in eine private Geburtsklinik, wo sie mich narkotisierten. Als ich aufwachte, war mein Körper brennend leer.

Sie weckten mich mit starkem Kaffee und einem belegten Brot. Ich kam zu mir. Es gab einige wenige Gedanken in meinem Kopf und reichlich Zeit, darüber zu brüten.

Wenn Arne auftauchte, wollte ich ihm sagen, er solle wieder zu seiner Mutter ziehen. Ruhig, nicht zornig oder boshaft wollte ich ihm erklären, dass dies das Beste für uns beide sei. Er sollte seinen Seelenfrieden wiedererlangen und nicht zwischen seiner Mutter und mir hin- und hergerissen sein. Ich würde frei sein und das würde mir gut tun, denn ich war nun einmal ein sehr selbstständiger Mensch.

Als er dann aber kam, nahm er meine Hände in seine, hatte feuchte Augen, und seine Stimme war unsicher: »Mein Mädchen«, sagte er. »Mein kleines Mädchen.«

Das war alles, es reichte, ich wusste mit einem Mal, dass er ein Mensch war, auf den man sich verlassen konnte. Und ich irrte mich nicht. Denn mit ihm war es so, dass, wenn es schwierig wurde, wenn Gefahr im Verzug war und Krankheit und Schrecken drohten, dann wuchs er über sich hinaus, dann wurde er stark und sicher, wie einst mein Vater.

»Es war ein kleiner Junge«, sagte Arne, und da sah ich, dass er weinte. Auch er.

Ehe sie ihn aus dem Krankensaal wiesen, versuchte er noch zu sagen, es sei ein Unglücksfall gewesen, und dass wir bald ein Kind haben würden. Das gab mir Hoffnung, und als ich für diese Nacht einschlief, drückte ich die Hände auf die schmerzende Leere unter dem Nabel und flüsterte: Komm wieder.

Mutter gab das Aufgebotsessen an einem sonnigen Sommersonntag gleich nach dem Gottesdienst. Arnes Mutter saß allein mitten auf dem Värmlandsofa, und endlich kam es zu seinem Recht. Sie passten zueinander, die Elfenbeindame und das unbequeme, aber elegante Möbelstück. Sie sprach nicht viel, beobachtete aber sehr genau. Ein Verlobungsgeschenk hatte sie nicht dabei, und ich glaube nicht, dass es ihr peinlich war, als sie lange und kritisch Mutters feines Leinen begutachtete. Lisa, dieser liebe Mensch, widmete sich Arnes Vater, sie sprachen über Landwirtschaft, es kam Leben in seine Augen und Klang in seine Stimme.

Hier konnte er tatsächlich reden.

Dann kamen Gustav und Lotte mit einem Kaffeeservice, und Mutter und mir fiel auf, dass Lotte ihre Schwiegermutter nicht einmal grüßte. Als Letzter fand sich Ragnar ein, und damit waren alle Schwierigkeiten ausgeräumt, das Gespräch in Gang zu halten. Er brachte weiß schäumenden Wein mit, öffnete die Flasche mit einem Knall und brachte einen Toast auf uns beide aus.

»Du hast mehr Glück gehabt, als du verdienst«, sagte er zu Arne. »Johanna ist nämlich nicht nur das hübscheste Mädchen der Stadt, sie hat auch den besten Verstand und das gütigste Herz.«

Arne wirkte stolz, seine Mutter griff sich ans Herz, und Ragnar, der das sah, brach in sein berühmtes Gelächter aus. Als es sich in der Gesellschaft fortpflanzte, war es um die Selbstsicherheit der alten Frau geschehen. Ihr Blick war unstet, und die Hand mit dem Glas zitterte. Einen kurzen Augenblick lang tat sie mir Leid.

Ragnar, der jetzt auch ein Taxiunternehmen hatte, brachte das alte Ehepaar nach Hause. Als er wieder da war, wollte er mit uns eine Idee besprechen, die er hatte. Draußen zum Meer hin wurde gebaut, neue kleine Eigenheime rund um ein altes Fischerdorf, nur etwa fünf Kilometer von der Stadt entfernt. Einer der Bauherren hatte seinen Job verloren und Konkurs gemacht. Ein Sägewerk, für das Ragnar fuhr, hatte das Haus übernommen. Es war bis zum Dach fertig, es fehlten eigentlich nur die Holzarbeiten im Innern und der Anstrich. Der Holzhändler wollte verkaufen, schnell und billig.

Während Ragnar erzählte, wurde die Farbe in Arnes Gesicht kräftiger, seine Augen strahlten: »Wie viel?«

»So um zwölftausend. Aber wir können ihn runterhandeln.«

»Ich habe aber nur halb so viel.«

Die Begeisterung in den blauen Augen erlosch, aber Ragnar sprach weiter: »Ist doch gut, den Rest kannst du bei der Bank leihen. Das geht, du hast eine feste Anstellung, und ich übernehme die Bürgschaft.«

»Aber ich habe Mutter versprochen, dass ich niemals einen Kredit aufnehme.«

»Teufel noch mal«, schrie Ragnar auf, und Arne, der einsah, dass er sich lächerlich gemacht hatte, sagte: »Wann können wir das Haus besichtigen?«

»Jetzt. Ich habe ein Auto draußen stehen. Aber vielleicht solltest du erst Johanna fragen.«

»Ansehen können wir es uns ja in jedem Fall«, sagte ich, und als wir die Treppe hinunterliefen, war ich ganz außer mir vor Erwartung und drückte Arnes Hand.

Da waren Lehm und Schutt, hohe Felsen und Granitbrocken, da wucherte Unkraut und es gab ein halb fertiges Haus, niedrig und lang, drei Zimmer, Küche und im Obergeschoss Platz für ein Kinderzimmer. Uns gefiel es vom ersten Augenblick an.

»Das wird viel Arbeit«, sagte Ragnar.

»Wer fürchtet sich schon vor Arbeit«, sagte Arne.

»Ich will einen Garten haben«, sagte ich.

»Hier ist es immer windig, es wird also nicht leicht sein«, sagte Arne. »Ich werde dir eine Mauer bauen, damit du einen windstillen Platz hast.«

Wir holten eine Leiter und kletterten in den oberen Stock, und es war, wie Arne es sich vorgestellt hatte: Wir schauten direkt aufs Meer und über den Hafen hinweg, wo die Fischerboote am Sonntag ausruhten.

Dann saßen wir den ganzen Abend in Mutters Küche und berechneten Zinsen und Darlehenstilgung. Es würde knapp werden, aber es würde gehen.

Aus der Segeltour nach Kopenhagen wurde nichts, es wurde eine einfache Trauung beim Pfarrer in Haga, und dann schufteten wir, ich auf dem Grundstück, Arne im Haus. Jetzt erst erfuhr ich, dass Arne eine Menge Freunde hatte und ein erstaunliches Talent, zu organisieren, anzuleiten und zu entscheiden.

Auf den Grundstücken rundherum arbeiteten andere junge Menschen an halb fertigen Häusern. Ich fand schnell Bekannte, jungverheiratete Frauen mit den gleichen Erwartungen wie ich.

Im Oktober zogen wir ein, es war noch nichts gestrichen, und wir hatten fast keine Möbel. Aber wir hatten unsre Freunde und einen Küchenherd und zwei Kachelöfen und brauchten also nicht zu frieren.

Die Zeiten waren weiterhin schlecht, es wurde sogar noch schlimmer. In der Kugellagerfabrik, wo fast 5000 Menschen gearbeitet hatten, waren nur dreihundert übrig geblieben. Die anderen hungerten und froren.

In einer leer stehenden Kugellagerwerkstatt in Hisingen wurden Autos gebaut, sie wurden Volvo genannt, und es gab Leute, die daran glaubten, dass daraus etwas werden würde.

Auch die Werften seien gefährdet, sagte Arne. Aber vorläufig schlug man sich wohl mit Reparaturen durch.

Mitten in alledem war ich glücklich. Ich legte einen Garten an und ich übertreibe nicht, wenn ich sage, dass er großartig wurde. Niemand hatte so prächtige Äpfel wie ich, und nirgends, nicht einmal im Gartenverein, gab es schönere Rosen.

Mein Garten hatte hohe Felsen im Rücken, einen offenen Hang nach Südwest und eine Mauer zum Meer hin. Und das Seltsame hier an der schwedischen Westküste ist, wenn du ein Fleckchen Erde in sonniger Lage hast, das gegen die Winde vom Meer geschützt ist, dann bekommst du einen Garten von fast südländischer Pracht. Du kannst Weintrauben ziehen und Pfirsichspaliere. Von Rosen gar nicht zu reden.

Ich erzählte Arne nie davon, dass es mit Nisse Nilssons Delikatessenladen bergab ging. Das war unnötig, denn Arne hielt es für gegeben, dass ich daheim bleiben und er die Familie versorgen würde.

Ich empfand es selbst, damals in jenem Herbst, in dem ich so viel zu tun hatte, als ganz natürlich. Da war die ganze Näherei für unser neues Heim, um nur eines zu nennen. Ich bekam eine alte Nähmaschine von Lisa, sie ließ sich schwer treten und verhakte sich dauernd, aber im Laufe der Jahre habe ich mich viele Meilen darauf vorwärts gestrampelt!

Unser erstes Möbelstück war eine große gebrauchte Hobelbank. Für den Keller! Als Ragnar sie herbeikarrte, wurde ich böse, eine Hobelbank zu kaufen, wo wir nicht einmal einen Tisch hatten, an dem wir essen konnten! Aber ich sagte nichts und schon bald wurde mir vieles klar. Denn Arne verschwand allabendlich im Keller, und bald kamen Tisch und Stühle, Schränke und Regale in ununterbrochener Folge die Kellertreppe herauf.

Es waren schöne Möbel, Eiche, Mahagoni und Teakholz für die Arbeitsfläche in der Küche.

»Wo kaufst du nur dieses schöne Holz?«

Er wurde rot und sagte aufgebracht, ich solle nicht so viel fragen. Wie immer begriff ich nicht, wieso er dermaßen böse wurde.

Weihnachten kam, und wir luden die Verwandtschaft zum Essen ein. Mutter widersetzte sich, sie hatte Schwierigkeiten mit den neuen Verwandten. Aber ich ging zu Ragnar und sagte ihm, wenn ihr nicht kommt, erschlag ich dich. Und so kamen sie alle, Mutter, Lisa, Ragnar und die Kinder. Und zwei von meinen anderen Brüdern mit ihren Frauen. Wir luden auch Gustav und Lotte ein, aber sie sagten ab.

Die Eiskönigin schwieg, nicht eine Bosheit kam über ihre Lippen.

»Da siehst du«, flüsterte Arne mir zu. »Sie wird weich.«

Ich konnte das nicht erkennen. Aber ehe wir zu Tisch gingen, geschah etwas Bedeutungsvolles. Es war ein schneeloser Winter, plus acht Grad und ein sanfter Wind vom Meer, als mein Schwiegervater und ich über das Grundstück gingen und ich ihm vom Garten erzählte, wie ich ihn mir erträumte.

Der alte Mann war wie verwandelt, seine Stimme bekam Klang, sein Gang war elastisch und er sagte, er werde mir helfen. Hier könne ein Paradies entstehen, sagte er. Wenn wir nur nach Westen eine Mauer errichten … dann übernehmen Sonne und Golfstrom den Rest. Ein Kartoffelacker, sagte er. Kohlrabi, Erdbeeren.

»Rosen«, sagte ich.

Als er lachte, war er Arne sehr ähnlich.

»Verlass dich auf mich.«

Als die Gäste gegangen waren, ich gespült und Arne alle Reste der Weihnachtsspeisen in den Vorratskeller getragen hatte, erzählte ich ihm von meinem Gespräch mit dem alten Mann. Arne lachte übers ganze Gesicht, wurde aber bald Ernst: »Das wird nicht gehen«, sagte er. »Mutter erlaubt ihm das nie.«

»Wollen wir wetten!« sagte ich. »Er kommt, egal was sie sagt.«

»Du bist ein eigenartiger Mensch«, sagte Arne, und ich wurde rot. Vor Freude, aber auch weil ich mir keineswegs so sicher war, wie es den Anschein hatte. An diesem Abend saßen wir lange am Küchentisch und zeichneten, machten einen Entwurf nach dem anderen, wie wir uns unseren Garten vorstellten. Ich sprach von Rosen und Violen, Arne von Kartoffeln und Gemüse.

Wir müssen sparen, wo es nur geht.

»Ich weiß, aber ich will Rosen entlang der Mauer haben und ein großes Blumenbeet vor dem Haus. Phlox, Kletterrosen, Malven …«

Eines Morgens um die Januarmitte sagte ich zu Arne, dass wir heute Abend zu seinen Eltern fahren sollten. Die Gartenentwürfe nehmen wir mit, dann können wir sie mit deinem Vater besprechen. Arne wurde gleichzeitig ängstlich und froh, ich sah es, tat aber, als merkte ich es nicht. Zu diesem Zeitpunkt hatte ich schon begriffen, dass er dauernd ein schlechtes Gewissen hatte, weil er seine Mutter vernachlässigte. Als wir in dem alten Haus in der Karl Johansgata durch die Tür traten, freute sie sich, sie brauchte mehrere Sekunden, um ihre Gesichtszüge erstarren zu lassen. »Kommt doch herein. Ich koche gleich Kaffee.«

Wir setzten uns an den Küchentisch, ich holte meinen Schwiegervater aus der Küchenecke und sagte, nun komm schon, wir wollen etwas besprechen.

Und es gelang mir, es kam wieder Leben in den alten Mann, er hatte Einwände, er hatte nachgedacht. Bergkiefern hier am Mauerende, sagte er. Es weht ja nicht nur der Westwind, der Sturm kann auch von Süden kommen. Die Mauer müsse winklig verlaufen, sagte er, denn Johanna will Rosen haben und braucht eine Wand genau im Süden.

Am erstauntesten war nicht etwa die Eiskönigin, sondern Arne.

Und froh, so froh. Da wagte ich den nächsten Schritt: »Ich will versuchen, das mit meinem Bruder zu regeln, damit du hin und zurück mit dem Auto fahren kannst, Schwiegervater.«

»Ich nehme den Bus«, sagte der alte Mann.

»Wenn du zu müde bist, kannst du in der Kammer übernachten«, sagte Arne.

Meine Schwiegermutter schwieg.

Der Frühling, in dem mein Schwiegervater und ich den Garten anlegten, war beglückend. Wir liehen Pferd und Egge auf einem Bauernhof, und der alte Mann lenkte, als hätte er nie etwas anderes getan. Wir stachen um, legten Kartoffeln in die Erde, teilten Beete ein und ich baute Gemüse an, wir hoben eine Rabatte aus, und ich säte Blumensamen, wir gruben tiefe Löcher und setzten Apfelbäume und Johannisbeersträucher. Einmal, als wir uns bei Kaffee und belegten Broten erholten, sagte Schwiegervater: »Ich hab ja altes Bauernblut in den Adern.«

Da fühlte ich, dass ich das auch hatte.

Mein Schwiegervater war kein Mann vieler Worte, und doch lernte ich unendlich viel von ihm. Zwischen frischem und gut ausgereiftem Mist zu unterscheiden. Wie man Erde zwischen den Fingern zerkrümelt, um zu fühlen, ob sie Sand oder Torfmull braucht. Dass die hübschen Stiefmütterchen Kalkmangel anzeigen und dass ich dauernd ein wachsames Auge auf den Lehm haben musste, der das lockere Erdreich in der Rabatte hart werden ließ.

Es war das Wissen eines erfahrenen Menschen, und das konnte ohne viele Worte vermittelt werden.

Es waren aber nicht nur mein Schwiegervater und ich, die sich mit dem Garten abplagten. An den Wochenenden errichtete Arnes Bruder Stein um Stein eine Mauer. Gustav war Maurer und fröhlich wie eine Lerche, wenn er mit seinem Vater über frostsichere Tiefe, Höhe und Breite räsonierte und ob man sich eine Abschrägung aus Dachziegeln leisten sollte. Das soll man, sagte der Alte, und es klang wie ein Befehl.

Die Mauer bekam keine scharfe Ecke, sie war gegen Südwest abgerundet und schloss an den Felsen an, der nach Norden hin eine sanfte Kurve bildete. So wurde mein Garten einer runden Schale gleich, in deren Mitte das Haus stand.

Eines Tages tauchte mitten in der harten Plackerei Ragnar auf. Der Pritschenwagen war beladen mit Rosen, Kletterrosen, Edelrosen, altmodischen Bauernrosen. Ich sprang wie ein kleines Mädchen fröhlich um ihn herum.

»Wo hast du denn das alles gekauft? Und was hat das gekostet?«

»Das geht dich überhaupt nichts an, Schwesterchen«, sagte er und sah aus wie Arne, als ich ihn damals fragte, was dieses teure Möbelholz gekostet hatte.

Die ersten Jahre da draußen am Meer waren gute Jahre. Ich nahm die Tage, wie sie kamen, und meinen Mann, wie er war. Ich glaube nicht, dass die Verliebtheit junger Frauen so blind ist, wie sie es sich manchmal einzureden versuchen.

Als ich zum ersten Mal einen von Arnes Wutausbrüchen erlebte, wurde ich fast ebenso zornig wie er, zeigte auf die Tür und schrie: Verschwinde! Er hatte zwei Teller kaputtgeschmissen, der ganze Küchenfußboden war mit Suppenpfützen, Essensresten und Porzellanscherben bedeckt.

Ich wischte es nicht weg, sondern ging schnurstracks ins Schlafzimmer und packte eine Tasche. Dann setzte ich mich in die kleine Diele und wartete. Als er wiederkam, war er verzweifelt und voller Reue:

»Johanna. Verzeih mir.«

Da bekam ich Angst, und ich dachte zum ersten Mal, dass dieser häufige Sinneswandel etwas Verrücktes an sich hat, etwas Krankhaftes.

»Ich hatte vor, heim zu meiner Mutter zu fahren«, sagte ich. »Passiert das noch einmal, tu ich's.«

Dann ging ich zu den Hügeln hinauf, saß lange auf einem Felsenvorsprung, vergoss ein paar Tränen und sah die Sonne im Meer versinken. Als ich zurückkam, war die Küche aufgeräumt, und danach war er eine ganze Woche fast schon unnatürlich lieb.

Als es das nächste Mal passierte, schlug er mich. Es war Sommer, ich lief weg, floh zum Bus, in die Stadt und zu Mutter. Sie sagte nicht viel, als sie mich verpflasterte und zu Bett brachte. Aber sie nahm es nicht sonderlich ernst, sie meinte, das sind so Sachen, mit denen die Frauen sich abfinden müssen.

»Wollt Ihr damit sagen, der Vater hat Euch geschlagen?«

»Das hat er wohl, öfter sogar.«

Ich wurde traurig. Ich wusste ja, dass sie nicht log, und trotzdem empfand ich es wie eine üble Nachrede.

Ich blieb in der Stadt, aber dann musste ich feststellen, dass ich wieder schwanger war. Als ich nach vierzehn Tagen zum Haus am Meer zurückfuhr, war der Garten von Unkraut überwuchert, und die Johannisbeersträucher brachen fast unter der Last der überreifen Beeren. Ich freute mich trotzdem über das Wiedersehen, ich wagte mir einzugestehen, dass ich mich die ganze Zeit über hierher gesehnt hatte ... zu den Apfelbäumen und den Blumen und der Aussicht aufs Meer. Arne weinte wie ein kleiner Junge, als er nach Hause kam und mich vorfand. Ich sagte es, wie es war, dass ich zurückgekommen sei, weil wir ein Kind haben würden. Er freute sich, und seine Freude war echt. Aber ich glaubte seinen Versicherungen, dass er seinen entsetzlichen Launen nie wieder nachgeben werde, nicht mehr.

Im September hatte ich wieder eine Fehlgeburt. Mir fällt es zu schwer, darüber zu berichten.

Das, woran ich mich erinnern will, sind der Garten und die langen Segeltörns in diesem Sommer zu zweit. Es war großartig, im Boot wurde Arne erwachsen, nie unberechenbar. Wir segelten nach Kopenhagen und genossen es, durch Gassen und Parks zu schlendern und all das Einmalige zu betrachten.

Im nächsten Sommer segelten wir in den Oslofjord, um die Verwandtschaft zu besuchen.

Während meiner Jugendjahre hatten sich meine Phantasien um meine Tante, die schöne Astrid, gerankt. Ich hatte vage Erinnerungen an etwas Schmetterlingshaftes, Interessantes und Wunderbares. Außerdem hatte ich die Briefe. Hanna und Astrid unterhielten durch all die Jahre einen regen Schriftwechsel. Astrids Briefe waren lang, voll witziger Ideen und ungewöhnlicher Gedanken. Da Mutter nicht gut rechtschreiben konnte, hatte immer ich die Antworten abfassen müssen. Astrid fragte oft nach Ragnar, und ich schilderte in wohlgesetzten Worten, wie gut es ihm in Göteborg ging und wie glücklich er mit Lisa und ihren beiden Söhnen war.

Sie antwortete, sie habe immer gewusst, dass es ihm im Leben wohl ergehen werde, dass er ein Liebling der Götter sei und freien Zugang zu ihren guten Gaben habe.

Henriksen hatte seinen Betrieb nach Oslo verlagert, und soweit wir verstanden, lebten sie dort gut. Daher war mir an diesem Julitag, als Arne sein Boot in dem eleganten Gasthafen der norwegischen Hauptstadt vertäute, elend zumute: »Ich fühle mich wie die arme Verwandte vom Land.«

»Ach was. Wenn sie nicht nett sind, trinken wir eine Tasse Kaffee und gehen wieder. Aber vielleicht solltest du erst anrufen.«

Also rief ich an, und die sanfte Stimme am Telefon freute sich so sehr, dass sie trillerte. »Ich komme, ich komme sofort und hole euch.«

Sie fuhr ihren eigenen Wagen, sie war ebenso schön wie in meinen Träumen. Es war, als hätten die Jahre keine Spuren an ihrer Gestalt oder in ihrem Gemüt hinterlassen, geblümte Seide umgab die schlanke Figur wie eine Wolke und sie roch wie die Pfirsichblüten zu Hause an der Mauer. Sie umarmte mich, schob mich von sich, schlug die Hände zusammen und sagte: »Gott, bist du hübsch geworden, Johanna.« Dann umarmte sie Arne, der errötete, entzückt und entsetzt, und sagte: »Nicht zu fassen, wie ähnlich ihr euch seid.«

Sie sprang an Bord, leichtfüßig wie eine Elfe, bewunderte alles und küsste Arne, als sie zu hören bekam, dass er von A bis Z alles selbst gebaut hatte, Boot und Einrichtung.

»Henriksen will auch ein Segelboot haben«, sagte sie. »Wenn er das hier sieht, wird er verrückt.« Vruckt, sagte sie, sie sprach schnell, und ich merkte, dass ich Norwegisch nur schwer verstehen konnte. Obwohl es fast so klang wie zu Hause.

Wir aßen in ihrer großen Wohnung zu Mittag, sie und ich plauderten eifrig, während Henriksen und Arne über Hitler diskutierten. Plötzlich hörte ich Arne laut aufschreien: »Ist das wahr!«

Henriksen machte Geschäfte mit Deutschland, und wir hörten jetzt zum ersten Mal von den Juden reden, die verschwanden, und von den Geisteskranken, die getötet wurden.

Henriksen war seiner Sache sicher. Es wurde still am Tisch, und das Atmen fiel schwer. Schließlich sagte Astrid: »In wenigen Jahren werden die Nazis in ihren Stiefeln über die Karl-Johan-Promenade trampeln.«

Es klang wie eine Weissagung, Arne protestierte. »Das wird England nie zulassen.«

Aber Henriksen seufzte, als er sagte: »Astrid sagt das jetzt schon lange. Und sie hat wirklich die Gabe, in die Zukunft zu sehen.«

Das Wichtigste für mich in Oslo war ein langes Gespräch, als Astrid, Arne und ich draußen im Café des Museums saßen, in dem das Osebergschiff ausgestellt ist. Wir sprachen von meinem Vater, sie machte viel Worte um ihn und hatte viele Erinnerungen.

Ich erfuhr, wie sehr er mich geliebt hatte, seine kleine Tochter, die den Namen des Kindes trug, das er in seiner ersten Ehe gehabt hatte, wie er mich als Baby umsorgt, mich in einer Kiepe auf dem Rücken getragen und mich gelehrt hatte, auf alle Stimmen des Waldes zu hören und die Gewässer, die Himmel und die Wolken zu sehen.

»Hanna fand das natürlich albern«, sagte Astrid. »Du warst ja nur ein Säugling.«

Ich hatte es doch gewusst, denn der Körper und die Sinne haben ihre eigenen Erinnerungen. Aber keiner aus meiner Familie hatte je ein Wort darüber verloren, nur erzählt, dass er mich sehr verwöhnt hatte. Jetzt bestätigte sich alles.

Sie sprach von seinen Märchen und seinen Liedern. Das hatte Mutter auch getan, darum war ich jetzt gar nicht so überrascht.

»Ich habe oft an dich gedacht und daran, welch großen Verlust du erlitten hast, als er starb«, sagte sie.

Im Winter gingen Arne und ich auf die Parteiversammlungen, ich las und lernte viel, und es gab viel, worüber wir sprechen konnten.

Es waren gute Jahre. Aber wir teilten auch die Unruhe wegen Hitler und den Nazis in Deutschland. Ragnar, der politisch eine Null war, sagte, dieser Satan bringe wenigstens die Räder wieder zum Laufen, und Arne meinte, jetzt, wo die Aufrüstung in Schwung käme, würden die Zeiten sicher besser werden. Aber dann komme auch Krieg.

Er klang wie Astrid, aber ich wollte mir keine Angst einjagen lassen.

Ich war wieder schwanger. Und dieses Mal sollte geboren werden, das beschloss ich. Der Arzt, Beistand während meiner Fehlgeburten, hatte versichert, dass ich völlig gesund sei.

Die Bezirksschwester kam einmal in der Woche. Sie war eine unkomplizierte Person und sagte zu Arne, er solle zuversichtlich sein und gut auf mich aufpassen. Das tat er, man konnte sich in kritischen Situationen immer auf ihn verlassen. Mir befahl sie, glücklich zu sein.

Ich tat mein Bestes, ihr zu gehorchen. Und ich war ganz sicher, dass es ein Mädchen sein würde. Und seltsamerweise war Arne das auch.

Ich habe ganz flüchtig erwähnt, dass wir dort draußen in dem alten Fischerdorf Nachbarn bekommen hatten, junge Familien wie wir selbst. Und dass es nette Menschen waren, Leute, die Freunde werden konnten. Ich war vermutlich mit den meisten befreundet, wir tranken in den verschiedensten Küchen Kaffee miteinander, schwatzten und tauschten auf Frauenart Vertraulichkeiten aus.

Mitten hinein in unsere rotbunte Eigenheimsiedlung zog eine jüdische Familie. Agneta Pettersson, die Klatschbase unter uns, bekam viel zu beobachten und viel zu reden, sie rannte mit ihrem Klatschmaul aufgeregt herum, wie Mutter das ausdrückte.

Rakel Ginfarb sah aus wie ein Vogel und war auch ebenso scheu. Ich dachte an das, was Henriksen in Oslo erzählt hatte, ging in die Gärtnerei, kaufte einen Blumenstock und klingelte an der Tür der neu Hinzugezogenen: »Ich wollte Sie nur willkommen heißen«, sagte ich.

Sie sah wohl, wie verlegen ich war, denn sie ließ ganz langsam ein Lächeln zu, und ich wagte weiterzusprechen: »Wenn Sie Hilfe brauchen oder etwas fragen möchten, ich wohne im letzten Haus Richtung Hafen.«

»Danke«, sagte sie. »Vielen Dank.«

So begann unsere Freundschaft, die für mich von großer Bedeutung sein sollte.

Am Sonntag luden wir sie zum Kaffee in unseren Garten ein.

»Wir haben da einige Probleme«, sagte Simon Ginfarb, der Hochschullehrer war, nachdem er drei Tassen Kaffee getrunken und alle meine Plätzchen durchprobiert hatte. »Ich kann die Bücherregale nicht allein aufstellen.«

Arne verstand. Er verschwand mit Simon und blieb den ganzen Nachmittag weg, während Rakel und ich schwatzten und ihre Kinder im Garten spielten. Sie hatte einen Sohn und zwei Töchter.

»Und eins ist unterwegs«, sagte sie und strich mit der Hand über ihren Bauch.

»Bei mir auch«, sagte ich. Wir rechneten schnell aus, dass unsere Kinder zur gleichen Zeit kommen würden, und Rakel strahlte, als sie sagte: »Wie wundervoll für die beiden, gleichaltrig zu sein. Meins wird ein Mädchen, das weiß ich.«

»Meins auch.«

Mit ihr konnte ich zum ersten Mal von den Fehlgeburten sprechen, wie sehr es geschmerzt hatte, die Kinder zu verlieren, und wie … minderwertig ich mich gefühlt hatte.

»Ich habe gewissermaßen mein Selbstvertrauen verloren«, sagte ich.

Sie sagte nichts, aber sie konnte zuhören. Danach schwiegen wir lange. Es war ein Schweigen der durchgreifenden Art, so tief, dass es etwas verändern musste. Als das Lachen der Kinder, das Schreien der Möwen und das Tuckern eines Fischerboots draußen auf See die Stille durchbrachen, hatte ich neue Hoffnung geschöpft.

Arne kam zurück und sagte, dass Simon genauso war, wie er ihn sich vorgestellt hatte, ein Mann mit zwei linken Händen. Sie hatten darüber gelacht, und während Arne nagelte, sägte und schraubte, hatten sie über Politik gesprochen.

»Was Henriksen erzählt hat, stimmt genau. Rakel und Simon haben Verwandte in Deutschland und sind verdammt besorgt. Ununterbrochen, jeden Tag.«

Arnes Augen verdunkelten sich wie immer, wenn er Angst hatte.

»Ich habe an Astrids Prophezeiung denken müssen«, sagte er. »Glaubst du, sie kann in die Zukunft sehen?«

»Das wurde manchmal behauptet. In Mutters Familie hat es immer prophetische Menschen gegeben.« Arne schnaubte. »Reiner Aberglaube.«

Dann aber meinte er, dass Astrid nicht gesagt hatte, die Deutschen würden über die Avenue marschieren. Kein Wort von Schweden, sagte er und wirkte erleichtert.

In diesem Herbst half ich Rakel beim Pflanzen der Rosen in ihrem Garten. Aber am meisten freute sie sich, wenn wir mit den Kindern über den hoch gelegenen Pass zwischen den Felsen gingen, durch die Wiesen, am Strand entlang, hinauf in den Wald.

»Es wird nicht mehr lange dauern und ich bin eine richtige schwedische Naturschwärmerin«, sagte sie.

Sie sei es gewesen, die ihren Mann dazu überredet hatte, das Haus hier draußen auf dem Land zu kaufen. Sie mochte Städte nicht, sie betrachtete sie als eine Art Festung. »Große Häuser und schöne Straßen«, sagte sie. »Das kommt mir vor, als versuchten die Menschen Sicherheit zu erlangen, indem sie ihr Dasein eingrenzen.«

Ich dachte an die schmutzigen Gassen in Haga und an das unsichere, dauernd bedrohte Leben innerhalb der Mauern der Amtmannhäuser. Ihre Stadt war nicht meine Stadt. Aber ich sagte nichts, ich war feige, ängstlich, die Kluft zwischen uns könnte sichtbar werden.

Einmal erzählte sie, dass sie immer wisse, wenn ein Mensch lügt. Dann sagte sie, dass sie in Bezug auf mich unsicherer als gewöhnlich sei, und ich wusste, dass es stimmte. Ich hatte ja die Angewohnheit, mir selbst etwas vorzulügen, obwohl ich das weder begriff noch beabsichtigte.

»Du bist voller Geheimnisse«, sagte Rakel.

Ihr Mann war sehr elegant, er roch förmlich nach Wohlstand und Zigarren. Er war religiös und ging wie jeder Rechtgläubige in die Synagoge. Aber seine Einstellung war vernünftig, eher geprägt von der Hochachtung vor den uralten Riten als von religiöser Verzückung, wie er erklärte. Arne und ich hielten ihn denn doch für ein wenig arrogant.

Nun hatte Arne ein großes Radio, das er aus verschiedenen Einzelteilen zusammengebaut hatte. Wie alles, was er mit seinen Händen schuf, war es großartig, wir hatten bessere Empfangsbedingungen als jeder andere. Das veranlasste Simon, seinen Abendspaziergang an unserer Küche vorbeizulenken, um die Nachrichten aus Berlin zu hören.

Dann kamen die Herbststürme und der Winter, und ich und Rakel sahen unsere Bäuche um die Wette wachsen. Mir fiel es mit der Zeit schwer, meine Schuhbänder zu knoten, und ich dachte, jetzt ist es ein Kind, ein richtiges, fertiges Kind, das nur noch ein bisschen wachsen muss, ehe es kommt.

Dann kam sie also, an einem blauen Märztag, und nie hätte ich gedacht, dass das so schwer sein konnte.

Es dauerte mehr als vierundzwanzig Stunden.

Herrgott, was Frauen doch erdulden müssen. Und wie wenig davon gesprochen wird und die meisten es als Geheimnis für sich behalten.

Doch hinterher war es für mich wie für andere auch, eine grenzenlose Freude. Sie wog jedes beliebige Leiden auf.

Als ich in der Klinik aufwachte, bekam ich süße Fruchtsuppe. Und dann wurde mir ein Kind in den Arm gelegt.

Es gab nicht viele Gedanken in meinem Kopf an diesem ersten Tag, ich konnte nur töricht lächeln, als Arne kam und mir zu sagen versuchte, wie glücklich er war.

Als Mutter am nächsten Tag zu Besuch kam, erinnerte ich mich an ihre Erzählung, wie sie mich geboren hatte.

»Mutter«, sagte ich. »Wie stark Ihr wart.«

Sie wurde verlegen und wehrte sich wie gewöhnlich gegen Lob. Es war nicht ihr Verdienst gewesen, dass es damals gut gegangen war, es war das der Hebamme.

Da erinnerte ich mich an Anna, diesen zuversichtlichen Menschen. Und dann sagte ich, ohne nachgedacht zu haben, dass ich das Kind Anna nennen wolle. Arne fand den Namen altmodisch, aber solide. Außerdem war er froh, weil es ihn in der Familie nicht gab.

»Hast du schon bemerkt, wie intelligent sie aussieht«, sagte er.

Natürlich lachte ich ein bisschen über ihn, aber insgeheim war ich ganz seiner Meinung. Und er behielt schließlich Recht.

Was für ein Frühling wurde das! Und was für ein Sommer! Als wolle das Leben wieder gutmachen, was es mir Böses angetan hatte, war diese ganze Zeit wie gesegnet, ich hatte reichlich Milch, Anna war gesund, trank, schlief, wuchs, lachte und brabbelte. Arne machte es wie mein Vater, zimmerte eine Trage und streifte mit dem Töchterchen durch die Berge. Und er sang ihr vor! Er hatte eine gute Singstimme, ich konnte erzählen.

Plötzlich waren sie einfach da, all die Kinderreime und Liedchen meines Vaters.

Mein Überschwang war so groß, dass ich meiner Schwiegermutter mit Wärme gegenübertreten konnte.

»Sieh nur, Anna, das ist deine Großmutter!«

Es war ihr erstes Enkelkind, sie fand aus ihrer Versteinerung heraus, lachte und sang mit dem Kind. Zum ersten Mal sah ich, dass es ein Verlangen hinter der Elfenbeinmaske gab.

Rakel kam eine Woche nach mir aus dem Krankenhaus zurück. Die beiden kleinen Mädchen waren ganz verschieden, meins war blond, stark und eigensinnig, ihres dunkelhaarig, still und folgsam.

Inzwischen schrieb man das Jahr neunzehnhundertsiebenunddreißig, und Franco warf Hitlers Bomben über Spaniens Städten ab. Man konnte die Augen nicht mehr davor verschließen, dass sich die Welt um uns verfinsterte.

Ich habe nicht vor, das zu schildern, was der Zweite Weltkrieg bei uns in Europas Norden anstellte, während wir uns wie verschreckte Hasen hinter einer brüchigen Neutralität versteckten.

Ich tat mein Bestes, eine Mauer zwischen der Welt da draußen und meiner Welt mit dem Kind zu errichten, und es brauchte seine Zeit, bis ich einsah, dass es mir misslang. Als Anna ein Jahr alt wurde, schloss Hitler Österreich an das Dritte Reich an, als sie zwei war, besetzte er die Tschechoslowakei und im Herbst war Polen an der Reihe, und der Weltkrieg begann.

Bis dahin konnte ich der Angst die Stirn bieten. Aber dann kam Annas dritter Geburtstag und bald darauf die Besetzung Dänemarks und Norwegens.

Jetzt knatterte die schwedische Luftabwehr rundum in den Bergen, und Annas Augen verfinsterten sich fragend: »Auf was schießen die denn?«

Ich log und sagte, dass sie nur übten.

Doch eines Tages brannte ein Flugzeug direkt über unseren Köpfen, eine Maschine mit einem Hakenkreuz. Sie flammte auf, überschlug sich und verschwand in westlicher Richtung. Ich sah den deutschen Jungen wie eine Fackel am Himmel brennen, ehe er im barmherzigen Meer erlosch.

Wir standen auf dem Felsen, ich hielt Anna in den Armen und versuchte ihren Kopf an meine Schulter zu drücken. Aber sie schlug sich frei und stierte wie gebannt. Dann suchten ihre Augen die meinen, und ich wusste, jetzt schaute sie mitten hinein in meine Angst.

Sie fragte nichts. Ich hatte nichts zu sagen.

Der Krieg schlich sich auch in anderer Weise ein. Durch Rakels Haus zog ein Strom von jüdischen Flüchtlingen aus Dänemark und Norwegen. Sie tauchten abends und nachts im Dunkeln auf, schliefen sich aus, aßen sich satt und verschwanden. Noch wurde ein Fluchtweg von Torslanda nach London offen gehalten.

Die meisten wollten nach Amerika weiter.

Rakel sagte: »Simon setzt mich unter Druck. Er will, dass wir auch fahren.«

»Wohin?«

»Nach Amerika. Wir haben dort Verwandte. Ich versuche mich zu widersetzen, aber er spricht nur von all diesen verblendeten und verrückten Juden in Deutschland, die bleiben, bis es zu spät ist.«

Eine Woche später hatten schwedische Nazis Hakenkreuze und Davidsterne an Fenster und Türen von Ginfarbs Haus gemalt. Ich war dort und half Rakel, alles sauber abzuwaschen, ich weinte, und nie in meinem Leben habe ich mich so geschämt wie an diesem Vormittag. Vierzehn Tage später war die Familie bereits unterwegs in die USA. Einer von Arnes Tischlern auf der Werft kaufte das Haus billig, es ist eine Schande, sagte ich zu Arne.

Die gesamte Einrichtung wurde eingelagert.

Ich war einsam.

In diesem Frühling gewöhnte Anna es sich an, oben auf dem Felsen zu spielen, einsame, geheime Spiele.

Sie vermisst die kleine Judith, wie ich Rakel vermisse, sagte ich zu Arne, der Urlaub bekommen hatte.

Trotz allem nahm er vieles leichter, die schwedische Abwehr funktionierte endlich, und Deutschland griff die Sowjetunion an.

Um Weihnachten bombardierten die Japaner Pearl Harbor, und das mächtige Amerika sah sich gezwungen, in den Krieg einzugreifen.

»Du wirst sehen, wir schaffen das«, sagte Arne.

Und so war es dann auch.

Neunzehnhundertdreiundvierzig, als die Deutschen vor Stalingrad kapitulieren mussten, hatte ich wieder eine Fehlgeburt.

Mehr will ich darüber nicht sagen.

Ich erinnere mich an den Friedensfrühling. Es lag ein Schimmer über den Tagen, ein Licht, das jede Einzelheit scharf hervortreten ließ.

Neunzehnhundertfünfundvierzig – das Schuljahr war zu Ende.

Mir kam in den Sinn, dass der Krieg Annas ganze Kindheit überschattet hatte. Und dass der Friede es noch schwerer gemacht hatte, irgendetwas vor ihr zu verheimlichen. Irgendwann in diesem Frühling hatte sie auf dem Heimweg von der Schule eine Zeitschrift gekauft, ein ausländisches Blatt mit Bildern aus den geöffneten Konzentrationslagern.

Beim Heimkommen war sie grün im Gesicht, schleuderte mir die Zeitschrift entgegen, verschwand in der Toilette und erbrach.

Ich hatte kein einziges Wort des Trostes, ich saß am Küchentisch, sah mir die unfassbaren Fotos an und konnte nicht weinen.

Die Luft ist lau, das Tal ist grün.

Bildete ich es mir ein oder gab es wirklich eine lichte Hoffnung in den Stimmen, die diesmal zum Schulschluss sangen? Niemand hatte bisher etwas von der Bombe oder der Stadt mit dem schönen Namen gehört.

Hiroshima musste bis zum Herbst warten.

Bald begannen die Räder sich wie nie zuvor zu drehen, der Wohlstand stieg, und es wurde der Grundstein für das Volksheim gelegt, von dem wir so lange geträumt hatten. Die Sozialdemokraten waren nun an der Macht und die Reformwünsche, die man während des Krieges zurückgestellt hatte, lagen dem Reichstag jetzt vor. Die Besteuerung von Körperschaften und Kapital wurde erhöht, und Himmel, welches Gift verspritzten da die Bürgerlichen.

Arne und ich jubelten.

Ich hatte es ja gut, meine Mutter und auch meine Freundinnen waren der Ansicht, dass keine Frau es besser haben konnte als ich. Nur ein Kind zu versorgen und einen Mann, der jede Woche Geld nach Hause brachte und der weder trank noch hurte. Aber irgendwie wuchs Arnes Macht, meine Fähigkeit, meinen Standpunkt zu wahren, verringerte sich.

Ich wollte glauben, dass es die Fehlgeburten waren, die mir einen Knacks gegeben hatten. Aber ich war mir nicht sicher. Es war doch ganz offenbar, dass das Kind, das ich hatte, meine Verwundbarkeit steigerte. Ich wich Arne aus, schwieg, um Anna zu schützen. Keine Szenen, kein Streit. Es sollten Sonne, Sicherheit und Gemütlichkeit herrschen.

Hätte ich vier weitere Kinder gehabt, ich wäre wohl demütig auf dem Boden gekrochen.

Oder?

Worin bestand seine Macht über mich?

Warum wurde ich leicht verletzbar und untertänig? Denn das wurde ich. Jetzt begann ich um Mitleid zu betteln. Natürlich vergebens. Ich wurde eine Märtyrerin, wurde eine von diesen Hausfrauenmärtyrerinnen.

Abscheulich.

Es dauerte lange, bis ich die Antwort auf meine Frage fand, und vielleicht war es, weil ich das alles nicht einsehen wollte. Es wirkte ja auch zu kleinlich, denn es ging um Geld.

Ich glaube, niemand, der das nicht erlebt hat, kann verstehen, was für ein Gefühl es ist, um jeden noch so kleinen Betrag bitten zu müssen. Sein Geld verrinne mir zwischen den Fingern, sagte er. Das stimmte, aber es war nicht meine Schuld. Ich wirtschaftete nicht schlecht, es war das Geld, das an Wert verlor. Die Nachkriegszeit war geprägt von Zukunftsglauben und Inflation.

Ich sehe ein, dass ich die Liebe unterbewertete. Denn sie war da. Ich hatte Arne gern. Sie dauerte all die Jahre hindurch an, ein bisschen verliebt eben. Aber ich glaube nicht, dass die Liebe zur Unterwerfung geführt hätte, wenn ich meinen Arbeitsplatz behalten und mein eigenes Geld verdient hätte.

Eine Eigenart, die ich mit vielen Frauen meiner Generation teile, war, dass die Verliebtheit nichts mit Sexualität zu tun hatte. Der Beischlaf war unvermeidlich, der gehörte dazu. Männer brauchten das. Ich fand es nicht gerade abstoßend, aber auch nicht unbedingt lustvoll.

Wir waren so unaufgeklärt. Wir wussten nicht, wie man sexuelle Zärtlichkeit zeigt. Wir schlossen die Augen und ließen das Ganze irgendwie geschehen. Von Gefühlen sprachen wir nur im Streit, und überhaupt hatten wir wenig Worte, sobald es nicht um praktische Dinge ging oder um Politik.

Eines Tages im Herbst, als Himmel und Meer sich in tiefstem Grau vereint hatten, rief Nisse Nilsson an und sagte, dass die Geschäfte wieder glänzend gingen. Ob ich mir wohl vorstellen könnte, Freitagnachmittag und Sonnabendvormittag zu helfen? Gegen gute Bezahlung.

Ich dachte nicht, ich sagte sofort zu.

Arne war erstaunt, als ich es ihm erzählte, nickte, sagte, dass Anna ja groß genug sei, um ein paar Stunden allein zurechtzukommen. Wenn ich gern wollte … »Ich habe längst begriffen, dass dir die Tage hier zu Hause lang werden.«

»Das ist gar nicht das Schwierige daran. Ich habe genug zu tun mit dem Nähen und allem anderen. Aber es ist so, als wäre man eine Hausangestellte, die dauernd zu Diensten sein und um jeden Pfennig bitten muss.«

Er wurde nicht böse, er wurde traurig.

»Aber warum hast du nie etwas gesagt?«

Und dann floss alles aus mir heraus, das Boot, das jede Menge kosten durfte, das Haushaltsgeld, über das immer gemeckert wurde, die Selbstverständlichkeit, mit der er immer saubere und gebügelte Hemden vorfand, volle Bedienung zu Hause, massenhaft Kollegen am Arbeitsplatz.

»Dein Dienstmädchen bin ich!« schrie ich. »Sonst gar nichts.«

Dann raste ich die Treppe hinauf.

Als er ins Bett kam, war er verzweifelt: »Das habe ich so nie gesehen«, sagte er. »Du hättest was sagen können.«

Ich dachte lange nach, und dann gab ich ihm Recht.

»Du bist ein geheimnisvoller Mensch.«

Ich musste es zugeben.

Alles wurde von diesem Tag an besser. Es war nicht nur die Freude daran, im Takt mit allen anderen am Samstagmorgen über die Basarbrücke zu schreiten, es waren nicht nur die Arbeitskollegen, nicht nur das Schwatzen, das Lachen und die Kunst, jedem Kunden Interesse entgegenzubringen, zuzuhören und das Mundwerk zu gebrauchen, wie Nisse Nilsson sagte.

Es ging um das Selbstwertgefühl.

Zu Nisse sagte ich, du hast mir das Leben gerettet. Zu Mutter sagte ich, dass wir das Geld brauchten, und das war gelogen. Zu Anna sagte ich schließlich, dass ich einen Tapetenwechsel brauchte.

Sie verstand mich, sie wusch, kochte freitags das Essen, brachte samstags das Haus in Ordnung und lernte auf diese Weise eine ganze Menge über Haushaltsführung. Und das, obwohl sie erst zwölf Jahre alt war.

»Sie hat Verantwortungsgefühl«, sagte Arne und beklagte sich nicht, wenn die Buletten versalzen waren oder der Fisch nicht ordentlich durchgebraten.

Als ich mit meinem ersten Lohn nach Hause kam, sagte er, dass er sich alles, was ich ihm gesagt hatte, durch den Kopf hatte gehen lassen. Er gab zu, dass er bezüglich des Geldes geizig und kleinlich gewesen war.

Jetzt wollte er, dass ich die Finanzen der Familie in die Hand nähme. Ich sei darin bestimmt besser als er, meinte er. Von diesem Tag an lieferte er seinen Lohn bei mir ab, und nie mehr fielen Worte wie »mein Geld, das du durchbringst«. Und es kam viel mehr Ordnung in das Wirtschaftliche. Zum Frühjahr wollte er neue Segel für das Boot bestellen, doch ich sagte »Nein«. Wir konnten es uns nicht leisten. Wir mussten unser Erspartes hergeben und eine Ölzentralheizung installieren.

Ich hatte endlich begriffen, was ich immer schon gewusst hatte, dass Frauen sich keinen Respekt verschaffen können, wenn sie nicht auf eigenen Füßen stehen.

Jetzt, viele Jahre später, zweifle ich es wieder an.

Anna hat sich und ihre Kinder immer versorgen können. Sie behauptete sich besser als ich, in der Tat. Auch bei der Scheidung. Aber danach? Gibt es etwas im Wesen der Frauen, was wir nicht sehen und zugeben wollen?

Mutter fühlte sich in der Wohnung in Haga nicht mehr wohl, seit so viele ihrer Nachbarn weggezogen waren und seit ihre Nachbarin Hulda Andersson gestorben war.

In Kungsladugård wurden neue Häuser mit Pensionärswohnungen gebaut. Ich brachte sie und Ragnar dazu, ein Einzimmerapartment zu besichtigen, kleiner, als sie es gehabt hatte, aber mit Zentralheizung, Bad und Warmwasser.

Sie fand, es sei wie im Paradies.

Arne half mir mit dem Papierkram, und wir bekamen den Mietvertrag, und sie zog mit ihrem Värmlandsofa ein, das ich mit gestreifter Seide neu überzog und mit einer Menge weichen Kissen versah. Darauf saß sie und war glücklich.

Bei den beiden Alten in der Karl Johansgata passierte etwas Schlimmes und Unerwartetes.

Das Herz der Elfenbeindame hielt all die Jahre durch, aber eines Tages im Frühling lief sie einfach über die Straße und vor eine Straßenbahn.

Sie starb im Rettungswagen auf dem Weg zum Krankenhaus.

Zu unserer Überraschung trauerte Arnes Vater um sie, rief nach ihr, wenn der Husten ihn nachts weckte, und weinte wie ein Kind, wenn sie nicht kam. Eine Erkältung löste die andere ab, der Arzt kam und verordnete Antibiotika, es half nichts. Er wurde immer schwächer und starb im Winter an einer barmherzigen Lungenentzündung. Ich saß bei ihm und hielt seine Hand in meiner. Das war gut für mich. Danach wusste ich, dass er mich von der Todesangst befreit hatte, an der ich litt, seit mein Vater sich im Müllerhaus in Dalsland zu Tode gehustet hatte.

Anna ging jetzt auf die höhere Schule. Sie meint in Erinnerung zu haben, dass es darüber eine Diskussion gegeben hatte, aber sie irrte sich. Es war für Arne und mich irgendwie selbstverständlich gewesen, dass sie alles haben sollte, was wir nicht bekommen hatten.

Und eine Ausbildung war das Wichtigste von allem.

Aber es hatte Folgen, die wir nie voraussahen. Anna stand nun mit einem Bein in einer anderen Welt, der Welt der Bildung und der Bürgerlichen.

Sie grübelte in der ersten Zeit viel.

»Ich kann doch nicht leugnen, dass mir ein paar von meinen neuen Kameradinnen gefallen«, sagte sie.

»Das ist schön zu hören«, sagte ich und meinte es auch so. Aber sie warf mir einen misstrauischen Blick zu.

»Sie sind in vielen Dingen unheimlich kindisch«, sagte sie. »Kannst du dir vorstellen, dass sie nichts über den Krieg wissen und über die Judenverfolgung?«

»Das kann ich mir gut vorstellen. In ihren Elternhäusern wird nicht über Dinge gesprochen, die unangenehm sind.«

Im gleichen Moment erinnerte ich mich daran, wie ich selbst versucht hatte, Anna vor allen Schrecken des Krieges zu bewahren. Ich konnte gerade noch denken, dass ich auch ein wenig bürgerlich geworden war.

Anfangs war es schwierig für mich, plötzlich all diese Bürgerkinder in meinem Haus und meinem Garten herumspringen zu sehen. Doch dann dachte ich an Rakel, die vornehme jüdische Dame.

Wir schrieben einander. Oh, wie erinnere ich mich an den ersten Brief mit dem amerikanischen Poststempel, wie ich zwischen meinen Rosen herumtanzte und ihn las.

Wie Anna es schaffte, ihre Gymnasialwelt mit unserer auf einen Nenner zu bringen, weiß ich nicht. Sie sagte nicht viel, sie war wie ich verschlossen, wenn es um Schwieriges ging. Aber ich sah, dass der Abstand zwischen ihr und Mutter größer wurde und dass dies meine ganze Verwandtschaft betraf. Sie entfernte sich sogar von Ragnar, den sie geliebt und bewundert hatte.

Sie begann meine Sprache zu kritisieren.

Zu Arne war sie manchmal boshaft, ironisch und spitz.

Als sie an die Universität wollte, sagte Arne, er werde das Geld zusammenkratzen, auch wenn es knapp werden sollte. Da sagte sie, zerbrich dir deswegen nicht den Kopf, Papi. Mein Studiendarlehen ist schon bewilligt.

Sie tat, als merke sie nicht, dass er gekränkt war.

Unser Haus wirkte leer, als sie nach Lund in ihre Studentenwohnung gezogen war. Aber ich will nicht leugnen, dass es mich auch erleichterte. Ich brauchte nicht Tag für Tag zu sehen, wie die Kluft zwischen uns größer wurde, und ich brauchte nicht mehr zwischen ihr und Arne zu vermitteln.

Aber ich vermisste Nähe und Vertraulichkeit, mein Gott, wie sehr vermisste ich sie.

Als sie in diesem Sommer heimkam, blass, dünn und ernst, wäre ich vor Zärtlichkeit fast zersprungen. Wir arbeiteten Seite an Seite im Garten, aber sie erzählte nichts und ich wagte nicht zu fragen. Dann bekam sie eine Vertretungsstelle als Korrektorin bei der Zeitung.

Rickard Hård.

Ich mochte ihn von Anfang an.

Das hatte viele Ursachen, die Augen, die hellgrau waren, und Wimpern, so lang, dass sie eher einer Frau zustanden. Dann war da sein Mund. Viele meinen, dass die Augen am meisten über einen Menschen aussagen. Für mich ist es immer der Mund gewesen, der Gesinnung und Absicht verrät. Nicht durch die Worte, die aus ihm herausströmen, nein, ich spreche von seiner Form.

Ich habe nie einen empfindsameren Mund gesehen als den von Rickard, groß, großzügig, mit vor Humor und Neugier nach oben weisenden Mundwinkeln. Obwohl er noch so jung war, hatte er reichlich Lachfältchen.

Lachen konnte er.

Und erzählen, eine verrückte Geschichte nach der anderen.

Er erinnerte mich an jemanden, aber ich kam nicht gleich darauf, denn er sah ihm überhaupt nicht ähnlich. Erst einige Wochen später, als er bei mir Kaffee trank und Ragnar hereinplatzte, da wusste ich es. Also kann ich eigentlich nicht sagen, dass es mich wunderte, als Anna eines Tages anrief und mit panischer Stimme sagte: »Es wird behauptet, er ist ein Schürzenjäger, Mama.«

Rickard hatte mit seinem Charme schon bald Verwandtschaft, Freunde und Nachbarn betört. Am schlimmsten war es mit Mutter, sie schmolz förmlich dahin, wenn sie den Jungen auch nur erblickte. Er war lustig anzusehen, denn er mochte sie und respektierte sie auch. Er lachte sie nie aus, wie meine Brüder das getan hatten, er hörte ihr im Gegenteil mit großem Interesse zu.

Zu mir sagte er: »Man müsste ein Buch über sie schreiben.«

»Sie hat doch gar nicht so viel zu erzählen!«

»Sie hat uralte Gedanken und Standpunkte«, sagte er. »Hast du nie daran gedacht, dass sie eine der letzten einer aussterbenden Generation ist?«

Ich war erstaunt, gab ihm aber Recht.

Sie verlobten sich schon im August, ehe Anna an die Universität zurückkehrte und Rickard nach Stockholm fuhr, wo er bei einer großen Zeitung eine Stelle bekommen hatte.

»Ihr werdet euch also in Stockholm niederlassen?«

»Ich muss mit ihm gehen, und es ist auch für mich leichter, da oben Arbeit zu finden.«

Sie sagte, dass es ihr Leid tue, aber ich wusste, dass sie log. Sie freute sich auf den Umzug und das neue Leben in der großen interessanten Stadt. Sie war auch froh, von mir und meinen Augen wegzukommen, die viel zu viel sahen.

Auf der Hochzeit trumpften wir ganz groß auf, wirklich. Wie Arne sagte: Wenn man nur eine einzige Tochter hat, dann ... Aber ich habe das meiste vergessen, habe nur vereinzelte Erinnerungen daran, wie ich eine ganze Woche vorher die Speisen vorbereitete und wie sich das Haus mit jungen Leuten füllte, mit Tanz und Musik. Woran ich mich wirklich erinnere, das ist Signe, Rickards Mutter.

Sie hatte dieselben blicklosen Augen wie die Elfenbeindame, und sprach von allem, nur nicht von dem, was wichtig war.

»Oberflächlich und dumm«, sagte Arne hinterher.

Schlimmer als das, dachte ich. Eiskalt.

»Der Junge ist wie Wachs in ihren Händen«, sagte Arne.

Ich sagte nicht, was ich dachte, nämlich dass es viele solche Männer gibt.

»Er muss wohl einen guten Vater gehabt haben.«

Arne wirkte erleichtert, natürlich war es so. Rickards Vater war gestorben, als der Junge zwölf war.

Ehe sie auf Hochzeitsreise nach Paris fuhren, konnten Anna und ich noch ein kurzes Gespräch führen. Wir stapelten Flaschen unten im dämmrigen Vorratskeller, und Anna sagte: »Mama, was hältst du von ihr? Von Signe?«

Ausnahmsweise sagte ich geradeheraus: »Dass sie ... deiner Großmutter gleicht, Anna.«

»Dann hatte ich also Recht«, sagte sie. »Danke, dass du ehrlich warst.«

Aber das war ich nicht.

Ich sagte nicht ein Wort darüber, dass Anna auch ihrer Großmutter glich, nicht vom Charakter her, aber von der Ausstrahlung. Und ich dachte daran, wie unglaublich verliebt Rickard in sie war und dass Liebe oft das Spiegelbild einer inneren Sehnsucht ist, eines Zustands des Liebenden.

Als sie abgereist waren, machte ich mir Sorgen, sah Gespenster und musste mich mit dem Gedanken beruhigen, dass eine neue Zeit mit neuen, klarsichtigen jungen Menschen angebrochen war.

Und dass diese Signe aus Johanneberg doch nicht so verrückt wie meine Schwiegermutter war.

Ich hatte während der Verlobungszeit viel nachgedacht. Warum brachte Rickard uns nicht mit seiner Mutter zusammen? Genierte er sich unsertwegen? Nein, so war er nicht. Auch seine Herkunft war nicht gerade berühmt, sein Vater war Handelsvertreter gewesen. In Papier.

Jetzt wurde mir bewusst, dass es seine Mutter war, deren er sich schämte. Ich hatte während des Hochzeitsessens seinen Augen angesehen, dass er sich genierte und sich davor fürchtete, was wir von ihrem Geschwätz und ihrer Angeberei halten würden. Aber ich hatte auch begriffen, dass er das nie zugeben würde, er würde es machen wie Arne, sie verteidigen und ins beste Licht rücken.

Und ich wusste ja besser als die meisten, dass Männer, die ihre Mütter nicht besiegt haben, sich an ihren Frauen, Ehefrauen und Töchtern rächen.

Ich versuchte zu denken, dass Rickard nicht brutal war, nicht wie Arne. Aber ich war besorgt. Es ist gut, dass sie nach Stockholm ziehen.

Aber nicht einmal das tröstete mich. Denn nach etwa einem Jahr zog auch Signe um, tauschte ihre Wohnung in Johanneberg gegen eine ähnliche im selben nördlichen Stockholmer Vorort, in dem Anna und Rickard sich niedergelassen hatten.

»Er ist doch das Einzige, was ich habe«, sagte sie, als sie mich anrief, um mir von ihren Plänen zu berichten.

»Nur keine Sorge, Mama. Ich werde mich schon durchsetzen«, sagte Anna am Telefon.

Und vierzehn Tage später rief sie an und jubelte: »Kannst du dir vorstellen, dass Rickard ihr einen Job in einem Zeitungsbüro in Södertälje verschafft hat. Und jetzt zieht sie dorthin.«

»Wie gut, Anna.«

»Er durchschaut viel mehr, als er zugeben will.«

»Lass ihn nicht merken, dass du das mitgekriegt hast«, sagte ich, und dann lachten wir auf uralte Frauenweise.

In all den Jahren hatten wir Kontakt gehalten, Greta, Aina und ich. Leider nicht mit Lotta, sie hatte sich mit einem Polizeibeamten in England verheiratet. Wir anderen trafen uns jeden zweiten Monat, im Winter in Ainas Wohnung in Örgryte, im Sommer in meinem Garten.

Dann starb Aina an Krebs. Greta und ich trafen uns weiterhin, jetzt sogar öfter, als würden wir einander brauchen. Wir sprachen übers Älterwerden und wie schwierig das zu begreifen sei. Greta hatte den Damenfrisiersalon aufgegeben und war wieder im Käsegeschäft in der Alliance.

»Das Arbeiten fällt mir langsam schwer«, sagte sie einmal. »Nicht körperlich, sondern vom Kopf her. Ich bringe alles durcheinander und kann nicht mehr rechnen.«

Schnell sprach ich davon, dass ich auch immer vergesslicher wurde. Das sah nicht nach Trost aus. Dann verging ein halbes Jahr und ich musste zusehen, wie sie mehr und mehr … die Zusammenhänge verlor. Sie konnte nicht den einfachsten Gedankengang verfolgen, alles zerfiel in kleine Teilchen. Nur wenig später musste sie in ein psychiatrisches Krankenhaus eingewiesen werden.

Im August machten Anna und Rickard Urlaub bei uns, wir hatten uns vorgenommen, nach Skagen an der Nordspitze von Jütland zu segeln. Sie waren glücklich, sie waren ein strahlendes Paar. Schon beim Willkommensessen sagte Anna: »Danke, für mich keinen Wein. Wir bekommen nämlich ein Kind.«

Ich wurde so froh, dass ich weinen musste, und so ängstlich, dass ich fast in Ohnmacht gefallen wäre.

»Aber Mami! Nun nimm's doch nicht so tragisch.«

Ich suchte Arne mit dem Blick, sah, dass er mich verstand. Und dass er die gleiche Angst empfand wie ich.

Anna hatte einen Lehrauftrag an der Universität, als Vertretung.

»Den kann ich sowieso nicht behalten«, sagte sie.

»Willst du Hausfrau werden?«

Ich versuchte meiner Stimme Festigkeit zu verleihen, aber ich weiß nicht, ob es mir gelang.

Doch Rickard sagte: »Kommt gar nicht in Frage! Ich will keine Hausfrau. Jetzt hört mal zu.«

Dann nahm einer dem anderen das Wort aus dem Mund, als sie über das Buch sprachen, das Anna schreiben wollte, ein populärwissenschaftliches Buch auf Basis von Annas Doktorarbeit.

»Rickard wird mir helfen.«

»Wie schön«, sagte ich, aber ich dachte, bei so einer Arbeit springt bestimmt kein Geld raus.

Anfang März würde das Kind kommen, Anna nahm mir das Versprechen ab, dass ich zu ihnen käme.

Maria kam zur berechneten Zeit, und als ich die Kleine zum ersten Mal in meinen Armen hielt, war es, als hätte ich etwas Kostbares und vor langer Zeit Verlorenes zurückbekommen.

Sie war ein unglaubliches Kind, anhänglich und fröhlich. Sie sah mich mit Annas hellblauen Augen an und lächelte mit Rickards Mund. Und doch ähnelte sie am meisten … ja, so war es, sie glich meiner Mutter. Eine kleine Hanna, dachte ich, hütete mich aber, es auszusprechen. Ich wusste doch, wie unangenehm es Anna war, wenn jemand sagte, sie ähnle der Mutter ihres Vaters.

Das Buch wurde ein voller Erfolg. Sie hatten jetzt durch Tausch eine Dreizimmerwohnung erhalten, hell und geräumig, die sie nach Annas kühlem und sparsamem Geschmack schön eingerichtet hatten. Aber ich sah schon bei der Ankunft, dass ein dunkler Schatten über Anna und Rickard lag. Verbittert sie, angstbeladen er.

Ich hatte geglaubt, sie würden über den Erfolg von Annas Buch in Jubel ausbrechen und wegen des Kindes von Freude erfüllt sein. Aber etwas war passiert, und ich wollte nicht fragen, wollte es eigentlich gar nicht wissen.

»Es ist nicht so einfach«, war alles, was Anna sagte.

»Ich habe es bemerkt. Willst du darüber sprechen?«

»Nicht jetzt. Ich will nur an das Kind denken. Und daran, dass es ihm gut gehen soll.«

Dann wurde sie so, wie ich gewesen war, so beglückt von dem Neugeborenen, dass alles andere unwichtig war.

Ich blieb, bis sie mit dem Stillen gut zurechtkam, dann reiste ich ab, ohne zu fragen, was passiert war.

»Du weißt ja, wo du mich findest«, sagte ich beim Abschied.

»Es geht um Solidarität.«

»Ist mir klar.«

In Wirklichkeit war es mir die ganze Zeit klar gewesen. Schon am ersten Abend in Stockholm hatte ich an das Telefongespräch vor einigen Jahren denken müssen, als sie ausgerufen hatte: »Es wird behauptet, er sei ein Schürzenjäger, Mama!«

Mutter war in diesem Frühjahr oft krank. Schließlich mussten Ragnar und ich hart durchgreifen, um sie zum Arzt zu bringen.

Das Herz, sagte er.

Sie bekam Medikamente, und die halfen nach einiger Zeit.

Eines Abends, als ich so lange bei ihr gesessen hatte, dass ich den letzten Bus nach Hause versäumte, passierte etwas Unangenehmes. Ich hatte Arne angerufen und ihm gesagt, dass ich mit der Straßenbahn bis Kungsten fahren würde. Dort solle er mich mit dem Wagen abholen.

Müde saß ich ganz vorn im Straßenbahnwagen. Als ich den Kopf hob, sah ich in den großen Rückspiegel des Fahrers. Darin war eine Frau zu sehen, die meiner Mutter so unglaublich ähnlich war, dass ich zusammenzuckte, das gleiche gealterte Gesicht, die gleichen traurigen Augen. Ich drehte mich um, weil ich wissen wollte, wer sie war.

Der Wagen war leer, ich war der einzige Fahrgast.

Ich brauchte lange, um zu begreifen, dass ich mein eigenes Bild gesehen hatte. Ich wurde so traurig, dass die Tränen über das alte Gesicht im Spiegel zu laufen begannen.

»Du siehst müde aus«, sagte Arne, als ich mich im Auto zurechtsetzte.

»Ja, ich bin wohl müder, als ich dachte. Ich werde langsam alt, Arne.«

»Nicht doch«, sagte er. »Du bist immer noch jung und hübsch wie eh und je.«

Da sah ich mir ihn im schwachen Schein des Armaturenbretts genau an. Er war unverändert, jung und fesch.

Die Augen der Liebe lügen. Er war zweiundsechzig und hatte nur noch drei Jahre bis zur Pensionierung.

Arne schlief wie gewöhnlich ein, sobald er den Kopf auf sein Kissen gelegt hatte. Aber ich lag wach und versuchte zu denken, dass ich mich getäuscht hatte. Dann schlich ich hinaus zum Badezimmerspiegel und stand lange in dem kalten, unbarmherzigen Licht.

Ich hatte mich nicht getäuscht. Ich hatte scharfe senkrechte Falten auf der langen Oberlippe, ganz ähnlich wie Mutter. Ein schlaffes Kinn, Kummerfalten um die Augen, traurige Augen, graue Fäden im Haar. Es war ja kein Wunder, ich würde nächstes Jahr sechzig werden.

Ich hielt mich am Waschbecken fest, die Tränen liefen, und das Gesicht im Spiegel alterte noch mehr.

Schließlich kroch ich ins Bett und weinte mich in den Schlaf.

Am nächsten Morgen sagte Arne, ich solle heute doch mal im Bett bleiben. Mich ausruhen. Du hast doch Bücher.

Ich hatte immer Bücher, ich holte mir jede Woche einen ganzen Stoß aus der Bibliothek. Aber an diesem Tag konnte ich nicht lesen. Ich lag den ganzen Vormittag da und versuchte das mit dem Altwerden zu begreifen, dass ich alt war, dass ich es gelten lassen musste.

Mit Würde altern.

Was bedeutet das? Einfach idiotisch. Um elf Uhr stand ich auf, rief bei meiner Friseuse an und ließ mir einen Termin für Haarschnitt und Färben geben. Ich kaufte eine teure »Wunder wirkende« Creme und den ersten Lippenstift meines Lebens. Ich beendete den Tag mit einer langen Wanderung in die steilen Berge.

Bewegung soll ja so gut sein.

Als Arne nach Hause kam, sagte er, ich sähe blendend aus, und dass er darüber froh sei, denn er habe sich Sorgen gemacht. Dass ich getöntes dunkelrotes Haar ohne ein graues Strähnchen und Wundercreme im Gesicht hatte, sah er nicht.

Den Lippenstift hatte ich nicht zu benutzen gewagt. Aber all meine Künste halfen nicht gegen die Einsicht.

Du bist alt, Johanna.

Ich versuchte es mit positivem Denken. Ich hatte es gut, einen ordentlichen Mann, der nicht ohne mich leben konnte, eine strahlend schöne Tochter, ein neues und herziges Enkelkind. Garten, Meer, meine Mutter, die lebte, Freunde, Verwandte.

Aber das Herz hatte die ganze Zeit über Einwände, mein Mann wurde mit den Jahren seiner schwierigen Mutter immer ähnlicher, übellaunig und unleidlich. Meine Tochter war unglücklich, meine Mutter krank.

Die kleine Maria!

Ja.

Und der Garten?

Allmählich erkannte ich, dass diese ganze notwendige Gartenarbeit mir schwer fiel.

Das Meer?

Ja, das hatte seine Kraft behalten.

Mutter?

Es war nicht leicht, an sie zu denken, die sich schon frühzeitig für das Alter entschieden hatte und nie jung gewesen war.

Später, als ich mich an den Gedanken mit dem Alter gewöhnt hatte, dachte ich darüber nach, ob der Schock an diesem Abend in der Straßenbahn eine Art Todesangst gewesen war. Aber ich glaubte nicht. Ich hatte nie ans Altern gedacht, aber oft an den Tod. Das hatte ich immer getan. Täglich, schon als Kind.

Ich hatte keine Angst mehr vor ihm, nicht mehr, seit mein Schwiegervater gestorben war. Aber ich hatte das Bedürfnis, mich gründlich damit auseinanderzusetzen, was es bedeutete, nicht mehr existent zu sein. Manchmal aus reiner Sehnsucht nach diesem Zustand.

Vielleicht lernt man das Altern nicht, wenn man versucht, sich an den Tod zu gewöhnen.

Am Ende der Woche rief Anna an. Ihre Stimme klang heiterer, und sie hatte Neuigkeiten. Rickard sollte für Reportagen eine lange Amerikareise antreten, und nun wollte sie anfragen, ob sie über den Sommer mit Maria zu uns kommen dürfe.

Und ob sie durfte!

Ich freute mich so sehr, dass ich das Altern ganz vergaß.

»Vielleicht musst du erst mit Papa reden.«

»Aber du weißt doch, dass er glücklich sein wird.«

»Ich bin nie besonders nett zu ihm gewesen.«

»Aber liebes Kind …«

Und wie er sich freute, Arne. Ich bat ihn, Anna anzurufen, und ich hörte ihn sagen, er erwarte sie sehnsüchtig und es wäre ein Spaß mit der Kleinen.

»Wir werden segeln. Wir werden einen richtigen Seemann aus ihr machen. Das ist keineswegs zu früh«, sagte er. »Du weißt, das Häkchen ist beizeiten zu krümmen.«

Ich zweifelte nicht daran, dass Anna von Herzen lachte.

Am Samstag fing er an, das alte Kinderzimmer in der oberen Etage frisch zu streichen. Wir kauften ein neues Bett für Anna, Arne zimmerte für Maria eine hübsche kleine Wiege und einen Wickeltisch. Einen neuen Teppich steuerten wir auch bei, und ich nähte duftige weiße Gardinen.

Sie kamen am Walpurgisabend.

Ich hatte wohl gedacht, dass Arne das kleine Mädchen gern haben würde, aber nie, dass er dermaßen vernarrt war. Er hielt das Kind auf dem Arm und machte ein Gesicht, als wäre er im Himmel. Als das Gepäck kam, mussten Anna und ich alles allein ins Auto tragen, denn er weigerte sich, Maria loszulassen.

»Willst du mich gar nicht begrüßen«, sagte Anna.

»Hab keine Zeit.«

Wir lachten laut und lachten noch lauter, als wir zum Wagen kamen und Arne sich mit dem Kind auf den Rücksitz setzte und sagte, fahr du, Anna.

Wir brauchten länger als erwartet, denn durch die Stadt bewegte sich gerade der Walpurgisnachtumzug.

»Wir parken irgendwo«, sagte Anna. »Ich will diesen Karneval sehen, wie ich es immer durfte, als ich klein war. Mama, du kannst ja im Auto sitzen bleiben und das Baby auf dem Schoß halten.«

»Das tu ich«, sagte Arne. »Zieht ihr zwei nur los.«

Alles war an diesem Tag ein Fest, Anna und ich lachten wie kleine Kinder über die verrückten Narren, und als wir nach Hause kamen, war der Tisch gedeckt, und Annas Lieblingsgerichte standen im Ofen.

Anna stillte, während ich das Essen wärmte, die Kleine trank, stieß auf, wie sie sollte, und schlief sofort ein.

Arne fragte nach Rickard, und ich sah, dass sich Annas Gesicht überschattete, als sie leise sagte, er sei schon abgereist und traurig, dass er in diesem ersten Sommer nicht bei Maria sein könne. Aber dass er diesen großen Auftrag eben nicht hatte ablehnen können. Es soll eine große Reportage über die Rassengegensätze in den USA werden, sagte sie und lächelte unmotiviert. Es war ein trauriges Lächeln.

»So ein paar Monate vergehen ja schnell«, sagte Arne tröstend. »Inzwischen müsst ihr eben mit uns vorlieb nehmen.«

»Du ahnst ja nicht, wie gern wir das tun.«

Am ersten Mai ließ Arne das Boot zu Wasser, es war abgeschliffen und frisch gestrichen. Die ganze Frühjahrsarbeit im Garten war auch erledigt, der Frühling war lang und warm gewesen. Anna hatte keinen Kinderwagen mitgebracht, und so ging ich in den Keller und holte ihren eigenen von früher herauf. Er war zwar alt, aber nicht unansehnlich, fand ich, als ich ihn abwusch und wir an einem windstillen Platz unter dem blühenden Kirschbaum darin ein Bettchen für das Kind zurechtmachten.

»Wir konnten im Flugzeug ja nicht alles mitnehmen«, sagte Anna. »Eine Freundin von mir, Kristina Lundberg, bringt nächste Woche in meinem Wagen alles, was wir brauchen. Sie ist sehr, sehr lieb, Sozialarbeiterin. Geschieden.«

Sie schwieg einen Augenblick und fuhr dann fort: »Sie bringt ihre beiden kleinen Jungen mit. Ich hoffe, sie dürfen hier übernachten?«

Ihre devote Art irritierte mich: »Du weißt genau, dass uns deine Freunde immer willkommen sind.«

»Ich weiß bald schon gar nichts mehr, Mama. Und es fällt mir schwer, all diese Fürsorge anzunehmen, das Zimmer, das ihr so schön für uns zurechtgemacht habt ... und ...«

Jetzt weinte sie.

»Anna, Kindchen«, sagte ich. »Wir besprechen das alles morgen, wenn wir allein sind.«

»Ja. Papa braucht davon nichts zu wissen. Zumindest vorläufig.«

»Genau.«

Die Sonne schien in die Küche. Warm. Wir zogen das Baby aus und ließen es auf einer Decke auf dem Küchentisch nackt strampeln. Als Arne heimkam, blieb er lange auf der Küchenbank sitzen, brabbelte mit der Kleinen und sagte: »Was für ein Wunder.«

Da pinkelte sie ihn an und lachte befreit. Aber er schmolz weiter dahin.

Das schöne Wetter hielt die ganze Woche an. Am Montag saßen wir wieder unter den Kirschblüten, und ich erfuhr nun endlich alles. Es war schlimmer, als ich vermutet hatte. Rickard hatte seit einem halben Jahr ein Verhältnis mit einer Kollegin.

Es geschah bei einem Fest in einer Villa auf Lidingö. Anna war im achten Monat schwanger. Rickard verschwand, kaum war die Tafel aufgehoben, mit seiner Tischdame Richtung Schlafzimmer nach oben. Er blieb verschwunden.

Es gab keine tröstenden Worte.

Am Nachmittag streiften wir mit Maria durch die Hügel, und ich erzählte von Ragnar. Und Lisa.

Anna hörte mit großen Augen zu, das hatte sie nicht gewusst.

»Die sind ja ganz ähnlich, die beiden Männer«, sagte ich. »Dieselbe Herzlichkeit, derselbe Humor und ... derselbe Leichtsinn.«

Ihre Augen waren groß und tiefblau, als sie antwortete:

»Du hast Recht. Das Traurige ist nur, dass ich nicht wie Lisa bin.«

Das war auch mein Gedanke.

Es war zum Verzweifeln.

Aber gegen Ende der Woche kam der erste Brief aus Amerika, und als ich sah, mit welchem Eifer sie ihn aufriss und wie sie strahlte, als sie ihn las, dachte ich, sie wird nie von ihm loskommen.

Wir sprachen in diesem Sommer viel über Männer und darüber, wie rätselhaft sie waren. Ich erzählte, dass Arne mich geschlagen hatte, als wir jung verheiratet waren, dass ich zu Mutter geflüchtet war und dass sie es mit einem Achselzucken abgetan hatte.

»Da habe ich erfahren, dass mein Vater, mein wunderbarer Vater, sie etliche Male ordentlich geschlagen hatte.«

»Das war damals ja eine andere Zeit«, sagte Anna. »Warum bist du zu Arne zurückgegangen?«

»Ich hab ihn doch gern«, sagte ich.

»Und es ist nie wieder vorgekommen?«

»Nein.«

Ich sprach von Ragnar, dass er wie ein Geier über mich gewacht hatte.

Wir schwiegen lange.

Dann sagte Anna: »Ich habe all die Jahre beobachtet, wie Arne dich mit seinen verdammten Herrscherallüren langsam klein gemacht hat. Das habe ich schon mit zwölf begriffen, als du damals diesen Teilzeitjob angenommen hast.«

Man kann vor Kindern nichts geheim halten, das hätte ich wissen müssen. Dennoch tat es weh.

»Es ging damals viel ums Geld«, sagte ich und erzählte, dass ich mich wie ein Dienstmädchen gefühlt hatte, das um jeden Groschen hatte bitten müssen. Ich sagte nicht, dass ich jetzt langsam wieder auf dem Weg zurück in eine ähnliche Situation war, ich wollte Anna nicht beunruhigen. Aber vielleicht begriff sie es auch so. Und sie hatte verstanden, was ich mit meinen Worten hatte ausdrücken wollen, denn sie sagte, dass sie wirtschaftlich unabhängig sei, ihr Buch einen guten Ertrag abwerfe und sie den Auftrag für ein weiteres in der Tasche habe.

»Außerdem schreibe ich ja Artikel für verschiedene Zeitungen und Zeitschriften.«

Wir sprachen von unseren Schwiegermüttern. Anna sagte: »Hast du nie daran gedacht, dass Vaters Mutter krank war, psychisch krank?«

Das hatte ich wohl irgendwann getan. Aber mit Widerwillen. Ich mochte diese moderne Art nicht, Bosheit mit Krankheit zu erklären. Als wir am Strand entlang nach Hause zurückgingen, fragte ich sie, ob sie glaubte, dass eine solche Krankheit erblich sei. Das tat sie nicht, sie sagte: »Dann hätte ich kein Kind von Großmutter sein wollen. Stell dir doch so ein kleines Kind vor, das dem auf Gnade und Ungnade ausgeliefert ist.«

Anna trug Maria in einem Beutel auf dem Bauch, Kängurubeutel nannte ihn Arne.

Dann sagte sie und es klang verzweifelt: »Das trifft ja auf Rickard auch zu und auf seine verdammt eiskalte Mutter.«

Kristina Lundberg kam mit dem Auto und Annas sämtlichen Kleidern. Sie war ein großgewachsenes, ziemlich hässliches Mädchen mit einer bäurischen Hakennase, schweren Augenlidern und einem ironischen Mund. Zwei kleine Jungen hatte sie dabei, sie rannten wie die Wilden durch Haus und Garten und, was am schlimmsten war, auch über die Bootsstege im Hafen.

Es waren wunderbare kleine Kerle.

Wir mochten auch ihre Mutter, eine Frau, auf die man sich verlassen konnte. Sie war noch röter als wir, Kommunistin. Am Abend stritt sie mit Arne in der Küche über Reformsozialismus und die Diktatur des Proletariats, sie wurden oft laut, und das genossen alle beide hemmungslos. Am Wochenende ging Arne mit ihr und den beiden kleinen Jungen segeln, und bei Anna, Maria und mir kehrte Ruhe ein.

Als sie am Sonntag heimkamen, packte Kristina, sie wollten weiter zu ihren Verwandten auf irgendeinem Bauernhof in Västergötland.

»Es wäre mir ein Vergnügen gewesen, wenn du noch ein bisschen länger hättest bleiben können«, sagte ich und meinte es auch so.

»Das finde ich auch«, sagte sie. »Aber ich muss der Verwandtschaft jetzt mal ein paar Streicheleinheiten verpassen.«

Sie machte einen traurigen, aber entschlossenen Eindruck.

»Es wird auch für die Jungen gut sein«, sagte sie. »Nicht so anstrengend, meine Mutter hat reichlich Personal. Sie hat schon ein Kindermädchen besorgt, denn die Kinder sollen den ganzen Sommer über dort bleiben und meine Mutter will nicht belästigt werden.«

Sie muss mein Erstaunen gesehen haben, denn sie fuhr fort: »Anna hat also nichts davon gesagt, dass mein Vater Gutsbesitzer und Graf ist, blaublütig, hochmütig und allgemein beschränkt.«

Ich erinnere mich an diesen Augenblick so deutlich, weil mir zum ersten Mal bewusst wurde, dass wir alles immer nur im Licht unserer Vorurteile sehen. Das Bauerntrampel, das mir gegenüberstand, verwandelte sich: Die lange gebogene Nase und die schweren Augenlider wurden aristokratisch.

Wie schön sie war!

Die Briefe aus Amerika kamen in regelmäßiger Folge, Briefe gingen ab, Anna war fröhlicher, ich fühlte, dass es lichter um sie wurde. Der Juli brachte wie üblich Regenwetter. Ich war oft mit Maria allein, denn Anna arbeitete an ihrem Buch, ich sang dem Kind vor und hörte das gleichmäßige Rattern der Schreibmaschine über uns. Bei jeder Witterung machte ich lange Spaziergänge mit dem Kinderwagen, das war gesund, ich fühlte mich wohler.

Anna fand nicht, dass ich gealtert war.

Ende August kam Rickard aus Amerika zurück. Er war reifer geworden, da war ein tiefer Schmerz in den Furchen um seinen Mund und düstere Trauer in seinen Augen.

Wir unterhielten uns nur ein einziges Mal allein miteinander.

»Du kannst mich nicht verstehen, Johanna?«

Es war mehr eine Feststellung als eine Frage, also brauchte ich nicht zu antworten.

Er legte den Kopf schief, und da sah ich zum ersten Mal, dass er einer Katze glich, einem geschmeidigen Kater, seines Wertes und seiner Schönheit gewiss. Einer von denen, die in den Märznächten um die Ecken streichen und nach Liebe schreien.

Ich habe immer eine Katze gehabt. Kastrierte Kater.

Ich wurde rot, mein Herz klopfte.

Dieser Mann hatte sich seine ganze Sinnlichkeit bewahrt, und mich befiel der Gedanke, dass man ihn vielleicht verstehen konnte. Dann schalt ich mich selbst. Unsinn.

Als sie abgereist waren, wurde es still um mich. Ich vermisste Maria. Ich dachte viel an Anna und an das, was sie zu verlieren drohte. Etwas, was ich nicht verstand, weil ich es nie gehabt hatte, was vielleicht aber mehr bedeutete als Sicherheit.

Wir arbeiteten in diesen Jahren viel an unserem Haus. Einige Reparaturen waren notwendig geworden. Wie gewöhnlich machte Arne abends und an den Wochenenden fast alles selbst und seine Freunde, ein Klempner und ein Elektriker, halfen für geringen Lohn mit.

Gleich nach seiner Pensionierung richtete Arne auf dem Dachboden ein weiteres Zimmer ein.

Tagsüber nähte ich Gardinen für die frisch gestrichenen Fenster, kaufte unter Annas Einfluss nur einfache weiße Stoffe.

Mein Haus wurde nie so, wie ich es gern gehabt hätte, es wurde nie fertig. Das Beste daran war das Meer, das unterhalb der Mauer rauschte. Ich kam im Dorf ins Gerede wegen meiner Wanderungen am Strand entlang, jeden Tag und bei jedem Wetter. Auf diesen Streifzügen lernte ich im Laufe der Jahre viel über das Meer, wie es klingt und riecht bei Sturm und bei Windstille, an trübgrauen Tagen, bei Sonne und Nebel. Aber ich weiß nichts von seinen Vorhaben, jedenfalls nichts, was ich in Worten ausdrücken könnte. Es kommt vor, dass ich denke, es ist allumfassend wie die Nähe Gottes.

Es war wohl Sofia Johansson, die mich auf solche Gedanken brachte. Ich hatte eine neue Freundin bekommen, Rakel so unähnlich, wie ein Mensch nur sein kann, eine Fischersfrau aus dem alten Dorf.

Wie ich schon sagte, hatten die ursprünglichen Bewohner keinen Kontakt mit uns Zugezogenen. Aber Sofia hatte einen schönen Garten, und eines Tages war ich an ihrem Zaun stehen geblieben und hatte mir ihre Anemonen angesehen, große tiefblaue Blüten mit schwarzen Pupillen.

»Ich stehe nur hier, um zu bewundern«, hatte ich gesagt. Da hatte sie mich voll Wärme angelächelt: »Ja, die sind schön. Ich kann Ihnen gern ein paar Knollen ausgraben, liebe Frau.«

Ich war vor Freude rot geworden und hatte gesagt, dass ich sie gut pflegen werde.

»Das weiß ich. Ich hab Ihren Garten gesehen.«

Sie kam am nächsten Morgen mit den knorrigen braunen Knollen und half mir bei der Wahl eines Platzes, wo sie sich wohlfühlen würden. Ich kochte uns Kaffee, es war schönes Wetter und wir saßen im Schutz der Mauer unter den Rosen. Ich hatte eine niedrige, fast kriechende altmodische weiße Rose, in die sie ganz vernarrt war, und wir kamen überein, dass ich im Herbst eine als Geschenk für sie ausgraben würde.

»Jetzt wollen wir uns doch endlich duzen«, sagte ich.

Da lächelte sie wieder ihr gutes Lächeln, und danach trafen wir uns oft in ihrem oder meinem Garten. Wir sprachen, wie Frauen das so tun, über allerlei Dinge. Sie hatte zwei Söhne in einem der Fischerboote, aber ihren Mann hatte ihr schon vor vielen Jahren das Meer genommen.

»Das ist schwer«, sagte ich. »Wie alt waren die Kinder?«

Die Jungen hatten die Schule schon hinter sich gehabt, und das Boot, mit dem ihr Mann untergegangen war, hatte ihnen selbst gehört. Als sie die Versicherungssumme ausbezahlt bekamen, kauften sie ein neues Fischerboot.

»Sie fühlen sich nicht wohl an Land, meine Söhne«, sagte sie.

Sie hatte auch eine Tochter, die in der Markthalle Alliance in Göteborg Fisch verkaufte.

Das interessierte mich, ich erzählte, dass ich selbst viele Jahre dort gearbeitet hatte, eigentlich ja bis zum vorigen Jahr. »Aber nur samstags.«

Sie wusste es, ihre Tochter hatte mich oft in der Halle gesehen und war erstaunt gewesen.

»Warum das?«

»Du bist doch von den besseren Leuten«, sagte Sofia.

»Aber ich bitte dich«, sagte ich, und ehe ich mich versah, erzählte ich von meinen Jugendjahren in Haga, von Mutter und den Brüdern und von Vater, der gestorben war, als ich noch ein Kind war. Ihr gefiel die Geschichte, sie erzählte ihre eigene, von ihrer Kindheit im Fischerdorf in Bohuslän, wo Vater und Brüder, Vettern und Nachbarn sich für den Lebensunterhalt auf See abrackerten. Es war eine Welt der Männer, ganz auf den Mann abgestimmt, auf seine Kraft und sein Können. Aber mir war bewusst, dass sie sich als Frau nie unterlegen oder zu Aufsässigkeit veranlasst gefühlt hatte.

»Dann bin ich bekehrt worden«, sagte sie, und ihre Augen leuchteten.

Ich wurde verlegen, wagte aber nicht zu fragen, dachte, sie sei zu intelligent für den naiven Pfingstlerglauben.

So ist das mit Vorurteilen.

Jeden Sommer hatten Arne und ich Maria bei uns, und zwischen ihr und mir wurde es so, wie ich es erträumt hatte. Wir lebten im gleichen langsamen Rhythmus, das Kind und ich, wir streiften herum und entdeckten in den Bergen und entlang der Strände neue und seltsame Dinge.

Weihnachten feierten wir meistens in Stockholm. Rickard und Anna ging es besser, sie waren beide ruhiger. Aber ich wagte keine Fragen. Anna erwartete wieder ein Kind: »Im Mai kommt wieder ein Mädchen«, sagte Rickard.

»Und wie willst du wissen, dass es nicht ein Junge ist?« fragte Arne.

»Anna ist sich sicher. Und diese Frauen aus der Dalslandfamilie haben ja irgendwie eine mystische Veranlagung.«

Arne schüttelte den Kopf, aber dann erzählte er, was Astrid seinerzeit von dem Marsch der Nazis über die Karl-Johan-Promenade in Oslo gesagt hatte. Mitte der Dreißigerjahre!

Wir kamen überein, dass Maria den Frühling bei uns verbringen sollte. Ich wollte mit dem Zug hinauffahren und sie abholen.

Aber daraus wurde dann nichts. Schon im März zog meine Mutter zu mir, um zu sterben.

»Es wird nicht lange dauern«, sagte sie.

Aber das tat es doch. Sie wollte sterben, aber ihr Körper wollte nicht, und er war stärker als sie.

Es war schwer. Meine Freundin, die Gemeindeschwester, kam dreimal in der Woche, versorgte Mutters Wunden und half mir beim Umbetten. Rollstuhl und Bettpfanne wurden mir zur Verfügung gestellt. Irgendwann wurde auch der Arzt hinzugezogen, und wir bekamen Schlafmittel. Dadurch wurde es leichter, ich konnte nachts schlafen. Arne war wie immer, wenn es schwierig wurde, stark und geduldig. Aber er konnte nicht viel helfen, denn Mutter genierte sich fast zu Tode, wenn er auftauchte, um mir beim Heben zu helfen.

Das war überhaupt das Schwierigste. Dass sie so verzweifelt schamhaft war und Angst hatte, zur Last zu fallen.

»Du musst mir's Leben wegwünschen«, sagte sie.

Das ging nicht, nicht einmal dann, wenn es am schwersten wurde, es ging nicht. Ich empfand Zärtlichkeit für sie, eine Zärtlichkeit, die ich nicht ausdrücken und die sie nicht annehmen konnte. Bei mir kam auch noch eine düstere und aufsässige Trauer wegen ihres einsamen dürftigen Lebens hinzu.

Der einzige Mensch, der Mutter während ihrer letzten Tage etwas Freude schenken konnte, war Sofia Johansson, die jeden Tag kam, an Mutters Bett saß und von ihrem lichten Gott sprach. Mutter war ja immer gläubig gewesen, aber ihr Gottesbild war düster. Jetzt lauschte sie den Worten von dem anderen Gott und war getröstet.

Sofia selbst sagte, sie komme nicht, um zu bekehren. Sie wolle nur, dass ich tagsüber zu einem Spaziergang käme und mich vielleicht ein bisschen ausruhen könne, wenn die Nacht beschwerlich gewesen war.

Ende Mai kam Anna mit dem neuen Kind zu uns. Malin war anders, nicht so süß wie Maria, ernster, eher beobachtend. Genau wie Anna als Baby.

Schon am ersten Abend erzählte unsere Tochter, dass sie die Scheidung eingereicht habe. Nichts konnte mehr vor Maria oder Arne geheim gehalten werden. Er geriet fast außer sich, als sie kurz von der anderen Frau sprach, einer Journalistin, mit der Rickard gelebt hatte, als Anna schwanger und zeitweise im Krankenhaus war. Sie hatte zu hohe Eiweißwerte gehabt und eine komplizierte Entbindung.

Arne wollte nach Stockholm fahren, um Rickard den Kopf zurechtzurücken.

»Da musst du nach Hongkong fahren. Dort arbeitet er nämlich jetzt«, erklärte Anna.

Maria sagte und es schnitt tief ins Herz: »Papa tut mir ja so Leid.«

Wir konnten in keiner Weise helfen. Als Anna mit den Kindern wieder abgereist war, um ihre Wohnung gegen eine kleinere einzutauschen und sich eine feste Anstellung zu suchen, rief ich Kristina Lundberg an und bat sie, mich auf dem Laufenden zu halten.

»Anna ist ja so stolz. Und verschlossen«, sagte ich.

»Ich weiß. Ich werde dich einmal in der Woche heimlich anrufen. Aber mach dir keine Sorgen. Sie ist auch stark.«

Arne fuhr im Juni hin und half Anna beim Umzug. Sie hatte eine Zweizimmerwohnung gefunden und für beide Kinder einen Kindergartenplatz bekommen.

Er sagte wie Kristina: »Sie ist stark. Sie schafft das.«

Im Oktober starb Mutter. Es war schwer, sie schrie bis zuletzt vor Schmerzen.

Ich schlief danach achtundvierzig Stunden durch. Arne regelte alles mit dem Begräbnis, und als ich wieder in den Alltag zurückkehrte, spürte ich Erleichterung. Um ihret- und um meinetwillen. Sie wurde an einem Freitag beerdigt. Ragnar hielt die Grabrede.

Am Samstag war er tot, versehentlich auf der Jagd erschossen. Da wurde ich krank und erbrach Tag und Nacht. Ich hatte schon lange Darmblutungen gehabt und fühlte mich geschwächt. Jetzt konnte ich nicht mehr auf den Beinen stehen, wir mussten den Arzt rufen und eine Woche danach kam ich ins Krankenhaus.

Magengeschwüre. Operation.

Es mag eine gute Woche nach der Operation gewesen sein. Die hässliche Bauchwunde hatte zu heilen begonnen, es tat weniger weh, aber ich war so müde, dass ich Tag und Nacht schlief.

Mir hatte vor der Begegnung mit Lisa gegraut, ich wollte ihre Trauer nicht sehen.

Sie war blass, aber gefasst und so wie immer. Ich musste weinen und sagte: »Das ist so ungerecht, Lisa. Ragnar sollte unsterblich sein.«

Sie lachte mich aus, und als sie sagte, das ist doch kindisch, Johanna, hasste ich sie. Aber sie fuhr fort: »Du bist gegenüber deinem großen Bruder wohl nie richtig erwachsen geworden. Du hast einfach die Augen zugemacht und ihn verehrt.«

Da schloss ich buchstäblich die Augen und dachte, dass sie Recht hatte. Ich bin in Bezug auf Männer nie erwachsen geworden. Erst Vater, dann Ragnar. Danach Arne, der mich wie ein unvernünftiges kleines Kind behandeln konnte. Warum ließ ich das zu? Und genoss meine Erniedrigung wie ein bittersüßes Bonbon.

»Aber Ragnar war doch ein großartiger Mensch«, sagte ich schließlich.

»Ja, ja«, sagte Lisa. »Er hat auch eine große Leere hinterlassen. Aber sie füllt sich wieder auf. Mit Erleichterung.«

Als sie mein Erschrecken bemerkte, wurde sie gesprächiger als üblich: »Begreifst du nicht? Ich brauche nachts nie mehr wach zu liegen und auf ihn zu warten, mich nie mehr zu fragen, mit wem er wo ist, nie mehr, wonach er riecht. Ich habe seine verdammten fleckigen Unterhosen zum letzten Mal gewaschen.«

»Lisa, liebe …«

»Ja, ja«, sagte sie. »Man beruhigt sich.«

Sie füllte eine halbe Stunde mit Plänen für ihre Zukunft. Sie hatte eine große Wohnung an der Sprängkullsgata gekauft, in dem Steinbau schräg gegenüber ihrem Geschäft. Dorthin wollte sie umziehen und eins der Zimmer als Schneideratelier benutzen.

»Ich will vergrößern«, sagte sie. »Die Jungen und ich verkaufen die Spedition und wollen den großen Laden an der Ecke kaufen, wo Nilsson mit seinen altmodischen Kleidern gehandelt hat. Wir wollen dort umbauen und etwas Elegantes daraus machen. Nächste Woche fährt Anita, meine Schwiegertochter, mit mir nach Paris, um sich die neuste Mode anzusehen.«

Ich horchte auf.

Das war eine neue und starke Lisa, die da an meinem Bett saß. In diesem Augenblick verabscheute ich sie. Sie machte meinen Bruder schlecht, ja. Aber das Schlimmste war, dass sie frei war, und ich gebunden.

»Ich erinnere mich daran, wie Anna mich angerufen hat und von ihrer Scheidung berichtete«, sagte sie. »Ich habe ihr von Herzen gratuliert. Auch dieser Rickard Hård ist so ein Hexenmeister. Genau wie Ragnar. Herrgott, Johanna, hätte ich doch nur die Kraft gehabt, es ihr gleichzutun, als ich jung war.«

Dies war das einzige Mal, dass ich sie traurig sah.

Im Weggehen sagte sie noch: »Es wird eine polizeiliche Untersuchung geben wegen des Jagdunfalls. Es spricht fast alles dafür, dass der Freund, der geschossen hat, unschuldig ist. Ragnar hatte seinen Ansitz verlassen und trat direkt hinter dem Elch aus dem Wald. Es war unverantwortlich.«

An diesem Nachmittag bekam ich Fieber und musste Medikamente nehmen. Ich verschlief das Abendessen und schlief bis vier Uhr früh durch. Als ich aufwachte, hatte ich kein Fieber mehr und mein Kopf war klar, und ich hatte reichlich Zeit, alles zu überdenken, was Lisa gesagt hatte. Aber hauptsächlich dachte ich über mich selbst nach, über meine Abhängigkeit von Männern. An Hexenmeister wie Ragnar und Rickard. An Arne, der kein Hexenmeister war und in vielen Belangen weitaus kindischer als ich. Daran, dass ich es wusste und ihn dennoch zum starken Mann machte, ihm die Macht überließ.

Arne kam während der Besuchszeit. Fröhlich. Er hatte mit dem Stationsarzt gesprochen und von ihm erfahren, dass ich nächste Woche heimgehen dürfe.

»Es ist so verdammt leer ohne dich«, sagte er.

Anna hatte angerufen und ihn um seine Meinung gefragt, ob ich es wohl schaffen würde, die Kinder im nächsten Sommer zu übernehmen.

»Ich werde alles tun, was ich kann, um mitzuhelfen«, sagte er, und ich konnte ihn anlächeln und es so sagen, wie ich es empfand, nämlich, dass wir zwei das schon hinkriegen würden. Und unseren Spaß wollten wir haben.

Ich erzählte von Lisas Besuch, was für großartige Pläne sie und ihre

Familie hatten. Und was sie von den polizeilichen Nachforschungen gesagt hatte.

»Glaubst du, dass Ragnar … Selbstmord begangen hat?«

»Auf keinen Fall. Wenn Ragnar eine solche Absicht gehabt hätte, dann hätte er niemals eine Methode gewählt, durch die ein Freund in Schwierigkeiten hätte geraten können. Ich glaube, er war durch die Trauer um Hanna einfach erschöpft und durcheinander.«

Das war eine große Erleichterung, denn ich erkannte sofort, dass Arne Recht hatte. Danach dachte ich lange daran, wie stark die Bande zwischen der Hure und ihrem Hurensohn gewesen waren. Und daran, dass niemand das begriffen hatte.

Die Jahre kamen und gingen, die Kinder kamen und reisten ab. Das Schwierigste am Altwerden sind nicht die Müdigkeit und auch nicht die kleinen Wehwehchen. Das Schlimmste ist, dass einem die Zeit davonläuft, und das gegen Ende so schnell, dass sie gar nicht mehr vorhanden zu sein scheint. Weihnachten ist da und schon kommt Ostern. Da ist ein klarer Wintertag und gleich ein warmer Sommertag. Dazwischen Leere.

Die Mädchen wuchsen heran und entwickelten sich. Die Scheidung schien ihnen nicht geschadet zu haben. Und sie brauchten ihren Vater nicht zu entbehren. Er wohnte im selben Haus ganz oben und er übernahm nicht nur Verantwortung, sondern nahm auch teil an ihrem Leben.

»Und Mama?«

»Die macht einen zufriedenen Eindruck. Es gibt viele Scheidungskinder dort, wo wir wohnen, aber unsere Eltern sind anders. Die reden nie schlecht voneinander.«

Dann kam Rickard zurück, zu Anna und zu uns. Sie heirateten wieder. Mich machte das traurig, ich verstand es nicht. Aber Anna klang wie eine Feldlerche im Frühling, als sie uns anrief und sagte, sie kämen schon zu Pfingsten, Rickard aus Italien und die Kinder und sie aus Stockholm. Es war eigenartig, ihn wiederzusehen, älter, aber schöner denn je. Noch katzenhafter.

Am schwierigsten war es für Arne. Er führte mit Rickard ein langes Gespräch im Keller und danach meinte Arne, er verstehe jetzt alles besser. Was, das bekam ich nie zu wissen, aber ich erinnere mich, dass ich dachte, jetzt schwenkt der Hexenmeister seinen Mantel wieder.

Dann bekam Anna noch ein Kind, einen Jungen, der starb. Da konnte ich noch helfen.

Die Mädchen waren schon erwachsen, als die Krankheit mich beschlich. Ihr denkt vielleicht, es begann mit Vergesslichkeit, etwa dass man in seine Küche geht, um etwas zu holen, und inzwischen vergessen hat, was es war. Das kam immer öfter vor. Ich kämpfte dagegen an, indem ich mir bestimmte Gewohnheiten für alles Alltägliche zurecht legte. Erst dies, dann das, dann … Es wurden fast Rituale, und im großen ganzen funktionierte es, ich pflegte mich und besorgte den Haushalt und hielt meine Angst auf Distanz.

Einige Jahre.

Aber die Krankheit begann schon vorher damit, dass ich keine … Verbindungen mehr hatte. Wenn jemand mit mir sprach, hörte ich nicht, was gesagt wurde, sah nur den Mund sich bewegen. Und wenn ich sprach, hörte mir keiner zu.

Ich war einsam.

Arne erklärte und erklärte. Anna rannte und rannte. Mutter war tot, Ragnar war tot, Sofia war bei Gott. Greta war im Irrenhaus, und Lisa wollte ich nicht treffen.

Die Einzigen, die Zeit hatten und zuhören konnten, waren die Enkelkinder.

Aber auch die Gespräche mit Maria und Malin hörten auf. Da war ich schon so viele Jahre einsam gewesen, dass niemand wissen konnte, wo ich war.

Das Letzte, woran ich mich erinnere, ist, dass sie plötzlich um mich herumstanden, alle. Sie hatten große Augen, dunkel vor Angst, und ich wollte sie trösten, aber die Worte, die es noch immer gab, erreichten nie den Mund. Dann war da ein Krankenhausbett mit hohen Gittern und eine entsetzliche Furcht vor dem Eingesperrtsein. Ich rüttelte nächtelang an diesen Zäunen, wollte mich freikämpfen. Anfangs saß Anna an meiner Seite, tagelang. Sie weinte. Sie hatte aufgehört herumzurennen. Jetzt wäre eine Verbindung möglich gewesen, aber ich hatte alle meine Fähigkeiten verloren.

Es war zu spät.

Anna

Schlusswort

E*ine* nasskalte Märznacht stand vor den Fenstern der Hochhäuser. Unten auf dem Platz dröhnte die Popmusik, lärmten betrunkene Jugendliche. Die Autoreifen quietschten auf dem nassen Asphalt vor dem Kiosk. Jetzt fanden nachts nicht einmal mehr die Vororte ihren Schlaf.

Als Anna die Vorhänge zuzog, blieb sie eine Weile stehen und schaute auf die Großstadt hinüber, die am Horizont glitzerte. Bedrohlich, fand sie. Dort drüben hatte ein Unbekannter vor einigen Wochen den Ministerpräsidenten erschossen.

Sie wollte nicht an Olof Palme denken.

Wieder nahm sie Johannas Manuskript in die Hand, eigentlich war es ihres. Johanna war immer eine gute Erzählerin gewesen, daher hatte Anna sie in eigener Sache sprechen lassen müssen. Hatte Anna den Ton gefunden? Sie hatte es gelesen, immer und immer wieder, ergriffen und dankbar. Dennoch war sie enttäuscht, als hätte sie etwas anderes gewollt. Ich will immer etwas anderes, dachte sie. In meiner idiotischen, immer zur Flucht bereiten Art wollte ich … was eigentlich?

Dein Rätsel lösen.

Wie naiv. Ein Leben lässt sich nicht deuten. Man plant, so gut man kann, und dann sitzt man da und ist beunruhigter denn je. So vieles ist aufgerührt und zusammengerührt worden. Aber du warst wie ein Geheimnis, das war mir immer bewusst. Und das schimmert hier und dort in deiner Geschichte durch. Ein Aufleuchten nur, kurz und schnell vergangen. Wie in einem Traum. Dann nimmst du die Rolle als die Besorgte, Ordnende und Glaubwürdige wieder auf.

Ich muss mit dem Einfachen anfangen, dem, was ich zu verstehen glaube, dachte sie. Ich schreibe einen Brief.

Sie schaltete den Computer ein:

Stockholm, im März 1986

Liebe Mama!

Heute Nacht will ich dir einen Brief schreiben, dir Sachen sagen, die ich nie zu äußern gewagt hätte, wenn du es hättest lesen können. Ich bin deine Geschichte durchgegangen, und zwar genau. Irgendwie bist du vom Himmel gekommen und hast in einem normalen irdischen Dasein Platz genommen!
Es gab in deinem Leben nichts Überirdisches.
Selbstverständlich warst du auch nicht die, auf der ich herumzutrampeln versuchte, als ich jung war und dir Halbbildung und Überheblichkeit vorwarf. Du sagst nichts über die Zeit, als wäre sie an dir vorbeigegangen, ohne dich zu verletzen. Vielleicht hattest du begriffen, dass ich diesen idiotischen akademischen Schutzwall brauchte, hinter den sich unsichere Jugendliche der aufstrebenden Generation flüchteten, um ihre Eltern zu übertrumpfen und ihre Herkunft zu vertuschen.
Eine Zeit lang dachte ich, dir mit meiner aufgeblasenen Bildung die Oberhand genommen zu haben. Aber als ich Mutter wurde, nahmst du deinen Platz wieder ein.
Es ist späte Nacht und ich schreibe in Erregung, ich bin allein und aufgewühlt. O Mama, wie gesund warst du doch und wie krank wurdest du. So stark erst und dann so hinfällig.
Ich erinnere mich, wie ich dich zu schonen versucht habe und ich mir dadurch Papas Zorn zuzog.
Ich forderte ihn heraus. Ich neigte auch viel mehr zum Zorn als du, ich war mehr wie er. Und als ich ein Teenager wurde und der Einfluss des Gymnasiums sich auswirkte, war ich schlagfertiger und hatte einen viel größeren Wortschatz als er.
Verachtung? Ja. Eine Frage des Standes? Ja, das auch. Unerträglich für ihn, der nicht die mindeste Kritik vertragen konnte. Und wenn er gekränkt wurde, und das konnte leicht geschehen, musste er es loswerden. Abreagieren. An uns.
Er hatte als Kind viel Schläge bekommen und wie die meisten Menschen seiner Generation sprach er von den Misshandlungen mit Stolz. Er hatte eigentümliche sadistische Phantasien. Da weder er selbst noch irgendein anderer verstand, dass sie sexuellen Ursprungs waren, konnte er ihnen freien Lauf lassen.
Hasste er mich? Lieber Gott, hasst er mich? Ist sein ganzer irrsinni-

ger Zorn jetzt gegen mich gerichtet? Fällt es mir deshalb so schwer, mit ihm zu telefonieren? Und nach Hause zu fahren, um ihn zu besuchen?
Ich vereinfache. Er hatte viele gute Seiten. Er war zuverlässig in schwierigen Situationen, ließ keinen im Stich. Gabst du Papa das Recht, dich zu beleidigen, weil er dich an deinen eigenen Vater erinnerte? Er war, soweit ich das verstanden habe, alles, was du hattest. Sicher wird ein Kind bei einem solchen Verhältnis ängstlich. War es diese Angst, die du auf Arne übertrugst?
Und ich? Ich mache es wie du, unterwerfe mich, lasse geschehen. Rickard ist in London auf einer dreimonatigen Vertretung als Korrespondent. Dort gibt es eine Frau, mit der er schläft. Er glaubt, er kann mir damit beikommen, mir und meiner »Gefühlskälte«. Aber gemeint ist immer sie, die banale, eiskalte Signe aus Johanneberg. Sie ist seit fünf Jahren tot. Aber was bedeutet der Tod für den, der keinen Boden unter den Füßen spürt? Und wie soll das Kind ihn spüren, wenn die erste Wirklichkeit, die Mutter, versagt.
Rickard fliegt, Mama, das ist es, was ihn so unwiderstehlich macht.
Im Verlauf der Arbeit habe ich gedacht, dass Hanna die Stärkste von uns dreien war. Sie hatte ihre Ansichten und ihre Bindungen. War realistisch. Wenn ich an ihr Gottesbild denke, staune ich über ihre Kühnheit, diese eigenwillige persönliche Auffassung. Und sie lebte, wie sie glaubte. Wie dein Vater irgendwann sagte, sie bezog Kränkungen mit ein und häufte darum keine an.
Sie ärgerte sich, dass sie nicht weinen konnte. Wir beide haben geweint, als könnten wir aus einem Ozean schöpfen.
Es half nicht.
Ich zweifle nicht eine Sekunde, dass du ein besserer Mensch bist als ich, gütiger. Aber ich bin stärker, schließlich habe ich mich nicht bis zur totalen Abhängigkeit verbiegen lassen. Natürlich hängt das mit dem Zeitgeist zusammen, mit der Ausbildung, damit, dass ich mich und meine Kinder selbst versorgen kann. Aber auch damit, dass ich meine Kraft von einer Mutter erhalten habe, und nicht von einem Vater.
Wie war ich erstaunt, als ich verstand, dass du mich wegen meiner Scheidung beneidet hast, das hatte ich nicht geahnt. Sie durfte ja nicht, wie du sagst, in einen Sieg ausarten, ich blieb als verdammte Schlingpflanze zurück.
Es gibt vielleicht gar keine Unabhängigkeit.

Wenn du von der Sexualität schreibst, machst du mich ganz traurig. Sinnlichkeit ist doch etwas so Wundervolles. Etwas so Großartiges, irgendwie Allumfassendes.
Deshalb ist Rickards Untreue so unerträglich.
Morgen werde ich einen Brief nach London schreiben: »Ich werde dich nicht wieder zurücknehmen …«
Soll ich?

Mama, es ist Morgen, ich habe ein paar Stunden geschlafen und bin ruhiger. Weniger klarsichtig? Es ist etwas Einfaches und Wichtiges, was ich dir sagen will. Was du von deinem Vater bekommen hast, habe ich von dir bekommen. Bis zu einem gewissen Grad habe ich es an Maria und Malin weitergegeben und manchmal wage ich zu glauben, dass sie mehr Selbstachtung haben als du und ich. Sie sind vielleicht nicht glücklich, was immer das ist. Aber sie haben ihre Kinder und Respekt vor sich selbst. Du hast Stefan nie kennen gelernt, Malins Freund und Lenas Vater. Aber er ist Rickard ähnlich. Und Onkel Ragnar.
Ich lese deinen Bericht jetzt noch einmal. Im nüchternen Licht der Morgendämmerung.
Besonders eigenartig war das mit dem Krieg. Nie habe ich darüber nachgedacht, wie sehr er meine Kindheit geprägt hat, wie viel Angst dort ihren Ursprung hat. Trotzdem erinnere ich mich an den deutschen Piloten, der über uns in der Luft brannte, und an Papa, der kam und ging, eine Uniform trug und von der Schlechtigkeit sprach. Und die ausländische Zeitschrift, die ich mit Geld, das ich von Ragnar bekommen hatte, im Kiosk kaufte, vergesse ich nie.
Es gibt Dinge, die du nicht gesehen hast. Es geht um deine Brüder. Du siehst sie nur als Chauvis. Aber es war auch eine Art ihrer Rache, als sie dich zwangen, dich um ihre Sauferei zu kümmern, ihre Schuhe zu putzen und ihren lächerlichen erotischen Prahlereien zuzuhören. Sie waren eifersüchtig auf die Schwester, die von ihnen allen die Schönste und die Begabteste war und die vom Vater die ganze Aufmerksamkeit erhielt.
Ich weiß es, weil Onkel August es mir einmal gesagt hat: »Die war Vaters Puppe, für die hat er alles getan. Uns hat er nicht mal angeguckt.«
Aber sie zogen das Interesse ihrer Mutter auf sich, kannst du jetzt dagegenhalten. Ich glaube nicht, dass es so viel wert war.

Teils, weil sie zum lebenden Anachronismus wurde, kaum war sie in die Stadt gekommen, ungebildet und bäurisch. Aber auch, weil ihre Besorgtheit die Jungen erdrückte.
Ich weiß nicht, ich taste mich durch einen Dschungel von Vorurteilen und psychologischem Allgemeinwissen.
Jetzt fällt mir auf, dass wir der wichtigsten Spur noch nicht gefolgt sind.
Der Liebe.
Vielleicht sind wir beide ihre Gefangenen.
Plötzlich fällt mir ein Ereignis von vor einigen Jahren ein, du warst verwirrt, aber nicht ganz weggetreten. Du hattest noch Worte und freutest dich, als ich kam, erkanntest mich. Dann wurde Papa krank, er musste operiert werden. Ich war allein im Haus und fuhr täglich die Strecke zum Sahlgren'schen Krankenhaus, wo ich ihn besuchte, und zu dem Pflegeheim, in dem du warst. Jeden Tag sagte er: »Du hast keine Zeit, hier zu sitzen. Fahr schon zu Mama.«
Ich sagte, okay, ich mach mich auf die Socken. Er lachte und winkte, wenn ich ging.
Nach etwa einer Woche wurde er entlassen, ich holte ihn ab und brachte ihn direkt zu dir. Du warst im Rollstuhl zum Speisesaal unterwegs. Als du ihn erblicktest, hobst du die Arme wie ein Vogel, der die Flügel hebt, um loszufliegen. Es war wie ein Ausruf von dir: »Na, da bist du ja.«
Dann wandtest du dich an die Helferin, die den Rollstuhl schob, und sagtest: »Jetzt wirst du sehen, dass es mir bald wieder gut geht.«
Ich erinnere mich, dass ich eifersüchtig wurde.
Warum machen es einem die Männer so schwer, sie zu lieben?
Noch ein Gedanke: Ich habe vorhin gesagt, dass ich mehr zum Zorn neige als du. Das Merkwürdige ist, dass ich auf Rickard nie zornig war. Bei dir war es umgekehrt, deine ganze Aggressivität war gegen Arne gerichtet. Kam das von eurem sexuellen Unvermögen? Dass dadurch eure Liebe nie erlöst wurde?
Was wollte ich mit dieser Reise durch drei Frauenleben? Wollte ich nach Hause finden?
In dem Fall ist es mir misslungen. Es gab kein Zuhause. Oder es konnte nicht wiedergefunden werden, jedenfalls nicht auf dem von mir gewählten Weg. Alles bestand aus so vielen kleinen Einzelheiten, und zwar so widerspruchsvoll, noch größer, dunkler, als das Kind es je geahnt hatte.

Ich weiß nicht einmal, ob ich jetzt besser verstehe. Aber ich habe viel gelernt und ich habe, verdammt noch mal, nicht vor, es wie du zu machen, Mama, aufzugeben, wenn die Wahrheit in tausend Wahrheiten zerfällt.

Anna wollte ihren Brief gerade beenden, als das Telefon klingelte. Verblüfft sah sie auf die Uhr, kurz vor sieben, wer ruft an einem Sonntagmorgen so früh an?

Als sie den Arm ausstreckte und den Hörer abhob, spürte sie Angst. Daher war sie nicht erstaunt, als sich die aufgeregte Hauspflegerin, die sich in Göteborg um Papa kümmerte, jetzt meldete.

»Wir haben ihn bewusstlos aufgefunden und der Krankenwagen bringt ihn gerade ins Sahlgren'sche.«

Anna zog sich an, packte eine Tasche mit dem Notwendigsten, rief das Krankenhaus an. Es dauerte eine Weile, bis sie zur Notaufnahme in Göteborg durchkam und ein müder Arzt sagte:

»Herzinfarkt. Am besten kommen Sie gleich. Er hat nicht mehr viel Zeit.«

Schnell gab sie die Nachricht noch an Maria durch: »Damit du weißt, wohin ich verschwunden bin.«

Sie nahm ein Taxi, bekam in Arlanda ein Stand-by-Ticket und sprang dann auf dem Göteborger Flughafen Landvetter wieder in ein Taxi.

Kurz vor zehn saß sie an seinem Bett. Er lag in einem Saal, bewusstlos und am Tropf.

Gleich darauf kam der Arzt mit der müden Stimme, hörte Herz und Lunge ab.

»Es könnte eine Lungenentzündung hinzukommen.«

Es lag eine Frage in seiner Stimme, sie verstand und fragte: »Kann er gesund werden?«

»Nein. Sein Herz hat ausgedient.«

»Keine Antibiotika.«

Er nickte, sagte, sie wollten versuchen, dem alten Mann die Schmerzen zu ersparen.

Dann saß sie dort, die Stunden vergingen, ihr Kopf war leer. Sie fühlte nichts, war seltsam unberührt. Gegen sieben Uhr am Abend kam eine Schwester, um zu sagen, dass sie einen Anruf aus London habe.

Sie war unglaublich erleichtert.

»Wie ist es, Anna?«

»Ganz eigenartig … langweilig«, sagte sie und schämte sich.

»Ich habe einen Flug für morgen früh. Ich bin gegen zwölf bei dir.«

»Danke.«

»Ich habe mit Maria gesprochen. Sie fährt morgen, findet aber nur schwer einen Babysitter. Malin haben wir nicht erreicht, sie ist in Dänemark auf irgendeinem Seminar.«

Als sie sich wieder zu dem alten Mann setzte, weinte sie. Die Leere wich, sie konnte wieder fühlen. Als sie seine Hand nahm, flüsterte sie: »Du bist ein feiner Papa gewesen.«

Das ist wahr, dachte sie. Er war immer da und er hat immer etwas auf mich gehalten.

Es war sein Zorn, der im Weg stand. Wut, nicht Hass.

Um halb drei wurde er unruhig. Sie wollte gerade nach der Nachtschwester klingeln, als sie sah, dass er versuchte, etwas zu sagen. Die trockenen Lippen bewegten sich, aber die Worte kamen nicht über die Zunge.

Sie streichelte ihm die Wange, flüsterte, ich versteh schon, Papa.

Seine Augen schauten genau in ihre, er tat einen langen Seufzer und hörte auf zu atmen. Es ging schnell, fast unmerklich. So leicht, als wäre es nie geschehen.

Sie drückte auf die Klingel, und erst als die Nachtschwester kam und feierlich wurde, verstand Anna, dass er tot war. Ein stiller, ohnmächtiger Schmerz erfüllte sie, und sie erkannte, dass dies die Trauer war und dass sie lange damit würde leben müssen.

Jetzt konnte sie nicht weinen.

Nach langen Minuten des Schweigens flüsterte die Schwester, dass es im Dienstraum heißen Kaffee gebe, Anna solle dorthin gehen, während sie den Verstorbenen zurechtmachten. Sie gehorchte wie ein Kind, trank den Kaffee und aß ein halbes belegtes Brot. Dann durfte sie wieder zurück in das Zimmer gehen, das schön aufgeräumt war. Sie hatten zu beiden Seiten des Toten Kerzen angezündet, ein Blumenstrauß lag auf seiner Brust.

Sie blieb eine Stunde dort sitzen und versuchte zu begreifen, was geschehen war. Um fünf Uhr morgens rief sie Maria an, erzählte, sagte, du brauchst jetzt nicht herzukommen. Ich lass wieder von mir hören, wenn ich alles mit der Beerdigung geregelt habe.

Silbriger Nebel lag über der Stadt, als sie sich ein Taxi zum Haus am Meer nahm. Dort heulten die Nebelhörner über den Schärenklippen und Inseln.

Der ambulante Pflegedienst hatte die Spuren der schweren Nacht beseitigt, in der sie ihn gefunden hatten. Sie ging von Zimmer zu Zimmer und dachte wie schon so viele Male zuvor, dass ihr Haus seine Persönlichkeit verloren hatte, nachdem Mama weggebracht worden war. Es gab keine Topfpflanzen mehr, keine Deckchen und Kissen. Es gab nur Ordnung und diese dürftige Sachlichkeit, mit der Männer ihre Umgebung oft prägen.

Und kalt war es auch. Sie ging in den Keller und schaltete die Ölheizung ein, dann die Treppe hinauf in ihr Zimmer und zog eine Decke aus dem Schrank. Als sie sich hingelegt hatte, dachte sie nur praktische Gedanken und stellte fest, dass das half.

Um elf Uhr wachte sie auf. Der Ölbrenner bullerte im Keller und es war fast unerträglich heiß. Aber sie drosselte die Temperatur nicht, sie riss alle

Fenster auf, machte Durchzug. Rücken und Arme schmerzten nach der langen durchwachten Nacht, aber sie hielt starr daran fest, praktisch zu denken: Ich muss den Flughafen Landvetter anrufen, damit Rickard erfährt, dass er hierher fahren muss und nicht ins Sahlgren'sche. Ein warmes Bad. Gibt es hier etwas zu essen? Ich muss einkaufen gehen.

Als sie dann im heißen Wasser in der Badewanne lag und fühlte, dass der Körper, wie ausgelaugt, seine Starrheit verlor, fasste sie ihren Entschluss: Sie würde bleiben, sie wollte hier wohnen. Im Frühjahr, vielleicht für immer. Sie ging hinaus in den Garten. Mein Garten, dachte sie zum erstenmal und schämte sich, als sie sah, wie vernachlässigt er war. Die Sonne brach durch den Nebel, in dem kalten Märzlicht fielen ihr die verwilderten Rosen auf, die seit Jahren nicht mehr geblüht hatten, der Rasen, der ganz vermoost war, und das wuchernde Unkraut vom Vorjahr in den Blumenbeeten.

Dann hörte sie den Wagen, und da war er und sie in seinen Armen.

»Du gehst im Bademantel draußen in der Kälte herum? Und barfuß in Holzpantoffeln«, sagte er, als er sie losließ.

»Da drin ist es so warm«, sagte sie.

»Hast du schon was gegessen?«

»Nein, hier gibt's nichts zu essen.«

»Du bist ja verrückt, mein Mädchen«, sagte er, und dann, ohne dass sie wusste, wie es zugegangen war, lagen sie in dem schmalen Bett im oberen Stock und er küsste ihre Augen und ihre Brust, und die Trauer war verschwunden, und sie wusste, hier, hier bin ich zu Hause.

Die wichtigste Spur?

Aber wenig später, als er eine Dose mit altem Kaffee gefunden hatte, den er für sie kochte, dachte sie, dass nichts so einfach war wie gerade jenes, was Hanna Beischlaf nannte.

Er fragte nicht nach dem Tod, sie war dankbar dafür.

»Wir müssen zu Mama«, sagte sie.

Er hatte am Flughafen einen Wagen gemietet, das war gut. Sie machten eine Einkaufsliste, sie sagte, er könne einkaufen, während sie im Krankenhaus bliebe. Später wollten sie in der Stadt essen und danach das Beerdigungsbüro aufsuchen.

»Das Organisieren füllt dich ganz aus, wie immer, wenn du Angst hast«, sagte er, und seine Stimme war voll zärtlicher Wärme.

Als er sie vor dem Pflegeheim aussteigen ließ, erfasste sie Panik.

»Was soll ich ihr sagen?«

»Du musst es ihr sagen, wie es ist.«

»Rickard, komm mit rein.«

»Ja, selbstverständlich«, sagte er und parkte den Wagen.

Er wartete, während sie mit der Stationsschwester sprach. Die meinte auch, dass Anna es erzählen müsse.

»Wir werden ja sehen, was sie mitkriegt.«

Johanna war in weiter Ferne wie immer, weit, weit weg.

Sie blieben eine Weile sitzen und sahen sie an, Rickard nahm ihre Hand und Anna beugte sich über sie und sagte mit großer Deutlichkeit: »Mama, hör mir zu, Arne ist heute Nacht gestorben.«

Zuckte sie zusammen, hatte sie verstanden? Nein, das bilde ich mir ein.

Aber als sie sie verließen, meinte Rickard, er sei sich sicher, ihre Hand hatte reagiert.

Sie aßen frühzeitig zu Mittag in dem neuen Fischrestaurant außerhalb von Majnabbe, sie kauften ein, sie gingen zum Beerdigungsinstitut.

Als sie endlich heimkamen, saß Malin auf der Treppe, Anna lächelte, und Rickard lachte laut vor Freude. Maria hatte sie gestern Abend in Kopenhagen erwischt, ein Freund hatte sie nach Helsingör gebracht, und sie hatte einen Platz auf der Fähre bekommen.

»Ach, Mama, jetzt hast du dich wieder eingekapselt. Wie wär's, wenn du zu weinen versuchtest?«

»Ich kann nicht.«

Anna wachte von dem Kaffeegeruch auf, der die Treppe heraufzog, und hörte Rickard und Malin in der Küche reden. Es war schönes Wetter.

Ich muss es sagen, dachte sie, als sie die Treppe hinunterging. Am Küchentisch bekam sie eine große Tasse heißen Kaffee, goss Milch hinein und trank.

»Ich habe vor, hier zu bleiben … eine Zeit lang. Jemand muss ja Mama besuchen.«

»Was mich betrifft, ist das in Ordnung. Es ist von London aus tatsächlich näher nach Göteborg«, sagte Rickard.

»Du wirst sehr allein sein«, sagte Malin. »Aber wir werden dich besuchen kommen, sooft wir können.«

»Ich habe vor, Maria anzurufen und sie zu bitten, dass sie mir mein Auto herbringt. Und den ganzen Computer und alle Aufzeichnungen dazu. Und meine Kleider.«

Dann sagte sie: »Ich kann doch ebenso gut hier schreiben.«

Die Worte blieben unter der Küchenlampe hängen. Dieselben Worte wie schon viele Male zuvor.

Da ließ sie den Kopf auf den Tisch fallen, gab nach und weinte.

»Ich lege mich ein Weilchen hin«, sagte sie, nahm eine Rolle Küchenpapier und ging die Treppe hinauf.

»Ich muss jetzt für mich sein«, sagte sie zu den ängstlichen Augen der beiden anderen.

Dann lag sie in ihrem alten Mädchenzimmer, bis das Weinen schließlich verebbte und sie vor Kälte zu zittern begann.

Mein Gott, wie sie fror.

Sie wachte wieder davon auf, dass es gut roch. Gebratener Schinken, Kartoffeln, Zwiebeln. Ihre Beine zitterten, als sie ins Bad ging, sich das Gesicht mit kaltem Wasser wusch und dachte, dass sie alt und mitgenommen aussah. Doch als sie in die Küche kam, sagte Rickard: »Wie wunderbar, dass du wieder Augen bekommen hast.«

»Keine leeren Brunnen mehr«, sagte Malin und lächelte sie an. Da fühlte Anna, dass ihr erwiderndes Lächeln von innen heraus kam.

»Es war doch gut, dass er sterben durfte«, sagte sie.

»Ja, gut für ihn und gut für uns. Ich finde, du solltest bedenken, dass ihm ein ungewöhnlich langes Leben beschieden war und ein reiches.«

An dieser Äußerung war eigentlich nichts Besonderes, aber Anna hatte so lange in der Sinnlosigkeit gelebt, dass Worte wieder Gewicht bekamen. Jedes einzelne Wort.

»Wie lange könnt ihr bleiben?«

»Bis nach der Beerdigung«, sagten beide.

Am Donnerstagnachmittag kam Maria. Mit dem Auto samt Kindern, und Anna drückte den kleinen Mädchen fast die Luft ab. Nach dem Essen trug Rickard den Computer ins Haus.

»Wir werden dir nach dem Begräbnis einen schönen Arbeitsplatz einrichten.«

Es kamen viele Leute zum Begräbnis, viel mehr, als sie gerechnet hatten: Arbeitskollegen, Parteileute, Seglerfreunde. Und dann noch die wenigen, die von der alten Verwandtschaft übrig waren. Sowohl die Zeremonie in der Kirche als auch das Totenmahl danach verschwammen für Anna im Unwirklichen.

Sie war allein. Die Tage kamen und gingen.

Den Vormittag widmete sie immer ihrem Buch. Es ging zäh voran, nur einzelne Gedanken. Sie konnte lange einfach dasitzen und an Hannas Mutter denken, die vier Kinder hatte vor Hunger sterben sehen. Dann dachte sie über Johanna und über die Elfenbeindame nach, Arnes Mutter und ihre Großmutter, und dass Johannas Bild von dieser Frau nicht einmal Platz ließ für den Versuch, zu verstehen. Das war ungewöhnlich, Mama strebte immer danach, zu verstehen und zu verzeihen. Sie musste ihre Schwiegermutter gehasst haben, musste ihr die Schuld für all das Schwierige und Unbegreifliche an Papa gegeben haben.

»Er wird seiner Mutter immer ähnlicher«, hatte sie in den letzten Jahren gesagt.

Gab es im Leben von Vaters Mutter ein Geheimnis, eine Schande, die mit all diesem verrückten Stolz verdrängt, unsichtbar gemacht werden musste?

Gegen Mittag aß sie ihre Dickmilch mit Cornflakes und fuhr ins Krankenhaus, um ihre Mutter zu füttern. Die alten Menschen im Pflegeheim erschreckten sie nicht mehr. Wie alles, was zur Gewohnheit wird, hatten sie jetzt etwas Natürliches an sich. Sie lernte andere Besucher kennen, die müde kleine Frau, die jeden Tag kam, um ihren Bruder zu füttern, den alten Mann, der sich mit seinem kranken Bein durch die Stadt mühte, um nach seiner Frau zu sehen.

Töchter, viele in ihrem Alter.

Anna erzählte Johanna vom Garten, wie sie jeden Nachmittag darin verbrachte, um zu retten und wieder aufzurichten. Sie dachte längst nicht mehr darüber nach, ob Johanna sie verstand.

»Am schlimmsten ist es mit dem Rasen«, konnte sie sagen. »Ich habe das Moos ausgerissen und etwas gekauft, was den Boden verbessert. Sobald es regnet, werde ich das Zeug ausstreuen.«

Am nächsten Tag: »Die Johannisbeerbüsche erholen sich schon. Ich habe sie ganz stark beschnitten und den Boden gelockert und gedüngt.«

»Alles wird wie früher werden, Mama«, konnte sie sagen. »Ich werde Sommerblumen säen, denn es hat nur ein einziges Staudengewächs überlebt. Die dunkelroten Pfingstrosen, weißt du.«

Und dann konnte sie eines Tages berichten: »Jetzt ist fast alles fertig, Mama. Und es wird ganz wunderschön.«

Als der Garten fertig war, starb Johanna. Eines Nachts im Schlaf. Anna saß bei ihr, wie sie es bei ihrem Vater getan hatte, und hielt ihre Hand.

Als sie gegen Morgen heimkam und durch den Garten ging, fühlte sie keine Trauer. Nur eine tiefe Wehmut.

Die Familie kam und half ihr bei der Vorbereitung des Begräbnisses. Auch dieses Mal kamen mehr Leute als erwartet.

»Ich bleibe noch eine Weile«, sagte Anna.

»Aber Anna!«

»Aber Mama!«

Rickard, der seinen Auftrag in London erledigt hatte und wieder zurück in die Redaktion musste, war traurig, sie sah es ihm an.

»Wie lange?«

»Bis die Toten in der Erde erkaltet sind.«

Er machte ein erschrockenes Gesicht, und sie sah ein, dass sie sich wie eine Verrückte ausgedrückt hatte. Die Leichname waren eingeäschert worden.

»Was für ein komischer Ausdruck«, sagte Rickard.

Sie versuchte es zu erklären: »Ich habe die vage Vorstellung, dass ich lernen will … mich nicht aufzuregen. Mich an den Gedanken zu gewöhnen, dass es jetzt so werden soll, wie es mit allem wird.«

»Mit was denn zum Beispiel?«

Mit deiner Frau in London, um eine Sache zu nennen. Mir ist egal, wer sie ist und wie sie aussieht und was sie in deinem Leben macht. Sie sprach es nicht aus, lachte aber vor Freude laut auf, als sie fühlte, dass dies möglich werden könnte.

»Aber wir müssen doch realistisch denken. Ich habe eine Anzahlung auf die Häuser in Roslagen gemacht.«

Sie nickte, war aber verwundert. Er hatte seit seiner Abreise nach England nicht mehr von dem Hauskauf gesprochen. Vielleicht gab es gar keine Frau in London.

»Ihr müsst mir Zeit lassen.«

Da entschied Malin die Sache: »Ich glaube, das ist nicht mehr als recht. Du bist mit diesem Haus hier noch nicht fertig. Und ich glaube, das wirst du erst sein, wenn du mit dem Buch fertig bist.«

Es lag eine unaussprechliche Freude in diesem Alleinsein.

Sie streifte die Strände entlang, manchmal lief sie, kletterte über die steilen Felsen, rollte kleine Steine den Steilhang hinunter ins Meer.

»Du machst einen glücklichen Eindruck«, sagte Rickard, als sie ihn spät am Freitagabend vom Flugzeug abholte. Es war eine Frage. Sie dachte lange nach.

»Nein«, sagte sie. »Ich habe keine Erwartungen mehr.«

Glücklich? Die Frage beschäftigte sie ziemlich, als er nach Stockholm zurückgereist war. Sie war irritiert. Nie wieder Glück, dachte sie. Nie mehr dieses Liebliche, Zerbrechliche und Ängstliche. Es ist zum Zerbrechen verurteilt und man tut sich an den Scherben immer weh.

Aber es ist so, wie Mutter sagt: Alles hinterlässt seine Spur.

Und vor jedem Wetterumschwung schmerzen die alten Narben. Maria reiste an und fuhr wieder. Sie kam der Wahrheit recht nah, als sie sagte, du bist richtig kindisch geworden, Mama. »Ja.«

Auch Malin kam: »Hast du dich endlich frei gemacht, Mama?«

Doch, da war etwas dran.

»Vielleicht bin ich auf dem Weg«, sagte Anna und kicherte. »Im Moment bin ich im Lande Nirgendwo. Dort kann man ohne Worte sehen.«

Anna wollte nach und nach entdecken, was es in Nirgendwo gab. Sie erhoffte es sich. Aber sie hatte keine Eile damit, sie war vorsichtig. Vorläufig begnügte sie sich damit, vor interessanten Details innezuhalten.

Gesichter. Ihr eigenes im Spiegel. Das des Postfräuleins, des Briefträgers oder das des ernsten Kindes aus dem Nachbarhaus. Und das von Birger, dem Einzigen, der zu Besuch kam. Sein lichtes Lächeln beschäftigte sie, das seltsame Dunkel in seinen Augen erschreckte sie nicht mehr. Gedanken. Sie widmete ihren Einfällen große Aufmerksamkeit. Es waren nicht viele, sie kamen und gingen. Aber sie überraschten und erfreuten sie wie die Knospen an dem alten Rosenbusch.

Als die Apfelbäume blühten und die Bienen darin summten, machte sie eine neue Entdeckung. Sie konnte aufhören zu denken, das ewige Geschnatter im Hirn kam zur Ruhe. Plötzlich war sie dort angelangt, wohin sie seit Jahren mit ihren Meditationen gestrebt hatte.

Dann eines Tages standen ein Mann und eine Frau an ihrem Gartentor. Mit Blumen, einem schweren Gefäß voller Christrosen. Verblüht. Die Frau mit dem breiten Gesicht und dem offenen blauen Blick hatte etwas Bekanntes an sich.

»Wir haben uns lange nicht gesehen«, sagte sie. »Ich bin Ingeborg, die Tochter von Sofia. Wir sind hergekommen, um Beileid zu wünschen.«

»Das hier ist mein Mann, Rune«, sagte sie, und Anna legte ihre Hand in eine kräftige Männerhand.

Als Anna sich bedanken wollte, fing sie an zu weinen.

»Wie lieb«, flüsterte sie und suchte in den Taschen nach einem Taschentuch, fand eines, sammelte sich und sagte: »Ich bin eine richtige Heulsuse geworden. Ach, kommen Sie doch bitte zu einer Tasse Kaffee herein.«

Sie saßen in der Küche, und während Anna Kaffee aufgoss und Zimtschnecken auftaute, sagte sie:

»Wenn jemand weiß, was Trauer ist, dann musst es du sein, Ingeborg.«

»Ja, das ist wahr. Am schlimmsten war es, als Vater auf See blieb. Ich war so klein, ich konnte es nicht begreifen.«

»Deine Mutter war ein Engel. Weißt du, dass sie jeden Tag herkam, als unsere Großmutter im Sterben lag?«

»Ja. Sie war froh, helfen zu können.«

»Als meine Mutter alt wurde, zählte sie oft ihre Verstorbenen auf, der ist tot und der ist tot, und Sofia ist bei Gott, sagte sie.«

Jetzt musste Ingeborg ihr Taschentuch hervorholen, und Rune schien das unangenehm zu sein. Er wand sich auf der Küchenbank, räusperte sich und sagte: »Um ehrlich zu sein, sind wir ja nicht nur gekommen, weil wir Beileid wünschen wollten, wir haben auch ein Anliegen.«

»Aber Rune!«

Ingeborg konnte ihn zurückhalten, und die beiden Frauen unterhielten sich über den Kaffeetisch hinweg darüber, dass sie einander eigentlich nie gekannt hatten.

Dann gingen sie hinaus in den Garten.

»Wie schön du das hier gestaltet hast.«
»Ich konnte den Garten noch fertig kriegen, ehe Mutter starb.«
»Wusste sie, dass dein Vater … ihr vorausgegangen ist?«
»Ich glaube, ja.«

Sie besichtigten das Haus, Rune sagte, es sei ein prächtiges Haus, und jetzt müssten sie endlich zur Sache kommen.
»Es ist nämlich so, dass wir das Grundstück kaufen wollen.«
Die Gedanken überschlugen sich in Annas Kopf, alles drehte sich.
»Und eines Tages klopfte die Wirklichkeit an ihre Tür«, flüsterte sie, und dann lachte sie befreit und sagte laut:
»Ich kann mir keine bessere Lösung vorstellen, als dass Sofias Tochter … und ihr Schwiegersohn Mamas Haus und Garten übernehmen.«
Rune sprach von Marktwert, sagte, dass sie das Geld hätten. Anna schüttelte den Kopf und sagte, ihr sei wichtig, dass hier nichts mit Kunststein und anderem neureichen Firlefanz gemacht werde, und Rune sagte, er sei Tischler und habe eine gute Hand für alte Häuser, und Anna lächelte und sagte, du erinnerst mich an meinen Vater, und ich glaube, ihr werdet hier glücklich, und Ingeborg sagte, dass sie von diesem Besitz hier schon als kleines Mädchen geträumt hatte, dass es für sie wie ein Abbild des Glücks gewesen sei mit dieser jungen Familie und der süßen kleinen Tochter.
So konnte man das also auch sehen, dachte Anna verwundert. Dann sagte sie, sie müsse mit ihrem Mann und mit ihren Kindern sprechen.
»Rickard kommt am Wochenende. Da treffen wir uns dann wieder und besprechen alle Einzelheiten. Ich habe solche Sorgen wegen der Möbel …«
»Diesen schönen Mahagonimöbeln?«
»Die mein Vater gemacht hat, ja. Ich will sie ja nicht wegwerfen …«
»Wegwerfen«, sagte Rune. »Bist du verrückt!«
»Wollt ihr die Sachen übernehmen, die wir bei uns nicht mehr unterbringen?«
»Okay«, sagte Rune, und Anna lachte.
»Die gehören doch zu diesem Haus.«
Dann sagte Anna, da sei nur ein Haken, sie müsse ihr Buch fertig machen.
»Drei Wochen«, sagte sie. »Ich verspreche, dass ich es in drei Wochen schaffe.«

Als die beiden gegangen waren, starrte sie ihren Computer an. Nicht eine Zeile hatte sie seit Mutters Tod geschrieben.

»Es ist höchste Zeit«, sagte sie zu sich selbst. Was ich gefunden habe, werde ich nicht verlieren.

Dann rief sie Rickard an. Sie hatte zwar erwartet, dass er sich freuen, nicht aber, dass er vor Freude aufschreien würde.

»Gott im Himmel, wie ich dich vermisse.«

»Wir sehen uns am Samstag. Da kannst du mit dem Tischler Rune alles ausmachen.«

»Ich werde einen Makler in Göteborg anrufen und mich wegen des Marktwertes erkundigen. Wie geht's mit dem Schreiben?«

»Das wird jetzt gut gehen.«

Als sie den Hörer aufgelegt hatte, blieb sie lange neben dem Telefon stehen. Sie kam zur Einsicht. Es gab keine Frau in London. Wenn ich diese Wochen nicht für mich gehabt hätte, wäre ich paranoid geworden, dachte sie.

Um sieben saß sie am nächsten Morgen vor dem Computer und dachte verblüfft: Das läuft ja auf ein Happy End hinaus. Trotz allem.

Der Entschluss zu verkaufen zwang sie zu dem seit langem Aufgeschobenen, nämlich das Haus in Angriff zu nehmen, zu ordnen und zu sortieren. Sie tat das nachmittags, und begann mit dem Dachboden.

Bald kam ihr der Gedanke, dass dieses Haus mehr zu erzählen hatte als Johannas ganzer Bericht. Wie etwa diese Bücher an der Nordseite. Sie lagen in einer alten Seemannskiste und waren alle zerfleddert. Zerlesen. Hatte Mutter sie aufgehoben, weil sie nicht das Herz gehabt hatte, Bücher wegzuwerfen? Hatte sie vorgehabt, sie zu reparieren? Manche waren am Rücken mit Klebeband zusammengehalten.

Ihr Leben lang hatte Johanna Bücher verschlungen. Dieses ganze Lesen musste doch Spuren hinterlassen haben. Dennoch erwähnte sie es kaum, nur Lagerlöf ganz am Anfang und dann irgendwann ganz beiläufig, dass sie jede Woche in der Bibliothek einen Stoß Bücher ausgeliehen hatte.

Warum haben wir nie über Bücher gesprochen? Hier gab es doch ein großes gemeinsames Interesse.

Weil du dich nicht getraut hast!

Nein, so kann es unmöglich sein.

Weil ich nicht zugehört habe? Ja.

Ich habe mich für dich als Person nicht interessiert, nur als Mutter. Erst als du krank wurdest, verschwandest und es zu spät war, kamen all die Fragen.

Am nächsten Nachmittag sah sie Mutters Kleider durch, schöne, gute Schneiderarbeit, gute Qualität. Wie Johanna selbst.

Sie fand eine ihr unbekannte Schachtel mit alten Fotografien. Wie hübsch du warst. Und das muss Astrid auf einer Brücke in Oslo sein. Anna hatte Herzklopfen, als sie die Bilder hinuntertrug und sich damit auf das Sofa im Wohnzimmer setzte. Es gab ein gemeinsames Bild von Astrid und Johanna, Arne musste es aufgenommen haben. Wie ähnlich sie sich waren.

Und ganz anders als Hanna, alle beide. Hier, im Übergang zwischen dem erdgebundenen Schwerfälligen und diesem Schmetterlingshaften, musste das Geheimnis liegen. Das … Überirdische.

Anna zögerte lange vor diesem Wort.

Fand kein besseres.

Das war etwas, was ihr gewusst habt, ihr beiden.

Ganz hinten am Dachfirst stand ein unförmiges Paket, riesengroß, fest in ein altes Segel eingeschlagen. Anna zog und zerrte, es war schwer, aber schließlich hatte sie es herausgezogen und die Schnüre gelöst.

Da war es: Hannas Värmlandsofa!

Als Rickard am Freitag kam, sah er zehn Jahre jünger aus. Er rannte durchs Haus, wie fleißig du gewesen bist.

Dann waren sie hemmungslos praktisch, sortierten, fuhren zur Müllhalde. Es war eine beeindruckend moderne Anlage, dafür gebaut, fast allem gerecht zu werden. Container für Kleider, große Kisten für Bücher, Papier hierher, Metall dorthin.

Um die Mittagszeit des nächsten Tages kamen, wie ausgemacht, Rune und Ingeborg. Sie waren jetzt schüchterner, als hätte Rickard sie erschreckt. Er war ebenfalls unsicher.

»Ich bin ja nun kein Geschäftsmann«, sagte er. »Aber ich habe einen Makler in der Stadt angerufen und einen Preis erfahren, der geradezu Schwindel erregend ist. Etwa eine Million«, sagte er.

»Das wird schon stimmen«, sagte Rune.

»Nein«, schrie Anna. »Das ist unverschämt, Rickard.«

»Klar, sag ich doch auch.«

»Es ist die Lage«, sagte Rune. »Aussicht aufs Meer und großes Grundstück.«

»Höchstens achthundert«, sagte Anna.

Jetzt war es aus mit Runes Schüchternheit: »Ich habe, zum Teufel noch mal, nicht die Absicht, meinen Nutzen aus der Sache zu ziehen, nur weil ich es mit Finanzidioten zu tun habe«, sagte er, und plötzlich fingen sie alle vier an zu lachen.

Jetzt sagte Ingeborg: »Wir haben ja Kapital, Anna, aus dem Fischereibetrieb der Eltern.«

Da schlug Rickard vor: »Jetzt begießen wir den Kauf erst mal ordentlich. Den Rest erledigen wir am Montag bei der Bank.«

»Das ist gut«, meinte Rune, und als Rickard mit dem Whiskey kam, fügte er hinzu: »Keine üble Sache.«

Nachdem die Gäste gegangen waren, saßen sie den ganzen Abend am Küchentisch, zeichneten und planten. Anna merkte sofort, dass Rickard schon lange überlegt hatte.

»Wir bauen eine neue große Küche in der Ecke nach Norden. In einem neuen Haus, begreifst du? Dort haben wir dann auch Platz für ein Badezimmer und eine Waschküche. Und Einbauschränke und andere Aufbewahrungsmöglichkeiten.«

»Und was ist mit Wasser und Kanalisation?«

»Ich habe draußen mit einem Baumeister gesprochen. Dafür gibt es heutzutage technische Lösungen.«

»Dann ist da noch der verglaste Gang zwischen den Häusern, ich würde ihn gern verbreitern, hier in der Mitte. Es könnte eine Art Wintergarten werden, weißt du.«

Anna nickte, glühend vor Eifer.

»Und hier wird Großmutters Värmlandsofa stehen«, sagte sie.

Sie hatten sich so hineingesteigert, dass sie nur schwer einschlafen konnten, und das war gut, denn um Mitternacht läutete das Telefon.

Anna erstarrte vor Schreck, nein, flüsterte sie, und Rickard sprang auf und hob ab: »Hallo! Hast du denn gar keinen Anstand im Leib? Weißt du, wie spät es ist?«

Wer, dachte Anna jetzt beruhigt. Er klang erfreut.

»Ja, das geht sicher ohne weiteres. Aber warte, ich muss mit meiner Frau sprechen.«

Er rief die Treppe hinauf, dass es Sofie Rieslyn sei, sie wäre gerade mit der Maschine aus London gelandet und wolle gern herkommen und ihre Fotos zeigen.

»Sie ist uns willkommen«, rief Anna, die zutiefst erstaunt war.

»Ich habe ganz vergessen, nach deinem Buch zu fragen«, sagte sie, als er zurückkam. »Schrecklich, wie ich mich benommen habe.«

»Das ist ja jetzt vorbei, Anna. Ich brauche aber deine Hilfe wegen eines Verlags und wegen … der Sprache. Ich möchte etwas anderes daraus machen als nur eine Reportage. Aber darüber reden wir morgen.«

Wie gut, dass ich mit meinem Manuskript fertig bin, dachte Anna, als Rickard eingeschlafen war. Wie hatte ich nur vergessen können, dass er diese Vertretung in London nur angenommen hatte, weil er ein Buch über die Stadt schreiben wollte.

Zusammen mit Sofie Rieslyn.

Auf der Grenze zum Schlaf fiel ihr ein, dass dies die berühmte Fotografin war, vor der sie Angst gehabt hatte. Paranoia, dachte sie. Pass verdammt gut auf dich auf, Anna.

Sie sieht aus wie eine Krähe«, sagte Rickard beim Morgenkaffee. Anna organisierte, wie immer, wenn sie nervös war:

»Ich werde Papas Zimmer in Ordnung bringen. Ihr ein Bett zurechtmachen. Und meine Papiere zusammenpacken. Dann könnt ihr für eure Arbeit den Schreibtisch und das Speisezimmer benutzen. Du fährst währenddessen auf den Fischmarkt und besorgst frischen Steinbutt.«

»Wird gemacht.«

Sie sah nicht aus wie eine Krähe, eher wie ein Rabe. Klein, konzentrierter Blick, beobachtend. Scharfe Falten im Gesicht, weiße Strähne im schwarzen Haar.

»Du siehst überhaupt nicht aus wie auf Rickards Bildern«, sagte sie zu Anna. »Ich mache neue.«

»Nimm dich in Acht«, sagte Rickard. »Sofies Geschwindigkeitsrekord hinsichtlich Porträtaufnahmen liegt bei vier Stunden.«

»Aber ich möchte es gern«, sagte Anna. »Ich möchte endlich mal wissen, wie ich aussehe.«

»Wer du bist«, sagte die Fotografin. »Das wird für einen selbst interessant, wenn man trauert.«

Es wurde ein langes, gemächliches Sonntagsessen, und dann sagte Sofie, sie wolle sich ausruhen.

»Kann ich verstehen«, sagte Rickard. »Du warst ja heute Nacht lange auf.«

Für gewöhnlich hatte Anna ihre Schwierigkeiten mit dem Journalistenjargon, mit diesem galligen Humor. Heute aber nicht, sie lachte, konnte an den Scherzen teilhaben.

Am Nachmittag packte Sofie ihre Fotos aus, Rickard pfiff vor Vergnügen durch die Zähne wie ein Straßenjunge. Und stöhnte: Wie, zum Teufel, schreibt man Texte zu solchen Bildern?

Anna ging von Tisch zu Tisch, und es dauerte eine Weile, bis die anderen sahen, dass sie jetzt blass und verschlossen war.

Hier war ein Mensch, der wusste, dachte sie. Einer, der immer am Detail haften bleibt, an dem wenigen, was das Gesamte ausdrückt.

»Was ist los, Anna?«

Sie gab keine Antwort, sie wandte sich an Sofie und flüsterte:

»Hast du dieses Wissen immer gehabt?«

»Ich glaube.«

»Ich habe es eben erst gelernt. In den drei Wochen hier am Strand habe ich es gelernt.«

»Gut, Anna. Du wirst es nicht wieder verlieren. Du weißt, wer einmal gesehen hat …«

»Ich verstehe.«

Nach einer langen Pause sagte Rickard, er habe schon begriffen, dass ein ganz gewöhnlicher Schreiberling keine Fragen zu stellen hätte.

»Genau«, sagte Sofie, und Anna stimmte in ihr Lachen ein.

»Gemeine Frauenzimmer«, sagte Rickard, und Anna spendete Trost, wie sie es gewohnt war: »Ich erklär's dir später, Rickard.«

»Hallo, ihr da«, mahnte Sofie, und Anna wurde rot.

Sie reiste schon am selben Abend wieder ab, in ihr vernachlässigtes Atelier in Stockholm, wie sie sagte. Wir sehen uns wieder, meinte sie, und Anna wusste, dass das stimmte, sie würden sich wiedersehen.

Am Montag trafen sie sich, wie vereinbart, mit Rune und Ingeborg in der Bank.

Am Dienstag kamen die Kinder aus Stockholm. Gemeinsam räumten sie das Haus aus und brachten es in Ordnung. Malin wollte eine Kommode und zwei Sessel haben, Maria, die Büchern nie hatte widerstehen können, packte den Inhalt des Bücherregals in ihr Auto, beide wollten das alte Porzellan haben, Rickard nahm sich einen Teil des Werkzeugs aus Arnes Keller.

»Und du, Mama? Willst du gar nichts haben?«

»Doch, ich will das Värmlandsofa vom Dachboden.«

»Herr im Himmel!«

»Nostalgische Werte?«

»So kann man's nennen.«

Am Mittwochnachmittag waren sie fertig. Früh am Donnerstagmorgen sollten Ingeborg und Rune kommen, um die Schlüssel zu holen. Dann wollten sie mit den voll geladenen Autos auf der S40 Richtung Osten fahren und danach auf der E4 nach Norden.

Diese weite Heimreise, dachte Anna.

Nach einem leichten Mittagessen mit kaltem Braten und Lachs sagte sie: »Jetzt hört mal alle zu. Ich will euch jetzt nämlich ein Märchen erzählen.«

Die Augen der kleinen Mädchen leuchteten, sie liebten Annas Märchen. Aber Malin wurde ängstlich: »Ich halt's nicht aus, wenn du sentimental wirst, Mama.«

»Setz dich mal ruhig hin und hör zu«, erwiderte Anna.

Und dann erzählte sie von dem alten Landstrich an der Grenze zu Norwegen, vom Wildbach und der Mühle, vom Müller, der aus Värmland kam und Hanna zur Frau nahm.

»Das war die Großmutter eurer Großmutter«, sagte sie zu den Kindern.

Sie sprach weiter von dem reichen Bauernhof, den Hannas Vorfahr einst vom König selbst erhalten hatte. Dann kam sie zu den Notjahren, den Kindern, die verhungerten, und dem Hof, der in immer kleinere Gehöfte aufgeteilt wurde.

»Als der letzte Großbauer starb, war der Hof noch eine ganze Menge wert«, erzählte sie. »Seine Tochter teilte das Erbe. Hanna bekam das Besitzrecht für die Mühle und das Vieh, das auf dem Hof war, und ihre Brüder bekamen die kleineren Höfe.«

»Aber es gab da noch eine Schwester, ein elfengleiches Mädchen, das nach Norwegen heiratete.«

Anna zeigte das Foto von Astrid, und das kleinere Mädchen sagte: »Sie sieht aus wie Großmutter Johanna.«

»Wie schön, dass du das siehst«, freute sich Anna, und erzählte weiter die ganze Geschichte.

Danach gingen sie zu Bett und in der Dämmerung am anderen Morgen fuhren sie alle von dem Haus weg. Ingeborg sagte, dass sie immer für einen Besuch willkommen wären, und Anna bedankte sich, dachte aber wie Hanna damals, als sie das Müllerhaus verließ:

Hierher komme ich nie wieder.

Best Selection

SABRIYE
TENBERKEN

MEIN WEG FÜHRT NACH TIBET

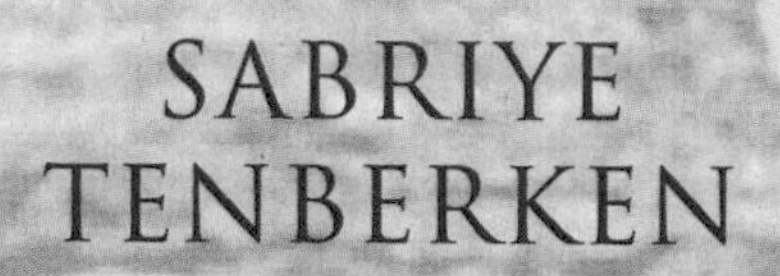

SABRIYE TENBERKEN

MEIN WEG FÜHRT NACH TIBET

Als Kind wurde sie blind. Als Studentin erfand sie eine tibetische Blindenschrift. Mit 26 erfüllte sich Sabriye Tenberken ihren Lebenstraum.

SABRIYE TENBERKEN

Sie ist seit ihrem zwölften Lebensjahr vollständig blind, trotzdem hat sie mehr erreicht als viele Sehende. Eine angeborene fortschreitende Netzhaut-Degeneration hat bei der 1970 geborenen Sabriye Tenberken langsam zum Verlust des Augenlichts geführt. Aber behindert fühlt sie sich deshalb nicht: »Ich hatte nie das Gefühl im Dunkeln zu stehen. Vielleicht ist die Welt für mich manchmal schöner, weil ich sie mir selbst ausmalen kann.«

Als erste Blinde studiert sie in ihrer Heimatstadt Bonn Tibetologie. Mit 22 entwickelt Sabriye Tenberken dann eine Welt-Neuheit: die tibetische Blindenschrift. Im Mai 1997 bricht die junge Frau allein ins Himalaya auf, um auf dem tibetischen Hochland eine Schule für Blinde aufzubauen. Im Mai 1998 wird dieser Traum wahr. Gemeinsam mit ihrem Freund Paul Kronenberg eröffnete sie eine Blindenschule in Lhasa und unterrichtet dort heute sechs Mädchen und elf Jungen. Neben dem Ausbau und Betrieb der Schule kümmert sich Sabriye Tenberken derzeit auch um ein Ausbildungszentrum für Erwachsene in Lhasa.

Im März 2000 erhielt sie für ihr Engagement den Norgall-Preis des International Women's Club und im Dezember 2000 wurde Sabriye Tenberken mit »Deutschlands Medien-Oscar«, dem Bambi, ausgezeichnet. Eine Kinoverfilmung des Buches ist in Vorbereitung.

1

»Kelsang Meto! Kelsang Meto!«

Die Rufe kommen von tief unten. Ich treibe das Pferd weiter. Ruhig und sicher platziert es seine Hufe auf dem steinigen Schräghang. Einen richtigen Weg gibt es nicht, und das Tier hält von Mal zu Mal inne, wie um abzuwägen, welcher Felsbrocken den sichersten Tritt verspricht.

Ein Bauer hatte uns vor dem Unwetter gewarnt: Wir sollten versuchen, möglichst schnell ins nächste Dorf zu gelangen. Diesseits des Passes würden wir zwischen den Geröllhalden höchstens ein bisschen Gras zum Lagern finden, aber nichts, was uns in der Nacht Schutz bieten könnte.

Wind setzt ein, er pfeift in den Ohren und reißt am Gepäck, das hinter mir am Sattel festgebunden ist. Der Wind wird stärker. Er entwickelt sich allmählich zum Sturm. Zum Glück können uns die Windstöße hier nicht gefährden, denn sie kommen von hinten und drücken uns lediglich gegen den Berg.

Bald höre ich das Keuchen der anderen. Sie sind abgestiegen und klettern nun neben den Tieren her. Ich verlasse mich lieber auf mein Pferd, lasse die Zügel lang herunterhängen und konzentriere mich völlig darauf, Nagpo ruhig zu halten.

Dann haben wir es geschafft. Das Pferd steht schweißgebadet und schwer schnaubend auf der Passhöhe. Der Sturm will uns auf die andere Seite des Berges treiben. Ich steige ab und stelle mich in Nagpos Windschatten, um auf die anderen zu warten.

Als alle unüberhörbar fluchend und völlig außer Atem die Passhöhe erreicht haben, geht es weiter, zunächst ein Stück auf dem Grat entlang. Ich mit Nagpo voran, inständig hoffend, dass wir auf der anderen Seite einen gangbaren Weg finden. Behutsam wählt er eine Route und testet sie mit den Hufen. Die Erde rutscht unter seinen Tritten, Steine rollen in die Tiefe. Es gibt wohl doch keinen richtigen Weg.

Nagpo zögert einen Moment, und dann setzt er an: ein Sprung von Fels zu Fels, ein gewagter Satz, wie auch meine Reisegefährten später berichten. Es geht über eine breite und unendlich tiefe Felsspalte. Mein linker

Steigbügel löst sich bei diesem Sprung, und nach einer elend langen Sekunde klirrt er leise tief unten auf dem felsigen Boden.

Ich spüre, wie sich meine Höhenangst bemerkbar macht, und für einen kurzen Augenblick packt mich das kalte Grausen. »Kelsang Meto!« Die Stimmen klingen verzweifelt. Die anderen stehen mit ihren Pferden noch jenseits der Felsspalte.

»Ich warte hier«, rufe ich zurück, »sucht euch einen anderen Weg!« Nach langen Minuten höre ich, wie sie sich von einer anderen Seite nähern. Aber ich höre noch etwas anderes, ein Donnergrollen in der Ferne, das rasch näher kommt. »Weiter! Weiter!« rufen sie mir zu, und mit einem leisen »Tschua!« setze ich Nagpo wieder in Bewegung.

Der Sturm wird stärker. Er zerrt an meinem Hutband und reißt mir den Hut vom Kopf. Ich lasse ihn fliegen. Die Menschen hier glauben, dass ein wieder gefundener Hut Unglück bringt. Das kann ich im Moment nicht brauchen. Wichtig ist nur die Konzentration meiner vier Sinne auf das, was hier geschieht: Ich brauche meine Ohren, um die Steinlawinen heranrollen zu hören, ich brauche meinen Mund, um mit beruhigenden Lauten das Pferd bei Laune zu halten, und ich brauche meinen Gleichgewichtssinn, um auf dem hölzernen Sattel, dessen Bauchgurt sich langsam zu lösen beginnt, sicher oben zu bleiben. Jetzt zählt nur die Bewegung unter mir, jeder Tritt und Sprung des Pferdes.

Es donnert nicht weit von uns. Ich höre ein lautes Krachen, Steine splittern, Pferde wiehern panisch, und dann ein Schrei, der mich aus meiner Konzentration reißt. Was war das? Es hatte sich angehört, als wäre ein Felsbrocken in die Tiefe gestürzt und hätte jemanden mit sich gerissen. In meiner Vorstellung sehe ich einen zerschmetterten Körper tief unten in der Felsschlucht. Ich war es, die sie gezwungen hat, mir über den Pass zu folgen, schießt es mir durch den Kopf. Sie wollten mich nicht alleine lassen. Und jetzt ist es meine Schuld, wenn etwas passiert ist.

Ich versuche Nagpo auf dem engen Bergpfad zu wenden, doch jetzt beginnt er zu bocken, er will weiter nach unten. Es beginnt zu regnen. In mächtigen kalten Strömen fließt das Wasser auf mich herab, läuft in meine Kleidung, und bald bin ich durch und durch nass. Plötzlich vernehme ich Pferdegetrappel, das sich schnell von oben nähert. »Was ist passiert?« rufe ich in die Dunkelheit.

Ich höre eine Stimme, doch Regen und Wind verschlucken die Worte. Erst als sie näher kommen, höre ich, wie sie rufen: »Weiter, weiter! Nichts passiert, nur ein kleiner Sturz!«

Ich steige wieder auf, und gefolgt von den klappernden Hufen der Pferde und den polternden Stiefeln der Reiter, die neben ihren Tieren herlaufen, treibe ich Nagpo weiter abwärts. Es geht um eine kleine Felsnase, und ich merke, wie der Weg unter seinen Hufen allmählich eben und sandig wird.

2

»Die Passagiere des Fluges CA936 nach Peking werden gebeten, sich zum Flugsteig B zu begeben.«

Es war nicht meine erste Reise nach China, und es war auch nicht das erste Mal, dass ich alleine reiste. Dennoch hatte ich aus meinem Freundeskreis die verschiedensten Bedenken und Vorwürfe zu hören bekommen.

Ein Kommilitone brach in schallendes Gelächter aus, als ich mich von ihm verabschiedete: »Blind durch Tibet. Das klingt ja wie ein Hollywood-Film.« Und die Mutter einer Freundin fragte besorgt, ob ich denn eine Erlaubnis von meinen Eltern hätte. Ich war zu der Zeit sechsundzwanzig.

Christoph, mein damaliger Freund, hatte nur gefragt: »Was willst du eigentlich damit beweisen? Wer zwingt dich denn, alles alleine durchzuziehen? Kannst du nicht erst einmal dein Studium beenden; dann können wir zusammenleben und auch zusammen reisen.«

Fast hätte ich mich schon schuldig gefühlt, doch dann setzte ich mich zur Wehr: »Was hält dich denn hier zurück? Pack deine Sachen und lass deinen Job und alles hinter dir!«

Vielleicht war es ja wirklich verrückt, alleine nach Tibet zu fahren, um mal eben die Lebensverhältnisse der blinden Menschen dort zu erkunden. Normalerweise würde man dafür ein ganzes Forschungsteam losschicken. Zumindest würde jeder vernünftige Mensch einen solchen Trip rundherum abgesichert über eine Reiseagentur buchen. Was brachte mich immer wieder zu solchen Alleingängen?

Bis heute weiß ich die Antwort nicht genau. Aber es gibt einen Traum, den ich vor jeder großen Anspannung träume:

Ich stehe am Rand einer Sanddüne und schaue aufs Meer. Plötzlich sehe ich, wie sich weit hinten am Horizont eine tiefblaue Wasserwand aufbaut und langsam und lautlos auf den Strand zurollt. Alle Menschen springen auf und rennen mir entgegen. Aber ich gehe auf die Wasserwand zu. Ich fühle, wie angespannt und konzentriert ich bin, aber auch fasziniert von dem, was da kommen mag.

Irgendwann, wenn die Spannung am höchsten ist, schlägt sie um und rollt über mich hin. Und da merke ich, dass die Last, die ich in den Wassermassen vermutet hatte, gar nicht so schwer ist. Im Gegenteil. Ich fühle mich leicht und stark und voller Energie, habe das Gefühl, dass ich alles, was ich will, auch erreichen kann.

»Die Passagiere werden gebeten, sich zum Flugsteig B zu begeben!«

»Das war schon der zweite Aufruf! Jetzt musst du aber los.« Meine Eltern waren schon ein bisschen nervös. Doch sie ließen mich im Vertrauen darauf, dass ich mich schon durchschlagen würde, gerne ziehen. Meine Mutter hatte sich sogar von meiner freudigen Erregung anstecken lassen. »Wenn du etwas wirklich willst, dann wirst du es auch irgendwie schaffen«, hatte sie gesagt.

Dennoch hatte ich jetzt das Gefühl, sie, meinen Vater und vielleicht auch mich selbst beruhigen zu müssen. Und so meinte ich: »Es ist doch eigentlich nichts dabei. Was unterscheidet mich schon von jeder anderen Touristin?«

Und wie jede andere Touristin suchte ich nach dem dritten Aufruf mein Handgepäck zusammen. Neben uns stand schon ein Elektrofahrzeug bereit, um mich durch die unendlich langen Gänge des Frankfurter Flughafens zu transportieren – eine bequeme und lustige Angelegenheit. Aber ein wenig blöd kam ich mir auch vor, denn ich bin zwar blind, aber laufen kann ich prima.

»Wohin soll es denn gehen?« fragte der Elektrowagenfahrer interessiert.

»Nach Peking, und von da reise ich weiter nach Tibet.«

»Und das machen Sie so ganz alleine?« fragte er verwundert.

»Wenn ich nicht allein sein möchte und Hilfe brauche, dann bin ich auch nicht allein. Stellen Sie sich mal mit einem Blindenstock an einen belebten Ort. Das Schöne ist, dass man auf diese Weise nur eine bestimmte Kategorie von Menschen trifft, nämlich die offenen und klugen Zeitgenossen. Die anderen, die ignoranten und arroganten, wollen sich doch gar nicht mit einem Blinden abgeben.«

»Das leuchtet mir ein«, sagte er schnell, denn er gehörte natürlich auch zu der angenehmen Sorte.

Am Flugsteig B angekommen, sprang er raus und machte Anstalten, mich umständlich aus dem Fahrzeug zu heben. »Vielen Dank für Ihre Bemühungen, aber ich kann sehr gut allein aussteigen«, sagte ich freundlich, aber bestimmt.

Damit er nicht zu sehr gekränkt war, ließ ich ihn eine kleine Tragetasche zum Schalter bringen, wo er gleich halblaut mit dem Personal zu flüstern begann: »Das ist eine blinde Frau, die alleine nach Tibet reist. Kümmern Sie sich bitte um sie!«

Während des Fluges saß ich neben einem deutschen Flugzeugmechaniker, was mich absurderweise etwas beruhigte. Er hätte zwar bei einem Maschinenschaden hier oben in der Luft nicht viel tun können, aber immerhin konnte ich ihn bei ungewöhnlichen Geräuschen fragen, ob das alles seine Richtigkeit habe.

Links von mir saß ein Chinese, der sich bei der Stewardess eine »China Daily« bestellt hatte und während meiner Konversation mit dem Mechaniker über Flugzeuge und das Fliegen im Allgemeinen in seine Zeitung vertieft schien. Als das Abendessen abgeräumt war, nahm ich all meinen Mut zusammen und fragte ihn unter Anwendung meiner frisch erworbenen Chinesischkenntnisse: »Sie leben in Peking?«

Ich bekam keine Antwort. Vielleicht hatte er nur genickt. Und so fragte ich einfach weiter, wie ich es in meinem dreiwöchigen Intensivkurs am Bochumer Sinicum gelernt hatte: »Haben Sie Kinder?«

Wieder keine Antwort. Vielleicht hatte er erneut genickt oder gar nicht reagiert, weil er nicht gerne zugeben wollte, keine Kinder zu haben.

»Ich habe keine Kinder«, meinte ich, um ihm zu signalisieren, dass wir möglicherweise das gleiche Los teilten. Ich fügte hinzu, dass ich 26 Jahre sei und Zentralasien-Wissenschaften an der Bonner Universität studiere.

Irgendwie schien ihn das nicht zu beeindrucken. Er war vielleicht schüchtern oder hatte mich einfach nicht verstanden. Wahrscheinlich ließ meine Aussprache erheblich zu wünschen übrig, und ich sagte entschuldigend: »Es tut mir leid, aber mein Chinesisch ist nicht sehr gut, ich habe ja nur drei Wochen gelernt.«

Mir wurde langsam unbehaglich zumute, denn noch immer kam keine Reaktion von links. Dafür aber von rechts. Der Flugzeugmechaniker klopfte mir auf die Schulter und meinte: »Fräulein, der Herr schläft und hat einen Kopfhörer auf, er kann Sie gar nicht hören.«

Als wir nach elf Stunden Flugzeit in Peking ankamen, war es bereits Mittag. Stickige Hitze erwartete uns, ein starker Kontrast zu der kalten Witterung in Deutschland. Die Sonne brannte erbarmungslos, und mir fiel das Atmen schwer. Ein Flugzeugmechaniker begleitete mich bis zur Passkontrolle und verabschiedete sich: »Viel Glück für Ihre Reise. Man wird ja bestimmt mal von Ihnen in der Zeitung lesen.«

Ja, ja, dachte ich, »blinde Studentin in China vermisst«, das wird man lesen.

Jetzt war ich allein. Wie sollte es weitergehen? Angst hatte ich eigentlich nicht. Ich war nur ein bisschen angespannt, wie vor einer Prüfung, für die ich gut gelernt hatte. Irgendwie musste ich jedenfalls zu meinem Gepäck kommen.

Ich stellte mich, mit Handgepäck und Stock bewaffnet, an eine belebte Stelle. Stöckelschuhe klapperten hektisch neben gelassen ausschreitenden Wanderschuhen. Kinder schrien aufgeregt, ich hörte chinesische, deutsche und englische Wortfetzen. Es wimmelte von Menschen, doch keiner blieb stehen.

Nach einer Weile hörte ich einen Chinesen, der vermutlich zu einer Schalterbeamtin hinter einer Glasscheibe sprach. Das war mein Schalter. Die Beamtin konnte mir bestimmt den Weg zum Gepäckband zeigen.

Als ich an der Reihe war, beugte ich mich zum Guckloch herunter und fragte: »Entschuldigung, können Sie mir sagen, wo ich mein Gepäck finden kann?«

Die Frau hinter der Glasscheibe stand auf. »Da vorne«, meinte sie und deutete wohl irgendwohin. Ich versuchte es noch einmal: »Entschuldigung, ich kann nicht sehen, und deswegen muss mir jemand zeigen, wo ich mein Gepäck finden kann.«

Unglücklicherweise bedeutet aber im Chinesischen »nicht sehen können« auch »nicht lesen können«. Und so meinte sie sehr hilfsbereit: »Wenn sie kein Chinesisch können – dort gibt es auch ein Schild in englischer Sprache.«

Der Mann hinter mir räusperte sich nervös. Dann sagte er ungeduldig und ziemlich laut: »Die Ausländerin ist blind und braucht jemanden, der sie dorthin begleitet!«

Als ich mein Gepäck endlich eingesammelt hatte, fragte ich nach einem Taxistand. Zu meiner Überraschung klappte das ohne Probleme. Ich hatte an diesem Tag also schon einiges gemeistert, hatte meinen Rucksack gefunden, mit dem Fahrer einen Preis ausgehandelt und saß nun müde und zufrieden auf dem Rücksitz eines klappernden Taxis, das mich zu meinem Hotel im Zentrum fuhr.

3

Die Tage in Peking vor meiner Weiterreise nach Chengdu waren eine gute Lehrzeit. Ich kam ja aus einem Land, wo die Mutterinstinkte und Helfersyndrome auf Hochtouren laufen, wenn nur die Spitze eines Blindenstockes zu sehen ist. Wenn ich in Deutschland irgendwo zufällig in der Nähe eines Straßenübergangs auf jemanden wartete, passierte es mir oft, dass ich »haste nicht gesehen« gepackt und über die Straße gebracht wurde. Wenn ich dann protestierte, ließ mich der übereifrige Helfer schon mal vor Schreck und Scham mitten auf der Straße zurück und suchte schleunigst das Weite. Nein, über deutsche Hilfsbereitschaft brauchte ich mich nicht zu beklagen.

Hier in Peking war das anders. Abgesehen davon, dass es kaum Fußgängerampeln und Zebrastreifen gab, verstanden nur die Wenigsten den weißen Stock als Signal, das ihre Hilfsbereitschaft mobilisiert hätte. »Was ist denn das?« fragte mich eine Passantin, die mir entgegenkam. Sie nahm den Stock hoch und untersuchte ihn eingehend. »Den brauchen Sie nicht, hier gibt es doch Taxis, Busse und Straßenbahnen.« Es dauerte etwas, bis ich begriff, dass sie meinen Stock für einen Wanderstab hielt. Später, in Tibet, wurde ich auch schon mal gefragt, ob ich zum Skifahren ginge oder Schafe hüten wolle. Solche Missdeutungen passierten natürlich auch in meiner Heimatstadt Bonn: »Is dat en Minensuchjerät oder wat?«

»Bist du schon seit deiner Geburt blind?«

Ich saß neben einem sechsjährigen Mädchen im Flugzeug nach Chengdu.

»Carry!« Die Mutter, eine junge Britin, flüsterte streng: »So was kannst du doch nicht fragen.«

Natürlich konnte sie so was fragen. Ich war sogar froh darüber. Es gibt so viele Hemmungen und Unsicherheiten im Umgang mit Blinden, die nur auf diese Weise ausgeräumt werden können. Ich reagierte nicht auf den Einwand der Mutter und antwortete: »Das ist eine schwierige Frage. Meine Eltern haben meine Sehschädigung entdeckt, als ich ein kleines Kind war. Da konnte ich aber noch viel mehr sehen als heute.«

»Was denn?«

»Bis zum zwölften Lebensjahr habe ich Gesichter und Landschaften erkannt ... und ich konnte Farben sehen und habe immer sehr viel gemalt.«

Farben spielen bis heute eine wichtige Rolle für mich. Meine Eltern taten gut daran, dem Rat der Augenärzte zu folgen, mich so lange wie möglich in der Farbwahrnehmung zu schulen. Und da Farben fast das Einzige waren, was ich wirklich sehen konnte, nutzte ich sie zur Orientierung. Beim Fahrradfahren zum Beispiel waren es der Grünstreifen oder der dunkelgraue Schatten der Bordsteinkante auf dem Asphalt.

Noch wichtiger aber sind Farben für mich als Gedächtnisstütze. Seit ich denken kann, habe ich Zahlen und Wörter Farben zugeordnet. So hat zum Beispiel die Zahl 4 eine goldgelbe Farbe, die 5 ist hellgrün und die 9 tomatenrot. Das macht es mir leicht, mir Telefonnummern oder Mathematikaufgaben zu merken. Auch Wochentage und Monate haben Farben und sind zusätzlich in geometrischen Formationen wie bei einer »Tortenstück-Grafik« angeordnet. Möchte ich also wissen, an welchem Wochentag ein bestimmtes Ereignis stattgefunden hat, erinnere ich mich zunächst an die Farbe des Tages, und wenn ich mir da nicht ganz sicher bin, an die Position innerhalb eines Tortenrunds. Viele, mit denen ich in meiner Kindheit darüber sprechen wollte, hielten mich für verrückt. Erst später habe ich erfahren, dass dies eine seltene, angeborene und obendrein ganz praktische Fähigkeit ist, die mir immer, besonders in der Schule, gute Dienste geleistet hat.

»Und was siehst du jetzt?« wollte Carry wissen.

»Ein Augenarzt würde wohl sagen, dass ich so gut wie nichts sehe. Vielleicht ein bisschen Licht und Schatten. In meiner Phantasie und in meinen Träumen sehe ich aber sehr viel mehr. Landschaften in vielen Farben und sogar Gesichter.«

»Bist du denn manchmal traurig, dass du nicht wirklich sehen kannst?«

Ich überlegte eine Weile, diese Frage hatte mir so noch niemand gestellt. »Ich glaube, dass ich als kleines Kind oft sehr verzweifelt war. Ich habe viel geschrien, und keiner wusste warum. Aber ich denke nicht, dass ich traurig war, nicht richtig sehen zu können. Ich war nur oft enttäuscht und gekränkt, wenn ich das Gefühl hatte, die anderen würden mich nicht verstehen. Entweder dachten sie, ich könnte normal sehen, und wurden böse, wenn ich nicht richtig reagierte. Oder sie dachten, ich sei irgendwie schwer von Begriff, nur weil ich blind war. Viele redeten dann ganz langsam und laut mit mir, und wenn eine Freundin, mein Bruder oder meine Eltern bei mir waren, sprachen sie mich oft nicht direkt an, sondern fragten einfach über mich hinweg: ›Möchte sie vielleicht ein Bonbon?‹ ›Passen ihr diese Schuhe?‹«

Carry fing an zu lachen: »Aber du bist doch nur blind und nicht taub! Und sprechen kannst du auch!«

4

Wenn ich an Chengdu zurückdenke, fällt mir zuerst das feucht-heiße Klima ein und der stets wolkenverhangene Himmel. Es gibt dort sogar ein Sprichwort, demzufolge die Hunde vor Schreck zu bellen beginnen, wenn die Sonne mal aus den Wolken guckt.

Eigentlich fühlte ich mich in Chengdu ganz wohl. Die Leute waren freundlich, und es ging nicht so hektisch zu wie in Peking. Ich lernte eine Gruppe junger chinesischer Künstler kennen, die mich oft zu einer kleinen Bar im Stadtzentrum mitnahmen. »The Little Bar«, so hieß der Ort, unterschied sich kaum von irgendeiner Altstadtkneipe in Bonn oder Köln. Und hinter der Theke stand meist Tang Lei, die Besitzerin der Kneipe. Tang Lei hatte einige Zeit in Bonn gearbeitet und sprach fließend Deutsch.

»Weißt du, dass du hier eine Berühmtheit bist?« meinte sie eines Abends mit ihrer dunklen Raucherstimme. »Alle reden von der blinden Europäerin, die mit dem Pferd durch die Wildnis reiten wollte, um den Blinden zu helfen.« Sie stellte mir ein kühles Bier vor die Nase. »Du brauchst heute nicht zu zahlen, du bist unser Gast, denn du tust etwas für unser Land.«

»Hat ja alles nicht geklappt«, sagte ich missmutig.

Tatsächlich war ich nur bis Kangding gekommen. Die kleine Stadt liegt zweihundert Kilometer westlich von Chengdu am Rande eines großen, weithin unzugänglichen Gebiets, das überwiegend von tibetischsprachigen Khampas besiedelt ist. Dieses Bauern- und Nomadenvolk unterscheidet sich in Verhalten und Sprache aber von den Zentraltibetern. Neben lautlichen und grammatikalischen Besonderheiten gegenüber dem Lhasa-Dialekt fällt auf, dass die Menschen hier weniger Höflichkeitsfloskeln verwenden. Die Khampas sind in aller Regel sehr direkt und kommen ohne Umschweife zur Sache.

»Wenn du ein Pferd brauchst«, hatte ein junger Nomade gesagt, als ich ihm von meinen Plänen erzählte, »dann schenk ich dir meins, und mich bekommst du dazu!«

Es folgte ein herzliches Lachen, als ich dankend ablehnte. Ich machte mich lieber auf die Suche nach einem Pferd, das ich käuflich erwerben konnte. Das gelang rasch, und auch einen vertrauensvollen Begleiter hatte ich bald gefunden, einen Studenten aus Chengdu, der in Kangding in einem Tourismusbüro arbeitete. Er sprach Tibetisch, Chinesisch und darüber hinaus ein bisschen Englisch.

Zusammen planten wir die notwendigen Einkäufe und die Route, die wir nehmen wollten. Es sollte von Kangding nach Derge gehen, nahe der Grenze zur Autonomen Region Tibet. Auf unserem Weg wollten wir nach blinden Menschen Ausschau halten, um eine kleine Statistik über die Ursachen und die Häufigkeit von Blindheit in Höhenregionen aufzustellen.

Am Tag bevor wir den Pferdehandel abschließen wollten, bekam ich eine offizielle Einladung zum Gouverneur. Alle hohen Beamten der Region waren versammelt, der Direktor des Gesundheitsamtes, der Referent für Auswärtige Angelegenheiten, der Direktor des Schulamtes und ein Augenarzt vom örtlichen Hospital. Es gab Milchtee und Ölgebäck, und alles war sehr feierlich, dennoch schwante mir Böses. Ein Übersetzer war leider nicht anwesend, und so kramte ich all mein Chinesisch und Tibetisch hervor, um mein Anliegen so klar wie möglich vorzutragen.

»Wir wissen schon alles«, sagte der Gouverneur freundlich. »Wir haben bereits mit Chengdu telefoniert, um die notwendigen Papiere zu besorgen.«

»Heißt das, ich habe die offizielle Erlaubnis?« So schnell hätte ich mir das nicht träumen lassen.

»Nein.« Das war der Referent für Auswärtige Angelegenheiten. »Sie wollen durch Gebiete reisen, die für Ausländer geschlossen sind. Es gibt dort häufig Erdbeben und gefährliche Erdrutsche, die die Straßen blockieren, außerdem Räuber, die sie überfallen könnten.«

Jetzt meldete sich der Augenarzt zu Wort: »Ihre Idee ist sehr gut, aber es gibt in der gesamten Region keinen einzigen Blinden.«

»Das ist ja hervorragend«, sagte ich. »Dann sind Sie ja auch nicht auf die finanziellen Mittel für den Aufbau einer Blindenschule angewiesen.« Ich hatte den Behörden mitgeteilt, dass ich später Spenden für meine Arbeit sammeln wollte.

Leises, nervöses Tuscheln auf der Seite der Direktoren. Dann meinte der Gouverneur höflich: »Sie müssen leider wieder nach Chengdu zurück. Wenn Sie eine Reiseerlaubnis haben, unterstützen wir Sie gerne bei Ihrem Vorhaben. Wir stellen Ihnen dann auch kostenlos einen Geländewagen zur Verfügung.«

Das war ja ein großherziges Angebot, wo es doch gar keine Blinden gab. Ich bedankte mich freundlich und wollte mich schon verabschieden, als der Direktor des Gesundheitsamtes mich zurückhielt: »Wenn Sie keine Erlaubnis bekommen, können Sie Ihre Hilfsgelder auch gerne an uns weiterleiten. Wir werden dann sehen, was wir für die Blinden tun können.«

Sollte das schon das Ende meiner großartigen Pläne gewesen sein? Ich kaufte mir erst mal ein Busticket für die Rückfahrt und kam nach eineinhalb Tagen schmutzig und erschöpft wieder in Chengdu an.

In Chengdu hörte ich stets den gleichen Spruch: »Wir können leider nichts für Sie tun. Aber wir finden Ihr Anliegen sehr wichtig. Gehen Sie doch zur XY-Behörde, die kann Ihnen sicher weiterhelfen.« Auf diese Weise wurde ich vom Amt für Auswärtige Angelegenheiten zum Schulamt, von dort zur Gesundheitsbehörde und schließlich wieder zum Ausgangspunkt zurückgeschickt.

Irgendwann hatte ich genug. Was hatte ich dem Elektrowagenfahrer in Frankfurt gesagt? Flexibel muss man sein. Man darf sich nie auf einen Plan versteifen.

»Möchtest du noch ein Bier?« fragte Tang Lei am Tresen von »The Little Bar«.

Ich schüttelte den Kopf. Ich musste am nächsten Morgen um fünf Uhr raus, um meinen Flug nach Lhasa nicht zu verpassen: Ich wollte dort oben die restlichen zwei Monate als Touristin mit Sightseeing und kleinen Ausflügen verbringen, mehr nicht.

5

»In Tibet ist das Wetter immer schön, die Sonne scheint den ganzen Tag von einem strahlend blauen Himmel. Keine Sorge, der Monsun kommt nicht nach Lhasa, dafür sind die Berge einfach zu hoch«, hatte ich im Flugzeug zu meiner Nachbarin gesagt, die ein Jahr an der Universität von Chengdu studiert hatte und sich schrecklich nach Sonne sehnte.

Nun steuerten wir auf den kleinen Flughafen von Lhasa zu, und rings umher war alles voller Wolken. Es regnete in Strömen, als wir über den Flugplatz zum Abfertigungsgebäude liefen, und meine Autorität als Tibetkennerin war dahin.

Die Fahrt nach Lhasa dauerte eineinhalb Stunden, da der Bus auf dem Weg vom Flughafen einen großen Umweg nehmen musste. Endstation war das Yak-Hotel, das die meisten Reiseführer als erste Adresse nennen. Ich nahm lieber meinen Rucksack und sprang aus dem Bus, um mir eine Herberge nach meinem Geschmack zu suchen. Ich wusste, dass es viele davon auf der Beijingdong-Lu gibt, einer Hauptverkehrsstraße, die auf den Platz vor dem Potala, dem Winterpalast des Dalai Lama, zuführt.

Wie sehr hatte sich Lhasa schon rein akustisch verändert. Auf den breiten Straßen, die vor drei Jahren noch fast unbefahren waren, wimmelte es nun von hupenden Pkws, klingelnden Rikschas und rumpelnden Lastwagen. Dazwischen die langsamen Tucktucks, kleine Trecker, die mitten im Verkehrschaos vor sich hinstotterten und deren Ladeflächen bis zum Rand mit irgendwelchem Schrott, Baumaterial oder einfach nur Erde gefüllt waren. Doch trotz der Verkehrsbelastung gab es hier, im Gegensatz zu Chengdu oder Peking, kaum Smog. Sicherlich stank es in der Nähe eines Müllberges, und in kleinen Gassen roch es nach Urin und menschlichen Exkrementen. Aber vor allem zog der Geruch von Weihrauch, Gewürzen und Essensdüften aus einem der zahlreichen Restaurants durch die Stadt.

Besonders fielen mir die Straßenkinder auf. Beim Laufen klammerten sie sich an mir fest und riefen mit weinerlicher Stimme: »Gutschi, gutschi! Money, money!« Auch die entnervenden Hallo-Rufe hatten innerhalb von drei Jahren dramatisch zugenommen. Von überall her schallten sie mir entgegen. Es war gar nicht so einfach, den Versuch einer ernsthaften Kontaktaufnahme von einem einfach nur dahingeplapperten »Hallo« zu unterscheiden.

Bald schon hatte ich Lhasa auf eigene Faust erkundet und mich schon in der Stadt eingelebt. Ich genoss es, in aller Frühe bei Tee und wunderbar saurem Joghurt auf der Dachterrasse des Banak Shol zu sitzen. Diese im traditionellen Stil erbaute Herberge östlich vom Potala und in der Nähe der Altstadt ist besonders bei Rucksacktouristen beliebt. In den Morgenstunden hatte ich die schönste Ruhe, mein Tagebuch auf ein kleines Diktiergerät zu sprechen. Später lief ich eine Runde auf dem Barkhor, der Pilgerstraße, die um den Jokhang-Tempel herumführt, das zentrale Heiligtum Lhasas und zugleich das Herz Tibets.

Den Barkhor zu finden war nicht schwer. Ich brauchte nur durch das Labyrinth der vielen kleinen Altstadtgässchen zu schlendern, und irgendwann wurde ich von der Menschenmenge gepackt, die mich in den Strom hineinzog, der sich stets im Uhrzeigersinn um den Jokhang-Tempel dreht. Dabei musste ich lediglich aufpassen, dass ich nicht auf die Beinstümpfe eines auf dem Boden hockenden Bettlers oder in eine Gruppe betender Mönche trat.

Der Barkhor ist ein wahres Geräusch-Sammelsurium. Zwischen den leise vor sich hin murmelnden Pilgern, die sich, Gebetsmühlen drehend, an mir vorbeischlängeln, drängeln sich Schmuckhändlerinnen, die mich hin und wieder am Ärmel zupfen und »Looky, looky! Cheapy, cheapy!« rufen. Sobald ich ihnen bedeute, dass bei mir auch beim besten Willen kein »Looky, looky« zu machen ist, brechen sie in schallendes Gelächter aus und suchen sich schnell ein anderes Opfer.

Auf beiden Seiten der Pilgerroute stehen kleine Marktstände, an denen alles Mögliche und Unmögliche verkauft wird. Da gibt es Lederwaren, Gewürze und Spielzeugpistolen aus Plastik, die vor allem bei den Kindern und nicht zuletzt bei dem einen oder anderen jung gebliebenen Mönch beliebt sind. Da werden die unterschiedlichsten Hüte angeboten, aus Brokat und Fell, aus Stroh und Leder, und es gibt sogar Kopfbedeckungen, für die ein ganzer Fuchs seinen Pelz mit Kopf und Pfoten geben musste. Die Khampas, ihrem Ruf nach ein rauher und sogar gewalttätiger Stamm aus dem Osten, verkaufen große Dolche, Lederpeitschen, Schmuck und Edelsteine, neben echten Türkisen auch falsche, neben wirklichen Korallen auch welche aus Porzellan oder Plastik. An einem dieser Stände gibt es Wecker zu kaufen. Und jeder Wecker wird zum Zeichen seiner Funktionstüchtigkeit zum Schrillen gebracht, was einen höllischen Lärm ergibt.

Hier am Barkhor, aber auch in nahezu jeder Seitenstraße, sind zur Volksbelustigung Fernseher mit großen Lautsprechern aufgestellt. Die Lautstärke ist so übersteuert, dass man meist nur kreischende und kratzende Geräusche hört, die sich ab und an ein wenig verändern, je nachdem, ob gerade geschrien, geboxt oder geheult wird. Denn oft werden, wie ich mir habe erklären lassen, stumpfsinnige Actionfilme gezeigt, für die sich aber kaum einer interessiert.

Nachmittags besuchte ich in den ersten Tagen häufig eines der vielen Klöster. Einmal kam ich bei einem meiner Alleingänge zu einer großen Halle, stand eine Weile am Eingang und horchte in den Saal. Obwohl kaum ein Laut zu hören war, spürte ich, dass der Raum voller Menschen war. Ich setzte mich auf den Steinboden und lehnte mich mit dem Rücken an die Wand. Bald kam ein Mönch, der mir eine Strohmatte brachte und mir zuflüsterte, dass ich ruhig sitzen bleiben könne, die meditierenden Mönche ließen sich von Neugierigen nicht in ihrer Konzentration stören. Nach einer Weile begannen die Mönche zu beten; ich genoss die Tonkulisse wie ein Hörspiel aus murmelnden Textrezitationen und klingenden Gebetsglocken.

In der Meditationspause wurde den Mönchen Buttertee gereicht, und auch ich bekam eine Schale des traditionellen Getränks. Meine Mutter war von diesem Tee drei Jahre zuvor regelrecht krank geworden, deshalb hob ich die Schale nun mit einem gewissen Widerwillen an die Lippen. Der gesalzene Tee schmeckte stark nach ranzigem Fett, und ich wunderte mich über die unüberhörbare Wonne, mit der die Mönche ihr Getränk schlürften. Aber in Tibet konnte ich mich diesem Genuss kaum je entziehen. Auch jetzt stürmte, sobald ich nur zögerlich an meiner Schale nippte, ein eifriger Mönch mit einer Kanne herbei, um die Blechschale wieder bis zum Rand zu füllen. Mittlerweile habe ich mich an den Tee nicht nur gewöhnt, sondern ziehe ihn – sofern er mit frischer Butter zubereitet ist – besonders an kalten Tagen jedem anderen Getränk vor.

In Tibet schmeckt und riecht übrigens alles nach Butter. Das ist kein Wunder, denn die Butter aus der Milch der Yak-Kühe wird in Tibet nicht nur für Speisen, sondern auch als Lampenöl, Holztinktur und Hautcreme, als Haarkur und zum Fetten von Leder und Eisenwaren verwendet.

Abends saß ich meist in einem der Restaurants, unterhielt mich mit anderen Reisenden und amüsierte mich nicht selten über die komischen

Figuren, die sich in Lhasa tummeln. Da gibt es die Friedenskämpfer und Tibet-Euphoriker, die neu bekehrten Buddhisten, und dann gibt es Reisende, die alles nur »great« und »wonderful« finden. Oder auch solche, die sich über alles beschweren: über das Wetter, die Leute, das Essen.

Zur letzten Sorte gehörte Frank aus Australien, den ich eines Abends kennen lernte. Er hatte seine Asienreise in Hongkong begonnen und dort schon alles schrecklich gefunden. Jetzt war er in Lhasa, und das Maß war voll: die Dusche wurde nicht heiß, vom »Chickencurry« hatte er Durchfall bekommen, und zu guter Letzt hatte es just über seinem Bett durchs Dach geregnet.

Am selben Abend traf ich auch Paul, Stefan und Biria, die meine neuen Zimmergenossen werden sollten. Biria kam aus Israel. Zusammen mit Stefan aus Tschechien und dem Holländer Paul war sie mit dem Morgenflug angekommen. Da Individualreisende meist sehr neugierig und kontaktfreudig sind, werde ich auf Reisen oft ohne Scheu angesprochen. Das macht mir das Leben leicht. Und auch diese drei Neuankömmlinge waren nicht besonders schüchtern. Im Gegenteil, sie löcherten mich mit Fragen.

Zusammen zogen wir in den folgenden Wochen durch Lhasa, und trafen uns auch oft zum Frühstück. Bei einer dieser ausgedehnten Sitzungen kam mir die Idee, zum Namtso zu fahren. Von diesem Bergsee hatte ich schon viele Reisende schwärmen hören, sie priesen seinen Farbenreichtum und die wunderbar klare Höhenluft.

»Was willst du denn da?« fragte Frank skeptisch, »gibt es da irgendwelche spannenden Wassersportaktivitäten?« »Nein«, meinte ich, »aber eine wunderbare und farbenreiche Landschaft.«

Da war es wieder, das große Schweigen. Schließlich nahm Paul all seinen Mut zusammen und fragte vorsichtig:

»Was fasziniert dich denn so an einer Landschaft, wenn du sie nicht sehen kannst? Für dich müsste doch eine Landschaft wie die andere sein. Wenn ich meine Augen schließe, ist einfach alles um mich dunkel ...«

6

Oft wird angenommen, ein Blinder sei nicht in der Lage, sich selbstständig zurechtzufinden – als ob mit dem Verlust des Sehsinnes auch jegliche Vorstellung von der Umwelt verloren ginge. Tatsächlich aber können die anderen Sinne weitgehend kompensieren, was das Auge nicht mehr wahrnimmt. Der Blinde nutzt akustische, olfaktorische (d.h. geruchsbezogene) und haptische Signale, um sich in geschlossenen Räumen oder im Straßenverkehr zurechtzufinden.

Ein besonders wichtiges Hilfsmittel zur Orientierung in einer nicht vertrauten Umgebung ist der Blindenstock, mit dem der Blinde den vor ihm liegenden Weg abtasten kann. Man schleift dazu die Spitze des Stockes in pendelnder Bewegung über den Boden. Das Schleifen vermittelt einem alle Informationen, die man für den nächsten Schritt benötigt. Ob ein Weg also schlammig, steinig, sandig, uneben oder eben ist, erfährt der Blinde allein durch diese Pendeltechnik. Zusätzlich wird er aber auch mit akustischen Informationen versorgt, denn das Schleifen der Stockspitze verursacht Geräusche, die von Gebäuden oder Gegenständen in unterschiedlicher Weise zurückgeworfen werden. Läuft man zum Beispiel durch eine enge Gasse, verrät dieser Widerhall, ob es sich bei den seitlichen Begrenzungen um Steinmauern, Holzwände oder um Buschwerk und Bäume handelt.

Den Weg vom Barkhor zu unserer Blindenschule, den ich häufig gehe, erlebe ich folgendermaßen:

Ich beginne meinen Weg am Rande eines offenen Platzes. Dass es sich um einen Platz handelt, erkenne ich an den unterschiedlich weit entfernten Stimmen, manche kommen näher, andere entfernen sich. Das stetige Rauschen einer Wasserfontäne bleibt ganz für sich und ohne Hall, wird also nicht von eng stehenden Häuserwänden zurückgeworfen. Rechts von mir befindet sich eine von Autos befahrene Straße, die zunächst meine Leitlinie bildet. Ich überquere den Platz, immer darauf bedacht, den Verkehr zu meiner Rechten im gleichen Abstand zu halten. Nun gehe ich auf eine Reihe von Marktständen zu, an denen chinesische Händler lauthals ihr Obst feilbieten. Sobald mir der Geruch nach Äpfeln und Birnen im

Sommer und nach Orangen und Pampelmusen im Winter in die Nase steigt, wende ich mich vorsorglich nach rechts, um den Kunden nicht in die Quere zu kommen, und laufe ein Stück auf den Straßenverkehr zu. In nächster Nähe zur Straße, die Autogeräusche wieder zu meiner Rechten, laufe ich so weit geradeaus, bis ich mit dem Stock an eine Art Bordstein stoße, der nun meine neue Leitlinie darstellt, sofern es keine Menschengruppen zu umrunden gilt. Mein Weg führt mich vorbei an Schustern, die am Wegrand ihre Stände aufgebaut haben, ich erkenne sie an ihrem ständigen Hämmern und an dem durchdringenden Ledergeruch.

Kurz darauf macht meine Leitlinie einen Knick nach links, den ich mitverfolge. Hier endet der Bordstein, und ich halte mich in der Mitte der Straße, denn nun geht es in die Altstadt. Hier sind weniger Fahrzeuge unterwegs, die sich zudem nur im Schneckentempo fortbewegen können. Zu meiner Rechten befinden sich Garküchen; zu den verschiedenen Tageszeiten dringt der Geruch von frisch gebackenem Brot oder Fleisch- und Nudelgerichten ins Freie.

Diese Straße wird mit besonderer Sorgfalt von den erwähnten Fernsehlautsprechern beschallt. Wahrscheinlich bin ich einer der wenigen Menschen in Lhasa, der diese akustische Umweltverschmutzung in gewisser Hinsicht zu schätzen weiß – nämlich als Orientierungshilfe. Nach dem dritten Kriegs- oder Boxfilm auf der rechten Seite biege ich in ein Seitengässchen ein. Ich erkenne es an dem ganz speziellen Geruch, denn es wird von vielen Einheimischen auch als öffentliche Toilette genutzt. Zudem ist der Boden sehr holprig, und der Stock bleibt oft in Rillen zwischen den Steinen, in kleinen Löchern, Wasserpfützen oder an einer »Notdurft« hängen. Die Gasse endet in einer T-Kreuzung, an der ich nach links biege.

An dieser Stelle muss sich ein Tempel befinden, denn hier steigt mir morgens und abends süßlicher Weihrauch in die Nase. Von rechts spüre ich einen Windzug, der mir einen schmalen, wenig benutzten Pfad anzeigt. Allerdings stoße ich hier oft ohne Vorwarnung auf gefährliche Baugruben. Sie haben einen Durchmesser von einem halben Meter und sind, wie man mir erzählt hat, oft viele Meter tief. Auf ihrem Grund liegen meist Stromdrähte bloß, und so nehme ich mich auf dieser Strecke besonders in Acht.

Vor einer Steinmauer, die den Weg in gerader Richtung versperrt, führt links eine Gasse entlang, die man Leuten, die unter Klaustrophobie leiden, nicht empfehlen sollte. Sie ist lediglich eineinhalb Meter breit und etwa fünfzig Meter lang. Sehende haben hier oft den Eindruck, dass die

Häuser über dem Kopf zusammenkippen. In den Hauseingängen sitzen meist ältere Menschen, die mich freundlich begrüßen und vor Müllhaufen oder Pfützen warnen. Hier riecht es nach Chang, dem traditionellen Gerstenbier, und nach frisch gebackenem Baleb, wie das tibetische Fladenbrot genannt wird.

Die Gasse endet auf einer weiteren T-Kreuzung. Ich wende mich nach rechts. Dieser Weg ist breit und eben. Er führt im Zickzack auf eine viel befahrene Straße zu, die Verkehrgeräusche sind, gedämpft durch die Häuserwände, zunächst nur leise, dann immer lauter zu hören. Da die hiesigen Autofahrer ihren Führerschein nicht selten ohne jede Fahrpraxis käuflich erworben haben und daher nie über den Sinn einer Ampel oder eines Fußgängerüberwegs aufgeklärt wurden, bitte ich oft Passanten, mir über die »Rennstrecke« zu helfen.

Hinter einer Baustelle geht es dann links in einen sandigen, meist vollkommen aufgerissenen Weg, nach einer Hofeinfahrt wieder links und dann in den zweiten Hof auf der rechten Seite.

Diese Wegbeschreibung habe ich schon vielen Besuchern unserer Schule mitgegeben. Den meisten erschien es zunächst lästig, all das genau aufzuzeichnen, aber schließlich kamen alle mit der Beschreibung zurecht. Manche versuchten sogar, mit geschlossenen Augen durch das Wegelabyrinth zu finden, und bemerkten mit Staunen, dass sie all die geruchlichen und akustischen Wegweiser wieder erkannten und sich an ihnen orientieren konnten.

»Sieht ein blinder Mensch nur Dunkelheit?« Diese Frage wird mir oft gestellt, und ich kann sie, jedenfalls für mich, entschieden mit »nein« beantworten. Zudem erscheint mir die Frage auch nicht besonders logisch. Denn wenn ein Mensch vollkommen blind ist, sieht er gar nichts, also auch keine »Dunkelheit«.

Ich bin blind, aber ich hatte nie das Gefühl, »im Dunkeln zu stehen«. Ganz im Gegenteil würde ich behaupten, ein sehr visueller Mensch zu sein.

Ein bildliches Vorstellungsvermögen ist sicher nicht typisch für jeden Blinden aber auch nicht für jeden Sehenden. Es gibt sicher viele blinde wie sehende Menschen, die sich vor allem Geräusche und Gerüche merken; nicht jeder erinnert sich an vergangene Ereignisse in visuell anschaulicher Form. Für mich gilt allerdings, dass ich alles, was ich erfahre, Eindrücke, die ich durch Geräusche, Gerüche, Wind, Kälte und Wärme in mich aufnehme, durch meine Vorstellungskraft unmittelbar in farbenreiche und recht exakte Bilder umsetze. Auch das Verhalten meiner Mitmenschen, wie ich es mittels akustischer und anderer Informationen erlebe, setzt sich in meiner Vorstellung in große Gesten und ausdrucksvolle Körperhaltungen um. So prägt sich mir zum Beispiel ein Mensch, der aus verletztem Stolz schweigt, mit einem geraden Rücken, hoch erhobenen Kopf und einer in die Luft gestreckten Nase ein. Dabei ist mir ein Gesichtsausdruck, wie zum Beispiel ein »Augenaufschlag«, ein »Zucken mit den Mundwinkeln«, nicht wichtig, da diese feinsten Ausdrucksformen nicht in meinem Erfahrungshorizont liegen. Auch als Kleinkind konnte ich solche Signale mit meinem geringen Sehrest nicht wahrnehmen – dafür aber, wie schon erwähnt, Farben. Bis zum zwölften Lebensjahr habe ich viele Farbvarianten aufgenommen und gespeichert, wenn vielleicht auch nicht so moderne Farbtöne wie »Petrol« oder »Mauve«.

Die Farben leuchten besonders klar und kräftig, sobald ich sie Gegenständen, Kleidungsstücken oder ganzen Landschaften zuordne. Beschreibe ich zum Beispiel Gegenden, durch die ich gereist bin, dann werde ich oft verwundert gefragt: »Wie kannst du die Landschaften so genau beschreiben, hast du sie etwa doch sehen können?«

Nicht selten ist man dann enttäuscht, wenn ich sage, dass ich meine Eindrücke mit Hilfe von Beschreibungen anderer oder auch allein durch meine anderen vier Sinne und natürlich durch meine Vorstellungskraft gewonnen habe. »Ach so«, sagen dann die sehenden Mitmenschen, »dann ist das, was du beschreibst, ja gar keine Realität.«

Was heißt das, »keine Realität«? Das sagt doch nur, dass für einen Sehenden die Realität vor allem das ist, was er mit dem Sehsinn einfangen kann. Und was mit den Augen wahrgenommen wird, stellt alle anderen Sinneseindrücke in den Schatten. Dabei haben die meisten von uns fünf Möglichkeiten der Wahrnehmung. Wenn aber der Sehsinn derart dominiert, bedeutet das, die anderen Sinne tragen nicht zur Wahrnehmung von Realität bei? Ist ein Bild, das ich mit den Augen aufnehme, »realistischer« als das, was mir die Ohren, die Nase, die Zunge und die Haut mitteilen?

Ich habe oft das Gefühl, sehen zu können, sobald Farben bei einer Landschaftsbeschreibung eine wichtige Rolle spielen. Und genauso ging es mir auch auf der Reise zum Namtso. Der Namtso ist ein etwa 80 Kilometer langer und 40 Kilometer breiter Salzsee, der auf über 4700 Meter Höhe liegt. Eine Theorie besagt, er sei ein Überbleibsel des alten Thetis-Meeres, das vor 30 bis 60 Millionen Jahren die gesamte tibetische Hochebene bedeckt haben soll.

Wir waren bereits einen ganzen Tag über sandige Hubbelpisten bergauf und bergab gefahren, als unser klappriger Bejing-Jeep um eine Felsnase bog und Thierry, ein Tibetologe, der mich begleitete, plötzlich beglückt aufrief: »Da ist er! Schnell, schnell, den Fotoapparat!«

Und während Thierry, begleitet von dem „Klick-klick" seiner Kamera, die Landschaft pries, schaute ich aus dem Fenster und genoss das Bild, das sich langsam vor meinen Augen entfaltete. Vor uns erstreckte sich eine riesenhafte, grünblaue Wasserfläche. Am Ufer, das ganz mit Salz überzogen war und in der Abendsonne so weiß wie Schnee glitzerte, leuchtete das Wasser hell türkisfarben. Zur Mitte hin färbte sich der Namtso tief dunkelgrün und dunkelblau, und weiter in Richtung Horizont schimmerte das Wasser hellblau, um in der Ferne mit dem strahlenden Blau des Abendhimmels zu verschwimmen. Die Berge und Sanddünen ringsum wurden von der Sonne angestrahlt und leuchteten goldgelb, braun und feuerrot. Und da es in den vergangenen Tagen den einen oder anderen Wolkenguss gegeben hatte, waren die Gipfel mit Schnee gepudert; und an manchen Berghängen konnte ich saftig grüne Wiesen erkennen, auf denen die Nomaden ihre Ziegen und Yaks weiden ließen.

Als ich so dasaß, Nase und Stirn an die Fensterscheibe gepresst, um mir nichts von der farbenfrohen Augenweide entgehen zu lassen, klopfte Thierry mir auf die Schulter und meinte mit leicht belustigter Stimme: »Ich möchte dich ja nicht bevormunden, aber wenn du den Namtso sehen willst, schaust du besser auf die andere Seite. Wo du hinguckst, sind nämlich nur schmutzig graue Felsen.«

Ob sehend oder blind, wir haben alle unsere Vorstellungen von der Realität, die mehr oder weniger mit der so genannten Wirklichkeit übereinstimmen. Solche Vorstellungen können auf Geräuschen, Gerüchen, Geschmacks- und haptischen Eindrücken basieren und sich in klanglichen oder rein visuellen Bildern manifestieren. Wie aber entstehen visuelle Eindrücke, wenn sie nicht durch den Sehsinn aufgenommen werden? Ich habe die Erfahrung gemacht, dass sich das Bild, das ich von der Welt habe, nicht so stark von der Vorstellung sehender Menschen unterscheidet, denn in der Regel können sie meine Landschaftsbeschreibungen gut nachvollziehen. Ein Unterschied besteht meines Erachtens hauptsächlich in dem Prozess der Entstehung eines Bildes.

Betritt zum Beispiel ein Sehender einen Raum und wirft nur einen Blick hinein, so hat sich der Raum für ihn bereits vollständig »ins Bild gesetzt«, oder anders, der Raum ist für ihn »Bild geworden«. Die Zeit, die dafür notwendig ist, scheint dabei nicht relevant, sie reduziert sich auf einen Augenblick.

Ich hingegen brauche Zeit, viel Zeit, um mir etwas vor Augen zu führen, um mir ein Bild von meiner Umwelt zu machen. Beschreibe ich einen Raum, so wie ich ihn erlebe, verwende ich zunächst zeitliche und nicht räumliche Begriffe. In meiner Raumerfahrung steht der Tisch nicht »hinter« einem Stuhl – das ist ein räumlicher, aus der optischen Erfahrung gewonnener Begriff – vielmehr stoße ich zunächst an einen Stuhl und ramme danach einen Tisch. Erst wenn ich den Raum durch die Zeit erfahren habe, entwickelt sich allmählich auch eine visuelle Vorstellung. Dieses Bild, sei es schließlich auch noch so detailliert, muss nicht mit dem des Sehenden übereinstimmen, und so ist es oft amüsant, wenn ich zusammen mit einem Sehenden aus der Erinnerung heraus einen Raum, einen Menschen oder eine Landschaft beschreibe. Zuhörer fragen sich dann meist verwundert, ob wir eigentlich von ein und derselben Situation sprechen.

Ich reite zum Beispiel zusammen mit einem Freund durch einen Herbstwald. Neben uns gurgelt ein türkisgrüner Bergbach, der sich hier und da durch dichtes Buschwerk schlängelt. Ein leiser Wind wirbelt die trockenen Blätter auf, der Hufschlag der Pferde klingt dumpf auf dem erdigen Waldboden.

Wie komme ich zu diesem Bild? Es riecht nach Holz und feuchter Erde. Regelmäßig verdecken lange schmale Schatten, also Bäume, die Sonne, es wird abwechselnd kühl und warm auf meiner Haut. Ich vernehme ein leises Rascheln, das wohl von trockenem Herbstlaub herrührt. Der Boden klingt hohl unter den Pferdehufen. Das gurgelnde Wasser ist mal stärker, mal schwächer zu hören, es bewegt sich ein wenig von uns fort, um dann wieder parallel zum Weg dahin zu plätschern. Das Wasser klingt frisch und klar, als ob es über glatte Steine rinnt.

Das Bild meines sehenden Begleiters sieht vollkommen anders aus: Vor uns liegt ein graues, aus Beton erbautes Sägewerk. Auf dem Boden ist achtlos Papiermüll verstreut, der leise zu rascheln beginnt, wenn der Wind hineinfährt. Das frisch geschnittene Holz ist auf hohen Stapeln quer zu unserem Weg aufgeschichtet, wirft lange Schatten auf uns und verbreitet den Wohlgeruch von Wald und Herbst. Mein Bach ist ein künstlicher Kanal, der in den weichen Sand gegraben wurde und von Zeit zu Zeit in einem metallenen Rohr verschwindet.

Das Waldbild, das ich in meiner Phantasie gemalt habe, fällt sofort in sich zusammen, sobald mein Begleiter mich informiert, wie er Wirklichkeit wahrnimmt. Jetzt erkenne ich das Rascheln des Herbstlaubes als Papiergeknister und nehme wahr, dass der Holzgeruch von Schnittholz herrührt.

Meine Wahrnehmung ist um das Sehen vermindert. Das scheint ein Nachteil zu sein, wenn es darum geht, ein möglichst umfassendes Urteil über meine Umwelt zu gewinnen. Allerdings bin ich mir, und das mag sogar ein Vorteil sein, meiner eingeschränkten Wahrnehmung bewusst und konzentriere mich mehr auf meine vier übrigen Sinne. Vielleicht ist die Welt für mich sogar manchmal schöner, weil ich sie mir in der Vorstellung ausmalen kann. Jedenfalls sind es die Bilder meiner Vorstellung und meiner Wahrnehmung von Realität, die ich in diesem Buch beschreibe.

7

»Himmel nein! Man kann sich bei diesem Krach ja überhaupt nicht konzentrieren! Sind wir hier beim Zahnarzt oder was?« Die Tür der Bibliothek fiel krachend ins Schloß, und ich war jetzt mit meiner Lesemaschine allein, die mindestens fünf Studenten erfolgreich in die Flucht geschlagen hatte.

Bei der Maschine handelte es sich um ein Optakon, ein kleines Gerät mit eingebauter Kamera. Es wandelt gedruckte Schrift in Impulse um, die mittels winziger Nadeln auf den Zeigefinger der linken Hand projiziert werden. Das Leseverfahren war allerdings sehr ermüdend, und der Lärm, den die Maschine machte, war wirklich unerträglich; ich konnte den Vergleich mit einem Zahnbohrer gut nachvollziehen.

»Überlegen Sie sich das mit dem Studium gut«, meinte ein besorgter Dozent. »Es hat vor Ihnen noch keinen Blinden gegeben, der sich an so ein Studium gewagt hätte. Auch viele Sehende geben nach den ersten Semestern auf. Außerdem sollten Sie wissen, was Sie eigentlich mit der Tibetologie erreichen wollen.«

So waren sie, die Gelehrten dieses Instituts, immer freundlich und hilfsbereit, aber nicht unbedingt ermutigend. Auch mir stellte sich nach dem ersten Semester die Frage, warum ich es mir so schwer machen musste. Vielleicht hätte ich mich doch besser ganz auf meine Nebenfächer Philosophie und Soziologie konzentrieren sollen, denn da galt es zumindest keine fremden Schriftzeichen zu entziffern.

Das Studium der Tibetologie hatte ich mir schon in den Kopf gesetzt, als ich die zehnte Klasse des Gymnasiums besuchte. Zusammen mit meinen Marburger Klassenkameraden hatte ich damals eine Tibet-Ausstellung besucht. Damit wir, alle blind oder hochgradig sehgeschädigt, die hinter Glas ausgestellte Sammlung tibetischer Dolche, Gebetsmühlen und hölzerner Druckstöcke bewundern konnten, öffneten die Museumsmitarbeiter für uns die Vitrinen und gaben uns die Gegenstände in die Hand.

Wir erkundeten die fremd duftenden hölzernen, metallenen und aus Knochen geschnitzten Kult- und Kunstgegenstände eingehend und lernten einiges über Gebräuche, Religion und die Geschichte des Landes. Ich erkundigte mich bei einem der Mitarbeiter, wo man mehr über Tibet lernen könne, und erfuhr, dass es in meiner Heimatstadt Bonn ein besonders großes Institut für Tibetologie und Zentralasien-Wissenschaften gab. Jetzt wusste ich, was ich studieren wollte.

Ich hatte mich nicht entmutigen lassen. Doch jetzt im Studium stand ich vor der Aufgabe, selbst Techniken und Methoden zu entwickeln, um mein Studium bewältigen zu können. Wieso gab es eigentlich keine Brailleschrift für Tibetisch? Ich begann zu experimentieren.

Ich orientierte mich dabei am herkömmlichen Braillesystem. Jedes Zeichen wird dabei mit bis zu sechs ertastbaren Punkten dargestellt, die wie bei der Sechs auf einem Würfel in zwei senkrecht nebeneinander stehenden Dreierreihen angeordnet sind. Mit diesen sechs Punkten können 64 Kombinationen gebildet werden, was ausreicht, die meisten Schriftsysteme der Welt umzusetzen.

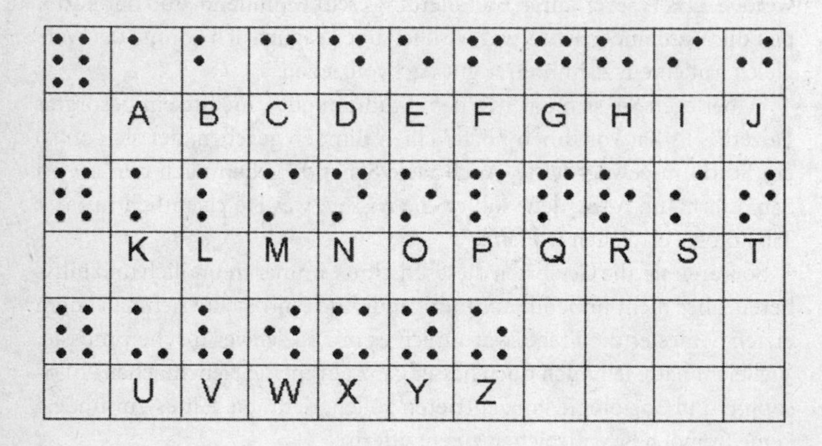

Um die Punktschrift für das Tibetische nutzbar zu machen, musste ich von den Regeln des tibetischen Silbenschriftsystems ausgehen. In dieser Schrift gibt es dreißig Konsonanten (einschließlich des Vokals a, der dieser Gruppe zugerechnet wird), die auch Silben genannt werden. Denn steht einer dieser Silbenkonsonanten für sich allein, und wird kein besonderer Vokal angezeigt, enthält dieses Zeichen bereits ein »a«, das mitgesprochen wird. Die meisten Zeichen haben für sich schon eine Bedeutung. So bedeutet »kha« Mund, »ra« Ziege usw.

Konsonanten des tibetischen Alphabets können aber auch in bestimmten Formationen zusammengesetzt werden. Dabei ist zu beachten, dass es immer einen Hauptkonsonanten gibt, um den herum sich verschiedene andere Konsonanten gruppieren können. Konsonanten können vor oder hinter, über oder unter den Hauptkonsonanten geschrieben werden. Dazu kommen die Vokale i, u, e und o. Auch sie werden über oder unter den Hauptkonsonanten gestellt.

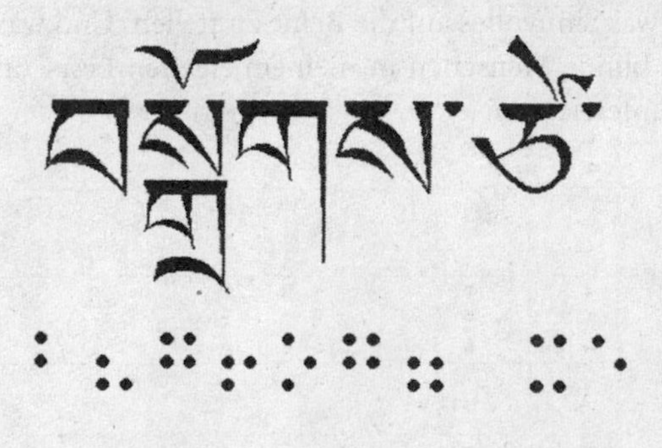

Tisch

Da diese übereinander gruppierten Konsonantenformationen in einer Blindenschrift schlichtweg zu viel Platz benötigen würden, machte ich mir einige Regeln der gängigen lateinischen Transliteration für das Tibetische zu Nutze, das heißt, ich platzierte den übergeschriebenen Konsonanten vor und den untergeschriebenen hinter den Hauptkonsonanten. Den zusätzlich anzuzeigenden Vokal stellte ich wiederum hinter den untergeschriebenen Konsonanten.

Meine Vokabeln schrieb ich stets auf kleine Karteikarten, die ich alphabetisch einordnete. So verfügte ich bald über ein deutsch-tibetisches und tibetisch-deutsches Braille-Lexikon, von dem nicht nur ich, sondern auch etliche meiner Kommilitonen profitierten, die mich nicht selten baten, Vokabeln für sie nachzuschlagen.

Später half mir ein blinder Mathematiker, ein Schreibprogramm für den Computer zu entwickeln, das in der Lage war, in lateinischer Transliteration geschriebene Texte mit Hilfe eines Punktschriftdruckers in die Blindenschrift zu übersetzen. Auf diese Weise können heute ganze Bücher für Tibetisch sprechende Blinde zugänglich gemacht werden.

Ein hoher tibetischer Gelehrter der Universität Bonn bat mich eines Tages, ihm die Systematik vorzustellen. Er reiste regelmäßig in die Autonome Region Tibet, um in einem kleinen Distrikt östlich von Zentraltibet Schulen aufzubauen und finanziell zu unterstützen. Er bot mir an, meine Schrift den örtlichen Kulturämtern vorzustellen, und dann sagte er: »Vielleicht gibt es sogar eine Möglichkeit, dass du dieses Verfahren selbst in Tibet verbreiten kannst.«

Ich war von den Socken. Ich wollte doch schon immer nach Tibet gehen, um dort etwas Sinnvolles auf die Beine zu stellen. Und was war nahe liegender, als blinde Menschen in meinem eigenen Lese- und Schreibverfahren zu unterrichten?

8

Eines Morgens, ich war schon seit einer Woche in Lhasa, lernte ich Dolma kennen. Dolma ist Tibeterin und etwa in meinem Alter. Sie sprach mich in fließendem Englisch auf dem Barkhor an: »Was machst du denn hier so allein?«

»Och, ich reise so vor mich hin«, sagte ich und entschloss mich dann doch, ihr von meinen eigentlichen Plänen zu erzählen.

»Interessierst du dich für das Schicksal der Blinden hier, weil du selbst blind bist?« fragte sie mich.

Ich überlegte eine Weile. »Ja«, sagte ich zu Dolma, »genau deshalb interessiere ich mich dafür.«

»Das verstehe ich«, meinte sie. »Ist ja eigentlich auch ganz logisch, wer kennt sich schließlich mit Blindheit besser aus als jemand, der selbst blind ist.«

Dolma war mir auf Anhieb sympathisch. In den folgenden Tagen trafen wir uns oft in einem kleinen Restaurant am Barkhor. Da ihre Kinder mich nur »Hallo« nannten und ihr Mann meinen Namen nicht aussprechen konnte, gab sie mir eines Tages einen tibetischen Namen: Kelsang Meto. Er bedeutet »Glücksblume«, und viele meiner tibetischen Freunde kennen mich bis heute nur unter diesem Namen.

Dolma arbeitet als medizinische Beraterin und ist viel in ländlichen Regionen unterwegs, um den Bauern und Nomaden Grundregeln der Hygiene und Gesundheitsvorsorge beizubringen. Blindheit tritt in der Autonomen Region Tibet überdurchschnittlich häufig auf, wie sie mir versicherte. Grund dafür ist vor allem die starke UV-Strahlung. Nomaden und Bauern, die in besonders hoch gelegenen Regionen leben, können ihre Augen nicht vor der Sonne schützen, und so entstehen Schäden an der Hornhaut, die nur zum Teil operativ zu beheben sind.

»Wenn es in Tibet so viele Blinde gibt«, fragte ich sie, »gibt es dann spezielle Einrichtungen, in denen für sie gesorgt wird?«

»Nein«, sagte sie schnell, »das gibt es hier nicht.«

»Wie leben denn Blinde in Tibet?«

Dolma bemühte sich um eine differenziertere Auskunft. Sie hatte in den

Dörfern und Nomadensiedlungen sehr Unterschiedliches vorgefunden. In manchen Dorfgemeinschaften werden blinde Kinder und Erwachsene mit kleinen Aufgaben betraut und sind recht gut integriert. Anderswo werden sie vollkommen vernachlässigt, sitzen versteckt in dunklen Hütten und sind auf die Hilfe von Familienmitgliedern oder Nachbarn angewiesen. Mancher hat sogar entdeckt, dass mit Blindheit wunderbare Geschäfte zu machen sind. So kommen ganze Familien nach Lhasa, um ihre blinden Kinder oder andere Verwandte als Bettler auf die Straße zu schicken.

Blindheit gilt im tibetischen Volksglauben als Strafe für schlechte Taten in einem früheren Leben, erklärte mir Dolma. Einfache Menschen glauben auch oft, dass Blinde mit einem Dämon in Verbindung stehen. Dieser angedichteten Kräfte wegen werden blinde Menschen häufig gemieden; in manchen Regionen gilt es als unrein, sie auch nur zu berühren. Ganz anders denken gebildete buddhistische Lamas darüber: Sie sehen Behinderungen, wie auch Blindheit, als eine Chance für die betroffenen Menschen. Schwierige Situationen zu meistern, stärkt ihrer Meinung nach den Geist.

Dolma war eine gute Mitstreiterin. Als ich ihr meinen Plan anvertraute, über Land zu reiten und Blinden meine Schrift vorzustellen, war sie gleich Feuer und Flamme. Wir entschieden uns für den Drigung-Distrikt.

»Kannst du überhaupt reiten?« fragte ich sie, als wir auf dem Potala-Platz herumschlenderten, wo wir uns zwei oder drei der bunt geschmückten Pferde mieten wollten, die dort als Fotoattraktion für Touristen ausgestellt waren.

»Ja, klar!« meinte sie schnell.

Ich war beschämt. Wie konnte ich nur fragen? Alle Tibeter sind doch hervorragende Reiter, sie sitzen schon auf einem Pferd, bevor sie laufen können!

Pferdehandel in Tibet ist ein kompliziertes Geschäft, besonders, wenn eine »Langnase« daran beteiligt ist. Im Nu klettern die Preise in den Himmel – wer weiß, vielleicht kann man dem ahnungslosen Ausländer einen lahmen Gaul zu einem guten Preis andrehen.

»Zehn Tage!« rief einer der Pferdebesitzer so laut aus, dass sich gleich Neugierige um uns scharten. »Nach zehn Tagen kommen meine Pferde mit gebrochenen Hufen zurück, und ich kann sie niemandem mehr verkaufen!«

Unter den belustigten Zuschauern war ein alter Mann, in Tibet Pola

(Großvater) genannt. Er nahm Dolma beiseite und fragte sie, warum es denn Pferde sein müssten, wo man es doch mit einem Jeep viel bequemer hätte.

Ich schüttelte den Kopf. Im Jeep trennt mich eine Fensterscheibe von der Außenwelt. Auch muss ich bei der relativ hohen Geschwindigkeit auf alle Reiseeindrücke verzichten, die sich mir durch Gerüche und Geräusche vermitteln. Und dann ist man auf Straßen, Feldwege oder trockene Flussbetten angewiesen. Entlegene Dörfer sind mit einem Geländewagen nicht zu erreichen, und wenn es darum geht, Pässe zu überwinden oder Geröllhalden zu bewältigen, kommt man mit Pferden viel besser durch.

Pola schien mich zu verstehen. »Ihr könnt meine beiden Pferde haben und vielleicht noch ein Packpferd dazu«, sagte er. »Meine Mutter war auch blind und wäre bestimmt froh gewesen, lesen und schreiben zu können. Füttert mir die Tiere nur gut und bringt sie heil wieder zurück.«

»Habt ihr vielleicht noch ein Pferd für mich?« lachte Biria, als ich ins Banak Shol zurückkehrte. »Ich könnte euch natürlich auch mit dem Fahrrad begleiten.«

Ich wusste nicht recht, was ich von dem Angebot halten sollte. Eine »Langnase« allein, und noch dazu eine blinde, das würde schon für genug Aufruhr sorgen. Andererseits konnten wir zusätzliche Unterstützung gut gebrauchen, wenn es darum ging, die Pferde zu tränken, zu satteln und zu füttern. Sollte Biria doch ruhig mitkommen, von mir aus auf dem Fahrrad.

Am nächsten Morgen waren wir alle mächtig aufgeregt. Pola war zum vereinbarten Zeitpunkt gekommen, und wir staunten nicht schlecht, denn er hatte die beiden Reitpferde und das Packpferd, ein Schimmel und zwei Braune, mit vielen kleinen Glöckchen behängt und mit bunten Bändern geschmückt. Auf den in Tibet üblichen Holzsätteln waren dicke weiche Teppiche mit geflochtenen Ledergurten befestigt. Die Schimmelstute hatte ein kleines Fohlen bei sich, denn Pola befürchtete, das Pferdchen könnte sich so ganz ohne Mutter einsam fühlen.

Wir schnallten unser Gepäck auf den Rücken des Packpferdes. Ich kletterte auf den Sattel des Schimmels, und Pola drückte mir zusätzlich die Führleine des Packtieres in die Hand. Nun konnte es eigentlich losgehen. Doch Dolma, die den ganzen Morgen stumm um die Pferde herumgeschlichen war, machte keine Anstalten aufzusitzen. Pola hatte wohl den Eindruck, sie komme nicht selbst hinauf. Er nahm sie hoch und wollte sie gerade mit einem kräftigen Schwung auf das Pferd heben, da rief sie mit tränenerstickter Stimme: »Ich kann doch gar nicht reiten!«

Ich stieg vom Pferd und beriet mit Biria, was jetzt zu tun sei. »Erst mal werden die Pferde von den Lasten befreit«, meinte sie gut gelaunt, »und dann sehen wir weiter.«

Dolma saß auf einer Mauer wie ein Häufchen Elend. Ich setzte mich zu ihr und sagte ihr, sie brauche sich nicht zu schämen. Ich wusste, dass ein solcher Vorfall hier einen großen Gesichtsverlust bedeutete.

Biria und ich versuchten mit Späßen, die Stimmung wieder auf Vordermann zu bringen. Schließlich griff Pola ein und meinte, wenn es Dolma helfen würde, könne er uns gerne auf der Reise begleiten. Wieder guter Dinge, vereinbarten wir ein kleines Gehalt für Pola und verschoben den Start der Reise auf den folgenden Tag.

Am nächsten Morgen war eine stattliche Karawane vor der Herberge aufgezogen. Pola, der aus Osttibet stammte, hatte sich in die traditionelle Khampa-Tracht gekleidet. Er selbst ritt auf einem jungen schwarzen Hengst, der nervös schnaubte, voller Temperament mit den Hufen scharrte, hin und wieder um sich schnappte und nach aufdringlich gewordenen Schaulustigen ausschlug. Zudem hatte Pola die drei Pferde und das Fohlen vom Vortag dabei, und zusätzlich ein Pferd für Biria.

Das Gerücht, dass sich hier wahrhaft Sonderbares abspielte, hatte sich mit rasender Geschwindigkeit verbreitet, denn es dauerte nicht lange, da waren der Innenhof des Banak Shol und die Gehsteige links und rechts der Straße mit Menschen bevölkert, die mit vielen »Ahzis« und »Ozi-ahs« die kleine Karawane verabschiedeten. Stiller war es erst wieder, als wir weit draußen vor der Stadt über die Felder und Wiesen ritten.

Zuerst ging es über einen hohen Pass und dann immer am Kichu-Fluss entlang. Wir kamen nur mühsam voran, die Sommersonne brannte erbarmungslos auf uns nieder, und die Wege, so vorhanden, waren nur schwer passierbar. Oft mussten wir Geröllhalden überwinden und kleinere Nebenflüsse des Kichu durchqueren.

Dreimal machten wir eine kurze Pause, um die Pferde am Fluss zu tränken und sie mit getrockneten Bohnen und Gras zu füttern. Als wir am Nachmittag in die Nähe eines kleinen Dorfes kamen, lief uns gleich eine ganze Kinderschar entgegen. Ein Mädchen erklärte Pola, dass der Dorfoberste uns schon erwarte. Wie hatte man von uns erfahren? Hier gab es weder Strom noch Telefon, und auf den mit großen Steinbrocken übersäten Schotterpisten war nur selten ein Fahrzeug unterwegs.

Der Dorfoberste führte uns gleich zu einem großen Bauernhaus, in dem eine Familie mit blinden Zwillingen lebte. Die Mutter führte uns auf schmalen Gängen durch das Zimmerlabyrinth.

Hinter dem Haus saßen die blinden Brüder verschüchtert auf einer kleinen Mauer. Dolma versuchte, mit ihnen ins Gespräch zu kommen. Die beiden reagierten kaum, flüsterten sich nur hin und wieder etwas zu. Die Mutter fragte ihre Söhne, ob sie denn diese neue Schrift, von der wir erzählten, nicht erlernen wollten. Die beiden verneinten. Von klein auf täten ihre Kinder nichts lieber, als gemeinsam auf diesem Mäuerchen zu hocken. Nun seien sie wohl zu alt, um noch etwas zu lernen und bestimmt auch zu ängstlich, von zu Hause fortzugehen, erklärten die Eltern.

Auf unserem weiteren Weg schien uns ein wundersamer Ruf vorauszueilen, sodass wir auf der ganzen Strecke bis Drigung neugierig beäugt wurden. Hier und da erhielten wir Hinweise, wo wir blinde Kinder in schulfähigem Alter finden könnten. Mit der Zeit schienen die Gerüchte über uns auch einige Metamorphosen durchzumachen. An einem heißen Nachmittag, wir hatten unsere Pferde getränkt und wollten gerade wieder losreiten, setzte sich ein junger Bauer vor mich auf den Weg und bat mich, seine blinde Großmutter zu heilen. Er war mit ihr von weither gekommen und deshalb furchtbar enttäuscht, als wir ihm erklärten, daß ich selbst blind und keine Augenärztin sei.

Zehn Kilometer vor Drigung begann Dolmas Pferd zu lahmen. Erschöpft von der Hitze und den unwegsamen Pfaden, weigerte sich die Stute schließlich weiterzugehen. Nur Pola war in der Lage, das Pferd vorwärtszutreiben, und darum schlug er Dolma vor, wohl nicht ohne tückischen Hintergedanken, doch auf seinem Hengst Platz zu nehmen. Dolma aber weigerte sich entschieden. Und wie ihre Stute blieb nun auch sie stehen und war nicht mehr zu bewegen, noch einen Schritt zu tun.

Von Anfang an hatte ich Gefallen an Nagpo, diesem schwarzen »Teufel«, gefunden. Deshalb fragte ich nun den Alten, ob ich nicht mal mein Glück mit seinem Pferd versuchen dürfe.

»Nein, nein!« rief Pola erschrocken. »Nagpo ist gefährlich! Er könnte dich abwerfen.«

»Ja, und?« fragte ich.

»Das geht doch nicht«, meinte Biria, »du bist doch blind.«

Solche unlogischen Begründungen hatten mich schon immer wütend gemacht. Langsam, mich mit den Händen am Zügel vortastend, näherte ich mich dem Hengst von der Seite und hielt behutsam die flache Hand vor seine Schnauze. Zunächst rührte er sich nicht, dann begann er vorsichtig, daran zu schnuppern. Ich sagte mit beruhigender Stimme irgendeinen Blödsinn. Langsam wurde das Pferd ruhig. Als ich spürte, dass seine Nervosität nachließ, kletterte ich vorsichtig auf den Sattel. Nach einer kleinen Pause, denn ich wollte das Tier nicht gleich völlig überfordern, trieb ich es mit leichtem Schenkeldruck vorwärts. Es lief sofort los, erst zögerlich, bald immer zügiger, die anderen Pferde im Schlepptau. Sie schienen sich bei dem kurzen Zwischenstopp gut erholt zu haben und folgten nun, wenngleich ohne Reiter, brav ihrem Leittier.

In einem Ort nicht weit von der Grenze zum Drigung-Distrikt machten wir eine kleine Pause und beschlossen, die Pferde, die etwas Schonung brauchten, dort in der Obhut von Pola für eine Nacht zurückzulassen. Außerdem lag der Ort an einer Verbindungsstraße, die nach Drigung führte. Mit viel Glück konnten wir da einen Lastwagen anhalten und in Windeseile unser Ziel erreichen.

Auch in einem kleinen Dorf, das an dieser Straße lag, hatte der Dorfoberste durch das undurchsichtige Nachrichtensystem von unserer Ankunft Wind bekommen. Als wir von der Ladefläche eines Lasters heruntersprangen, stand er an der Straße und winkte mit Katags, weißen Glücksschals, die er uns zur Begrüßung um den Hals legte. Nun führte er uns zu einem Haus, wo wir einen Vater mit seinem fünfjährigen blinden Sohn vorfanden.

Der Junge, er hieß Künchog, war sehr lebhaft und neugierig. Er begann sofort, die Blindenschriftmaterialien zu untersuchen. Ich führte seine Finger über die Punkte und begann, die Buchstaben zu erklären. Der Vater hatte sich neugierig zu uns gesetzt. Da er selbst lesen und schreiben konnte, schien er das System recht schnell zu begreifen. Wo Künchog denn so etwas lernen könne? Dolma antwortete ohne Zögern: »Kelsang Meto wird in Lhasa eine Schule aufmachen, für alle blinden Kinder von Tibet.«

Ich war ein wenig erschrocken. Versprach sie da nicht zu viel? Noch hatte ich nicht einmal mit den Behörden verhandelt, und da konnte mich alles erwarten.

»Du wirst das schon schaffen«, sagte Dolma, »du hast es ja auch bis hierher geschafft.«

Der Dorfoberste führte uns zu einer weiteren Familie. Im Innenhof eines Bauernhauses saßen auf einer Holzbank aufgereiht ein achtjähriger blinder Junge, seine kleine Schwester sowie seine Eltern und die Großmutter. Als Chilä, das war der Name des Jungen, uns wahrnahm, sprang er auf, lief auf uns zu und führte uns in die Mitte des Hofes. Ohne Angst befühlte er unsere Kleider und stellte viele neugierige Fragen.

Mir fiel auf, dass die Eltern und die Großmutter wie angewurzelt dasaßen. Um das Eis zu brechen, nahm ich das Blindenalphabet aus der Tasche und versuchte es ihnen zu erklären. Viel Erfolg hatte ich nicht. Da kam mir der Dorfoberste zu Hilfe: »Kelsang Meto ist von weither gekommen, um in Lhasa eine Schule für Blinde aufzubauen.«

»Eine Schule!« rief Chilä und begann aufgeregt herumzuhüpfen. »Pala, Amala, ich darf in eine Schule!«

»Der Lehrer der Dorfschule hat uns nicht erlaubt, den Jungen in die Schule zu schicken«, sagte die Mutter zögerlich. »Für uns ist das wie ein Traum, an den wir noch nicht glauben können.« Doch als sie sah, wie ihr Sohn sich zu mir setzte, um sich die einzelnen Blindenschriftzeichen erklären zu lassen, meinte sie: »Du bist auch blind, und wir wissen, dass es dir um Blinde geht. Wir möchten, dass du wiederkommst und Chilä mit nach Lhasa nimmst.«

9

Dolma ist noch heute davon überzeugt, dass wir den Dres nur mit knapper Not entkommen sind. Sie spricht nicht gerne über jene Nacht. Vielleicht ist es ihr peinlich, schließlich ist sie eine moderne und gebildete Frau. Doch das ist nicht der eigentliche Grund, wie ich herausgefunden habe. Sie befürchtet, die Dämonen könnten wieder auf uns aufmerksam werden, wenn wir über sie sprechen. Dolma glaubt, dass sie heute noch wütender sind als in jener Nacht.

Wir waren damals im »Gästehaus« des Dorfobersten untergebracht, einer Art Stall mit zwei Fensternischen und einer Holztür, die lose in den Angeln hing und bei jedem Windzug furchtbar knarrte. Die Hütte befand sich am Rande des Dorfes, versteckt unter einem Felsvorsprung. Ein alter Mönch hatte uns gegen Abend dorthin geführt. Die Hütte war aus Lehm gebaut, und auf dem Boden lag frische Erde, die alle Geräusche verschluckte und unsere Stimmen gedämpft klingen ließ. An den Wänden standen vier Holzpritschen, die mit Teppichen und weichen Fellen belegt waren, und in der Mitte befand sich ein großer, oben abgeflachter Stein, der als Tisch diente. Dorthin hatte der Mönch eine Butterlampe gestellt, ein paar Grußworte gemurmelt und war in der hereinbrechenden Dunkelheit verschwunden.

Wir sitzen schweigend auf den Pritschen und lauschen in die Finsternis. Es ist sonderbar still um die Hütte, kein Laut dringt aus dem nahe gelegenen Dorf, kein rauschendes Wasser, kein Wind und keine trappelnden Rattenfüßchen. Wir fühlen uns in dieser Stille unbehaglich und beklommen, trauen uns nicht einmal, unter die Felle zu kriechen.

»War doch ein schöner Tag.« Biria versucht ein bisschen Konversation zu machen. Aber es klingt viel zu laut und irgendwie unnatürlich.

Dolma hat sich dicht neben mich gehockt, sich das Fell über die Schultern gezogen und lange nichts gesagt. Irgendwann meint sie kleinlaut, sie müsse mal auf die Toilette, traue sich aber nicht ins Dunkle.

»Wovor hast du Angst?« will Biria wissen, »vor Geistern etwa? Es gibt keine Geister. Die kommen nur in Geschichten vor.« So ganz gelingt es ihr nicht, ihre Stimme amüsiert klingen zu lassen.

Schließlich raffe ich mich auf: »Komm, Dolma, ich kann dich gerne begleiten, ich finde mich ja im Dunkeln gut zurecht.«

»Nein, nein!« meint Dolma schnell, »du weißt nicht, wie du ihnen entkommst.«

»Wem denn?« frage ich betont beiläufig, merke aber, wie ich langsam eine Gänsehaut bekomme.

»Ich meine die Dres. Sie sind hier zu Hunderten!« Dann erzählt sie die Geschichte der ermordeten Khampas, die im Unabhängigkeitskrieg eine nahe gelegene Brücke erfolglos gegen die Chinesen verteidigt hatten. Nach tibetischer Überzeugung leben die Seelen Ermorderter als Dres, als Dämonen, weiter.

Ich erinnere mich an die alte Steinbrücke, die über den Weg zu dem Ort führt, wo wir unsere Pferde und Pola zurückgelassen haben. Wir waren am Morgen darunter hindurchgeritten, und Dolma bat uns, einen Moment zu schweigen, um die Geister nicht auf uns aufmerksam zu machen. In der schönsten Morgensonne an Geister zu glauben, schien Biria und mir vollkommen abwegig, und wir alberten ein wenig herum. Als wir aber merkten, dass Dolma und Pola immer stiller und ernster wurden, je näher wir der Geisterbrücke kamen, ließen wir die Witzchen und coolen Sprüche sein. Schnell waren aber die Dämonen vergessen, denn die Sonne schien, der Fluss gurgelte neben unserem Weg, und die Pferdchen trabten so munter wie nie.

Jetzt aber, in der Nacht, sind die Dres wieder gegenwärtig. Eingestehen wollen Biria und ich uns unsere Beklommenheit jedoch nicht. Dolma steht auf, nimmt die Butterlampe in die Hand, geht zu einer der Fensternischen und lauscht in die Dunkelheit. Schließlich sagt sie: »Sie sind nicht mehr weit. Es ist besser, wenn ich alleine gehe. Ich habe mit Dres ein wenig Erfahrung.« So leise, wie es eben geht, öffnet sie die Tür, verschwindet mit der Lampe und lässt uns im Dunkeln zurück.

»Glaubst du an Geister?« frage ich Biria.

»Quatsch«, antwortet sie leise, »ist doch alles nur Aberglaube.«

»Aber die Tibeter glauben nun mal an Dres.« Ich erzähle Biria alles, was ich über Dres weiß, aber sie lacht nur und sagt: »Du tust ja gerade so, als würdest du selbst an den Unsinn glauben.«

»Natürlich nicht«, meine ich verärgert und mache mich daran, unter mein Fell zu kriechen.

Bald schlüpft Dolma wieder in die Hütte, sorgsam darauf bedacht, die Tür nicht zu laut knarren zu lassen. Sie wirkt abgehetzt, die Butterlampe hat sie auf ihrer Flucht verloren. »Ich hab euch gefunden!« keucht sie erleichtert.

»Hat dich denn jemand verfolgt?« fragt Biria neugierig und ein wenig provozierend.

»Ich weiß nicht, ich bin einfach im Zickzack gelaufen, und da haben sie meine Spur verloren.«

Ich erinnere mich an einen Text, in dem es heißt, dass Dres sich nur geradeaus bewegen könnten und nicht in der Lage seien, um Ecken oder Kurven zu laufen. Als ich das erste Mal von der Kurvenschwäche der Geister hörte, fand ich diese Minderbegabung wirklich drollig. Jetzt aber ertappe ich mich dabei, wie sehr es mich beruhigt, dass mein Bett nicht genau gegenüber der offenen Fensternische steht. Und so krieche ich tiefer unter das Fell und schlafe bald ein.

Irgendwann schrecke ich hoch. Etwas hat sich verändert. Biria schnarcht leise. Von Dolmas Pritsche kommt kein Laut, vielleicht sitzt sie auch so starr wie ich und horcht in die Stille. Ich höre ein Geräusch, das von der Tür herkommt. Ein Kratzen, ein zaghaftes Zischen und schließlich ein leises Knarren, so als ob jemand versuchte, die Tür aufzustoßen. Ich spüre, wie meine Hände schweißnass werden.

Etwas beginnt sich zu regen. Ich höre ein Rascheln vor der Hütte, ein Kratzen an den Lehmwänden und ein leises, aber langsam anschwellendes Trommeln auf dem Boden um die Hütte herum.

»Dolma, was passiert da?« flüstere ich in meiner neu aufflackernden Angst.

»Sie wollen in die Hütte«, kommt es verzagt von ihrer Pritsche.

»Was können sie uns denn anhaben?« Die blutigsten Bilder schießen mir jetzt durch den Kopf.

»Meinen Onkel haben sie einmal mitgenommen«, flüstert Dolma. »Als wir ihn dann an einem ganz anderen Ort wiedergefunden haben, war er nicht mehr bei Sinnen. Bis heute kann er keinen normalen Satz denken.«

Ich schaudere und halte mich instinktiv an meiner Pritsche fest. »Aber was wollen sie ausgerechnet von uns?« frage ich in die Dunkelheit.

»Wir sind hier Fremde, und das zieht sie an.«

Wir schweigen eine Weile und lauschen auf das, was sich draußen vor der Hütte abspielt. Das Getrommel wird immer lauter, und bald vernehmen wir ein leises Schnaufen.

Dolma springt auf und läuft zu mir herüber, als sähe sie genau das, was ich mir in meinen ängstlichen Phantasien ausmale. Zitternd sitzt sie neben mir, gemeinsam horchen wir nach draußen und erwarten jeden Moment, dass etwas Unfassbares über uns hereinbricht.

Plötzlich springt Dolma auf: »Jetzt sind die Hunde da!« Fast klingt es erleichtert.

Aus den tibetischen Texten weiß ich, dass Dres für gewöhnliche Menschen unsichtbar bleiben. Ein sicheres Anzeichen aber sind die Hunde, die aus ihren Winkeln geschossen kommen und kläffend die Verfolgung der Geister aufnehmen.

In diesem Moment erfüllt sich die Nacht mit lautem Hundegebell. Die Hunde des nahe gelegenen Dorfes haben sich tatsächlich zu einer großen Meute zusammengetan und rasen nun jaulend und kläffend um unsere Hütte herum.

Von dem Lärm erwacht Biria. »Was ist das?« fragt sie nervös.

»Das sind die Hunde«, antworte ich knapp. Plötzlich stockt uns der Atem, wir hören langsam schlurfende Schritte, die ungeachtet der sich wie toll gebärdenden Hunde näher und näher kommen.

Ich spüre, wie meine Glieder sich versteifen. Auch meine Zunge scheint lahm gelegt. Gedämpft durch das Rauschen in meinen Ohren höre ich Birias belegte Stimme: »Haben Geister denn keine Angst vor Hunden?«

Ich packe Dolmas Arm und flüstere: »Dolma, wer ist denn das? Diese Khampa-Dres kann man doch gar nicht hören, oder?«

»Ich weiß nicht«, raunt Dolma, sie klingt verzweifelt, und wir hören, wie sich langsam, ganz langsam, die Schritte geradewegs auf die Hütte zu bewegen. Nicht weit vor der Tür verharren sie für eine Weile, und wir ziehen uns instinktiv in die entfernteste Ecke zurück, wo wir uns verängstigt auf die Erde kauern. Eine halbe Ewigkeit hocken wir da und hören trotz des überlauten Hundegejauls unsere Herzen pochen. Und dann murmelt eine tiefe Männerstimme ein lang gezogenes Gebet. Kurz darauf ziehen die Hunde sich wieder ins Dorf zurück. Noch hören wir, wie das Gebell leise in der Ferne verschwindet, und dann ist alles wieder still. Der Spuk scheint vorbei.

Knarrend öffnet sich die Tür, und herein kommt der alte Mönch, in der Hand hält er die Butterlampe, die Dolma auf ihrer Flucht vor den Dämonen verloren hatte. Biria und mir ist unsere nun vollkommen unbegründet erscheinende Panik etwas peinlich. Was war überhaupt geschehen? Waren es nur unsere Vorstellungen, die uns Angst gemacht haben?

10

Viel war geschehen, seit ich mit Dolma und Biria von unserer Reise zu Pferd zurückgekehrt war. Zusammen mit Dolma besuchte ich ein Waisenheim im Zentrum von Lhasa. Der Heimleiter empfing mich freundlich. Er habe schon von mir gehört und freue sich, mich nun persönlich kennen zu lernen. Er führte uns in sein Arbeitszimmer, das ganz mit weichen Teppichen ausgelegt war. Um den Tisch waren die typischen Sitzbetten gruppiert, und in einer Ecke des Raumes befand sich ein großer Altar mit Buddhastatuen und kostbaren, aus Silber geschmiedeten Opferschalen.

Lobsang, der Leiter des Waisenheims, ließ ein Tablett mit Ölgebäck und eine Kanne voll Dcha-Ngamo bringen. Dieser Tee wird mit kochender Milch zubereitet und, anders als der übliche gesalzene Buttertee, mit Zucker gewürzt. Meist wird er nur zu festlichen Anlässen gereicht.

Als wir die erste Schale geleert hatten, bat er Dolma, ihm ein wenig über mich und mein Vorhaben zu berichten. Dolma schien ihre Sache gut zu machen, denn Lobsang war hörbar beeindruckt. Immer wieder schnalzte er mit der Zunge, was sowohl Mitgefühl und Anteilnahme als auch Anerkennung bedeuten kann. Beim Abschied legte Lobsang uns beiden einen Katag um den Hals und nahm uns das Versprechen ab, sein Waisenheim bald wieder zu besuchen.

Ein paar Tage später kam überraschend ein Angestellter Lobsangs zu mir, um mich zu einem weiteren Gespräch ins Waisenheim zu bitten. Ich hätte gerne Dolma bei mir gehabt, aber Palden, der Angestellte, drängte zur Eile. So fuhr ich mit ihm, auf dem Gepäckträger seines Fahrrads, alleine los. Diesmal empfing mich der Heimleiter nicht in seinem gemütlichen Arbeitszimmer, sondern in einem riesigen Raum, der auf mich kalt und bedrohlich wirkte. Ich nahm auf einem unbequemen Ledersessel Platz, und Lobsang ließ sich rechts von mir nieder, vermutlich hinter einem Schreibtisch, denn ich hörte, wie er nervös mit einem Stift auf einer Holzplatte herumtrommelte. Einige Minuten saßen wir so da und gaben keinen Laut von uns. Zögernd sagte ich in meinem umständlichsten Tibetisch: »Mein letzter Besuch in Ihrer Einrichtung hat mir sehr gefallen, und ich fühle mich sehr geehrt durch diese Einladung!«

»Ohläh!« kam es von Lobsang zurück. Ich spürte, wie sich seine Nervosität auf mich übertrug.

Nach einer Weile ging die Tür auf, und eine weitere Person betrat den Raum. Lobsang sprang auf, ich hatte den Eindruck, er war plötzlich erleichtert. »Mein Name ist Chungda«, sagte sie in ungewöhnlich gutem Englisch. »Ich bin die Tochter des Heimleiters. Ich soll für meinen Vater übersetzen, denn er spricht nur Tibetisch und Chinesisch.« Ihre Stimme klang eigentümlich hell und spitz.

Chungda zog einen Stuhl an meine Seite, und nachdem sie Lobsang eine Weile zugehört hatte, begann sie mit der Übersetzung: »Mein Vater sieht dich als Freundin Tibets und als Helferin der Armen unseres Landes. Mit Menschen, die sich um das Wohl der Armen sorgen, fühlt er sich sehr verbunden.« Ich fand seine Ausdrucksweise etwas blumig und fühlte mich verpflichtet, etwas richtig zu stellen: »Ich habe doch noch gar nichts Besonderes getan.«

Chungda übersetzte meinen Kommentar und fügte dann, ohne auf seine Antwort zu warten, hinzu: »Viele wissen hier in Lhasa, dass du gekommen bist, um eine Schrift für Blinde zu verbreiten, und dafür möchte dir mein Vater seinen Dank aussprechen.« Das war ja reizend, aber dafür hatte mich der Heimleiter bestimmt nicht herbestellt.

Jetzt drehte sich Lobsang um, sprach ein, zwei kurze Sätze auf tibetisch und setzte sich wieder an seinen Schreibtisch. »Mein Vater möchte dir ein Angebot machen. Es hat ihn so gerührt, was du erzählt hast. Er möchte dir helfen und dir einige Räume für eine Blindenschule zur Verfügung stellen.«

Ich war sprachlos. Räume für eine Blindenschule, dachte ich. Noch ein paar Tage zuvor war ich mit Dolma zur Stadtverwaltung gezogen, hatte meine Brailleschrift vorgestellt und mein Anliegen vorgetragen. Die Herren Beamten konnten gar nicht fassen, was ihnen da begegnete: eine blinde Studentin, die ohne Begleitung aus Deutschland gekommen war. Neugierige Mitarbeiter aus anderen Abteilungen kamen, um sich diese verrückte Geschichte anzuhören. Schließlich hatten sie sich sogar für mein Engagement bedankt, sich mit einem kräftigen Händedruck von mir verabschiedet und gemeint: »Versuchen Sie zunächst einmal Gelder für Ihr Projekt aufzutreiben, dann sehen wir weiter.«

Und jetzt machte mir dieser Heimleiter ein Angebot, das alle meine Erwartungen übertraf. Ich brauchte erst mal Zeit, um das zu verdauen. Darum bedankte ich mich herzlich für Lobsangs Großzügigkeit und schlug ihm vor, später in Ruhe alles Weitere zu besprechen.

Dolma lachte laut, als ich ihr, diesmal von einem Chauffeur in einem bequemen Geländewagen ins Banak Shol zurückkutschiert, von meiner zweiten Begegnung mit Lobsang berichtete. »Er ist doch wahrlich eine gute Seele!« meinte sie, und es klang ein bisschen ironisch. Dann wurde sie aber wieder ernst: »Für deine Schule brauchst du einen lokalen Partner. Lobsang hat dir ein sehr gutes Angebot gemacht, und ich würde an deiner Stelle bald versuchen herauszubekommen, wie er sich die Zusammenarbeit vorstellt. Nimm dich in Acht. Denk alles gut durch, bevor du irgendetwas unterschreibst.«

In der folgenden Zeit traf ich mich häufig mit Lobsang. Die freundlichen Worte und blumigen Reden waren bald vergessen, und ich musste erkennen, dass Lobsangs großzügiges Angebot nicht nur mit Freundschaft und Nächstenliebe zu tun hatte. Bei den Gesprächen war stets Chungda als Übersetzerin dabei, denn Dolma war aus irgendeinem Grund nicht erwünscht.

Nach vielen ermüdenden Sitzungen hatten wir endlich die Verhandlungen abgeschlossen, und Lobsang und ich unterzeichneten vor Zeugen einen Vorvertrag. Ich erklärte mich darin bereit, Gelder zu sammeln und die Planung und Organisation des Projekts zu übernehmen. Im Gegenzug versicherte mir der Heimleiter, dass er mir die Räume zur Verfügung stellen würde. Das war die Voraussetzung dafür, dass ich Spenden sammeln konnte. Wir feierten die Vertragsunterzeichnung in einem Restaurant, aßen viel und kippten die bei solchen Gelegenheiten erforderlichen Mengen Arak, eines hochprozentigen Schnapses.

Ganz still ist es jetzt um mich herum. Hier und da vernehme ich ein zaghaftes Räuspern und das leise Rascheln der Mönchsgewänder. Dann eine tiefe Stimme direkt vor mir, die das Gebet einleitet. Ein monotoner Singsang, dessen Wortlaut ich nicht verstehe. Jetzt beginnt eine Gruppe von klaren jungen Männerstimmen rechts von mir, sie fügen sich in den Gesang des Vorbeters ein, bleiben im gleichen Rhythmus, singen jedoch in ihrer eigenen Tonlage. Dann fallen ein paar Bässe ein, und schließlich erfüllen wohl hundert Stimmen den Raum. Die Melodie schwingt wie eine unregelmäßige Wellenbewegung innerhalb einer Terz auf und ab, alle rezitieren die gleichen Worte. Nach einigen Takten sinken die Stimmen ab und werden von hellklingenden Glocken, Trommeln und Tuben abgelöst. Die Tuben, paarweise und vollkommen synchron geblasen, beginnen in einer tiefen Tonlage, der Ton schwillt kurzzeitig an, um sogleich wieder abzusinken. Schließlich verstummen die Instrumente, wieder erhebt sich

Sprechgesang. Mehr und mehr Gruppen reihen sich ein. Die Sprechchöre peitschen sich gegenseitig auf, werden schneller und allmählich auch lauter. Schließlich verschwimmen die Rhythmen, der Chor zerfällt. Übrig bleibt ein chaotisches Stimmengewirr, jeder beendet sein Gebet in seiner eigenen Melodie, in seinem eigenen Rhythmus, bis Stimme für Stimme erstirbt und nur noch eine, die tief klingende erste, übrig bleibt.

Der auf- und abschwingende Singsang der Mönche versetzt mich allmählich in einen Dämmerzustand. Es ist eine Stunde der Ruhe. Niemand kennt mich hier, niemand spricht mich an. Niemand wundert sich, redet unüberhörbar hinter meinem Rücken über mich oder richtet von irgendwoher Fragen an mich. In der Dunkeheit der Gebetshalle fühle ich mich vor Neugierigen sicher und lasse mich von den Gesängen, Glocken, Trommeln und Tuben forttragen.

»Hallo!« raunt mir jemand ins Ohr. Der Jemand setzt sich dicht neben mich auf den Boden. »Das ist wirklich entspannend!«

»Ja«, erwidere ich und versuche ein wenig von dem Störenfried abzurücken.

Doch der Mensch kennt keine Gnade und rückt hinterher. »Hey, hey!« sagt er begeistert, »Ich mag Lhasa. Die Stadt hat doch echt Atmosphäre im Vergleich mit anderen Städten in China.«

»Ja, ja«, murmele ich und stütze demonstrativ den Kopf in die Hände. Der Jemand fährt fort zu monologisieren, immer darauf bedacht, die Lautstärke seiner Stimme etwas über der des Mönchgesangs zu halten. »Auch den Jokhang mag ich gern. Bei den Gesängen wird man so ruhig!«

Ja, denke ich, ich würde bestimmt auch ruhig werden, wenn du mal für eine Sekunde die Klappe halten würdest. Was fällt ihm bloß ein, mich einfach so aus dem Dunkeln anzuquatschen? Wer ist das überhaupt? Ich brauche eine Weile, um zu erkennen, dass es sich bei der »Quasselstrippe« um Paul, den Holländer aus dem Banak Shol, handelt.

»Paul, ach du!« sage ich erfreut und ein wenig schuldbewusst, weil ich so unfreundlich war. Leise, um das Gebet nicht zu stören, flüstere ich: »Wo warst du in den letzten Wochen? Was hast du die ganze Zeit gemacht?«

»Ich habe als Freiwilliger beim Holländischen Roten Kreuz gearbeitet«, flüstert er zurück, »und vielleicht bekomme ich für nächstes Jahr einen Vertrag als Bauleiter bei deren Schweizer Kollegen in Shigatse.«

Da hat er es also tatsächlich geschafft. Schon am Tag seiner Ankunft in Lhasa hatte er selbstbewusst angekündigt, sich hier einen Job suchen zu wollen.

»Und was hast du so lange gemacht?« will er von mir wissen.

Ich erzähle ihm, was in den letzten Wochen alles passiert ist.

»Das ist ja toll!« ruft er aus, »wann kann es denn mit der Schule losgehen?«

»Ich weiß nicht«, meine ich und merke, dass ich nicht sehr enthusiastisch klinge, »ich denke mal, dass ich nächstes Jahr die Gelder zusammen habe. Und dann ...«

»Das heißt also«, fällt mir Paul ins Wort, »dann wären wir nächstes Jahr vielleicht wieder zusammen hier! Wenn du mich brauchst, für Buchführung oder Computer, ich kann dich da gerne unterstützen!«

»Danke«, murmele ich etwas erschöpft, »so weit ist es ja noch nicht.«

Paul lässt nicht locker: »Ruf mich doch mal an, wenn du sicher weißt, dass du nach Tibet gehst!«

»Ja«, sage ich und gähne leise, »ich ruf dich dann an, wo immer du auch bist.«

Ich schließe die Augen und lehne mich mit dem Rücken an die Wand. Ich fühle, wie eine große Leere in mir aufsteigt. Nach den anstrengenden Verhandlungen der letzten Wochen befällt mich Müdigkeit, auch verspüre ich Heimweh, das ich an einem kleinen Druck in der Magengrube erkenne.

»Hey!« sagt Paul. Ich schrecke hoch. »Möchtest du einen Schluck Cola?«

Ich glaube nicht, dass Cola wirklich passend an einem heiligen Ort wie diesem ist, aber bei der stickigen, Butterdunst-geschwängerten Luft könnte ich eine Erfrischung schon gebrauchen. Ich höre, wie Paul in einer aufdringlich knisternden Plastiktüte nach der Flasche kramt.

»Nicht so laut«, flüstere ich. Die Mönche haben aufgehört zu beten und versinken in ihre Meditation. Die Gebetshalle ist in tiefes Schweigen gehüllt, die Zeit scheint jetzt still zu stehen. Ich habe das Gefühl, den Atem anhalten zu müssen, denn jeder Laut, und sei er noch so zaghaft, wirkt in dieser Stille wie ein Paukenschlag.

Paul fingert an der Flasche herum. Er bemüht sich, leise zu sein, doch der Schraubverschluss kratzt ein wenig an der Flaschenwindung. Das Geräusch läßt mich zusammenfahren. In Gedanken bitte ich ihn, die Cola doch in Gottes oder besser Buddhas Namen zuzulassen, doch da ist es bereits um uns und die Stille geschehen. Die Flüssigkeit, während seiner Spaziergänge auf dem Barkhor kräftig durchgeschüttelt und durch die Hitze des Raumes erwärmt, erkennt ihre Freiheit und knallt explosionsartig aus dem engen Flaschenhals, als würden alle zornigen Dämonen Tibets aus dieser Flasche befreit. In einer hohen Fontäne zischt der Strahl an die Decke des heiligen Saales, um dann in vielen süßen und klebrigen Tröpfchen auf die heiligen Statuen und die fromme Gesellschaft hinabzuregnen.

11

Pressemitteilung, 14. August 1997

»Studentin gründet Blindenschule in Tibet
Von Mai bis August 1997 reiste die 26-jährige blinde Tibetologiestudentin der Rheinischen Friedrich-Wilhelms-Universität Bonn, Sabriye Tenberken, durch die Autonome Region Tibet, um vor Ort die Situation blinder Menschen zu erkunden.
Nach offiziellen Angaben gibt es in Tibet bei 2,4 Millionen Einwohnern mehr als 10.000 Blinde, davon viele Kinder im schulfähigen Alter zwischen sechs und vierzehn Jahren. Ursachen von Augenschädigungen sind: starke Sonneneinstrahlung, Staub und Ruß in den Häusern und mangelnde ärztliche Betreuung.
Bereits im Vorfeld hatte die Studentin eine tibetische Blindenschrift entwickelt, die von Blinden in Tibet als einfach erlernbar befunden wurde.
Das Projekt soll im April nächsten Jahres beginnen. Ziel ist es, die Kinder unter Betreuung der von Frau Tenberken ausgebildeten Lehrer in die Schulen ihrer Heimatdörfer zu integrieren.
Die Studentin bemüht sich, die Finanzierung des Blindenschul-Projekts von deutscher und europäischer Seite aus zu sichern.«

Elmar, ein guter Freund, hatte mich kurz nach meiner Ankunft in Deutschland überredet, eine Pressemitteilung an alle lokalen Zeitungen auszusenden. »Wenn du Spenden für dein Projekt sammeln willst, musst du dich und deine Idee schon gut verkaufen.«

Der Erfolg war unerwartet groß, das Telefon stand nicht mehr still. Doch ich merkte bald, dass es den meisten Zeitungen eher um eine rührende Story ging, nach dem Motto: »Blinde Studentin reist zu Pferd durch die Wildnis Tibets«. »Blinde Deutsche befreit tibetische blinde Kinder aus ihren dunklen Gefängnissen. Sie bringt den Blinden das Licht und eine Schrift, die ihnen das Tor zum Leben eröffnet«. Die wenigsten Blätter waren bereit, einen Spendenaufruf abzudrucken.

Ein Freund meiner Eltern meinte irgendwann: »Presse ist gut und richtig, aber du solltest dich bei Regierungsstellen um eine Finanzierung bemühen. So brauchst du am Anfang nicht jeder Mark hinterherzujagen. Bekannt wird das Projekt dann später von selbst.«

Ich erkundigte mich telefonisch beim Bundesministerium für Wirtschaftliche Zusammenarbeit und Entwicklung (BMZ) nach den Aussichten für eine Startfinanzierung. Ich erfuhr, dass ich einen gemeinnützigen Trägerverein finden müsse, da Privatpersonen keine Anträge stellen können.

»Schauen Sie doch mal im Vereinsregister, vielleicht finden Sie da einen Verein, der Sie huckepack nimmt. Es sollte aber einer sein, der wirklich schon viel Erfahrung hat, sonst bringen Sie sich und Ihr Projekt nur in unnötige Schwierigkeiten.«

Schon ein paar Tage später saß ich bei Kuchen und Saft auf der sonnigen Terrasse eines Mitglieds meines neuen Trägervereins. Sie wollten alles über die blinden Kinder wissen und interessierten sich auch für den Vertrag, den ich mit Lobsang geschlossen hatte.

Nachdem ein Fernsehfeature über meine Pläne gezeigt worden war, kam Schwung in die Sache. Ich wurde zu verschiedenen Vorträgen eingeladen, Clubs und Schulen veranstalteten Auktionen und Basare, deren Einnahmen dem Blindenprojekt zugute kommen sollten. Doch die Organisationen, von denen ich mir am meisten Unterstützung versprochen hatte, nämlich Blindenvereine und Tibet-Initiativen, verhielten sich recht zurückhaltend.

Allein ging ich dann zu einem Termin beim Ministerium, um das Projekt vorzustellen und meine Zukunftspläne zu erläutern. Die Beamten waren sehr aufgeschlossen und interessiert, aber skeptisch, was meinen Trägerverein betraf. »Sicher«, meinten sie, »dieser Verein erfüllt alle Voraussetzungen. Aber Sie sollten sich vielleicht doch nach einem professionellen Träger umsehen. Wir befürchten, dass die Kompetenz dieses Vereins nicht ausreicht.«

Doch da alles so glatt lief – innerhalb von nur drei Monaten wurde der Antrag zur Finanzierung der Startphase des Projekts vom BMZ genehmigt –, hatte ich die Warnungen der Beamten bald vergessen. So tappte ich in eine Falle, die ein Jahr später kräftig zuschnappen sollte.

Im Frühjahr 1998, also rund sechs Monate nach meiner Rückkehr, hatte ich genügend Spenden beisammen, sodass es von mir aus losgehen konnte. Ich telefonierte nach Lhasa und bat Lobsang, mir eine Einladung und eine Arbeitsgenehmigung zu schicken.

Zwei Monate später waren die Papiere da. Auch das Flugticket nach Kathmandu hatte ich in der Tasche, denn diesmal sollte es über Nepal nach Lhasa gehen, und auch von all meinen Freunden hatte ich mich bereits verabschiedet. Noch einmal blätterte ich in meinem Adressbuch, ob ich auch wirklich niemand vergessen hatte. Ich stieß auf den Namen Paul Kronenberg. Was hatte er damals im Jokhang gesagt? »Ruf mich dann doch mal an, wenn du sicher weißt, dass du nach Tibet gehst!« Ich wunderte mich, wie schnell die Zeit vergangen war.

Ich wählte Pauls Nummer. Er war direkt am Apparat.

»Hallo«, sagte ich, »ich wollte dir nur sagen, dass es nächste Woche losgeht.«

»Ja, und?« fragte er.

»Nichts und«, meinte ich, »einfach nur tschüss!« Das Gespräch wurde mir zu dumm. Er musste ja nicht in Tränen ausbrechen, aber er konnte sich wenigstens nett verabschieden und mir eine gute Reise wünschen.

Doch nach einer für ihn ungewöhnlich langen Pause meinte Paul: »Von wegen tschüss. Ich komme mit!«

12

»Kelsang Meto!« schrillte es in mein Ohr, »da bist du ja endlich! Wir hatten dich schon letzte Woche erwartet.« Es war Chungda. Sie erwartete wohl, dass ich mich umgehend aus den Decken wühlte. Es war mir nicht recht, dass sie mich so sah, übermüdet, zerzaust und ungewaschen, die halb gefüllte Wasserschüssel für alle Fälle neben mir am Kopfende platziert. Wir hatten in Kathmandu festgesessen und waren sechs Tage später als geplant in Lhasa angekommen. Mich hatte dann am vorigen Tag beim plötzlichen Anstieg von 1800 auf 3650 Meter die Höhenkrankheit erwischt. Bohrende Kopfschmerzen machten mir noch immer zu schaffen.

»Der Chauffeur wartet schon unten. Wir möchten dir die neue Schule zeigen, damit es bald losgehen kann.«

»Ich komme gleich«, sagte ich und hoffte inständig, dass sie mich nun allein ließ.

»Du brauchst sicherlich Hilfe«, meinte sie und schickte sich an, aus meinem halb geöffneten Koffer Kleidungsstücke herauszusuchen. Das ging nun doch zu weit. Jetzt wollte sie mich auch noch anziehen!

»Bitte, Chungda«, sagte ich, und meine Stimme klang wohl eher jämmerlich als selbstbewusst. »Ich brauche nur fünf Minuten. Tu mir den Gefallen und warte unten auf mich.«

Kurz darauf saß ich auf der Rückbank von Lobsangs Geländewagen. Der Neubau des Heimes für elternlose Kinder befand sich am anderen Ende der Stadt, und so dauerte es eine Weile, bis wir über einen holprigen Feldweg das Eingangstor erreicht hatten, wo mich Lobsang herzlich empfing. Er führte mich gleich in sein neues Büro. Nachdem der obligatorische Buttertee geschluckt und der Höflichkeit genüge getan war, brannte Lobsang darauf, mir die Räume zu zeigen, die er für die Blindenschule vorgesehen hatte. Sie gehörten zu einem Gebäudekomplex, der dem Waisenheim gegenüber lag.

Der Innenhof der Anlage schien fast die Dimensionen eines Dorfplatzes zu besitzen. Aus einigen Gebäuden erklangen Kinderstimmen, die das tibetische Alphabet aufsagten. Lautes Hämmern und das Schnarren einer elektrischen Säge aus einem anderen Gebäudeteil verrieten, dass sich hier auch Werkstätten befanden. Auf dem Innenhof spielten Kinder, die uns, sobald sie uns gesehen hatten, umringten und neugierig neben uns herliefen, bis wir die andere Seite des Hofes erreicht hatten.

»Hier ist dein Schulhaus. Es hat zwei Etagen. Unten sind die Toiletten, ein Klassenraum, eine Küche und ein Speisesaal.« Chungda schloss die Tür zu einem der Räume auf. Das große, quadratische Zimmer wirkte ein wenig ungemütlich, aber das sollte sich wohl ändern, sobald es möbliert war. In das Obergeschoss gelangte man über eine Treppe und einen Balkon. Da gab es drei kleinere Schlafräume für die Kinder, zwei Zimmer für das Personal und die Duschen.

»Das ist alles sehr luxuriös«, sagte ich zögernd. Chungda und Lobsang hielten das für ein großes Kompliment und lachten geschmeichelt. Ich hingegen musste an die Kinder denken, die aus den armseligsten Verhältnissen kommen würden. Was, wenn sie sich an die vergleichsweise feudalen Lebensbedingungen gewöhnten und später nicht mehr zurück in ihre Heimat wollten?

Über den Hof ging es nun zu einem weiteren Haus. »In diesem Gebäude«, sagte Chungda feierlich, »werden deine Amtsräume sein.«

Im zweiten Stock betraten wir einen saalartigen Raum, der merkwürdig hallte. »Der Raum«, sagte Chungda schnell, »ist 45 Quadratmeter groß und ganz mit einem teuren Teppichboden ausgelegt. Auf der linken Seite gibt es mehrere Fenster, die zum Hof führen, und auf der rechten blickt man auf Bäume und auf den Potala. Du kannst den Raum als Empfangssaal nutzen, das wird deine Gäste beeindrucken.«

Ich lief ein paar Schritte, um mich zu orientieren. Bis auf einen Tisch, um den ein paar Stühle gruppiert waren, war der Empfangssaal, der auf mich riesenhaft und fast erdrückend wirkte, leer. Durch eine weitere Tür ging es in ein Nebenzimmer. »Dies ist dein Büro«, meinte Chungda. »Wir haben zwei Schreibtische hineingestellt.«

Jetzt wunderte ich mich wirklich. »Aber wir hatten uns doch letztes Jahr darauf geeinigt, die Einrichtungsgegenstände gemeinsam zu besorgen!«

»Wir haben schon alles bereit«, sagte Chungda.

»Alles?« fragte ich erstaunt. »Alle Tische, Bänke, Betten – und Matratzen, Bettwäsche, Geschirr?«

»Ja«, sagte sie stolz, »alles, was wir im letzten Jahr für das Budget aufgelistet haben.«

»Wo sind denn die übrigen Möbel?« fragte ich verwundert, denn sämtliche Räume kamen mir, bis auf die hineingestellten Tische, recht kahl vor.

»Zum Teil stehen die Möbel noch in unserer Lagerhalle, aber wenn du sie brauchst, können wir sie sofort herbeischaffen.«

»Warum habt ihr mich denn nicht vorher gefragt? Wir hätten sie doch gemeinsam aussuchen können.«

»Ach«, meinte Chungda abwehrend, »Westler werden oft übers Ohr gehauen, und das wäre doch schade, schließlich geht es um Spendengelder für die Blinden Tibets.«

»Das ist ja richtig«, sagte ich, »aber woher habt ihr bloß das ganze Geld?« Für die gesamte Einrichtung hatten wir 11.000 DM veranschlagt, ein stattliches Vermögen für tibetische Verhältnisse.

»Das Geld haben wir vorgestreckt und hoffen nun, dass es bald auf unser Konto eingezahlt wird.«

Dann zeigte mir Chungda noch das »Gästehaus«, ein zweigeschossiges Eckgebäude auf der anderen Seite des Hofes, wo ich von nun an leben sollte. Auf beiden Etagen gab es je ein modernes Badezimmer und drei mittelgroße Zimmer. Hinter dem Haus befanden sich eine große Sonnenterrasse und ein kleines Rasenstück, auf dem ein paar Obstbäume standen. Chungda führte mich durch den Garten und beschrieb die Pflanzen und Bäume, die jetzt alle in voller Blüte standen.

Irgendwie war ich enttäuscht. Aber was hatte ich denn erwartet? Einen Stall? Ein paar verrußte Lehmhütten oder ein großes Yakhaarzelt? Lhasa ist eine moderne Stadt, sagte ich mir, und wer wollte den Menschen das Recht absprechen, sich Häuser aus Beton zu bauen, auch wenn sie längst nicht so gut an das Klima angepasst sind wie die traditionellen Lehmhütten. Denn Betongebäude heizen sich im Sommer unerträglich auf und lassen im Winter die Kälte ungehindert eindringen.

Der Garten allerdings war ein kleines Paradies. Ich setzte mich auf eine niedrige Steinmauer und genoss für einen Augenblick das Zwitschern der Vögel, das Summen der Bienen und den Duft der Blumen. Wie leicht man es mir doch gemacht hatte, mich in diesem fremden Land heimisch zu fühlen. Man hatte mir ein kleines Schloss gebaut, alles bereitgestellt, und jetzt konnte es endlich losgehen. Bald schon sollten die ersten Kinder kommen.

Es war Anfang Juni, als ich die erste Nacht in meinem neuen Zuhause verbrachte. Mitten in der Nacht schreckte ich hoch, als ich ein lautes Rauschen hörte, das vom Flur her zu kommen schien. Schnell war ich auf den Beinen, öffnete die Zimmertür – und tapste in kaltes Wasser. Offenbar ein Wasserrohrbruch. Eine Weile stand ich ratlos im kalten Nass und spürte, wie das Wasser an mir vorbei ins Zimmer strömte. Ich weckte den alten Hausmeister des Heims, und dann wurde es lebendig um mich her. Der Haupthahn wurde abgestellt, und die Waisenkinder wurden aus den Betten geklingelt, um mir mit Eimern und Schrubbern zur Hand zu gehen.

Nach dieser Nacht gab es in meinem feudalen Badezimmer für lange Zeit keinen einzigen Tropfen Wasser mehr, und ich musste fortan mit Eimern auf den Hof laufen, um das Wasser aus den Brunnen zu holen. Ich war eben doch in Tibet. Das wurde mir bei jeder Waschzeremonie neu bewusst.

13

Eines Morgens wollte ich den Weg von der Schule in die Altstadt von Lhasa erkunden. Ich nahm meinen Stock und ging über den Hof zur Toreinfahrt. Da hörte ich plötzlich einen Schreckensschrei, jemand sprang auf mich zu und hielt mich fest.

»Was ist denn?« fragte ich auf tibetisch, und der alte Hausmeister sagte mit zitternder Stimme, ich dürfe nicht alleine losziehen. »Warum nicht?« wollte ich wissen. Er murmelte etwas Unverständliches.

Da kam Chungda über den Hof herbeigeeilt. »Willst du in die Stadt? Warte einen Moment, ich hol den Fahrer.«

»Ich würde eigentlich lieber zu Fuß gehen«, antwortete ich. »Wie soll ich sonst den Weg kennen lernen?«

»Das geht aber nicht«, sagte Chungda bestimmt. »Das hat mein Vater ausdrücklich verboten.«

Es passte mir gut, dass Lobsang hinzukam. So konnte ich ihm in aller Ruhe erklären, dass er als zukünftiger Leiter einer Blindenschule blinden Menschen und ihren Fähigkeiten schon etwas mehr Vertrauen entgegenbringen sollte.

»Macht euch um mich keine Sorgen«, sagte ich zu Chungda, die zwar alles wortgetreu übersetzte, mich aber ihre Verärgerung über meine Dickköpfigkeit spüren ließ. »Der Weg führt doch nur geradeaus. Gebt mir eine Chance, ich bin heute Abend wohlbehalten zurück.«

Ich bekam meine Chance, und es stellte sich heraus, dass der Weg in die Stadt tatsächlich kein Problem war. Denn schon an der ersten Weggabelung lauerten mir ein paar freundliche Kinder auf, die mich den ganzen Weg bis zum Potalapark begleiteten und dort in eine Rikscha steckten. Ich wurde den Verdacht nicht los, dass es sich um Lobsangs Helfershelfer handelte, und irgendwie rührte es mich, dass er sich solche Sorgen machte.

Mit der Rikscha fuhr ich zu Dolma. Wir hatten einen wunderschönen Nachmittag und einen fresslustigen Abend, und dann beschloss ich, den Heimweg anzutreten.

»Du nimmst doch ein Taxi?« fragte Dolma fürsorglich. Ich zögerte, denn ich wusste nicht genau, wie ich dem Taxifahrer den Weg zur Schule erklären sollte, doch dann stimmte ich zu, weil es mir am Abend so doch sicherer erschien. Schnell hatte ich ein Taxi gefunden und fragte den Fahrer auf Chinesisch, ob er wisse, wie man zu dem Vorort komme, in dem sich die Schule befand. Kein Problem, er sei in Lhasa geboren und kenne die Stadt wie seine Westentasche. Doch bald stellte sich heraus, dass ich den wohl einfältigsten und unfähigsten Taxifahrer von ganz Tibet erwischt hatte. Ich erklärte ihm, dass er den Weg schon selbst finden müsse, denn ich sei blind und könne ihm nur ungefähre Angaben liefern.

Als wir die Brücke am Stadtrand passierten, die ich wieder erkannte, bat ich ihn anzuhalten, denn von hier aus wusste ich den Weg.

»Nein, nein«, sagte er, »du bist ja blind, du kannst jetzt nicht aussteigen.«

Ich wurde wütend und befahl ihm, sofort zu stoppen. »Nein, nein«, wiederholte er stumpfsinnig, »du weißt ja nicht, wo du bist.«

Weiter ging die Fahrt, mit ziemlicher Geschwindigkeit, wir waren bald auf dem Land und scheinbar mitten im Nichts. Doch irgendwo in der nächtlichen Weite Tibets gab es noch ein Haus, auf das mein Chauffeur zielsicher zusteuerte. Es war ein Bordell. Auf dem Hof waren wir gleich von neugierig schnatternden und kichernden Damen umringt.

»Kennt ihr diese Frau?« wollte der Taxifahrer wissen. Lautes Gelächter. Wahrscheinlich kannten sie ihn besser als mich. Doch er ließ nicht locker: »Wisst ihr, wo sie hin will?«

Jetzt schaltete ich mich wieder ins Gespräch und sagte wütend: »Ich weiß sehr gut, wo ich hin will!« Ich wies ihn an, einfach wieder zurückzufahren und auf mich zu hören.

Das tat er dann auch. Aber unglücklicherweise entschied er sich irgendwann, keine Lust mehr zu haben, mich durch die Gegend zu kutschieren. Er hielt irgendwo in der tiefsten Finsternis an und sagte: »Wir sind da.« Ich wusste genau, dass das frech gelogen war. Aber des sinnlosen Herumfahrens müde, gab ich ihm einen 10-Yuan-Schein, den üblichen Betrag für eine Taxifahrt, und stieg aus.

»Das kostet aber mindestens 20 Yuan!« rief er mir hinterher. Ich gab ihm zu verstehen, dass er ja nicht mal das Fahrtziel erreicht habe, und dass ich nun laufen müsse. Jetzt wurde er richtig böse, sprang aus dem Wagen und begann zu brüllen, wie weit er gefahren sei und wie viel Mühe er sich gegeben habe. Ich ließ mich nicht einschüchtern, nahm meinen

Stock und marschierte in die Richtung los, in der ich die Schule vermutete. Bald hörte ich, wie er die Autotür zuknallte und davonfuhr.

Nach etwa zehn Minuten wusste ich, dass ich mich langsam dem Stadtrand näherte, denn jetzt stolperte ich von einem Müllberg zum anderen, rutschte in ein stinkendes Wasserloch und blieb schließlich mit dem Stock an einem eisernen Ofenrohr hängen, das aus einem Graben hervorragte. Ich hatte es mir am Nachmittag als Orientierungspunkt gemerkt und erkannte erleichtert, dass ich zu Hause war. Ich lief durch die lange Einfahrt, pochte wie eine Wilde ans Schultor und war erstaunt, dass mir sofort geöffnet wurde. Sämtliche Heimbewohner schienen auf mich gewartet zu haben. Schließlich hatten sie ja alle damit gerechnet, dass so etwas passierte.

In den folgenden Tagen war ich dabei, geeignete Lehrkräfte für die Schule auszuwählen und merkte, wie schwierig es war, Menschen zu finden, die Arbeit suchten und zugleich alle Qualifikationen besaßen, die meiner Überzeugung nach nötig waren: ausreichende Englisch- und gute bis sehr gute Chinesischkenntnisse, außerdem die Bereitschaft, sich in das Leben eines Blinden hineinzuversetzen. Ich dachte mir ein Testverfahren aus, das nicht in erster Linie aus dem Abfragen von Wissen bestand, sondern die natürliche Begabung, sich zu orientieren, prüfen sollte.

Ich bat Palden, den Grundschullehrer der Waisenkinder, die Bewerber, die über Mundpropaganda von dem Job gehört hatten, draußen abzufangen und ihnen eine Schlafbrille, die ich aus dem Flugzeug mitgenommen hatte, auszuhändigen. Sie sollten sich die Brille über die Augen ziehen. Ich führte sie dann in den Empfangssaal und stellte ihnen die Aufgabe, den Raum zu erkunden. Die meisten Probanden liefen zunächst einmal orientierungslos im Kreis herum. Ich schlug ihnen dann vor, sich eine Leitlinie zu suchen, denn nur so konnten sie ihre Umgebung systematisch erforschen.

Einige entdeckten den Tisch, der mitten im Zimmer stand und tasteten sich mit einer Hand an der Tischkante entlang. Das war nicht allzu pfiffig, denn manche liefen nun ihre Runden immer um den Tisch herum und kamen nicht vom Fleck. Andere waren erfindungsreicher. Sie entdeckten die Zimmerwand als Leitlinie. Ich stellte mich dann an die Tür und redete mit ihnen, sodass sie etwas über die Größe des Empfangssaals und ihre eigene Position im Raum erfahren konnten. Hin und wieder hörte ich, wie die Kandidaten über Bücherkisten fielen oder offen stehende

Türen rammten, und ich riet ihnen, die Hand schützend vor den Körper zu halten, um den Raum ohne größere Verletzungen erkunden zu können.

Sobald die Bewerber eine ungefähre Raumvorstellung hatten, konnten sie sich auch von der Wand oder einer anderen Leitlinie lösen und freihändig das Zimmer durchqueren. Einige fühlten bei dieser Übung leichten Schwindel aufkommen. Andere erzählten erstaunt, wie sie sich allmählich auf Geräusche und Temperaturunterschiede konzentrierten.

Einer jungen Tibeterin gelang es bei der freihändigen Übung, sich in einer Kiste begraben zu lassen, die mit Zeitungen und Verpackungsmaterial vollgestopft war. Als ich die arme Frau von all dem Papiermüll befreit hatte, meinte sie unter lautem Gelächter: »Das ist eine Arbeit für mich, das macht großen Spaß.« Es war eine ehemalige Nonne aus einem Kloster in Lhasa, und ich fand sie gleich sehr sympathisch. Leider konnte sie weder lesen noch schreiben und sprach auch kein Chinesisch oder Englisch, sodass ich sie nicht als Lehrerin einstellen konnte. Anila, so werden alle Nonnen in Tibet genannt, wurde jedoch zur Hausmutter gekürt, und für mich ist sie noch heute die beste Hausmutter der Welt.

Andere jedoch bekamen Angst bei den Übungen und rissen sich gleich die Brille von den Augen. Angst vor Blindheit, schien mir, war keine gute Voraussetzung. Die Menschen, die ich suchte, sollten blinden Menschen ohne Scheu begegnen, denn nur so konnten sie die Möglichkeiten und Fähigkeiten eines jeden einzelnen Kindes entdecken. Sie sollten Spaß am Leben, Mut und Selbstvertrauen vermitteln.

Während die meisten Kandidaten wegen ihrer Ängste ausschieden, gab es einige, die mit Eifer darangingen, eigene Orientierungstechniken zu entwickeln. Einer der Experimentierfreudigsten war Palden. Er schien mir ein ausgezeichneter Lehrer zu sein. Manchmal hatte ich in seinem Unterricht zugehört und bewundert, wie er es schaffte, dreißig Kinder mit den unterschiedlichsten Voraussetzungen still und aufmerksam zu halten. Er war sehr geduldig und kein bisschen autoritär. Chungda meinte, es würde keine Probleme bereiten, wenn Palden in die Blindenschule überwechselte.

Lobsang stimmte zu, allerdings erst nach längerer Bedenkzeit. Außerdem stellte er einige Bedingungen. Palden sollte sich nicht ganz aus der Waisenschule zurückziehen, sondern auch dort einige Stunden in der Woche unterrichten, wann genau, das wollte Lobsang von Fall zu Fall entscheiden. Außerdem sollten die Gelder der Blindenschule von Chungda verwaltet werden. Ich machte mir darüber erst mal keine Gedanken und erklärte mich einverstanden. So wurde Palden der erste Blindenlehrer der Autonomen Region Tibet.

14

»Kelsang Meto, wo steckst du denn? Wir haben hohen Besuch!« Das war Chungda, die aufgeregt zu uns gelaufen kam.

Ich schraubte gerade zusammen mit Palden und Anila in einem der zukünftigen Schlafräume der Kinder die eisernen Doppelbetten zusammen. Auf Besuch, und dann noch hohen, war ich an diesem Morgen nicht vorbereitet. Ich hatte ein ölverschmiertes T-Shirt an, und meine Haare waren zerzaust und voller Staub. »Ich geh mich schnell umziehen.«

Weit kam ich aber nicht. Lobsang erwischte mich im Treppenhaus, nahm mich beim Arm und machte mich mit den Besuchern bekannt. Es handelte sich um Delegierte des chinesischen Behindertenverbandes aus Peking, die eine Inspektionsreise durch die Autonome Region Tibet unternahmen und die Gelegenheit nutzten, auch mein Projekt kennen zu lernen.

Zunächst wollten die Besucher von mir wissen, warum ich mich ausgerechnet in der Autonomen Region Tibet und nicht in einer anderen Provinz Chinas engagieren wollte. Diese Frage wurde mir von chinesischen Offiziellen oft gestellt, sicher, weil man hinter jeder europäischen oder amerikanischen Initiative politische Bestrebungen vermutete. Ich beeilte mich zu erklären, dass meine Wahl eher zufällig auf die Autonome Region gefallen war. »Tibet«, sagte ich auf Chinesisch, denn diesen Satz hatte ich für derartige Anlässe mühsam auswendig gelernt, »war der Schwerpunkt meines Studiums der Zentralasien-Wissenschaften. Für Mongolisch und Chinesisch gab es bereits Blindenschriften, mit denen ich arbeiten konnte. Anders beim Tibetischen, und so habe ich damals für meine eigenen Zwecke eine Brailleschrift entwickelt, die ich nun tibetisch sprechenden Blinden zur Verfügung stellen möchte.«

»Dui, dui!« sagten die Besucher aus Peking, was so viel wie »richtig, ganz richtig« bedeutet. »Aber wer hilft Ihnen denn dabei?« »Ich hoffe, bald kreative und motivierte Lehrer zu finden, die meine Arbeit später fortsetzen. Und außerdem«, fügte ich hinzu, »werde ich vom Heimleiter und seiner Tochter so hervorragend unterstützt. Und schauen Sie sich nur um, welche schönen Räume sie mir zur Verfügung gestellt haben!«

Lobsang lachte geschmeichelt und erzählte stolz von unserer ersten

Begegnung und von meinem Ritt über die Dörfer. Ich hatte das Gefühl, dass er mit meinem kurzen Auftritt sehr zufrieden war. Auch die Delegierten aus Peking schienen froh und erleichtert. Was aber der hohe Besuch wirklich von meinen Plänen hielt, das konnte ich nur ahnen. Kritik oder gar Ablehnung zu äußern verbot sich nach den Regeln der asiatischen Höflichkeit von selbst.

Einige Tage später bekam ich überraschend Besuch von zwei Europäern. Sie arbeiteten für eine bekannte Hilfsorganisation, die weltweit Rehabilitationseinrichtungen für blinde und sehgeschädigte Menschen betreibt. Ich freute mich sehr über die Gelegenheit zu einem Gedankenaustausch mit den beiden Experten, doch leider nahm das Gespräch dann einen anderen Verlauf.

Zuerst gestatteten sie mir, das Projekt und meine Zukunftspläne vorzustellen. Dann, nach einer Weile unangenehmen Schweigens, begannen die Herrschaften, mein Konzept mit viel Sachverstand kurz und klein zu hacken. Sie hielten mir vor, für ein solches Projekt nicht die notwendigen Erfahrungen mitzubringen, unprofessionelle Pläne zu schmieden und mich zu ihrer Umsetzung dilettantischer Methoden zu bedienen. Höhepunkt ihrer Attacke war der Vorwurf, ich torpedierte die Integration blinder Menschen in die Gesellschaft, indem ich die Kinder aus ihren Familienverbänden risse, um sie fern ihrer Heimat in ein Internat zu sperren.

Ich war baff. »Haben Sie schon in Tibet gearbeitet?« wollte ich wissen.

Die Herrschaften verneinten.

»Ich glaube nicht, dass Sie Erfahrungen aus anderen Ländern so ohne weiteres auf die Autonome Region Tibet übertragen können.« Ich machte sie darauf aufmerksam, dass in einem Gebiet, das dreieinhalbmal so groß wie Deutschland ist, nur 2,4 Millionen Menschen leben. Wie konnten sie da eine umfassende Betreuung in den jeweiligen Heimatdörfern gewährleisten? Außerdem sind viele Gebiete noch nicht erschlossen, und wenn es überhaupt Straßen gibt, sind sie in der Regenzeit und im Winter unpassierbar.

Ich erzählte den Besuchern von meinen eigenen Erfahrungen. Meine Eltern hatten meine Sehschädigung entdeckt, als ich noch ein Kleinkind war. Trotzdem entschieden sie sich für eine Schule, auf die ich zusammen mit meinen sehenden Freunden gehen konnte. Diese so genannte integrative Beschulung war für mich sehr wichtig, denn ich lernte, mich in der Welt der Sehenden zurechtzufinden. Allerdings fühlte ich mich nie wirklich gleichberechtigt mit den anderen Kindern. Überall erhielt ich eine Sonderbehandlung. Manche Lehrer redeten mich mit einer Babystimme an, ich bekam oft extra große Kuchenstücke und wurde morgens als Erste in den Klassenraum gelassen und am Ende der Stunde wieder als Erste verabschiedet. Das ganze Getue verstand ich als Kind nicht, und dass es etwas mit meiner Sehschädigung zu tun haben könnte, kam mir nicht in den Sinn.

Ich konnte mir das sonderbare Verhalten meiner Mitmenschen nur so erklären, dass ich selbst wohl etwas Sonderbares an mir hatte. Ich brauchte eine ganze Weile, bis ich verstand, warum manche Lehrer und Mitschüler sich so merkwürdig und manchmal auch böswillig verhielten.

Darum entschied ich mich, als ich zwölf war, auf das Blindengymnasium in Marburg überzuwechseln. Erst da erlebte ich, dass ich eine unter vielen war und dass ich mich über meine Erfahrungen mit anderen blinden Schülern austauschen konnte. Ich lernte mit Hilfe der Brailleschrift Lesen und Schreiben, lernte, mich mit einem Stock in fremder Umgebung zurechtzufinden, lernte Kochen, Einkaufen und zudem die verschiedensten Sportarten wie Skifahren, Reiten und Kajakfahren. Bald hatte ich das Gefühl, wenn ich nur die geeigneten Hilfsmittel benutzte und mir die entsprechenden Methoden aneignete, stünde mir die ganze Welt offen. Die Jahre am Marburger Gymnasium waren entscheidend, nicht nur für eine optimale Ausbildung, sondern auch für die Stärkung meines Selbstbewusstseins. Ohne die intensive Förderung durch versierte Lehrkräfte hätte ich nie erfahren, was Gleichberechtigung eigentlich ist.

All das erklärte ich den Fachköpfen von der Hilfsorganisation. Doch ich hatte nicht das Gefühl, dass sie sich wirklich für meine Erfahrungen interessierten. »Es mag ja sein, dass Ihre Schullaufbahn geglückt ist, aber Sie dürfen nicht den Fehler machen, Ihre persönlichen Erfahrungen auf andere zu übertragen.«

»Wissen Sie als Sehende denn besser, was für Blinde richtig und notwendig ist?«

Die Besucher entschieden sich, diesen Einwand zu überhören. »Lassen Sie es sich gesagt sein, setzen sie Prioritäten, konzentrieren Sie sich auf Integration und nicht auf Schule! Reißen Sie die Kinder nicht aus ihren Familien!«

»Meines Erachtens«, sagte ich erschöpft, »bedingen Integration und Ausbildung einander.«

»Ja, dann«, erklärten die Experten und standen auf, um sich zu verabschieden, »dann raten wir Ihnen: Nehmen sie doch Kinder aus Lhasa, dann können Sie das eine mit dem anderen verbinden.«

15

Jetzt sollte es endlich losgehen. Wir hatten von Augenärzten und Mitarbeitern der Hilfsorganisation »Médecins Sans Frontières« (MSF) Hinweise auf blinde Kinder aus verschiedenen Distrikten erhalten, und auch Dolma hatte auf ihren Reisen überall von der geplanten Schule erzählt. Im Juni 1998 waren acht Kinder namentlich erfasst, und fünf von ihnen besaßen bereits fertige Papiere und warteten auf die Einschulung. Tendsin war das erste Kind, das wir aufnahmen. Er lebte in einem Dorf, das etwa eine Autostunde von Lhasa entfernt war. Dolma hatte den Jungen auf einer ihrer Touren ausfindig gemacht. Sie demonstrierte den Dorfbewohnern gerade die morgendliche Waschzeremonie, als sie ein Kind bemerkte, das sich für ihre hygienischen Belehrungen nicht besonders zu interessieren schien. Sie wollte den unaufmerksamen Jungen schon zurechtweisen, als die Umstehenden ihr bedeuteten, er könne doch nicht sehen, was sie ihnen zeigte.

»Bist du denn blind?« fragte sie den Jungen erstaunt, denn sie hatte nichts dergleichen bemerkt.

»Ja«, meinte Tendsin mit der größten Selbstverständlichkeit.

Dolma erzählte ihm von der geplanten Schule, und Tendsin wurde ganz aufgeregt. »Was muss ich denn tun, damit ich in die Schule gehen kann?«

Dolma hatte gelacht und listig entgegnet: »Wenn du dich jeden Morgen und jeden Abend gut wäschst, dann kommt vielleicht eines Tages Kelsang Meto in dein Dorf und nimmt dich mit nach Lhasa.«

Nun wollte ich das Versprechen einlösen. In Lobsangs Geländewagen – Chungda war als Dolmetscherin mitgekommen – hatten wir das Dorf schnell erreicht. Wir brauchten nicht lange herumzuforschen, denn gleich erklärte sich eine Mola bereit, uns zur Familie des Blinden zu führen. »Seit Tendsin von der Schule weiß, hat er sich jeden Morgen und jeden Abend die Hände und das Gesicht gewaschen. Aber dann kam niemand, und wir dachten, es war doch wieder eine leere Versprechung.«

Unterdessen waren wir bei einer ärmlichen Hütte angelangt. Seine Mutter kam herbei und begrüßte uns herzlich. »Tendsin ist auf der Weide«, meinte sie, »aber kommt doch erst mal herein.« Sie bat den kleinen Schreihals, Tendsin zu holen, und schenkte uns kühlen Chang ein. Nach einer halben Stunde kam Tendsin in die Hütte gestürmt. Er war etwa neun Jahre alt und wirkte für sein Alter sehr wach und selbstbewusst. »Ich habe schon so lange gewartet!« meinte er glücklich, und an seine Mutter gewandt: »Darf ich schon heute mit nach Lhasa?«

In wenigen Minuten war ein kleiner Beutel gepackt, und Tendsin lief aufgeregt durchs Dorf, um sich von seinen Freunden und den Nachbarn und Verwandten zu verabschieden. Ich musste lachen, denn manches schien in Tibet schneller zu gehen als anderswo auf der Welt. Ich wünschte mir, die Fachleute aus Europa hätten das hier miterlebt. Was hatten sie noch gesagt? »Reißen Sie die Kinder nicht aus ihren Familien!«

Niemand betrachtete uns hier als Räuber, alle Dorfbewohner kamen herbei, um uns herzlich zu verabschieden. Die Mutter sollte für einige Tage mit nach Lhasa kommen, so lange, bis sich Tendsin in der Schule eingelebt hatte. Doch schon am gleichen Abend fuhr sie wieder zurück in ihr Dorf. Tendsin fände sich schon zurecht, erklärte sie.

Auch die Familien anderer Kinder, die wir in der Folgezeit nach Lhasa brachten, gaben uns nicht das Gefühl, wir würden sie gewaltsam aus ihrer gewohnten Umgebung reißen. Im Gegenteil.

Da war zum Beispiel Tashi, ein etwa elfjähriger Junge, den der Gouverneur eines entlegenen Distrikts ausfindig gemacht hatte. Tashi lebte in einem kleinen Bauerndorf abseits jeder »Zivilisation«. Die Menschen dort kannten kein elektrisches Licht und konnten nur selten einen Geländewagen von nahem bestaunen.

»Wo ist denn der blinde Junge?« wollte Chungda wissen. Die Alten erklärten ihr, dass er in der Hütte seines Vaters eingesperrt sei. Da sei er nämlich sicher.

Tashis Mutter kam dann rasch herbei. Sie führte Chungda in die Hütte und bat sie inständig, den Jungen mitzunehmen. Aber Chungda schien sehr nachdenklich und berichtete, Tashi sitze ganz allein in dem dunklen Raum und mache einen vollkommen verwahrlosten Eindruck.

Ich schlug Chungda vor, lieber auf den Vater zu warten, denn die Mutter hatte erklärt, dass Tashi nur mit ihm sprach.

Nach einigen Stunden vergeblichen Wartens wollten wir uns wieder auf die Reise machen. Doch als wir im Wagen saßen, wurden wir von der Dorfbevölkerung umringt. Die Alten beschworen uns, das Kind mitzunehmen oder zumindest noch so lange zu bleiben, bis der Vater aus den

Bergen zurückgekehrt war. Als er dann endlich kam, lebte der Junge auf. Er erzählte ihm von der Schule und sagte, dass er nur gehen wolle, wenn der Vater mitkäme. Und der entschied sich in einer Blitzaktion, Tashi nach Lhasa zu begleiten.

Ein anderes Mal erfuhren wir von einem neunjährigen blinden Mädchen. Das Dorf, wo es lebte, wirkte, verglichen mit Tashis Heimat, recht modern und wohlhabend.

Auch die Familie, die wir besuchen wollten, lebte in einem geräumigen Bauernhaus. Die Großmutter führte uns gleich zu dem Mädchen. Es war aber nicht neun Jahre alt, wie behauptet, sondern ein kleines Kind von drei Jahren. Es lief ohne Scheu auf uns zu und nahm das Obst, das wir ihm mitgebracht hatten, dankbar entgegen.

Während das Kind neben uns auf dem Boden saß und scheinbar unbekümmert mit den Früchten spielte, erklärte die Großmutter: »Dieses Kind steht mit einem Dämon im Bunde, das weiß ich genau!« Sie drehte sich zu uns und flüsterte heiser: »Dieses Kind ist gefährlich, es sieht alles und bewegt sich so, als ob es nicht blind wäre! Es sieht auch unsere Gedanken!«

Ich war entsetzt. Wie konnte sie nur so reden? Leider konnten wir nichts für das Mädchen tun, denn es war noch viel zu klein, um die Schule zu besuchen.

Dafür kam Norbu zu uns. Die Eltern des Jungen hatten durch MSF-Mitarbeiter von der geplanten Schule gehört und sich sehr auf unsere Ankunft gefreut. Sie lebten in einem kleinen Dorf aus höchstens zehn Häusern, die entlang eines schmalen Bergpfades aufgereiht waren. Überall wuselten Ziegen, Hühner, Hunde und Kinder, die uns mit großem Geschrei begrüßten. Auch in dem Haus, in dem Norbu mit seinen Eltern und Großeltern lebte, flatterten Hühner umher, auf den Sitzmatratzen lagen junge Ziegen und Schafe, und irgendwo quiekte ein kleines Schwein.

Nach einer Weile kam ein Zwerg in das Zimmer geflitzt. Er baute sich vor uns auf und piepste mit einem dünnen Stimmchen: »Ich heiße Norbu und bin neun Jahre alt!« Chungda wollte es nicht recht glauben, denn Norbu wirkte eher wie ein Vierjähriger. Das Alter eines tibetischen Kindes lässt sich meist nur annähernd bestimmen. Nur selten existieren Geburtsurkunden, und die Eltern vertun sich oft mit den Jahreszahlen. Auch ist ein Kind, sobald es geboren ist, nach der üblichen Zählung bereits ein Jahr alt, und mit Anbruch des neuen Jahres werden alle Tibeter zusammen ein Jahr älter. Wird also ein Kind kurz vor der Jahreswende geboren, so zählt es nach wenigen Tagen bereits zwei Lebensjahre.

In Norbus Schlepptau kamen laut schimpfend die Großeltern ins Zimmer: »Was hat denn der Junge davon, lesen und schreiben zu können?« rief der Großvater böse, sodass die Hühner aufgeregt in eine Ecke des Zimmers flatterten, und Norbu leise zu weinen begann.

Ich spürte einen dicken Kloß im Hals. Chungda und die Eltern des Jungen redeten jedoch besänftigend auf Norbu und seine Großeltern ein, und als wir vorschlugen, der Vater solle den Kleinen bis Lhasa begleiten, um sich davon zu überzeugen, dass alles mit rechten Dingen zugehe, gaben die Großeltern schließlich nach, und auch Norbu strahlte wieder übers ganze Gesicht.

Außer Tendsin, Tashi und Norbu gehörten noch Chilä und Künchog zu der ersten Truppe, zwei kleine Temperamentsbündel, die ich schon vor einem Jahr im Drigung-Distrikt entdeckt hatte.

Chilä war etwa acht Jahre alt und galt in seinem Heimatdorf als beliebter Geschichtenerzähler und Erfinder von wunderbaren Liedern, die er zu allen Zeiten und Unzeiten in die Welt hinausträllerte. Solange er zurückdenken konnte, hatte er auf einem Stein auf dem Dorfplatz gesessen und die anderen Kinder des Dorfes unterhalten. Verantwortungsvolle Aufgaben wurden Chilä jedoch nie übertragen, und so hatte der kleine Alleinunterhalter sich zu einem ausgesprochenen Faulpelz und Träumer entwickelt. Auch in Lhasa setzte er sich am liebsten im Schatten eines Birnbaums hinter dem Schulhaus ins Gras und erzählte seinen Schulfreunden oder den Tieren im Schulgarten Geschichten. Sobald man jedoch von ihm verlangte, sich auf etwas zu konzentrieren, wurde Chilä zu einem wilden Zappelphilipp, der mit den Händen aufgeregt in der Luft herumfuchtelte und alle sich nähernden Lehrkräfte mit schrillen Gesängen in die Flucht schlug.

Künchog war kein minderer Wirbelwind. Er war noch sehr klein, fünf oder sechs Jahre alt, und ich zögerte, den Jungen schon in diesem Jahr aufzunehmen. Doch bei unserem Besuch in seinem Heimatdorf benahm sich Künchog vorbildlich. Stolz demonstrierte er am Brunnen eine umfassende Reinlichkeitszeremonie, die sich nicht nur auf Hände und Gesicht, sondern auch noch auf seine gesamte Kleidung erstreckte. Sein Vater war überglücklich, als ich einwilligte, den Jungen zur Probe aufzunehmen, aber schon bald sollte sich zeigen, dass meine Bedenken berechtigt waren.

Nachdem wir fünf Jungen im Alter von sechs bis elf beisammen hatten, kam schließlich das erste Mädchen zu uns. Es hieß Meto und stand mitten in der Nacht an der Hand seiner Mutter vor dem Schultor.

Ich hatte bereits geschlafen, als der Torwächter kräftig an meine Tür pochte. Wie der Blitz sprang ich aus dem Bett, zog mich an und lief zum Schulhaus, denn ich glaubte, dass eines der Kinder vielleicht krank sei oder Heimweh habe. Palden und Anila waren auch geweckt worden und saßen bereits mit Meto und ihren Eltern in der Wohnküche und tranken Buttertee.

Die Eltern hatten durch einen Augenarzt von der Blindenschule erfahren und noch am gleichen Tag Metos Sachen gepackt, um sie nach Lhasa zu bringen. Meto machte auf mich einen sehr ängstlichen und verschüchterten Eindruck. Sie redete kaum ein Wort und hielt, wenn man sie direkt ansprach, die Hände vors Gesicht oder schaute auf den Boden, bevor sie antwortete.

»Wie alt bist du?« fragte Palden.

»Zwölf«, sagte sie und hätte sich wohl am liebsten hinter ihrer Mutter versteckt.

Die Eltern erzählten, dass sie noch ein wenig sehen könne, aber es reiche nicht aus, um lesen und schreiben zu lernen. Mit acht Jahren hätten sie und ihre Schulkameradinnen eine Granate gefunden, die sofort explodiert sei. Ein Mädchen habe dabei eine Hand, ein anderes ein Bein verloren, und Meto, so der Vater, habe es am schlimmsten getroffen, denn sie sei auf beiden Augen erblindet. Vier Operationen habe sie überstehen müssen und nun könne sie gerade noch genug sehen, um sich einigermaßen zurechtzufinden.

»Ist sie denn nach dem Unfall weiter in die Schule gegangen?« wollte ich wissen.

»Nein, nein«, meinte die Mutter traurig, »der Lehrer wollte sie nicht mehr unterrichten, und seitdem lebt sie bei mir und hilft mir im Haushalt.« Die Familie wohnte in einem Vorort von Lhasa, und Meto verbrachte ihre Tage ohne Kontakt zu ihren früheren Schulfreundinnen und anderen Kindern, denn die Mutter hatte ihr aus Sorge verboten, zum Spielen außer Haus zu gehen.

Anila setzte sich währenddessen neben das Mädchen und ergriff seine Hand. »Möchtest du denn mit den anderen blinden Kindern hier in der Schule leben?« fragte sie.

»Ja«, seufzte Meto, und es hörte sich richtig erleichtert an.

So blieb Meto bei uns, obwohl es für ihre Mutter kein Problem gewesen wäre, sie jeden Morgen zu bringen und abends wieder abzuholen. Auch in Metos Fall stellte sich heraus, dass es Vorteile hatte, dem Kind durch ein Internat erst einmal eine Art Schutzzone zu bieten, in der sich das Vertrauen zu sich selbst und zu anderen herausbilden konnte.

16

Als Kind hatte ich mir und anderen geschworen, niemals Lehrerin zu werden. Jetzt wachte ich auf, und der erste Tag meines neuen Daseins als Lehrerin brach an.

Um neun Uhr sollte der Unterricht beginnen. Auf dem Programm stand eine Einführung in die Grundzüge der Blindenschrift. Ich war an diesem Morgen allein, da Palden noch einige Stunden im Waisenheim zu geben hatte. Wie sollte ich vorgehen? Ich hatte weder Didaktik noch Sonderpädagogik studiert und bisher auch keine praktischen Erfahrungen gesammelt. Zudem brachten die Kinder unterschiedliche Voraussetzungen mit, waren nicht im selben Alter und sprachen eine Sprache, die ich für das Unterrichten nicht ausreichend beherrschte.

Doch ich wusste, was ich in der ersten Schulstunde tun konnte. Um die Blindenschrift zu erlernen, muss man zunächst einmal bis sechs zählen können. Ein Zeichen besteht aus bis zu sechs Punkten, und jeder Punkt wird mit einer Positionsnummer von eins bis sechs bezeichnet. So hat der Punkt oben links die Positionsnummer 1, darunter die Nummer 2, darunter 3, oben rechts die Position 4 und so weiter.

Wir begannen also mit dem Zählen. Meto, die vor ihrer Erblindung ein Jahr lang die Grundschule besucht hatte und bis hundert zählen konnte, stand mir als Assistentin mit großem Eifer zur Seite. In der Küche stand eine Schüssel mit Tsampateig, der zu kleinen Klößen geformt und roh gegessen, übrigens auch oft als Modeliermasse für Skulpturen verwendet wird. Wir aber nutzten an diesem Tag den Tsampabrei zum Zwecke der Mathematik.

Meto und ich formten kleine Kugeln, und jedes Kind bekam zwei Butterteeschalen, die eine leer, die andere mit sechs kleinen Tsampakugeln gefüllt. Nun wurden die Kügelchen von einer Schale in die andere gelegt, und dabei wurde laut gezählt. Alle verstanden schnell, worauf es ankam, und begannen wie wild alles, was sich im Raum befand, zu zählen. Die Tische, die Stühle, die Fenster und die Finger an der Hand. Nur Tashi blieb dabei, dass es sich bei dem »dschig, ni, sum« um ein hübsches Lied handeln müsse, und sang den ganzen Morgen vor sich hin.

Um zwölf gab es Essen. In der großen Küche des Waisenheims wurde gekocht, und Anila brachte einen Bottich in die Wohnküche der Blindenschule. Sie tischte uns Reis und wässrigen Kohl auf, nicht gerade das, was ich mir unter einer nahrhaften Mahlzeit vorstellte. Aber die Kinder aßen mit großem Appetit.

Am Nachmittag ging der Schulunterricht weiter, nun aber mit Palden an meiner Seite. Das war eine große Beruhigung, denn jetzt sollte es mit dem Erlernen der Blindenschrift losgehen, und da wäre ich mit meinem Tibetisch bald am Ende gewesen. Ich hatte in Lobsangs Werkstatt Holztafeln anfertigen lassen, auf denen in der Sechs-Punkte-Formation kleine Rechtecke aus Klettband aufgeklebt waren. Jedes Kind bekam eine solche Tafel und dazu sechs Filzpünktchen, die sie auf das Klettband kleben und wieder davon abreißen konnten.

Palden nannte nun einzelne Positionsnummern und bat die Kinder, die Pünktchen auf die entsprechenden Positionen zu kleben. Das war für Meto, Tendsin und Norbu ein Kinderspiel, Tashi aber steckte die Filzpünktchen lieber in den Mund und kaute darauf herum. Künchog wiederum lief im Klassenzimmer umher, um den anderen Kindern seine Holztafel auf dem Kopf zu hauen. Chilä konnte zwar alles wunderbar nachsprechen, beschloss dann aber, doch lieber zu singen und mit den Händen in der Luft herumzufuchteln.

Es war alles etwas chaotisch, aber am Ende hatten sich alle hörbar und sichtbar amüsiert. Das Klassenzimmer war mit Tsampakrümeln und Filzpünktchen übersät. Künchogs Holztafel war in viele kleine Stücke zerbrochen, und Tashi hatte sich vor Aufregung über den ersten Schultag und vielleicht auch, weil sein Vater am Morgen abgereist war, kräftig in die Hose gemacht.

Ich setzte mich an diesem Nachmittag in meinen kleinen Garten, um die Stille und die Sommersonne zu genießen. Lange war mir diese Ruhe jedoch nicht gegönnt, denn plötzlich trommelte Palden an die Vordertür und rief aufgeregt: »Kelsang Meto, komm schnell!«

Auf dem Hof hatte sich ein kleiner Menschenauflauf gebildet. »Künchog! Künchog ist weg!« Alle hatten schon nach ihm Ausschau gehalten, doch weder im Waisenheim noch in den Räumen der Blindenschule war er zu finden.

Ich machte mir große Sorgen. Er war ja erst sechs. Jetzt wurde mir wieder bewusst, welche Verantwortung ich übernommen hatte.

Mitten in dem ganzen Durcheinander spürte ich, wie jemand vorsichtig an meinem Ärmel zupfte. Es war Tendsin, der mir irgendwas zuflüstern wollte. Er nahm mich bei der Hand und führte mich schnurstracks zum Hoftor hinaus.

Tendsin, ein stiller und hochintelligenter Junge, war eines der wenigen blinden Kinder, die in ihrem Heimatdorf vollkommen integriert gewesen waren. Während die sehenden Kinder seines Dorfes in der Schule über ihren Schulbüchern brüteten, erfüllte er die ihm vom Dorfobersten übertragene verantwortungsvolle Aufgabe, in den Bergen die Yaks und Ziegen der Nachbarn zu hüten. Er lernte, sich an den Glocken der Yaks und Ziegen zu orientieren und konnte die einzelnen Tiere bald allein durch ihre Glockentöne unterscheiden.

Tendsin besaß eine ungewöhnlich rasche Auffassungsgabe und meisterte später den Grundschulstoff mit spielerischer Leichtigkeit, war jedoch kein Streber oder Eigenbrötler. Alle Kinder mochten ihn, denn er war jedem ein Freund und immer da, wo Hilfe gebraucht wurde, ob es darum ging, Tashi zur Toilette zu führen, zusammen mit Norbu Fladenbrot aus der Waisenheimküche zu stibitzen oder der Hausmutter beim Bettenmachen, Putzen oder Geschirrwaschen zu helfen.

Auch jetzt war er der Einzige, der einen kühlen Kopf bewahrte. Ich hörte, wie Palden und Anila und schließlich auch die Waisenkinder uns neugierig folgten. Ich habe selten einen blinden Menschen getroffen, der es mit seiner Orientierungsgabe aufnehmen konnte. Ich wollte ihn gerade fragen, wohin er uns denn führe, da hörten wir schon, wie einige der Waisenkinder riefen: »Da ist er!«

Wir fanden Künchog bei bester Laune. Er hüpfte am Straßenrand entlang, sang aus vollem Hals und wirbelte ausgelassen ein paar Geldscheine umher. Sein Vater hatte ihm ein wenig Taschengeld gegeben, und nun war er auf dem Weg nach Lhasa, um für sich und die anderen Kinder Spielsachen zu kaufen.

Abends saß ich in meinem Büro und formulierte wieder mal einen Brief an die Vorsitzende meines Trägervereins in Deutschland. Ich hatte seit meiner Ankunft in Lhasa vor einem Monat nichts mehr von ihr gehört, und alle meine Briefe waren unbeantwortet geblieben. Auch das Geld für die Einrichtung der Schule, das Lobsang und Chungda vorgestreckt hatten, war noch nicht eingetroffen. Die gesamte Blindenschule lebte auf Pump. Das konnte nicht mehr lange so weitergehen.

Auch auf diesen Brief erhielt ich keine Antwort.

17

In einer kühlen Juninacht begann es zu regnen, und bis Ende August hörte der Regen nicht mehr auf. Es regnete und regnete, nicht nur in der Nacht, sondern auch tagsüber.

Durch den stetigen Niederschlag wurde es mitten im Sommer empfindlich kalt, und die Höhenregionen über 6000 Meter verwandelten sich in strahlend weiße Schneelandschaften. Für den Schnee und die ungewöhnliche Kälte in diesem Sommer gab es eine spezielle Erklärung, die Paul in Shigatse von einer einheimischen Rot-Kreuz-Mitarbeiterin erfuhr: In Tibet werden immer häufiger Sonnenkollektoren (zwei Aluminiumflügel, die das Sonnenlicht einfangen und auf einen Topf richten) zum Wasserkochen verwendet. Diese Solarkocher, so erklärte sie entschieden, seien Ursache dafür, dass die Sonne innerhalb eines Jahres um einen halben Meter gesunken sei. Die Kocher entzögen der Sonne Energie, und deshalb könne sie nicht mehr so viel Wärme spenden.

Als Paul später meiner Freundin Dolma davon erzählte, meinte sie ernsthaft: »Oh nein! An der Kälte sind nicht nur die Tibeter schuld, überall in China verwendet man Solarkocher.«

Selten hatte ich einen so starken Regen erlebt und nun hoffte ich inständig, dass die im Winter fertig gestellten Gebäude der Schule, die sich noch nicht in der Regenzeit bewährt hatten, standhalten mochten. Doch im Büro und in den Schlafräumen der Kinder bildeten sich rasch die ersten Pfützen.

Auch in den folgenden Nächten regnete es, und die Wasserlachen in den Obergeschossen wurden immer größer. Ich sprach mit Chungda und sagte ihr, wenn ihrem Vater der Zustand der Gebäude am Herzen liege, dann solle er sich schnellstens um die Reparatur des Daches kümmern.

»Es ist aber immer noch kein Geld auf dem Konto!« Ihre Stimme klang spitz, während sie sich von mir abwandte. »Ich hoffe, dir ist klar, was ich damit meine. So lange wir das Geld nicht haben, geschieht von unserer Seite gar nichts!«

»Aber«, entgegnete ich hilflos, »wir können die Kinder doch nicht in Pfützen schlafen lassen!«

Ich hoffte sehr, Lobsang würde Verständnis für die Situation aufbringen. Doch dann, es war an einem der wenigen sonnigen Tage nach Beginn der Regenzeit, geschah etwas, das die Stimmung merklich abkühlen ließ. Die Kinder hatten den ganzen Vormittag hochkonzentriert gelernt, und sogar Künchog hatte sich bemüht, nicht ständig die Holztafeln der anderen zu stibitzen, um sie in Stücke zu hauen. Stattdessen hatte er sich zu Tashi gesetzt, um seinem, wie es schien, schlafenden Klassenkameraden ein Liedchen vorzusingen. Norbu, Tendsin und Meto hatten bereits am vierten Schultag die ersten zwölf Zeichen des Silbenalphabets gelernt und kümmerten sich nun zu dritt um Chilä, der zwar das gesamte Alphabet auswendig aufsagen, aber seine Finger nicht konzentriert auf dem Brett halten konnte.

Zur Belohnung für ihren Fleiß wollte ich ein Ballspiel veranstalten. Ich füllte einen Wasserball mit einer Hand voll roher Reiskörner, die laut rasselten, sobald er sich in Bewegung setzte. Auf diese Weise konnten die Kinder den Ball hören und seine Position bestimmen.

Wir gingen alle zusammen auf die Wiese hinter dem Haus. Aus dem Ballspiel wurde bald eine Schlammschlacht, und alle schrien vor Begeisterung, als Künchog es wagte, Tendsin eine Ladung Matsch in den Kragen zu stecken. Alle hatten ihren Spaß, sogar Tashi, der an Paldens Hand zwischen den sich kugelnden Kindern umherstolperte. Wir wollten die Kinder nach dem Schlammbad unter die Dusche stellen und anschließend in neue Kleider stecken, deshalb tobten wir so lange mit ihnen herum, bis eine Regenwolke die Sonne verdeckte und es plötzlich in den nassen Kleidern empfindlich kalt wurde. Während die Kinder unter lautem Geschrei und Gelächter von Palden abgeduscht wurden, bat ich Anila, saubere Kleidung herauszusuchen. Anila reagierte merkwürdigerweise nicht. Ich meinte, mich nicht richtig ausgedrückt zu haben. Ich wiederholte meinen Wunsch, da sagte sie zögernd: »Es gibt keine andere Kleidung.«

Ich war wie vor den Kopf geschlagen. Hatte Chungda nicht mehrmals erwähnt, dass sie in die Stadt gefahren war, um die Kinder mit neuen Kleidern auszustatten? Ja, sie hatte mir sogar beschrieben, wie hübsch die Sachen seien und wie gut sie allen stünden. Nichts dergleichen! Die Kinder liefen tagaus, tagein in ihren zerlöcherten Lumpen herum, und ich hatte nicht das Geringste geahnt. Warum hatten Anila und Palden mir nichts gesagt?

Wir beschlossen, die Kinder erst einmal ins Bett zu verfrachten und eine große Kleiderwaschaktion zu starten. Danach sollte Anila in die Stadt gehen, um für das Geld, das ich ihr aus meiner privaten Notreserve zusteckte, neue Kleidung zu besorgen.

An diesem Tag machte ich einen großen Fehler. Ich bat Chungda um ein offenes Gespräch. Sie gab zu, mir nicht die Wahrheit gesagt zu haben. Die Folgen dieser offenen Konfrontation bekam ich bald zu spüren. Chungda versuchte von nun an immer wieder quer zu schießen und mit kleinen Schikanen die Arbeit zu sabotieren. So wurde Palden regelmäßig aus dem Unterricht gerufen und zum Beispiel auf den Markt geschickt, um irgendwelche unnötigen Dinge zu besorgen. Manchmal fragte ich mich angesichts der Probleme vor Ort und immer noch ohne Nachricht von meinem Trägerverein, ob ich die Verantwortung für die Schule weiter tragen konnte.

Eines Tages stand Paul vor der Tür. Er hatte seine erste Mission in Shigatse erfüllt und war nach Lhasa zurückgekommen. Tendsin und Norbu waren gerade dabei, Wasserlachen in ihrem Schlafraum aufzuwischen.

»Was ist denn hier los?« rief Paul besorgt. Ich erzählte ihm, was passiert war, und er handelte sofort. Er ließ sich aus der Werkstatt eine Leiter und einige Materialien geben und flickte die undichten Stellen auf den nagelneuen Dächern des Schulhauses.

Lobsang hatte nun allen Grund zur Freude, denn seine stolze Anlage hätte ohne Pauls spontanen Einsatz die Regenzeit nicht überstanden.

Schnell wusste er sich im gesamten Heimkomplex nützlich zu machen und war sowohl bei Lobsangs Arbeitern, als auch bei den Kindern der Blindenschule und vor allem bei Chungda immer gerne gesehen. Sie hatte sich nämlich einen Computer gekauft und wusste nicht, was man mit so einer Maschine alles anstellen konnte. Da kam Paul als Experte gerade recht. Zur ihrer Freude unterstützte er sie auch bei der Buchhaltung des Projekts, und ich war ebenfalls froh, dass nun ein wenig Ordnung in das Rechnungschaos kam.

18

Hinter dem Heimkomplex lag eine große Wiese, die sich problemlos einzäunen und landwirtschaftlich nutzen ließ. Lobsang hatte vor, ein paar Kühe zu kaufen, um Milch- und Joghurtprodukte herzustellen, und das Blindenprojekt wollte einige Pferde beisteuern. Unsere Schüler sollten Reitunterricht bekommen, denn wie ich selbst vor einem Jahr erfahren hatte, gibt es auf dem tibetischen Hochland kein sichereres Transportmittel für einen blinden Menschen.

Gute und günstige Pferde sollte es in Chiläs Heimatort geben; sein Vater wollte für uns nach zwei oder drei geeigneten Tieren Ausschau halten. Da aber in Lhasa kein Pferdetransporter zu bekommen war, entschieden wir uns, die Hinfahrt mit einem kleinen Schulausflug zu den nahe gelegenen heißen Quellen von Terdum zu verbinden. Auf dem Rückweg wollten Paul und ich uns dann von den Kindern trennen und nach Lhasa zurückreiten.

Die Kinder waren völlig aus dem Häuschen, als wir ihnen von dem Ausflug erzählten. Und als es schließlich losging, standen sie schon in aller Frühe mit ihren gepackten Taschen vor dem Schulhaus. Auch mein Vater wollte uns zu den heißen Quellen begleiten. Meine Eltern waren vor einigen Tagen in Lhasa eingetroffen, und mein Vater hatte sich ungewöhnlich rasch an Klima und Höhe gewöhnt und konnte einen Anstieg von weiteren 700 Metern gut verkraften.

Zering, der Fahrer, kam wie vereinbart um acht Uhr mit seinem alten und klapprigen Jeep chinesischer Bauart, und wir machten uns daran, das Fahrzeug mit Obstkörben, Fladenbrot, Thermoskannen mit Buttertee, Nudeln, Zwiebeln, Klopapier und Pappkartons voll kleiner Flaschen Mineralwasser zu füllen. Dazu stopften wir fünf zappelnde und aufgeregt durcheinander quiekende Kinder samt ihrer Taschen in das Auto. Anila wollte lieber in der Schule bleiben, allerdings hätte sie auch gar nicht mehr hineingepasst. Denn der Jeep, der eigentlich nur für sechs Personen zugelassen war, war vollkommen überbeladen: Auf dem Beifahrersitz saß Palden mit dem singenden Chilä. Auf der Rückbank saßen mein Vater, Tashi, ich und Paul mit dem zappelnden Norbu und später mit dem kotzenden Tendsin auf dem Schoß. Die beiden Sitze im hinterem Teil des Wagens waren voll mit Rucksäcken und Kisten, auf denen Meto sowie abwechselnd Norbu und Tendsin thronten.

Der Weg führte immer am Kichu entlang. Der Fluss war in den letzten Tagen stark angestiegen, und Zering sorgte sich, wie er den Rückweg schaffen sollte, denn die Straße war schon bedenklich weggebröckelt.

In Medrogongga, einer kleinen Stadt, die zwischen der alten Klosteruniversität Ganden und der Ortschaft Drigung liegt, hielten wir an, um uns in einem chinesischen Restaurant zu beköstigen. Es gab für alle Nudelsuppe mit Schweinefleisch, und es war sehr amüsant, sich von Paul beschreiben zu lassen, wie unterschiedlich die Kinder es verstanden, mit den Essstäbchen umzugehen. Chilä und Tendsin handhabten sie am elegantesten. Die anderen konnten sich irgendwie behelfen, und Tashi setzte einfach die Schüssel an den Mund und schaufelte alles mit den Stäbchen hinein.

Zering erwies sich als sehr geduldig und kinderlieb. Er meinte, er habe mit den netten Kindern viel mehr Spaß als mit den nörgelnden Touristen. Das hätte er lieber nicht sagen sollen, denn kurz darauf brach Chilä, als er sich zum Schaukeln daran hängen wollte, den Autospiegel ab, und Tashi hatte, trotz Pinkelpause, nichts Besseres zu tun, als während der Fahrt ordentlich in die Hose zu machen, was eine Menge Gestank und Wirbel verursachte. Zering aber ertrug alles mit Gelassenheit und machte seine kleinen Späße, während Palden, Paul und ich schon bald mit den Nerven am Ende waren.

Die Straße wurde jetzt zu einer Piste, die mit Schlaglöchern und kleinen bis mittelgroßen Felsbrocken übersät war, immer entlang des reißenden Flusses, der den Weg an vielen Stellen aufzufressen schien. Das Auto hüpfte und schaukelte und kippte manchmal bedenklich auf die Seite. Doch bis auf Tendsin, der während der Fahrt kotzend seinen Kopf zum Fenster raushielt, schienen die Kinder sich köstlich zu amüsieren.

Sie sangen ihre Lieder, mal zusammen und mal durcheinander. Chilä sang am lautesten. Er brüllte uns rücksichtslos seine Lieder in die Ohren und hielt erst ein, als Palden, den ich als geduldigen Menschen kennen gelernt hatte, irgendwann die Beherrschung verlor und »Kha tsum!« brüllte, was so viel wie »Halts Maul!« bedeutet.

Der Einzige, dem dieser Lärm nichts auszumachen schien, war mein Vater. Entspannt und in bester Urlaubsstimmung saß er auf der Rückbank, machte ein paar Fotos und verfolgte die Strecke auf einer Karte, die er aus Deutschland mitgebracht hatte. Als ihm die Karte beim Fotografieren im Weg lag, faltete er sie zusammen und drückte sie einfach Tashi in die Hand, der wie immer in sich versunken da saß. Plötzlich aber registrierte Tashi, dass dies eine Aufgabe war, der er sich widmen musste. Es war wohl die erste Aufgabe in seinem Leben, und er hob den Kopf, als ob er langsam aus einem tiefen Schlaf erwachte. Er packte mit beiden Händen fest zu und begann plötzlich zu reden.

Wir waren alle viel zu sehr mit dem Gebrüll der Kinder und unseren strapazierten Nerven beschäftigt. Als wir aber bemerkten, was hier vor sich ging, da waren Tashi und mein Vater schon in eine Diskussion vertieft und schienen die besten Freunde zu sein. Tashi plapperte auf Tibetisch, und mein Vater, der kein Wort verstand, antwortete ihm auf Deutsch. Da hatten wir bisher geglaubt, dem Jungen sei kein einziger Satz zu entlocken, und jetzt sprudelte es nur so aus ihm heraus, als müsse er Jahre des Schweigens nachholen. Paul fiel auf, dass Tashi während der Unterhaltung zum ersten Mal die Augen offen hielt. Vielleicht hatte er sich bisher durch das Schließen seiner Augenlider von der Außenwelt abschotten wollen.

Kurz vor Sonnenuntergang erreichten wir Terdum, eine Art Kurort, der vor allem bei den Einwohnern Lhasas als Ausflugsziel beliebt ist. Der Weg führte über einen steilen Pass und endete in einer Schlucht, die von schroffen Felsen begrenzt wurde. Dahinter erhoben sich 6000 bis 7000 Meter hohe Bergmassive, überall hörte man schäumende Wasserfälle und Bachgeplätscher. An den Felsen über der Schlucht klebte ein Nonnenkloster, das über die heißen Quellen wachte und für die Gäste eine Anzahl verflohter Schlafplätze bereithielt.

Wir besetzten mit unseren zehn Personen alle noch vorhandenen acht Betten, wobei sich die vier Jungs zwei Schlaflager teilen mussten.

Nachdem wir draußen vor den Hütten über einem Feuer Nudeln gekocht und einen tibetischen Milchtee für alle zubereitet und genossen hatten, packten wir sie allesamt am Schlafittchen, zogen sie aus und stopften sie in ihre Betten.

Um sechs Uhr morgens waren die Kinder wieder wach. Sie kamen an unsere Betten und trommelten auf unseren Decken herum. Mit Metos Hilfe brachten wir Tendsin, Chilä und Norbu hinunter zum Männerbad.

Tendsin war der Einzige, der richtig gut schwimmen konnte. In Tibet lernen die Kinder nur selten schwimmen, denn oft sind die Flüsse zu kalt und zu gefährlich. Norbu, sonst immer der Erste, wenn es darum ging,

Neues auszuprobieren, zeigte sich sehr ängstlich. Meto ärgerte sich maßlos über diese Feigheit, nahm den laut schreienden und wild zappelnden Norbu auf den Arm und warf ihn kurzerhand in das heiße Bad. Diese rauhe Erziehungsmethode schien gut anzuschlagen, denn Norbu war bald einer der vergnügtesten Plantscher.

Die Kinder hatten so viel warmes Wasser auf einmal noch nie erlebt. Sie blieben fast zwanzig Minuten im Bad, schrien, sprangen und spritzten hohe Fontänen, sodass die Nonnen, die von oben neugierig durch die Felsspalten lugten, bald mit lautem Geschrei davonstoben.

19

Es hatte in der letzten Nacht nicht geregnet, und Zering war darum zuversichtlich, die Rückfahrt mit dem voll gepackten Fahrzeug wagen zu können. Tatsächlich sinkt in der Regenzeit der Pegelstand der Flüsse nach nur einer einzigen Nacht ohne Niederschlag so stark, dass die Wege wieder zum Vorschein kommen. Zurück bleibt allerdings tiefer Schlick, in dem selbst ein Fahrzeug mit Vierradantrieb manchmal nicht weiterkommt. Doch wenn man einen Wagen voller Kinder hat, machen auch solche Schlammschlachten Spaß. Jedes Mal, wenn der Wagen stecken blieb, sprangen alle aus dem Fahrzeug, um mit vereinten Kräften den Geländewagen aus dem Matsch herauszubugsieren.

In Chiläs Heimatdorf angekommen, machten wir uns daran, unsere Pferde zu kaufen. Die Tiere, die Chiläs Vater für uns ausgewählt hatte, waren hellbraun und hatten dunkelbraune Mähnen. Das eine war noch sehr jung, etwa drei Jahre alt, und der Besitzer, ein Onkel von Chilä, verlangte für das Pferd zunächst ein Vermögen, weil er uns Westler wohl als wahre Goldesel ansah. Nach einer geschlagenen Stunde des Verhandelns, in der das arme Tier einige Male zwischen uns und ihm hin- und hergeschoben wurde, akzeptierten wir einen immer noch viel zu hohen Preis, verlangten aber als Zugabe einen Sattel, Zaumzeug und einen Sack mit Tsampa, der das Pferd auf dem Weg nach Lhasa beköstigen sollte.

Chiläs Vater verkaufte uns schließlich das zweite Pferd, eine siebenjährige trächtige Stute mit schönem Fell, die anscheinend gut gepflegt worden war. Ein guter Kauf, denn wir erhielten sozusagen zwei Pferde zum Preis von einem, dazu wieder Sattel, Zaumzeug und einen Sack Tsampa.

Palden, mein Vater und die Kinder waren mit dem Auto schon längst wieder unterwegs, als wir endlich aufbrachen. Die Pferde waren guter Stimmung und trabten munter drauflos, und wir hatten zunächst keine Schwierigkeiten, sie auf Kurs zu halten. Bald aber stellte sich heraus, dass unser Weg wohl der gleiche war, der auch zu ihrem Weideplatz führte, denn plötzlich schlugen sie einen Haken, um wie Bergziegen einen felsigen und nicht ganz ungefährlichen Pfad hinaufzuspringen.

In schwindelnder Höhe angekommen, standen wir vor einem Problem.

Die Tiere ließen sich nämlich nicht dazu bewegen, auf dem gleichen Weg wieder hinabzusteigen. Die Bergpferdchen täuschten doch jetzt tatsächlich Höhenangst vor, zitterten und weigerten sich standhaft, unserem Willen zu folgen. Mit viel Kraft, gutem Zureden und Anfeuerungsrufen schafften wir es schließlich, sie auf die Weide unterhalb der Felsen zu treiben.

Am späten Nachmittag, den Pferden war die Trabelust deutlich vergangen, kamen wir in ein Dorf. Dort fanden wir ein kleines Restaurant, wo wir eine wunderbare Nudelsuppe bekamen. Die Pferde wurden von der Dorfbevölkerung versorgt, eine Sitte, die wir auf der gesamten Reise nach Lhasa sehr genossen. Nachdem auch die Pferde gut gespeist und getrunken hatten, ritten wir noch ein wenig in den Abend hinein, um einen Platz für unser Zelt zu finden. Paul entschied sich für eine Stelle hinter einer Steinmauer, die eine Wiese vom Weg abgrenzte. Hier waren wir bestimmt geschützt und vor Pferdedieben sicher.

Es dauerte keine fünf Minuten, da waren wir schon von einigen Kindern umringt, die interessiert verfolgten, wie wir die Pferde absattelten und unser Zelt aufbauten. Bald aber wuchs uns die Bande über den Kopf. Paul zählte 35 kleine und größere Quälgeister, die alle geschäftig um uns herumwuselten. Besonders schwierig war es nun, einen Ort ausfindig zu machen, an dem wir ungestört unsere »Notdurft« verrichten konnten, denn ein schneeweißer Hintern scheint auf stets schmutzige Kinder großen Eindruck zu machen.

Schließlich wurde Paul wild, er sprang heraus, stampfte mit den Füßen auf und stieß dabei eine Unmenge mir bis dahin gänzlich unbekannter holländischer Flüche aus. Diese Szene machte nicht nur mir großen Eindruck. Auch für die Kinder war es wohl die erste Begegnung mit einem so wütenden und dazu noch so riesigen Menschen. Verschüchtert verschwanden die meisten von ihnen schnell hinter dem Geröllberg und machten sich auf den Heimweg. Nur ein paar Oberschlaue versteckten sich hinter einem Felsen, um zu warten, bis sich die verrückt gewordene Langnase wieder beruhigte. Paul aber scheuchte sie aus all ihren Verstecken hervor, und da es bald stockduster war, beschlossen auch sie, sich zu trollen.

Die Nacht war ruhig und sternenklar und für die Jahreszeit ungewöhnlich kalt. Der Fluss rauschte ganz in unserer Nähe, und vor dem Zelt vernahmen wir das leise Schnauben der Pferde und das zaghafte Bimmeln ihrer Glocken.

Paul hatte Geburtstag. Er machte sich nicht viel aus Geburtstagen, trotzdem hatte er drei, wie ich fand, sehr gewagte Wünsche: einen sonnigen Tag, gut kooperierende Pferde und für die folgende Nacht einen Fernseher, um das Endspiel der Fußballweltmeisterschaft sehen zu können. Letzteres kam mir besonders absurd vor. Wo sollte man in dieser Wildnis einen Fernseher auftreiben?

Früh am Morgen, noch bevor die ersten Sonnenstrahlen das Zelt erwärmten, hörten wir wieder Stimmen in unserer Nähe. Doch diesmal standen nicht die kleinen Quälgeister, sondern ein paar freundlich lachende Bauersfrauen vor dem Zelt. Sie hatten in großen Thermoskannen heißes Wasser aus dem Dorf mitgebracht und freuten sich nun auf ein gemeinsames Frühstück.

Die Sonne schien, und die Tiere waren an diesem Morgen bester Laune. Sie galoppierten und trabten, ganz wie wir es wollten. So weit schienen sich Pauls Wünsche erfüllt zu haben. Dann aber, es war so um die Mittagszeit, fiel Pauls Pferd wieder zurück, trabte, wohin es wollte, und ich hörte, wie Paul weit hinter mir herumtobte.

Zehn Kilometer vor Medrogongga entschied sich Paul, sein Pferd am Strick zu führen, da es einfach nicht mehr mit ihm beladen weiterlaufen wollte. Die gesamte Strecke musste er das Pferd wie einen nassen Sack hinter sich herziehen und hatte, als wir in Medrogongga nach fünf statt zwei Stunden ankamen, blutige Hände. Fluchend und müde passierten wir die Stadtgrenze, banden die Pferde unter einem großen und ein wenig Schutz versprechenden Baum fest und flüchteten in ein kleines Restaurant

Nach dem Essen fanden wir ein kleines Gästehaus, wo wir uns für ein paar Yuan ein Zimmer nahmen. Nachdem Paul in seiner Verblendung dem Zimmerjungen noch klargemacht hatte, dass wir um drei Uhr in der Früh das Finale der Fußballweltmeisterschaft sehen wollten, schliefen wir sofort ein.

Mitten in der Nacht stand der Weckdienst wie ein böser Geist vor Paul und rüttelte ihn kräftig an der Schulter. Der Geist brüllte ihm etwas auf Chinesisch ins Ohr, und als Paul nicht verstand, sang er aus vollem Hals die Hymne der Fußballweltmeisterschaft: »Go, go, go, olé, olé, olé!« Das war wirklich internationale Verständigung!

»Du bist verrückt«, sagte ich zu Paul, »du weißt doch hoffentlich, wo wir uns befinden?« Doch sein sicherer Fußballinstinkt führte uns schließlich in einen Laden mit einem kleinen Schwarzweißfernseher, vor dem zwei Tibeter hockten und auf den Anstoß warteten. Am Ende des Finales war Paul wieder versöhnt mit der Welt und sogar mit unseren Pferden, die auf dem dunklen Hof hinter der Herberge standen und im Schlaf leise schnaubten.

Der Himmel präsentierte sich an nächsten Morgen strahlend blau, und die Sonne schien auf uns herab. Wir hatten uns alle vier gut erholt, und es ging nun recht flott voran. Die Straße war an vielen Stellen weggebrochen, und oft waren wir gezwungen, die Pferde durch den Fluss zu treiben, was sie an diesem Tag anstandslos mitmachten.

Am Nachmittag wurden wir von einer Eselherde verfolgt. Unsere Pferde zeigten unerwarteten Stolz, denn von einer Horde Esel überholt zu werden, ging ihnen nun wirklich gegen die Ehre. Ohne dass wir sie antreiben mussten, fielen sie in eine schnellere Gangart und ließen die Esel bald weit hinter sich. Immer, wenn sich das Läuten der Glöckchen bedrohlich näherte, fingen sie wieder an zu traben. Irgendwann brauchten wir nur zu rufen: »Esel! Die Esel kommen!« und schon jagten sie wieder davon.

Am späten Nachmittag, etwa zwanzig Kilometer vor Lhasa, trafen wir auf eine asphaltierte Straße. So etwas hatten die Pferde noch nie gesehen. Nun standen wir vor einer neuen Herausforderung. Die Pferde scheuten und stemmten sich mit den Vorderhufen in den Sand. Nur mit viel Geduld und gutem Zureden schafften wir es, sie wieder in Gang zu setzen. Sie schnupperten erst am Straßenrand, hoben dann vorsichtig die Vorderhufe und setzten sie behutsam auf den glatten und harten Untergrund. Nach einigen Minuten hatten sie das Wunder akzeptiert und klapperten munter die Straße entlang.

Doch schon tat sich das nächste Problem auf: Die Straße wurde jetzt besser, und die Autos, die vorher nur dreißig Stundenkilometer fahren konnten, rasten mit einem Affenzahn an uns vorbei. Wir hatten das Gefühl, dass es ihnen geradezu Spaß machte, auf uns zuzufahren, um dann im letzten Augenblick mit viel Gehupe auszuweichen.

Plötzlich setzte ein Sturm ein, der Sand, Steine und den gesamten Straßenmüll in unsere Gesichter blies. Schritt für Schritt stemmten wir uns dem Sturm entgegen, der Paul völlig die Sicht und mir das Hörvermögen nahm. Plastiktüten flogen um unsere Köpfe, und Steine prasselten auf uns nieder. Als Pferd hätte ich mich spätestens jetzt geweigert, noch einen Huf vor den anderen zu setzen. Doch erstaunlicherweise schien unseren Tieren in kritischen Situationen jede Lust auf irgendwelche Sperenzchen zu vergehen.

Nach einer Weile ließ der Wind nach, dafür setzte Regen ein, und es wurde unangenehm kalt. Jetzt mussten wir noch die Stadt durchqueren. Nass und durchfroren wie ich war, wollte ich mich nur noch an den Straßenrand setzen und schlafen. Paul überredete mich, noch ein Stück weiterzureiten, schnell aber wurde mir so kalt, dass ich meine Beine und Hände nicht mehr spürte, und ich stieg ab, um die Odyssee durch tiefe Pfützen watend und über Müllhaufen humpelnd zu beenden.

Pudelnass, hungrig und zum Umfallen müde klopften wir schließlich um ein Uhr nachts an das Tor unserer Schule. Der alte Wächter hatte noch nicht geschlafen. Er öffnete uns die Pforte und war zunächst einmal sprachlos. Dann aber fing er fürchterlich zu lachen an, denn zerlumpt, vor Dreck starrend und vor Erschöpfung humpelnd müssen wir ein zu komisches Bild abgegeben haben.

20

Es war ein schöner und sonniger Tag, als die Stimmung im Heimkomplex wieder zu brodeln begann. Wir hatten beschlossen, Tische und Stühle auf den Hof zu stellen und den Unterricht im Freien abzuhalten. Im Nu war die Blindenklasse von den neugierigen Kindern des Waisenheims umstellt. Fasziniert sahen sie zu, wie die Schüler mit den Fingern lasen und mit den Filzpünktchen schrieben.

An diesem Vormittag stand plötzlich Chungda neben mir. Sie schaute eine Weile der sonnigen Schulstunde zu und nahm mich schließlich beiseite. Ich merkte, wie nervös und verärgert Chungda war.

»Ich will nicht, dass sich Paul weiter in die Angelegenheiten des Blindenprojekts einmischt, die ihn nichts angehen!«

Mit düsteren Vorahnungen betrat ich das Büro, wo Paul arbeitete. »Was ist denn vorgefallen?« fragte ich ihn.

»Ich hatte eine kleine Auseinandersetzung mit Chungda. Ich habe nämlich den Eindruck, dass die Buchführung nicht mit der Realität übereinstimmt. Die Gehälter des Personals sind zwar in voller Höhe abgerechnet, aber nicht ausgezahlt worden.«

Wie sich dann herausstellte, hatte Lobsang Palden nur 200 Yuan im Monat gezahlt. Dabei hatte er mir selbst im Sommer letzten Jahres eine Liste mit Gehaltsvorschlägen vorgelegt, nach der ein Lehrer der Blindenschule 1000 Yuan verdienen sollte, während ein Lehrer der Waisenschule lediglich 200 Yuan bekam. An den fehlenden Projektgeldern konnte es nicht liegen. Die waren gleich doppelt auf Lobsangs Konto eingegangen: Meine Eltern hatten – wie versprochen – die ausstehende Summe mitgebracht, und der Verein hatte mein Flehen auch endlich erhört.

Doch Paul hatte noch eine andere Entdeckung gemacht: In den Büchern waren Einrichtungsgegenstände abgerechnet, die der Blindenschule gar nicht zur Verfügung standen. Über diese Angelegenheit war ich schon öfter gestolpert. Einmal hatte ich Chungda zum Beispiel gebeten, einen Geldschrank, den sie laut Buchführung gekauft hatte, ins Büro transportieren zu lassen, denn Paul und ich wollten unsere Papiere und Flugtickets nicht einfach irgendwo herumliegen lassen.

»Ja, das mit dem Geldschrank ist ein Problem«, sagte Chungda, und ich merkte, wie sie sich wand. Sie führte mich mit zu einer Lagerhalle und klopfte gegen die Fensterscheibe. »Der Geldschrank ist da drin. Leider kommen wir zur Zeit nicht dran, weil wir keinen Schlüssel haben.«

Ich muss wohl etwas ungläubig ausgesehen haben, denn sie beeilte sich zu sagen: »Wenn du sehen könntest, würdest du mir glauben.«

Paul inspizierte dann ebenfalls den geheimnisvollen Lagerraum. Soweit er es durch die Fensterscheibe beurteilen konnte, war er weitgehend leer. Misstrauisch geworden, war Paul in der Zwischenzeit mit der Liste der abgerechneten Möbel von Raum zu Raum gezogen und hatte abgehakt, was vorhanden war. Das Ergebnis war niederschmetternd. Nur die wenigsten Gegenstände, die in den Büchern verzeichnet und bereits bezahlt waren, ließen sich auffinden.

Ich war schockiert. »Hast du mit ihr über all das geredet?«

»Nein«, meinte er lachend, »ich weiß ja, was das hier für Folgen haben kann. Vielleicht ahnt sie ja, was ich noch alles herausbekommen habe.«

Es ging nämlich nicht nur um die Möbel. Es war noch viel schlimmer! Es gab keine Bettwäsche zum Wechseln und keine Matratzen. Die Kinder schliefen immer noch auf Holzplanken, auf denen nur dünne Wolldecken ausgebreitet waren. Bettwäsche wie Matratzen waren aber in der Buchführung ordentlich verzeichnet.

Ich war wie vom Donner gerührt. Warum hatten mir Anila und Palden nichts von den Zuständen in den Schlafräumen erzählt? Alles schien sich zum Besseren gewendet zu haben, seitdem die Gelder eingetroffen waren, und jetzt verhärteten sich die Fronten erneut.

Ich bat Lobsang um ein Gespräch und legte ihm dar, dass die Buchhaltung für ein Projekt, das ausschließlich durch ausländische Spenden finanziert wird, ordnungsgemäß und übersichtlich durchgeführt werden müsse. Da dies jedoch einen gewissen Sachverstand erfordere und viel Zeit koste, schlug ich ihm vor, Paul die Arbeit zu übergeben. Lobsang hatte dagegen nichts einzuwenden. Wenn Paul aus Deutschland in seiner Funktion bestätigt würde, ginge das schon in Ordnung. Ich schickte daraufhin ein Fax an den Vereinsvorstand und bat darum, Paul offiziell als Buchhalter des Projekts einzusetzen. Zu meiner eigenen Überraschung kam schon in der folgenden Nacht die gewünschte Bestätigung.

Chungda stutzte, als Paul ihr das Antwortfax in die Hand drückte. »Was heißt das?« fragte sie misstrauisch.

»Das heißt nur«, sagte ich betont beiläufig, »dass Paul ab heute für all das, was in den Büchern abgerechnet wird, verantwortlich ist.«

»Und für dich«, fügte Paul freundlich hinzu, »bedeutet das ganz einfach weniger Arbeit. Außerdem wird die Blindenschule jetzt ein eigenes Konto haben, über das künftig alle projektbezogenen Gelder laufen.«

Da explodierte Chungda. Sie schleuderte Paul das Fax vor die Füße und schrie: »Heißt das etwa, dass ihr jetzt über die Projektgelder bestimmt? Dann könnt ihr euch ja privat bereichern!«

21

Die Gründung des ersten Blindenprojekts in Tibet sprach sich immer mehr herum. Von überall her erreichten uns Anfragen von Journalisten, die einen Artikel veröffentlichen oder einen Dokumentarfilm drehen wollten. Allerdings dürfen ausländische Journalisten in Tibet nur mit ausdrücklicher Genehmigung der Behörden arbeiten.

Angelo, ein wahrer Könner seines Fachs, traf wie vereinbart in Lhasa ein. Er reiste jedoch, was wir nicht ahnten, als Tourist, wenn auch mit einer sehr aufwendigen Fotoausrüstung. Sein Auftraggeber hatte versäumt, die notwendigen Genehmigungen einzuholen, was wir erst erfuhren, als Angelo selbst die Bombe platzen ließ.

Angelo brachte wenig Zeit mit, dafür aber viele Ideen, was für uns und die Kinder einen mehrtägigen Dauerstress bedeutete. Seine Vorstellungen liefen darauf hinaus, »bewegende« Fotos zu schießen, von mir mit Paul und mal ohne ihn, vor und hinter dem Potala, im Verkehrschaos, im Menschengewühl am Barkhor, in geheimnisvoll dämmrigen Gängen des Jokhang-Tempels und und und.

Am Morgen kam Angelo dann zu uns, um den angekündigten Fotomarathon mit der Schulbesetzung zu absolvieren. Zunächst wollte er Aufnahmen während einer Unterrichtsstunde machen und war entzückt über die Vielzahl der Waisenkinder, die zusammen mit den Blinden lernten. »Wie schön, so viele Kinder! Das wird ein prima Fotohintergrund.«

Palden und ich versuchten, den Unterricht wie sonst auch abzuhalten und uns nicht allzu sehr von Angelo ablenken zu lassen. So ganz glückte das nicht. Denn immer, wenn ich mich intensiv um eines der Kinder kümmerte, kam Angelo hinzu und bat mich, in dieser oder jener Stellung noch ein Weilchen zu verharren, damit er in Ruhe seine Bilderfolgen schießen konnte. Wieder und wieder sollte ich Tendsins Kopf in die Kamera drehen, dazu mal steil nach oben und dann wieder nach unten drücken. Dann sollte er wieder stillsitzen und durfte sich nicht rühren. Der Arme wusste überhaupt nicht, warum. Ich wusste auch nicht, warum, dachte ich doch, für eine Dokumentation brauche man eher realistische, natürliche Fotos. Ich bedeutete Angelo, dass ich keine Lust hätte, für ihn und seinen Auftraggeber steife Hälse in Kauf zu nehmen. Das war Angelo von seinen anderen »Objekten« wohl nicht gewöhnt, und er reagierte entsprechend sauer.

Sauer wurde er auch, als sein Fotohintergrund, die Waisenkinder, beim Pausenzeichen aufsprangen und aus dem Klassenraum liefen. Aufgebracht rief er ihnen hinterher: »Aber das geht doch nicht, ihr könnt doch nicht einfach mittendrin abhauen!« Ich musste lachen: »Erstens verstehen sie dich nicht und zweitens ist das für sie nicht mittendrin, sondern das Ende der Stunde, und für meine Schüler jetzt übrigens auch!«

Da tobte er los: »Du weißt gar nicht, unter was für einem Druck ich stehe! Ich bin hier für viel Geld hergeschickt worden, und von mir wird verlangt, dass ich gute Shots für eine knallige Story abliefere. Da müsst ihr eben mitspielen!«

Nun gut, ich hatte der Reportage zugestimmt und wollte ihn jetzt nicht zu sehr reizen. Gerade im Büro angekommen, hörte ich, wie Angelo drüben im Klassenzimmer fürchterlich zu schreien anfing. Ich lief zurück auf den Hof.

»Ich will nicht, dass man mich fotografiert!« brüllte er.

»Wer hat dich denn fotografiert?«

»Dieser Typ da«, schnaufte er, und ich vermutete, dass er Lobsang meinte.

»Dieser Typ da«, sagte ich, »ist der Leiter des gesamten Heimkomplexes. Und solange du in seiner Schule fotografierst, hat auch er das Recht, dich zu fotografieren!« Ich war jetzt wirklich wütend und hätte den rasenden Reporter am liebsten vor die Tür gesetzt.

Aber da er mir ein wenig kleinlaut versicherte, dass er genügend Aufnahmen von den Kindern habe und nur noch ein paar Blickfänger von Paul und mir brauche, schluckte ich meinen Ärger hinunter.

Die Gründerin der Blindenschule zu Pferd im tibetischen Hochgebirge, das sollte das nächste Motiv sein. Ich schickte Penba, unseren Stalljungen, aus, um eines der Tiere zu holen und zu satteln. Er kam mit Pauls Pferd zurück, und das war keine weise Entscheidung. Wir hatten die Stute nach unseren wilden Erfahrungen Pungu getauft, was auf tibetisch »Esel« bedeutet. Pungu war nicht nur störrisch wie ein Esel, sie konnte auch ganz schön zickig werden, besonders, wenn man sie von Lhamo, der trächtigen Stute, trennte, die von Pungu als Ziehmutter angesehen wurde.

Pungu also, Lhamo auf der saftig-grünen Wiese wissend, wurde wild und schnappte um sich, als wir sie aufzäumten. Angelo kam das sehr gelegen, denn er wollte ja kein Ponyhof-Bild machen, sondern ein Foto von einer »Amazone« in Wildnis und Abenteuer. Ich fügte mich in mein Schicksal und überließ mich dem verrücktgewordenen Tier. Kaum saß ich oben, wollte es mich schon wieder loswerden. Pungu bockte und sprang über einen Wassergraben, vor dem sie sonst wie ein wasserscheues Kätzchen stehen blieb. Im Jagdgalopp raste sie in die Richtung der Weide, wo sie ihre Ziehmutter vermutete, und ich hörte weit hinter mir die entzückten Rufe Angelos: »Ja, sehr schön! Gut so! Jetzt aber bitte wieder in meine Richtung!« Ich verfluchte alle Zeitschriften und Fotografen dieser Welt, und meine Wut half, das Tier zur Vernunft zu bringen. Ich lenkte es zurück, wie Angelo es gewollt hatte, und mit Affenzahn rasten wir auf ihn und seine teuren Kameras zu. Mit einem vorwurfsvollen Aufschrei sprang er zur Seite, und Pungu hielt neben ihm, als wäre nichts gewesen.

Das ganze Schauspiel wurde mit viel Amüsement von den Waisenkindern begutachtet. Viele der Kinder waren ausgezeichnete Reiter, und es war mir etwas unangenehm, meine Unfähigkeit, Pungu im Zaum zu halten, vor solch einem Publikum zu demonstrieren. Doch die Kinder wollten bei diesem „Theater« auch gerne mittun und versammelten sich um das schweißgebadete und wieder nervös werdende Pferd. Angelo gluckste vor Begeisterung, da er jetzt ein Starfoto von mir auf dem Pferderücken, umringt von lauter süßen eingeborenen Kindern, machen konnte. Obwohl Pungu nun ängstlich austrat und um sich schnappte, bat Angelo ein kleines Mädchen, sich ganz dicht neben mich zu stellen. Sie sollte meine Hand halten, und wir sollten beide ganz natürlich und entspannt in die Kamera lächeln. Wir mussten uns sehr anstrengen, eine gute Show abzuliefern, denn das Mädchen fürchtete sich zu Recht vor den Zähnen der Bestie, und ich hatte von allem den Hals mächtig voll.

Wir drei, das Pferd, das Mädchen und ich, waren aber so sehr mit dem beschäftigt, was vor uns passierte, dass wir nicht merkten, was hinter uns vor sich ging. Einer der kleinen Jungen nahm Anlauf und setzte zu einem gewagten Sprung an, um hinter mir auf dem Rücken des Pferdes Platz zu nehmen. Jetzt rastete Pungu vollkommen aus, drehte sich drei- oder viermal im Kreis, um alle Blagen von sich abzuschütteln, und jagte auf einen großen Haufen Bauschutt zu. Der Untergrund hier war felsig, und ich wusste, dass ich nicht ohne Knochenbrüche davongekommen wäre, wenn sie mich hier abgeworfen hätte. Ich konzentrierte mich nur noch darauf, oben zu bleiben und war heilfroh, als ich selbst nach dem riesigen Satz über den Schuttberg immer noch im Sattel saß. Dahinter erstreckte sich eine sumpfige Wiese, von ein paar Bäumen umstanden, und den Hintergrund bildeten die hohen Bergmassive. Es wäre bestimmt ein schönes Foto geworden, nur leider war Angelo gerade nicht in der Nähe.

Als schließlich alles im Kasten war, eröffnete uns der Meisterfotograf, dass ja doch noch alles gutgegangen sei, er habe nicht mal Ärger mit den Behörden oder der Polizei bekommen.

Alarmiert fragte ich: »Warum hättest du denn Ärger bekommen sollen?«

»Ach, wißt ihr«, Angelo zögerte einen Augenblick, doch dann entschied er sich, mit der Wahrheit rauszurücken, »ich bin nämlich quasi illegal als Tourist eingereist. Aber macht euch keine Sorgen, ich bekomme die Negative schon wieder sicher raus.«

Jetzt wurden Paul und ich wild: »Wir sollen uns um dich keine Sorgen machen? Wir machen uns um das Projekt Sorgen! Wer so etwas macht, bringt die Schule in Gefahr.«

»Ach«, meinte Angelo gelassen, »stellt euch nicht so an, das wird schon niemanden stören.«

Und wie das jemanden störte. Noch am gleichen Abend berief Lobsang eine Sitzung ein, in der er uns verkündete, unsere Visa würden nicht verlängert, und wir müssten umgehend das Land verlassen. Ob wir dann eine neue Arbeitsgenehmigung zur Wiedereinreise bekämen, wisse er nicht, und welche Chancen unser Projekt in Zukunft habe, könne er uns auch nicht sagen.

22

»Wenn ihr jemanden braucht, der euch die Schule organisiert, dann nehmt doch mich!« Es war meine Mutter, die sich einmischte. Mein Vater war vor einigen Tagen nach Deutschland zurückgeflogen, doch meine Mutter hatte beschlossen, noch ein paar Wochen zu bleiben. Sie wollte es sich im Banak Shol gemütlich machen und lesen, reisen und das Leben genießen.

Sie war es, die uns aus der Patsche half. »Macht euch mal keine Sorgen, ich kümmere mich schon um alles, das macht mir geradezu Spaß!« Wie gut es doch manchmal ist, Eltern zu haben, dachte ich. Meine zumindest haben die Gabe, immer da zu sein, wenn man sie am meisten braucht.

Einen Tag später saßen Paul und ich auf der Rückbank eines Geländewagens, der uns zur Grenze bringen sollte. Laut Zering, der die Strecke viele Male gefahren war, hätten wir es in zwei Tagen bis zum Grenzort Zangmu schaffen müssen. Tatsächlich waren wir doppelt so lange unterwegs. Wir verabschiedeten uns vom besten Fahrer Tibets, denn die Straße durchs Niemandsland war wegen Steinschlag für Fahrzeuge gesperrt. Bepackt mit unseren Rucksäcken marschierten wir also die gesamten acht Kilometer bis zur Grenzbrücke, der »Friendship-Bridge«, und stolperten erschöpft über die Brücke, auf deren Mitte eine rote Linie das Niemandsland vom Staatsgebiet Nepals trennt. Wir traten über die Linie, und Paul blickte noch einmal zurück. Hinter uns standen die chinesischen Grenzposten, Soldaten mit tadelloser Uniform und tadellos grimmiger Miene. Vor uns aber saßen die nepalesischen Grenzposten lässig auf dem Brückengeländer, lachten uns zu, rauchten und ließen die Beine über dem Abgrund baumeln. »Welcome in Nepal!« rief der eine und führte uns zu einem Häuschen, in dem wir unsere Visa-Angelegenheiten erledigen konnten

Wie wir jetzt erfuhren, war die Straße nach Kathmandu nicht durchgängig passierbar. Der Monsun hatte in den vergangenen Tagen ungewöhnlich stark getobt und viele Erdrutsche ausgelöst. So schlitterten wir zu Fuß mit all unserem Gepäck zum nächsten Dorf hinunter, wo ein Lastwagen auf Reisende mit dem Ziel Kathmandu warten sollte.

Im Dorf angekommen, fanden wir wirklich einen kleinen Laster vor, auf dessen Ladefläche sich schon mindestens zwanzig Nepalis gequetscht hatten. Aber es ging nicht nach Kathmandu, sondern nur bis zum nächsten Erdrutsch. Hier hatten Felsbrocken eine ganze Brücke über einen breiten Wildwasserfluss weggesprengt. Es gab einen rutschigen Holzsteg, höchstens vierzig Zentimeter breit und elf Meter lang. Aber die fröhlichen Nepalis um uns herum gaben uns das Gefühl, so ein Seilakt sei etwas vollkommen Alltägliches.

An die eigentliche Überquerung kann ich mich nicht mehr erinnern. Ich weiß nur noch, wie es uns gruselte, als wir glücklich die andere Seite der Schlucht erreicht hatten. Erst hier gestanden uns die Nepalis, wie sehr sie dem Steg misstraut hatten, der sich unter unserem Gewicht bedenklich gebogen hatte. »Ich finde ja, es reicht für heute«, meinte Paul müde, »wir haben schon genug geleistet.« Aber da wusste Paul noch nicht, was dieser Tag noch alles für uns bereithielt.

Wieder stand ein Lastwagen bereit, in dem alles Gepäck und alle Menschen um uns herum Platz fanden. Nach einer halben Stunde stoppte der Laster. Ein weiterer Erdrutsch hatte eine Steinmauer über die Straße geschoben und nur einen Wall aus nassem Schlamm hinterlassen. Die einzige Stelle, an der das Hindernis zu überwinden war, befand sich genau dort, wo die Schlammlawine sich langsam tropfend in den etwa hundert Meter tiefen Abgrund ergoss. Wieder wurde mein Rucksack freundlicherweise übernommen, und ein Nepali hielt sich dicht hinter mir. Aber was hätte er tun können, wenn einer von uns ausgerutscht wäre? Der gesamte Schlamm wäre womöglich mit allen Beteiligten in die Tiefe gesaust.

Wir glitten wie auf Eis. Langsam, Schritt für Schritt, tasteten wir uns auf der rutschigen Schräge voran. Jeder Schritt ließ Steine rollen und nasse Erde in die gähnende Tiefe tropfen. Aber dann fing ich an zu rutschen. Ein Erdklumpen löste sich unter meinem Schuh, und ich verlor das Gleichgewicht. Mein Fuß fand keinen Halt mehr, und ich hing über dem Nichts. Blitzschnell reagierten Paul und der mir folgende Nepali, packten mich mit schmerzhaftem Griff an den Armen und zogen mich zurück. Dabei mussten sie behutsam zu Werke gehen, denn jede hektische Bewegung hätte den Schlammberg weiter ins Rutschen gebracht. Als wir wieder sicheren Boden unter den Füßen hatten, wurden meine Knie weich, und mein ganzer Körper begann zu zittern.

Schmutzig, hungrig und vollkommen ausgepumpt kamen wir am Nachmittag in Kathmandu an. Paul hatte mich auf der ganzen gefahrvollen Reise begleitet, hatte sein Leben aufs Spiel gesetzt. Aber warum? Nur für einen Stempel im Pass? Für die Blindenschule? Oder …

»Für dich!« meinte er wütend, »für wen oder was denn sonst?« Es waren wohl die Strapazen der Reise, die sich am Abend unserer Ankunft in einem großen Streit entluden.

»Aha«, sagte ich, »aus Mitleid also. Glaubst du etwa, ich hätte es nicht auch ohne dich geschafft?«

Jetzt wurde Paul richtig wild. So hatte ich ihn noch nie erlebt. Und ich musste mir eingestehen, dass es mir auch irgendwie gefiel, einen so liebenswerten und immer gut gelaunten Menschen aus der Reserve zu locken. »Was redest du da für einen Blödsinn«, fauchte er böse. »Es gibt, godverdomme, auch Menschen, die mit dir zusammen leben und arbeiten möchten. Nicht weil sie denken, du kannst das nicht, nicht weil sie Mitleid mit dir haben, sondern weil sie dich lieben.«

Jetzt war es raus! Ein Gefühl, das lange unausgesprochen zwischen uns gestanden hatte. Ich wollte in Paul nur einen guten Freund sehen, dem ich all meine Sorgen anvertrauen konnte, und hatte ihn immer auf Abstand gehalten. Ich wollte mich nicht verlieben. Ich fürchtete, unsere gute Freundschaft und das unkomplizierte Arbeitsklima zu gefährden.

Ich wehrte mich an diesem Abend noch lange gegen seine wütende Liebeserklärung, wollte sie nicht wahrhaben. Doch schließlich – wir hatten den Tag, an dem uns das Leben mindestens dreimal geschenkt worden war, mit Tränen, Wut und Gebrüll beendet – verstanden wir, wie wertvoll es für uns war, dieses Leben und alle Schwierigkeiten gemeinsam in die Hand zu nehmen.

23

Am fünfzehnten Tag nach unserer Abreise aus Lhasa erhielten wir ein Fax meiner Mutter mit niederschmetternden Nachrichten.

Ihr war zu Ohren gekommen, dass sich außer Anila niemand mehr um die Kinder kümmerte. Palden war länger nicht gesehen worden, angeblich war er krank. In der Schule musste meine Mutter dann feststellen, dass unsere Kinder keinen eigenen Klassenraum mehr hatten. Sie saßen verloren und allein in der Schulküche, wo sie sich mit ihren Holztafeln und Filzpunkten beschäftigten. Mit Hilfe einer englisch sprechenden Tibeterin fand sie heraus, dass die Kinder uns vermissten und überhaupt nicht wussten, warum wir so schnell abgereist waren.

Meine Mutter war ratlos. Was sollte mit den Kindern in der Zwischenzeit geschehen, wer sollte sie unterrichten, bis wir zurück waren? Dann traf sie Palden, der überraschend schnell genesen war, und bat ihn, den Unterricht wieder aufzunehmen. Er schwieg erst verunsichert, dann brach es aus ihm heraus: Er werde in Zukunft nur noch mit »normalen« Kindern arbeiten. Blinde Kinder seien dumm, und außerdem müsse er sich jetzt um andere Dinge kümmern, der Heimleiter habe nämlich Großes mit ihm vor.

Diese Nachrichten wirkten wie ein Tiefschlag. Hatte es überhaupt noch Sinn, hier zu sitzen und zu warten? Bestimmt hatte man uns fortgeschickt, um das Projekt langsam eingehen zu lassen. Irgendwann käme dann ein Brief, in dem es hieß, wir könnten für eine Woche zurückkommen, unsere Sachen packen und die Kinder zu ihren Familien bringen, und das wars dann.

Ganz so schlimm kam es dann doch nicht. Dank der Hartnäckigkeit meiner Mutter, die täglich in Lobsangs Büro aufgetaucht war, um sich nach seinen Bemühungen um unsere Papiere zu erkundigen, erhielten wir eine halbe Woche später neue Einreisegenehmigungen, und schon am nächsten Morgen saßen wir im Flugzeug.

Als Paul und ich in der Schule eintrafen, hatten die Kinder in ihrem alten Klassenraum Unterricht. Doch es war nicht Palden, der vor der Klasse stand, sondern es waren Anila und meine Mutter. Es gab ein großes

»Hallo«, als wir in den Klassenraum traten. Die Kinder sprangen von ihren Sitzen auf und waren vor Freude außer Rand und Band. Zur Begrüßung sangen sie ein deutsches Kinderlied, das ihnen meine Mutter beigebracht hatte, und als Zugabe piepste Norbu sogar das englische Alphabet.

Wie wir später erfuhren, hatte sich meine Mutter nach dem unrühmlichen Abgang Paldens dafür stark gemacht, dass die Kinder der Blindenschule wieder ihren eigenen Klassenraum benutzen durften. Zusammen mit Anila hatte sie sich das tibetische Blindenschriftalphabet angeeignet und sich von den Angestellten des Banak Shol mathematische Redewendungen beibringen lassen. Mit getrockneten Tsampabällchen brachte sie den Kindern das Zählen, Addieren und Subtrahieren bei.

Mit Tsampateig formten die Kinder auch Figuren, und voller Stolz zeigten sie ihre Kunstwerke: Da gab es einen Yak, ein Pferd und einen Nomaden, einen feingearbeiteten Tempel, mit Figuren und Blumen geschmückt, und eine ganze Puppenstube mit Tisch, Sitzbänken und einem kleinen Yakdung-Ofen.

Anila und meine Mutter hatten in einer Situation, die noch vor kurzem ausweglos erschien, Großartiges geleistet. Die Kinder waren gesund und sichtlich glücklich. Jetzt fehlte nur noch ein richtiger Lehrer.

»Ich hab da jemanden für euch«, sagte meine Mutter. »Sie heißt Nordon, hat gerade ihr Studium beendet, spricht ein entzückendes Englisch und möchte gerne Lehrerin der Blindenschule werden.«

Von allem, was meine Mutter in dieser schwierigen Zeit für uns getan hatte, war Nordon das größte Geschenk. Sie stammt aus einer angesehenen Adelsfamilie Lhasas und war 23 Jahre alt, als wir sie kennen lernten. Zunächst erschien uns die, wie Paul feststellte, außergewöhnlich hübsche Frau als sehr zierlich und zerbrechlich, und wir waren nicht sicher, ob sie genügend Durchsetzungskraft mitbrachte. Doch Nordon hatte, wie sich bald herausstellte, Feuer und Biss und alles, was man sich sonst noch wünschen konnte. Vor allem aber hatte sie ein Gespür für die Nöte und Sorgen blinder Kinder. Sie beobachtete alle Kinder lange und intensiv beim Spielen und Lernen und entwickelte bald für jeden Schüler eigene Lernmethoden. Dabei konzentrierte sie sich stets auf die besonderen Fähigkeiten und Möglichkeiten jedes Kindes. So übte sie mit Meto, die ja noch ein bisschen sehen konnte, auch die tibetischen Schriftzeichen, die sie ihr mit bunten Farben in Übergröße auf das Papier malte. Und auch für Chilä, der immer noch nicht mit der Koordination seiner Finger zurechtkam, überlegte sie sich etwas, das seiner Phantasie und seiner Begabung,

Geschichten zu erzählen, entgegenkam. Sie bastelte Fingerpuppen aus dickem Papier, die sie ihm auf die Finger steckte. Diese Puppen übernahmen nun die Rollen in seinen Geschichten, und er konzentrierte sich auf die Bewegungen seiner Finger, um die Puppen entsprechend zu führen.

Die Blindenschrift erlernte Nordon in wenigen Tagen und schon bald war sie in der Lage, kleine Übungshefte für die Kinder zu entwerfen. Norbu, Tendsin und Meto lernten nun mit der Blindenschriftschreibmaschine zu schreiben und die um ein Vielfaches kleineren Blindenschriftzeichen vom Papier zu lesen. Wir staunten alle, wie schnell sie vorankamen und mit welcher Geschwindigkeit sie Worte und kleine Sätze nach Diktat in das dicke Papier hämmerten. Nach einer Unterrichtsstunde kam Nordon zu mir und rief voller Begeisterung: »Die Blinden schreiben mit ihren Maschinen schneller als Sehende mit der Hand!«

Wir teilten den Unterricht in zwei Gruppen. Während ich mich auf Chilä und Tashi konzentrierte, die Schritt für Schritt eine Zahl, ein Zeichen und ein Wort buchstabieren lernten, unterrichtete Nordon die drei Durchstarter, die jetzt nichts anderes mehr im Sinn hatten, als zu lernen. Schon früh am Morgen, nach dem obligatorischen Morgengebet und vor dem ersten Buttertee, saßen sie an ihren Maschinen und vor ihren Übungsheften. Die Mittagsruhe oder Mahlzeiten empfanden sie nur als lästige Unterbrechungen. Oft saßen sie bis spätabends in ihrem Klassenraum und übten für den nächsten Tag, und es bedurfte hin und wieder größerer Anstrengungen, sie ins Bett zu bekommen. Einfach das Licht auszuschalten half ja nicht viel. Auch wenn sie bereits demonstrativ schnarchend in ihren Betten lagen, konnte man nie sicher sein, ob sie nicht das eine oder andere Übungsbuch unter die Decke geschmuggelt hatten.

Es dauerte nicht lange, da waren Tendsin, Norbu und Meto bereits in der Lage, ganze Sätze zu schreiben und vorzulesen. Nordon schrieb jetzt mit ihnen den ersten Test. Zunächst gab es ein kleines Tibetisch-Diktat. Das war nicht so einfach, denn wie schon erwähnt ist die Rechtschreibung des Tibetischen recht kompliziert. Viele Wörter lassen sich nicht nur durchs Hören erschließen und müssen deshalb Buchstabe für Buchstabe auswendig gelernt werden.

Chilä hatte zwar bisher nicht lesen oder schreiben gelernt, verfügte aber über ein hervorragendes Gedächtnis und konnte eine Unmenge von Wörtern fehlerfrei buchstabieren. Tashi hingegen kannte nur etwa zwanzig Wörter auswendig, konnte aber keines davon schreiben oder mit den Fingern wieder erkennen. Mit diesen beiden machten wir also eine mündliche Prüfung, die Chilä mit großer und Tashi mit etwas geringerer Treffsicherheit bewältigte.

Die anderen drei absolvierten einen richtigen schriftlichen Test. Norbu und Meto waren mächtig aufgeregt und schrien herum, wenn sie glaubten, ein Wort nicht verstanden zu haben. Nur Tendsin saß leise kichernd an seinem Schreibpult und hämmerte ungeachtet des Lampenfiebers seiner Klassenkameraden in aller Ruhe Wort für Wort herunter.

»Irgendwas ist mit Tendsin los«, meinte Nordon halb belustigt und halb beunruhigt, »die ganze Zeit sitzt er da und lacht vor sich hin, als ob er etwas ausgefressen hat.«

Jetzt auch misstrauisch geworden, erinnerte ich mich an meine eigene Schulzeit und ging zu Tendsin, griff unter sein Schreibpult, und richtig: Da lag eine Hand auf dem aufgeschlagenen Übungsbuch, mit der er las, während er mit der anderen schrieb.

»100 von 100 Punkten für Tendsin!« rief Nordon später, als sie die Tests aller Kinder ausgewertet hatte. Alle freuten sich für Tendsin und gratulierten. Er strahlte, denn er ahnte, dass außer mir niemand von seinem Geheimnis wusste.

»97 von 100 Punkten für Meto!« Auch sie freute sich sehr, denn sie hatte in den letzten Wochen besonders ausdauernd geübt. Einmal war sie sogar zu mir gekommen und hatte sich beschwert: »Wir haben zu wenig Unterricht, wir haben ja an drei Nachmittagen und den ganzen Sonntag frei. Kannst du nicht noch eine Lehrerin einstellen?«

Mitten in der Nacht wachte Paul auf. Da unsere hochmoderne Toilette seit Monaten nicht mehr richtig funktionierte, lief er schlaftrunken zu den Schultoiletten auf der anderen Seite des Hofes. Unterwegs vernahm er aus dem Klassenraum ein leises Geräusch. Wohl eine Ratte, dachte er, denn alles war dunkel. Jetzt wurde das Geräusch, ein Rasseln wie von einem Werkzeug, lauter. Das war keine Ratte; vielleicht ein Einbrecher? Vorsichtig schlich er näher und spähte durch das Schlüsselloch. An einem der Schreibpulte saß ein kleines Menschlein. Es war Norbu, und er war bester Stimmung. Er pfiff leise vor sich hin, las und schrieb und übte wohl für den nächsten Test.

Von Gyendsen, unserem sechsten Schüler, erfuhr Nordon, wie pragmatisch und unsentimental Kinder mit ihrer Erblindung umgehen können. Gyendsen war elf Jahre alt, als er von Mitarbeitern einer deutschen Hilfsorganisation zu uns gebracht wurde. Mit neun hatte er eine Augeninfektion bekommen, die nicht rechtzeitig behandelt werden konnte und zur völligen Erblindung führte. Er hatte schon vor einiger Zeit von der Schule gehört, doch während der Regenzeit war sein Dorf von der Außenwelt abgeschnitten, sodass niemand den Jungen nach Lhasa bringen konnte.

Gyendsen, intelligent und temperamentvoll, ein phantastischer Reiter und begabter Schwimmer, lebte sich schnell ein. Er hatte schon eine Grundschulklasse absolviert und konnte bereits lesen und schreiben. Daher erlernte er das Blindenschriftsystem in kurzer Zeit und konnte bald mit Norbu, Tendsin und Meto mithalten.

Am Tag, als Gyendsen nach Lhasa kam, verkündete Chungda, wir sollten besser keine weiteren Kinder aufnehmen. Denn wie ihr Vater bereits angekündigt hätte, sei das Projekt im Heimkomplex nicht mehr erwünscht und wir müssten bis zum Ende des Jahres die zur Verfügung gestellten Zimmer räumen.

Wir hatten geglaubt, alle Hindernisse seien mit unserer Rückkehr nach Lhasa überwunden, doch jetzt war unser Projekt wieder in Gefahr. Niedergeschlagen saßen Paul und ich im Garten des Gästehauses. Nordon war bei uns und versuchte, uns zu trösten: »Ihr dürft die Schule nicht aufgeben! Ihr habt einen guten Ruf in Lhasa, die Kinder sind glücklich, und ihr könnt das Projekt jetzt nicht so einfach abbrechen.«

»Aber was sollen wir machen, wenn wir im Winter auf der Straße stehen?«

»Kauft euch doch ein Haus, dann seid ihr von niemanden mehr abhängig.«

Paul lachte auf: »Wie sollen wir ein Haus kaufen, wenn wir noch nicht einmal Geld für den Unterhalt des Projekts haben?«

Seit unserer Rückkehr aus Nepal war uns wieder das Geld ausgegangen, denn der Vereinsvorstand hatte es erneut versäumt, rechtzeitig die Überweisungen zu veranlassen. Auch unsere privaten Reserven gingen langsam zur Neige, und wir fürchteten den Tag, an dem wir nicht mehr wussten, wie wir die Kinder ernähren und das Personal bezahlen sollten. Vorerst hatten aber Anila und Nordon auf die Auszahlung ihrer Gehälter verzichtet, und einige in Lhasa ansässige Hilfsorganisationen versprachen uns für den Fall eines Engpasses ein Darlehen.

Ich sandte einen erneuten Hilferuf an die Adresse der Vorsitzenden, dazu einen Projektfortschrittsbericht, den das Ministerium verlangte, sowie eine Aufstellung von Zukunftsplänen wie den Aufbau eines Rehabilitations- und Berufsbildungzentrums. In meinem Brief stellte ich unsere Notlage dar und bat darum, mir größeren Handlungsspielraum einzuräumen, um Entscheidungen zur Sicherung des Projekts vor Ort treffen zu können. Nach einigen Wochen kam die Antwort:

> *Liebe Sabriye!*
> *(...) Du hast durch Deine Initiative und Deinen Einsatz das Projekt ins Leben gerufen, aber der Verein trägt jetzt für den Fortgang des Projekts die alleinige Verantwortung.*
> *Die wichtigen Entscheidungen, z.B. Verlängerung des Projekts, Umzug in ein anderes Haus oder Wechsel des tibet. Partners, sind eindeutig Aufgaben des Vereins und nicht die Deinigen.*
> *Auch der Projektfortschrittsbericht ist von uns zu erstellen. (...) Ich bin fest davon überzeugt, dass Du bei Deiner Arbeit in Lhasa Dein Bestes gibst und viele Schwierigkeiten zu bewältigen hast. Auch für mich ist es nicht einfach, in der Rolle des Verantwortlichen zu sein und ausgerechnet Dir, als der Frau, die unser Tibetprojekt ins Leben gerufen hat, Weisungen zu erteilen. Weil uns aber die gleiche Sache am Herzen liegt, wünsche ich, dass es uns mit der Zeit immer besser gelingt, uns in unseren Rollen zu sehen. (...)*

Weiter geschah jedoch nichts. Es kam kein Geld, keine Anweisung, was nun zur Sicherung des Projekts zu tun sei. Dafür erfuhr ich aus anderer Quelle, dass der Vereinsvorstand meinen Fortschrittsbericht nicht weitergeleitet, sondern einen eigenen verfasst hatte. Beim Ministerium seien daraufhin Zweifel an meiner Kompetenz als Projektleiterin entstanden.

Ich schwor mir: Sollte sich nichts Wesentliches ändern, würde ich auf alle staatliche Förderung verzichten, um das Projekt allein mit der Unterstützung von Spendern und zusammen mit Paul, Nordon und Anila weiterzuführen.

Im Nachhinein sind Paul und ich heilfroh, uns ein Vierteljahr später genau so entschieden zu haben. Nun können wir frei und unabhängig von Trägervereinen und öffentlichen Instanzen unsere Pläne in die Tat umsetzen. Hätten wir uns der Gängelung und Bevormundung nicht rechtzeitig entzogen, wäre das Projekt »Blindenzentrum Tibet« im Winter 1998 kläglich gescheitert.

24

Es war unser erster Winter in Tibet, ein langer, harter und unerbittlicher Winter, auch wenn Tibeter gerne behaupten, zu dieser Jahreszeit sei es in Lhasa besonders mild, schließlich sinke die Temperatur nachts nie unter minus 20 Grad. »Zentralheizung« ist ein Fremdwort, und Elektroöfen sind verboten, da bei ihrem Gebrauch schlichtweg die Stromversorgung im ganzen Viertel zusammenbrechen würde. Zudem sind die modernen Stadthäuser, von Architekten aus dem warmen Süden Chinas konstruiert, wahrlich nicht geeignet, den Eiswinden und dem Dauerfrost zu trotzen. Die Betonwände sind nicht isoliert und garantieren frostiges Klima auch innerhalb der eigenen vier Wände.

Der Tag fing schon gut an, wenn Paul, um aus dem Fenster schauen zu können, erst mal dickes Eis von den Scheiben kratzen musste. Und wenn ich die Wasserschüssel vor dem Bett untersuchte, die, abends noch mit dampfendem Wasser gefüllt, am Morgen mit einer ordentlichen Eisschicht bedeckt war, konnte ich mich mit der tibetischen Sitte, sich von Mitte September bis Ende März überhaupt nicht zu waschen, durchaus anfreunden.

Paul und ich bewunderten die Kinder, die den ganzen Winter über nicht einmal murrten und die verdammte Kälte mit stets gleich guter Laune ertrugen. Draußen wie drinnen in Mützen, Schals und dicke Jacken eingemummelt, kamen sie mir vor wie kleine Öfen, denn egal wie lange sie ruhig saßen, schrieben oder mit den bloßen Fingern lasen, sie hatten immer warme Hände und strotzten vor Gesundheit.

Der 25. Dezember war der kälteste Tag, den ich je erlebt habe. Alle Wasserhähne im Schulhof waren in der »Heiligen Nacht« geplatzt, und das ausgelaufene Wasser hatte eine dicke Eisschicht auf den Steinen gebildet, auf der man sich gefahrlos nur auf dem Hosenboden rutschend fortbewegen konnte.

Als ich an diesem Morgen zum Schulhaus kam, sprangen Norbu und Tendsin gerade mit Anlauf von der Treppe aufs Eis und wetteiferten, wer bei dieser halsbrecherischen Aktion als Erster das Gleichgewicht verlor. In der Küche war es warm und gemütlich, denn Anila kochte in großen Pötten Buttertee und bereitete das Frühstück für die Kinder vor. Zum ersten Mal trank ich den dampfenden Buttertee mit großem Behagen.

Paul und ich hatten halb bedauernd, halb erleichtert angenommen, dass Weihnachten in Tibet keine Rolle spiele. Aber überall war in den letzten Tagen von »Chrisse misse« die Rede, man hielt das für das europäische Neujahrsfest, das selbstverständlich, denn man war ja modern, auch in Tibet gefeiert werden musste. Die Kinder hatten von Nordon »We wish yo a merry chrisse misse and a happy no year« gelernt und schmetterten mir das Lied mit viel Enthusiasmus zu allen Zeiten und Unzeiten ins Ohr.

Während Yishi, die neue Köchin, und Anila sich ans Kochen und Backen begaben, gingen Nordon und ich erst einmal zum Schneider, der die Winterkleidung für die Kinder fertiggestellt hatte. Um zu seinem »Atelier« in einem der typischen alten Häuser zu gelangen, musste man steile und von Butterfett rutschige Treppenstufen hinaufklettern. Es ging dann über eine offene Galerie, an deren Decke große Yakfleischstücke zum Trocknen aufgehängt waren.

Der alte Schneider saß in seiner kleinen Kammer, die mit Woll- und Stoffballen und Felljacken, Tschubas (aus Wollstoff, Seide oder Brokat gefertigte Mäntel), Hosen und Mönchskutten vollgestopft war, hinter einem wuchtigen Ladentisch und lachte uns entgegen, als wir uns unseren Weg durch das Sammelsurium bahnten. Stolz präsentierte er uns die fertiggestellte Ware. Die Jacken, in Dunkelrot gehalten, waren mit weichem Fell gefüttert und mit bunten Borten besetzt. Auch die Hosen in Dunkelblau waren mit Borten verziert und passten so wunderbar zu den Jacken. Er hatte sich Gedanken um die Sorgen und Nöte blinder Kinder gemacht, und da er sich nicht genau vorstellen konnte, wie sie sich alleine anziehen, kam er auf die Idee, für jedes Kind eine Hose zu schneidern, die von beiden Seiten getragen werden konnte. Sie hatten nämlich innen wie außen eine bestickte Borte und auch von beiden Seiten je zwei Taschen.

Als wir wieder in die Schule kamen, war die Wohnküche schon voller Menschen, die alle mit uns Weihnachten feiern wollten. Da waren Dolma mit Mann und Kindern, die gerade mit Norbu zwischen den Eiszapfen im Brunnen spielten, da waren die beiden 14- und 15-jährigen Kinder von Yishi und eine Verwandte von Anila mit ihrer fünfjährigen Tochter sowie einem Freund, der auch gespannt war auf das europäische »Chrisse misse«. So besonders europäisch wurde es aber nicht, denn ich war die einzige Europäerin unter 17 Tibetern.

Alle, die gekommen waren, hatten etwas zu diesem Fest beigetragen:

Da gab es Körbe mit großen süßen Erdbeeren aus Südchina, Schüsseln mit Bananen und Orangen, große Platten mit frisch gebackenem Khabse (leicht gesüßtes, zu kleinen Zöpfen geflochtenes Gebäck, das in Yakbutter fritiert wird), in Chili eingelegte kalte Schweine- und Yakfleischscheiben, mit Pfeffer und Zucker angerichtete Gurkenstückchen, eine kalte, scharf gewürzte Tomatensuppe und natürlich die unentbehrlichen Yakfleisch-Momos, gefüllte Teigtaschen, die in einer Yakknochensuppe gar gekocht werden. Zu trinken gab es zur Feier des Tages süßen Milchtee und Cola in Dosen.

Bevor die Kinder sich an die Tafel setzten, bekamen sie alle einen Luftballon, der erst einmal aufgeblasen, im Büro herumgeschossen und dann zum Platzen gebracht werden musste. Als dann die Luftballon-Kaputtmach-Aktion endlich vorbei war, setzten sich alle auf ihre Plätze und begannen aus vollem Halse Weihnachtslieder zu schmettern. Es war eine Mordsstimmung.

Auch Tashi war wie verwandelt. Während er im Unterricht den Eindruck erweckte, als könne er die Lieder, die Nordon und Anila ihnen beibrachten, nicht behalten, zeigte er jetzt, was wirklich in ihm steckte. Er sang sogar ganz alleine ein englisches, ein chinesisches und mindestens drei tibetische Lieder. Für jede der Darbietungen bekam er großen Applaus und freute sich so sehr, dass er selbst vor Begeisterung in die Hände klatschte.

Dann forderte Yishi die Kinder auf, tüchtig zuzulangen. Es wurde plötzlich ganz still, und man hörte nur noch das genüssliche Grunzen und Schmatzen, das bei keinem tibetischen Festmahl fehlen darf. Als Gyendsen, der immer ein wenig schüchtern war, bei der zweiten Ladung Momos höflich ablehnte, meinte Chilä: »Heute ist doch ›Chrisse misse‹, da darfst du ruhig zugreifen.«

25

Kurz nach Weihnachten bereiteten wir uns auf den Auszug vor. Eine in Lhasa ansässige Hilfsorganisation stellte uns einen Lastwagen und ein paar Mitarbeiter zur Verfügung

»Wohin soll es denn gehen?« wollte Chungda wissen, nicht ohne hämischen Unterton. Wir standen gerade in der Wohnküche und packten Geschirr und Küchengeräte in hölzerne Umzugskisten.

Paul meinte grimmig: »Auf die Straße natürlich, mit allen Kisten und Kindern. Wir werden auf der Beijingdong-Lu schon ein lauschiges Plätzchen finden, meinst du nicht?«

Das war das letzte Mal, dass wir Chungda sahen. Von der Heimleiterfamilie ließ sich niemand blicken. Nur die Arbeiter halfen uns, versorgten uns mit Buttertee und schenkten uns Katags zum Abschied. Auch die Waisenkinder standen im Hof und verabschiedeten sich traurig. Sie hatten mit den blinden Kindern gespielt und verstanden nicht, warum sie jetzt so plötzlich ausziehen mussten. Lange standen sie auf den Balkonen und winkten, als wir mit unserem gesamten Hausstand durchs Hoftor fuhren.

Natürlich zogen wir nicht auf die Beijingdong-Lu. Wir hatten, sozusagen als Weihnachtsgeschenk, ein Übergangsquartier von Nordons Mutter angeboten bekommen. Deren Vater hatte in den fünfziger Jahren ein großzügiges Anwesen im tibetischen Stil errichtet. Es war wie geschaffen für unsere Zwecke.

Hinter dem Vordertor erstreckte sich ein geräumiger Hof, in dem sich prima Ballspielen oder Bockspringen ließ. In dem geräumigen Haus, das von einigen Nebengebäuden und Stallungen umgeben war, befanden sich vier saalartige Wohnräume mit vielen großen Fenstern und eine kleine Küche. Der Garten hinter dem Haus war ein richtiger Abenteuerspielplatz mit Obstbäumen und alten, fast abgestorbenen Weiden, die später von den Kindern als Kletterbäume genutzt wurden.

Nordons Mutter erwartete den »Umzugswagen« aufgeregt im Hof des Hauptgebäudes. Ich mochte sie sofort. Amala, wie wir sie alle nennen durften, war Mitte fünfzig, liebte Kinder und wünschte sich sehnlichst ein paar Enkelchen. Doch Nordon und ihre Geschwister dachten nicht daran, zu heiraten, und so schlugen sie ihr vor, es für eine Übergangszeit mit den Kindern der Blindenschule zu versuchen. Darauf hatte sich Amala eingelassen, und sie hat es bis heute nicht bereut.

Als wir mit unseren Kisten und Säcken angekeucht kamen, rief sie uns fröhlich entgegen: »Always work and work! You now rest!« und geleitete uns in den schon vorbereiteten Speisesaal. Vor einer langen Fensterreihe standen Sitzbänke, die mit kostbaren Teppichen belegt waren. Davor war eine lange Tafel mit Schüsseln voll Süßigkeiten und Früchten aufgebaut. Die Kinder, vom Umzug ermüdet, aber vielleicht auch eingeschüchtert durch die fremde Umgebung, setzten sich schweigend an die Tafel und langten nur sehr bescheiden in die Schalen, die Nordon ihnen vor die Nasen hielt.

In einer Ecke des Zimmers stand ein Fernseher, den Nordon zur Belustigung der Kinder anschaltete. Welch ein Kulturschock! Die Kinder, die meist vom Lande kamen, waren erst einmal sprachlos. Sie konnten nicht glauben, dass die Stimmen, die so klar und deutlich in den Raum schallten, aus einem Apparat kamen, und Chilä fragte verwundert, wer denn die Menschen seien, die da gerade durchs Zimmer gingen. Meto stellte sich ganz dicht vor den Bildschirm und versuchte, etwas hinter der Glasscheibe zu erkennen. Sie glaubte, es sei ein Fenster. Da aber die Ereignisse hinter diesem Fenster unrealistisch schnell aufeinander folgten, wurde sie des Fernsehens bald müde.

Danach bereiteten wir ein provisorisches Lager für die erste Nacht im neuen Quartier. Gyendsen, Tendsin und Meto halfen uns dabei, Matratzen in einem leer geräumten Saal auszurollen.

Bald wurde Amala von allen Kindern als Ziehmutter, Lehrerin und Freundin akzeptiert. Sie unterrichtete sie sonntags und in ihrer Freizeit im Redenschwingen, Liedersingen und in der Kunst des tibetischen Tanzes. Manchmal lud sie Freunde oder Verwandte ein, und bat die Kinder, ihre neuesten Lieder und Tänze vorzuführen. Und wenn sie sich scheuten, nahm Amala sie bei der Hand und sagte: »Es ist für euch wichtig, den Menschen zu zeigen, wer ihr seid! Ihr könnt singen und tanzen, lesen, schreiben und glücklich sein wie andere Kinder auch. Sie dürfen euch nicht einsperren, ihr habt keine Angst, ihr seid stolz und müsst es ihnen zeigen!«

Die Kinder lernten schnell, mutig und stolz zu sein. Einmal gingen Chilä und Gyendsen mit Amala über den Barkhor und hörten, wie zwei

Nomaden sich laut und abfällig über die »blinden Tölpel« unterhielten. Chilä begann zu weinen und bat Amala, doch etwas zu sagen.

»Ihr braucht mich nicht«, sagte sie und wischte seine Tränen weg.

Und Gyendsen hatte verstanden. Er drehte sich zu den Nomaden um und sagte so laut, dass sich Passanten neugierig umdrehten: »Ihr dürft nicht so über uns reden! Wir sind blind, aber keine Tölpel! Und könnt ihr etwa lesen und schreiben? Wart ihr jemals in einer Schule? Könnt ihr ohne Licht nachts auf die Toilette finden?«

Das tibetische Neujahr, das Lossar-Fest, wird zwischen Ende Januar und Anfang März gefeiert. Das genaue Datum ist jedes Jahr und in jedem Distrikt verschieden, und auch die Festtagsrituale unterscheiden sich von Dorf zu Dorf, von Region zu Region. In Lhasa beginnt das Lossar-Fest mit dem 29. Tag des letzten Monats im alten tibetischen Jahr. Kurz vor Einbruch der Dämmerung wird die Gothugpa, eine Nudelsuppe mit neun Köstlichkeiten, im Kreise der Familie gereicht. Diese neun Köstlichkeiten sind Symbole des Friedens, des Kindersegens, des Reichtums und des Glücks. Eine der tönernden Schüsseln wird leer gegessen, die andere auf die Straße geworfen und den Dämonen des alten Jahres geopfert.

Sobald es dunkel ist, wird es laut in Lhasa. Alle stürmen mit Feuerwerkskörpern nach draußen, und eine wilde und gefährliche Schlacht beginnt. Die Menschen stehen dicht gedrängt auf den engen Gassen und schießen sich die Raketen um die Ohren, dass es nur so raucht und stinkt. Durch diesen Radau werden die bösen Dämonen des alten Jahres verjagt, und jede Gasse muss lauter knallen als die Nachbargasse, damit die Dämonen nicht vielleicht doch auf die Idee kommen, in der eigenen Zuflucht zu suchen.

Nicht nur die Dämonen, sondern auch Paul und ich verkrochen uns in dieser Nacht. Wir hockten in unserem Zimmer im Banak Shol, das seit dem Auszug wieder unser Heim geworden war. Wir hätten auch gerne im Haus von Nordons Familie gewohnt, aber das war uns als Ausländern nicht gestattet.

Hier saßen wir nun, lauschten dem Feuerwerk und ließen unsere Erlebnisse noch einmal Revue passieren. Und hier war es auch, wo wir beschlossen, uns ebenfalls von den Geistern des alten Jahres zu trennen. Ich entwarf einen Brief an den stellvertretenden Vorsitzenden unseres Trägervereins, in dem ich unter anderem schrieb:

(…) Ein Projekt wie dieses aufzubauen war seit dem ersten Semester mein größter Wunsch, und dieser Wunsch scheint jetzt in Erfüllung zu gehen. Ich habe darum auch meine gesamte Energie und einen Großteil meiner Ersparnisse in dieses Projekt gesteckt, habe bereits Pläne über viele Jahre hinweg geschmiedet und bin jeden Tag aufs Neue glücklich, wenn ich die zufriedenen und lernbegierigen Kinder sehe. (…)
Doch auch wenn ich viel Spaß und Mut aus dieser Arbeit heraushole, die Arbeit in einem solchen Land ist und bleibt unheimlich schwer. Wir arbeiten hier mindestens 14 Stunden am Tag, haben keine Wochenenden, keine Ferien, also Arbeitsbedingungen, die in jedem westeuropäischen Land nicht akzeptabel wären. Wir leben hier in einem Land, das keine beheizten Räume kennt, keine (ausreichende) ärztliche Versorgung bietet und an bürokratischen Hürden von keinem anderen Land zu überbieten ist.
Ich habe lange gezögert, meiner Enttäuschung über das anscheinend bestehende Nichtinteresse des Vorstands an unserer Arbeit Ausdruck zu verleihen.
Warum Ihr meinen Wünschen, mir ab und zu zur Seite zu stehen, uns das Geld zeitig zu überweisen und uns die Möglichkeit zu geben, die freundlichen Spender ordnungsgemäß zu betreuen, nicht entgegengekommen seid, weiß ich nicht. Die einzige Erklärung, die ich dafür habe, ist, dass der Verein mit der Betreuung dieses Projekts vollkommen überfordert ist.
Da aber das Projekt selbst einen guten Start hatte (…), und nun sechs Kinder und viele andere, die von dem Projekt bereits erfahren haben, viel Mut für die Zukunft gewonnen haben, denke ich, wir sollten die Kooperation nun beenden und im Guten auseinander gehen.

Das neue Hasen-Erde-Jahr begann zunächst einmal ohne Geld, ohne Sicherheit und ohne ein festes Dach über dem Kopf. Aber wir spürten auch, wie die Energie, die uns in den letzten Monaten Stück für Stück abhanden gekommen war, allmählich wieder zurückkehrte.

Und dann machte uns Amala ein großartiges Angebot. Sie fragte uns, ob wir nicht ihr Haus kaufen wollten. »Es ist für mich und meine Kinder zu groß, und ich weiß, dass eure Blindenschule dem Namen meiner Familie Ehre macht!«

26

Mit Amalas Angebot eröffneten sich ungeahnte Möglichkeiten. Nachdem alles vertraglich geregelt war, brach eine wahre Umbau- und Renovierwut aus. Gemeinsam gestalteten wir den Schlafsaal der Kinder und renovierten die Stallungen, um sie zu Klassenräumen umzufunktionieren. Paul stellte tibetische Handwerker an, die die erforderlichen Baumaßnahmen unter seiner strengen Anleitung durchführten.

Da wir unter dem Schutz einer angesehenen Familie standen, hatten uns die Nachbarn bald akzeptiert. Einmal bekamen wir eine unverschämt hohe Stromrechnung. Amala zeigte sie empört den Nachbarn, die daraufhin beschlossen, sich gemeinsam beim Elektrizitätsamt zu beschweren. Die Beamten blieben erst stur und meinten, die Ausländer hätten doch genug Geld und könnten ruhig das Zehn- oder Zwanzigfache des normalen Preises zahlen. Einer der Nachbarn entgegnete aufgebracht, dass die Ausländer doch etwas für die Blinden täten, und da könne man sie nicht auch noch bestrafen. Außerdem benötigten Blinde überhaupt kein elektrisches Licht. Und da sei es nicht logisch, dass die Rechnung höher ausfalle als üblich. Bei diesem Argument gaben sich die Beamten geschlagen.

Mehr und mehr Einwohner Lhasas kamen, um sich das Ganze mal aus der Nähe anzusehen. Sie staunten nicht schlecht, wenn sie heimlich durch das Hoftor lugten und herumtollende blinde Kinder sahen, die mit einem klingelnden Ball spielten oder wie Autos brummend durch den Hof sausten. Nordon, Anila oder Yishi luden die Besucher meist ein, auch einen Blick in einen Klassenraum zu werfen. Dort standen die Schreibmaschinen, mit denen die Kinder schrieben, und die Bücher, aus denen sie lasen. Die Fremden waren überwältigt von diesen Wundern und kamen später oft mit Geschenken zurück, brachten Körbe mit Reis und Gerstenmehl, und manch einer spendete sogar ein wenig Geld.

Ein alter blinder Mann hatte sich von Lhatse, einer etwa 600 km entfernten Kleinstadt, auf die lange und beschwerliche Reise gemacht, um uns in der Schule aufzusuchen. Er habe einmal sechs Kinder gehabt, zwei seien gestorben und drei seien blind geboren. Seine Frau liege mit einem Herzleiden im Krankenhaus, und die sehende Tochter müsse für alle Geld verdienen. »Ich glaube nicht, dass ich meine Kinder im kommenden Winter durchbringen kann, und möchte euch bitten, die blinden aufzunehmen.«

Wir waren dazu gerne bereit, nur brauchten wir die Genehmigungen des Gouverneurs, auf die man manchmal bis zu sechs Monate warten musste. Wir bezweifelten, dass er es noch vor dem Winter schaffen würde.

Vier Tage später bekamen wir einen Anruf. Es war der alte Mann: Er sei wieder in Lhasa, ob er noch mal vorbeikommen könne. Er kam und mit ihm drei blinde Kinder. Zwei Jungs, Dorje und Jampa, Zwillinge im Alter von dreizehn, und Kila, die ein Jahr jüngere Schwester. »Aber«, meinte Paul verblüfft, »wo sind denn die Papiere?« Der Vater lachte und hielt ihm triumphierend sämtliche fertig gestellten und gestempelten Dokumente unter die Nase.

Ähnlich wie die drei blinden Geschwister fanden auch andere Kinder ihren Weg zu uns. Da war der siebenjährige Sönam, der wie Chilä ausgesprochen gerne sang, allerdings so laut und schräg, dass er von Meto jedesmal eine gepfeffert bekam, sobald er zu einem Liedchen ansetzte. Da kam die elfjährige Yudon an der Hand eines Augenarztes, der sich gar nicht genug wundern konnte, wie viele Blinde es hier auf einmal gab, der kleine Wugyän, ein siebenjähriger Junge, der zusammen mit seinem Großvater auf der Straße lebte, und schließlich Ngudup, ein schmächtiges und verschüchtertes Kerlchen, der aus einem weit abgelegenen Dorf im Schatten des Everest kam.

Ngudup hatte ähnlich wie Tashi jahrelang isoliert von der Außenwelt in einer Hütte gelebt. Als er zu uns kam, sprach er zwar ein wenig, war aber sehr verängstigt. Einmal hörte ich, wie er auf dem Hof, wo er alleine spielte, vor sich hin murmelte: »Ein Mensch, ein Mensch, was soll ich tun!« Ngudup wurde aber von den Kindern herzlich aufgenommen, und bald war aus einem halben eingeschüchterten Persönchen ein ganzer und fröhlicher Mensch geworden.

27

Kurz nach der langen Regenzeit im Sommer 1999 legten Paul und ich die Verantwortung für die Blindenschule zum ersten Mal für längere Zeit ganz in die Hände unserer tibetischen Mitarbeiter. Wir wollten mehrere Monate lang auf Spendentour durch Europa gehen.

»Aber was sollen wir denn tun, wenn alle Großen weg sind?« fragte Chilä, als er von unseren Plänen hörte.

Amala lachte: »Dann werden wir eben alle miteinander zeigen, dass wir auch schon ein bisschen groß sind.«

Zu unserem Abschied sollte es ein Fest geben, und alle Mitarbeiter und Freunde der Blindenschule waren dazu eingeladen. Die Kinder wünschten sich zur Feier des Tages eine neue Frisur. Yishi und Dolma machten sich mit Feuereifer an die Arbeit, wetzten die Messer und ließen die Haare fliegen, bis alle Köpfe kahl waren und die Kinder aussahen wie kleine Novizen.

Wie schon zu »Chrisse misse« lief die Küche auf Hochtouren. Es wurden Salate angerichtet, Kuchen gebacken und Teigtaschen mit Fleisch und Gemüse gefüllt. Es musste Platz geschaffen werden, denn es sollte, wie Amala verkündete, auch ordentlich getanzt werden. »Wir weinen doch wohl nicht«, sagte sie zu Tendsin, der den ganzen Tag trübsinnig durch die Schule schlich. »Wir freuen uns heute, weil sie noch da sind, und morgen freuen wir uns darauf, dass sie wiederkommen.«

Mit Einbruch der Dämmerung begann die Feier. Alle Freunde, Nachbarn, Mitarbeiter und Kinder strömten in den Festsaal, und bevor das große Schmausen begann, hielt Nordon eine kleine Rede in ihrem schönsten Englisch und wünschte uns viel Glück für unsere Reise: »We will miss you, but never, never worry. All children are good and hard work! Take care and come back soon!«

Das Fest war bald in vollem Gange. Es wurde gegessen und gesungen, und der Chang floss in Strömen. Irgendwann klopfte Sönam auf den Tisch und rief: »Hört mal alle her!« Es wurde still, und die Mädchen Yudon und Kila kicherten leise, denn sie ahnten wohl, was jetzt kommen sollte. Der sechsjährige Sönam schritt majestätisch in die Mitte des Saales und verkündete: »Der große und berühmte Sönam Wangdu wird euch zum Abschied ein Lied singen!« Sönam holte tief Luft, da sprang Meto auf, um die Katastrophe noch abzuwenden, doch die anderen Kinder rissen sie wieder zurück und zischten: »Heute darf jeder singen, auch Sönam!« Sönam bekam seinen Auftritt und hinterher einen johlenden Beifall.

»Und jetzt Chilä«, rief Nordon, und alle brüllten im Chor: »Chilä! Chilä!«

Chilä fühlte sich äußerst geschmeichelt. Er stellte sich hin und genoss für einige Sekunden das erwartungsvolle Schweigen. Jeder mochte es, wenn Chilä sang. Man hätte das Trippeln einer Ratte hören können, so still war es. Wie Amala es ihm gezeigt hatte, setzte Chilä nun zu einer ausladenden Verbeugung an. Doch was Chilä »übersah«, war der Tisch, der vor ihm stand. Und so hörte man plötzlich ein lautes Poltern und ein klägliches »Ozi-ah!«, als seine Verbeugung abrupt auf der Tischplatte endete. Tosendes Gelächter auf Seiten der Zuhörer. Nur Anila hatte Erbarmen und lief sogleich mit einem feuchten Tuch herbei. Als Chiläs Stirn gekühlt und alles wieder ruhig war, sang er sein Lied, und es war schöner denn je.

Später wurde getanzt. Die Mädchen hatten einen Tanz einstudiert, zu dem sie ein Lied sangen. Es handelte von dem Mädchen Yangdula, das den anderen zeigte, wie gut sie das Tanzen beherrschte. Und jeder Körperteil hatte seinen eigenen Tanz: Zunächst gab es einen Fuß-Tanz, dann einen Bauch-Tanz und schließlich einen Hals- und einen Kopf-Tanz. Die anderen Kinder waren begeistert. Sie sprangen auf, sangen mit und improvisierten neue Tänze, den Hand-Tanz, den Zähne- und den Ohren-Tanz. Alle sangen und wirbelten umher, bis Gläser klirrten und der Chang spritzte.

Dann tanzte Nordon. Es wurde jetzt ruhig, und ich hörte nur das leise Rascheln ihrer Seidenbluse. Sie tanzte langsam und in aller Stille, und jeder Mensch im Saal, ob blind oder sehend, spürte ihren Zauber. Starr vor Staunen und Bewunderung über so viel Anmut hockten wir am Rande der Tanzfläche und wagten kaum zu atmen.

Plötzlich erklang aus dem Hintergrund eine Stimme, erst leise und dann immer deutlicher. Es war Yishi, wie ich später erfuhr, doch ihre Stimme klang fremd und eigentümlich, wie aus einer anderen Zeit. Sie sang eine alte tibetische Weise, und es klang nach karger, unendlicher Öde, nach grauen Felsen, rotbraunen Hügeln und sandgelben Dünen. Sie sang von den Bergen und der sengenden Sonne, und ich fühlte, wie Beklommenheit in mir aufstieg, denn ich wusste, auch das gehörte zu Tibet: staubige Trockenheit, Trauer und Trostlosigkeit.

Dann aber rief Amala durch den Festsaal: »Mr. Paul! You come, we need disco!« Wir hatten von unserer letzten Heimfahrt einen kleinen Rekorder mitgebracht, und so lange es Elektrizität gab, wollten wir eine improvisierte Disko veranstalten. Nun begannen alle zu westlichen Rhythmen zu tanzen, auch wenn ich bezweifle, dass irgendjemand wirklich Notiz von der Musik nahm. Es wurde geschrien, gestampft und gesungen, und zu dem dumpfen »Bum Bum«, das aus den übersteuerten Lautsprechern dröhnte, machte jeder seine eigene Musik zu seinem eigenen Tanz.

Später, lange nach Mitternacht, bevor wir den Kindern »Gute Nacht« sagten, saßen wir noch ein bisschen zusammen, und Gyendsen verkündete: »Ich will immer in der Schule bleiben, ich will nicht mehr nach Hause.«

Die anderen Kinder stimmten ihm zu, und Yudon meinte: »Hier ist es doch viel lustiger, wir können lernen und tanzen, und zu Hause bin ich ja doch nur im Weg.«

Wir fühlten uns unbehaglich. Es war ja schön, dass es ihnen in der Schule so gut gefiel. Aber was würde sein, wenn die Zeit ihrer Heimkehr gekommen war und sie nicht mehr nach Hause wollten? Es war nicht unser Ziel, die Kinder von ihren Familien zu entfremden. Sie sollten höchstens ein bis zwei Jahre in der Blindenschule bleiben, und die ersten waren bald so weit, dass sie in die Schulen ihrer Heimatdörfer integriert werden konnten. »Glaubt ihr nicht, es wird genau so lustig werden, wenn ihr zusammen mit euren Geschwistern und Freunden in die Schule gehen könnt?«

»Vielleicht«, gähnte Gyendsen, aber es klang etwas ungläubig. »Später komme ich dann aber wieder zurück und werde Hausvater.«

»Und ich«, verkündete Meto mit ihrer dunklen Stimme, »ich werde Ärztin!«

Die anderen Kinder zuckten zusammen, denn sie konnten sich nur allzu gut vorstellen, wie sie als Ärztin mit einer großen und bedrohlichen Spritze durch die Gegend lief, um kleine Jungs am Singen zu hindern.

»Was wollt ihr werden?« fragte Nordon, jetzt neugierig geworden, in die Runde.

»Köchin«, rief eines der Kinder, »Schneider«, ein anderes.

»Ich werde Jeepfahrer«, meinte Tendsin, »und dann vielleicht Lehrer.«

»Und ich«, piepste Norbu, »ich werde Auto!«

Alle Kinder lachten, doch Gyendsen gab ernsthaft zu bedenken: »Das würde ich mir aber noch mal überlegen. Stell dir vor, dein Fahrer fährt dich einfach durch Schlamm und Pfützen. Und dann musst du auch noch Benzin trinken, das schmeckt doch scheußlich!«

Der Abschied früh am Morgen von Kindern und Kollegen wurde zur tränenreichen Tragödie ohne Ende, da Zering viel zu lange auf sich warten ließ. Die Kinder saßen niedergeschlagen auf unseren Koffern, und eines nach dem anderen begann sich zu schnäuzen. Auch Nordon schien bedrückt, und wir fragten sie, ob sie Angst habe, nun für ein paar Monate alles selbst in die Hand zu nehmen. Nein, sie mache sich nur Sorgen, ob wir bei unserer Rückreise auch eine neue Einreisegenehmigung und Arbeitserlaubnis bekämen. Und tapfer fügte sie hinzu: »Dont worry! If something happen, I run school.«

Epilog

Nach längerem Aufenthalt in Europa flogen wir im Frühjahr 2000 wieder nach Lhasa, wo wir mit einer wunderbaren Nachricht begrüßt wurden: Die Errichtung eines Rehabilitations- und Trainingszentrums für die Blinden Tibets wurde nicht länger nur geduldet, sondern war von der Regierung nun ausdrücklich erwünscht.

In Zusammenarbeit mit unserem neuen Partner, der »Tibetan Disabled Persons Federation« (TDPF), können wir jetzt alle unsere Pläne in die Tat umsetzen. Neben unserer Schule, in der wir die Kinder auf die integrative Beschulung vorbereiten, wollen wir nun auch eine Trainingsstätte errichten, in der blinde Erwachsene in unterschiedlichen Berufen ausgebildet werden. Dabei konzentrieren wir uns auf solche Tätigkeiten, die in Tibet gebraucht werden und den Fähigkeiten und Möglichkeiten blinder Menschen entgegenkommen.

Für die in ganz China für Blinde reservierten Berufe des Physiotherapeuten und des medizinischen Masseurs zum Beispiel besteht auf dem tibetischen Hochland dringender Bedarf. Denn in Tibet ist eine einzigartige Krankheit weit verbreitet, deren Ursache bisher nicht erforscht werden konnte. Die betroffenen Menschen haben übergroße Gelenke und verkrüppeln mit zunehmendem Alter. Massagen und physiotherapeutische Behandlung können diesen Menschen helfen, sich schmerzfrei zu bewegen. Auch Viehzüchter und Ackerbauer wären geeignete Berufe für Blinde in Tibet. Besonders Nomaden und Bauern, die in den entlegenen Höhenregionen leben, leiden oft an Augenkrankheiten, die nicht selten zur völligen Erblindung führen. Diese Menschen sollen mit Hilfe blindengerechter Techniken und Methoden wieder in ihre alten Berufe integriert werden.

Um all diese Pläne zu verwirklichen, wollen Paul und ich noch drei weitere Jahre in Lhasa verbringen, um das Blindenzentrum dann ganz an Nordon und andere tibetische Mitarbeiter zu übergeben.

Best Selection

HENNING MANKELL

DIE FÜNFTE FRAU

HENNING MANKELL

DIE FÜNFTE FRAU

Selbst einem erfahrenen Polizisten wie Kurt Wallander läuft es angesichts der Morde, die er gerade aufzuklären hat, kalt den Rücken hinunter. Drei Männer sind schon tot. Wallander muss sich beeilen, bevor das nächste, noch grausamere Verbrechen geschieht.

HENNING MANKELL

Härjedalen ist eine »verdammt kalte« Gegend in Nordschweden mit rauhem Klima und wenigen Menschen. Dort wurde am 3. Februar 1948 Henning Mankell geboren. Mit 17 Jahren zieht er nach Stockholm und wird dort Regisseur. 1972 fährt er zum ersten Mal nach Afrika. Dort findet er seine wahre Heimat.

1979 veröffentlicht Henning Mankell seinen ersten Roman. In den darauf folgenden Jahren arbeitet er für verschiedene Theater als Regisseur, Autor und Intendant in Schweden. Er pendelt zwischen Europa und Afrika. 1985 wird er eingeladen, in Mosambik beim Aufbau eines professionellen Theaters in Maputo zu helfen. Dort findet Mankell seinen Lebensrhythmus: morgens schreibt er an seinen Romanen, am Nachmittag arbeitet er mit seinem Theaterensemble. In Maputo entstehen seit 1990 auch große Teile seiner »Kurt-Wallander«-Krimis. Die Sommermonate verlebt Mankell oft in Schweden, zusammen mit seiner dritten Ehefrau Eva, der Tochter von Ingmar Bergman. 1996 wird Henning Mankell Leiter des Theaters »Teatro Avenida« mit 70 Schauspielern. Das Theater ist das Abenteuer seines Lebens.

Mankell, der auch mehrere Jugendbücher verfasst hat, erhielt für seine Romane verschiedene Auszeichnungen, »Die fünfte Frau« wurde 1998 als das Buch des Jahres ausgezeichnet. Bereits über die Hälfte seiner Wallander-Krimis wurden verfilmt.

Algerien – Schweden

Mai – August 1993

Prolog

In der Nacht, als sie gekommen waren, um ihren heiligen Auftrag durchzuführen, war alles sehr still. Sie waren von der lauen Luft umschlossen, und der Wind, der in schwachen Stößen aus der Wüste heranwehte, war kaum spürbar. Sie hatten seit dem Einbruch der Dunkelheit gewartet. Der Wagen, der sie den weiten Weg von Algier und ihrem Treffpunkt bei Dar Aziza hergebracht hatte, war alt und schlecht gefedert. Ihr Anführer, ein bleicher Mann in den Dreißigern mit einem dunklen Bart und so brennenden Augen, wie sie nur jene haben konnten, die unter dem Ruf des Propheten lebten, trieb den Fahrer an. Farid, der jüngste der vier Männer, kannte seinen Namen nicht. Aus Sicherheitsgründen hatte man ihm nicht gesagt, wer er war und woher er kam.

Er wusste auch nicht, wie die beiden anderen Männer hießen.

Er kannte nur seinen eigenen Namen.

Als sie endlich in El Qued ankamen, war die Nacht schon sehr still gewesen. Sie hatten irgendwo tief im Straßenlabyrinth in der Nähe eines Marktes angehalten. Als sie ausgestiegen waren, verschwand der Wagen sogleich. Irgendwo aus den Schatten hatte sich ein fünfter Mann gelöst und sie weitergelotst.

Erst da, als sie im Dunkeln durch unbekannte Straßen hasteten, hatte Farid ernsthaft an das zu denken begonnen, was bald geschehen würde. Mit der Hand fühlte er die leicht gekrümmte Schneide des Messers, das er in einer Scheide tief in einer Tasche des Kaftans trug.

Sein Bruder Rachid Ben Mehidi hatte zuerst mit ihm über die Ausländer gesprochen. An den lauen Abenden hatten sie auf dem Dach des väterlichen Hauses gesessen und über die funkelnden Lichter Algiers geblickt. Farid wusste schon, dass sein Bruder sich tief engagiert hatte in dem Kampf für die Verwandlung ihres Landes in einen islamischen Staat. Nun sprach er jeden Abend mit Farid darüber, wie wichtig es war, die Ausländer aus dem Land zu vertreiben. Zunächst fühlte Farid sich geschmeichelt, dass sein Bruder sich die Zeit nahm, mit ihm über Politik zu diskutieren. Erst später erkannte er, dass Rachid wollte, dass Farid selbst dazu beitrug, die Fremden aus dem Land zu vertreiben.

Das war vor mehr als einem Jahr. Und jetzt, als Farid den anderen schwarz gekleideten Männern durch die dunklen, engen Straßen folgte, war er auf dem Weg, Rachids Wunsch zu erfüllen. Die Ausländer sollten vertrieben werden. Aber sie sollten nicht zu den Häfen oder Flugplätzen eskortiert, sondern getötet werden. Diejenigen, die noch nicht ins Land gekommen waren, würden es dann vorziehen, zu bleiben, wo sie waren.

Dein Auftrag ist heilig, hatte Rachid ständig wiederholt. *Der Prophet wird zufrieden sein.*

Farid befühlte das Messer in der Tasche. Er hatte es am Abend zuvor von Rachid bekommen, als sie auf dem Dach voneinander Abschied nahmen. Es hatte einen schönen Elfenbeinschaft.

Sie hielten ein. Sie standen im Schatten an einem länglichen Haus mit heruntergelassenen Jalousien vor geschlossenen Geschäften. Auf der anderen Straßenseite lag hinter einem hohen Eisengitter ein steinernes Haus. Der Mann, der sie hierhergeführt hatte, verschwand lautlos in den Schatten. Sie waren wieder nur vier. Alles war sehr still.

In einigen Fenstern des Hauses auf der anderen Straßenseite war Licht. Ein Bus mit flackernden defekten Scheinwerfern fuhr scheppernd vorüber. Dann war es wieder still.

Eins der Lichter in den Fenstern erlosch. Farid versuchte, die Zeit zu berechnen. Vielleicht hatten sie eine halbe Stunde gewartet.

Noch ein Licht erlosch. Kurz danach das letzte. Das Haus auf der anderen Straßenseite war jetzt dunkel. Sie warteten weiter. Dann gab der Anführer ein Zeichen, und sie hasteten über die Straße. Das Tor knirschte leicht, als sie es öffneten und in den Garten glitten. Es duftete schwer nach Jasmin und nach einem Gewürzkraut, das Farid kannte, dessen Name ihm aber nicht einfiel. Alles war noch immer sehr still. Auf einem Schild neben dem hohen Portal des Hauses stand ein Text: *Orden der Christlichen Schwestern.* Farid versuchte sich klar zu machen, was das bedeutete. Im gleichen Augenblick spürte er eine Hand auf seiner Schulter. Er fuhr zusammen. Der Anführer berührte ihn. Zum ersten Mal sprach er so leise, dass nicht einmal der Nachtwind hören konnte, was gesagt wurde.

»Wir sind vier«, sagte er. »In diesem Haus sind auch vier Menschen. Sie schlafen in verschiedenen Zimmern auf beiden Seiten eines Korridors. Sie sind alt, und sie werden keinen Widerstand leisten.«

Farid sah die beiden anderen Männer an, die neben ihm standen. Sie waren ein paar Jahre älter als er. Plötzlich war Farid sich sicher, dass sie so etwas schon einmal gemacht hatten. Nur er selbst war neu. Trotzdem fühlte er keine Unruhe. Rachid hatte ihm beteuert, dass das, was er tat, dem Propheten wohlgefällig war.

Der Anführer sah ihn an, als habe er seine Gedanken erraten.

»In diesem Haus wohnen vier Frauen«, sagte er dann. »Es sind Ausländerinnen, die es abgelehnt haben, freiwillig unser Land zu verlassen. Deshalb haben sie den Tod gewählt. Außerdem sind sie Christen.«

Dann gingen sie ins Haus. Das Türschloss ließ sich leicht mit einer Messerklinge öffnen. Drinnen suchten sie vorsichtig den Weg über eine breite Treppe nach oben. Immer noch war alles sehr still. Vier geschlossene Türen lagen vor ihnen. Sie hatten die Messer herausgeholt. Der Anführer zeigte auf die Türen und nickte. Farid wusste, dass er jetzt nicht zögern durfte. Rachid hatte gesagt, dass alles sehr schnell gehen müsse. Er solle vermeiden, die Augen anzusehen. Er solle nur den Hals ansehen, und dann schneiden, fest und entschlossen.

Nachher konnte er sich auch nicht an viel erinnern. Die Frau, die mit einem weißen Laken bedeckt im Bett gelegen hatte, war vielleicht grauhaarig gewesen. Er hatte sie nur ungenau gesehen, weil das Licht, das von der Straße hereinfiel, sehr schwach war. Im gleichen Augenblick, als er das Laken fortzog, war sie erwacht, aber sie hatte keine Zeit gehabt zu schreien, keine Zeit gehabt zu begreifen, was vor sich ging, bevor er mit einem einzigen Schnitt ihre Kehle durchtrennte und hastig einen Schritt zurückwich, um nicht vom Blut bespritzt zu werden. Dann hatte er sich umgewandt und war in den Korridor zurückgegangen. Das Ganze hatte nicht einmal eine halbe Minute gedauert. Irgendwo in ihm hatten die Sekunden getickt. Die Männer wollten gerade den Korridor verlassen, als einer von ihnen mit leiser Stimme rief. Der Anführer erstarrte, als wisse er nicht, was er tun solle.

Es war noch eine Frau in einem der Zimmer. Eine fünfte Frau.

Sie hätte nicht da sein sollen. Sie war eine Fremde. Vielleicht war sie nur auf Besuch.

Aber sie war auch Ausländerin. Das hatte der Mann, der sie entdeckt hatte, erkannt.

Der Anführer ging in das Zimmer. Farid stand hinter ihm und sah, dass die Frau im Bett zusammengekrochen war. Ihre Angst zu spüren bereitete ihm Übelkeit. In dem anderen Bett lag eine Frau – tot. Das Laken war von Blut durchtränkt.

Der Anführer zog sein Messer und schnitt auch der fünften Frau die Kehle durch.

Danach verließen sie das Haus so unbemerkt, wie sie gekommen waren.
Das war im Mai 1993.

*

Der Brief kam am 19. August in Ystad an.

Weil er in Algerien abgestempelt war und also von ihrer Mutter sein musste, hatte sie damit gewartet, ihn zu öffnen. Sie wollte ihn in aller Ruhe lesen. Sofort spürte sie eine leichte Verwunderung. Warum hatte ihre Mutter die Anschrift diesmal mit Maschine geschrieben? Erst als es auf Mitternacht zuging, hatte sie die Balkontür geöffnet und sich in den Liegestuhl gesetzt, der kaum Platz hatte zwischen all ihren Blumentöpfen. Es war ein warmer, schöner Augustabend. Vielleicht einer der letzten in diesem Jahr. Sie öffnete den Brief und fing an zu lesen.

Erst hinterher, als sie den Brief zu Ende gelesen und weggelegt hatte, begann sie zu weinen.

Die Frau, die den Brief geschrieben hatte, hieß Françoise Bertrand und war Polizistin. Es ging nicht vollkommen klar aus dem Brief hervor, aber anscheinend war sie Ermittlungsbeamtin bei der zentralen algerischen Mordkommission. In diesem Zusammenhang hatte sie mit den Ereignissen zu tun, die sich eines Nachts im Mai in der Stadt El Qued südlich von Algier abgespielt hatten.

Der äußere Zusammenhang war klar und überschaubar und absolut entsetzlich. Vier französische Nonnen waren von Unbekannten ermordet worden. Mit Sicherheit gehörten sie zu den Fundamentalisten, die beschlossen hatten, alle Ausländer aus dem Land zu vertreiben. Den vier Nonnen war die Kehle durchgeschnitten worden; von den Tätern keine Spur, nur Blut, überall dickes, geronnenes Blut.

Aber man hatte auch diese fünfte Frau gefunden, eine schwedische Touristin, die mehrmals ihre Aufenthaltserlaubnis verlängert hatte und zufällig in jener Nacht, als die Unbekannten mit ihren Messern gekommen waren, bei den Nonnen zu Besuch war. Ihrem Pass, der in einer Handtasche gefunden wurde, konnten sie entnehmen, dass sie Anna Ander hieß und sechsundsechzig Jahre alt war. Weil die Sache mit den vier getöteten Nonnen schon schlimm genug war und Anna Ander allein unterwegs gewesen zu sein schien, beschlossen die Ermittlungsbeamten, auf politischen Druck von oben, diese fünfte Frau zu ignorieren und sie bei einem Verkehrsunfall ums Leben kommen und als namenlos und unbekannt in einem anonymen Grab beerdigen zu lassen. Ihre persönlichen Gegenstände waren beseitigt, ihre Spuren verwischt worden. Und hier kam Françoise Bertrand ins Spiel. *Man hatte sie eines frühen Morgens zu ihrem Chef gerufen*, schrieb sie in dem langen Brief, *und ihr den Befehl erteilt, sofort nach El Qued zu fahren*. Die Frau war zu diesem Zeitpunkt schon begraben. Françoise Bertrands Auftrag war, die letzten eventuell noch vorhandenen Spuren zu beseitigen und den Pass der Frau und ihre persönlichen Habseligkeiten zu vernichten.

Anna Ander würde nie in Algerien eingereist sein und hätte sich nie dort aufgehalten. Sie würde aufgehört haben, als eine Angelegenheit Algeriens zu existieren – aus allen Registern gestrichen. Da hatte Françoise Bertrand eine Tasche gefunden, die von den nachlässigen Ermittlern nicht entdeckt worden war. Darin waren Briefe, die Anna Ander geschrieben hatte, und die waren an ihre Tochter gerichtet, die in einer Stadt mit Namen Ystad im fernen Schweden lebte. Françoise entschuldigte sich, diese privaten Papiere gelesen zu haben. Sie hatte einen versoffenen schwedischen Künstler, den sie in Algier kannte, um Hilfe gebeten, und er hatte die Briefe für sie übersetzt, ohne zu ahnen, worum es sich eigentlich handelte. Schon damals hatte sie unter schweren Gewissensqualen gelitten angesichts dessen, was mit dieser fünften Frau geschehen war. Nicht nur, weil sie so brutal ermordet worden war in Algerien, dem Land, das Françoise so sehr liebte. Die Gegensätze, die das Land in Stücke zu reißen drohten, quälten sie ohnehin, und sie wollte nicht dazu beitragen, ihre eigene Schande und die ihres Landes noch weiter zu vermehren, indem man diese Frau beseitigte. Françoise Bertrand hatte schlaflose Nächte, schrieb sie. Schließlich hatte sie beschlossen, an die unbekannte Tochter der toten Frau zu schreiben und die Wahrheit zu berichten. Sie zwang sich, ihre Loyalität gegenüber der Polizei hintanzusetzen, und bat darum, ihren Namen nicht preiszugeben. *Ich schreibe die Wahrheit*, endete der lange Brief.

Françoise Bertrand hatte die nicht zu Ende geschriebenen Briefe mitgeschickt.

Auch Anna Anders Pass lag bei.

Aber ihre Tochter las die Briefe nicht. Sie legte sie nur auf den Balkonboden und weinte. Erst im Morgengrauen erhob sie sich und ging in die Küche. Lange Zeit saß sie reglos am Küchentisch. Ihr Kopf war vollkommen leer. Aber dann begann sie zu denken. Alles kam ihr plötzlich ganz einfach vor. Sie sah ein, dass sie all diese Jahre nur gewartet hatte. Sie hatte es nur vorher nicht verstanden. Weder dass sie wartete, noch worauf. Jetzt wusste sie es. Sie hatte einen Auftrag, und sie musste nicht mehr warten, um ihn auszuführen. Die Zeit war reif. Ihre Mutter war fort. Eine Tür war plötzlich weit aufgeschlagen.

Sie stand auf und holte die Schachtel mit den zerschnittenen Zetteln und dem großen Logbuch aus einer Kiste unter dem Bett im Schlafzimmer. Sie breitete die Zettel vor sich auf dem Tisch aus. Sie wusste, es waren genau dreiundvierzig Stück. Auf einem einzigen war ein schwarzes Kreuz. Dann begann sie, die Zettel auseinanderzufalten, einen nach dem anderen.

Das Kreuz war auf dem siebenundzwanzigsten Zettel. Sie schlug das Journal auf und folgte der Reihe von Namen, bis sie die siebenundzwanzigste Spalte erreichte. Sie betrachtete den Namen, den sie selbst geschrieben hatte, und sah langsam ein Gesicht hervortreten. Dann schlug sie das Buch zu und legte die Zettel in die Schachtel zurück.

Ihre Mutter war tot.

Es gab kein Zweifeln mehr für sie. Auch kein Zurück. Sie würde sich selbst ein Jahr geben. Um die Trauer zu bewältigen, um alle Vorbereitungen zu treffen. Aber länger nicht. Noch einmal ging sie hinaus auf den Balkon. Eine Regenfront zog vom Meer heran.

Kurz nach sieben Uhr ging sie ins Bett.

Es war der Morgen des 20. August 1993.

Schonen

21. September – 11. Oktober 1994

1

Kurz nach zehn Uhr am Abend war er endlich fertig mit dem Gedicht.

Die letzten Strophen hatten ihn viel Mühe und Zeit gekostet. Mehrere Blätter mit abgebrochenen Versuchen hatte er in den Papierkorb geworfen. Aber jetzt lag das Gedicht vor ihm auf dem Tisch. Sein Klagegesang über den Mittelspecht, der im Begriff war, aus Schweden zu verschwinden: seit den frühen achtziger Jahren war er nicht mehr gesichtet worden.

Er erhob sich vom Schreibtisch und streckte den Rücken. Von Jahr zu Jahr fiel es ihm schwerer, längere Zeit über seine Schreibereien gebeugt zu sitzen.

Aber Gedichte würde er schreiben, solange er einen Bleistift halten konnte und sein Kopf so klar war wie jetzt. Etwas anderes konnte er nicht, jetzt nicht mehr. Früher war er einmal ein tüchtiger Autoverkäufer gewesen. Er stand zu Recht im Ruf, ein harter Knochen zu sein. In den guten Jahren hatte er Filialen in Tomelilla und Sjöbo gehabt. Er hatte sich ein Vermögen geschaffen, das es ihm erlaubte, sich das Leben zu leisten, das er führte.

Dennoch waren es die Gedichte, die ihm etwas bedeuteten. Alles Übrige war flüchtige Notwendigkeit. Die Verse dort auf dem Tisch gaben ihm eine Zufriedenheit, wie er sie sonst kaum empfand.

Er zog die Gardinen vor, sodass sie die großen Fenster bedeckten, vor denen die Äcker in weichen Wellen zum Meer hin abfielen, das irgendwo jenseits des Horizonts lag. Dann ging er zum Bücherregal. Neun Gedichtsammlungen hatte er in seinem Leben veröffentlicht. Da standen sie, Seite an Seite. Alle hatten sich nur in geringer Stückzahl verkauft. Dreihundert Exemplare, vielleicht manchmal ein paar mehr.

Er betrachtete die Bücher im Regal. Sein Leben lang hatte er Gedichte gelesen. Viele konnte er auswendig. Er hatte auch keine Illusionen. Seine Gedichte waren nicht die besten, die geschrieben wurden, aber auch nicht die schlechtesten. In jeder der Sammlungen, die im Abstand von ungefähr fünf Jahren seit dem Ende der vierziger Jahre erschienen waren, gab es einzelne Strophen, die mit nichts einen Vergleich zu scheuen brauchten. Aber er war Autohändler gewesen in seinem Leben, kein Dichter. Seine Gedichte waren nicht in den Feuilletons besprochen worden.

Er hatte den Druck selbst bezahlt. Einfache Umschläge, schwarze Schrift auf weißem Grund. Nichts Aufwendiges. Es waren die Worte zwischen den Umschlagdeckeln, die etwas bedeuteten. Trotz allem hatten viele Menschen im Lauf der Jahre seine Gedichte gelesen. Viele hatten sich auch anerkennend geäußert.

Und jetzt hatte er ein neues Gedicht geschrieben. Über den Mittelspecht, den schönen Vogel, der in Schweden nicht mehr zu sehen war.

Der Vogeldichter, dachte er.

Ein Schmerz fuhr ihm in den Rücken, als er durch den großen Raum ging. Wurde er krank? Jeden Tag suchte er nach Anzeichen dafür, dass sein Körper anfing, ihn im Stich zu lassen. Er war bald achtzig. Das Ende der ihm zugemessenen Zeit kam immer näher. Er ging in die Küche und schenkte sich eine Tasse Kaffee ein. Das fertige Gedicht erfüllte ihn mit Wehmut und mit Freude.

Der Herbst des Alters, dachte er. *Ein passender Titel. Alles, was ich schreibe, kann das letzte sein. Und es ist September. Es ist Herbst. Im Kalender wie in meinem Leben.*

Er nahm die Kaffeetasse mit ins Wohnzimmer. Vorsichtig setzte er sich in einen der braunen Ledersessel, die ihn seit über vierzig Jahren begleiteten. Auf einem kleinen Tisch neben der Armlehne stand ein Foto von Werner, dem Schäferhund, den er am meisten von all den Hunden vermisste, die ihn durchs Leben begleitet hatten. Alt zu werden hieß, einsam zu werden. Menschen, die einem das Leben erfüllt hatten, starben. Am Schluss verschwanden auch die Hunde zwischen den Schatten. Bald gab es nur noch ihn selbst.

Er fuhr aus seiner Täumerei hoch. Ein Geräusch hatte ihn aufgeschreckt. Er horchte ins dunkle Zimmer. Bewegte sich jemand draußen auf dem Hof?

Er verwarf den Gedanken. Er bildete sich nur etwas ein. Alt zu werden bedeutete neben vielem anderen, dass man ängstlich wurde. Die Türen hatten gute Schlösser. Im Schlafzimmer im oberen Stockwerk verwahrte er eine Schrotflinte, in einer Küchenschublade lag eine Pistole, leicht erreichbar. Wenn Eindringlinge zu seinem einsam gelegenen Hof etwas nördlich von Ystad kämen, könnte er sich verteidigen. Er würde auch nicht zögern, es zu tun.

Er stand auf. Wieder fuhr ihm ein Schmerz durch den Rücken. Der

Schmerz kam und ging in Wellen. Er stellte die Kaffeetasse auf der Spüle ab und blickte auf seine Armbanduhr. Gleich elf. Es war Zeit hinauszugehen. Er blinzelte zum Thermometer vor dem Küchenfenster, es zeigte sieben Grad plus an. Ein schwacher Wind aus Südwesten zog über Schonen. Alle Bedingungen waren ideal, dachte er. Heute Nacht würden die Vogelschwärme nach Süden ziehen. Auf ihrem langen Weg würden sie zu Tausenden und Abertausenden auf unsichtbaren Flügeln über ihn dahinziehen. Er würde sie nicht sehen können. Aber er würde sie spüren dort draußen im Dunkeln, hoch über sich. Seit mehr als fünfzig Jahren hatte er zahllose Herbstnächte im Freien verbracht, nur um das Gefühl zu erleben, dass die Nachtflieger dort irgendwo über ihm waren. Auf ihrem Vogelzug nach Mekka, so hatte er oft gedacht.

Was ist ein Mensch gegen einen Zugvogel? Ein einsamer alter Mann, an die Erde gebunden? Und dort, hoch über ihm, ein ganzer Himmel, der sich auf den Weg macht?

Er hatte oft gedacht, dass es wie eine heilige Handlung war. Seine eigene herbstliche Hochmesse, dort im Dunkeln zu stehen und zu spüren, wie die Zugvögel aufbrachen. Und, wenn der Frühling kam, war er da, um sie wieder zu empfangen.

Er ging hinaus in den Flur, schlüpfte in die Jacke und zog sich eine Schirmmütze tief in die Stirn. Dann öffnete er die Haustür. Die Herbstluft war schwer vom Geruch nassen Lehms. Er schloss die Tür hinter sich. Der Garten lag öde. Er wohnte so weit vom nächsten Nachbarn entfernt, dass ihn nur Dunkelheit umgab. Der Sternenhimmel war fast vollkommen klar.

Er begann zu gehen. Der Hof, auf dem er wohnte, war alt und bestand aus drei Flügeln. Der vierte war irgendwann am Anfang des Jahrhunderts abgebrannt. Er hatte viel Geld in die gründliche und noch ständig weitergehende Renovierung seines Hofes gesteckt. Wenn er starb, würde er alles dem Museum in Lund vermachen. Er war nie verheiratet gewesen, hatte keine Kinder. Er hatte Autos verkauft und war reich dabei geworden. Er hatte Hunde gehabt. Und dann hatte es die Vögel über seinem Kopf gegeben.

Ich bereue nichts, dachte er, während er dem Pfad zum Turm hinab folgte, den er selbst gebaut hatte und wo er zu stehen pflegte und nach den Vögeln Ausschau hielt. Ich bereue nichts, weil es keinen Sinn hat zu bereuen.

Es war eine schöne Septembernacht.

Dennoch war da etwas, das ihn beunruhigte.

Er blieb auf dem Pfad stehen und lauschte. Aber nichts war zu hören außer dem schwachen Rauschen des Windes. Er ging weiter. Vielleicht war es der Schmerz, der ihn beunruhigte? Die plötzlichen Stöße im Rücken? Die Unruhe hatte ihren Ursprung in ihm selbst.

Wieder blieb er stehen und sah sich um. Da war nichts. Er war allein. Der Pfad führte abwärts. Dann würde er an einen Hügel kommen. Unmittelbar vor dem Hügel war ein breiter Graben, über den er einen Steg ausgelegt hatte. Auf der Spitze des Hügels stand dann sein Turm.

Er hielt plötzlich inne. Eine Käuzchen schrie. Irgendwo in der Nähe knackte ein Zweig. Das Geräusch kam aus dem Wäldchen jenseits des Hügels, auf dem sein Turm stand. Er verharrte reglos, alle Sinne bis zum Äußersten angespannt. Das Käuzchen schrie noch einmal. Dann war es wieder still. Er murmelte missmutig vor sich hin, als er weiterging.

Alt und ängstlich, dachte er. Angst vor Gespenstern und Angst im Dunkeln.

Jetzt konnte er den Turm sehen. Ein schwarzer Schatten, der sich gegen den Nachthimmel abzeichnete. Noch zwanzig Meter, dann wäre er bei dem Steg, der über den tiefen Graben führte. Er ging weiter.

Plötzlich erstarrte er. Er hatte den Steg erreicht.

Es war etwas mit dem Turm. Irgendetwas war anders. Er kniff die Augen zusammen, um in der Dunkelheit Einzelheiten zu erkennen.

Ich sehe Gespenster, dachte er. Alles ist wie immer. Meine Augen sind schlechter geworden. Sonst nichts. Er tat noch einen Schritt und kam auf den Steg und spürte die Holzplanken unter seinen Füßen. Er betrachtete noch immer den Turm.

Und dann sah er es: Jemand stand auf dem Turm. Ein unbeweglicher Schatten. Eine Angstwelle durchfuhr ihn wie ein Windhauch. Dann wurde er ärgerlich. Jemand drang auf seinen Grund und Boden ein, bestieg seinen Turm, ohne ihn um Erlaubnis zu bitten. Vermutlich ein Wilderer, der den Rehen auflauerte, die sich manchmal beim Wäldchen auf der anderen Seite des Hügels aufhielten.

Er rief den Schatten auf dem Turm an. Keine Antwort. Keine Bewegung. Wieder wurde er unsicher. Spielten ihm seine schlechten Augen einen Streich?

Er rief noch einmal, ohne Antwort zu bekommen. Dann trat er auf den Steg hinaus.

Als die Planken unter ihm brachen, fiel er hilflos vornüber. Der Graben war mehr als zwei Meter tief. Er fiel, ohne die Arme ausstrecken zu können, um sich abzustützen.

Dann spürte er einen stechenden Schmerz. Er kam von nirgendwo und fuhr direkt durch ihn hindurch. Es war, als hielte jemand glühende Eisen an verschiedene Punkte seines Körpers. Der Schmerz war so stark, dass er nicht einmal zu schreien vermochte. Unmittelbar bevor er starb, sah er ein, dass er gar nicht bis auf den Boden des Grabens gefallen war. Er war in seinem eigenen Schmerz hängen geblieben.

Das letzte, woran er dachte, waren die Nachtvögel, die irgendwo hoch über ihm dahinzogen.

Dann war alles vorbei.

Es war zwanzig Minuten nach elf, am Abend des 21. September 1994.

Gerade in dieser Nacht zogen große Schwärme von Singdrosseln und Rotdrosseln nach Süden.

Als alles still war, stieg sie vorsichtig die Treppe des Turms hinunter. Sie leuchtete mit ihrer Taschenlampe in den Graben.

Der Mann, der Holger Eriksson hieß, war tot.

Sie knipste die Lampe aus und stand still im Dunkeln.

Dann ging sie hastig davon.

2

Kurz nach fünf Uhr am Montagmorgen, dem 26. September, erwachte Kurt Wallander in seinem Bett in der Wohnung an der Mariagatan im Zentrum von Ystad.

Als er die Augen aufgeschlagen hatte, sah er als erstes seine Hände an. Sie waren braun gebrannt. Er ließ den Kopf wieder aufs Kissen fallen und lauschte dem Herbstregen, der an sein Schlafzimmerfenster trommelte. Ein Gefühl des Wohlbehagens überkam ihn bei der Erinnerung an die Reise, die vor zwei Tagen auf dem Flughafen Kastrup zu Ende gegangen war. Eine ganze Woche hatte er mit seinem Vater in Rom verbracht. Es war sehr warm gewesen, und er war braun geworden.

Die glückliche Reise, dachte Wallander. Wir sind nach Italien gefahren, mein Vater und ich, und es ist gut gegangen. Es ging besser, als ich mir je hätte vorstellen oder erhoffen können.

Er sah zur Uhr auf dem Nachttisch. Er musste an diesem Morgen wieder seinen Dienst antreten. Aber er hatte keine Eile und kehrte in Gedanken noch einmal nach Rom zurück.

Sie hatten in einem einfachen Hotel in der Nähe des Campo dei Fiori gewohnt. Von einer Dachterrasse über ihren beiden Zimmern hatten sie eine schöne Aussicht über die ganze Stadt. Sie tranken dort ihren Frühstückskaffee und machten Pläne für den Tag. Es hatte keinerlei Diskussionen gegeben. Wallanders Vater wusste stets, was er sehen wollte. Wallander hatte sich zuweilen Sorgen gemacht, dass der Vater zu viel wollte und sich übernähme. Auch hatte er ständig nach Anzeichen dafür gesucht, dass sein Vater verwirrt oder abwesend war. Es war eine schleichende Krankheit, das wussten sie beide, diese Krankheit mit dem sonderbaren Namen Alzheimer. Aber die ganze Woche, die ganze Woche dieser glücklichen Reise, war der Vater in blendender Stimmung gewesen. Wallander spürte einen Kloß im Hals bei dem Gedanken, dass die Reise bereits der Vergangenheit angehörte und nur noch Erinnerung war. Sie würden nie mehr nach Rom zurückkehren, sie hatten die Reise dieses eine Mal gemacht, er und sein bald achtzigjähriger Vater.

Es hatte Augenblicke großer Nähe zwischen ihnen gegeben. Zum erstenmal seit fast vierzig Jahren.

Wallander dachte daran, wie er entdeckt hatte, dass sie einander sehr ähnlich waren, viel ähnlicher, als er früher wahrhaben wollte. Nicht zuletzt waren sie beide ausgeprägte Morgenmenschen. Als Wallander seinem Vater eröffnete, dass das Hotel vor sieben Uhr kein Frühstück serviere, hatte dieser sofort protestiert. Er hatte Wallander mit hinunter an die Rezeption geschleift und in einer Mischung aus Schonisch, ein paar englischen Brocken, vielleicht auch ein paar deutschen, vor allem aber einer Reihe unzusammenhängender italienischer Phrasen klar gemacht, dass er *breakfast presto* haben wolle. Nicht *tardi*. Auf gar keinen Fall *tardi*. Und sie hatten natürlich ihr Frühstück um sechs bekommen.

Wallander lauschte dem Regen. Die Reise nach Rom, eine einzige kurze Woche, in der Erinnerung ein endloses und überwältigendes Erlebnis. Sein Vater hatte nicht nur bestimmt, wann er sein Frühstück haben wollte. Er hatte auch selbstbewusst und wie selbstverständlich seinen Sohn durch die Stadt gelotst. Nichts blieb dem Zufall überlassen, und Wallander hatte erkannt, dass sein Vater diese Reise sein Leben lang geplant hatte. Es war eine Wallfahrt, eine Pilgerreise, an der er teilnehmen durfte. Er war ein Bestandteil der Reise des Vaters, ein unsichtbarer, aber ständig gegenwärtiger Diener. Die Reise hatte eine geheime Bedeutung, die er nie ganz verstehen würde. Sein Vater wollte etwas sehen, was er schon vorher im Geist erlebt zu haben schien.

Am dritten Tag hatten sie die Sixtinische Kapelle besucht. Fast eine ganze Stunde lang stand sein Vater da und betrachtete das Deckenfresko von Michelangelo. Es war, als sähe man einen alten Menschen ein wortloses Gebet direkt zum Himmel senden. Wallander selbst hatte bald Nackenschmerzen bekommen und aufgegeben. Ihm war bewusst, dass er etwas außergewöhnlich Schönes betrachtete, dass aber sein Vater unendlich viel mehr sah. Es bestand kein Zweifel daran, dass sein Vater, so kitschig seine eigenen Bilder auch sein mochten, voller Andacht und Einfühlungsvermögen das Werk eines Meisters betrachtete.

Wallander schlug die Augen auf. Der Regen trommelte.

Am Abend des gleichen Tags, dem dritten ihrer gemeinsamen römischen Zeitrechnung, hatte er das Gefühl, dass sein Vater etwas vorbereitete, was er als sein eigenes Geheimnis behalten wollte. Woher das Gefühl kam, wusste er nicht. Sie hatten in der Via Veneto zu Abend gegessen. Anschließend waren sie langsam durch die Stadt zum Hotel gewandert. Zweimal hatten sie sich verlaufen, bevor sie ins Hotel zurückkamen. Wallanders Vater wurde nach seinem Frühstücksaufruhr mit großem Respekt behandelt; sie hatten unter höflichen Verbeugungen ihre Schlüssel bekommen und waren die Treppe hinaufgestiegen. Im Flur sagten sie sich gute Nacht und schlossen die Türen. Wallander hatte sich aufs Bett gelegt und den Straßengeräuschen gelauscht. Vielleicht dachte er an Baiba, vielleicht schlief er nur allmählich ein.

Plötzlich war er hellwach. Etwas machte ihn unruhig. Nach einer Weile zog er seinen Morgenmantel an und ging hinunter an die Rezeption. Alles war sehr still. Der Nachtportier saß vor einem leisegestellten kleinen Fernseher im Zimmer hinter der Rezeption. Wallander kaufte eine Flasche Mineralwasser. Er stand mit der Flasche in der Hand da, als er sich plötzlich zu dem jungen Nachtportier sagen hörte, er bitte darum, geweckt zu werden, falls sein Vater sich nachts an der Rezeption zeige und vielleicht auch das Hotel verlasse. Der junge Mann betrachtete ihn, vielleicht war er verwundert, vielleicht hatte er schon so viel Erfahrung, dass ihn keine nächtlichen Wünsche von Hotelgästen mehr in Erstaunen versetzen konnten. Er nickte und sagte, selbstverständlich, wenn der alte Herr Wallander während der Nacht das Hotel verlasse, werde er sogleich an der Tür von Zimmer 32 klopfen.

Es geschah in der sechsten Nacht. Am Tage waren sie auf dem Forum Romanum umhergestreift und hatten die Galleria Doria Pamphili besucht. Am Abend waren sie durch die unterirdischen Gänge der Villa Borghese zur Spanischen Treppe gegangen und hatten ein Mahl zu sich genommen, dessen Preis Wallander den Atem stocken ließ. Im Hotel hatten sie ihre Schlüssel bekommen, der Abend war wie die anderen Abende, und Wallander war eingeschlafen, kaum dass er sich hingelegt hatte.

Um halb zwei klopfte es.

Zuerst wusste er nicht, wo er war. Aber als er schlaftrunken aufsprang und die Tür öffnete, stand der Portier da und erklärte in ausgezeichnetem Englisch, dass der alte Herr, *signor* Wallanders Vater, soeben das Hotel verlassen habe. Wallander zog sich hastig an. Als er auf die Straße kam, sah er seinen Vater mit zielbewussten Schritten auf dem gegenüberliegenden Bürgersteig davonwandern. Wallander folgte ihm in einigem Abstand. Zunächst war er unsicher, in welche Richtung sie gingen. Dann merkte er, dass sie auf dem Weg zur Spanischen Treppe waren. Er hielt den Abstand zu seinem Vater. Und dann sah er, wie sein Vater in der warmen römischen Nacht die vielen Stufen der Spanischen Treppe hinaufstieg, bis hinauf zur Kirche mit den beiden Türmen. Dort setzte er sich, er war wie ein schwarzer Punkt dort oben, und Wallander hielt sich im Schatten. Sein Vater blieb fast eine Stunde dort. Dann erhob er sich und stieg die Treppe wieder hinunter. Wallander beschattete ihn weiter, es war der geheimnisvollste Auftrag, den er je ausgeführt hatte, und bald befanden sie sich an der Fontana di Trevi, wo sein Vater allerdings keine Münze über die Schulter warf, sondern nur das Wasser betrachtete, das aus dem großen Springbrunnen sprudelte. Sein Gesicht wurde von einer Straßenlaterne beleuchtet, und Wallander ahnte ein Glänzen in seinen Augen.

Danach kehrten sie ins Hotel zurück.

Am nächsten Tag saßen sie in der Alitalia-Maschine nach Kopenhagen, Wallanders Vater auf einem Fensterplatz, genau wie auf dem Hinflug, und Wallander hatte an seinen Händen gesehen, wie braun gebrannt er war. Erst auf der Fähre zurück nach Limhamn fragte Wallander seinen Vater, ob er mit der Reise zufrieden sei. Dieser hatte genickt und etwas Unverständliches gemurmelt, und Wallander wusste, dass dies das Maximum an Begeisterung war, das er erwarten konnte. Gertrud hatte sie in Limhamn abgeholt und nach Hause gefahren. Sie hatten Wallander in Ystad abgesetzt, und später am Abend, als er anrief und fragte, ob alles in Ordnung sei, hatte Gertrud geantwortet, der Vater sitze schon wieder in seinem Atelier und male sein stets wiederkehrendes Motiv, den Sonnenuntergang über einer unbewegten, windstillen Landschaft.

Wallander stand auf und ging in die Küche. Es war halb sechs. Er machte Kaffee. *Warum ist er in die Nacht hinausgegangen? Warum hat er dort auf der Treppe gesessen? Was hat seine Augen am Springbrunnen zum Glänzen gebracht?*

Er wusste keine Antwort. Aber er hatte einen Blick in die heimliche innere Landschaft seines Vaters werfen dürfen. Er war auch einsichtig genug gewesen, außerhalb des unsichtbaren Zauns zu bleiben. Er würde den Vater auch nie nach seinem einsamen Spaziergang durch das nächtliche Rom fragen.

Während die Kaffeemaschine lief, ging Wallander ins Bad. Er stellte mit Genugtuung fest, dass er frisch und energisch aussah.

Unter der Dusche dachte er an die Ereignisse von vor ein paar Monaten zurück, während des heißen Sommers und der für Schweden so erfolgreichen Fußballweltmeisterschaft. Immer noch bereitete ihm der Gedanke an die hoffnungslose Jagd auf einen Serienmörder Unbehagen, der sich zum Schluss als ein geistesgestörter Junge von gerade vierzehn Jahren herausstellte. Während der Woche in Rom waren alle Gedanken an die erschütternden Ereignisse des Sommers wie fortgeblasen. Jetzt drängten sie in sein Bewusstsein zurück. Eine Woche Rom veränderte nichts. Er kehrte in seine Welt zurück.

Bis nach sieben Uhr blieb er am Küchentisch sitzen. Der Regen trommelte ununterbrochen. Die italienische Hitze war bereits eine ferne Erinnerung. Der Herbst war nach Schonen gekommen.

Um halb acht verließ er die Wohnung und fuhr im Wagen zum Polizeipräsidium. Sein Kollege Martinsson kam gleichzeitig an und parkte neben ihm. Sie begrüßten sich flüchtig im Regen und hasteten zum Eingang des Polizeigebäudes.

»Wie war die Reise?« fragte Martinsson. »Schön übrigens, dich wieder hier zu haben.«

»Mein Vater war sehr zufrieden«, erwiderte Wallander.

»Und du selbst?«

»Es war eine prima Reise. Und heiß.«

Sie gingen hinein.

»Hier ist alles ruhig«, sagte Martinsson. »Keine ernsteren Sachen. So gut wie gar nichts.«

»Vielleicht können wir auf einen ruhigen Herbst hoffen«, sagte Wallander zögernd.

Martinsson verschwand, um Kaffee zu holen. Wallander öffnete die Tür zu seinem Zimmer. Alles war, wie er es verlassen hatte. Der Tisch war leer. In einem Korb für Posteingänge lagen einige Rundschreiben der Reichspolizeibehörde. Er griff nach dem obersten, ließ es aber ungelesen auf den Tisch fallen. Er dachte an das komplizierte Ermittlungsverfahren wegen des Autoschmuggels zwischen Schweden und den ehemaligen Oststaaten, mit dem er sich jetzt seit fast einem Jahr beschäftigte.

Um Viertel nach acht stand er auf und ging hinüber ins Sitzungszimmer. Um halb neun sammelten sich die Kriminalbeamten der Polizei in Ystad, um die für die Woche vorliegende Arbeit durchzugehen. Alle bewunderten seine Farbe. Er setzte sich an seinen gewohnten Platz und empfand die für einen Montag im Herbst übliche Stimmung: grau und müde, alle ein bisschen abwesend. Er fragte sich, wie viele Montagmorgen er in diesem Raum zugebracht hatte. Weil ihre neue Chefin Lisa Holgersson in Stockholm war, leitete Hansson die Sitzung.

»Ich nehme an, ich mache mich wieder an meine geschmuggelten Autos«, sagte Wallander und versuchte nicht, seine Frustration zu verbergen.

»Es sei denn, du nimmst dir einen Einbruch vor«, sagte Hansson aufmunternd. »In einem Blumenladen.«

Wallander sah ihn verwundert an.

»Einbruch in einem Blumenladen? Was wurde denn gestohlen? Tulpen?«

»Nichts, so weit wir sehen können«, sagte Svedberg und kratzte sich die Glatze.

Im gleichen Augenblick ging die Tür auf, und Ann-Britt Höglund hastete herein. Weil ihr Mann sich meistens auf Montage in irgendeinem entlegenen Land befand, von dem noch niemand etwas gehört hatte, war sie mit ihren beiden Kindern allein. Ihre Morgen verliefen chaotisch, und sie kam häufig zu spät zu den Sitzungen. Ann-Britt Höglund war jetzt seit gut einem Jahr bei der Polizei in Ystad. Sie war die jüngste Kriminalbeamtin. Anfangs hatten einige der älteren Beamten, unter anderem Svedberg und Hansson, offen ihren Unmut darüber demonstriert, dass sie eine Frau als Kollegin bekamen. Aber Wallander, der schnell erkannte, dass sie das Zeug zu einer guten Polizeibeamtin mitbrachte, hatte sie in Schutz genommen. Niemand machte mehr Bemerkungen, weil sie häufig zu spät kam. Jedenfalls nicht, wenn er in der Nähe war. Sie setzte sich an eine Längsseite des Tisches und nickte Wallander erfreut zu, als sei sie überrascht, dass er tatsächlich zurückgekommen war.

»Wir reden über den Blumenladen«, sagte Hansson, »wir dachten, dass Kurt sich das einmal ansehen könnte.«

»Der Einbruch war Donnerstagnacht«, sagte sie.

»Was wurde gestohlen?« fragte Wallander.

»Nichts.«

Wallander verzog das Gesicht. »Was heißt das? Nichts?«

Ann-Britt Höglund zuckte die Achseln. »Nichts heißt Nichts.«

»Auf dem Fußboden waren Blutflecken«, sagte Svedberg. »Und der Inhaber ist verreist.«

»Das Ganze klingt sehr eigenartig«, sagte Wallander. »Ist es wirklich sinnvoll, sich damit abzugeben?«

»Das Ganze *ist* seltsam«, sagte Ann-Britt Höglund. »Ob es sich lohnt, Zeit darauf zu verwenden, kann ich nicht beantworten.«

Wallander fuhr es durch den Kopf, dass er so darum herumkäme, sofort wieder in die trostlose Ermittlung um all die Autos einzusteigen, die in einem steten Strom aus dem Land geschmuggelt wurden. Er würde sich einen Tag geben, um sich daran zu gewöhnen, nicht mehr in Rom zu sein.

»Ich kann es mir ja mal ansehen«, sagte er.

»Ich habe mich drum gekümmert«, sagte Ann-Britt Höglund. »Der Blumenladen liegt unten in der Stadt.«

Die Sitzung war beendet. Es regnete weiter. Wallander holte seine Jacke. Sie fuhren in seinem Wagen ins Zentrum.

Sie hielten in der Västra Vallgatan, Ecke Pottmakargränd. Der Blumenladen hieß Cymbia. Das Schild schaukelte im böigen Wind. Sie blieben im Wagen. Ann-Britt Höglund gab ihm ein paar Papiere in einer Plastikmappe. Wallander warf einen Blick darauf, während er zuhörte.

»Der Inhaber des Geschäfts heißt Gösta Runfelt. Er ist verreist. Die Verkäuferin kam am Freitagmorgen kurz vor neun in den Laden. Sie entdeckte, dass ein Fenster auf der Rückseite zerschlagen war. Glassplitter lagen draußen vor dem Fenster und drinnen. Auf dem Fußboden im Laden waren Blutspuren. Nichts schien gestohlen zu sein. Geld wurde über Nacht im Laden auch nicht aufbewahrt. Sie rief um drei nach neun die Polizei an. Kurz nach zehn war ich da. Es war, wie sie gesagt hatte. Schon komisch, das Ganze.«

Wallander dachte nach. »Nicht einmal eine Blume?« fragte er.

»Die Verkäuferin behauptet, nein.«

»Kann man wirklich genau wissen, wie viele Blumen in jeder Vase sind?« Er reichte ihr die Papiere wieder zurück.

»Wir können sie ja fragen«, sagte Ann-Britt Höglund, »der Laden ist offen.«

Als Wallander die Tür aufmachte, klingelte eine altmodische Glocke. Die Düfte im Laden erinnerten ihn an die Gärten in Rom. Es waren keine Kunden da. Aus einem Hinterraum kam eine etwa fünfzigjährige Frau. Sie nickte, als sie die beiden erblickte.

»Ich habe einen Kollegen mitgebracht«, sagte Ann-Britt Höglund.

Wallander grüßte.

»Ich habe von Ihnen in der Zeitung gelesen«, sagte die Frau.

»Hoffentlich nichts Schlechtes«, sagte Wallander.

»O nein«, sagte die Frau. »Es waren nur lobende Worte.«

Wallander hatte in den Papieren gesehen, dass die Frau, die in dem Laden arbeitete, Vanja Andersson hieß und dreiundfünfzig Jahre alt war.

Wallander ging langsam im Laden umher. Der feuchte Blumenduft weckte weitere Erinnerungsbilder in ihm. Er trat hinter die Theke und blieb vor einer rückwärtigen Tür stehen, deren obere Hälfte aus Glas bestand. Der Kitt war neu. Hier waren der oder die Diebe eingestiegen. Wallander betrachtete den Fußboden. »Ich nehme an, das Blut war hier«, sagte er.

»Nein«, sagte Ann-Britt Höglund. »Die Blutflecken waren im Laden.«

Wallander zog erstaunt die Stirn in Falten. Dann folgte er ihr zurück zwischen die Blumen. Ann-Britt Höglund stellte sich mitten auf den Fußboden. »Hier«, sagte sie. »Genau hier. Verstehst du jetzt, warum ich das Ganze komisch finde? Warum ist hier Blut? Aber nicht am Fenster? Wenn wir nun davon ausgehen, dass derjenige, der das Fenster zerschlagen hat, sich geschnitten hat?«

»Wer sollte es denn sonst sein?«

»Genau. Wer sollte es sonst sein?«

Wallander ging noch einmal durch den Laden. Er versuchte, sich den Hergang vorzustellen. Jemand hatte die Scheibe eingeschlagen und war hereingeklettert. Mitten auf dem Fußboden des Ladens war Blut gewesen. Nichts war gestohlen worden.

Jedes Verbrechen folgte einer Art von Planmäßigkeit oder Vernunft. Abgesehen von den reinen Wahnsinnstaten. Das wusste er aus langjähriger Erfahrung. Aber niemand beging die Wahnsinnstat, in ein Blumengeschäft einzubrechen, um nichts zu stehlen, dachte Wallander.

Es passte ganz einfach nichts zusammen.

»Ich nehme an, dass es Blutstropfen waren«, sagte er.

Zu seiner Verwunderung schüttelte Ann-Britt Höglund den Kopf. »Es war eine kleine Lache«, sagte sie. »Keine Tropfen.«

Wallander dachte nach. Aber er sagte nichts. Er hatte nichts zu sagen. Dann wandte er sich der Verkäuferin zu, die im Hintergrund wartete. »Es ist also nichts gestohlen worden?«

»Nichts.«

»Nicht einmal ein paar Blumen?«

»Nicht, so weit ich sehen konnte.«

Wallander nickte. »Haben Sie eine Erklärung für diesen Einbruch?«

»Nein.«

»Wenn ich recht verstanden habe, ist der Inhaber verreist? Haben Sie Kontakt mit ihm aufgenommen?«

»Das geht nicht.«

Wallander betrachtete sie aufmerksam. »Warum geht das nicht?«

»Er ist auf Orchideensafari in Afrika.«

»Können Sie das näher erklären? Orchideensafari?«

»Gösta ist ein passionierter Orchideenfreund«, sagte Vanja Andersson. »Er reist in der ganzen Welt umher und sieht sich alle Arten an, die es gibt. Er schreibt ein Buch über die Geschichte der Orchideen. Zur Zeit ist er in Afrika. Wo, weiß ich nicht. Ich weiß nur, dass er nächste Woche Mittwoch zurückkommt.«

Wallander nickte. »Wir müssen wohl mit ihm sprechen, wenn er zurück ist«, sagte er. »Vielleicht bitten Sie ihn, sich bei uns zu melden?«

Vanja Andersson versprach es. Ein Kunde kam in den Laden. Ann-Britt Höglund und Wallander traten in den Regen hinaus. Sie setzten sich in den Wagen, aber Wallander ließ den Motor noch nicht an. »Man kann natürlich an einen Dieb denken, der sich geirrt hat«, sagte er. »Ein Dieb, der das falsche Fenster einschlägt. Gleich nebenan liegt ein Computerladen.«

»Aber die Blutlache?«

Wallander zuckte mit den Schultern. »Vielleicht hat er nicht gleich gemerkt, dass er sich geschnitten hat. Er steht da und lässt die Arme hängen und sieht sich um. Das Blut tropft. Und Blut, das auf eine Stelle tropft, bildet früher oder später eine Lache.«

Sie nickte. Wallander ließ den Wagen an. »Das ist ein Versicherungsschaden«, sagte er. »Weiter nichts.«

Sie fuhren durch den Regen zurück zum Polizeigebäude. Inzwischen war es elf Uhr geworden.

Montag, der 26. September 1994.

3

Am Dienstag, dem 27. September, ließ der Regen über Schonen nicht nach. Die Meteorologen hatten vorhergesagt, dass dem heißen Sommer ein regnerischer Herbst folgen würde, und bisher hatte nichts ihren Prognosen widersprochen.

Am Abend zuvor, als Wallander von seinem ersten Arbeitstag nach der Italienreise nach Hause gekommen war und lustlos eine Mahlzeit zubereitet hatte, die er noch lustloser in sich hineinstopfte, hatte er mehrmals versucht, seine Tochter Linda in Stockholm zu erreichen.

Gegen elf rief er auch Baiba in Riga an. Wenn er in Rom etwas anderes getan hatte, als die Sonne zu genießen und seinem Vater Gesellschaft zu leisten, dann war es, an Baiba zu denken. Im Sommer, vor nur wenigen Monaten, waren sie gemeinsam nach Dänemark gereist. An einem der letzten Tage hatte er sie gefragt, ob sie ihn heiraten wolle. Sie hatte ausweichend geantwortet, ohne allerdings die Tür ganz zuzuschlagen. Sie versuchte auch nicht, die Ursache für ihr Zögern zu verbergen. Sie wanderten am endlosen Strand von Skagen entlang, wo Wallander vor vielen Jahren auch mit seiner ersten Frau Mona gewandert war und noch einmal bei einer späteren Gelegenheit, als er deprimiert war und ernstlich erwog, den Polizistenberuf an den Nagel zu hängen. Die Abende waren fast tropisch warm gewesen. Sie streiften umher, sammelten Steine und Schneckenhäuser, und Baiba erklärte ihren Zweifel damit, dass sie sich kaum vorstellen könne, noch einmal mit einem Polizisten zusammenzuleben. Ihr früherer Mann, der lettische Polizeimajor Karlis, war 1992 ermordet worden. Damals, während einer wirren und unwirklichen Zeit in Riga, war Wallander ihr begegnet. In Rom hatte Wallander sich die Frage gestellt, ob er, wenn er ganz ehrlich war, wirklich noch einmal heiraten wollte. Er hatte eine lange Ehe mit Lindas Mutter hinter sich. Als sie ihn eines schönen Tages vor fünf Jahren mit der Tatsache konfrontiert hatte, dass sie sich scheiden lassen wolle, war er vollkommen verständnislos gewesen. Erst jetzt glaubte er die Gründe verstehen und zumindest teilweise auch akzeptieren zu können, warum sie ein neues Leben ohne ihn beginnen wollte. Er konnte vielleicht sogar zugeben, dass er durch seine ständige Abwesenheit und sein wachsendes Desinteresse an den Dingen, die in ihrem Leben wichtig waren, die größere Schuld trug. Wenn man überhaupt von Schuld reden wollte.

Daran hatte er viel gedacht während der Tage in Rom. Und er war schließlich zu dem Ergebnis gekommen, dass er Baiba wirklich heiraten wollte. Er wünschte sich, dass sie nach Ystad zöge. Er hatte sich auch entschieden, noch einmal aufzubrechen und seine Wohnung in der Mariagatan gegen ein eigenes Haus zu tauschen. Irgendwo außerhalb der Stadt. Mit einem richtigen Garten. Ein einfaches Haus, aber doch in so gutem Zustand, dass er die notwendigen Reparaturen selbst ausführen konnte. Er hatte auch darüber nachgedacht, ob er sich endlich den Hund anschaffen sollte, von dem er schon so lange träumte.

Baiba nahm sofort ab, als er anrief. Ihre Stimme klang froh. Er erzählte von der Reise, und danach wiederholte er seine Frage vom Sommer. Da sagte sie, dass sie auch nachgedacht habe. Ihre Zweifel waren nicht verschwunden, sie hatten sich nicht verringert, aber auch nicht vermehrt.

»Komm her«, sagte Wallander. »Darüber können wir nicht am Telefon sprechen.«

»Ja«, antwortete sie. »Ich komme.«

Sie hatten keinen Zeitpunkt festgelegt. Darüber würden sie später reden. Sie hatte ihre Arbeit an der Universität in Riga. Ihr Urlaub musste immer lange im voraus geplant werden. Aber als Wallander den Hörer auflegte, glaubte er eine Gewissheit zu spüren, dass er jetzt in eine neue Phase seines Lebens eintrat. Sie würde kommen. Er würde wieder heiraten.

In dieser Nacht konnte er lange nicht einschlafen. Mehrere Male stand er auf, stellte sich ans Küchenfenster und sah in den Regen hinaus. Er würde die Straßenlaterne vermissen, die dort draußen schwankte, einsam im Wind.

Obwohl er zu wenig Schlaf bekommen hatte, war er am Dienstagmorgen früh auf den Beinen. Schon kurz nach sieben eilte er durch Regen und Wind ins Polizeigebäude. Er hängte die Jacke zum Trocknen über den Besucherstuhl. Dann holte er den fast halbmeterhohen Stapel mit Ermittlungsmaterial über die Autodiebstähle von einem Regal und fing an, das umfangreiche Material auf seinem Tisch zu sichten. Nach ein paar Stunden hatte er sich die Ereignisse so weit vergegenwärtigt, dass er wieder an dem Punkt angelangt war, an dem er vor seiner Abreise nach Italien gewesen war. Er rief einen Kollegen in Göteborg an, mit dem er zusammenarbeitete, und sprach einige Berührungspunkte mit ihm durch. Als er das Gespräch beendete, war es schon zwölf. Wallander war hungrig. Es regnete noch immer. Er ging zu seinem Wagen, fuhr ins Zentrum und aß in einem der Mittagsrestaurants. Um ein Uhr kam er zurück ins Präsidium. Er hatte sich gerade an seinen Schreibtisch gesetzt, als das Telefon klingelte. Es war Ebba von der Anmeldung.

»Du hast Besuch«, sagte sie.

»Wer denn?«

»Ein Mann, der Tyrén heißt. Er will mit dir sprechen.«

»Worum geht es?«

»Um jemand, der vielleicht verschwunden ist.«

»Kann das kein anderer übernehmen?«

»Er sagt, er will unbedingt mit dir sprechen.«

Wallander ließ seinen Blick über den Tisch mit den aufgeschlagenen Mappen gleiten. Nichts davon war so dringend, dass er nicht eine Vermisstenmeldung aufnehmen konnte. »Schick ihn hoch«, sagte er.

Er öffnete die Tür und begann, die Mappen vom Schreibtisch zu räumen. Als er aufblickte, stand ein Mann in der Tür. Er trug einen Overall, der erkennen ließ, dass er für OK arbeitete. Als er ins Zimmer trat, nahm Wallander einen Geruch von Öl und Benzin wahr.

Er gab dem Mann die Hand und bot ihm einen Stuhl an. Der Mann war um die Fünfzig, hatte graues schütteres Haar und war unrasiert. Er stellte sich als Sven Tyrén vor.

»Sie wollten mit mir sprechen«, sagte Wallander.

»So weit ich weiß, sind Sie ein guter Polizist«, sagte Sven Tyrén.

»Die meisten Polizisten sind gut«, entgegnete Wallander. »Aber ich nehme an, Sie sind nicht hergekommen, um mir das zu sagen Es geht um eine Vermisstenmeldung?«

Sven Tyrén rollte sein OK-Käppi zwischen den Fingern. »Auf jeden Fall ist es komisch«, sagte er.

Wallander hatte einen Notizblock aus einer Schublade gekramt und blätterte bis zu einer leeren Seite. »Vielleicht fangen wir von vorn an«, sagte er. »Wer ist vielleicht verschwunden? Und was ist komisch?«

»Holger Eriksson.«

»Wer ist das?«

»Ein Kunde.«

»Ich vermute, Sie haben eine Tankstelle?«

Sven Tyrén schüttelte den Kopf. »Ich fahre Heizöl aus«, sagte er. »Ich habe den Bezirk nördlich von Ystad. Holger Eriksson wohnt zwischen Högestad und Lödinge. Er rief an und sagte, sein Tank wäre bald leer. Wir verabredeten, dass ich am Donnerstagvormittag liefern sollte. Als ich hinkam, war niemand zu Hause.«

Wallander notierte. »Sie sprechen von letztem Donnerstag?«

»Dem 22.«

»Und wann rief er an?«

»Am Montag.«

Wallander dachte nach. »Sie können sich nicht missverstanden haben in Bezug auf den Zeitpunkt?«

»Ich bringe Holger Eriksson seit über zehn Jahren Öl. Es hat noch nie ein Missverständnis gegeben.«

»Was geschah dann? Als Sie feststellten, dass er nicht zu Hause war?«

»Ich bin wieder weggefahren. Ich habe einen Zettel in seinen Briefkasten gelegt.«

Wallander legte den Stift zur Seite.

»Wenn man wie ich Öl ausfährt, lernt man die Gewohnheiten der Leute kennen«, fuhr Sven Tyrén fort. »Das mit Holger Eriksson ging mir nicht aus dem Kopf. Es konnte nicht sein, dass er verreist war. Also bin ich gestern Nachmittag wieder hingefahren. Nach der Arbeit. Mit meinem eigenen Wagen. Der Zettel lag noch im Briefkasten. Unter der ganzen anderen Post, die seit Donnerstag gekommen war. Ich läutete an der Tür. Es war keiner zu Hause. Das Auto stand in der Garage.«

»Lebt er allein?«

»Holger Eriksson ist nicht verheiratet. Er hat mit Autos ein Vermögen verdient. Außerdem schreibt er Gedichte. Ich habe mal ein Buch von ihm bekommen. Aber da war noch etwas nicht in Ordnung«, sagte Sven Tyrén. »Die Tür war nicht verschlossen. Ich dachte, er wäre vielleicht krank. Er ist beinahe achtzig. Ich bin ins Haus gegangen. Es war leer. Aber die Kaffeemaschine in der Küche war an. Es roch. Der Kaffee war festgebrannt. Da habe ich mich entschieden, herzukommen. Irgendetwas stimmt da nicht.«

Wallander sah, dass Sven Tyréns Besorgnis ganz und gar echt war. Aus Erfahrung wusste er allerdings, dass die meisten Vermisstenfälle sich von selbst lösten. Sehr selten lag wirklich etwas Ernstes vor. »Hat er keine Nachbarn?« fragte er.

»Der Hof liegt ganz für sich.«

»Wir sehen uns das mal an«, sagte Wallander. »Es gibt sicher eine natürliche Erklärung dafür, dass er weg ist. So ist es meistens.« Er notierte die Adresse. Zu seiner Verwunderung hieß der Hof »Abgeschiedenheit«.

Wallander begleitete Sven Tyrén zum Ausgang.

»Ich bin sicher, dass da etwas passiert ist«, sagte Sven Tyrén zum Abschied. »Da stimmt was nicht, wenn ich mit Öl komme und er ist nicht zu Hause.«

»Ich lasse von mir hören«, sagte Wallander.

Im gleichen Moment kam Hansson von draußen herein. »Wer, verdammt noch mal, versperrt die ganze Einfahrt mit einem Tanklaster?« fragte er wütend.

»Das bin ich«, sagte Tyrén ruhig. »Und ich fahr jetzt.«

»Wer war das denn?« fragte Hansson, als Sven Tyrén gegangen war.

»Er wollte eine Vermisstenmeldung machen«, antwortete Wallander. »Hast du schon mal von einem Schriftsteller mit Namen Holger Eriksson gehört?«

»Einem Schriftsteller?«

»Oder einem Autohändler.«

»Was denn nun?«

»Er soll beides gewesen sein. Und diesem Tanklasterfahrer zufolge ist er verschwunden.«

Sie holten sich Kaffee.

»Was Ernstes?« fragte Hansson.

»Der mit dem Tanklaster schien jedenfalls ziemlich besorgt zu sein.«

»Ich hatte so ein Gefühl, als kenne ich ihn«, sagte Hansson.

Wallander hatte großen Respekt vor Hanssons Gedächtnis. Wenn ihm selbst ein Name entfallen war, ging er meistens zu Hansson, um sich helfen zu lassen.

»Er heißt Sven Tyrén«, sagte Wallander. »Er sagte, dass er ein paarmal für dies und jenes gesessen habe.«

Hansson suchte in seinem Gedächtnis. »Ich glaube, er war in ein paar Geschichten mit Körperverletzung verwickelt«, sagte er nach einer Weile. »Vor vielen Jahren.«

Wallander hörte nachdenklich zu. »Ich glaube, ich fahr mal raus zu Erikssons Hof«, sagte er dann. »Ich nehm ihn auf Routine für vermisst gemeldete Personen.«

Wallander ging in sein Büro, nahm die Jacke und steckte die Adresse der »Abgeschiedenheit« in die Tasche. Eigentlich hätte er zuerst das bei einer Vermisstenmeldung vorgeschriebene Formular ausfüllen müssen. Aber er ließ es zunächst auf sich beruhen. Um halb drei verließ er das Polizeipräsidium. Der starke Regen war in Nieselregen übergegangen. Ihn fröstelte, als er zu seinem Wagen ging. Er fuhr nach Norden und hatte keine Schwierigkeiten, den Hof zu finden. Wie der Name sagte, lag er sehr abgeschieden, auf einer Anhöhe. Wallander trat in den kopfsteingepflasterten Innenhof. Alles war sehr gut gepflegt. Er blieb stehen und lauschte in die Stille. Der Hof hatte drei Flügel. Es mussten früher vier gewesen sein. Entweder war ein Flügel abgerissen worden oder abgebrannt. Wallander bewunderte das Reetdach. Sven Tyrén hatte Recht. Wer sich ein solches Dach leisten konnte, war ein wohlhabender Mann. Wallander ging zur Tür und läutete. Dann klopfte er. Er öffnete die Tür und ging hinein. Lauschte. An der Wand hingen mehrere Ferngläser. Eins der Futterale war offen und leer. Wallander ging langsam durch das Haus. Es roch immer noch nach der Kaffeemaschine, in der der Kaffee festgebrannt war. An einem Schreibtisch in dem großen doppelstöckigen Wohnzimmer blieb Wallander stehen und betrachtete ein Blatt Papier auf der braunen Tischplatte.

Es war ein Gedicht über einen Vogel. Einen Specht.

Ganz unten standen Datum und Uhrzeit. 21. September 1994, 22 Uhr.

Um zehn Uhr am Mittwochabend schrieb er ein Gedicht und gab sogar die Uhrzeit an. Am Tag danach soll Sven Tyrén Öl liefern. Und da ist er weg. Und die Tür unverschlossen.

Wallander setzte sich auf einen alten Küchenstuhl und sah sich um. Irgendetwas sagte ihm, dass Sven Tyrén Recht hatte.

Holger Eriksson war wirklich verschwunden. Er war nicht einfach nur fortgegangen.

Nach einer Weile erhob sich Wallander und durchsuchte ein paar Wandschränke, bis er einen Reserveschlüssel fand. Er schloss ab und verließ das Haus. Der Regen war wieder stärker geworden. Kurz vor fünf war er zurück in Ystad. Er füllte ein Formular aus, auf dem Holger Eriksson als vermisst gemeldet wurde. Früh am nächsten Tag würden sie anfangen, ernsthaft nach ihm zu suchen.

Wallander fuhr nach Hause. Unterwegs hielt er an und kaufte eine Pizza. Dann setzte er sich vor den Fernseher und aß. Noch immer hatte Linda nicht angerufen. Kurz nach elf ging er ins Bett und schlief sofort ein.

Um vier Uhr am Mittwochmorgen wurde er aus dem Schlaf gerissen, weil er sich erbrechen musste. Um sieben Uhr fühlte er sich so elend, dass er im Polizeipräsidium anrief, um Bescheid zu geben, dass er heute nicht käme. Er hatte Martinsson am Apparat.

»Auf meinem Tisch liegt ein Papier über einen Mann namens Holger Eriksson. Er ist verschwunden. Einer von euch muss die Sache in die Hand nehmen«, sagte er

Er warf den Hörer auf und schaffte es gerade noch zur Toilette, bevor er wieder kotzen musste.

4

Schon nach einigen Stunden hatte er angefangen, an den Tauen zu nagen.

Das Gefühl, wahnsinnig zu werden, war auch die ganze Zeit dagewesen. Er konnte nicht sehen.

Irgendetwas bedeckte seine Augen und verdunkelte die Welt. Er konnte auch nicht hören. Etwas war in seine Ohren gestopft worden und drückte auf die Trommelfelle. Am meisten quälte ihn, dass er sich nicht rühren konnte. Das war es, was ihn wahnsinnig machte. Obwohl er lag, auf dem Rücken ausgestreckt, hatte er ständig das Gefühl, zu fallen. Ein Schwindel erregendes Fallen, ohne Ende. Vielleicht war es nur eine Halluzination, ein äußeres Bild für die Tatsache, dass er von innen heraus zerfiel. Der Wahnsinn war im Begriff, seinen Körper und sein Bewusstsein in Stücke zu zerteilen, die nicht mehr zusammenhingen.

Dennoch versuchte er, sich an der Wirklichkeit festzuhalten. Er zwang sich verzweifelt, zu denken. Vernunft und die Fähigkeit, bis zum Äußersten die Ruhe zu bewahren, würden ihm vielleicht die Erklärung dafür geben, was geschehen war. Warum konnte er sich nicht bewegen? Wo befand er sich? Und warum?

Möglichst lange hatte er auch versucht, die Panik und den schleichenden Wahnsinn zu bekämpfen, indem er sich bemühte, die Kontrolle über die Zeit zu behalten. Er zählte Minuten und Stunden, zwang sich, an einer unmöglichen Routine festzuhalten, die keinen Anfang und kein Ende hatte. Weil das Licht nicht wechselte – es war gleich bleibend dunkel, und er war aufgewacht, wo er lag, gefesselt und auf dem Rücken – und er keine Erinnerung hatte, wie er hierher gekommen war, gab es keinen Anfang. Er hätte da, wo er lag, geboren sein können.

In diesem Gefühl hatte der Wahnsinn seinen Ursprung. Während der kurzen Augenblicke, in denen es ihm gelang, die Panik von sich fern zu halten und klar zu denken, versuchte er, sich an alles zu klammern, was mit der Wirklichkeit zu tun zu haben schien.

Es gab etwas, wovon er ausgehen konnte.

Das, worauf er lag. Das war keine Einbildung. Er wusste, dass er auf dem Rücken lag, und zwar auf etwas Hartem.

Das Hemd war über der linken Hüfte hochgerutscht, und seine Haut berührte direkt die harte raue Fläche. Er spürte, dass er sich die Haut aufgeschrammt hatte, als er versuchte, sich zu bewegen. Er lag auf einem Zementboden. Warum lag er da? Wie war er dorthin gekommen? Er ging in Gedanken zurück zu dem letzten normalen Ausgangspunkt, den er hatte, bevor das plötzliche Dunkel über ihn hereingebrochen war. Aber schon da wurde alles unklar. Er wusste, was geschehen war. Und doch wieder nicht. Als er angefangen hatte, unsicher zu werden, was Einbildung und was tatsächlich passiert war, überkam ihn die Panik. Dann fing er an zu weinen, kurz und heftig, aber er hörte genauso schnell wieder auf, weil ihn doch niemand hören konnte. Er hatte nie geweint, wenn ihn keiner hörte. Es gab Menschen, die nur weinten, wenn niemand in der Nähe war. Aber zu denen gehörte er nicht.

Eigentlich war er sich nur dessen sicher: dass niemand ihn hören konnte. Wo er sich auch befand, wo dieser grässliche Zementboden auch gegossen sein mochte, ob er auch frei in einem ihm vollkommen unbekannten Universum schwebte – es war niemand in der Nähe. Niemand, der ihn hören konnte.

Jenseits des schleichenden Wahnsinns fanden sich die einzigen Anhaltspunkte, die ihm geblieben waren. Alles andere war ihm genommen, nicht nur seine Identität, sondern auch seine Hosen.

Es war der Abend gewesen, bevor er nach Nairobi fliegen wollte. Es war kurz vor Mitternacht, er hatte den Koffer zugemacht und sich an den Schreibtisch gesetzt, um noch einmal seine Reiseunterlagen zu überprüfen. Er sah alles noch ganz klar vor sich. Dann klingelte das Telefon. Er hatte alles hingelegt, den Hörer abgenommen und sich gemeldet.

Weil es die letzte lebende Stimme war, die er gehört hatte, hielt er sich mit aller Kraft daran fest. Sie war das letzte Verbindungsglied zu der Wirklichkeit, die den Wahnsinn noch auf Distanz hielt.

Es war eine schöne Stimme gewesen, sehr weich und angenehm, und er wusste sofort, dass er mit einer Fremden sprach. Einer Frau, die er noch nie im Leben getroffen hatte.

Sie hatte darum gebeten, Rosen kaufen zu können. Zuerst hatte sie sich entschuldigt, dass sie so spät am Abend noch störe. Aber sie brauche diese Rosen unbedingt. Sie sagte nicht, warum. Aber er hatte ihr sogleich geglaubt. Kein Mensch konnte lügen, wenn es darum ging, dass er Rosen brauchte.

Er hatte nicht gezögert. Er wohnte in der Nähe seines Ladens, war noch nicht im Bett. Es würde nur zehn Minuten dauern, ihr zu helfen.

Als er jetzt hier im Dunkeln lag und sich zu erinnern versuchte, sah er ein, dass hier ein Punkt war, den er nicht erklären konnte. *Er hatte die ganze Zeit gewusst, dass sie von irgendwo in der Nähe anrief. Es gab einen Grund, der ihm unbekannt war, dass sie gerade ihn angerufen hatte. Wer war sie? Was war danach geschehen?*

Er hatte seinen Mantel angezogen und war auf die Straße gegangen. Die Schlüssel zum Geschäft hatte er in der Hand. Es war windstill, ein kühler Duft schlug ihm entgegen, als er die Straße entlangging. Er war vor der Ladentür stehen geblieben, die von der Straße aus ins Geschäft führte. Er erinnerte sich daran, dass er aufgeschlossen hatte und hineingegangen war. Dann war die Welt explodiert.

Wie oft er in Gedanken schon die Straße entlanggegangen war – wenn die Panik für einen Augenblick nachließ, ein Ruhepunkt in dem konstanten und in Wellen kommenden Schmerz –, wusste er nicht mehr. Es musste jemand da gewesen sein

Die Straße war verlassen. Das wusste er mit Sicherheit. Nur ein Detail in dem Bild beunruhigte ihn. Irgendwo hatte ein Auto gestanden, mit eingeschalteten Scheinwerfern. Als er sich zur Tür gewandt hatte, um das Schlüsselloch zu suchen, war das Auto hinter ihm gewesen. Und die Scheinwerfer an. Und dann war die Welt in einem scharfen, weißen Licht untergegangen.

Weiter kam er nicht. Da hörte alles auf, was begreiflich und mit Vernunft nachvollziehbar war. Und da war es ihm mit einer gewaltigen Anstrengung gelungen, die gefesselten Hände zum Mund zu drehen, sodass er anfangen konnte, an den Tauen zu nagen. Anfangs hatte er an den Tauen gezerrt und gerissen, als wäre er ein hungriges Raubtier, das sich auf eine Beute warf. Fast unmittelbar hatte er sich einen Zahn im linken Unterkiefer ausgebissen. Der Schmerz war im ersten Moment heftig, verschwand dann aber rasch. Als er wieder anfing, an den Tauen zu nagen, ging er langsam vor.

An den trockenen und harten Tauen zu nagen war wie eine tröstende Hand. Wenn er sich nicht befreien konnte, so hielt er durch das Nagen zumindest den Wahnsinn auf Abstand. Er konnte auf dem Tau kauen und gleichzeitig einigermaßen klar denken. Zweimal pro Tag, oder vielleicht pro Nacht, hörte er ein scharrendes Geräusch neben sich. Eine behandschuhte Hand zwang seinen Mund auf und flößte ihm Wasser ein. Die Hand an seinem Kiefer war eher bestimmt als grob. Dann wurde ein Trinkhalm in seinen Mund gesteckt. Er saugte eine lauwarme Suppe in sich hinein und wurde danach wieder in der Finsternis und in dem Schweigen allein gelassen.

Er war überfallen worden, er war gefesselt. Unter ihm ein Zementfußboden. Jemand hielt ihn am Leben. Er nahm an, schon eine Woche hier zu liegen. Er versuchte zu verstehen, warum. Es musste ein Irrtum vorliegen. Aber was für ein Irrtum? Warum sollte ein Mensch gefesselt auf einem Zementboden liegen? Irgendwo in seinem Kopf ahnte er, dass der Wahnsinn seinen Ausgangspunkt in einer Einsicht hatte, die er ganz einfach nicht an sich heranzulassen wagte. Es war kein Irrtum. Das Grauenvolle, das ihm geschah, war gerade ihm zugedacht, keinem anderen, und wie sollte das enden? Vielleicht ginge der Albtraum ewig weiter, und er wusste nicht, warum.

Zweimal am Tag, oder in der Nacht, bekam er Wasser und Essen. Zweimal wurde er auch an den Füßen über den Boden gezogen, bis er zu einem Loch im Fußboden kam. Er hatte keine Hose an. Sie war verschwunden. Er hatte nur das Hemd, und wenn er fertig war, wurde er zurückgezogen an die alte Stelle. Er hatte nichts, um sich abzuwischen. Außerdem waren die Hände gefesselt. Er merkte, dass es um ihn herum roch. Unflat. Aber auch Parfüm.

War das ein Mensch in seiner Nähe? Die Frau, die Rosen kaufen wollte? Oder nur ein Paar Hände mit Handschuhen? Hände, die ihn zu dem Loch im Boden zogen. Und ein schwacher, beinahe unmerklicher Duft von Parfüm, der nach den Mahlzeiten und nach den Toilettenbesuchen in der Luft hing. Irgendwoher mussten die Hände und das Parfüm kommen.

Natürlich hatte er versucht, zu den Händen zu sprechen. Irgendwo musste ein Mund sein. Und Ohren. Wer immer ihm dies auch antat, musste sich doch anhören können, was er zu sagen hatte. Jedes Mal wenn er die Hände an seinem Gesicht oder an seinen Schultern fühlte, hatte er auf verschiedene Weise zu sprechen versucht. Er hatte gefleht, er hatte gebrüllt und außer sich vor Verzweiflung geschrien, er hatte versucht, sein eigener Anwalt zu sein und sich ruhig und überlegt zu äußern.

Es gab ein Recht, hatte er betont, manchmal schluchzend, dann wieder rasend. Ein Recht, das auch der gefesselte Mensch besitzt. *Das Recht, zu wissen, warum er vollständig rechtlos geworden ist. Wenn man einen Menschen dieses Rechts beraubt, hat das Universum keinen Sinn mehr.*

Er hatte keine Antwort bekommen. Die Hände hatten keinen Körper, keinen Mund, keine Ohren. Da war nur der Trinkhalm im Mund. Und der schwache Duft eines herben Parfüms.

Er ahnte, dass er untergehen würde. Das einzige, was ihn noch hielt, war sein hartnäckiges Kauen an dem Tau. Auch jetzt, nach einer Zeitspanne, die mindestens eine Woche umfasste, war es ihm noch kaum gelungen, sich durch das harte Äußere des Taus zu nagen. Aber dennoch stellte er sich hier die einzig denkbare Rettung vor. Er überlebte, indem er nagte. Nach einer weiteren Woche hätte er von der Reise zurückkehren sollen, die er jetzt halb hinter sich hätte, wäre er nicht zum Laden hinuntergegangen, um einen Arm voll Rosen zu holen. In einer Woche würde man ihn zurückerwarten. Und wenn er nicht käme, würde Vanja Andersson sich wundern. Wenn sie das nicht bereits tat. Es gab noch eine Möglichkeit, von der er nicht ablassen konnte. Das Reisebüro wusste über seine Kunden Bescheid. Er hatte seine Tickets bezahlt, sich aber in Kastrup nicht eingefunden. Vanja Andersson und das Reisebüro waren seine einzige Rettung.

Er wusste, dass er sich in der Hölle befand. Aber nicht, warum.

*

Sie hatte den Raum als Opferplatz arrangiert.

Niemand konnte das Geheimnis ahnen. Niemand, der es nicht wusste. Und sie war die einzige, die es wusste.

Einst hatte der Raum aus vielen kleinen Zimmern bestanden. Mit niedrigen Decken, düsteren Wänden, nur beleuchtet von dem zaghaften Licht, das durch die Fensterluken in den dicken Mauern sickerte. So hatte es ausgesehen, als sie zum erstenmal hier war. Auf jeden Fall in ihren frühesten Erinnerungen. Sie konnte sich jenen Sommer immer noch in Erinnerung rufen. Damals hatte sie ihre Großmutter zum letzten Mal gesehen. Früh im Herbst war sie fort. Aber in jenem Sommer saß sie noch im Schatten der Apfelbäume. Es war ein glücklicher Sommer. Es musste 1952 oder 1953 gewesen sein. Eine unendlich entlegene Zeit. Die Katastrophen waren noch weit entfernt gewesen.

Damals waren die Zimmer klein. Erst als sie selbst Ende der sechziger Jahre das Haus übernahm, begann die große Verwandlung. Beim Einreißen der Innenwände, die ohne Risiko, dass das Haus einstürzte, geopfert werden konnten, halfen einige ihrer Cousins, junge Männer, die ihre Kraft zeigen wollten. Doch sie hatte auch selbst den Vorschlaghammer geschwungen, dass das ganze Haus bebte und der Putz von den Wänden fiel. Aus dem Staub war am Ende dieser große Raum hervorgetreten, und das einzige, was sie stehen ließ, war der große Backofen, der sich jetzt wie eine eigentümliche Klippe erhob. Alle, die damals nach der großen Veränderung ihr Haus betraten, blieben verwundert stehen und sahen, wie schön es geworden war. Es war das alte Haus, aber trotzdem etwas ganz anderes.

Jemand hatte gesagt, der Raum gliche dem Inneren einer Kirche. Von da an hatte sie ihn als ihr privates Heiligtum betrachtet. Wenn sie dort allein war, fühlte sie sich wie im Zentrum der Welt. Dann spürte sie, dass sie ganz ruhig war, weit weg von allen Gefahren, die sonst drohten.

Es gab Zeiten, in denen sie ihre Kathedrale selten besuchte. Der Fahrplan ihres Lebens wechselte ständig. Mehrmals hatte sie sich gefragt, ob sie das Haus nicht verkaufen sollte. Allzu vielen Erinnerungen hatten die Vorschlaghämmer nichts anhaben können. Aber sie wollte den Raum mit dem massiven Backofen, dieser weißen Klippe, die sie behalten hatte, aber zumauern ließ, nicht aufgeben. Er war ein Teil von ihr geworden. Manchmal betrachtete sie ihn als die letzte Schanze, die ihr blieb, um ihr Leben zu verteidigen.

Dann war der Brief aus Algier gekommen.

Sie dachte nie mehr daran, ihr Haus zu verlassen.

Am Mittwoch, dem 28. September, erreichte sie Vollsjö kurz nach fünfzehn Uhr. Sie war von Hässleholm gekommen, und bevor sie zu ihrem Haus fuhr, das etwas außerhalb der Ortschaft lag, hielt sie beim Laden und kaufte ein. Sie wusste, was sie brauchte. Sie war sich nur nicht sicher, ob sie ihren Vorrat an Trinkhalmen auffüllen musste. Sicherheitshalber nahm sie noch eine Packung mit. Die Verkäuferin nickte ihr zu. Sie lächelte zurück und sagte etwas über das Wetter. Dann zahlte sie und fuhr weiter. Ihre nächsten Nachbarn waren nicht da. Sie schloss die Haustür auf. Im Flur blieb sie stehen und lauschte. Sie ging in den großen Raum und stand reglos neben dem Backofen. Alles war still. Genauso still wünschte sie sich die Welt.

Der Mann, der im Backofen lag, konnte sie nicht hören. Sie wusste, dass er lebte, aber sie brauchte sich nicht von seinen Atemzügen stören zu lassen. Auch nicht davon, dass er weinte.

Sie meinte, einer heimlichen Eingebung gefolgt zu sein, die sie an dieses Ziel geführt hatte. Zuerst, als sie sich entschloss, das Haus zu behalten. Es nicht zu verkaufen und das Geld zur Bank zu bringen. Danach, als sie den alten Backofen stehen ließ. Erst später, als der Brief aus Algier kam und sie erkannte, was sie tun musste, offenbarte der Backofen seinen tieferen Sinn.

Sie wurde in ihren Gedanken vom Wecksignal ihrer Armbanduhr unterbrochen. In einer Stunde kämen ihre Gäste. Vorher musste sie dem Mann im Backofen noch sein Essen geben. Er lag jetzt seit fünf Tagen dort. Bald würde er so geschwächt sein, dass er keinen Widerstand mehr leisten könnte. Sie holte ihren Fahrplan aus der Handtasche und sah, dass sie vom kommenden Sonntagnachmittag bis Dienstagmorgen frei hatte. Da musste es sein. Dann würde sie ihn herausholen und ihm erzählen, was geschehen war.

Wie sie ihn danach töten würde, hatte sie noch nicht entschieden. Es gab verschiedene Möglichkeiten. Aber sie hatte noch Zeit. Sie würde noch einmal überdenken, was er getan hatte, und dann würde sie sich darüber klar werden, wie er sterben musste.

Sie ging in die Küche und wärmte die Suppe. In einen Becher füllte sie Wasser. Jeden Tag hatte sie die Menge, die sie ihm gab, verringert. Er sollte nicht mehr bekommen, als nötig war, um ihn am Leben zu erhalten. Nachdem sie die Nahrung vorbereitet hatte, zog sie ein Paar Plastikhandschuhe über, spritzte sich ein paar Tropfen Parfüm hinter die Ohren und ging in den Raum, in dem sich der Backofen befand. Auf der Rückseite war eine Luke, hinter ein paar losen Steinen verborgen. Es war eher eine fast meterlange Röhre, die sie vorsichtig herausziehen konnte. Bevor sie ihn in den Backofen legte, hatte sie einen starken Lautsprecher hineingestellt und die Röhre verschlossen. Sie hatte Musik in voller Lautstärke gespielt, aber nichts war herausgedrungen.

Sie gab ihm sein Essen, ließ ihn das Loch benutzen, zerrte ihn wieder an seinen Platz und schob die Luke vor. Dann wusch sie ab, räumte die Küche auf und setzte sich an den Tisch und trank eine Tasse Kaffee. Sie holte ihre Personalzeitung aus der Tasche und blätterte sie langsam durch. Nach der neuen Lohntabelle würde sie rückwirkend vom 1. Juli an 174 Kronen im Monat mehr bekommen. Sie schaute wieder auf die Uhr. Es vergingen selten zehn Minuten, ohne dass sie einen Blick darauf warf. Die Uhr war ein Teil ihrer Identität. Ihr Leben und ihre Arbeit wurden von sorgfältig ausgearbeiteten Fahrplänen zusammengehalten. Nichts schmerzte sie mehr, als wenn die Fahrpläne nicht eingehalten werden konnten. Da halfen keine Erklärungen. Sie empfand es jedes Mal als ihre persönliche Verantwortung. Sie wusste, dass mehrere ihrer Kollegen hinter ihrem Rücken über sie lachten. Das schmerzte sie. Aber sie sagte nie etwas. Das Schweigen war auch ein Teil von ihr. Teil ihres inneren Uhrwerks. Auch wenn es nicht immer so gewesen war.

Sie konnte sich an ihre eigene Stimme erinnern. Als sie Kind war. Die Stimme war kräftig. Aber nicht schneidend. Die Stummheit war danach gekom-

men. Als sie all das Blut gesehen hatte. Und ihre Mutter, die beinahe gestorben wäre. Damals hatte sie nicht geschrien. Sie hatte sich in ihrem Schweigen versteckt. Darin konnte sie sich unsichtbar machen.

Da war es passiert. Als ihre Mutter weinend und blutend auf einem Tisch lag und ihr die Schwester wegnahm, auf die sie so lange gewartet hatte.

Wieder blickte sie auf die Uhr. Bald würden sie kommen. Es war Mittwoch, der Abend, an dem sie sich trafen. Am liebsten hätte sie es immer mittwochs. Das gäbe eine größere Regelmäßigkeit. Aber ihre Arbeitszeiten ließen es nicht zu. Sie wusste auch, dass sie daran nie etwas ändern könnte.

Sie hatte fünf Stühle bereitgestellt. Sie wollte nicht, dass sich mehr als fünf gleichzeitig bei ihr versammelten. Dabei könnte die Nähe verloren gehen. Es war schon schwer genug, so große Vertraulichkeit zu schaffen, dass diese schweigenden Frauen redeten. Sie ging ins Schlafzimmer und zog ihre Uniform aus. Bei jedem Kleidungsstück, das sie ablegte, murmelte sie ein Gebet. Und sie erinnerte sich. Es war ihre Mutter, die ihr von Antonio erzählt hatte. Von dem Mann, den sie einmal in ihrer Jugend, lange vor dem Zweiten Weltkrieg, in einem Zug zwischen Köln und München getroffen hatte. Sie hatten keine Sitzplätze bekommen und waren draußen im verräucherten Gang durch Zufall zusammengedrängt worden. Die Lichter der Schiffe auf dem Rhein waren vor den schmutzigen Zugfenstern vorbeigeglitten, es war in der Nacht, und Antonio hatte erzählt, dass er Priester der katholischen Kirche werden wolle. Er hatte erzählt, dass die Messe begann, wenn der Priester die Kleider wechselte. Das heilige Ritual hatte eine Einleitung, die bedeutete, dass die Priester sich einer Reinigungsprozedur unterzogen. Für jedes Kleidungsstück, das sie ablegten oder anlegten, hatten sie ein Gebet. Mit jedem Kleidungsstück kamen sie ihrem heiligen Auftrag einen Schritt näher.

Sie hatte die Erinnerung ihrer Mutter an die Begegnung mit Antonio im Gang des Zuges nie vergessen können. Und jetzt hatte sie eingesehen, dass auch sie eine Priesterin war, ein Mensch, der sich selbst die große Aufgabe gestellt hatte, zu verkünden, dass die Gerechtigkeit heilig war. Jetzt war auch für sie das Wechseln der Kleidung zu einem Ritual geworden. Doch die Gebete, die sie sprach, waren kein Zwiegespräch mit Gott. In einer chaotischen und aberwitzigen Welt war Gott am aberwitzigsten von allem. Die Welt trug das Zeichen eines abwesenden Gottes. Die Gebete richteten sich an sie selbst. An das Kind, das sie einmal gewesen war. Bevor alles für sie zusammenbrach. Bevor ihre Mutter sie dessen beraubte, was sie sich so sehnlich gewünscht hatte. Bevor sich die finsteren Männer mit den Blicken sich windender, bedrohlicher Schlangen vor ihr auftürmten.

Während sie sich umzog, versetzte sie sich betend in ihre Kindheit zurück. Die Uniform legte sie aufs Bett. Dann kleidete sie sich in weiche Stoffe mit milden Farben. Eine Veränderung ging in ihr vor. Es war, als verwandle sich ihre Haut, als kehre auch sie zurück und werde ein Teil des Kindes.

Zuletzt setzte sie die Perücke und die Brille auf. Das letzte Gebet verklang in ihr. *Hoppe, hoppe Reiter, wenn er fällt, dann schreit er, schreit er, schreit er …*

Sie hörte den ersten Wagen auf den Hof einfahren und bremsen. Sie betrachtete ihr Gesicht in dem großen Spiegel. *Es war nicht Dornröschen, das aus seinem Albtraum erwacht war. Es war Aschenputtel.*

Sie war bereit. Jetzt war sie eine andere. Sie legte die Uniform in eine Plastiktüte, glättete den Bettüberwurf und verließ das Zimmer. Obwohl niemand außer ihr selbst dorthin kommen würde, schloss sie die Tür ab und betätigte zur Sicherheit noch einmal die Klinke.

Kurz vor sechs waren sie versammelt, aber eine der Frauen war nicht gekommen. Es hieß, sie sei am Abend zuvor ins Krankenhaus gegangen, da die Wehen eingesetzt hätten. Es war zwei Wochen vor der Zeit. Aber das Kind war vielleicht schon geboren.

Sie beschloss sogleich, sie am folgenden Tag im Krankenhaus zu besuchen. Sie wollte sie sehen. Sie wollte ihr Gesicht sehen nach allem, was sie durchgemacht hatte.

Dann lauschte sie ihren Geschichten. Ab und an machte sie eine Bewegung, als schriebe sie etwas auf den Notizblock, den sie in der Hand hielt. Doch sie schrieb nur Ziffern. Sie entwarf ständig Fahrpläne. Ziffern, Uhrzeiten, Entfernungen. Es war ein Spiel, das sie nicht losließ, ein Spiel, das immer mehr zu einer Beschwörung wurde. Sie brauchte nichts zu notieren, um sich erinnern zu können. Alle Worte, die die verschreckten Stimmen aussprachen, all das Leid, dem sie jetzt Ausdruck zu geben wagten, gruben sich in ihr Bewusstsein ein. Sie spürte, wie sich bei jeder von ihnen etwas löste. Vielleicht nur für den Augenblick. Aber was war das Leben anderes als eine Folge von Augenblicken? *Wieder der Fahrplan. Uhrzeiten, die sich begegneten, einander ablösten. Das Leben war wie ein Pendel. Es schlug aus zwischen Schmerz und Linderung. Ohne Unterbrechung, ohne Ende.*

Sie sprachen ein paar Stunden lang. Hinterher tranken sie in der Küche Tee. Alle wussten, wann sie sich das nächste Mal treffen würden. Keine brauchte an den Zeiten zu zweifeln, die sie ihnen gab.

Um halb neun begleitete sie die Frauen nach draußen. Sie gab ihnen die Hand, nahm ihre Dankbarkeit entgegen. Als der letzte Wagen verschwunden war, ging sie ins Haus zurück. Im Schlafzimmer wechselte sie die Kleidung, nahm die Perücke und die Brille ab. Sie ergriff die Plastiktüte mit der Uniform und verließ das Zimmer. In der Küche wusch sie die Teetassen ab. Dann löschte sie alle Lichter und nahm ihre Handtasche.

Einen kurzen Augenblick stand sie reglos im Dunkeln neben dem Backofen. Alles war sehr still.

Dann verließ sie das Haus. Es nieselte. Sie setzte sich ins Auto und fuhr nach Ystad.

Vor Mitternacht lag sie in ihrem Bett und schlief.

5

Als Wallander am Donnerstagmorgen erwachte, fühlte er sich ausgeruht. Die Magenbeschwerden waren abgeklungen. Er stand kurz nach sechs auf; wenige Minuten nach sieben war er im Präsidium. Noch herrschte morgendliche Stille. Als er durch den Korridor zu seinem Zimmer ging, fragte er sich, ob man wohl Holger Eriksson gefunden hatte. Er hängte die Jacke fort und setzte sich. Auf seinem Tisch lagen ein paar Zettel mit Notizen über eingegangene Telefonate. Ebba erinnerte ihn an seinen Termin beim Optiker, den er vergessen hatte. Aber es war ein wichtiger Termin, denn er brauchte eine Lesebrille. Er war bald siebenundvierzig. Das Alter forderte seinen Tribut. Auf einem anderen Zettel stand, dass Per Åkesson ihn sprechen wolle. Wallander legte den Zettel zur Seite und holte sich eine Tasse Kaffee. Dann lehnte er sich in seinem Stuhl zurück und versuchte, sich eine Strategie zurechtzulegen, wie er in der Autoschmuggelgeschichte vorgehen könnte.

Das Klingeln des Telefons unterbrach ihn bei seinen Überlegungen. Es war Lisa Holgersson, die neue Chefin, die ihn nach seinem Urlaub am Arbeitsplatz willkommen hieß.

»Wie war die Reise?« fragte sie.

»Sehr gelungen«, antwortete Wallander.

»Man entdeckt seine Eltern wieder neu«, sagte sie.

»Und die ihrerseits sehen vielleicht ihre Kinder neu«, sagte Wallander.

»Ich war ein paar Tage in Stockholm«, sagte sie. »Wir haben über Koordinationsprobleme diskutiert und über die ewige Frage, was wir vorrangig behandeln sollen.«

»Ich meine, wir sollten Verbrecher fassen«, sagte Wallander, »und sie vor Gericht bringen und zusehen, dass wir genügend Beweismaterial haben, damit sie verurteilt werden.«

»Wenn es so einfach wäre«, seufzte sie.

»Ich bin froh, dass ich nicht Chef bin«, sagte Wallander.

»Manchmal frage ich mich selbst«, sagte sie und ließ den Rest des Satzes in der Luft hängen. Wallander glaubte, dass sie das Gespräch beenden wolle, aber sie fuhr fort: »Ich habe zugesagt, dass du Anfang Dezember zur Polizeihochschule raufkommst. Sie wollen, dass du über die Ermittlung referierst, die wir im Sommer hier hatten. Wenn ich Recht verstehe, haben die Schüler selbst darum gebeten.«

Wallander erschrak. »Ich kann nicht«, sagte er. »Ich bin nicht in der Lage, vor einer Gruppe von Menschen zu stehen und so zu tun, als ob ich unterrichte. Lass das Martinsson machen. Der kann gut reden. Er wollte mal Politiker werden.«

»Ich habe versprochen, dass du kommst«, sagte sie und lachte. »Das kriegst du schon hin.«

»Ich melde mich krank«, sagte Wallander.

»Es ist noch lange hin bis zum Dezember«, sagte sie. »Wir reden noch einmal darüber. Ich wollte eigentlich nur hören, wie deine Reise war. Jetzt weiß ich, dass sie gelungen war.«

»Und hier ist alles ruhig«, sagte Wallander. »Wir haben nur einen Vermissten. Aber das haben die anderen in die Hand genommen.«

»Einen Vermissten?«

Wallander gab einen kurzen Bericht über sein Gespräch mit Sven Tyrén und dessen Besorgnis, weil Holger Eriksson nicht zu Hause war, um sein Heizöl entgegenzunehmen.

»Wie häufig ist eigentlich etwas Ernstes passiert«, fragte sie anschließend, »wenn Menschen verschwinden? Was sagt die Statistik?«

»Was die sagt, weiß ich nicht«, antwortete Wallander. »Aber ich weiß, dass sehr selten ein Verbrechen oder auch nur ein Unglück vorliegt. Was alte und senile Menschen betrifft, so können sie sich verirrt haben. Was Jugendliche betrifft, so steckt meistens Aufruhr gegen die Eltern oder Abenteuerlust dahinter. Dass etwas Ernstes geschehen ist, kommt sehr selten vor.«

Sie legten auf. Wallander war entschlossen, nicht zur Polizeihochschule zu fahren und irgendwelche Vorlesungen zu halten. Es schmeichelte ihm natürlich, dass er gefragt wurde. Aber seine Unlust war stärker. Er glaubte auch, dass er Martinsson überreden könnte, für ihn einzuspringen.

Er wandte sich wieder den Autoschmugglern zu. Kurz nach acht holte er sich eine neue Tasse Kaffee. Weil er hungrig war, nahm er auch ein paar Zwiebäcke mit. Sein Magen schien nicht mehr zu rebellieren. Er hatte sich gerade gesetzt, als es an der Tür klopfte und Martinsson eintrat.

»Geht's dir besser?« fragte er.

»Mir geht's gut«, sagte Wallander. »Wie läuft es mit Holger Eriksson?«

Martinsson schaute ihn verständnislos an. »Mit wem?«

»Holger Eriksson. Der Mann, über den ich einen Bericht geschrieben habe und der vielleicht verschwunden ist. Über den ich am Telefon mit dir gesprochen habe.«

Martinsson schüttelte den Kopf. »Wann hast du davon gesprochen?«

»Gestern morgen. Als ich krank war«, sagte Wallander.

»Das hab ich überhaupt nicht mitgekriegt. Das ist wohl liegen geblieben«, sagte Martinsson. »Ich muss das auf meine Kappe nehmen.«

Wallander sah ein, dass er nicht ärgerlich werden sollte. »So etwas darf eigentlich nicht passieren«, sagte er. »Wir können ja sagen, dass es unglückliche Umstände waren. Ich fahre noch einmal raus zum Hof. Wenn er nicht da ist, müssen wir nach ihm suchen. Ich hoffe, wir finden ihn nicht irgendwo tot auf. In Anbetracht dessen, dass ein ganzer Tag ungenutzt verstrichen ist.«

»Sollen wir eine Suchaktion einleiten?« fragte Martinsson.

»Noch nicht«, sagte Wallander. »Ich fahre erst mal hin. Ich melde mich.«

Wallander suchte im Telefonbuch die Nummer von OK. Ein Mädchen hob beim ersten Klingeln ab. Wallander stellte sich vor und sagte, er müsse Sven Tyrén sprechen.

»Der ist unterwegs und liefert aus«, sagte das Mädchen. »Aber er hat Telefon im Auto.«

Wallander notierte die Nummer. Dann wählte er. Es schnarrte im Hörer, als Sven Tyrén sich meldete.

»Ich glaube, Sie haben Recht«, sagte Wallander, »dass Holger Eriksson verschwunden ist.«

»Na klar hab ich recht, verdammt noch mal«, erwiderte Tyrén. »Hat es so lange gedauert, das rauszufinden?«

»Wo sind Sie gerade?« fragte Wallander.

»Ich bin auf dem Rückweg von Malmö. Ich war im Terminal und hab Öl getankt.«

»Ich fahre zu Erikssons Hof«, sagte Wallander. »Können Sie vorbeikommen?«

»Ich komme«, antwortete Tyrén. »In einer Stunde bin ich da. Ich muss nur vorher bei einem Pflegeheim noch Öl loswerden. Man will ja nicht, dass die Alten frieren. Oder?«

Wallander legte auf. Dann verließ er das Polizeipräsidium. Es hatte angefangen zu nieseln.

Ihm war nicht wohl zu Mute, als er Ystad verließ. Hätte er nicht die Magengeschichte gehabt, wäre es nicht zu diesem Missverständnis gekommen.

Als er Holger Erikssons Hof erreichte, war der Regen stärker geworden. Er zog die Gummistiefel an, die er im Kofferraum hatte. Er ging auf den

Hof und klingelte. Dann schloss er mit dem Reserveschlüssel auf. Er versuchte zu spüren, ob jemand da gewesen war. Aber alles war so, wie er es verlassen hatte. Das Fernglasfutteral im Flur war noch immer leer. Auf dem Schreibtisch lag das einsame Blatt Papier. Wallander ging wieder hinaus. Einen Moment stand er still da und betrachtete nachdenklich einen leeren Hundezwinger. Irgendwo draußen auf einem Acker lärmte ein Schwarm Krähen. Ein toter Hase, dachte er geistesabwesend. Dann ging er zu seinem Wagen und holte eine Taschenlampe. Methodisch begann er, das Haus zu durchsuchen. Holger Eriksson hatte überall Ordnung gehalten. Wallander bewunderte lange eine gut gepflegte, glänzende alte Harley-Davidson, die in einem als Garage und Werkstatt eingerichteten Teil eines Flügels stand. Da hörte er, wie sich ein Lastwagen näherte. Er ging Sven Tyrén entgegen. Wallander schüttelte den Kopf, als Tyrén aus dem Führerhaus kletterte und ihn ansah. »Er ist nicht da«, sagte er.

Sie gingen ins Haus. Wallander nahm Tyrén mit in die Küche. In einer Jackentasche fand er ein paar zusammengefaltete Blatt Papier, aber keinen Schreiber. Er holte den, der auf dem Schreibtisch neben dem Gedicht über den Mittelspecht lag.

»Ich hab nichts weiter zu sagen«, meinte Sven Tyrén abweisend. »Würden Sie nicht besser nach ihm suchen?«

»Man hat immer mehr zu sagen, als man glaubt«, erwiderte Wallander und ließ sich seine Irritation über Tyréns abweisende Haltung anmerken.

»Und was weiß ich, wovon ich nichts weiß?«

»Haben Sie selbst mit ihm gesprochen, als er das Öl bestellte?«

»Er rief im Büro an. Da sitzt ein Mädchen. Sie schreibt die Lieferscheine für mich. Sie weiß immer, wo ich bin. Ich rufe sie ein paarmal am Tag an.«

»Und er war wie immer, als er anrief?«

»Da müssen Sie sie selbst fragen.«

»Das werde ich auch. Wie heißt sie?«

»Rut. Rut Eriksson.«

Wallander schrieb.

»Hatten Sie je den Eindruck, dass er anfing senil zu werden?«

»Er war so klar im Kopf wie Sie und ich zusammen.«

Wallander betrachtete Tyrén und versuchte zu entscheiden, ob er beleidigt worden war oder nicht. Er ließ es auf sich beruhen. »Hatte Holger Eriksson keine Verwandten?«

»Er war nie verheiratet. Das sagte ich doch schon. Er hatte keine Kinder. Keine Freundin. Nicht so weit ich weiß.«

»Andere Verwandte?«

»Er erwähnte nie welche. Eine Organisation in Lund sollte sein Vermögen erben.«

»Was für eine Organisation?«

Tyrén zuckte die Achseln. »Irgendein Heimatverein. Ich weiß nicht.«

Wallander nickte und faltete seine Papiere zusammen. Er hatte keine Fragen mehr. »Ich lasse von mir hören«, sagte er und erhob sich.

»Und was geschieht jetzt?«

»Die Polizei hat ihre Routine«, erwiderte Wallander. Sie kamen auf den Hof hinaus.

»Ich bleibe gern hier und helfe beim Suchen«, sagte Tyrén.

»Lieber nicht«, sagte Wallander. »Wir ziehen es vor, so etwas auf unsere eigene Art und Weise zu machen.«

Sven Tyrén protestierte nicht. Er kletterte in seinen Tanklaster und wendete geschickt auf dem engen Hofplatz. Wallander blickte dem Wagen nach. Dann stellte er sich an den Rand des Ackers und sah zu einem Wäldchen hinüber, das in der Ferne erkennbar war. Der Krähenschwarm lärmte immer noch. Wallander nahm das Telefon aus der Tasche und rief im Polizeigebäude an. Er verlangte Martinsson.

»Wie läuft's?«, fragte Martinsson.

»Wir müssen eine Suchaktion starten«, antwortete Wallander. »Ich will, dass wir so schnell wie möglich anfangen. Schick als erstes ein paar Hunde her.«

Wallander wollte gerade das Gespräch beenden, als Martinsson noch einmal ansetzte. »Noch etwas«, sagte er. »Ich habe mal im Computer nachgesehen, ob wir was über Holger Eriksson haben. Reine Routine. Und wir haben was.«

Wallander drückte das Telefon fester ans Ohr und ging zu einem Baum, um vor dem Regen geschützt zu sein. »Was denn?« fragte er.

»Vor ungefähr einem Jahr hat er einen Einbruch in seinem Haus gemeldet, am 19. Oktober 1993. Svedberg hat die Sache damals aufgenommen. Aber als ich ihn fragte, konnte er sich natürlich nicht erinnern.«

»Was war denn?« fragte Wallander.

»Holger Erikssons Einbruchsanzeige war ein bisschen sonderbar«, sagte Martinsson zögernd.

»Wieso sonderbar?« fragte Wallander ungeduldig.

»Es war nichts gestohlen worden. Aber er war trotzdem sicher, dass jemand bei ihm eingebrochen war.«

»Das hört sich merkwürdig an«, sagte Wallander. »Wir sehen uns das später noch mal an. Sorg dafür, dass die Hunde so schnell wie möglich kommen.«

Martinsson lachte ins Telefon. »Fällt dir nichts auf bei Erikssons Anzeige?« fragte er.

»Was denn?«

»Dass wir zum zweiten Mal in einer Woche von einem Einbruch reden, bei dem nichts gestohlen wurde.«

Wallander sah ein, dass Martinsson Recht hatte. Auch aus dem Blumengeschäft in der Västra Vallgatan war nichts gestohlen worden. »Aber da hören die Ähnlichkeiten auf«, sagte er.

»Der Inhaber des Blumenladens ist auch verschwunden«, wandte Martinsson ein.

»Nein«, sagte Wallander. »Er ist unterwegs in Kenia. Er ist nicht verschwunden. Aber das scheint bei Holger Eriksson der Fall zu sein.«

Wallander beendete das Gespräch und steckte das Telefon ein. Er zog seine Jacke fester zusammen. Nach einer Weile ging er ins Haus zurück. In der Küche trank er ein Glas Wasser. Dabei betrachtete er geistesabwesend die Krähen, die dort drüben kreischten. Er stellte das Glas ab und ging wieder nach draußen. Es regnete ununterbrochen. Plötzlich blieb Wallander stehen. Er dachte an das leere Fernglasfutteral, das im Flur hinter der Haustür hing. Er blickte auf den Krähenschwarm. Ein Stück dahinter, auf dem Hügel, stand ein Turm. Wallander versuchte, sich zu konzentrieren. Dann ging er langsam am Rand des Ackers entlang. Der Lehm klumpte unter seinen Stiefeln. Er entdeckte einen Pfad, der quer über den Acker bis zum Hügel mit dem Turm führte. Er schätzte die Entfernung auf zweihundert Meter und folgte dem Pfad. Die Krähen tauchten auf den Acker hinunter, verschwanden und flogen wieder auf. Wallander nahm an, dass dort eine Senke oder ein Graben war. Er ging weiter. Die Umrisse des Turms wurden schärfer. Am Fuße des Hügels auf der anderen Seite war ein Wald. Vermutlich gehörte er zu Holger Erikssons Grundstück. Dann sah er den Graben vor sich. Einige schwere Planken schienen hineingerutscht zu sein. Die Krähen schrien immer lauter, je näher er kam. Dann flogen sie auf, alle auf einmal, und verschwanden. Wallander ging auf den Graben zu und sah hinunter.

Er fuhr zusammen und tat einen Schritt zurück. Ihm wurde sofort schlecht.

Hinterher sagte er, dass es das Schlimmste war, was er jemals gesehen hatte. Und er war in seinen Jahren als Polizist gezwungen, vieles zu sehen, was er sich lieber erspart hätte.

Als er da stand und der Regen ihm in die Jacke und unters Hemd lief, begriff er zunächst nicht, worauf er starrte. Es war etwas Fremdes und Unwirkliches. Etwas, dem er noch nie zuvor nahe gewesen war.

Nur eins war vollkommen klar – im Graben befand sich ein toter Mensch.

Vorsichtig ging er in die Hocke. Er musste sich zwingen hinzusehen. Der Graben war tief, mindestens zwei Meter. Eine Reihe spitzer Stangen war in den Grund des Grabens eingelassen. Auf diesen Stangen hing ein Mann. Die blutigen Stangen mit ihren speerähnlichen Spitzen waren an einigen Stellen durch den Körper gedrungen. Der Mann lag vornüber. Er hing auf den Stangen. Die Krähen hatten seinen Nacken aufgehackt. Wallander kam wieder hoch. Er merkte, wie seine Beine zitterten. Irgendwo in der Ferne hörte er das Geräusch sich nähernder Autos. Er nahm an, dass es die Hundestaffel war.

Er tat einen Schritt zurück. Die Stangen schienen aus Bambus zu sein. Wie kräftige Angelruten mit nadelscharfen Spitzen. Dann betrachtete er die Planken, die in den Graben gefallen waren. Da der Pfad auf der anderen Seite weiterging, musste es ein Steg gewesen sein. Warum waren sie gebrochen? Es waren kräftige Planken, die schwere Belastung aushielten. Außerdem war der Graben nicht breiter als zwei Meter.

Als er einen Hund bellen hörte, ging er zurück zum Hof. Ihm war jetzt speiübel, und er hatte Angst. Es war eine Sache, dass er einen Menschen entdeckt hatte, der ermordet worden war. Aber die Art und Weise! *Jemand hatte angespitzte Stangen in den Graben gesteckt. Der Mann war aufgespießt worden.*

Zwei Polizisten mit Hunden warteten vor dem Haus. Auch Ann-Britt Höglund und Hansson waren da. Beide trugen Regenjacken und hatten die Kapuzen über den Kopf gezogen.

Als er zum Ende des Pfads kam und auf den kopfsteingepflasterten Hof trat, sahen ihm alle an, dass etwas passiert war.

Wallander wischte sich den Regen aus dem Gesicht und sagte, was los war. Er spürte, dass seine Stimme unsicher war. Er wandte sich um und zeigte auf den Krähenschwarm, der sogleich zurückgekehrt war, nachdem er den Graben verlassen hatte.

»Da unten liegt er«, sagte er. »Er ist tot. Ermordet. Fordert die volle Besetzung an.«

Sie warteten darauf, dass er noch mehr sagen würde.

Aber das tat er nicht.

6

Bei Einbruch der Dunkelheit am Donnerstagabend, dem 29. September, hatten sie über der Stelle des Grabens, wo der tote Holger Eriksson hing, von neun kräftigen Bambusstangen aufgespießt, einen Regenschutz errichtet. Der mit Blut vermischte Schlamm vom Grund des Grabens war hochgeschaufelt worden. Die makabre Arbeit und der ununterbrochene Regen machten den Ort des Verbrechens zu einem der düstersten und widerwärtigsten, die Wallander und seine Kollegen je gesehen hatten. Inzwischen hatten sie auch Sven Tyrén herausgebracht, der den Mann auf den Stangen identifizieren sollte. Es war Holger Eriksson. Daran bestand kein Zweifel. Die Suche nach dem Verschwundenen war schon beendet. Tyrén war seltsam gefasst, als sei er sich dessen, was er vor sich sah, eigentlich gar nicht bewusst. Danach war er mehrere Stunden lang ruhelos außerhalb der Absperrung umhergelaufen, bis Wallander plötzlich entdeckte, dass er verschwunden war.

Wallander kam sich in dem Graben wie eine gefangene und durchnässte Ratte vor. Er sah seinen engsten Mitarbeitern an, dass sie nur unter Aufbietung äußerster Selbstüberwindung durchhielten. Sowohl Svedberg als auch Hansson hatten wegen akuter Übelkeit mehrfach den Graben verlassen müssen. Nur Ann-Britt Höglund, die er am liebsten schon am frühen Abend nach Hause geschickt hätte, schien von dem, was sie tat, merkwürdig unangefochten zu sein. Ein junger Polizeianwärter war im Schlamm ausgerutscht und in den Graben gefallen. Er hatte sich an einer der Stangen die Hand verletzt und musste sich vom Arzt verbinden lassen, der nach einer Möglichkeit suchte, die Leiche zu bergen. Wallander hatte gesehen, wie der Anwärter ausrutschte, und in einer blitzartigen Vision geahnt, wie es vor sich gegangen sein musste, als Holger Eriksson fiel und aufgespießt wurde. Als erstes hatte er mit Nyberg, ihrem Kollegen von der Spurensicherung, die schweren Planken untersucht. Sven Tyrén hatte bestätigt, dass sie einen Steg über den Graben gebildet hatten. Holger Eriksson hatte sie selbst dorthin gelegt. Tyrén hatte ihn einmal zum Turm auf dem Hügel begleitet und erzählte, dass Holger Eriksson ein passionierter Vogelbeobachter gewesen sei. Es war also kein Hochstand, sondern ein Aussichtsturm. Das Fernglas aus dem leeren Futteral hing um

Holger Erikssons Hals. Sven Nyberg brauchte nur ein paar Minuten, um festzustellen, dass die Planken so weit angesägt worden waren, dass ihre Tragfähigkeit nahezu aufgehoben war. Wallander versuchte, sich den Verlauf des Geschehens vorzustellen. Aber es gelang ihm nicht. Erst als Nyberg konstatierte, dass das Fernglas ein Nachtsichtgerät war, meinte er zu ahnen, wie alles vor sich gegangen war. Gleichzeitig hatte er Schwierigkeiten, seiner eigenen Vorstellung zu trauen. Wenn er Recht hatte, so war dieser Mord mit einer beinahe unvorstellbar grauenhaften und brutalen Perfektion vorbereitet worden.

Am späten Abend begannen sie damit, den Körper des Toten aus dem Graben zu bergen. Gemeinsam mit dem Arzt und Lisa Holgersson mussten sie entscheiden, ob sie die Stangen ausgraben oder absägen sollten oder ob sie die fast unerträgliche Alternative wählen sollten, den Körper von den Stangen zu ziehen.

Auf Wallanders Anraten wählten sie die letzte Möglichkeit. Seine Mitarbeiter und er mussten den Mordplatz exakt so sehen können, wie er war, bevor Holger Eriksson den Steg betreten hatte und in den Tod gestürzt war. Erst nach Mitternacht waren sie fertig.

Danach entstand ein Moment der Untätigkeit. Jemand hatte Kaffee gebracht. Übermüdete Gesichter leuchteten gespensterhaft im weißen Licht. Alle waren erschöpft, erschüttert, durchnässt und hungrig. Martinsson stand da und presste ein Handy ans Ohr. Als Martinsson das Gespräch beendet und das Handy in die Tasche gesteckt hatte, teilte er ihnen mit, dass er mit einem Meteorologen in der Nähe gesprochen habe – der Regen sollte im Laufe der Nacht aufhören. Im gleichen Augenblick beschloss Wallander, erst in der Morgendämmerung weiterzuarbeiten. Er wandte sich an Lisa Holgersson.

»Wir kommen jetzt nicht weiter«, sagte er. »Ich schlage vor, dass wir uns morgen früh hier treffen. Am besten ruhen wir uns jetzt aus.« Niemand hatte etwas einzuwenden. Alle wollten nur weg. Alle, außer Sven Nyberg. Wallander wusste, dass er bleiben würde. Er würde die Nacht durcharbeiten und noch da sein, wenn sie zurückkämen. Als die anderen langsam zu den Autos auf dem Hof gingen, blieb Wallander noch da.

»Was glaubst du?« fragte er.

»Ich glaube gar nichts«, antwortete Sven Nyberg. »Außer dass ich noch nie in meinem Leben auch nur etwas Vergleichbares gesehen habe.«

Wallander nickte stumm. Ihm ging es nicht anders.

Sie standen da und sahen in den Graben hinunter. Die Regenplane war zurückgeschlagen.

»Was ist das eigentlich, was wir hier vor uns haben?« fragte Wallander.

»Die Kopie einer asiatischen Raubtierfalle«, erwiderte Nyberg, »wie sie auch im Krieg benutzt wurde.«

Wallander nickte.

»So kräftiger Bambus wächst nicht in Schweden«, fuhr Nyberg fort. »Wir importieren ihn für Angelruten oder als Einrichtungsmaterial.«

»Außerdem gibt es in Schweden keine Raubtiere«, sagte Wallander nachdenklich. »Und Krieg haben wir auch nicht. Was ist das also, was wir hier sehen?«

»Etwas, was nicht hierher gehört«, sagte Nyberg. »Etwas, was nicht in Ordnung ist. Etwas, was mir Angst macht.«

Wallander betrachtete ihn aufmerksam. Es kam selten vor, dass Nyberg so viele Worte machte. Und dass er persönliche Gefühle von Unbehagen und Angst zum Ausdruck brachte, war ganz und gar ungewöhnlich.

»Arbeite nicht zu lange«, sagte Wallander zum Abschied.

Nyberg antwortete nicht.

Wallander stieg über die Absperrung, nickte den Polizisten zu, die den Tatort über Nacht bewachen sollten, und ging zum Hof hinauf. Etwa in der Mitte des Pfades war Lisa Holgersson stehen geblieben und wartete auf ihn. Sie hielt eine Taschenlampe. »Wir haben Journalisten da vorne«, sagte sie. »Was können wir eigentlich sagen?«

»Nicht viel«, meinte Wallander.

»Wir können ihnen nicht einmal Holger Erikssons Namen geben«, sagte sie.

Wallander dachte nach. »Ich glaube, doch«, sagte er dann. »Ich übernehme die Verantwortung dafür, dass dieser Tankwagenfahrer wirklich weiß, was er sagt. Dass Holger Eriksson keine Angehörigen hatte. Wenn wir niemandem die Todesbotschaft überbringen müssen, können wir seinen Namen ebenso gut angeben. Es kann uns weiterbringen.«

Sie gingen weiter.

»Sonst noch etwas?« fragte sie.

»Dass es sich um einen Mord handelt«, sagte Wallander. Das können wir mit Sicherheit sagen.«

»Hast du dir schon eine Meinung gebildet?«

»Ich habe nichts anderes gesehen als du«, sagte er. »Aber das Ganze wurde sorgfältig geplant. Holger Eriksson ist direkt in eine Falle gelaufen, und die ist zugeschnappt. Daraus kann man erst einmal drei Schlussfolgerungen ziehen.«

Sie blieben wieder stehen. Der Regen hatte nun aufgehört.

»Erstens können wir davon ausgehen, dass derjenige, der das hier getan hat, Holger Eriksson und zumindest einen Teil seiner Gewohnheiten kannte«, begann Wallander. »Zweitens, dass der Täter wirklich den Vorsatz hatte, ihn zu töten.«

»Du hast gesagt, wir wissen drei Sachen?«

»Der Täter wollte Holger Eriksson nicht nur umbringen, er wollte ihn auch quälen. Holger Eriksson kann ziemlich lange auf diesen Stangen gehangen haben, bevor er starb. Niemand hat ihn gehört. Nur die Krähen. Wie lange er gelitten hat, können uns die Ärzte vielleicht irgendwann sagen.«

Lisa Holgersson machte eine Grimasse des Abscheus. »Wer tut so was?« fragte sie bedrückt.

»Ich weiß nicht«, sagte Wallander. »Ich weiß nur, dass mir schlecht wird.«

Am Rand des Ackers warteten zwei verfrorene Journalisten und ein Fotograf. Wallander nickte, er kannte sie von früher. Er sah Lisa Holgersson an, die den Kopf schüttelte. Wallander erzählte so kurz wie möglich, was passiert war. Als sie Fragen stellen wollten, hob er abwehrend die Hand. Die Journalisten entfernten sich.

»Du hast einen guten Ruf als Kriminalbeamter«, sagte Lisa Holgersson. »Im Sommer ist mir klar geworden, was für ein Leistungsvermögen du hast. Wallander spürte, dass sie ernst meinte, was sie sagte. Aber er war zu erschöpft, um sich darüber zu freuen.

»Geh die Sache so an, wie du es für richtig hältst«, fuhr sie fort. »Sag, wie du es haben willst, und ich regle das.«

Wallander nickte. »In ein paar Stunden sehen wir weiter«, sagte er. »Jetzt müssen wir erst mal schlafen, du und ich.«

Um sieben, im grauen Morgenlicht, waren sie wieder versammelt. Der Meteorologe hatte Recht gehabt; es regnete nicht mehr. Aber ein kräftiger Wind wehte, und es war kälter geworden.

Wallander hatte auf dem Weg zu Erikssons Hof versucht, einen Plan zu entwickeln, wie sie bei den Ermittlungen vorgehen sollten. Sie wussten fast nichts über den Toten. Die Tatsache, dass er vermögend war, konnte natürlich ein Motiv ergeben. Aber Wallander zweifelte von Anfang an daran. Die angespitzten Bambusstäbe im Graben sprachen eine andere Sprache. Er konnte sie nicht deuten, aber er fürchtete bereits, dass eine Aufgabe vor ihnen lag, die den normalen Rahmen ihrer Tätigkeit sprengte.

Wie immer, wenn er unsicher war, dachte er an Rydberg, den alten Kriminalbeamten, der einst sein Lehrer war und ohne dessen Kenntnisse er selbst vermutlich ein durchschnittlicher Ermittler geworden wäre. Rydberg war vor bald vier Jahren an Krebs gestorben. Wallander schauderte beim Gedanken daran, wie schnell die Zeit vergangen war. Dann stellte er sich die Frage, was Rydberg getan hätte. *Geduld*, dachte er. *Rydberg würde sofort den Kernsatz seines Credos loslassen. Er würde mir sagen, dass der Grundsatz, Geduld zu haben, jetzt wichtiger sei denn je.*

Sie richteten in Erikssons Haus ein provisorisches Fahndungsbüro ein. Wallander versuchte, die wichtigsten Aufgaben zu formulieren und dafür zu sorgen, dass sie so sinnvoll wie möglich verteilt wurden.

»Wir wissen sehr wenig«, begann er. »Sven Tyrén, der Fahrer eines Tanklasters, meldet uns, dass seiner Meinung nach ein Mensch verschwunden ist. Das war am Dienstag. Nach dem, was Tyrén gesagt hat, und aufgrund der Datierung des Gedichts ist der Mord wahrscheinlich irgendwann nach zehn Uhr abends am Mittwoch voriger Woche verübt worden. Es war auf jeden Fall nicht früher. Wir müssen die gerichtsmedizinische Untersuchung abwarten.

Wallander machte eine Pause, keiner fragte etwas. Svedberg putzte sich die Nase. Er hatte glänzende Augen, und Wallander dachte, dass er wahrscheinlich Fieber hatte und zu Hause im Bett liegen sollte. Gleichzeitig wussten beide, dass sie jetzt alle verfügbaren Kräfte brauchten.

»Über Holger Eriksson ist uns nicht viel bekannt«, fuhr Wallander fort. »Er war früher Autohändler. Vermögend, unverheiratet, keine Kinder. Er war eine Art Heimatdichter und außerdem offenbar an Vögeln interessiert.«

»Ein bisschen mehr wissen wir vielleicht doch«, unterbrach Hansson. »Holger Eriksson war ein bekannter Mann. Auf jeden Fall hier in der Gegend – und besonders vor zehn, zwanzig Jahren. Man kann sagen, dass er als Autoverkäufer den Ruf eines Halsabschneiders hatte. Harte Bandagen. Konnte Gewerkschaften nicht ausstehen. Verdiente massig Geld. War in Steueraffären verwickelt und wurde mehrfach illegaler Transaktionen verdächtigt. Aber so weit ich mich erinnern kann, wurde er nie verurteilt.«

»Du meinst mit anderen Worten, dass er Feinde hatte«, sagte Wallander.

»Da können wir ziemlich sicher sein. Was aber nicht heißt, dass sie auch bereit wären, einen Mord zu begehen. Schon gar nicht so einen.«

Wallander beschloss, die angespitzten Stäbe und den angesägten Steg erst einmal beiseite zu lassen. Er wollte die Dinge der Reihe nach behandeln. Und sei es nur, um in seinem eigenen müden Kopf die Einzelheiten nicht durcheinander zu bringen.

»Als erstes müssen wir uns ein Bild von Holger Eriksson und seinem Leben machen«, sagte Wallander. »Aber bevor wir die Arbeit aufteilen, will ich darzustellen versuchen, wie die Sache meines Erachtens abgelaufen ist.«

Sie saßen am großen runden Küchentisch. In einiger Entfernung konnten sie durch die Fenster die Absperrungen erkennen. Nyberg stand wie eine gelbe Vogelscheuche im Lehm.

Wallander spürte, wie sich die Aufmerksamkeit der Kollegen schärfte. Er hatte es schon häufig erlebt. Genau in diesem Moment fing die Ermittlungsgruppe an, Witterung aufzunehmen.

»Ich glaube, es ist folgendermaßen vor sich gegangen«, begann Wallander, und jetzt sprach er langsam und wählte seine Worte mit Bedacht. »Irgendwann nach zehn Uhr am Mittwochabend, oder vielleicht erst früh am Donnerstagmorgen, verlässt Holger Eriksson das Haus. Er schließt das Haus nicht ab, weil er die Absicht hat, bald zurückzukommen. Außerdem bleibt er auf seinem Grundstück. Er hat ein Fernglas, ein Nachtglas, bei sich. Er geht den Pfad zum Graben hinunter, über den er einen Plankensteg gelegt hat. Vermutlich ist er auf dem Weg zum Turm auf dem Hügel auf der anderen Seite des Grabens gewesen. Eriksson interessierte sich für Vögel. Gerade jetzt, im September und Oktober, machen sich die Zugvögel auf nach Süden. Ich weiß nicht viel darüber, wie das vor sich geht, aber ich habe gehört, dass die meisten und größten Schwärme nachts fliegen und navigieren. Das kann das Nachtglas und den Zeitpunkt erklären. Er hat den Steg betreten, der glatt durchgebrochen ist, weil die Planken vorher fast ganz durchgesägt worden sind. Er fällt hinunter in den Graben, vornüber, und wird auf den Stäben aufgespießt. Wenn er noch um Hilfe gerufen hat, so hat niemand ihn gehört. Das Haus liegt, wie wir ja sehen, sehr einsam.«

Er goss sich aus einer der Polizeikannen Kaffee ein, bevor er fortfuhr. »So, glaube ich, ist es vor sich gegangen, und es wirft entschieden mehr Fragen auf, als es Antworten gibt. Aber hier müssen wir anfangen. Wir haben es mit einem sorgfältig geplanten Mord zu tun. Brutal und grausam. Wir haben kein offensichtliches oder auch nur denkbares Motiv und auch keine entscheidenden Spuren.«

Es wurde still. Wallander ließ den Blick um den Tisch wandern. Schließlich brach Ann-Britt Höglund das Schweigen. »Eins ist wichtig. Wer das getan hat, hatte keinerlei Ehrgeiz, seine Tat zu verbergen.«

Wallander nickte. Er hatte auf genau diesen Punkt noch kommen wollen. »Ich glaube, es ist sogar noch schlimmer«, sagte er. »Diese bestialische Falle kann man als reine Demonstration von Grausamkeit interpretieren.«

»Suchen wir also wieder nach einem Wahnsinnigen?« fragte Svedberg.

Alle wussten, was er meinte. Der Sommer lag noch nicht lange zurück.

»Die Möglichkeit können wir nicht ausschließen«, sagte Wallander. »Wir können überhaupt nichts ausschließen.«

»Es ist wie eine Bärengrube, oder etwas, was man in einem alten Kriegsfilm aus Asien mal gesehen hat«, sagte Hansson. »Sonderbare Kombination, eine Bärenfalle und ein Vogelgucker.«

»Oder Autohändler«, warf Martinsson ein, der bisher geschwiegen hatte.

»Oder Dichter«, sagte Ann-Britt Höglund. »Ganz schöne Auswahl.«

Inzwischen war es halb acht. Die Besprechung war beendet. Bis auf weiteres würden sie sich in Holger Erikssons Küche treffen. Svedberg fuhr los, um noch einmal ein Gespräch mit Sven Tyrén und dem Mädchen bei der Heizölfirma zu führen, das die Bestellung von Holger Eriksson angenommen hatte. Ann-Britt Höglund sollte alle Nachbarn in der Umgebung befragen. Hansson sollte mit einem von Nybergs Leuten von der Spurensicherung das Haus durchsuchen, und Lisa Holgersson und Martinsson würden gemeinsam alle übrigen Einsätze organisieren.

Das Rad der Ermittlung kam ins Rollen.

Wallander zog seine Jacke an und ging im heftigen Wind hinunter zum Graben. Plötzlich hörte er das charakteristische Geräusch ziehender Wildgänse. Er blieb stehen und blickte zum Himmel. Es dauerte eine Weile, bis er die Vögel entdeckte. Es war ein kleiner Schwarm, der dort oben dahinzog, in südwestlicher Richtung.

Wallander dachte an das Gedicht, das auf dem Tisch gelegen hatte. Seine Unruhe wurde immer stärker. Etwas an dem brutalen Geschehen erschütterte ihn. Es konnte blinder Hass oder Wahnsinn hinter der Tat liegen, aber ebenso gut Berechnung und Kälte. Was schlimmer wäre, wusste er nicht.

Nyberg und seine Leute hatten angefangen, die blutigen Bambusstäbe aus dem Lehm zu ziehen, als Wallander zum Graben kam. Jeder Stab wurde in Plastikfolie gewickelt und zu einem wartenden Auto getragen. »Wie geht es?« fragte er und versuchte, einen aufmunternden Ton anzuschlagen.

Nybergs Antwort war ein unverständliches Murmeln. Wallander hielt es für richtig, alle Fragen bis auf weiteres aufzuschieben. Nyberg war leicht reizbar und launisch und schreckte nie davor zurück, Streit anzufangen, ganz gleich, wen er vor sich hatte.

Man hatte eine provisorische Brücke über den Graben gebaut. Wallander ging hinüber zum Hügel auf der anderen Seite. Er betrachtete den ungefähr drei Meter hohen Turm. Eine Stufenleiter war in einem schrägen Winkel am Turm angebracht. Wallander kletterte hinauf. Die Plattform war kaum größer als einen Quadratmeter. Der Wind peitschte ihm ins Gesicht. Obwohl er sich nur drei Meter über dem Hügel befand, veränderte sich das Landschaftsbild. Er erkannte Nyberg unten im Graben. Ein Stück entfernt lag Erikssons Hof. Er ging in die Hocke und begann, die Plattform zu untersuchen. Plötzlich bereute er, den Turm bestiegen zu haben, bevor Nyberg mit seinen Untersuchungen fertig war, und kletterte rasch wieder hinunter. Er war sehr müde, aber da war noch mehr als Müdigkeit. Niedergeschlagenheit? Die Freude war so kurz gewesen. Die Reise nach Italien. Sein Vorsatz, ein Haus zu kaufen, vielleicht auch einen Hund anzuschaffen. Und Baiba, die kommen würde.

Und dann dies – und der Boden begann ihm wieder zu entgleiten.

Er fragte sich, wie lange er das noch aushielte, und zwang sich, die düsteren Gedanken wegzuschieben. Wallander bewegte sich vorsichtig rutschend den Hügel hinunter. Drüben kam Martinsson den Pfad entlang. Wie üblich war er in Eile. Wallander ging ihm entgegen. Er sah Martinsson an, dass etwas geschehen war.

»Was ist?« fragte er.

»Du sollst eine Frau anrufen, sie heißt Vanja Andersson.«

Wallander kramte in seinem Gedächtnis, bis er sich erinnerte. Der Blumenladen in der Västra Vallgatan. »Das muss warten«, sagte er verwundert. »Dafür haben wir jetzt keine Zeit, verdammt noch mal.«

»Da bin ich mir nicht so sicher«, sagte Martinsson, und es schien ihm unangenehm zu sein, ihm zu widersprechen.

»Warum nicht?«

»Es sieht so aus, als wäre dieser Gösta Runfelt, der Inhaber des Blumenladens, überhaupt nicht nach Nairobi geflogen.«

Wallander verstand noch immer nicht, wovon Martinsson redete.

»Sie hat das Reisebüro angerufen, um den genauen Zeitpunkt seiner Rückkehr zu erfragen. Und da hat sie erfahren, dass Gösta Runfelt gar nicht in Kastrup angekommen ist. Er ist nicht nach Afrika geflogen. Obwohl er sein Ticket bezahlt hat.«

Wallander starrte Martinsson an.

»Das bedeutet also, dass wir noch eine Person haben, die verschwunden zu sein scheint«, sagte Martinsson unsicher.

Wallander antwortete nicht.

Es war neun Uhr am Freitagmorgen, dem 30. September.

7

Wallander brauchte zwei Stunden, um zu erkennen, dass Martinsson Recht hatte. Auf dem Weg nach Ystad, nachdem er beschlossen hatte, Vanja Andersson allein zu besuchen, fiel ihm noch etwas ein: Es hieß schon vorher, dass es eine weitere Ähnlichkeit zwischen den beiden Fällen gab. Holger Eriksson hatte ein Jahr zuvor der Polizei in Ystad einen Einbruch gemeldet, bei dem nichts gestohlen wurde. Bei Gösta Runfelt war eingebrochen worden, und auch dabei wurde nichts gestohlen. Wallander spürte eine wachsende innere Erregung. Der Mord an Holger Eriksson reichte vollkommen. Sie brauchten nicht noch einen Vermissten. Auf jeden Fall keinen, der mit dem Fall Holger Eriksson zusammenhing. Und einen weiteren Graben mit angespitzten Stäben brauchten sie auch nicht. Es musste eine Erklärung geben, und die sollte Vanja Andersson ihm liefern.

Aber es gelang Wallander nicht, sich selbst zu überzeugen. Bevor er zum Blumenladen in der Västra Vallgatan fuhr, hielt er beim Polizeigebäude an. Er traf Ann-Britt Höglund im Flur und zog sie mit in die Kantine, wo ein paar müde Verkehrspolizisten saßen und fast über ihren Butterbroten einschliefen. Er holte Kaffee und erzählte Ann-Britt Höglund von dem Anruf, den Martinsson bekommen hatte, und ihre Reaktion war genau wie seine. Ungläubigkeit. Es musste reiner Zufall sein. Doch Wallander bat die Kollegin, eine Kopie der Einbruchsanzeige zu besorgen, die Holger Eriksson im vorigen Jahr gemacht hatte. Sie sollte auch nachprüfen, ob es eine Verbindung zwischen Holger Eriksson und Gösta Runfelt gab. Sollte es so sein, würde man sie leicht in den Computern finden. Er wisse, dass sie viel anderes zu tun hatte, aber es sei wichtig, dass dies sofort erledigt würde.

»Wir müssen uns beeilen«, sagte er. »Je weniger Energie wir aufwenden, um festzustellen, dass es keine Verbindung gibt, umso besser.«

Als er aufbrechen wollte, hielt sie ihn mit einer Frage zurück.

»Wer kann das getan haben?«

Wallander sank wieder auf den Stuhl. Er sah die blutigen Stangen vor sich. Ein unerträgliches Bild. »Ich weiß nicht«, sagte er, »es ist so sadistisch und makaber, dass ich mir keine normalen Motive vorstellen kann. Was mir angst macht, ist, dass es so sorgfältig geplant war. Wer das getan hat, hat sich Zeit genommen. Er hat auch Holger Erikssons Gewohnheiten bis ins Einzelne gekannt. Er hat vermutlich sein Leben kartiert.«

»Vielleicht finden wir gerade hier einen Einsteig«, sagte sie. »Holger Eriksson scheint keine näheren Freunde gehabt zu haben. Aber der, der ihn getötet hat, muss sich immerhin in seiner Nähe befunden haben. Irgendwie. Er muss auf jeden Fall da draußen am Graben gewesen sein. Er hat Planken angesägt. Er muss dorthin gekommen und wieder weggefahren sein. Jemand kann ihn gesehen haben. Oder ein Auto, das nicht richtig dahin gehört. Die Leute haben ein Auge auf Dinge, die vor sich gehen.«

Wallander nickte abwesend. Er hörte nicht so konzentriert zu, wie es sonst seine Gewohnheit war. »Wir müssen später weiterreden«, sagte er. »Ich fahre jetzt zu dem Blumenladen.«

Sie trennten sich vor der Kantinentür.

Auf dem Weg nach draußen rief Ebba ihm zu, sein Vater habe angerufen.

»Später«, antwortete Wallander abwehrend, »nicht jetzt. »Tu mir den Gefallen und ruf ihn an. Erklär ihm, was hier los ist. Sag ihm, ich lasse von mir hören, sobald ich kann. Ich nehme an, dass es nichts Dringendes war?«

»Er wollte nur über Italien reden«, sagte sie.

Wallander nickte. »Wir reden über Italien, aber nicht jetzt. Richte ihm das aus.«

Er fuhr direkt in die Västra Vallgatan. Er parkte schlampig halb auf dem schmalen Bürgersteig und ging in den Laden. Es waren ein paar Kunden da. Er machte Vanja Andersson ein Zeichen, dass er warten könne. Nach ungefähr zehn Minuten war das Geschäft leer. Vanja Andersson schrieb etwas in Druckbuchstaben auf einen Zettel, befestigte ihn mit Tesafilm an der Tür und schloss ab. Sie gingen in den kleinen Büroraum auf der Rückseite. Weil Wallander wie üblich nichts bei sich hatte, worauf er schreiben konnte, nahm er ein paar Blumenkarten und machte sich auf der Rückseite Notizen. Eine Uhr hing an der Wand. Fünf vor elf. »Lassen Sie uns ganz vorn anfangen«, sagte er. »Sie haben das Reisebüro angerufen. Warum?«

Er sah ihr an, dass sie verwirrt und unruhig war. Auf dem Tisch lag *Ystads Allehanda* mit einem großen Aufmacher über den Mord an Holger Eriksson. Jedenfalls weiß sie nicht, dachte Wallander, dass ich hier bin und hoffe, *keinen* Zusammenhang zwischen Holger Eriksson und Gösta Runfelt zu entdecken.

»Gösta hatte auf einen Zettel geschrieben, wann er zurückkommen wollte«, begann sie. »Ich muss ihn verlegt haben. Sosehr ich auch gesucht habe, ich konnte ihn nicht finden. Da habe ich das Reisebüro angerufen. Sie sagten, er hätte am 23. abreisen sollen, wäre aber überhaupt nicht in Kastrup erschienen.«

»Wie heißt das Reisebüro?«

»Specialresor. Es liegt in Malmö.«

»Mit wem haben Sie gesprochen?«

»Sie hieß Anita Lagergren.«

Wallander schrieb. »Und was hatte Anita Lagergren weiter zu berichten?«

»Gösta war gar nicht abgereist. Er erschien nicht zum Einchecken in Kastrup. Sie hatten die Telefonnummer angerufen, die er angegeben hatte. Aber da meldete sich niemand. Das Flugzeug musste ohne ihn fliegen.«

Wallander spürte, dass sie noch etwas sagen wollte, sich aber zurückhielt. »Sie haben an etwas gedacht«, sagte er freundlich.

»Die Reise war wahnsinnig teuer«, sagte sie. »Anita Lagergren hat den Preis genannt.«

»Was kostete sie denn?«

»Fast 30 000 Kronen. Für vierzehn Tage.«

Wallander war der gleichen Meinung. Die Reise war wirklich sehr teuer. Er selbst könnte in seinem ganzen Leben nicht an eine solche Reise denken. Sein Vater und er hatten in einer Woche in Rom ungefähr ein Drittel der Summe ausgegeben.

»Ich verstehe das nicht«, sagte sie plötzlich. »Gösta würde so etwas nie tun.«

Wallander folgte ihrem Gedanken. »Wie lange arbeiten Sie schon für ihn?«

»Fast elf Jahre.«

»Und es ging immer gut?«

»Gösta ist nett. Er liebt Blumen wirklich. Nicht nur Orchideen.«

»Darüber reden wir später noch. Wie würden Sie ihn beschreiben?«

Sie überlegte. »Nett und freundlich«, sagte sie. »Ein bisschen eigen. Ein Eigenbrötler.«

Wallander dachte mit Unbehagen daran, dass diese Beschreibung wahrscheinlich auch auf Holger Eriksson passte. Abgesehen von den Andeutungen, dass Eriksson kaum ein netter Mensch gewesen war.

»Er war nicht verheiratet?«

»Er war Witwer.«

»Hatte er Kinder?«

»Zwei. Sie sind verheiratet und haben selbst Kinder. Keins von beiden wohnt hier in Schonen.«

»Wie alt ist Gösta Runfelt?«

»Neunundvierzig Jahre.«

Wallander betrachtete seine Notizen. »Witwer«, sagte er. »Da muss seine Frau ziemlich jung gestorben sein. War es ein Unglück?«

»Ich weiß nicht genau. Er hat nie darüber gesprochen. Aber ich glaube, sie ist ertrunken.«

Wallander ließ die Frage fallen. Sie würden die Einzelheiten noch früh genug untersuchen. Falls es notwendig sein sollte. Was er nicht hoffte.

Wallander entdeckte plötzlich Tränen in ihren Augen. »Es muss etwas passiert sein«, sagte sie. »Als ich mit dem Reisebüro gesprochen hatte, bin ich in seine Wohnung gegangen. Sie liegt gleich nebenan. Ich habe einen Schlüssel. Ich sollte seine Blumen gießen. Ich bin zweimal da gewesen, seit er, wie ich glaubte, abgereist ist. Habe die Post auf den Tisch gelegt. Jetzt bin ich wieder hingegangen. Aber er war nicht da. Ist auch nicht da gewesen.

»Woher wissen Sie das?«

»Das hätte ich gemerkt.«

»Was ist Ihrer Ansicht nach geschehen?«

»Ich weiß es nicht. Er hat sich auf diese Reise gefreut. Im Winter wollte er sein Orchideenbuch beenden.«

Wallander spürte, wie seine Unruhe weiter zunahm. Eine innere Warnuhr begann zu ticken. Er erkannte die lautlosen Alarmsignale und sammelte die Blumenkarten ein, auf denen er seine Notizen gemacht hatte. »Ich muss mir seine Wohnung ansehen«, sagte er. »Und Sie wollen den Laden wieder aufmachen. Ich glaube bestimmt, dass alles eine natürliche Erklärung findet.«

Er bekam die Schlüssel zur Wohnung. »Sie bekommen sie zurück, wenn ich fertig bin«, sagte er.

Die Wohnung lag im ersten Stock eines Hauses, das um die Jahrhundertwende gebaut worden sein musste. Es gab einen Aufzug, doch Wallander nahm die Treppe. Er schloss auf und trat ein. Der Gedanke durchzuckte ihn, wie oft er schon derart fremden Boden betreten hatte – die Wohnungen unbekannter Menschen. Er blieb an der Tür stehen und rührte sich nicht. Jede Wohnung hatte ihren eigenen Charakter. Wallander hatte sich im Laufe der Jahre angewöhnt, dem Wesen der Menschen, die dort wohnten, nachzuspüren. Langsam ging er durch die Wohnung. Der erste Schritt war oft der wichtigste. Der erste Eindruck. Hier wohnte ein Mann, der Gösta Runfelt hieß und sich eines frühen Morgens nicht dort befunden hatte, wo er erwartet wurde. Wallander dachte an das, was Vanja Andersson gesagt hatte. Gösta Runfelts Vorfreude auf die Reise.

Nachdem er durch die vier Zimmer und die Küche gegangen war, blieb er in der Mitte des Wohnzimmers stehen. Es war eine große, helle Wohnung. Er hatte den unklaren Eindruck, dass man sie ohne großes Interesse möbliert hatte. Das einzige Zimmer mit einer gewissen Ausstrahlung war das Arbeitszimmer. Hier herrschte ein gepflegtes Chaos. Bücher, Papiere, Lithographien von Blumen, Landkarten. Ein überladener Arbeitstisch. Ein Computer. Auf einer Fensterbank ein paar Fotografien. Wahrscheinlich Kinder und Enkel. Wallander ging ins Schlafzimmer. Das Bett war gemacht. Ein schmales Einzelbett. Auf dem Nachttisch ein Bücherstapel. Wallander betrachtete die Titel. Bücher über Blumen. Das einzige, das aus der Reihe fiel, war ein Buch über den internationalen Devisenhandel. Wallander legte es zurück. Er suchte nach etwas anderem. Er bückte sich und schaute unters Bett. Nichts. Er öffnete den Kleiderschrank. Auf einem Regal ganz oben lagen zwei Koffer. Er stellte sich auf die Zehenspitzen und hob sie herunter. Beide waren leer. Dann ging er in die Küche und holte einen Stuhl. Er prüfte das oberste Regal, und jetzt sah er, was ihn stutzig gemacht hatte. In der Wohnung eines allein lebenden Mannes ist es äußerst selten ganz staubfrei. Gösta Runfelts Wohnung war keine Ausnahme. Der Staubrand war ganz deutlich. Es hatte noch ein Koffer da gelegen. Wallander nahm an, dass Gösta Runfelt den dritten Koffer benutzt hatte. Wenn er gefahren war. Wenn der Koffer nicht irgendwo in der Wohnung war. Er hängte seine Jacke über eine Stuhllehne und öffnete alle Schränke und Abseiten, wo ein Koffer sein konnte. Er fand nichts und ging ins Arbeitszimmer zurück. Wenn Gösta Runfelt abgereist war, musste er seinen Pass bei sich haben. Er durchsuchte die unverschlossenen Schreibtischschubladen, fand aber keinen Pass. Er runzelte die Stirn. Ein Koffer war weg. Außerdem der Pass. Tickets hatte er auch nicht gefunden. Er verließ das Arbeitszimmer und setzte sich in einen Sessel im Wohnzimmer. Den Sitzplatz zu wechseln war ihm manchmal bei der Formulierung seiner Gedanken hilfreich. Vieles sprach dafür, dass Gösta Runfelt die Wohnung wirklich verlassen hatte. Mit seinem Pass, den Flugscheinen und einem gepackten Koffer.

Er ließ seine Gedanken sich entwickeln. Konnte ihm auf dem Weg nach Kopenhagen etwas zugestoßen sein? Konnte er bei der Schiffspassage über Bord gegangen sein? Er holte eine der Blumenkarten aus seiner Jackentasche. Auf einer hatte er die Telefonnummer des Ladens notiert. Er ging in die Küche und wählte die Nummer. Vanja Andersson meldete sich.

»Ich bin noch in der Wohnung«, sagte er. »Ich habe ein paar Fragen. Hat Runfelt erzählt, wie er nach Kopenhagen kommen wollte?«

Ihre Antwort kam schnell und bestimmt. »Er fuhr immer über Limhamn und Dragör.«

Nun war dieser Punkt geklärt.

»Ich habe noch eine Frage. Wie sah sein Koffer aus? Vielleicht haben Sie ihn einmal gesehen?«

»Er hatte selten viel Gepäck«, antwortete sie. »Er wusste, wie man reist. Er hatte eine Schultertasche und einen Koffer mit Rollen.«

»Was für eine Farbe hatte der?«

»Er war schwarz.«

»Sind Sie sicher?«

»Ja«, sagte sie. »Ich bin sicher. Ich habe ihn ein paar Mal abgeholt, wenn er zurückkam. Auf dem Bahnhof oder in Sturup. Gösta warf nie etwas unnötigerweise weg. Hätte er sich einen neuen Koffer kaufen müssen, wüsste ich es. Dann hätte er darüber geklagt, wie teuer er war. Er konnte manchmal geizig sein.«

Aber die Reise nach Nairobi kostete 30 000 Kronen, dachte Wallander. Und das Geld war weggeworfen. Aber wohl kaum freiwillig. Er fühlte sein Unbehagen wachsen und beendete das Gespräch. In einer halben Stunde, sagte er, werde er mit dem Schlüssel vorbeikommen.

Die Sache ist nicht in Ordnung, dachte er. Gösta Runfelt ist nicht freiwillig verschwunden. Es muss ein Unglück geschehen sein. Aber auch das ist nicht sicher.

Um eine der entscheidenden Fragen zu klären, ließ er sich von der Auskunft die Telefonnummer der Fährlinie zwischen Limhamn und Dragör geben. Er hatte Glück und bekam sogleich die Person an den Apparat, die sich um Fundsachen kümmerte. Der Mann sprach dänisch. Wallander erklärte, wer er war, und fragte nach dem schwarzen Koffer. Er nannte das Datum und wartete einige Minuten, bis der Däne, der sich als Mogensen gemeldet hatte, zurückkam.

»Nichts«, sagte er.

Wallander konzentrierte sich. Dann fragte er: »Kommt es vor, dass

Passagiere von euren Schiffen verschwinden? Dass jemand über Bord geht?«

»Sehr selten«, antwortete Mogensen. Es klang überzeugend. »Aber es kommt vor. Leute nehmen sich das Leben. Leute sind betrunken. Manche sind verrückt und wollen auf der Reling balancieren. Die meisten werden an Land getrieben. Tot. Manche bleiben in Fischernetzen hängen. Andere bleiben verschwunden. Aber nicht viele.«

Wallander hatte keine Fragen mehr. Er bedankte sich für die Hilfe und beendete das Gespräch.

Nichts war sicher. Aber dennoch war er jetzt überzeugt, dass Gösta Runfelt nicht nach Kopenhagen gefahren war. Er hatte seine Tasche gepackt, seinen Pass und seine Tickets eingesteckt und die Wohnung verlassen.

Dann war er verschwunden.

Wallander dachte an die Blutlache im Blumenladen und versuchte zu verstehen. Es war bald Viertel nach zwölf. Das Telefon in der Küche klingelte. Beim ersten Signal zuckte er zusammen. Dann ging er hin und nahm ab. Es war Hansson, der vom Tatort draußen anrief.

»Ich habe von Martinsson gehört, dass Runfelt verschwunden ist«, sagte er. »Wie läuft die Sache?«

»Er ist auf jeden Fall nicht hier«, antwortete Wallander.

»Hast du dir schon eine Meinung gebildet?«

»Nein. Aber ich glaube, er hatte die Absicht, zu fahren. Etwas kam dazwischen.«

»Könnte es einen Zusammenhang geben? Mit Holger Eriksson?«

»Die Möglichkeit können wir nicht ausschließen«, sagte Wallander.

Dann wechselte er das Thema und fragte, ob draußen etwas geschehen sei. Aber Hansson hatte keine Neuigkeiten. Nach dem Gespräch ging Wallander langsam noch einmal durch die Wohnung. Er hatte ein Gefühl, als sei irgendetwas da, was ihm auffallen müsse. Schließlich gab er auf. Im Flur blätterte er die Post durch. Da war der Brief vom Reisebüro. Eine Stromrechnung. Außerdem war ein Paket von einem Postversand in Borås abzuholen. Es war ein Nachnahmepaket, das ausgelöst werden musste. Wallander steckte die Benachrichtigungskarte ein.

Vanja Andersson wartete im Laden auf ihn, als er mit den Schlüsseln kam. Er bat sie, sich zu melden, wenn ihr irgendetwas einfiele, was ihr wichtig schien.

Danach fuhr er zum Präsidium. Er gab Ebba die Benachrichtigungskarte und bat sie, dafür zu sorgen, dass das Paket abgeholt wurde.

Um ein Uhr schloss er die Tür seines Büros.

Er war hungrig.

Aber seine Unruhe war größer. Er kannte das Gefühl und wusste, was es bedeutete.

Er bezweifelte, dass sie Gösta Runfelt lebend finden würden.

8

Gegen Mitternacht konnte Ylva Brink sich endlich hinsetzen, um eine Tasse Kaffee zu trinken. Sie war eine der beiden Hebammen, die in der Nacht vom 30. September zum 1. Oktober auf der Entbindungsstation des Krankenhauses in Ystad Dienst hatten. Ihre Kollegin Lena Söderström war in einem Zimmer bei einer Frau, deren Presswehen eingesetzt hatten. Es war bisher eine arbeitsreiche Nacht gewesen, ohne Dramatik, aber mit einem ständigen Strom von Aufgaben, die erledigt werden mussten.

Das Schwesternzimmer, in dem sie sich befand, lag mitten in der großen Station. Durch die Glaswände konnte sie sehen, was außerhalb des Zimmers vor sich ging. Am Tag war in den Korridoren reger Betrieb, aber jetzt in der Nacht war alles anders. Sie arbeitete gern nachts. Ylva Brink, deren Kinder erwachsen waren und deren Mann Erster Maschinist auf einem Öltanker war, der im Charterverkehr zwischen Häfen im Mittleren Osten und Asien fuhr, fand es beruhigend, zu arbeiten, wenn andere schliefen.

Sie trank genüsslich ihren Kaffee und nahm ein Stück Mürbekuchen von einem Teller auf dem Tisch. Eine der Schwestern trat herein und setzte sich, kurz danach kam auch die zweite. In einer Ecke spielte leise ein Radio. Sie fingen an, über den Herbst zu reden, die Zeit der Vogelbeeren. Ylva Brink, die aus dem Norden des Landes kam, vermisste manchmal die melancholischen norrländischen Wälder. Sie hatte sich nie daran gewöhnt, in der schonischen Landschaft zu leben, wo der Wind uneingeschränkt herrschte. Aber ihr Mann war der stärkere von ihnen gewesen. Er war in Trelleborg geboren und konnte sich nichts anderes vorstellen, als in Schonen zu leben. Wenn er ab und zu einmal zu Hause war.

Sie wurde in ihren Gedanken unterbrochen, als Lena Söderström ins Zimmer kam. Sie war gut dreißig Jahre alt. Sie könnte meine Tochter sein, hatte Ylva gedacht. Ich bin genau doppelt so alt, zweiundsechzig.

»Das Kind kommt wohl nicht vor morgen früh«, sagte Lena Söderström. »Bis dahin sind wir zu Hause.«

»Es wird eine ruhige Nacht«, sagte Ylva. »Schlaf ein bisschen, wenn du müde bist.«

Die Nächte konnten lang werden. Eine Viertelstunde, vielleicht eine halbe zu schlafen machte viel aus. Die akute Müdigkeit verschwand.

Eine Schwester aus einer anderen Station huschte auf dem Korridor vorüber. Lena Söderström trank Tee. Die beiden Nachtschwestern saßen über ein Kreuzworträtsel gebeugt. Es war neunzehn Minuten nach zwölf. Schon Oktober, dachte Ylva. Der Herbst steht auf der Kippe. Bald kommt der Winter. Im Dezember hat Harry Urlaub. Einen Monat. Da bauen wir die Küche um. Nicht weil es nötig ist. Aber damit er etwas zu tun hat. Urlaub ist nichts für Harry. Da ist er rastlos. Es klingelte aus einem Zimmer. Eine der Schwestern stand auf und ging. Nach ein paar Minuten kam sie zurück.

»Maria auf drei hat Kopfschmerzen«, sagte sie und setzte sich wieder an ihr Kreuzworträtsel. Ylva trank ihren Kaffee. Sie merkte plötzlich, dass sie an etwas anderes dachte, ohne zu wissen, was es war. Dann kam sie darauf.

Die Schwester, die auf dem Korridor vorbeigerannt war.

Plötzlich war ihr, als stimmte etwas nicht. Waren sie nicht alle hier im Zimmer gewesen? Die Glocke der Notaufnahme hatte auch nicht geläutet.

Sie schüttelte den Kopf über sich selbst. Sie musste geträumt haben.

Aber gleichzeitig wusste sie, dass es nicht so war. Sie hatte eine Schwester, die nicht hierher gehörte, draußen im Korridor gesehen.

»Wer ist da vorbeigegangen?« fragte sie langsam.

Die anderen sahen sie fragend an.

»Hier ist vor ein paar Minuten eine Schwester vorbeigegangen. Als wir alle hier saßen.«

Sie verstanden noch immer nicht, was sie meinte. Sie verstand es selbst nicht. Es läutete wieder. Ylva stellte hastig die Tasse ab.

»Ich geh schon«, sagte sie.

Es war die Frau in Nummer zwei. Ihr war übel. Sie sollte ihr drittes Kind bekommen. Ylva vermutete, dass das Kind nicht besonders gut geplant war. Nachdem sie der Frau etwas zu trinken gegeben hatte, ging sie wieder auf den Korridor. Sie blickte sich um. Die Türen waren geschlossen. Aber es war eine Schwester vorbeigegangen. Sie hatte sich das nicht eingebildet. Plötzlich hatte sie ein ungutes Gefühl. Irgendetwas stimmte da nicht. Sie stand still im Korridor und lauschte. Aus dem Schwesternzimmer war das gedämpfte Radio zu hören. Sie ging wieder zurück und nahm ihre Kaffeetasse.

»Es war nichts«, sagte sie.

Im gleichen Augenblick kam die fremde Krankenschwester wieder draußen im Korridor vorbei. Diesmal sah auch Lena Söderström sie. Alles ging sehr schnell. Sie hörten die Tür zum Hauptkorridor zuschlagen.

»Wer war das?« fragte Lena Söderström.

Ylva stand hastig auf. Als sie die Tür zum äußeren Gang aufzog, der die Entbindungsstation mit den anderen Stationen des Krankenhauses verband, war er leer. Sie lauschte. Weit weg hörte sie eine Tür ins Schloss fallen. Sie kehrte zum Schwesternzimmer zurück. Schüttelte den Kopf. Sie hatte niemanden gesehen.

»Was tut eine Schwester aus einer anderen Abteilung hier?« sagte Lena Söderström. »Und ohne zu grüßen?«

Ylva Brink wusste es nicht. Aber sie wusste, dass es keine Einbildung war. »Lasst uns in allen Zimmern nachsehen«, sagte sie. Ob alles in Ordnung ist.«

Lena Söderström betrachtete sie forschend. »Was sollte denn nicht in Ordnung sein?«

»Sicherheitshalber«, sagte Ylva Brink. »Sonst nichts.«

Sie gingen in die Zimmer. Alles war, wie es sein sollte. Um ein Uhr bekam eine Frau Blutungen. Der Rest der Nacht war mit Arbeit ausgefüllt. Um sieben Uhr, nach der Übergabe, ging Ylva Brink nach Hause. Sie wohnte in einem Einfamilienhaus dicht beim Krankenhaus. Als sie eintrat, begann sie wieder an die fremde Krankenschwester zu denken. Auf einmal war sie sicher, dass es keine richtige Krankenschwester war. Eine Krankenschwester wäre ganz einfach nicht in der Nacht in eine Entbindungsstation gekommen, schon gar nicht, ohne zu grüßen und zu sagen, worum es ging.

Ylva Brink dachte weiter. Die Frau musste irgendetwas gewollt haben. Sie war ungefähr zehn Minuten dort gewesen. Dann war sie wieder verschwunden. Zehn Minuten. Sie war in einem der Zimmer gewesen und hatte jemanden besucht. Wen? Und weshalb? Sie ging zu Bett und versuchte zu schlafen, aber die fremde Frau ging ihr nicht aus dem Kopf. Um elf Uhr gab Ylva Brink auf. Sie stand auf, machte Kaffee und dachte, dass sie mit jemandem sprechen musste. Ich habe einen Cousin bei der Polizei. Er kann mir vielleicht sagen, ob ich mir unnötig Sorgen mache. Sie wusste, dass er im Dienst war, und da es nicht weit war bis zum Polizeipräsidium, beschloss sie, einen Spaziergang zu machen. Wolkenfetzen trieben am Himmel. Sie dachte, dass die Polizei vielleicht samstags keine Besucher empfing. Sie ging zur Anmeldung und fragte, ob Inspektor Svedberg da sei. Das war er. Aber er war unabkömmlich.

»Sagen Sie ihm, Ylva lässt grüßen«, bat sie. »Ich bin seine Cousine.«

Nach einigen Minuten kam Svedberg heraus und begrüßte sie. Da er Familiensinn hatte und seine Cousine mochte, konnte er nicht umhin, ihr ein paar Minuten zu widmen. Sie setzten sich in sein Zimmer. Er hatte

Kaffee geholt. Dann erzählte sie, was in der Nacht vorgefallen war. Svedberg meinte, dass es natürlich sonderbar sei. Aber kaum etwas, worüber man sich Sorgen machen müsse. Damit ließ sie es bewenden. Sie hatte drei freie Tage vor sich, und rasch hatte sie die Schwester vergessen, die in der Nacht vom 30. September zum 1. Oktober durch die Entbindungsstation gegangen war.

Spät am Freitagabend hatte Wallander seine ermüdeten Mitarbeiter zu einer Besprechung im Präsidium zusammengerufen. Er begann damit, ausführlich die Tatsache zu erläutern, dass sie es nun mit einer zweiten vermissten Person zu tun hatten. Martinsson und Ann-Britt Höglund hatten anhand der zugänglichen Register eine flüchtige Kontrolle vorgenommen, doch bislang war das Ergebnis negativ. Bei der Polizei lag nichts vor, was auf eine Verbindung zwischen Holger Eriksson und Gösta Runfelt hindeutete. Wallander erklärte, dass sie nichts anderes tun konnten, als unvoreingenommen zu arbeiten. Gösta Runfelt mochte jeden Augenblick auftauchen. Aber sie durften nicht vergessen, dass es Zeichen gab, die nichts Gutes verhießen. Wallander bat Ann-Britt Höglund, die Verantwortung für den Fall Gösta Runfelt zu übernehmen. Doch das bedeutete nicht, dass sie vom Mordfall Holger Eriksson abgekoppelt wurde.

Sie saßen am Konferenztisch und gingen alles durch, was sie bisher erreicht hatten. Wallander gab zuerst Nyberg das Wort.

»Nichts bisher«, sagte Nyberg. »Wir haben es alle gesehen. Die Planken waren bis zum absoluten Grenzpunkt angesägt. Er ist gefallen und aufgespießt worden. Im Graben haben wir nichts gefunden. Woher die Bambusstangen kommen, wissen wir noch nicht.«

»Und der Turm?« fragte Wallander.

»Wir haben nichts gefunden«, sagte Nyberg. »Aber wir sind noch lange nicht fertig. Es wäre natürlich hilfreich, wenn du uns sagen könntest, wonach wir suchen sollen.«

»Ich weiß es nicht«, sagte Wallander. »Aber derjenige, der das getan hat, muss ja von irgendwoher gekommen sein. Wir haben den Pfad von Holger Erikssons Haus. Drumherum sind Äcker. Und hinter dem Hügel liegt ein Wäldchen.«

»Es führt ein Traktorweg zum Wäldchen«, sagte Ann-Britt Höglund. »Mit Wagenspuren. Aber keiner der Nachbarn scheint etwas Ungewöhnliches bemerkt zu haben.«

»Offenbar besaß Holger Eriksson ein großes Stück Land«, warf Svedberg ein. »Ich habe mit einem Bauern namens Lundberg gesprochen. Er hat vor über zehn Jahren mehr als fünfzig Hektar an Eriksson verkauft. Weil es sein Land war, gab es für andere keinen Grund, sich dort aufzuhalten. Und das bedeutet, dass nur wenige Einblick hatten.«

Martinsson blätterte in seinen Papieren. »Ich habe mit den Gerichtsmedizinern in Lund gesprochen«, sagte er. »Sie glauben, dass sie Montagmorgen etwas sagen können.«

Wallander notierte. Dann wandte er sich wieder an Nyberg. »Wie steht es mit Erikssons Haus?«

»Du kannst nicht alles zur gleichen Zeit machen«, sagte Nyberg unwirsch. »Wir haben da draußen im Matsch gestanden, weil es bald wieder regnen kann. Ich glaube, mit dem Haus können wir morgen früh anfangen.«

»Das klingt ja gut«, sagte Wallander freundlich. Auf keinen Fall wollte er Nyberg verärgern. Das konnte eine Missstimmung hervorrufen, die die ganze Arbeit beeinflusste.

Noch befanden sie sich in der Anfangsphase der Ermittlung. Wallander kam sie häufig wie eine Form von Aufräumungsarbeit vor. Aber sie gingen vorsichtig zu Werke. Solange sie keine Spuren hatten, die sie verfolgen konnten, war alles gleich wichtig. Erst wenn einzelne Dinge weniger bedeutungsvoll erschienen als andere, konnten sie eine oder mehrere Spuren ernsthaft verfolgen.

Als Mitternacht vorüber war, sah Wallander ein, dass sie noch immer weitgehend im Dunkeln tasteten. Die Gespräche mit Rut Eriksson und Sven Tyrén hatten sie nicht weitergebracht. Holger Eriksson hatte vier Kubikmeter Heizöl bestellt. Nichts war sonderbar oder beunruhigend gewesen. Die rätselhafte Einbruchsanzeige vom Vorjahr blieb unerklärt. Noch hatten sie nur ein unvollständiges Bild von Holger Erikssons Leben und von seinem Charakter.

Weil niemand mehr etwas zu sagen hatte, versuchte Wallander, eine Zusammenfassung zu geben. »Wir suchen immer noch nach einem Einstieg«, begann er. »Wir haben einen Mord, der nichts anderem gleicht. Das kann bedeuten, dass Motiv und Täter auch etwas sind, womit wir noch nie zu tun hatten. In gewisser Weise erinnert das an die Situation vom vergangenen Sommer. Dass wir den Fall gelöst haben, lag daran, dass wir uns nicht auf irgendetwas fixiert haben. Das dürfen wir auch jetzt nicht tun.«

Dann wandte er sich direkt an Lisa Holgersson. »Wir müssen hart arbeiten«, sagte er. »Es ist schon Sonnabend. Aber es hilft nichts. Alle arbeiten heute und morgen mit ihren Dingen weiter. Wir können nicht bis Montag warten.«

Lisa Holgersson nickte. Sie hatte keine Einwände.

Sie beendeten die Sitzung. Alle waren erschöpft. Lisa Holgersson blieb jedoch noch, Ann-Britt Höglund ebenso. Bald waren sie im Konferenzzimmer allein.

Lisa Holgersson hatte ihren Mantel angezogen. Doch Wallander merkte, dass sie noch etwas sagen wollte.

»Spricht eigentlich irgendetwas dagegen, dass dieser Mord von einem Wahnsinnigen ausgeführt worden ist?« fragte sie. »Einen Menschen auf Pfähle aufzuspießen. Das kommt mir vor wie das reinste Mittelalter. Vielleicht sollten wir den Kriminalpsychologen hinzuziehen, den wir im Sommer hier hatten? Wenn ich richtig sehe, hat er euch sehr geholfen.«

Wallander konnte nicht leugnen, dass Mats Ekholm an dem glücklichen Abschluss der Ermittlungen Anteil hatte. Er hatte ihnen geholfen, sich ein denkbares Persönlichkeitsbild des Täters zu erarbeiten. Doch Wallander fand, dass es noch zu früh war, ihn wieder hinzuzuziehen. Er hatte überhaupt Angst, Parallelen zu erstellen.

»Vielleicht«, sagte er zögernd. »Aber ich glaube, wir warten noch ein bisschen damit.«

Sie sah ihn forschend an. »Hast du keine Angst, dass es wieder passiert? Ein neuer Graben mit angespitzten Pfählen?«

»Nein.«

»Gösta Runfelt? Der andere Verschwundene?«

Wallander war sich auf einmal nicht sicher, ob er wider besseres Wissen sprach. Aber er schüttelte den Kopf. »Der Mord an Holger Eriksson hat umfassende Vorbereitungen erfordert«, sagte er. »So etwas macht man nur einmal. Außerdem beruht es auf ganz speziellen Voraussetzungen. Zum Beispiel einem Graben, der tief genug ist. Und einem Steg. Mir ist klar, dass ich selbst Gösta Runfelts Verschwinden mit dem, was in Lödinge passiert ist, verknüpft habe. Aber vor allem aus Gründen der Vorsicht. Wenn ich diese Ermittlung führen soll, muss ich zur Sicherheit sowohl Gürtel als auch Hosenträger benutzen.«

Sie reagierte mit Verwunderung auf seine Bildsprache. Ann-Britt Höglund kicherte im Hintergrund. Dann nickte Lisa Holgersson.

»Ich glaube, ich verstehe, was du meinst«, sagte sie. »Aber denk an das mit Ekholm.«

»Das mach ich«, sagte Wallander.

Lisa Holgersson knöpfte ihren Mantel zu. »Ihr müsst auch schlafen«, sagte sie. »Bleibt nicht zu lange.«

»Hosenträger und Gürtel«, sagte Ann-Britt Höglund, als sie allein waren. »Hast du das von Rydberg gelernt?«

Wallander war nicht gekränkt. Er zuckte die Achseln und begann, seine Papiere einzusammeln. Dann ließ er den Papierstapel auf den Tisch fallen und sank auf seinen Stuhl. »Erzähl, was siehst du?« sagte er.

»Etwas, das mir Angst macht«, sagte sie.

»Warum?«

»Die Brutalität. Die Berechnung. Außerdem haben wir kein Motiv.«

»Holger Eriksson war reich. Alle bezeugen, dass er ein Geschäftsmann ohne Skrupel war. Er kann Feinde gehabt haben.«

»Das erklärt nicht, warum er aufgespießt werden musste.«

»Hass kann blind machen. Genauso wie Neid. Oder Eifersucht.«

Sie schüttelte den Kopf. »Als ich da rauskam, hatte ich das Gefühl, dass es mehr war als ein alter Mann, der ermordet wurde«, sagte sie. »Ich kann es nicht näher erklären. Aber das Gefühl war da. Und es war stark.«

Wallander erwachte aus seiner Müdigkeit. Er sah ein, dass sie etwas Wichtiges gesagt hatte. Etwas, das auf eine unklare Weise an Gedanken rührte, die auch ihm durch den Kopf gegangen waren.

»Mach weiter«, sagte er. »Denk weiter!«

»Es ist nicht viel mehr. Der Mann war tot. Niemand, der es gesehen hat, sollte vergessen, wie es zugegangen ist. Es war ein Mord. Aber es war auch etwas anderes.«

»Jeder Mörder spricht seine eigene Sprache«, sagte Wallander, »ist es das, was du meinst?«

»Ungefähr.«

»Du meinst, er wollte uns etwas sagen?«

»Vielleicht.«

Ein Kode, dachte Wallander. Den wir noch nicht knacken können. »Du kannst Recht haben«, sagte er.

Sie saßen schweigend. Dann erhob sich Wallander schwer aus dem Stuhl und sammelte weiter seine Papiere zusammen. Er entdeckte etwas, das nicht ihm gehörte.

»Ist das hier deins?« fragte er.

»Das ist Svedbergs Handschrift.«

Wallander versuchte zu entziffern, was da mit Bleistift geschrieben war. Es war etwas mit einer Entbindungsstation. Über eine unbekannte Frau.

»Was ist das hier, zum Teufel?« sagte er. »Kriegt Svedberg ein Kind? Er ist ja nicht einmal verheiratet. Ist er überhaupt mit jemandem zusammen?«

Sie nahm ihm das Papier aus der Hand und las.

»Offenbar hat jemand gemeldet, dass eine unbekannte Frau, als Krankenschwester verkleidet, auf der Entbindungsstation umherwandert«, sagte sie und reichte ihm das Blatt zurück.

»Das klären wir auf, wenn wir Zeit haben«, erwiderte er ironisch. Er wollte es schon in den Papierkorb werfen, überlegte es sich aber anders. Er würde das Blatt Svedberg morgen zurückgeben. Sie trennten sich im Flur.

Wallander erwachte am nächsten Morgen mit einem Ruck, als es sechs Uhr war. Er hatte etwas geträumt. Holger Eriksson hatte gelebt. Er stand auf dem Holzsteg, der über den Graben führte. Gerade als er brach, erwachte Wallander. Er zwang sich aufzustehen. Draußen hatte es wieder angefangen zu regnen. In der Küche merkte er, dass kein Kaffee mehr da war. Stattdessen suchte er ein paar Kopfschmerztabletten und saß dann lange am Tisch, den Kopf in eine Hand gestützt.

Um Viertel nach sieben kam er ins Präsidium. Auf dem Weg zu seinem Zimmer holte er eine Tasse Kaffee.

Als er die Tür öffnete, entdeckte er etwas, das er am Abend vorher nicht gesehen hatte. Auf dem Stuhl am Fenster lag ein Paket. Erst als er näher hinsah, erinnerte er sich an die Benachrichtigungskarte aus Gösta Runfelts Wohnung. Ebba hatte das Paket also abholen lassen. Er hängte die Jacke weg und begann, das Paket zu öffnen. Dabei fragte er sich, ob er eigentlich das Recht dazu hatte. Er schlug das Packpapier zurück und betrachtete den Inhalt mit gerunzelter Stirn.

Seine Zimmertür stand offen. Martinsson ging vorbei.

Wallander rief ihn.

Martinsson blieb in der Tür stehen.

»Komm rein«, sagte Wallander. »Komm rein und sieh dir das an.«

9

Sie beugten sich über Gösta Runfelts Karton.

Wallander sah nur ein Durcheinander von Kabeln, Verbindungsrelais und schwarzen Miniaturdosen und ahnte nicht, wofür das Zeug zu gebrauchen war. Aber Martinsson wusste offenbar, was Gösta Runfelt da bestellt und was die Polizei vorerst bezahlt hatte.

»Das hier ist eine avancierte Abhöranlage«, sagte er und nahm eine der Dosen heraus. »Erstklassige Ware.«

Sie packten den Karton auf Wallanders Schreibtisch aus. Zu ihrer größten Verblüffung fanden sie auch eine Packung, die einen Magnetpinsel und Eisenfeilspäne enthielt. Das ließ nur einen Schluss zu: Runfelt hatte die Absicht, Fingerabdrücke zu sichern.

»Hast du eine Erklärung dafür?« fragte Wallander.

Martinsson schüttelte den Kopf. »Das wirkt sehr merkwürdig«, sagte er.

»Wozu braucht ein Blumenhändler eine Abhöranlage? Um seinen Konkurrenten in der Tulpenbranche nachzuspionieren?«

»Die Fingerabdrücke sind noch seltsamer.«

Wallander runzelte die Stirn. Er verstand das nicht. Die Ausrüstung war teuer. Sie war mit Sicherheit technisch hochmodern. Wallander vertraute Martinssons Urteil. Die Lieferfirma hieß Secur und hatte eine Adresse am Getängsvägen in Borås.

»Lass uns mal anrufen und nachfragen, ob Gösta Runfelt auch andere Sachen gekauft hat«, sagte Wallander.

Er dachte zurück an seinen Besuch in Gösta Runfelts Wohnung. Als er die Schreibtischschubladen und die Schränke durchsucht hatte, war er auf keine technische Ausrüstung dieser Art gestoßen.

»Ich glaube, wir sollten Nyberg das hier mal zeigen«, sagte er. »Bis auf weiteres lassen wir es dabei bewenden. Aber es kommt mir seltsam vor.«

Martinsson stimmte ihm zu. Auch er konnte nicht verstehen, wozu ein Orchideenliebhaber eine Abhöreinrichtung brauchte.

Wallander packte die Sachen wieder in den Karton. »Ich fahre raus nach Lödinge«, sagte er.

»Ich habe einen Mann ausfindig gemacht, der über zwanzig Jahre lang für Holger Eriksson Autos verkauft hat«, sagte Martinsson. Ich treffe ihn in einer halben Stunde draußen in Svarte. Wenn der uns kein Bild liefern kann, wer Holger Eriksson war, dann weiß ich auch nicht.«

Sie trennten sich bei der Anmeldung. Wallander hatte Runfelts elektronische Kiste unter dem Arm. Er blieb bei Ebba stehen.

»Was hat mein Vater gesagt?« fragte er.

»Er bat mich, dir zu bestellen, dass du natürlich nur anrufen solltest, wenn du Zeit hättest.«

Wallander wurde sofort misstrauisch. »Klang das ironisch?«

Ebba sah ihn ernst an. »Dein Vater ist ein sehr freundlicher Mann. Er hat großen Respekt vor deiner Arbeit.«

Wallander wusste, dass die Wahrheit ganz anders aussah, schüttelte nur den Kopf und verließ das Gebäude. Es regnete nicht mehr, und die Wolkendecke war aufgerissen. Es würde ein klarer und schöner Herbsttag werden. Wallander stellte den Karton auf den Rücksitz und verließ Ystad. Jetzt, wo die Sonne schien, war die Landschaft weniger bedrückend.

Kurz darauf schwenkte er auf Holger Erikssons Hof ein, stellte den Wagen ab und klemmte sich Runfelts Kiste unter den Arm. Dann betrat er das Kopfsteinpflaster des Hofs. Die Absperrung war noch nicht aufgehoben. Neben dem Turm war ein Polizist zu sehen. Wallander dachte, dass man die Wachen sicher einziehen könnte. Als er zum Haus kam, wurde die Tür von innen geöffnet. Es war Nyberg, der mit einem Plastikschutz über den Schuhen dastand. »Ich habe dich durchs Fenster gesehen«, sagte er.

Wallander merkte sofort, dass Nyberg guter Laune war. Das verhieß Gutes für die Arbeit des Tages. »Ich habe eine Kiste für dich mitgebracht« sagte Wallander und trat ein. »Ich möchte, dass du dir das mal ansiehst.«

»Hat es was mit Holger Eriksson zu tun?«

»Mit Runfelt. Dem Blumenhändler.«

Wallander stellte den Karton auf den Schreibtisch. Nyberg schob das einsame Gedicht zur Seite, um Platz zu schaffen, und packte den Karton aus. Seine Kommentare waren ähnlich wie die von Martinsson. Es war wirklich eine Abhörausrüstung. Und sie war hochmodern. Nyberg setzte die Brille auf und suchte den Stempel mit dem Herkunftsland. »Da steht Singapore«, sagte er. »Aber wahrscheinlich wurde es ganz woanders hergestellt.«

»Wo?«

»USA oder Israel.«

»Und warum steht dann Singapore da?«

»Ein Teil der Herstellerfirmen hält sich so bedeckt wie nur irgend möglich. Es sind Unternehmen, die in der einen oder anderen Weise zur internationalen Waffenindustrie gehören. Und die geben einander nicht unnötig Geheimnisse preis. Die technischen Bestandteile werden an verschiedenen Orten in der Welt hergestellt. Zusammengebaut werden sie woanders. Und wieder ein anderes Land liefert den Herkunftsstempel dazu.«

Wallander zeigte auf die Ausrüstung. »Und was kann man damit machen?«

»Du kannst eine Wohnung abhören. Oder ein Auto.«

Wallander schüttelte verständnislos den Kopf. »Gösta Runfelt ist Blumenhändler«, sagte er. »Was will der damit?«

»Frag ihn, wenn du ihn findest«, antwortete Nyberg.

Sie legten die Gegenstände wieder in den Karton. Nyberg schnaubte sich die Nase. Wallander merkte, dass er stark erkältet war. »Lass es mal ein bisschen ruhiger angehen«, sagte er. »Du musst auch mal schlafen.«

»Das war der Scheißschlamm da unten«, sagte Nyberg. »Ich werde krank davon, im Regen zu stehen. Ich begreife nicht, dass es unmöglich sein soll, einen mobilen Regenschutz zu konstruieren, der auch unter schonischen Wetterverhältnissen funktioniert.«

»Schreib das mal in *Svensk Polis*«, schlug Wallander vor.

»Und woher soll ich die Zeit dazu nehmen?«

Die Frage blieb unbeantwortet. Sie gingen durchs Haus.

»Ich habe nichts Ungewöhnliches gefunden«, sagte Nyberg. »Auf jeden Fall noch nicht. Aber das Haus hat viele Winkel und Abseiten.«

»Ich bleibe eine Weile hier«, sagte Wallander. »Ich muss mich umsehen.«

Nyberg ging zurück zu seinen Leuten. Wallander setzte sich ans Fenster. Ein Sonnenstrahl wärmte seine Hand. Sie war noch gebräunt.

Er blickte sich in dem großen Raum um und dachte an das Gedicht. Wer schrieb eigentlich Gedichte über einen Specht? Er holte das Blatt und las das Gedicht von Holger Eriksson noch einmal. Er sah ein, dass es darin Formulierungen gab, die schön waren. Wallander selbst hatte höchstens in seiner Kindheit etwas in die Poesiealben seiner Klassenkameradinnen geschrieben. Aber Gedichte hatte er nie gelesen. Er ließ den Blick über die Wände gleiten. *Ein vermögender Autohändler. Fast achtzig Jahre alt. Der Gedichte schreibt. Und sich für Vögel interessiert. Genug, um spätabends rauszugehen und zu unsichtbaren nächtlichen Zugvögeln hinaufzustarren. Oder frühmorgens.* Er legte das Gedicht zurück auf den Schreibtisch. Plötzlich fiel ihm etwas ein, das in der Einbruchsanzeige stand, die sie aus dem

Archiv ausgegraben hatten. *Erikssons Angaben zufolge ist die Tür mittels eines Brecheisens oder etwas Ähnlichem aufgestemmt worden. Eriksson gibt jedoch an, dass nichts gestohlen wurde.* Es hatte noch etwas dagestanden. Wallander suchte in seinem Gedächtnis. Dann kam er darauf. *Der Safe war unberührt.* Er ging zu Nyberg, der in einem der Schlafzimmer beschäftigt war. »Hast du einen Safe gesehen?« fragte er.

»Nein.«

»Es soll einer da sein«, sagte Wallander. »Lass uns den mal suchen.«

Sie durchsuchten methodisch das Haus. Es dauerte eine halbe Stunde, bis sie Erfolg hatten. Einer von Nybergs Leuten entdeckte ihn hinter einer Ofenklappe in einer Anrichte in der Küche. Die Klappe war schwenkbar. Der Safe war in die Wand eingemauert. Er hatte ein Kombinationsschloss.

»Ich glaube, ich weiß, wo die Kombination ist«, sagte Nyberg. »Eriksson hatte wohl doch Angst, dass sein Gedächtnis ihn auf seine alten Tage im Stich lassen könnte.«

Wallander folgte Nyberg zurück zum Schreibtisch. In einer der Schubladen hatte Nyberg zuvor eine kleine Schachtel mit einem Zettel gefunden, auf dem eine Ziffernreihe stand. Als sie sie ausprobierten, wurde die Sperre freigegeben. Nyberg trat zur Seite, damit Wallander öffnen konnte.

Wallander blickte in den Safe. Dann fuhr er zusammen. Er tat einen Schritt zurück und trat Nyberg auf die Zehen.

»Was ist?« fragte Nyberg.

Wallander machte ihm ein Zeichen, selbst nachzusehen. Nyberg streckte den Kopf vor. Auch er fuhr zurück. Doch nicht so heftig wie Wallander.

»Das sieht aus wie ein Menschenkopf«, sagte Nyberg.

Er wandte sich zu einem seiner Mitarbeiter um, der beim Zuhören blass geworden war. Nyberg bat ihn, eine Taschenlampe zu holen. Während sie warteten, standen sie unbeweglich. Wallander spürte, dass ihm schwindlig war. Er holte ein paarmal tief Luft. Nyberg betrachtete ihn fragend. Dann wurde ihnen die Taschenlampe gereicht. Nyberg leuchtete in den Safe. Es stand wirklich ein Kopf darin, in der Mitte des Halses abgetrennt. Die Augen waren geöffnet. Aber es war kein gewöhnlicher Kopf. Er war geschrumpft und getrocknet. Außer dem Kopf waren nur ein paar Kalender und Notizbücher im Safe. Im selben Augenblick betrat Ann-Britt Höglund den Raum. Die gespannte Aufmerksamkeit verriet ihr, dass etwas geschehen war. Sie fragte nicht, was es war, sondern blieb im Hintergrund.

»Sollen wir den Fotografen herholen?« fragte Nyberg.

»Es reicht, wenn du ein paar Bilder machst«, antwortete Wallander. »Am wichtigsten ist, dass wir es da rauskriegen.«

Dann wandte er sich zu Ann-Britt Höglund. »Es ist ein Kopf da drin«, sagte er. »Ein geschrumpfter Menschenkopf. Oder vielleicht von einem Affen.«

Sie beugte sich vor und sah in den Safe. Wallander bemerkte, dass sie nicht zusammenzuckte. Um Nyberg und seinen Leuten Platz zu machen, traten sie zurück. Wallander war der Schweiß ausgebrochen.

»Ein Safe mit einem Kopf«, sagte sie. »Geschrumpft oder nicht. Affe oder nicht. Was fangen wir damit an?«

»Holger Eriksson muss ein sehr viel komplizierterer Mensch gewesen sein, als wir uns bisher vorgestellt haben«, sagte Wallander.

Sie warteten darauf, dass Nyberg und seine Leute den Safe leerten. Es war neun Uhr. Wallander erzählte von der Sendung der Postversandfirma in Borås. Sie beschlossen, dass jemand Gösta Runfelts Wohnung noch einmal methodischer durchsuchen sollte, als Wallander es getan hatte. Das beste wäre, wenn Nyberg einen seiner Männer entbehren könnte. Ann-Britt Höglund rief im Präsidium an und erfuhr, dass die dänische Polizei, bei der sie angefragt hatten, nicht von einer angetriebenen männlichen Leiche in den letzten Tagen berichten musste. Auch die Polizei in Malmö und die Seenotrettung hatten keine Informationen über angeschwemmte Leichen. Um halb zehn brachte Nyberg den Kopf und die übrigen Gegenstände aus dem Safe. Wallander schob das Gedicht über den Specht beiseite. Nyberg stellte den Kopf ab. Im Safe hatte sich auch noch eine Schachtel mit einer Medaille befunden. Aber der vertrocknete und geschrumpfte Kopf zog ihre ganze Aufmerksamkeit auf sich. Bei Tageslicht bestand kein Zweifel mehr. Es war ein Menschenkopf. Ein schwarzer Kopf. Vielleicht der eines Kindes. Oder zumindest eines jungen Menschen. Als Nyberg ihn mit einem Vergrößerungsglas betrachtete, sah er, dass die Haut von Motten angefressen war. Wallander verzog das Gesicht, als Nyberg sich ganz nah an den Kopf beugte und daran roch.

»Wer könnte etwas über geschrumpfte Köpfe wissen?« fragte Wallander.

»Das Ethnographische Museum«, erwiderte Nyberg.

»Dann kontakten wir die«, sagte Wallander. »Am besten wäre es, wenn wir schon jetzt am Wochenende jemanden fänden, der uns Fragen beantworten kann.«

Nyberg verstaute den Kopf in einem Plastiksack. Wallander und Ann-Britt Höglund setzten sich an den Tisch und begannen, die übrigen Dinge in Augenschein zu nehmen. Die Medaille, die auf einem kleinen seidenen Polster lag, hatte eine französische Inschrift. Keiner von ihnen verstand den Wortlaut. Dann gingen sie die Bücher durch. Die Kalender waren aus den frühen sechziger Jahren. Auf dem Vorsatzblatt erkannten sie einen Namen: *Harald Berggren*. Wallander sah Ann-Britt Höglund fragend an. Sie schüttelte den Kopf. Der Name war bisher in den Ermittlungen nicht aufgetaucht. Es waren nur wenige Notizen in den Kalendern. Ein paar Uhrzeiten. Initialen. An einer Stelle die Buchstaben HE. Es war am 10. Februar 1960. Vor mehr als dreißig Jahren.

Danach blätterte Wallander in dem Notizbuch. Es war im Gegensatz zu den Kalendern voll geschrieben. Eine Art Tagebuch. Die erste Eintragung war im November 1960 gemacht worden. Die letzte im Juli 1961. Die Schrift war sehr klein und schwer lesbar. Ihm fiel ein, dass er seinen Termin beim Optiker vergessen hatte. Er lieh sich von Nyberg ein Vergrößerungsglas. Blätterte. Las hier und da eine Zeile. »Das handelt von Belgisch-Kongo«, sagte er. »Jemand, der dort gewesen ist, während eines Krieges. Als Soldat.«

»Holger Eriksson oder Harald Berggren?«

»Harald Berggren. Wer immer das sein mag.«

Dann legte er das Heft beiseite. Ihm war klar, dass es wichtig sein konnte und dass er es gründlich lesen musste. Sie sahen sich an. Wallander wusste, dass sie beide an das gleiche dachten. »Ein geschrumpfter Menschenkopf«, sagte er. »Und ein Tagebuch, das von einem Krieg in Afrika handelt.«

»Ein Pfahlgrab«, sagte Ann-Britt Höglund. »Eine Erinnerung an den Krieg. In meiner Vorstellung gehören geschrumpfte Menschenköpfe und aufgespießte Menschen zusammen.«

»In meiner auch«, sagte Wallander. »Fragt sich nur, ob wir endlich etwas gefunden haben, das uns weiterbringt.«

»Wer ist Harald Berggren?«

»Das ist das erste, was wir herausfinden müssen.«

Wallander fiel ein, dass Martinsson vermutlich gerade jetzt bei einer Person in Svarte zu Besuch war, die Holger Eriksson seit vielen Jahren kannte. Er bat Ann-Britt Höglund, ihn auf seinem Mobiltelefon anzurufen. Von jetzt an musste der Name Harald Berggren in allen denkbaren Zusammenhängen erwähnt werden. »Ich versuche, ihn zu fassen zu kriegen«, sagte sie und stand auf.

»Harald Berggren«, sagte Wallander. »Der Name ist wichtig. Das gilt für alle.«

»Ich sehe zu, dass es rausgeht«, erwiderte sie.

Als er allein im Zimmer zurückgeblieben war, knipste er die Schreibtischlampe an. Er wollte gerade das Tagebuch öffnen, als er entdeckte, dass etwas in dem ledernen Einband steckte. Vorsichtig fingerte er ein Foto heraus. Es war schwarzweiß, fleckig und abgegriffen. Eine Ecke war abgerissen. Das Foto zeigte drei Männer, die vor einem Fotografen posierten. Die Männer waren jung, sie lachten in die Kamera, und sie trugen eine Art von Uniform. Er studierte das Bild durch das Vergrößerungsglas. Die Männer waren braun gebrannt. Die Hemden waren aufgeknöpft, die Ärmel hochgekrempelt. An ihren Beinen standen Gewehre. Sie lehnten sich gegen einen eigentümlich geformten Stein. Hinter dem Stein war eine weite Landschaft ohne Konturen zu erkennen. Der Boden bestand aus Schotter oder Sand, dies war keine schwedische Landschaft. Er betrachtete die Gesichter. Die Männer waren zwischen zwanzig und fünfundzwanzig Jahre alt. Er drehte das Foto um. Nichts. Er stellte sich vor, dass das Bild ungefähr zur gleichen Zeit aufgenommen worden war, zu der das Tagebuch geschrieben wurde. Frühe sechziger Jahre. Wenn sonst nichts, dann deuteten die Frisuren darauf hin. Keiner war langhaarig. Aufgrund des Alters konnte er auch Holger Eriksson ausschließen. 1960 war er zwischen vierzig und fünfzig gewesen.

Wallander legte das Foto zur Seite und öffnete eine der Schreibtischschubladen. Er erinnerte sich, in einem Umschlag ein paar lose Passbilder gesehen zu haben. Er legte eines der Bilder von Holger Eriksson auf den Tisch. Es war einige Jahre alt. Auf der Rückseite stand mit Bleistift 1989. Holger Eriksson war also 73. Er betrachtete das Gesicht. Die spitze Nase, die dünnen Lippen. Er versuchte, die Falten wegzudenken und sich das Gesicht jünger vorzustellen. Dann blickte er wieder auf das Foto mit den drei posierenden Männern. Er studierte ihre Gesichter, eins nach dem anderen. Der Mann ganz links hatte Züge, die an Holger Eriksson erinnerten. Wallander lehnte sich zurück und schloss die Augen. Er fragte sich, ob Holger Eriksson der Fotograf war. Aber Holger Eriksson hatte in Ystad, Tomelilla und Sjöbo erfolgreich Autos verkauft. Er hatte an keinem entlegenen afrikanischen Krieg teilgenommen. Oder doch? Sie kannten immer noch nur einen Bruchteil von Holger Erikssons Leben.

Wallander betrachtete nachdenklich das vor ihm liegende Tagebuch. Er steckte das Foto in die Jackentasche, nahm das Buch und ging zu Nyberg hinüber, der gerade im Badezimmer Spuren sicherte.

»Ich nehme das Tagebuch mit«, sagte er. »Die Kalender lasse ich da. Wenn jemand was von mir will, ich bin zu Hause.«

Eine Stunde später saß er am Küchentisch. Langsam begann er, das Tagebuch zu lesen.

Die erste Eintragung war vom 20. November 1960.

10

Das Tagebuch war das Faszinierendste, aber auch das Erschreckendste, was er je in der Hand gehalten hatte. Es berichtete von einigen Monaten im Leben eines Menschen, und für Wallander war es, als trete er in eine fremde Welt ein. Er ahnte, dass das Tagebuch wichtig war, damit sie einen Durchbruch erzielen und verstehen konnten, was Holger Eriksson passiert war. Gleichzeitig spürte er so etwas wie einen warnend erhobenen Finger. Es konnte auch ein Weg sein, der sie vollständig in die Irre führte, von der Lösung fort.

Harald Berggrens Tagebuch war ein Kriegstagebuch. Während des Lesens erfuhr er auch die Namen der beiden anderen Männer auf dem Foto, aber wer von ihnen wer war, blieb ihm unklar. Die Männer rechts und links von Harald Berggren auf dem Foto waren ein Ire, Terry O'Banion, und ein Franzose, Simon Marchand. Das Bild war von einem Mann namens Raul aufgenommen worden, dessen Nationalität nicht klar wurde. Zusammen hatten sie gut ein Jahr lang an einem afrikanischen Krieg teilgenommen, und alle waren Legionäre gewesen. Am Anfang des Tagebuchs beschrieb Harald Berggren, wie er irgendwo in Stockholm von einem Café in Brüssel gehört hatte, wo man Kontakte zu der dunklen Welt der Legionäre knüpfen konnte. Er notiert, dass er bereits zu Neujahr 1958 davon gehört habe. Er schreibt nichts darüber, warum es ihn einige Jahre später dorthin getrieben hat. Harald Berggren tritt sozusagen aus dem Nichts in sein eigenes Tagebuch ein. Er hat keine Vergangenheit, keine Eltern, keinen Hintergrund. Im Tagebuch tritt er auf einer leeren Bühne auf. Das einzige, was klar wird, ist, dass er dreiundzwanzig Jahre alt ist und verzweifelt darüber, dass Hitler den Krieg verloren hat, der fünfzehn Jahre zuvor zu Ende gegangen ist.

1960, im Juni, verlässt er Schweden mit dem Zug und bleibt einen Tag in Kopenhagen, um ins Tivoli zu gehen. Dort tanzt er an einem lauen Sommerabend mit einer Frau, die Irene heißt. Er schreibt, dass sie *süß, aber viel zu groß* ist. Am nächsten Tag ist er in Hamburg. Am folgenden Tag, dem 12. Juni, befindet er sich in Brüssel. Nach ungefähr einem Monat hat er sein Ziel erreicht, einen Kontrakt als Söldner. Stolz notiert er, dass er jetzt Sold bekommt und in den Krieg ziehen wird. Wallander hat den Eindruck, dass der junge Mann jetzt fast am Ziel seiner Träume ist. Dies alles hat er übrigens zu einem späteren Zeitpunkt ins Tagebuch geschrieben, unter dem Datum 20. November 1960. In dieser ersten und außerdem längsten Tagebucheintragung fasst er die Ereignisse zusammen, die ihn zu dem Ort geführt haben, an dem er sich gerade befindet, und da ist er in Afrika. Als Wallander auf den Namen stieß, Omerutu, stand er auf und suchte seinen alten Schulatlas, der ganz zuunterst in einem Karton im Kleiderschrank lag. Aber natürlich war Omerutu nicht aufgeführt. Er ließ aber die alte Karte aufgeschlagen auf dem Küchentisch liegen, während er weiterlas. Zusammen mit Terry O'Banion und Simon Marchand gehört Harald Berggren zu einer ausschließlich aus Söldnern bestehenden Kampfeinheit. Ihr Führer, über den Harald Berggren im Tagebuch auffallend wenig berichtet, ist ein Kanadier, der nie anders als Sam genannt wird. Harald Berggren scheint sich auch nicht sonderlich dafür zu interessieren, worum es in dem Krieg geht. Wallander hatte selbst äußerst vage Vorstellungen vom Krieg in dem Teil Afrikas, der damals und auch auf Wallanders alter Karte Belgisch-Kongo genannt wurde. Harald Berggren scheint kein Bedürfnis zu haben, seine Anwesenheit als bezahlter Soldat zu rechtfertigen. Er schreibt lediglich, dass sie für die Freiheit kämpfen. Aber wessen Freiheit? Das wird nie klar. Er schreibt mehrfach, unter anderem am 11. Dezember 1960 und am 19. Januar, dass er nicht zögern wird, seine Waffe zu benutzen, wenn er in eine Kampfsituation geraten sollte, in der schwedische UN-Soldaten auf der anderen Seite kämpfen. Außerdem notiert er jedes Mal genau, wenn er seinen Sold bekommt. Er führt am letzten Tag eines jeden Monats Miniaturabrechnungen durch. Wie viel er ausbezahlt bekommen hat, wie viel er ausgegeben und wie viel er zurückgelegt hat. Mit Genugtuung notiert er sich auch jede Kriegsbeute, die er mit Beschlag belegt hat. In einem außergewöhnlich abstoßenden Abschnitt des Tagebuchs beschreibt er, wie die Söldner zu einer verlassenen, niedergebrannten Plantage kommen – die halbverwesten Leichen, von schwarzen Fliegenschwärmen umgeben, liegen noch im Haus. Der Plantagenbesitzer und seine Frau, zwei Belgier, liegen tot in ihren Betten. Ihnen sind Arme und Beine abgehackt worden. Der Gestank war entsetzlich. Aber die Söldner durchsuchten dennoch das Haus und fanden Diamanten und Goldschmuck, deren Wert ein libanesischer Juwelier später auf über 20 000 Kronen schätzt. Harald Berggren schreibt bei dieser Gelegenheit, dass der gute Verdienst den Krieg rechtfertigt. In einer persönlichen Reflexion, wie sie sonst im Tagebuch nicht vorkommt, stellt Harald Berggren sich die Frage, ob er den gleichen Wohlstand erreicht hätte, wenn er in Schweden geblieben und als Automechaniker gearbeitet hätte. Er verneint dies. In einem solchen Leben hätte er es zu nichts gebracht. Er nimmt weiterhin mit großem Eifer an seinem Krieg teil.

Abgesehen von der Besessenheit, Geld zu verdienen und die Summen genau zu notieren, führt Harald Berggren auch in einem anderen Punkt sorgfältig Buch.

Harald Berggren tötet Menschen in seinem afrikanischen Krieg. Er notiert Zeitpunkt und Anzahl. Er notiert, ob es sich um einen Mann oder eine Frau oder ein Kind handelt. Kühl konstatiert er außerdem, wo die Schüsse, die er abgegeben hat, die Toten getroffen haben. Wallander las diese regelmäßig wiederkehrenden Passagen mit wachsendem Abscheu und Zorn. Harald Berggren hat nichts in diesem Krieg zu suchen. Er bekommt Sold, um zu töten. Wer ihn bezahlt, bleibt unklar. Und die Menschen, die er tötet, sind selten Soldaten, selten Männer in Uniform. Die Söldner überfallen verschiedene Dörfer, die als feindlich eingeschätzt werden gegenüber der Freiheit, für deren Bewahrung gekämpft wird. Sie morden und plündern und ziehen sich danach zurück. Sie sind eine Mordpatrouille, sie sind Europäer und betrachten die Menschen, die sie töten, kaum als gleichwertige Wesen. Bei manchen Zeilen hätte Wallander das Tagebuch am liebsten an die Wand geworfen, doch er zwang sich weiterzulesen. Er wünschte, er wäre beim Optiker gewesen und hätte schon die Brille, die er brauchte. Wallander stellt fest, dass Harald Berggren, sofern er in seinem Tagebuch nicht lügt, im Durchschnitt zehn Personen im Monat tötet. Nach sieben Monaten Krieg wird er krank. Er hat Amöbenruhr, und offenbar geht es ihm mehrere Wochen lang sehr schlecht. In dieser Zeit macht er keine Eintragungen. Aber als er ins Krankenhaus eingeliefert wird, hat er bereits mehr als fünfzig Menschen getötet. Nach seiner Genesung kehrt er zu seiner Kompanie zurück. Einen Monat später sind sie in Omerutu. Sie stellen sich vor einen Stein, der kein Stein ist, sondern ein Termitenhügel, und der unbekannte Raul macht das Foto von ihm, Terry O'Banion und Simon Marchand. Wallander trat mit dem Foto ans Küchenfenster. Er hatte noch nie einen Termitenhügel gesehen. Aber ihm war klar, dass dies das im Tagebuch erwähnte Foto war. Drei Wochen später geraten sie in einen Hinterhalt, und Terry O'Banion wird getötet. Sie müssen sich zurückziehen, ohne den Rückzug organisieren zu können. Es wird eine panische Flucht. Harald Berggren schreibt nur, dass sie die Toten im Busch begraben und ihre Gräber mit einfachen Holzkreuzen markieren. Der Krieg geht weiter. Seine Ersparnisse belaufen sich inzwischen auf 30 000 Kronen.

Doch dann, im Sommer 1961, ist plötzlich alles vorbei. Das Ende des Tagebuchs kommt überraschend. Wallander dachte, dass es das auch für Harald Berggren gewesen sein musste. Wahrscheinlich hatte er sich vorgestellt, dass dieser eigentümliche Dschungelkrieg ewig dauern würde. In den letzten Aufzeichnungen beschreibt er, wie sie in einem unbeleuchteten Transportflugzeug überstürzt das Land verlassen. Ein Motor der Maschine beginnt kurz nach dem Abheben von der Landebahn, die sie selbst im Busch angelegt haben, zu stottern. Das Tagebuch endet abrupt da oben im Transportflugzeug, in der Nacht, und Wallander erfuhr nicht einmal, wohin das Flugzeug unterwegs war. Harald Berggren fliegt durch die afrikanische Nacht, das Motorgeräusch verklingt, und dann ist er nicht mehr da.

Es war fünf Uhr am Nachmittag geworden. Wallander streckte den Rücken und trat auf den Balkon hinaus. Eine Wolkenwand zog vom Meer heran. Es würde wieder Regen geben. Er dachte an das, was er gelesen hatte. Warum hatte das Tagebuch zusammen mit einem geschrumpften Menschenkopf in Holger Erikssons Safe gelegen? Wenn Harald Berggren noch lebte, wäre er heute gut fünfzig Jahre alt. Wallander fror draußen auf dem Balkon. Er ging wieder hinein und schloss die Tür. Dann setzte er sich aufs Sofa. Seine Augen schmerzten. Für wen hatte Harald Berggren das Tagebuch geschrieben? Für sich selbst oder für jemand anders? Es fehlte auch etwas.

Wallander war noch nicht darauf gekommen, was es war. Erst als Ann-Britt Höglund zum zweiten Mal an seiner Tür klingelte, kam er darauf. Er sah sie in der Tür und wusste plötzlich, was in Harald Berggrens Tagebuch fehlte. Es spielte in einer durch und durch von Männern dominierten Welt. Die Frauen, von denen Harald Berggren schreibt, sind entweder tot oder laufen in wilder Flucht davon. Mit Ausnahme von Irene, die er im Tivoli in Kopenhagen getroffen hat. Ansonsten erwähnt er keine Frauen. Er schreibt von Urlaub in verschiedenen Städten im Kongo, dass er sich betrunken hat und in Schlägereien verwickelt war. Aber keine Frauen. Nur Irene.

Ann-Britt Höglund kam, um zu berichten, dass sie, gemeinsam mit einem von Nybergs Technikern, Gösta Runfelts Wohnung noch einmal durchsucht hatte. Das Ergebnis war negativ. Sie hatten nichts gefunden, was erklären konnte, warum er eine Abhörausrüstung gekauft hatte.

»Gösta Runfelts Welt besteht aus Orchideen«, sagte sie. »Ich habe den Eindruck eines freundlichen Witwers und Orchideenliebhabers.«

»Seine Frau soll ertrunken sein«, sagte Wallander. »Vielleicht sollten wir herausfinden, was passiert ist. Irgendwann.«

»Martinsson und Svedberg haben Kontakt zu seinen Kindern aufgenommen«, sagte sie. »Aber die Frage ist, ob wir nicht anfangen sollten, diesen Fall ernsthaft in Angriff zu nehmen.«

Wallander hatte bereits mit Martinsson am Telefon gesprochen. Er hatte mit Gösta Runfelts Tochter telefoniert. Sie hatte die Vorstellung, dass ihr Vater freiwillig verschwunden sein könnte, entschieden von sich gewiesen und war sehr besorgt.

Wallander stimmte Ann-Britt Höglund zu. Von jetzt an war Gösta Runfelts Verschwinden für die Polizei ein dringlicher Fall. »Da stimmt zu vieles nicht«, sagte er.

Sie kamen überein, für den frühen Sonntagnachmittag eine Dienstbesprechung anzusetzen. Ann-Britt Höglund übernahm es, das Ganze zu organisieren. Dann erzählte Wallander ihr von dem Inhalt des Tagebuchs. Indem er es ihr erzählte, machte er gleichzeitig eine Zusammenfassung für sich selbst.

»Harald Berggren«, sagte sie, als er geendet hatte. »Kann er es sein?«

»Er hat auf jeden Fall in seinem früheren Leben regelmäßig und gegen Bezahlung Grausamkeiten begangen«, sagte Wallander. »Vielleicht lebt er heute in der Angst, dass der Inhalt des Tagebuchs ans Licht kommt?«

»Wir müssen ihn ausfindig machen, mit anderen Worten«, sagte sie. »Das erste, was wir machen. Die Frage ist nur, wo wir anfangen sollen zu suchen.«

Wallander nickte. »Das Tagebuch lag in Erikssons Safe. Bis auf weiteres ist das die deutlichste Spur, die wir haben. Die aber trotz allem falsch sein kann.«

Als sie gehen wollte, klingelte das Telefon. Es war Svedberg, der Gösta Runfelts Sohn erreicht hatte.

»Er war völlig außer sich«, sagte Svedberg. »Er wollte sofort ein Flugzeug nehmen und herkommen.«

»Wann hat er zuletzt Kontakt mit seinem Vater gehabt?«

»Ein paar Tage bevor er nach Nairobi geflogen ist. Oder geflogen sein sollte, muss man wohl sagen. Alles war wie gewöhnlich. Dem Sohn zufolge freute sich der Vater immer auf seine Reisen.«

Wallander nickte. »Nun wissen wir das«, sagte er.

Dann reichte er Ann-Britt Höglund den Hörer, und sie verabredete mit Svedberg den Zeitpunkt für die Besprechung am nächsten Tag. Erst als sie schon wieder aufgelegt hatte, fiel Wallander ein, dass er ein Blatt Papier hatte, das Svedberg gehörte. Mit Notizen über eine Frau, die sich auf Ystads Entbindungsstation sonderbar aufgeführt hatte.

Ann-Britt Höglund beeilte sich, um zu ihren Kindern nach Hause zu kommen. Als Wallander allein war, rief er seinen Vater an. Sie verabredeten, dass er früh am Sonntagmorgen kommen sollte. Die Fotos, die der Vater mit seiner altertümlichen Kamera gemacht hatte, waren fertig.

Wallander zog eine dicke Jacke an und ging zu Fuß ins Zentrum. Dort aß er in einem chinesischen Restaurant am Markt. Es war ungewöhnlich gut besucht. Ihm fiel ein, dass Samstagabend war.

Er gönnte sich eine Karaffe Wein und bekam sogleich Kopfschmerzen. Als er nach Hause ging, regnete es wieder.

In der Nacht träumte er von Harald Berggrens Tagebuch. Er befand sich in einem großen Dunkel, es war sehr heiß, und irgendwo aus dem kompakten Dunkel zeigte Harald Berggren mit einer Waffe auf ihn.

Er erwachte früh.

Der Regen hatte aufgehört. Es war wieder klar.

Um Viertel nach sieben setzte er sich in den Wagen und fuhr zu seinem Vater. Das Morgenlicht gab der Landschaft scharfe, klare Konturen. Wallander überlegte, ob er versuchen sollte, seinen Vater und Gertrud mit an den Strand zu locken. Bald würde es so kalt sein, dass es nicht mehr möglich wäre.

Er dachte mit einem unguten Gefühl an seinen Traum. Außerdem machte er sich klar, dass sie bei der Besprechung am Nachmittag einen Zeitplan erstellen sollten, in welcher Reihenfolge sie Antworten auf verschiedene Fragen bekommen mussten. Harald Berggren zu lokalisieren war wichtig. Nicht zuletzt, wenn sich herausstellen sollte, dass sie eine Spur verfolgten, die nirgendwohin führte.

Als er auf den Hofplatz vor dem Haus seines Vaters einbog, stand der alte Herr auf der Treppe, um ihn zu begrüßen. Sie hatten sich seit der Reise nach Rom nicht gesehen. In der Küche hatte Gertrud den Frühstückstisch gedeckt. Zusammen betrachteten sie die Bilder, die der Vater gemacht hatte. Viele waren unscharf. Bei einigen war das Motiv teilweise außerhalb des Bildrandes gelandet. Aber weil sein Vater stolz und zufrieden war, nickte Wallander nur anerkennend.

Nach dem Frühstück gingen sie ins Atelier seines Vaters. Er arbeitete an einer Landschaft mit einem Auerhahn. Den Vogel malte er also als Letztes.

»Wie viele Bilder hast du in deinem Leben gemalt?« fragte Wallander.

»Das fragst du jedesmal, wenn du hier bist«, erwiderte sein Vater. »Wie kann ich das wissen? Wozu wäre das gut? Die Hauptsache ist, dass sie einander gleichen. Eines dem anderen.«

Wallander war sich schon lange darüber im klaren, warum sein Vater ständig das gleiche Motiv malte. Es war seine Art und Weise, all das zu beschwören, was sich um ihn herum veränderte. In seinen Bildern beherrschte er sogar den Gang der Sonne. Sie war da, unbeweglich, wie festgenagelt, stets in der gleichen Höhe über den bewaldeten Höhenzügen.

»Es war eine schöne Reise«, sagte Wallander und beobachtete den Vater, der Farbe anmischte.

»Ich habe doch gesagt, dass sie schön würde«, erwiderte sein Vater. »Ohne sie wärst du ins Grab gegangen, ohne die Sixtinische Kapelle gesehen zu haben.«

Wallander schlug vor, zum Meer hinunterzufahren. Zu seiner Verblüffung stimmte der Vater sofort zu. Doch Gertrud zog es vor, zu Hause zu bleiben. Kurz nach zehn setzten sie sich in Wallanders Wagen und fuhren hinunter nach Sandhammaren. Es war fast windstill. Sie gingen zum Strand. Sein Vater griff nach Wallanders Arm, als sie über die letzte Düne stiegen. Dann breitete sich das Meer vor ihnen aus. Der Strand war nahezu menschenleer. Nur in der Ferne sahen sie einige Spaziergänger mit einem Hund spielen. Das war alles.

»Das ist schön«, sagte sein Vater.

Wallander betrachtete ihn verstohlen. Es war, als habe die Reise nach Rom die Stimmung des Vaters grundlegend verändert. Vielleicht zeigte es sich ja, dass sie auch eine positive Einwirkung auf die schleichende Krankheit hatte, die die Ärzte bei seinem Vater konstatiert hatten. Aber er wusste auch, dass er selbst nie ganz verstehen würde, was die Reise dem Vater bedeutet hatte. Es war die Reise seines Lebens, und Wallander war die Gunst zuteil geworden, ihn dabei zu begleiten.

Rom war sein Mekka gewesen.

Plötzlich hielt sein Vater inne

»Was ist?« fragte Wallander.

»Mir ist ein paar Tage nicht gut gewesen«, sagte der Vater. »Aber das geht rasch vorüber.«

Ein Schwarm Zugvögel strich über ihren Köpfen nach Westen. Erst nach zwei Stunden am Strand meinte sein Vater, dass es genug sei. Wallander hatte nicht auf die Zeit geachtet und sah, dass er sich jetzt beeilen musste, um nicht zu spät zur Besprechung im Präsidium zu kommen.

Mit einem Gefühl der Erleichterung kehrte er nach Ystad zurück, nachdem er den Vater nach Löderup gebracht hatte. Auch wenn der Vater seiner schleichenden Krankheit nicht entrinnen konnte, hatte die Reise nach Rom ihm offenbar viel bedeutet. Vielleicht konnten sie jetzt wieder an das alte Verhältnis anknüpfen, das sie vor so vielen Jahren hatten – bis zu dem Tag, an dem Wallander sich entschloss, Polizeibeamter zu werden. Sein Vater hatte die Berufswahl des Sohnes nie akzeptiert, ohne jedoch erklären zu können, was er dagegen hatte. Auf dem Rückweg nach Ystad dachte Wallander, dass er jetzt vielleicht eine Antwort auf diese Frage bekäme, über die er so viele Jahre seines Lebens nachgegrübelt hatte.

Um halb drei schlossen sie die Türen des Konferenzraums hinter sich. Auch Lisa Holgersson hatte sich eingefunden. Wallander berichtete von dem Fund des geschrumpften Menschenkopfes und von Harald Berggrens Tagebuch. Als er fertig war, herrschte Einigkeit darüber, dass dies wirklich etwas war, was einer Spur ähnelte. Nachdem sie verschiedene Aufgaben unter sich verteilt hatten, leitete Wallander zu Gösta Runfelt über.

»Von jetzt an müssen wir davon ausgehen, dass Gösta Runfelt etwas zugestoßen ist«, sagte er. »Wir können weder ein Unglück noch ein Verbrechen ausschließen. Ich glaube aber, dass wir von einer Verbindung zwischen Holger Eriksson und Gösta Runfelt absehen können. Es kann eine geben. Aber es ist wenig wahrscheinlich.«

Wallander wollte so schnell wie möglich zum Ende kommen. Immerhin war Sonntag. Er wusste, dass seine Mitarbeiter das ihnen Mögliche taten, um ihre Aufgaben zu erledigen. Aber er wusste auch, dass die beste Arbeit zuweilen darin bestand, sich auszuruhen. Die Stunden mit seinem Vater am Strand hatten ihm neue Kräfte gegeben. Als er kurz nach vier das Präsidium verließ, fühlte er sich so ausgeruht wie schon seit Tagen nicht mehr. Auch die Unruhe hatte sich für eine Weile gelegt.

Wenn sie Harald Berggren fänden, sprach viel dafür, dass sie auch die Lösung gefunden hatten. Der Mord war zu ausgeklügelt, um nicht von einem ganz speziellen Täter begangen worden zu sein.

Harald Berggren konnte genau dieser Täter sein.

Am Nachmittag rief Linda an. Er sagte, er riefe zurück, hielt den Videofilm an, den er sich gerade ansah, und setzte sich in die Küche. Sie sprachen fast eine halbe Stunde miteinander. Mit keinem Wort ließ sie ein Schuldbewusstsein erkennen, weil sie so lange nichts von sich hatte hören lassen. Er spielte auch nicht darauf an. Sie waren einander ähnlich und konnten beide zerstreut sein, aber auch konzentriert, wenn eine schwierige Aufgabe zu lösen war. Sie erzählte, dass es ihr gut ging, dass sie in dem Restaurant auf Kungsholmen bediente und Schauspielunterricht nahm. Er fragte nicht danach, wie sie vorankäme. Er hatte ein bestimmtes Gefühl, dass sie auch ohnedies genügend Zweifel an ihren Fähigkeiten hatte.

Nachdem sie aufgelegt hatten, ging er hinaus auf den Balkon. Es war noch immer vollkommen windstill. Das war eine Seltenheit in Schonen.

Für einen Augenblick war jegliche Unruhe verschwunden. Jetzt wollte er schlafen. Morgen würde er wieder an die Arbeit gehen. Als er das Licht ausmachte, fiel sein Blick auf das Tagebuch.

Er fragte sich, wo Harald Berggren sich in diesem Augenblick wohl befand.

11

Als Wallander am Montagmorgen, dem 3. Oktober, erwachte, hatte er das Gefühl, dringend noch einmal mit Sven Tyrén sprechen zu müssen. Ob er im Traum zu dieser Einsicht gelangt war? Er wartete nicht, bis er ins Präsidium kam. Während der Kaffee durchlief, rief er die Auskunft an und ließ sich Tyréns Privatnummer geben. Seine Frau meldete sich. Ihr Mann sei schon unterwegs. Wallander erhielt die Mobilnummer. Es knisterte und raschelte in der Leitung, als Tyrén sich meldete. Im Hintergrund hörte Wallander das dumpfe Motorgeräusch des Lasters. Sven Tyrén befand sich auf der Landstraße kurz vor Högestad. Er hatte noch zwei Lieferungen zu erledigen, bevor er ins Depot nach Malmö fuhr. Wallander bat ihn, so schnell wie möglich ins Präsidium zu kommen. Sven Tyrén versprach, gegen neun Uhr da zu sein.

»Und parken Sie lieber nicht vor der Einfahrt«, sagte Wallander. »Das kann ein Kuddelmuddel geben.«

Sven Tyrén murmelte etwas Unverständliches.

Um Viertel nach sieben kam Wallander ins Präsidium. Kurz vor der Glastür besann er sich anders und wandte sich nach links zum Eingang der Staatsanwaltschaft. Er wusste, dass Per Åkesson ebenso ein Frühaufsteher war wie er selbst. Als er anklopfte, wurde er auch prompt hereingerufen.

Per Åkesson saß hinter seinem wie üblich überhäuften Schreibtisch. Der Raum war ein Chaos – überall Papiere und Aktenordner. Aber der Schein trog. Per Åkesson war ein außerordentlich effektiv arbeitender und gewissenhafter Staatsanwalt, und Wallander hatte gern mit ihm zu tun. Sie kannten sich schon lange und hatten über die Jahre ein Verhältnis zueinander entwickelt, das weit über das rein Berufliche hinausging. Dennoch gab es eine unsichtbare Grenze, die sie nie überschritten. Richtig enge Freunde würden sie nie werden können. Dazu waren sie zu verschieden. Per Åkesson nickte erfreut, als Wallander eintrat. Er stand auf und machte einen Stuhl frei, auf dem ein Karton mit Akten für eine Verhandlung vor dem Amtsgericht am gleichen Tag lag. Wallander setzte sich. Per Åkesson bat die Vermittlung, keine Gespräche durchzustellen.

»Ich habe damit gerechnet, dass du dich meldest«, sagte er. »Vielen Dank für die Karte übrigens.«

Wallander hatte vergessen, dass er Per Åkesson aus Rom eine Karte geschrieben hatte. So weit er sich jetzt erinnern konnte, war es ein Motiv vom Forum Romanum gewesen.

»Es war eine gelungene Reise«, sagte er. »Für meinen Vater und für mich auch. Ich hatte gehofft, es würde ein ruhiger Herbst«, meinte er dann. »Und dann kommt man zurück und findet einen alten Mann, der in einem Graben aufgespießt worden ist.«

Per Åkesson schnitt eine Grimasse. »Ich habe ein paar von euren Fotos gesehen«, sagte er. »Und Lisa Holgersson hat erzählt. Habt ihr irgendwelche Anhaltspunkte?«

»Vielleicht«, antwortete Wallander und erzählte in aller Kürze von dem Fund in Erikssons Safe. Er wusste, dass Per Åkesson Respekt hatte vor seiner Fähigkeit, eine polizeiliche Ermittlung zu leiten.

»Es hört sich natürlich nach reinem Wahnsinn an, wenn ein alter Mann in einem Graben aufgespießt wird«, sagte Per Åkesson. »Aber anderseits leben wir in einer Zeit, in der es immer schwieriger wird, den Unterschied zwischen Wahnsinn und Normalität zu bestimmen.«

»Wie läuft die Sache mit Uganda?« fragte Wallander.

»Ich nehme an, du meinst mit dem Sudan?« sagte Per Åkesson.

Wallander wusste, dass Per Åkesson sich um einen Dienst beim UN-Flüchtlingskommissariat beworben hatte. Er wollte für einige Zeit fort von Ystad.

»Ich warte noch auf Nachricht. Aber es sollte mich sehr wundern, wenn ich die Stelle nicht bekäme. Wenn alles klappt, verschwinde ich zu Neujahr«, sagte er. »Ich bleibe mindestens zwei Jahre weg.«

»Hoffentlich haben wir bis dahin die Sache mit Holger Eriksson aufgeklärt. Hast du irgendwelche Direktiven, die du mir geben willst?«

»Eher solltest du Wünsche äußern, wenn du welche hast.«

Wallander dachte nach. »Noch nicht«, sagte er. »Lisa Holgersson meinte, wir sollten vielleicht Mats Ekholm wieder hinzuziehen. Kannst du dich an ihn erinnern, vom Sommer? Der mit den psychologischen Profilen? Der Verrückte jagt, indem er versucht, sie zu katalogisieren? Ich halte ihn übrigens für sehr fähig.«

Per Åkesson erinnerte sich sehr gut an ihn.

»Ich glaube trotzdem, wir sollten noch warten«, fuhr Wallander fort. »Ich bin nämlich keineswegs sicher, dass wir es mit einem Geistesgestörten zu tun haben.«

»Wenn du meinst, wir sollten noch warten, dann tun wir das«, sagte Per Åkesson und stand auf. Er zeigte entschuldigend auf den Karton. »Ich habe eine reichlich wirre Verhandlung heute, ich muss mich vorbereiten.«

Wallander wandte sich zum Gehen. »Was sollst du im Sudan eigentlich machen?« fragte er. »Brauchen die Flüchtlinge wirklich schwedischen Rechtsbeistand?«

»Flüchtlinge brauchen jeden Beistand, den sie bekommen können«, erwiderte Per Åkesson und begleitete Wallander zum Ausgang.

Wallander verließ die Staatsanwaltskanzlei. Draußen wehte ein böiger Wind. Der Himmel war grau. Wallander vermutete, dass es höchstens acht Grad plus waren. Als er im Polizeigebäude in sein Zimmer kam, nahm er Harald Berggrens Tagebuch aus der Innentasche seiner Jacke und legte es in eine Schreibtischschublade. Das Foto mit den drei Männern, die vor dem Termitenhügel posierten, ließ er auf dem Tisch liegen. Während er auf Sven Tyrén wartete, sah er schnell ein paar Papiere durch, die ihm die anderen aus seiner Fahndungsgruppe hingelegt hatten. Um Viertel vor neun holte er Kaffee. Ann-Britt Höglund kam vorbei und berichtete, dass Gösta Runfelt jetzt registriert war und formell als dringender Fall behandelt wurde.

»Ich habe mit einem von Runfelts Nachbarn gesprochen«, sagte sie. »Einem Gymnasiallehrer, der sehr vertrauenerweckend wirkte. Er behauptete, Runfelt am Dienstagabend in seiner Wohnung gehört zu haben. Aber danach nicht mehr.«

»Was darauf schließen lässt, dass er sich da also trotz allem auf den Weg gemacht hat«, sagte Wallander. »Aber nicht nach Nairobi.«

»Ich habe diesen Nachbarn gefragt, ob ihm an Runfelt irgendetwas aufgefallen sei«, sagte sie. »Aber er schien ein zurückgezogener Mann mit regelmäßigen Gewohnheiten gewesen zu sein. Höflich, aber nicht mehr. Außerdem bekam er selten Besuch. Das einzig Bemerkenswerte war, dass Runfelt manchmal sehr spät nachts nach Hause kam.«

Wallander blieb mit dem Kaffeebecher in der Hand stehen und dachte nach über das, was sie gesagt hatte. »Wir müssen uns mit dem Inhalt des Kartons befassen«, sagte er. »Es wäre gut, wenn schon heute jemand bei der Versandfirma anriefe. Außerdem hoffe ich, dass die Kollegen in Borås benachrichtigt sind. Wie hieß die Firma? Secur? Wir müssen rausfinden, ob Runfelt früher schon andere Sachen da gekauft hat. Er muss die Dinge ja bestellt haben, um sie irgendwo irgendwie zu benutzen.«

»Abhörausrüstung«, sagte sie. »Fingerabdrücke? Wer ist daran interessiert? Wer benutzt so was?«

»Wir tun es.«

»Aber wer noch?«

Wallander sah, dass sie an etwas Bestimmtes dachte. »Eine Abhöranlage kann natürlich von Leuten benutzt werden, die unerlaubte Dinge treiben.«

»Ich dachte mehr an die Fingerabdrücke.«

Wallander nickte. Jetzt begriff er. »Ein Privatdetektiv«, sagte er. »Der Gedanke ist mir auch schon durch den Kopf gegangen. Aber Gösta Runfelt ist Blumenhändler, der sich mit Orchideen beschäftigt.«

»Es war auch nur ein Einfall«, sagte sie. »Ich rufe die Versandfirma selbst an.«

Wallander ging in sein Zimmer. Das Telefon klingelte. Es war Ebba. Sven Tyrén war in der Anmeldung.

»Kommst du und holst ihn ab?« fragte Ebba. Außerdem wollte Martinsson mit dir sprechen.«

»Wo ist er?«

»In seinem Zimmer, nehm ich an.«

»Bitte Sven Tyrén, ein paar Minuten zu warten, während ich mit Martinsson rede.«

Martinsson telefonierte, als Wallander in sein Zimmer kam. Er beendete das Gespräch in aller Eile. Wallander nahm an, dass seine Frau angerufen hatte.

»Ich habe die Gerichtsmediziner in Lund erreicht«, sagte er. »Es gibt eine Reihe vorläufiger Ergebnisse. Das Problem ist, dass sie Schwierigkeiten haben, uns zu sagen, was wir am dringendsten wissen möchten.«

»Wann er starb?«

Martinsson nickte. »Keiner von diesen Bambusstäben ist direkt durchs Herz gegangen. Auch eine Pulsader ist nicht getroffen worden. Das bedeutet, dass er ziemlich lange da gehangen haben kann, bevor er starb. Die Todesursache kann als Ertrinken beschrieben werden.«

»Was heißt das?« fragte Wallander verwundert. »Er hing doch in einem Graben. Da konnte er doch nicht ertrinken.«

»Der Arzt, mit dem ich gesprochen habe, hatte eine Menge unschöner Details auf Lager«, sagte Martinsson. »Er meinte, die Lungen wären so voll gewesen mit Blut, dass Holger Eriksson zu einem bestimmten Zeitpunkt nicht mehr atmen konnte. Ungefähr so, als wäre er ertrunken. Ich sehe zu, dass du die Papiere kriegst, sobald sie kommen.«

Wallander ging zur Anmeldung und holte Sven Tyrén, der auf einem Plastiksofa saß und auf den Fußboden starrte. Er war unrasiert und hatte blutunterlaufene Augen. Der Geruch von Öl und Benzin war sehr stark. Sie gingen in Wallanders Zimmer.

Wallander hatte irgendwie das Gefühl, dass Tyrén misstrauisch und auf der Hut war. Alle polizeilichen Instinkte Wallanders waren auf einmal hellwach. Seine erste Frage war die einzige, die er vorbereitet hatte.

»Harald Berggren, sagt Ihnen der Name was?«

Sven Tyrén betrachtete ihn. »Ich kenne niemand, der Harald Berggren heißt. Sollte ich das?«

»Sind Sie sicher?«

»Ja.«

Wallander schob ihm das Foto hin und zeigte darauf. Sven Tyrén beugte sich vor.

»Kennen Sie einen von den Männern auf diesem Bild? Sehen Sie genau hin. Lassen Sie sich Zeit.«

Sven Tyrén nahm das Foto in seine ölverschmierten Finger. Er betrachtete es lange. Wallander hatte vage zu hoffen begonnen, als Tyrén es wieder hinlegte.

»Ich hab noch nie einen von ihnen gesehen.«

Wallander spürte, dass Tyrén die Wahrheit sagte.

»Das sind drei Söldner«, sagte er. »Es ist vor gut dreißig Jahren in Afrika aufgenommen worden.«

»Fremdenlegion?«

»Nicht direkt. Aber so ähnlich. Soldaten, die für die Seite kämpfen, die am besten bezahlt.«

»Man muss ja leben.«

Wallander sah ihn fragend an. »Haben Sie davon reden hören, dass Holger Eriksson eventuell Kontakt zu Söldnern hatte?«

»Holger Eriksson hat Autos verkauft. Ich dachte, das hätten Sie kapiert.«

»Holger Eriksson hat außerdem Gedichte geschrieben und Vögel beobachtet«, sagte Wallander und verbarg nicht seine Irritation. »Haben Sie Holger Eriksson von Söldnern sprechen hören oder nicht? Oder von Kriegen in Afrika?«

Sven Tyrén starrte ihn an. »Holger war ein friedlicher Mensch. Auch wenn er hart sein konnte, wenn es um Geschäfte ging. Aber über Söldner hat er nie gesprochen. Auch wenn er das sicher hätte tun können.«

»Was meinen Sie damit? Dass er es sicher hätte tun können?«

»Söldner kämpfen doch gegen Revolutionäre und Kommunisten? Und Holger war konservativ, kann man sagen. Gelinde gesagt.«

»Inwiefern konservativ?«

»Er fand, dass die ganze Entwicklung der Gesellschaft beschissen war. Er fand, dass man die Prügelstrafe wieder einführen und Mörder aufhängen sollte. Wenn es nach ihm gegangen wäre, dann kriegte der, der ihn umgebracht hat, einen Strick um den Hals.«

»Und darüber hat er mit Ihnen gesprochen?«

»Darüber hat er mit allen gesprochen. Er stand zu seinen Ansichten.«

»War er Nazi?«

»Ich weiß nichts über die. Er fand, dass die Gesellschaft dabei war, vor die Hunde zu gehen.«

Wallander dachte einen Augenblick nach über das, was Tyrén gesagt hatte. Es vertiefte und veränderte das Bild, das er sich bisher von Holger Eriksson gemacht hatte. Er war offensichtlich ein ungewöhnlich komplexer und widersprüchlicher Mensch. Dichter und ultrakonservativ, Vogelbeobachter und Befürworter der Todesstrafe. Wallander erinnerte sich an das Gedicht auf dem Schreibtisch, in dem Holger Eriksson um einen Vogel trauerte, der im Begriff war, aus dem Land zu verschwinden. Aber Schwerverbrecher sollte man hängen.

»Hat er je mit Ihnen darüber gesprochen, dass er Feinde hatte?«

»Er hat das nie offen gesagt. Aber nachts hat er seine Türen ordentlich verrammelt.«

»Warum das?«

»Weil er Feinde hatte.«

»Aber Sie wissen nicht, welche?«

»Nein. Aber nachts schloss er sich ein.«

»Woher wissen Sie das?«

»Er hat es gesagt. Wieso sollte ich es sonst wissen? Ich bin nicht hingefahren und habe nachts an seinen Türen gerüttelt! In Schweden kann man heutzutage niemandem trauen. So hat er gesagt.«

Wallander beschloss, das Gespräch mit Sven Tyrén fürs Erste zu beenden. Es würde sich schon noch eine weitere Gelegenheit ergeben. Er hatte auch das bestimmte Gefühl, dass Tyrén mehr wusste, als er aussprach. Doch Wallander musste behutsam vorgehen. Wenn er Tyrén in eine Ecke drängte, würde es schwer sein, ihn wieder hervorzulocken.

»Ich glaube, wir lassen es bis auf weiteres dabei bewenden«, sagte Wallander.

»Bis auf weiteres? Soll das heißen, dass ich noch mal kommen muss? Und wann soll ich meine Arbeit machen?«

»Wir melden uns. Danke, dass Sie gekommen sind«, sagte Wallander und stand auf. Er streckte ihm die Hand hin.

Tyrén hatte einen kräftigen Händedruck.

»Ich glaube, Sie finden allein raus«, sagte Wallander.

Als Tyrén gegangen war, rief er Hansson an. Er hatte Glück und bekam ihn sofort zu fassen. »Sven Tyrén«, sagte er. »Der den Tanklaster fährt. Von dem du angenommen hast, er wäre in irgendwelche Körperverletzungsgeschichten verwickelt. Erinnerst du dich?«

»Ja.«

»Sieh mal nach, was du über ihn finden kannst.«

Hansson versprach, sich der Sache anzunehmen.

Es war zehn geworden. Wallander holte Kaffee. Dann schrieb er ein Erinnerungsprotokoll über sein Gespräch mit Sven Tyrén.

Wenn sich die Gruppe wieder traf, würden sie über das, was bei dem Gespräch herausgekommen war, gründlich diskutieren. Wallander war überzeugt, dass es wichtig war.

Als er fertig war mit seiner Zusammenfassung und den Schreibblock zuklappte, entdeckte er das Papier mit den Bleistiftnotizen über die mysteriöse Krankenschwester; er hatte nun schon mehrmals vergessen, Svedberg das Blatt zurückzugeben. Jetzt wollte er es tun, bevor er etwas anderes anfing. Er nahm das Papier und verließ das Zimmer. Draußen auf dem Flur hörte er, wie sein Telefon klingelte. Er zögerte einen Moment. Dann ging er zurück und nahm den Hörer ab.

Es war Gertrud. Sie weinte. »Du musst kommen«, schluchzte sie.

Wallander wurde ganz kalt. »Was ist passiert?« fragte er.

»Dein Vater ist tot. Er liegt draußen zwischen seinen Bildern.«

Es war Viertel nach zehn, Montag, der 3. Oktober 1994.

12

Kurt Wallanders Vater wurde am 11. Oktober auf dem Nya Kyrkogården in Ystad begraben. Es war ein Tag mit stürmischem Wind und kräftigen Regenschauern, die dann und wann von sonnigen Abschnitten unterbrochen wurden. Auch jetzt, eine Woche nachdem Wallander am Telefon die Nachricht vom Tod seines Vaters erhalten hatte, fiel es ihm noch schwer zu verstehen, was geschehen war. Wallander hatte das Polizeigebäude verlassen, ohne mit jemandem zu sprechen. Er war überzeugt, dass Gertrud sich irrte. Aber als er nach Löderup kam und ins Atelier rannte, wo es wie immer nach Terpentin roch, sah er sofort, dass Gertrud Recht hatte. Sein Vater war nach vorn über ein Bild gefallen, an dem er gerade gemalt hatte. Wallander sah, dass er dabei gewesen war, das Bild abzuschließen, mit dem er am Tag zuvor, als sie den langen Spaziergang am Strand von Sandhammaren gemacht hatten, beschäftigt war. Der Tod war plötzlich gekommen. Alles war wie immer gewesen, erklärte Gertrud später. Gegen halb sieben war er in sein Atelier gegangen. Als er um zehn nicht in die Küche kam, um wie jeden Tag Kaffee zu trinken, wollte sie ihn daran erinnern. Da war er bereits tot.

Wallander war innerlich vollkommen leer. Er empfand keine Trauer. Er empfand überhaupt nichts, außer einer unklaren Vorstellung, dass es ungerecht war. Seinen toten Vater konnte er kaum bedauern. Aber er konnte um seiner selbst willen trauern, die einzige Trauer, die möglich ist. Dann kam der Krankenwagen. Wallander kannte den Fahrer. Er hieß Prytz, und hatte sofort verstanden, dass sie Wallanders Vater holen sollten.

»Er war nicht krank«, sagte Wallander. »Gestern sind wir noch am Strand spazieren gegangen. Da klagte er über Unwohlsein. Sonst nichts.«

»Es war bestimmt ein Schlaganfall«, antwortete Prytz verständnisvoll. »Es sieht danach aus.«

Das war es auch, was die Ärzte Wallander später sagten. Alles war sehr schnell gegangen. Seinem Vater war wohl kaum bewusst geworden, dass er starb. Ein Blutgefäß in seinem Gehirn war geplatzt, und er war tot, bevor sein Kopf auf das noch nicht fertiggemalte Bild aufschlug. Gertruds Trauer und der Schock waren gemischt mit Erleichterung darüber, dass es so schnell gegangen war. Dass es ihm jetzt erspart blieb, in einem verwirrten Niemandsland dahinzudämmern.

Wallander hatte ganz andere Gedanken. Sein Vater war allein gewesen, als er starb. Niemand sollte allein sein müssen, wenn die letzte Stunde schlug. Aber das Schlimmste war trotzdem, dass es zum falschen Zeitpunkt geschehen war. Obwohl er achtzig Jahre alt war, war es zu früh. Es hätte später kommen sollen. Nicht jetzt. Nicht so. Als Wallander da im Atelier stand, hatte er versucht, seinen Vater zu schütteln. Aber es war umsonst.

Trotz seiner Trauer zwang sich Wallander, seinen Beruf nicht zu vernachlässigen. Schon am Tag nach dem Todesfall, am Dienstag, dem 4. Oktober, kehrte er an seinen Arbeitsplatz zurück. Er hatte eine schlaflose Nacht in der Wohnung verbracht. Linda, die mit dem Flugzeug angereist war, hatte in ihrem alten Zimmer geschlafen. Außerdem war Mona zu Besuch gekommen und hatte ein Abendessen mitgebracht, damit sie, wie sie sagte, für eine Weile an etwas anderes dachten. Wallander stellte dabei zum ersten Mal nach ihrer aufreibenden Ehescheidung vor fünf Jahren fest, dass ihre Ehe jetzt auch für seinen Teil endgültig vorbei war. Allzu lange hatte er an Mona appelliert, zurückzukommen, und unrealistische Träume geträumt, dass alles wieder so werden könnte wie früher. Aber es gab keinen Weg zurück. Und jetzt stand ihm Baiba nahe. Ein Gutes hatte der Tod des Vaters mit sich gebracht: Wallander zweifelte nicht mehr daran, dass das Leben, das er mit Mona geführt hatte, vorbei war.

Dass er in dieser Woche bis zur Beerdigung so schlecht schlief, war vielleicht nicht so verwunderlich. Aber seine Kollegen hatten den Eindruck, dass er genauso war wie immer. Sie hatten ihm ihr Beileid ausgesprochen, und er hatte gedankt. Danach war er sofort zur laufenden Ermittlung übergegangen. Lisa Holgersson hatte ihn im Flur auf die Seite genommen und ihm vorgeschlagen, ein paar Tage frei zu nehmen. Aber er hatte ihr Angebot abgelehnt. In den Stunden des Tages, in denen er arbeitete, fühlte er, dass die Trauer um den Vater erträglicher wurde.

Die Ermittlung schleppte sich in der Woche bis zur Beerdigung sehr langsam dahin. Möglicherweise lag es daran, dass Wallander die Arbeit nicht wie gewohnt vorantrieb. Der zweite Fall, auf den sie sich konzentrierten und der immer wieder den Mord an Holger Eriksson überschattete, war der verschwundene Gösta Runfelt. Keiner verstand, was geschehen war. Er schien sich in Luft aufgelöst zu haben. Keiner der Beamten glaubte noch daran, dass es für sein Verschwinden eine natürliche Erklärung gab. Es war ihnen andererseits nicht gelungen, etwas zu finden, was auf einen

Zusammenhang zwischen Holger Eriksson und Gösta Runfelt hinwies. Das einzige, was in Bezug auf Gösta Runfelt vollkommen klar zu sein schien, war, dass das Interesse für Orchideen seinen Lebensinhalt darstellte.

»Wir sollten einmal untersuchen, was eigentlich passiert ist, als seine Frau ertrunken ist«, sagte Wallander auf einer der Besprechungen, an denen er in der Woche, in der die Beerdigung stattfand, teilnahm. Ann-Britt Höglund versprach, sich der Sache anzunehmen.

»Der Postversand in Borås?« fragte Wallander anschließend. »Was ist damit? Was sagen die Kollegen?«

»Sie sind der Sache nachgegangen«, antwortete Svedberg. »Ihre Kundenkartei scheint sehr unvollständig gewesen zu sein. Aber die Kollegen in Borås haben herausgefunden, dass die Firma offenbar hochmoderne Ausrüstungen vertreibt. Ihrer Meinung nach hätte Runfelt durchaus Spion sein können.«

Wallander dachte einen Augenblick nach. »Warum nicht?« sagte er dann. »Wir können nichts ausschließen. Er muss ja einen Grund gehabt haben, die Ausrüstung zu kaufen.«

Sie nahmen also Gösta Runfelts Verschwinden überaus ernst.

Davon abgesehen konzentrierten sie sich auf die Jagd nach dem oder denen, die Holger Eriksson ermordet hatten. Sie suchten nach Harald Berggren, ohne die geringste Spur von ihm zu finden. Das Museum in Stockholm hatte ihnen mitgeteilt, dass der geschrumpfte Kopf, den sie mit dem Tagebuch in Holger Erikssons Safe gefunden hatten, mit großer Wahrscheinlichkeit aus dem Kongo oder aus Zaire stammte und dass es ein Menschenkopf war. So weit stimmte es. Aber wer war dieser Harald Berggren? Sie hatten schon mit vielen Menschen gesprochen, die Holger Eriksson während verschiedener Perioden seines Lebens gekannt hatten, aber keiner von ihnen hatte jemals etwas von Harald Berggren gehört. Es hatte auch niemand davon reden hören, dass Holger Eriksson Kontakt zu jener Unterwelt hatte, in der sich Söldner wie scheue Ratten bewegten und ihre Verträge mit den verschiedenen Boten des Teufels unterschrieben. Schließlich war es Wallander, der die Ermittlung mit einem neuen Gedanken wieder in Bewegung brachte.

»Vieles ist merkwürdig im Umkreis von Holger Eriksson«, hatte er gesagt. Nicht zuletzt die Tatsache, dass in seiner Nähe keine einzige Frau in Erscheinung tritt. Nirgendwo und nirgendwann. Deshalb fange ich an, mich zu fragen, ob zwischen Holger Eriksson und diesem Harald Berggren eine homosexuelle Beziehung im Spiel war. In Berggrens Tagebuch kommen auch keine Frauen vor.«

Es wurde still im Raum. Keiner schien an die Möglichkeit, die Wallander ansprach, gedacht zu haben.

Martinsson studierte das Foto der drei Männer vor dem Termitenhügel. »Man könnte das Gefühl haben, dass du Recht hast«, sagte er. »Diese Männer haben irgendwie etwas Feminines an sich.«

»Was denn?« fragte Ann-Britt Höglund neugierig.

»Ich weiß nicht«, sagte Martinsson. »Vielleicht die Art, wie sie sich an den Termitenhügel lehnen. Das Haar.«

»Es bringt nichts, wenn wir hier sitzen und raten«, sagte Wallander. »Ich versuche nur, eine weitere Möglichkeit anzudeuten. Wir sollten sie im Hinterkopf haben, wie alles andere.«

»Wir suchen mit anderen Worten nach einem homosexuellen Söldner«, sagte Martinsson. »Wo findet man so einen?«

»Genau das tun wir nicht«, sagte Wallander. »Aber wir müssen die Möglichkeit neben dem übrigen Material im Auge behalten.«

»Keiner, mit dem ich gesprochen habe, hat auch nur angedeutet, dass Holger Eriksson homosexuell gewesen sein könnte«, sagte Hansson, der bisher geschwiegen hatte.

»Darüber spricht man doch nicht offen«, sagte Wallander. »Auf jeden Fall nicht Männer einer älteren Generation. Wenn Holger Eriksson homosexuell war, dann war er das in Zeiten, in denen man hier zu Lande Menschen mit dieser Veranlagung erpresste.«

Später sollte Wallander sich sehr deutlich daran erinnern, dass dies der Augenblick war, in dem die Ermittlung in ein neues Stadium eintrat. Als wäre allen plötzlich klar geworden, dass bei dem Mord an Holger Eriksson nichts einfach und leicht zugänglich war. Sie hatten es mit einem oder mehreren verschlagenen Tätern zu tun, und sie konnten jetzt davon ausgehen, dass das Motiv für den Mord irgendwo in der Vergangenheit verborgen lag. Einer Vergangenheit, die gegen Einsicht gut geschützt war. Sie betrieben weiter ihre mühsame Grundlagenarbeit. Sie erfassten alles, was ihnen über Holger Erikssons Leben zugänglich war. Svedberg blieb sogar mehrere Tage bis spät in die Nacht auf und las genau und langsam die neun Gedichtsammlungen durch, die Eriksson herausgegeben hatte. Am Schluss glaubte Svedberg fast den Verstand zu verlieren über all den seelischen Konflikten, die offenbar in der Welt der Vögel existierten. Aber mehr über Holger Eriksson gelernt zu haben, meinte er nicht. Martinsson nahm seine Tochter Terese an einem windigen Nachmittag mit nach Falsterbonäset und sprach mit verschiedenen Vogelbeobachtern, die mit den Köpfen im Nacken dastanden und zu den grauen Wolken hinaufstarrten. Das einzige Ergebnis des Besuches, abgesehen vom Zusammensein mit seiner Tochter, die Interesse gezeigt hatte, Mitglied bei den Feldbiologen zu werden, war, dass er nun wusste, dass in der Nacht, in der Holger Eriksson ermordet wurde, große Schwärme von Rotdrosseln Schweden verlassen hatten.

Endlich kam der Tag der Beerdigung. Sie wollten sich am Krematorium treffen. Vor ein paar Tagen hatte Wallander zu seiner Verwunderung erfahren, dass eine Pastorin den Trauergottesdienst halten sollte. Außerdem war es nicht irgendeine Pastorin. Er war ihr bei mindestens einer denkwürdigen Gelegenheit während des vergangenen Sommers begegnet. Nachher freute er sich, dass sie es war. Ihre Ansprache war einfach, und sie verfiel keinen Augenblick in Pathos. Sie hatte ihn am Vortag angerufen und gefragt, ob sein Vater religiös gewesen sei. Wallander hatte das verneint. Aber er hatte ihr von seiner Malerei erzählt. Und von ihrer Reise nach Rom. Das Begräbnis wurde weniger quälend, als Wallander befürchtet hatte. Der Sarg war aus braunem Holz und hatte eine schlichte Rosendekoration. Linda zeigte ihre Gefühle am offensten. Niemand bezweifelte, dass ihre Trauer echt war. Vielleicht würde sie den Toten am meisten vermissen.

Nach der Trauerfeier fuhren sie nach Löderup hinaus. Jetzt, nach dem Begräbnis, fühlte Wallander Erleichterung. Wie er später reagieren würde, wusste er nicht. Es war immer noch, als verstehe er nicht, was geschehen war. Er dachte, dass er zu einer Generation gehörte, die außerordentlich schlecht darauf vorbereitet war, dass der Tod stets in der Nähe war. Was ihn betraf, so verstärkte sich dieses Gefühl durch das Eigentümliche der Tatsache, dass er sich in seiner Tätigkeit als Polizeibeamter so häufig mit toten Menschen befasste. Aber nun hatte sich gezeigt, dass er selbst ebenso schutzlos war wie jeder andere. Er dachte an das Gespräch mit Lisa Holgersson vor einer Woche.

Am Abend saßen Linda und er noch lange auf und sprachen miteinander. Sie wollte früh am nächsten Morgen wieder nach Stockholm fahren. Wallander erkundigte sich vorsichtig, ob sie ihn nun seltener besuchen werde, da ihr Großvater nicht mehr da war. Aber sie versprach, im Gegenteil, öfter zu kommen. Und Wallander versprach seinerseits, Gertrud nicht zu vergessen.

Als er an diesem Abend ins Bett ging, spürte er das Bedürfnis, sich jetzt unmittelbar wieder seiner Arbeit zuzuwenden. Mit aller Kraft. Erst wenn er Abstand gewonnen hätte zum plötzlichen Tod des Vaters, würde er vielleicht verstehen, was dies für ihn bedeutete. Um diesen Abstand zu gewinnen, musste er arbeiten. Eine andere Möglichkeit sah er nicht.

Ich habe nie erfahren, warum er nicht wollte, dass ich Polizeibeamter werde, dachte er, bevor er einschlief. Und jetzt ist es zu spät. Jetzt werde ich es nie mehr erfahren.

Sie hatte für Gösta Runfelts letzte Stunden einen detaillierten Zeitplan ausgearbeitet. Sie wusste, dass er jetzt, geschwächt wie er war, keinen Widerstand mehr leisten konnte. Sie hatte diesen Widerstand gebrochen, während sie gleichzeitig innerlich sich selbst zerbrochen hatte. *Der Wurm in der Blume kündet von der Blume Tod*, dachte sie, während sie die Tür zum Haus in Vollsjö aufschloss. Sie hatte in ihrem Zeitplan notiert, dass sie um vier Uhr am Nachmittag ankommen würde. Jetzt war sie drei Minuten vor ihrem Zeitplan. Sie würde warten, bis es dunkel geworden wäre. Dann würde sie ihn aus dem Backofen ziehen. Sicherheitshalber wollte sie ihm Handschellen anlegen. Und ihn knebeln. Aber nicht seine Augen verbinden. Auch wenn er Schwierigkeiten haben würde, nach so vielen Tagen in vollkommener Dunkelheit seine Augen wieder ans Licht zu gewöhnen, würde er nach einigen Stunden wieder sehen können. Denn sie wollte, dass er sie wirklich sah. Und die Fotos, die sie ihm zeigen würde. Die Bilder, die ihn verstehen lassen würden, was mit ihm geschah. Und warum.

Es gab ein paar Einzelheiten, die sie nicht ganz überblickte und die ihre Planung beeinflussen konnten. Unter anderem bestand das Risiko, dass er zu schwach war, um auf den Beinen zu stehen. Deshalb hatte sie vom Hauptbahnhof in Malmö eine kleine, handliche Gepäckkarre mitgenommen. Niemand hatte gesehen, wie sie die Karre in ihren Wagen gelegt hatte. Sie hatte sich noch nicht entschieden, ob sie sie zurückbringen würde. Aber in der Karre konnte sie ihn zum Wagen rollen, wenn es notwendig sein sollte.

Der übrige Zeitplan war sehr einfach. Kurz vor neun würde sie ihn in den Wald hinausfahren. Sie würde ihn an den Baum binden, den sie schon ausgesucht hatte. Und ihm die Fotografien zeigen.

Dann würde sie ihn erwürgen. Ihn dort zurücklassen. Spätestens um Mitternacht würde sie zu Hause in ihrem Bett liegen. Ihr Wecker würde um Viertel nach fünf klingeln. Um Viertel nach sieben begann ihre Arbeit.

Sie liebte ihren Zeitplan. Er war vollkommen. Nichts konnte schiefgehen. Sie setzte sich in einen Stuhl und betrachtete den stummen Ofen, der wie ein Opferfelsen in der Mitte des Raumes thronte. Meine Mutter würde mich verstehen, dachte sie. Was niemand tut, wird nie getan. Böses muss mit Bösem vergolten werden. Wo keine Gerechtigkeit ist, muss sie geschaffen werden.

Sie nahm ihren Zeitplan aus der Tasche. Sah auf die Uhr. In drei Stunden und fünfzehn Minuten würde Gösta Runfelt sterben.

Lars Olsson fühlte sich am Abend des 11. Oktober nicht richtig in Form. Bis zuletzt war er unschlüssig, ob er auf seine Trainingsrunde gehen oder es lieber lassen sollte. Es war nicht nur, weil er sich schlapp fühlte. Auf TV 2 lief gerade an diesem Abend ein Film, den er sehen wollte. Endlich beschloss er, sein Training auf die Zeit nach dem Film zu verschieben, auch wenn es spät wurde. Lars Olsson wohnte in einem Haus in der Nähe von Svarte. Er war auf dem Hof geboren und lebte immer noch bei seinen Eltern, obwohl er schon dreißig war. Er war Mitbesitzer eines Baggers und konnte am besten damit umgehen.

Doch Lars Olsson war auch ein leidenschaftlicher Orientierungsläufer. Er lebte förmlich dafür, mit Karte und Kompass durch die schwedischen Wälder zu laufen. Er startete für eine Mannschaft in Malmö, die sich jetzt auf einen großen internationalen Nachtorientierungslauf vorbereitete. Er wusste, dass er ein guter Orientierungsläufer war. Er hatte ein Gefühl für das Gelände und war schnell und ausdauernd. Bei verschiedenen Gelegenheiten hatte er seiner Mannschaft durch eine starke Leistung auf der letzten Strecke zum Sieg verholfen. Es fehlte nicht viel zu einer Nominierung für die Nationalmannschaft.

Er sah den Film im Fernsehen, aber der war schlechter, als er erwartet hatte. Kurz nach elf machte er sich auf seine Runde. Er setzte die Stirnlampe auf und rannte los. Er lief in einem Waldstück etwas nördlich vom Hof, an der Grenze der großen Ländereien von Marsvinsholm. Es hatte während des Tages geregnet, heftige Schauer, und hin und wieder hatte es sonnige Abschnitte gegeben. Jetzt am Abend waren sechs Grad plus. Der feuchte Boden duftete. Er lief auf dem Pfad im Waldesinnern. Die Baumstämme glitzerten im Schein der Stirnlampe. Tief drinnen im dichtesten Teil des Waldes war eine kleine Anhöhe. Wenn er direkt darüber hinweglief, bedeutete das eine Abkürzung. Er entschloss sich, die Abkürzung zu nehmen. Er wich vom Pfad ab und lief die Anhöhe hinauf.

Plötzlich blieb er stehen. Im Schein seiner Stirnlampe hatte er einen Menschen entdeckt. Zuerst begriff er nicht, was er sah. Dann erkannte er, dass zehn Meter vor ihm ein halb nackter Mann an einen Baum gebunden war. Lars Olsson stand wie angewurzelt. Er atmete schwer und fühlte, wie die Angst ihn überkam. Er blickte hastig um sich. Die Stirnlampe warf ihr Licht über Bäume und Büsche. Aber er war allein. Vorsichtig trat er ein paar Schritte vor. Der Mann hing in dem Seil. Der Oberkörper war nackt.

Lars Olsson brauchte nicht näher heranzugehen. Er sah, dass der Mann tot war. Ohne richtig zu wissen, warum, warf er einen Blick auf seine Uhr. Sie zeigte neunzehn Minuten nach elf.

Dann wandte er sich um und rannte nach Hause. So schnell war er noch nie gelaufen. Ohne sich auch nur die Zeit zu nehmen, die Stirnlampe abzulegen, rief er vom Telefon, das in der Küche an der Wand hing, die Polizei in Ystad an.

Der Polizist, der den Anruf entgegennahm, hörte genau zu. Danach zögerte er nicht. Er suchte Kurt Wallanders Namen auf seinem Bildschirm und rief ihn zu Hause an.

Es war inzwischen zehn Minuten vor Mitternacht.

Schonen

12. – 17. Oktober 1994

13

Wallander lag schlaflos im Bett und dachte darüber nach, dass sein Vater und Rydberg jetzt auf dem gleichen Friedhof lagen, als das Telefon klingelte. Mit einem Gefühl wachsender Ohnmacht hörte er dem Bericht des wachhabenden Beamten zu. Die Informationen waren noch spärlich. Die erste Polizeistreife war noch nicht an dem Platz im Wald südlich von Marsvinsholm angelangt. Es bestand natürlich die Möglichkeit, dass der nächtliche Orientierungsläufer sich geirrt hatte. Aber das war wenig wahrscheinlich. Der Beamte hatte ihn als ausgesprochen klar empfunden, obwohl er natürlich erregt war. Wallander versprach, sofort zu kommen. Er zog sich so leise wie möglich an. Aber als er am Küchentisch saß und eine Nachricht an Linda schrieb, erschien sie im Nachthemd.

»Was ist denn passiert?« fragte sie.

»Man hat draußen im Wald einen toten Mann gefunden«, antwortete er. »Und da mussten sie mich anrufen.«

Sie schüttelte den Kopf. »Hast du nie Angst?«

Er blickte sie fragend an. »Warum sollte ich Angst haben?«

»Wegen all denen, die sterben.«

Er ahnte mehr, was sie zu sagen versuchte, als dass er es verstand. »Ich kann nicht«, erwiderte er. »Das ist meine Arbeit. Jemand muss das hier tun.«

Er versprach, rechtzeitig zurück zu sein, um sie am Morgen zum Flugplatz zu fahren. Es war noch nicht eins, als er sich in den Wagen setzte. Und erst auf dem Weg nach Marsvinsholm kam ihm der Gedanke, dass der Tote dort draußen im Wald Gösta Runfelt sein könnte. Er hatte gerade die Stadt hinter sich gelassen, als sein Autotelefon schrillte. Der Anruf kam vom Polizeipräsidium. Die Vor-Ort-Streife hatte den Bericht bekräftigt. Es war wirklich ein toter Mann im Wald.

»Ist er identifiziert?« fragte Wallander.

»Er scheint keine Papiere bei sich zu haben. Er war nicht einmal richtig bekleidet. Es sieht offenbar schlimm aus. Sie warten auf dich an der Kreuzung. Die erste Abfahrt Richtung Marsvinsholm.«

Wallander beendete das Gespräch und gab Gas. Ihm graute vor dem Anblick, der ihn erwartete.

Er sah schon von weitem das Polizeiauto und bremste. Vor dem Wagen stand ein Polizist. Wallander erkannte Peters, kurbelte die Scheibe herunter und sah ihn fragend an.

»Kein schöner Anblick«, sagte Peters.

Wallander ahnte, was das bedeutete. Peters war ein erfahrener Polizist. Er würde solche Worte nicht ohne Grund wählen.

»Ist er identifiziert?«

»Er hat kaum Kleider an. Du wirst es ja sehen.«

»Und der ihn gefunden hat?«

»Der ist da.«

Peters ging zu dem anderen Wagen zurück. Wallander fuhr hinterher. Sie kamen in eine Waldpartie südlich vom Schloss. Der Weg endete vor einer bereits überwachsenen Abholzung.

»Das letzte Stück müssen wir gehen«, sagte Peters.

Wallander holte seine Gummistiefel aus dem Kofferraum. Peters und der junge Polizist, von dem Wallander nur wusste, dass er Bergman hieß, hatten starke Taschenlampen. Sie folgten einem Pfad, der aufwärts zu einer kleinen Anhöhe führte. Wallander dachte, dass er einen dickeren Pullover hätte anziehen sollen. Wenn er die ganze Nacht im Wald bleiben müsste, würde es kalt werden.

»Wir sind gleich da«, sagte Peters.

Wallander spürte, dass er das sagte, um ihn vorzubereiten auf das, was ihn erwartete.

Trotzdem kam der Anblick plötzlich. Die beiden Taschenlampen leuchteten mit makabrer Präzision einen Mann an, der halb nackt an einen Baum gebunden hing. Die Lichtkegel zitterten. In der Nähe schrie ein Nachtvogel. Wallander stand vollkommen reglos. Dann trat er vorsichtig näher. Peters leuchtete ihm, damit er sah, wohin er trat. Der Kopf des Mannes hing auf den Brustkorb herab. Wallander ging in die Knie, um sein Gesicht zu sehen. Er meinte, es bereits zu wissen. Als er das Gesicht sah, bekam er die Bestätigung. Auch wenn die Fotos, die er in Gösta Runfelts Wohnung gesehen hatte, ein paar Jahre alt waren, bestand kein Zweifel. Gösta Runfelt war nicht nach Nairobi gereist. Er war gestorben. An einen Baum gebunden.

Wallander erhob sich und trat einen Schritt zurück. In seinem Kopf bestand nicht mehr der geringste Zweifel, dass ein Zusammenhang existierte zwischen Holger Eriksson und Gösta Runfelt. Die Sprache des Mörders war die gleiche. Auch wenn die Wortwahl diesmal ein wenig anders war. Ein Pfahlgrab und ein Baum. Das konnte ganz einfach kein Zufall sein.

Er wandte sich zu Peters um. »Große Besetzung«, sagte er.

Peters nickte. Wallander merkte, dass er sein eigenes Telefon im Auto vergessen hatte. Er bat Bergman, es zu holen und die Taschenlampe aus dem Handschuhfach mitzubringen.

»Wo ist der Mann, der ihn gefunden hat?« fragte er dann.

Peters ließ den Lichtkegel seiner Taschenlampe zur Seite wandern. Auf einem Stein saß ein Mann im Trainingsanzug und stützte das Gesicht in die Hände.

»Er heißt Lars Olsson«, sagte Peters. »Er lebt auf einem Hof in der Nähe.«

»Was tat er hier draußen im Wald, mitten in der Nacht?«

»Er ist offenbar Orientierungsläufer.«

Wallander nickte. Peters gab ihm seine Taschenlampe. Wallander ging zu dem Mann, der sofort zu ihm aufblickte, als der Lichtkegel sein Gesicht traf. Er war sehr bleich. Wallander stellte sich vor und setzte sich auf einen Stein neben ihm. »Also Sie haben ihn gefunden«, sagte er.

Lars Olsson erzählte. Von dem schlechten Film im Fernsehen. Von seiner nächtlichen Trainingsrunde. Wie er sich entschieden hatte, eine Abkürzung zu nehmen. Und wie seine Stirnlampe auf einmal den Mann angeleuchtet hatte.

»Sie haben eine sehr genaue Zeitangabe gemacht«, sagte Wallander, der sich an das Telefongespräch mit dem wachhabenden Polizisten erinnerte.

»Ich habe auf die Uhr gesehen«, sagte Lars Olsson. »Das ist so eine Angewohnheit von mir. Vielleicht eine schlechte Angewohnheit. Wenn etwas Wichtiges passiert. Ich guck auf die Uhr. Wenn ich gekonnt hätte, hätte ich wahrscheinlich bei meiner Geburt auf die Uhr gesehen.«

Wallander nickte. »Habe ich richtig verstanden, dass Sie hier fast jeden Abend laufen?« fuhr er fort. »Wenn Sie im Dunkeln trainieren.«

»Ich bin gestern hier gelaufen. Aber früher. Ich bin zwei Runden gelaufen. Da hab ich die Abkürzung genommen.«

»Um wie viel Uhr war das?«

»Zwischen halb zehn und zehn.«

»Und da haben Sie nichts entdeckt?«

»Nein.«

»Kann er sich an dem Baum befunden haben, ohne dass Sie ihn gesehen hätten?«

Lars Olsson dachte nach. Dann schüttelte er den Kopf. »Ich komme jedesmal an dem Baum vorbei. Ich hätte ihn gesehen.«

Dann wissen wir das auf jeden Fall, dachte Wallander. Fast drei Wochen lang war Gösta Runfelt irgendwo anders. Und er hat gelebt. Der Mord ist irgendwann in den letzten vierundzwanzig Stunden geschehen.

»Lassen Sie Adresse und Telefonnummer da«, sagte er. »Wir melden uns noch einmal.«

Dann verließ er Lars Olsson. Er reichte Peters die Taschenlampe, als er seine eigene und das Telefon bekam. Während Bergman Lars Olssons Adresse notierte, rief Peters im Polizeipräsidium an. Wallander holte tief Luft und näherte sich dem Mann, der in den Seilen hing. Es erstaunte ihn einen Augenblick, dass er überhaupt nicht an seinen Vater dachte, als er sich nun wieder in der Nähe des Todes befand. Aber im Innersten wusste er, warum er es nicht tat. Er hatte es schon so oft erlebt. Tote Menschen waren nicht nur tot. Sie hatten nichts Menschliches mehr an sich. Es war, als nähere man sich einem leblosen Gegenstand, wenn man das erste Unbehagen überwunden hatte. Wallander befühlte vorsichtig Gösta Runfelts Nacken. Alle Körperwärme war verschwunden. Etwas anderes hatte er auch nicht erwartet. Wallander betrachtete den Brustkorb des Mannes. Er wies keine Verletzungen auf. Erst als Wallander seinen Hals anleuchtete, sah er blaue Verfärbungen. Das konnte darauf hindeuten, dass Gösta Runfelt erhängt worden war. Danach betrachtete Wallander das Seil. Es war um seinen Körper geschlungen, von den Schenkeln aufwärts bis zu den obersten Rippen. Der Knoten war einfach. Das Seil war nicht besonders stramm angezogen. Das verwunderte ihn.

Er versuchte, sich vorzustellen, was geschehen war. Das locker gebundene Seil beunruhigte ihn. Er dachte an Holger Eriksson. Es konnte sein, dass der Mord an Gösta Runfelt ihnen die Lösung lieferte. Die weiteren Ermittlungen würden sie dazu zwingen, sich einen Doppelblick zuzulegen. Er musste ständig nach zwei Seiten gerichtet sein. Aber Wallander war sich auch bewusst, dass es genau umgekehrt sein konnte. Die Verwirrung konnte zunehmen. Das Zentrum konnte immer schwerer zu bestimmen, die Landschaft der Ermittlungen immer komplizierter zu deuten und zu kontrollieren sein.

Für einen Augenblick knipste Wallander die Taschenlampe aus und dachte im Dunkeln weiter nach. Ist dies ein Anfang, eine Mitte oder ein Ende? Oder haben wir es mit einem neuen Serienmörder zu tun? Ein noch schwieriger zu entwirrendes Ursachenknäuel, als wir es im Sommer hatten?

Er hatte keine Antwort. Er wusste es ganz einfach nicht. Es war zu früh. Alles war zu früh.

In einiger Entfernung hörte man Autogeräusche. Peters war zur Straße gegangen, um die anderen Einsatzwagen, die auf dem Weg waren, zu dirigieren. Wallander dachte flüchtig an Linda und hoffte, dass sie schliefe. Was auch geschah, er würde sie am Morgen zum Flugplatz fahren. Plötzlich überfiel ihn heftige Trauer über seinen toten Vater. Außerdem hatte er Sehnsucht nach Baiba. Und er war müde. Er fühlte sich ausgelaugt. Verflogen war all die Energie, die er nach der Rückkehr aus Rom gespürt hatte. Nichts war mehr davon da.

Er musste seine ganze Kraft aufwenden, um die düsteren Gedanken zu vertreiben. Martinsson und Hansson kamen durch den Wald getrabt, kurz darauf Ann-Britt Höglund und Nyberg. Hinter ihnen die Männer aus dem Krankenwagen und Nybergs Techniker. Danach Svedberg. Zum Schluss ein Arzt. Sie machten den Eindruck einer schlecht geordneten Karawane, die sich verirrt hat. Er sammelte seine engsten Mitarbeiter in einem Kreis um sich. Ein Scheinwerfer, der an einen tragbaren Generator angeschlossen war, richtete sein gespenstisches Licht bereits auf den Mann, der am Baum hing.

»Das ist Gösta Runfelt«, sagte Wallander. »Es gibt keinen Zweifel. Trotzdem müssen wir Vanja Andersson herholen. Es lässt sich nicht ändern. Wir müssen die Identität so schnell wie möglich formell bestätigt bekommen. Aber es hat Zeit, bis wir ihn da abgenommen haben. Das muss sie nicht sehen.«

Dann referierte er in knappen Worten, wie Lars Olsson Gösta Runfelt gefunden hatte.

»Er ist seit fast drei Wochen verschwunden«, fuhr er fort. »Aber wenn ich mich nicht irre und wenn Lars Olsson Recht hat, dann ist er noch keine vierundzwanzig Stunden tot. Zumindest hat er nicht länger hier am Baum gehangen. Die Frage ist also: Wo war er in der Zwischenzeit?«

Dann beantwortete er die Frage, die noch keiner von ihnen gestellt hatte, die aber die einzig logische war. »Ich kann nicht an einen Zufall glauben«, sagte er. »Es muss derselbe Täter sein, nach dem wir auch im Fall Holger Erikssons suchen. Jetzt müssen wir herausfinden, was diese beiden Männer gemeinsam haben. Beide Morde machen den Eindruck, auf eine Weise geplant zu sein, die die zufällige Wahl eines Opfers ausschließt. Das war kein ganz allgemein Verrückter. Diese beiden Männer sind aus bestimmten Gründen getötet worden.«

»Gösta Runfelt war wohl kaum homosexuell«, sagte Martinsson. »Er ist Witwer mit zwei Kindern.«

»Er kann bisexuell gewesen sein«, erwiderte Wallander. »Für diese Art von Fragen ist es noch zu früh. Wir haben jetzt erst einmal dringendere Aufgaben.«

Der Kreis löste sich auf. Es bedurfte nicht vieler Worte, um die Arbeit zu organisieren. Wallander stellte sich neben Nyberg, der darauf wartete, dass der Arzt fertig wurde.

»Nun ist es also wieder passiert«, sagte Nyberg mit müder Stimme.

»Ja«, sagte Wallander, »und wir müssen wieder einmal herhalten.«

Auch Lisa Holgersson war zum Mordplatz herausgekommen. Sie stand bei Hansson und Ann-Britt Höglund.

Lisa Holgersson hat es wahrhaftig von Anfang an knüppeldick bekommen, dachte Wallander. Bei diesem Mord werden die Massenmedien Amok laufen. Björk hat diesen Druck nicht ausgehalten. Jetzt werden wir sehen, ob sie es schafft.

Wallander wusste, dass Lisa Holgersson mit einem Mann verheiratet war, der für ein internationales Computerunternehmen tätig war. Sie hatten zwei erwachsene Kinder. Als sie nach Ystad kam, hatten sie sich in Hedeskoga, nördlich der Stadt, ein Haus gekauft. Aber er war noch nicht bei ihr gewesen und hatte auch ihren Mann noch nicht getroffen. Er hoffte, dass es ein Mann war, der ihr gerade jetzt eine Stütze sein konnte. Das würde sie brauchen.

Der Arzt erhob sich von den Knien. Wallander hatte ihn schon einmal getroffen, kam aber in der Eile nicht auf seinen Namen.

»Es sieht aus, als sei er erwürgt worden«, sagte er.

»Nicht erhängt?«

Der Arzt hielt die Hände hin. »Mit zwei Händen erwürgt«, sagte er. »Das gibt ganz andere Druckstellen als ein Tau. Die Daumen sind deutlich sichtbar.«

Ein starker Mann, dachte Wallander sofort. Eine gut trainierte Person. Die auch nicht zögert, mit den Händen zu töten. »Wie lange her?« fragte er.

»Unmöglich zu sagen. Im Laufe der letzten vierundzwanzig Stunden. Kaum vorher. Sie müssen den Bericht des Gerichtsmediziners abwarten.«

»Können wir ihn abnehmen?« fragte Wallander.

»Ich bin fertig«, sagte der Arzt.

»Und ich kann anfangen«, murmelte Nyberg.

Ann-Britt Höglund war neben sie getreten. »Vanja Andersson ist da«, sagte sie. »Sie wartet da unten in einem Wagen.«

»Wie hat sie es aufgenommen?«, fragte Wallander.

»Es ist natürlich eine schreckliche Art, geweckt zu werden. Aber ich hatte das Gefühl, dass sie nicht überrascht war. Sie hat wohl die ganze Zeit befürchtet, dass er tot wäre.«

Nyberg hatte das Seil abgewickelt. Gösta Runfelts Körper lag auf einer Bahre.

»Holt sie«, sagte Wallander. »Und dann kann sie wieder nach Hause.«

Vanja Andersson war sehr blass. Wallander bemerkte, dass sie schwarz gekleidet war. Hatte sie die Sachen schon bereitgelegt? Sie sah das Gesicht des Toten, rang heftig nach Atem und nickte.

»Sie können ihn als Gösta Runfelt identifizieren?« fragte Wallander. Innerlich stöhnte er über seine einfältige Art, sich auszudrücken.

»Er ist so mager geworden«, murmelte sie.

Wallander horchte sofort auf. »Wie meinen Sie das?« fragte er. »Mager?«

»Sein Gesicht ist ja vollständig eingefallen. So sah er vor drei Wochen nicht aus.«

Wallander wusste, dass der Tod das Gesicht eines Menschen stark verändern konnte. Aber er hatte das Gefühl, dass Vanja Andersson von etwas anderem redete. »Sie meinen, er hat abgenommen, seit Sie ihn zuletzt gesehen haben?«

»Ja. Er ist furchtbar mager geworden.«

Wallander hielt das, was sie sagte, für wichtig. Er konnte aber noch nicht entscheiden, wie er es deuten sollte. »Sie brauchen nicht länger zu bleiben«, sagte er. »Wir fahren Sie nach Hause.«

Sie nickte stumm. Ann-Britt Höglund begleitete sie zu dem Polizeiwagen, der sie wieder nach Hause bringen sollte.

Wallander dachte nach. Fast drei Wochen ist Gösta Runfelt spurlos verschwunden. Als er wieder auftaucht und vielleicht erwürgt an einem Baum festgezurrt hängt, ist er stark abgemagert. Wallander wusste, was das bedeutete: Gefangenschaft.

Er stand ganz still und folgte seinem Gedankengang. Auch Gefangenschaft konnte von einer Kriegssituation hergeleitet werden. Soldaten machten Gefangene.

Er wurde unterbrochen, als Lisa Holgersson auf dem Weg zu ihm über einen Stein stolperte und beinah hinfiel.

Er dachte, dass er sie genauso gut sofort vorbereiten konnte auf das, was bevorstand.

»Du siehst aus, als ob dir kalt wäre«, sagte sie.

»Ich habe vergessen, einen dickeren Pullover anzuziehen«, sagte Wallander. »Es gibt Dinge, die lernt man nie.«

Sie nickte zu der Bahre hin, auf der Gösta Runfelt eben zum Leichenwagen hinuntergetragen wurde, der irgendwo auf dem abgeholzten Platz wartete. »Was glaubst du?«

»Derselbe Täter, der Holger Eriksson umgebracht hat. Es wäre unsinnig, etwas anderes anzunehmen.«

»Er scheint also erwürgt worden zu sein.«

»Ich will nicht gern voreilige Schlüsse ziehen«, sagte Wallander. »Aber natürlich kann ich mir vorstellen, wie das Ganze vor sich gegangen ist. Er hat noch gelebt, als er an den Baum gebunden wurde. Vielleicht war er bewusstlos. Aber er ist hier erwürgt und zurückgelassen worden. Außerdem kann er keinen Widerstand geleistet haben.«

»Wie kommst du darauf?«

»Das Seil war locker gewickelt. Mit einiger Anstrengung hätte er sich befreien können.«

»Kann das lockere Seil nicht gerade darauf hindeuten, dass er gezerrt hat und versucht hat, Widerstand zu leisten?«

Gute Frage, dachte Wallander, Lisa Holgersson ist ohne Zweifel Polizistin.

»Es kann so sein«, sagte er. »Aber ich glaube es nicht. Wegen etwas, was Vanja Andersson gesagt hat. Dass er furchtbar abgemagert sei.«

»Ich verstehe den Zusammenhang nicht.«

»Ich denke nur, dass eine schnelle Abmagerung auch eine zunehmende Kraftlosigkeit mit sich gebracht haben muss.«

Sie nickte.

»Er bleibt in dem Seil hängen«, fuhr Wallander fort. »Der Täter hat keinerlei Bedürfnis, seine Tat zu verbergen. Oder die Leiche. Das ist wie im Fall Holger Eriksson.«

»Warum hier?« fragte sie. »Warum einen Menschen an einem Baum festzurren? Warum diese Brutalität?«

»Wenn wir das wissen, begreifen wir vielleicht, warum es überhaupt geschehen ist«, antwortete Wallander.

»Und was denkst du?«

»Ich denke so vieles«, gab Wallander zurück. »Es ist wohl am besten, wenn wir Nyberg und seine Leute jetzt in Ruhe arbeiten lassen. Es ist wichtiger, dass wir uns in Ystad sammeln und die Lage besprechen, als dass wir hier im Wald herumlaufen und uns verausgaben. Im Moment ist hier sowieso nichts mehr zu sehen.«

Sie hatte keine Einwände. Um zwei Uhr ließen sie Nyberg und seine Leute allein im Wald zurück. Es nieselte leicht, und der Wind hatte aufgefrischt. Wallander ging als letzter.

Er verabschiedete sich von Nyberg.

»Hast du etwas Besonderes, wonach wir suchen sollen?« fragte Nyberg.

»Nein. Nur achtet auf alles, das eventuell an das erinnert, was mit Holger Eriksson passiert ist.«

»Ich finde, alles erinnert daran«, sagte Nyberg. »Außer möglicherweise die Bambusstäbe.«

»Morgen früh müssen Hunde hier draußen sein«, sagte Wallander.

»Dann bin ich bestimmt noch hier«, sagte Nyberg düster.

»Ich werde mit Lisa über deine Arbeitssituation sprechen«, sagte Wallander und hoffte, dass das als zumindest symbolische Aufmunterung dienen konnte.

»Das lohnt sich kaum«, sagte Nyberg.

»Es lohnt sich auf jeden Fall noch weniger, es bleiben zu lassen«, gab Wallander zurück.

Um Viertel vor drei waren sie im Polizeigebäude versammelt. Wallander kam als letzter ins Sitzungszimmer. Er erblickte müde und verquollene Gesichter und sah ein, dass er der Fahndungsgruppe jetzt vor allem neue Energie vermitteln musste. Aus Erfahrung wusste er, dass in jeder Ermittlung ein Augenblick kam, wo alles Selbstvertrauen verbraucht zu sein schien. Aber diesmal war dieser Augenblick ungewöhnlich früh gekommen.

Wir hätten einen ruhigen Herbst gebraucht, dachte Wallander. Alle hier sind noch ausgelaugt nach dem letzten Sommer.

Er setzte sich und bekam von Hansson eine Tasse Kaffee serviert.

»Dies hier wird nicht leicht«, begann er. »Was wir alle insgeheim befürchtet haben, ist eingetroffen. Gösta Runfelt ist ermordet worden. Vermutlich vom selben Täter, der Holger Eriksson umgebracht hat. Wir wissen nicht, was das bedeutet. Wir wissen zum Beispiel nicht, ob wir noch mehr unangenehme Überraschungen erleben. Wir wissen nicht, ob es angefangen hat, dem zu gleichen, was wir im Sommer erlebt haben. Ich möchte aber davor warnen, andere Parallelen zu ziehen, als dass wir es offenbar mit einem Täter zu tun haben, der mehr als einmal zugeschlagen hat. Ansonsten gibt es viel, worin sich diese Verbrechen unterscheiden. Mehr, als was sie vereint.«

Er machte eine Pause, um eventuelle Kommentare zu ermöglichen. Aber keiner hatte etwas zu sagen.

»Wir müssen auf breiter Front vorgehen«, fuhr er fort. »Ohne vorgefasste Meinungen, aber konsequent. Wir müssen Harald Berggren ausfindig machen. Wir müssen ergründen, warum Gösta Runfelt nicht nach Nairobi gereist ist. Wir müssen herausfinden, warum er, bevor er verschwand und dann starb, eine hochmoderne Abhöranlage bestellte. Wir müssen eine Verbindung finden zwischen diesen beiden Männern, die ihr Leben vollständig getrennt voneinander gelebt zu haben scheinen. Weil die Opfer nicht zufällig ausgewählt sind, muss ganz einfach ein Zusammenhang existieren.«

Noch immer hatte keiner einen Kommentar abzugeben. Wallander meinte, dass es am besten war, die Sitzung zu beenden. Vor allem brauchten sie jetzt alle ein paar Stunden Schlaf. Am Morgen würden sie sich wieder treffen.

Sie gingen schnell auseinander, als Wallander nichts mehr zu sagen hatte.

Draußen hatten Regen und Wind zugenommen. Als Wallander über den nassen Parkplatz zu seinem Auto hastete, dachte er an Nyberg und seine Leute. Aber er dachte auch an das, was Vanja Andersson gesagt hatte. Dass Gösta Runfelt abgemagert war in den drei Wochen, seit er verschwunden war.

Wallander konnte sich nur schwer einen anderen Grund dafür vorstellen als eine Gefangenschaft. Die Frage war nur, wo er gefangen gehalten worden war.

Warum? Und von wem?

14

Wallander schlief unter einer Wolldecke auf der Couch in seinem Arbeitszimmer, weil er schon nach wenigen Stunden wieder aufstehen musste. In Lindas Zimmer war alles still gewesen, als er nach der Sitzung im Präsidium nach Hause kam. Er war aus dem Schlaf hochgeschreckt, schweißgebadet, nach einem Albtraum, den er sich nur mit Mühe in Erinnerung rufen konnte. Er hatte von seinem Vater geträumt, sie waren wieder in Rom gewesen, und es war etwas passiert, was ihn erschreckt hatte. Was es war, blieb im dunkeln. Vielleicht war der Tod im Traum schon mit ihnen nach Rom gereist, als Vorwarnung? Er setzte sich auf und zog die Decke um sich. Es war fünf Uhr. Gleich würde der Wecker klingeln. Schwer und unbeweglich saß er da. Die Müdigkeit war wie ein mahlender Schmerz in seinem Körper. Er musste seine ganze Kraft mobilisieren, um sich zum Aufstehen zu zwingen und ins Badezimmer zu gehen. Nach dem Duschen fühlte er sich ein bisschen besser. Er machte Frühstück und weckte Linda um Viertel vor sechs. Vor halb sieben waren sie auf dem Weg zum Flugplatz. Linda war kein Morgenmensch und sagte nicht viel unterwegs. Schließlich erreichten sie den Flughafen. Wallander hielt auf dem Parkplatz. Sie hatte nur einen Rucksack, den er aus dem Kofferraum hob. Als er mit ihr hineingehen wollte, wehrte sie ab.

»Fahr wieder nach Hause«, sagte sie. »Du bist ja so müde, dass du kaum auf den Beinen stehen kannst.«

»Ich muss arbeiten«, antwortete er. »Aber du hast Recht: Ich bin müde.«

Dann kam ein Moment der Wehmut. Sie sprachen von seinem Vater, Lindas Großvater. Den es nicht mehr gab.

»Es ist so komisch«, sagte sie. »Ich habe im Auto daran gedacht. Dass man so lange tot ist.«

Er murmelte eine Antwort. Dann verabschiedeten sie sich. Sie versprach, sich einen Anrufbeantworter anzuschaffen. Er sah sie durch die Glastüren, die vor ihr auseinanderglitten, verschwinden. Dann war sie fort.

Er blieb im Auto sitzen und dachte darüber nach, was sie gesagt hatte. War es das, was den Tod so erschreckend machte? Dass man so lange tot sein sollte?

Er ließ den Wagen an und fuhr los. Die Landschaft war grau und kam ihm so düster vor wie die Ermittlung, mit der sie beschäftigt waren. Wallander dachte an die Ereignisse der beiden letzten Wochen. Ein Mann liegt aufgespießt in einem Graben. Ein anderer Mann ist an einen Baum gebunden. Konnte der Tod abstoßender sein? Natürlich war es auch kein schöner Anblick, den Vater zwischen seinen Bildern liegen zu sehen. Er dachte, dass er Baiba sehr bald wiedertreffen musste. Schon am Abend würde er sie anrufen. Er ertrug die Einsamkeit nicht mehr und fühlte sich gejagt. Er war seit fünf Jahren geschieden und auf dem besten Wege, ein zottiger und menschenscheuer Hund zu werden. Das wollte er nicht.

Kurz nach acht kam er ins Präsidium. Als erstes überflog er eine Zusammenfassung eines Gesprächs, das Ann-Britt Höglund mit der Landbriefträgerin geführt hatte, die bei Holger Eriksson die Post ausfuhr. Ihm fiel auf, dass sie gut schrieb, ohne unbeholfene Sätze und nebensächliche Details. Offenbar lernte die neue Generation von Polizisten, bessere Berichte abzufassen als seine Generation.

Aber ihr Bericht schien nichts von Bedeutung für ihre Ermittlungen zu enthalten. Holger Eriksson hatte das kleine gelbe Schild zum Zeichen, dass er mit der Briefträgerin sprechen musste, zum letzten Male vor mehreren Monaten herausgehängt. So weit sie sich erinnern konnte, ging es um einige einfache Einzahlungen. Aufgefallen war ihr in der letzten Zeit nichts. Alles auf dem Hof hatte einen völlig normalen Eindruck gemacht. Sie hatte auch weder fremde Autos noch fremde Menschen in der Gegend beobachtet. Wallander legte den Bericht zur Seite. Dann nahm er seinen Block und machte ein paar Notizen über die Dinge, die jetzt als erstes zu erledigen waren. Jemand musste einmal gründlich mit Anita Lagergren in dem Reisebüro in Malmö sprechen. Wann hatte Gösta Runfelt seine Reise gebucht? Was beinhaltete eigentlich eine solche Orchideenreise? Für ihn galt das gleiche wie für Holger Eriksson. Sie mussten sich ein Bild von seinem Leben machen. Nicht zuletzt wären sie gezwungen, ausführlich mit seinen Kindern zu reden. Außerdem wollte Wallander mehr über die technische Ausrüstung wissen, die Gösta Runfelt bei Secur in Borås gekauft hatte. Wozu sollte sie verwendet werden? Was wollte ein Blumenhändler mit diesen Dingen? Er war überzeugt, dass dieser Punkt entscheidend war, um zu verstehen, was passiert war. Wallander schob den Block zur Seite und blieb mit der Hand auf dem Telefonhörer sitzen. Er zögerte. Es war Viertel nach acht. Es konnte sein, dass Nyberg schlief. Aber es war nicht zu ändern. Er wählte die Nummer von Nybergs Mobiltelefon. Nyberg meldete sich sofort. Er war noch immer draußen im Wald, weit weg von seinem Bett.

Wallander fragte, wie er mit der Untersuchung des Tatorts vorankäme.

»Wir haben gerade die Hunde hier«, sagte Nyberg. »Sie haben die Witterung des Seils aufgenommen und bis zum Abholzungsplatz verfolgt. Aber das ist ja nicht erstaunlich, weil es der einzige Weg ist, der hierherführt. Ich denke, wir können annehmen, dass Gösta Runfelt nicht zu Fuß gegangen ist. Es muss ein Auto im Spiel gewesen sein.«

»Irgendwelche Wagenspuren?«

»Eine ganze Menge. Aber was wozu gehört, kann ich natürlich noch nicht sagen.«

»Und sonst?«

»Eigentlich nichts. Das Seil ist von einer Seilerei in Dänemark.«

»In Dänemark?«

»Ich tippe, es wird ungefähr überall da verkauft, wo es Seile gibt. Es wirkt auf jeden Fall neu. Für den Zweck gekauft.«

Wallander spürte Unbehagen. Dann stellte er die Frage, derentwegen er angerufen hatte. »Hast du die geringsten Spuren entdeckt, die andeuten könnten, dass er Widerstand zu leisten versucht hat, als er an den Baum gebunden wurde? Oder hat er versucht, sich zu befreien?«

Nybergs Antwort kam ohne Zögern. »Nein«, sagte er. »Danach sieht es nicht aus. Erstens habe ich keine Spuren eines Kampfes in der Nähe gefunden. Der Boden müsste aufgewühlt sein. Irgendetwas hätte man sehen müssen. Zweitens gibt es weder am Baum noch am Seil Schabspuren. Er ist da angebunden worden. Und er hat stillgehalten.«

»Wie erklärst du das?«

»Es gibt eigentlich nur zwei Möglichkeiten«, antwortete Nyberg. »Entweder war er bereits tot oder zumindest bewusstlos, als er festgezurrt wurde. Oder er hat es vorgezogen, keinen Widerstand zu leisten. Aber das kommt mir wenig wahrscheinlich vor.«

Wallander dachte nach. »Es gibt noch eine dritte Möglichkeit«, sagte er dann. »Dass Gösta Runfelt einfach keine Kraft hatte, sich zu wehren.«

Nyberg stimmte zu. Das war auch eine Möglichkeit, vielleicht die wahrscheinlichste.

»Lass mich noch etwas fragen«, fuhr Wallander fort. »War mehr als eine Person anwesend?«

»Ich habe daran gedacht«, sagte Nyberg. »Vieles spricht dafür, dass es mehr als eine Person gewesen sein muss. Einen Menschen in den Wald zu schleppen und an einen Baum zu binden kann nicht ganz einfach sein. Aber ich bezweifle es. Ich glaube vielmehr, dass wir es mit einer Person zu tun haben, die über gehörige Körperkräfte verfügt. Vieles spricht dafür.«

Mehr der Form halber fragte Wallander abschließend: »Sonst nichts?«

»Ein paar alte Bierdosen und ein falscher Fingernagel. Das ist alles.«

»Ein falscher Fingernagel?«

»Frauen benutzen so was. Aber der kann schon lange dagelegen haben.«

»Versuch jetzt, ein paar Stunden zu schlafen«, sagte Wallander.

»Wann sollte ich denn dafür Zeit haben?« fragte Nyberg.

Wallander spürte, dass er plötzlich gereizt klang. Er beeilte sich, das Gespräch zu beenden. Unmittelbar danach klingelte sein Telefon. Es war Martinsson.

»Kann ich rüberkommen?« fragte er. »Wann ist unsere Besprechung?«

»Um neun. Wir haben Zeit.«

Wallander legte auf. Er hatte den Eindruck, dass Martinsson auf etwas gekommen war. Er fühlte die Spannung. Was sie jetzt vor allem brauchten, war ein echter Durchbruch in der Ermittlung. Martinsson kam herein, setzte sich auf Wallanders Besucherstuhl und kam sofort zur Sache.

»Ich habe noch mal über diese Geschichte mit den Söldnern nachgedacht«, sagte er. »Und über Harald Berggrens Tagebuch aus dem Kongo. Heute Morgen, als ich wach wurde, ist mir eingefallen, dass ich einmal jemanden getroffen habe, der zur gleichen Zeit im Kongo war wie Harald Berggren.«

»Als Söldner?« fragte Wallander erstaunt.

»Nicht als Söldner. Sondern als Mitglied der schwedischen UN-Truppe. Sie sollten die belgischen Truppen in der Provinz Katanga entwaffnen.«

Wallander schüttelte den Kopf. »Ich war zwölf, dreizehn, als das passierte«, sagte er. »Ich erinnere mich an so wenig von damals.«

»Ich war damals kaum geboren«, sagte Martinsson. »Aber ein bisschen weiß ich noch aus der Schule.«

»Du hast gesagt, du hättest jemanden getroffen?«

»Vor ein paar Jahren habe ich an verschiedenen Treffen der Folkparti teilgenommen«, sagte Martinsson. »Bei einem dieser Treffen saß ich neben einem Mann von ungefähr sechzig. Wie wir darauf kamen, weiß ich nicht mehr. Aber er erzählte, er wäre Hauptmann und der Adjutant von General von Horn gewesen, der die schwedische UN-Truppen im Kongo befehligte. Und ich erinnere mich auch, dass er Söldner erwähnte, die dort unten gewesen seien.«

Wallander lauschte mit steigendem Interesse.

»Ich habe ein bisschen herumtelefoniert, als ich heute Morgen wach wurde. Und ich habe schließlich Glück gehabt. Einer meiner früheren Parteifreunde wusste, wer dieser Hauptmann war. Er heißt Olof Hanzell und ist Pensionär. Er wohnt in Nybrostrand.

»Gut«, sagte Wallander. »Den werden wir so schnell wie möglich besuchen.«

Martinsson legte einen Zettel mit einer Telefonnummer auf Wallanders Tisch.

»Wir müssen alles versuchen«, sagte Wallander. »Und unsere Besprechung jetzt gleich wird ziemlich kurz.«

Martinsson stand auf, um zu gehen. In der Tür hielt er inne. »Hast du die Zeitungen gesehen?« fragte er.

»Wann hätte ich dafür Zeit haben sollen?« fragte Wallander zurück.

»Björk wäre an die Decke gegangen. Einwohner von Lödinge und aus anderen Orten haben sich geäußert. Nach dem, was Holger Eriksson passiert ist, haben sie angefangen, über die Notwendigkeit von Bürgerwehren zu reden.«

»Das haben sie schon immer getan«, sagte Wallander abweisend. »Darum braucht man sich nicht zu kümmern.«

»Da bin ich mir nicht so sicher«, sagte Martinsson. »Das, was heute in den Zeitungen steht, weist auf einen deutlichen Unterschied hin.«

»Wieso?«

»Sie bleiben nicht mehr anonym. Sie treten mit Namen und Bild in Erscheinung. Das hat es früher nicht gegeben. An Bürgerwehren zu denken ist salonfähig geworden.«

Wallander sah ein, dass Martinsson Recht hatte. Aber es fiel ihm dennoch schwer zu glauben, dass es sich um etwas anderes handelte als um den üblichen Ausdruck von Unruhe, wenn ein Gewaltverbrechen geschehen war. Ein Ausdruck, für den Wallander im übrigen Verständnis hatte. »Morgen wird noch mehr kommen«, sagte er nur. »Wenn sich herumgesprochen hat, was mit Gösta Runfelt passiert ist. Vielleicht sollten wir Lisa Holgersson vorbereiten auf das, was uns bevorsteht.«

Martinsson verließ das Zimmer. Wallander überlegte. Dann entschloss er sich, noch heute selbst zu dem pensionierten Hauptmann Olof Hanzell zu fahren.

Es wurde, wie Wallander angedeutet hatte, eine kurze Besprechung. Obwohl keiner von ihnen eine ausreichende Nachtruhe gehabt hatte, wirkten alle entschlossen und energiegeladen. Sie wussten, dass ihnen eine komplizierte Ermittlung bevorstand. Auch Per Åkesson hatte sich eingefunden und hörte sich Wallanders Zusammenfassung an. Nachher hatte er nur wenige Fragen.

Sie verteilten die Aufgaben und diskutierten, was zuerst getan werden musste. Als die Besprechung nach ungefähr einer Stunde zu Ende ging, waren alle überhäuft mit Arbeit.

»Jetzt nur noch eine Sache«, sagte Wallander. »Wir müssen damit rechnen, dass diese Morde in den Massenmedien enormes Aufsehen erregen. Was wir bisher gesehen haben, ist nur der Anfang. Ich habe gehört, dass die Leute draußen auf dem Land wieder davon reden, Nachtpatrouillen und Bürgerwehren zu organisieren. Wir müssen abwarten, ob es so kommt. Bis auf weiteres ist es am einfachsten, dass Lisa und ich den Kontakt zur Presse übernehmen. Wenn außerdem Ann-Britt bei unseren Pressekonferenzen anwesend sein könnte, wäre ich dankbar.«

Um zehn nach zehn war die Sitzung beendet. Wallander sprach noch eine Weile mit Lisa Holgersson. Sie kamen überein, um sechs eine Pressekonferenz abzuhalten. Dann sah sich Wallander im Korridor nach Per Åkesson um, aber der war bereits gegangen. In seinem Zimmer rief Wallander die Nummer an, die auf Martinssons Zettel stand. Gleichzeitig fiel ihm ein, dass er Svedbergs Papier mit den Gesprächsnotizen noch immer nicht auf dessen Schreibtisch gelegt hatte. Am anderen Ende nahm Olof Hanzell den Hörer ab. Er hatte eine freundliche Stimme. Wallander stellte sich vor und fragte, ob er bereits jetzt am Vormittag zu ihm kommen könne. Hauptmann Hanzell sagte, er sei willkommen, und erklärte ihm den Weg. Als Wallander das Präsidium verließ, hatte es wieder aufgeklart. Es war windig, aber durch die aufgerissene Wolkendecke schien die Sonne. Obwohl er es eilig hatte, hielt er bei einem Makler im Zentrum und betrachtete das Schaufenster. Er studierte die verschiedenen Angebote für Häuser, die zum Verkauf standen. Mindestens eins konnte interessant sein. Hätte er mehr Zeit gehabt, wäre er hineingegangen und hätte sich eine Kopie der Unterlagen geholt. Er merkte sich die Verkaufsnummer und ging zurück zum Wagen.

Er fuhr in östlicher Richtung nach Nybrostrand. Nachdem er sich ein paarmal verfahren hatte, kam er schließlich an die richtige Adresse. Er parkte und ging durch das Gartentor auf ein Haus zu, das kaum älter war als zehn Jahre. Dennoch wirkte es irgendwie verfallen. Wallander dachte, dass es ein Typ Haus war, in dem er sich selbst nie wohl fühlen würde. Ein Mann in einem Trainingsanzug öffnete die Tür. Er hatte kurz geschnittenes graues Haar und einen schmalen Schnurrbart und schien in guter körperlicher Verfassung zu sein. Er lächelte und reichte Wallander die Hand. Wallander stellte sich vor.

»Meine Frau ist vor ein paar Jahren gestorben«, sagte Olof Hanzell. »Seitdem lebe ich allein. Es ist vielleicht nicht besonders ordentlich. Aber kommen Sie herein!«

Er führte Wallander in ein Wohnzimmer, wo Kaffeetassen auf einem Tisch bereitstanden. Überall hingen afrikanische Souvenirs an den Wänden. Wallander setzte sich auf ein Sofa und nahm gern den angebotenen Kaffee. Eigentlich war er hungrig und hätte etwas zu essen gebraucht. Hanzell hatte einen Teller mit Zwieback hingestellt.

»Ich backe sie selbst«, sagte er und zeigte auf die Zwiebäcke. »Für einen alten Militär eine passende Beschäftigung.«

Wallander dachte, dass er keine Zeit hatte, über etwas anderes zu reden als über das, was ihn hergeführt hatte. Er zog das Foto mit den drei Männern aus der Tasche und reichte es über den Tisch.

»Ich möchte als erstes fragen, ob Sie einen dieser drei Männer kennen. Als Hinweis kann ich sagen, dass das Foto im Kongo zu der Zeit aufgenommen wurde, als die schwedische UN-Truppe dort war.«

Olof Hanzell nahm das Foto. Ohne es anzusehen, erhob er sich und holte seine Brille. Wallander fiel der Besuch beim Optiker ein, den er endlich machen musste. Hanzell trat mit dem Foto zum Fenster und betrachtete es lange. Wallander lauschte in die Stille, die das Haus erfüllte. Dann kam Hanzell vom Fenster zurück. Ohne ein Wort legte er das Foto auf den Tisch und verließ das Zimmer. Wallander nahm noch einen Zwieback. Er wollte gerade nachsehen, wo Hanzell blieb, als der Mann mit einem Fotoalbum in der Hand zurückkam. Er ging wieder ans Fenster und begann zu blättern. Wallander wartete. Schließlich fand Hanzell, was er suchte und reichte Wallander das aufgeschlagene Album.

»Sehen Sie sich das Bild links unten an«, sagte er. Es ist leider nicht schön. Aber ich glaube, es wird Sie interessieren.«

Wallander erschrak. Das Bild zeigte tote Soldaten, Farbige. Sie lagen aufgereiht, mit blutigen Gesichtern, abgeschossenen Armen und zerrissenen Brustkörben. Hinter ihnen standen zwei Männer mit Gewehren in den Händen. Weiße. Sie posierten wie auf einem Jagdbild. Die farbigen Soldaten waren die Beute.

Wallander erkannte sofort einen der beiden Weißen. Es war der, der auf dem Foto aus Harald Berggrens Tagebuch ganz links stand. Kein Zweifel. Es war derselbe Mann.

»Er kam mir bekannt vor«, sagte Hanzell. »Aber ich war nicht ganz sicher. Es hat eine Weile gedauert, bis ich das richtige Album fand.«

»Wer ist das?« fragte Wallander. »Terry O'Banion oder Simon Marchand?«

Er merkte, dass Olof Hanzell mit Verblüffung reagierte.

»Simon Marchand«, antwortete Hanzell. »Ich muss zugeben, dass ich neugierig bin, woher Sie das wissen.«

»Das erkläre ich später. Bitte sagen Sie mir, woher Sie das Bild haben.«

Olof Hanzell setzte sich. »Was wissen Sie über das, was damals im Kongo geschah?« fragte er.

»Nicht viel. Praktisch so gut wie gar nichts.«

»Dann lassen Sie mich den Hintergrund erklären«, sagte Hanzell. »Ich glaube, das ist nötig, damit man versteht.«

»Nehmen Sie sich so viel Zeit, wie Sie brauchen«, sagte Wallander.

»Ich fange in den fünfziger Jahren an«, begann Hanzell. »Der ganze afrikanische Kontinent kochte damals. Die Entkolonialisierung war in ihre dramatischste Phase getreten. Immer neue Staaten erklärten ihre Selbstständigkeit. Oft waren die Geburtswehen erheblich. Aber nicht immer so gewaltsam wie im Fall von Belgisch-Kongo. 1959 arbeitete die belgische Regierung einen Plan für den Übergang zur Souveränität aus. Als Datum für die Machtübergabe wurde der 30. Juni 1960 festgesetzt. Je näher der Tag kam, umso heftiger wurden die Unruhen im Lande. Die Stämme verfolgten unterschiedliche politische Ziele, Gewalttaten ereigneten sich jeden Tag. Aber die Selbstständigkeit kam, und ein erfahrener Politiker mit Namen Kasavubu wurde Präsident, während Lumumba Premierminister wurde. Den Namen Lumumba haben Sie vermutlich einmal gehört.«

Wallander nickte zögernd.

»Während einiger Tage konnte man glauben, dass es trotz allem einen friedlichen Übergang von einer Kolonie zum selbstständigen Staat geben würde. Doch schon nach wenigen Wochen meuterte die reguläre Armee des Landes gegen ihre belgischen Offiziere. Belgische Fallschirmtruppen wurden eingesetzt, um ihre eigenen Offiziere zu retten. Das Land versank bald im Chaos. Gleichzeitig proklamierte Katanga – die südlichste Provinz des Landes und aufgrund der Bodenschätze auch die reichste – ihre Loslösung und Unabhängigkeit. Der Führer hieß Moise Tschombe. In dieser Lage baten Kasavubu und Lumumba die Vereinten Nationen um Hilfe. Dag Hammarskjöld, damals Generalsekretär, erreichte es innerhalb kurzer Zeit, dass die Vereinten Nationen intervenierten, unter anderem mit Beteiligung eines Truppenkontingents aus Schweden. Wir sollten lediglich polizeiliche Funktionen wahrnehmen. Die im Kongo verbliebenen Belgier unterstützten Moise Tschombe in Katanga. Mit Geld der großen Bergwerksunternehmen warben sie auch Söldnertruppen an. Und hier kommt das Foto ins Spiel.

Hanzell machte eine Pause und nahm einen Schluck Kaffee. Wallander wartete ungeduldig auf die Fortsetzung.

»In die Kämpfe in Katanga waren mehrere hundert Söldner verwickelt«, sagte Hanzell. »Sie kamen aus verschiedenen Ländern. Frankreich, Belgien, Algerien, Deutschland. Aber es gab auch eine Anzahl Skandinavier. Einige von ihnen starben und wurden in Gräbern verscharrt, und niemand weiß, wo sie liegen. Eines Tages kam ein Afrikaner zur schwedischen UN-Einheit. Er hatte Papiere und Fotos von Söldnern bei sich, die gefallen waren. Aber Schweden waren nicht darunter.«

»Und warum kam er dann zur schwedischen Einheit?«

»Wir Schweden galten als nett und großzügig. Er kam mit dem Karton und wollte den Inhalt verkaufen. Gott weiß, wie er da rangekommen ist.«

»Und Sie haben ihn gekauft?«

Hanzell nickte. »Sagen wir lieber, dass wir einen Tauschhandel machten. Ich glaube, ich habe ungefähr den Gegenwert von zehn Kronen für den Karton bezahlt. Das meiste habe ich weggeworfen. Aber ich behielt ein paar von den Fotos. Unter anderem dieses.«

Wallander ging einen Schritt weiter. »Harald Berggren«, sagte er. »Einer der Männer auf meinem Foto ist Schwede und heißt so. Nach dem Ausschlussverfahren muss es entweder der in der Mitte oder der auf der rechten Seite sein. Sagt Ihnen der Name etwas?«

Hanzell dachte nach. Dann schüttelte er den Kopf. »Nein«, sagte er. »Aber das muss nicht viel besagen.«

»Wieso nicht?«

»Viele der Söldner haben ihre Namen geändert. Das galt nicht nur für Schweden. Für die Dauer des Kontrakts, den man hatte, nahm man einen neuen Namen an. Wenn alles vorbei war und man überlebt hatte, konnte man seinen alten Namen wieder annehmen.«

»Das bedeutet, dass Harald Berggren unter einem ganz anderen Namen im Kongo gewesen sein kann?«

»Ja.«

»Es bedeutet auch, dass er sein Tagebuch unter seinem eigenen Namen geschrieben haben kann, der dann als Pseudonym fungierte?«

»Ja.«

»Und das kann weiter bedeuten, dass Harald Berggren unter einem anderen Namen getötet worden ist?«

»Ja.«

Wallander sah Hanzell forschend an. »Mit anderen Worten: Es ist fast unmöglich zu sagen, ob er lebt oder tot ist? Kann er unter einem Namen tot und unter einem anderen noch am Leben sein?«

»Söldner sind scheue Menschen. Was man verstehen kann.«

»Also ist es nahezu unmöglich, ihn zu finden, wenn er es nicht selbst will?«

Olof Hanzell nickte. Wallander betrachtete den Teller mit Zwiebäcken. »Ein Söldner muss bedeutende Schwierigkeiten gehabt haben, zu einem normalen Leben zurückzukehren«, sagte er.

»Vielen gelang es nie. Sie wurden zu Schattengestalten am äußersten Rand der Gesellschaft. Oder sie soffen sich zu Tode. Ein Teil von ihnen war sicher auch schon vorher gestört.«

»Wie meinen Sie das?«

Hanzells Antwort kam ohne Zögern und mit Nachdruck. »Sadisten und Psychopathen.«

Wallander nickte. Er verstand.

Harald Berggren war ein Mann, den es gab und auch wieder nicht gab. Wie er in das Bild hineinpasste, war mehr als unbestimmt.

Das Gefühl war deutlich und klar. Wallander hatte sich festgefahren. Er wusste nicht, wie er weiter vorgehen sollte.

15

Wallander blieb bis spät am Nachmittag in Nybrostrand. Doch er verbrachte nicht die gesamte Zeit bei Olof Hanzell. Er verließ das Haus um ein Uhr. Als er nach dem langen Gespräch in die Herbstluft hinaustrat, überkam ihn Ratlosigkeit. Was sollte sein nächster Schritt sein? Anstatt nach Ystad zurückzukehren, fuhr er ans Meer und stellte den Wagen ab. Nach einem gewissen Zögern entschloss er sich, einen Spaziergang zu machen.

Vielleicht würde es ihm helfen, die Zusammenfassung zu machen, die er so nötig brauchte? Aber als er zum Strand kam und den beißenden Herbstwind fühlte, kehrte er zum Wagen zurück. Er setzte sich auf den Beifahrersitz und drehte die Rückenlehne herunter. Dann schloss er die Augen und rief sich die Ereignisse seit jenem Vormittag vor zwei Wochen in Erinnerung, als Sven Tyrén bei ihm erschienen war und erzählte, dass Holger Eriksson verschwunden sei. Heute, am 12. Oktober, hatten sie einen weiteren Mord, der nach Aufklärung verlangte.

Wallander versuchte, streng chronologisch vorzugehen. Eine der wichtigsten Einsichten, die ihm Rydberg vermittelt hatte, war die, dass Dinge, die als erstes geschahen, nicht notwendigerweise auch die ersten in einer Ursachenkette sein mussten. Holger Eriksson und Gösta Runfelt waren beide getötet worden. Aber warum? Waren es Racheakte? Oder waren es Verbrechen aus Gewinnsucht, auch wenn er nicht verstand, worin der Gewinn liegen konnte?

Es gab zu viele Details, die Wallander beunruhigten. Die demonstrative Grausamkeit. Und warum war Gösta Runfelt gefangen gehalten worden, bevor er getötet wurde? Wallander versuchte, sich die grundlegenden Voraussetzungen klar zu machen, von denen sie ausgehen mussten. Der Täter war mit Holger Erikssons Gewohnheiten vertraut gewesen. Außerdem musste er gewusst haben, dass Gösta Runfelt nach Nairobi fliegen wollte. Hinzu kam, dass der Mörder nichts getan hatte, um zu verhindern, dass die Toten gefunden wurden. Es gab sogar Anzeichen für das Gegenteil.

Wallander hielt inne. Warum demonstriert man etwas? Damit jemand bemerkt, was man getan hat. Wollte der Mörder tatsächlich andere Menschen auf sein Verbrechen hinweisen? Und was wollte er zeigen, wenn es sich so verhielt? Dass gerade diese beiden Männer tot waren? Oder wollte er auch, dass klar ersichtlich wurde, wie er vorgegangen war? Dass er auf grausame und ausgeklügelte Weise getötet hatte?

Das war eine Möglichkeit, dachte Wallander mit wachsendem Unbehagen. Dann mussten die Morde an Holger Eriksson und Gösta Runfelt in einen sehr viel größeren Zusammenhang gestellt werden. Dessen Umfang er noch nicht einmal ahnte. Das musste nicht bedeuten, dass mehr Menschen sterben würden. Aber es bedeutete mit Sicherheit, dass Holger Eriksson, Gösta Runfelt und derjenige, der sie getötet hatte, in einer größeren Gruppe von Menschen zu suchen waren. Einer Art von Gemeinschaft – etwa einer Gruppe Söldner in einem entlegenen afrikanischen Krieg.

Wallander stieg aus und setzte sich auf die Rückbank. Gewissermaßen um die Perspektive zu wechseln. Was sie vor allem suchen und so schnell wie möglich finden mussten, das war ein Zusammenhang zwischen Holger Eriksson und Gösta Runfelt. Es war möglich, dass dieser Zusammenhang überhaupt nicht ins Auge fiel. Aber irgendwo gab es ihn, davon war er überzeugt. Um dieses verbindende Moment zu finden, mussten sie mehr über die beiden Männer wissen. Äußerlich betrachtet waren sie verschieden. Sehr verschieden. Allein schon das Alter. Sie gehörten nicht derselben Generation an. Der Altersunterschied betrug dreißig Jahre. Holger Eriksson hätte Gösta Runfelts Vater sein können. Aber an irgendeinem Punkt kreuzten sich ihre Spuren. Die Suche nach diesem Punkt musste von nun an im Zentrum der Ermittlungen stehen.

Sein Telefon piepte. Es war Ann-Britt Höglund.

»Ist etwas passiert?« fragte er.

»Ich muss zugeben, dass ich aus reiner Neugier anrufe«, antwortete sie.

»Das Gespräch mit Hauptmann Hanzell war ergiebig«, sagte Wallander. »Neben vielem anderen, was er zu berichten wusste und was vielleicht von Bedeutung sein kann, wies er darauf hin, dass Harald Berggren heute sehr gut unter einem anderen Namen leben kann. Söldner haben häufig falsche Namen gewählt, wenn sie Verträge abschlossen oder mündliche Absprachen trafen.«

»Das wird die Suche nach ihm erschweren.«

»Das war auch mein erster Gedanke. Die Nadel im Heuhaufen. Ich fahre jetzt zurück nach Ystad. Aber ich will auf dem Weg in Lödinge Halt machen.«

»Ist es etwas Besonderes?«

»Ich muss mein Gedächtnis auffrischen. Dann gehe ich in Runfelts Wohnung. Ich denke, ich bin um drei Uhr da. Es wäre gut, wenn Vanja Andersson hinkommen könnte.«

»Ich kümmere mich darum.«

Sie beendeten das Gespräch. Wallander ließ den Motor an und fuhr nach Lödinge. Er sah noch lange nicht klar. Aber ein Stück weit war er gekommen. Er hatte eine Skizze für den weiteren Gang der Ermittlung im Kopf. Dabei war sein Lot in Tiefen eingedrungen, die größer waren, als er geahnt hatte.

Er war nicht ganz ehrlich gewesen, als er Ann-Britt Höglund sagte, der Zweck seines Besuchs in Holger Erikssons Haus sei das Bedürfnis, sein Gedächtnis aufzufrischen. Wallander wollte das Haus sehen, bevor er in Gösta Runfelts Wohnung ging. Er wollte sehen, ob es Ähnlichkeiten gab. Wo die Unterschiede lagen.

Als er auf Holger Erikssons Grundstück einbog, standen dort schon zwei Autos. Er fragte sich verwundert, wer die Besucher sein könnten. Wallander erhielt die Antwort, als er den Hof betrat. Dort standen ein Rechtsanwalt aus Ystad, den Wallander schon früher getroffen hatte, und zwei Frauen, eine ältere und eine in Wallanders Alter. Bjurman, der Anwalt, begrüßte ihn und gab ihm die Hand.

»Ich bin Holger Erikssons Testamentsvollstrecker«, sagte er erklärend. »Wir glaubten, die Polizei sei fertig mit den Untersuchungen hier. Ich habe im Präsidium angerufen.«

»Wir sind erst fertig, wenn wir den Täter gefasst haben«, antwortete Wallander. »Aber wir haben nichts dagegen, dass Sie durchs Haus gehen.«

Er erinnerte sich, in den Ermittlungsunterlagen gelesen zu haben, dass Bjurman Holger Erikssons Testamentsvollstrecker war. Er glaubte auch, sich erinnern zu können, dass Martinsson Kontakt zu ihm aufgenommen hatte.

Bjurman stellte Wallander den beiden Frauen vor. »Frau Mårtensson und Frau von Fessler sind vom Museum in Lund«, sagte er. »Holger Eriksson hat dem Museumsverein den größten Teil seiner Hinterlassenschaft überschrieben. Er hat sehr genaue Aufstellungen des Inventars gemacht. Wir wollten gerade alles durchgehen.«

»Sagen Sie Bescheid, wenn etwas fehlt«, meinte Wallander. »Ansonsten will ich nicht stören. Ich bleibe nicht lange.«

Wallander wandte sich um und ging aufs Haus zu, dessen Außentür offenstand. Um sich aus dem Gespräch herauszuhalten, das draußen auf dem Hof geführt wurde, machte er die Tür hinter sich zu.

Er schritt durchs Haus, langsam und konzentriert. Er suchte nichts Spezielles, wollte sich nur alles im Haus einprägen. Es dauerte gut zwanzig Minuten. Bjurman und die beiden Frauen befanden sich in einem der anderen Flügel, als er das Haus verließ. Wallander beschloss zu gehen, ohne sich zu verabschieden. Erst als er bei seinem Auto war, hielt er inne. Es war etwas, das Bjurman gesagt hatte. Es dauerte einen Moment, bis es ihm einfiel. Er ging zurück zum Haus. Bjurman und die beiden Frauen waren noch in den Seitenflügeln. Er schob die Tür auf und winkte Bjurman zu sich.

»Was haben Sie vorhin von dem Testament gesagt?«

»Holger Eriksson hat das meiste dem Museumsverein in Lund vermacht.«

»Das meiste? Das heißt, dass nicht alles dahin geht?«

»Es gibt noch eine Verfügung über 100 000 Kronen, die anderswohin gehen. Das ist alles.«

»Wohin?«

»An eine Kirche im Kirchspiel Berg. Svenstaviks kyrka. Als Schenkung. Zur freien Verfügung des Vorstands.«

Wallander hatte noch nie von dem Ort gehört.

»Liegt Svenstavik in Schonen?« fragte er.

»Es liegt im südlichen Jämtland«, antwortete Bjurman. »Zwanzig, dreißig Kilometer von der Grenze zu Härjedalen.«

»Was hatte Holger Eriksson denn mit Svenstavik zu tun?« fragte Wallander erstaunt. »Ich dachte, er sei aus Ystad?«

»Leider weiß ich darüber nichts«, gab Bjurman zurück. »Holger Eriksson war ein sehr verschwiegener Mann.«

»Hat er keine Erklärung für die Schenkung gegeben?«

»Holger Erikssons Testament ist ein vorbildliches Dokument, kurz gefasst und exakt«, sagte Bjurman. »Es enthält keine Begründungen gefühlsmäßiger Art. Die Kirche von Svenstavik soll seinem letzten Willen entsprechend 100 000 Kronen bekommen. Und die bekommt sie auch.«

Wallander hatte keine Fragen mehr. Vom Auto aus rief er Ebba im Präsidium an. »Bitte besorge mir die Nummer des Pfarramtes in Svenstavik«, sagte er. »Oder vielleicht liegt es in Östersund. Ich nehme an, das ist die nächste Stadt. Wenn du die Nummer hast, gib sie mir bitte. Ich bin jetzt auf dem Weg zu Gösta Runfelts Wohnung.«

»Lisa Holgersson will dich unbedingt sprechen«, sagte Ebba. »Hier rufen ständig Journalisten an. Aber die Pressekonferenz ist auf halb sieben heute Abend verschoben.«

»Das passt mir ausgezeichnet«, sagte Wallander.

»Deine Schwester hat auch angerufen. Sie wollte gern noch mal mit dir sprechen, bevor sie nach Stockholm zurückfährt.«

Die Erinnerung an den Tod seines Vaters kam unvermittelt und mit Macht. Aber er konnte den Gefühlen nicht nachgeben. Auf jeden Fall nicht jetzt.

»Ich rufe sie an«, sagte Wallander. »Aber das Pfarramt in Svenstavik ist jetzt am wichtigsten.«

Dann fuhr er zurück nach Ystad, in die Västra Vallgatan. Ann-Britt Höglunds altes Auto stand vor Gösta Runfelts Haustür. Der Wind war noch immer böig. Wallander fror und zog den Mantel zu, als er die Straße überquerte.

Als er klingelte, öffnete nicht Ann-Britt Höglund, sondern Svedberg.

»Sie musste nach Hause fahren«, sagte Svedberg erklärend, als Wallander nach ihr fragte. Eins ihrer Kinder ist krank. Und ihr Wagen sprang nicht an, da hat sie meinen genommen. Aber sie wollte bald zurück sein.«

Wallander ging ins Wohnzimmer und sah sich um. »Ist Nyberg schon fertig?« fragte er erstaunt.

Svedberg sah ihn verständnislos an. »Hast du nichts gehört?«, fragte er.

»Was gehört?«

»Was mit Nyberg passiert ist? Er hat sich den Fuß verletzt.«

»Ich habe nichts gehört« sagte Wallander. »Was war denn?«

»Nyberg ist vor dem Präsidium auf einem Ölfleck ausgerutscht. Er ist so unglücklich gefallen, dass er sich im linken Fuß einen Muskel- oder Sehnenriss geholt hat. Er ist jetzt im Krankenhaus. Er rief an und sagte, dass er weiterarbeiten kann. Aber er muss Krücken haben. Und er war natürlich stocksauer.«

Wallander dachte an Sven Tyrén, der vor dem Eingang des Polizeigebäudes geparkt hatte. Aber er beschloss, nichts zu sagen.

Sie wurden durch ein Klingeln an der Tür unterbrochen. Es war Vanja Andersson. Sie war sehr blass. Wallander gab Svedberg ein Zeichen, und der Kollege zog sich in Gösta Runfelts Arbeitszimmer zurück. Wallander ging mit Vanja Andersson ins Wohnzimmer. Sie schien unangenehm berührt zu sein, sich hier aufzuhalten. Sie zögerte, als er sie bat, sich zu setzen.

»Ich verstehe, dass es Ihnen unangenehm ist«, sagte er. »Aber ich hätte Sie nicht gebeten herzukommen, wenn es nicht unbedingt nötig wäre.«

Sie nickte. Aber Wallander bezweifelte, ob sie ihn wirklich verstand. Alles musste ihr unbegreiflich sein, seit Gösta Runfelt nicht nach Nairobi geflogen, sondern tot in einem Wald bei Marsvinsholm aufgefunden worden war.

»Sie sind früher schon hier in seiner Wohnung gewesen«, sagte Wallander. »Und Sie haben ein gutes Gedächtnis. Das weiß ich, weil Sie sich an die Farbe seines Koffers erinnert haben.«

»Haben Sie ihn gefunden?«

Wallander dachte daran, dass sie noch nicht einmal angefangen hatten, ihn zu suchen. In seinem eigenen Kopf war er vollständig verschwunden. Er entschuldigte sich und ging zu Svedberg hinein, der den Inhalt eines Bücherregals untersuchte. »Hast du etwas von Gösta Runfelts Koffer gehört?«

»Hatte er einen Koffer?«

Wallander schüttelte den Kopf. »Vergiss es. Ich rede mit Nyberg.«

Er ging zurück ins Wohnzimmer. Vanja Andersson saß unbeweglich auf dem Sofa. Wallander sah ein, dass sie so schnell wie möglich wieder von hier fort wollte. Es hatte den Anschein, als müsse sie sich mit größter Überwindung dazu zwingen, die Luft in der Wohnung einzuatmen. »Wir kommen auf den Koffer später zurück«, sagte er. »Jetzt möchte ich Sie bitten, durch die Wohnung zu gehen und nachzusehen, ob irgendetwas fehlt.«

Sie blickte ihn erschrocken an. »Wie soll ich das sehen können? So oft war ich nicht hier.«

»Ich weiß«, sagte Wallander. »Aber es kann sein, dass Sie trotzdem merken, dass etwas fehlt. Es kann wichtig sein. Im Moment ist alles wichtig. Wenn wir den finden wollen, der das getan hat. Und das wollen Sie sicher genauso wie wir.«

Nach einem kurzen Augenblick erhob sie sich vom Sofa. Sie war bereit anzufangen.

»Lassen Sie sich Zeit«, sagte Wallander. »Versuchen Sie sich zu erinnern, wie es war, als Sie zuletzt hier waren. Um seine Blumen zu gießen. Lassen Sie sich Zeit.«

Er folgte ihr, hielt sich aber im Hintergrund. Er konnte sehen, dass Vanja Andersson sich wirklich anstrengte. Aber ohne Ergebnis. Sie kehrten zu ihrem Ausgangspunkt zurück, zum Sofa im Wohnzimmer. Sie schüttelte den Kopf.

»Ich finde, dass alles ganz normal wirkt«, sagte sie. »Ich kann nicht sehen, ob irgendetwas fehlt oder verändert ist.«

Wallander war nicht verwundert. Er hätte bemerkt, wenn sie während ihres Rundgangs gestutzt hätte. »Sonst ist Ihnen nichts mehr eingefallen?« fragte er.

»Ich habe angenommen, dass er in Nairobi wäre«, sagte sie. »Ich habe seine Blumen gegossen und den Laden betreut.«

»Und beides haben Sie ausgezeichnet gemacht«, sagte Wallander. »Danke, dass Sie gekommen sind. Wir lassen sicher noch einmal von uns hören.«

Er begleitete sie zur Tür. Als sie gegangen war, kam Svedberg aus der Toilette.

»Es scheint nichts weg zu sein«, sagte Wallander.

»Er muss ein sonderbarer Mensch gewesen sein«, sagte Svedberg nachdenklich. »Sein Arbeitszimmer ist eine eigenartige Mischung aus Chaos und pedantischer Ordnung. Was die Blumen angeht, scheint die Ordnung perfekt zu sein. Ich hätte nie gedacht, dass es so viel Literatur über Orchideen gibt. Aber was sein privates Leben angeht, ist alles ein einziges Durcheinander. In der Buchführung des Blumengeschäfts von 1994 habe ich eine Steuererklärung von 1969 gefunden. Damals hat er übrigens das Schwindel erregende Einkommen von 30 000 Kronen versteuert.«

»Ich frage mich, was wir damals verdient haben«, sagte Wallander. »Kaum viel mehr. Vermutlich bedeutend weniger. Vielleicht hatten wir 2000 Kronen im Monat.«

Sie dachten kurz über ihr früheres Einkommen nach.

»Such weiter«, sagte Wallander dann.

Svedberg ging an seine Arbeit. Wallander stellte sich ans Fenster und blickte über den Hafen, als er ein Geräusch an der Wohnungstür hörte. Das musste Ann-Britt Höglund sein, sie hatte Schlüssel. Er ging zu ihr in den Flur.

»Nichts Ernstes, hoffe ich?«

»Herbsterkältung«, sagte sie. »Mein Mann ist irgendwo in dem Land, das man früher Hinterindien nannte. Aber meine Nachbarin ist meine Rettung. Ist Vanja Andersson hier gewesen?« Ann-Britt Höglund wechselte das Thema.

»Sie ist gekommen und schon wieder gegangen. Aus der Wohnung scheint nichts verschwunden zu sein. Aber sie hat mich auf etwas anderes gebracht. Gösta Runfelts Koffer. Ich muss zugeben, dass ich den vollständig vergessen hatte.«

»Ich auch«, sagte sie. »Aber so weit ich weiß, hat man ihn draußen im Wald nicht gefunden. Ich habe mit Nyberg gesprochen, gerade bevor er sich den Fuß gebrochen hat.«

»Ist es so schlimm?«

»Auf jeden Fall ist er ordentlich verletzt.«

»Dann wird er in der nächsten Zeit sehr schlechte Laune haben. Was alles andere als gut ist.«

»Runfelts Kinder sind gekommen.« Erneut wechselte Ann-Britt Höglund das Thema. »Hansson hat sie übernommen. Eine Tochter und ein Sohn.«

Sie waren ins Wohnzimmer gegangen. Wallander betrachtete die Fotografie von Gösta Runfelts Frau.

»Wir müssen rausfinden, was passiert ist«, sagte er.

»Sie ist ertrunken.«

»Aber genauer.«

»Hansson denkt daran. Er führt seine Gespräche gewissenhaft. Er wird die Kinder nach der Mutter fragen.«

Wallander wusste, dass sie Recht hatte. Hansson hatte viele schlechte Seiten. Aber eine seiner besten war, mit Zeugen zu sprechen. Informationen zu sammeln. Mit Eltern über ihre Kinder reden. Oder, wie jetzt, umgekehrt.

Wallander erzählte von seinem Gespräch mit Olof Hanzell. Sie hörte aufmerksam zu. Er übersprang zahlreiche Details. Am wichtigsten war die Schlussfolgerung, dass Harald Berggren heute sehr gut unter einem anderen Namen leben konnte. Er hatte das schon erwähnt, als sie am Telefon miteinander gesprochen hatten. Er merkte, dass sie weitergedacht hatte.

»Wenn er einen offiziellen Namenswechsel vorgenommen hat, können wir beim Patent- und Melderegisteramt nachfragen«, sagte sie.

»Ich zweifle daran, dass ein Söldner so formell zu Wege geht«, wandte Wallander ein. »Aber wir können es natürlich untersuchen. Das wie auch alles andere. Und das wird mühsam.«

Anschließend erzählte er von seiner Begegnung mit den Frauen aus Lund und Rechtsanwalt Bjurman draußen auf Holger Erikssons Hof.

»Ich bin einmal mit meinem Mann im Auto durch das innere Norrland gefahren«, sagte sie. »Ich habe eine vage Erinnerung, dass wir durch Svenstavik gekommen sind.«

»Ebba hätte längst anrufen und mir die Nummer vom Pfarramt geben sollen«, schimpfte Wallander und nahm sein Telefon aus der Tasche. Es war ausgeschaltet. Er fluchte über seine Schlampigkeit. Sie versuchte, ein Lächeln zu verbergen, was ihr aber nicht gelang. Wallander sah ein, dass er sich unmöglich und kindisch benahm. Um sich aus der Situation zu retten, rief er selbst im Präsidium an. Er ließ sich von Ann-Britt Höglund einen Bleistift geben und notierte die Nummer auf dem

Zipfel einer Zeitung. Ebba hatte tatsächlich mehrmals versucht, ihn zu erreichen.

Im gleichen Augenblick kam Svedberg ins Wohnzimmer. Er hatte ein Bündel Papiere in der Hand. Wallander sah, dass es Einzahlungsquittungen waren.

»Das hier könnte vielleicht was sein«, sagte Svedberg. »Wahrscheinlich hatte Gösta Runfelt noch ein Zimmer in der Harpegatan. Er bezahlt monatlich Miete. So weit ich sehen kann, hält er die Sache getrennt von allen Zahlungen, die mit dem Blumenladen zu tun haben.«

»Harpegatan?« fragte Ann-Britt Höglund »Wo liegt die?«

»In der Nähe vom Nattmanstorg, mitten in der Stadt«, sagte Wallander.

Sie sammelten sämtliche Schlüsselbunde ein, die sie finden konnten, und fuhren in Svedbergs Wagen zur Harpegatan. Es war ein gewöhnliches Mietshaus. Auf den Namensschildern im Eingang konnten sie Gösta Runfelts Namen nicht entdecken.

»Auf den Quittungen steht, dass es sich um einen Kellerraum handelt«, sagte Svedberg.

Eine halbe Treppe führte hinunter ins Kellergeschoss. Wallander roch den säuerlichen Duft von Winteräpfeln. Svedberg begann, seine Schlüssel zu probieren. Der zwölfte war der richtige. Sie kamen in einen Korridor, wo rotgestrichene Stahltüren zu den einzelnen Kellern führten.

Ann-Britt Höglund fand die richtige Tür. »Ich glaube, hier ist es«, sagte sie.

An der Tür war ein Aufkleber mit einem Blumenmotiv.

»Eine Orchidee«, sagte Svedberg.

»Ein geheimer Raum«, sagte Wallander.

Svedberg versuchte weiter seine Schlüssel. Wallander sah, dass die Tür ein zusätzliches Schloss hatte.

Schließlich klickte es in dem einen Schloss. Wallander spürte, wie die Spannung in ihm zunahm. Svedberg suchte den richtigen Schlüssel. Er hatte nur noch zwei, als er die anderen ansah und nickte.

»Dann gehen wir rein«, sagte Wallander.

Und Svedberg öffnete die Tür.

16

Die Angst packte ihn wie mit Krallen. Doch als der Gedanke kam, war es schon zu spät. Svedberg hatte die Tür geöffnet. Wallander wartete während des kurzen Augenblicks, in dem die Angst das Zeitempfinden verdrängt hatte, auf die Explosion. Aber alles, was geschah, war, dass Svedberg mit einer Hand über die Wand fuhr und leise fragte, wo der Lichtschalter saß. Hinterher war Wallander seine Angst peinlich. Warum sollte Gösta Runfelt seinen Kellerraum mit einer Sprengladung gesichert haben?

Svedberg machte Licht. Sie traten ein und sahen sich um. Da der Raum unter der Erde lag, gab es nur eine Reihe schmaler Fenster in Höhe des Straßenniveaus. Wallander fiel sogleich auf, dass die Fenster auch auf der Innenseite mit einem Eisengitter versehen waren. Das war ungewöhnlich, und es war anzunehmen, dass Gösta Runfelt sie auf eigene Kosten hatte anbringen lassen. Der Raum war als Büro eingerichtet. Da war ein Schreibtisch. An den Wänden Aktenschränke. Auf einem kleinen Tisch an einer Wand eine Kaffeemaschine und ein paar Tassen auf einem Handtuch. Es gab Telefon, Fax und einen Kopierer.

»Gehen wir rein, oder warten wir auf Nyberg?« fragte Svedberg.

Wallander wurde in seinen Gedanken unterbrochen. Er hatte Svedbergs Frage gehört. Aber er zögerte mit der Antwort. Er versuchte noch zu verstehen, was der erste Eindruck ihm sagte. Warum hatte Gösta Runfelt diesen Kellerraum gemietet und die Zahlungen von seiner übrigen Buchführung getrennt gehalten? Und: Wozu hatte er den Raum benutzt?

»Kein Bett«, sagte Svedberg. »Ein heimliches Liebesnest scheint es also nicht gewesen zu sein.«

»Hier unten würde keine Frau romantisch werden«, bestätigte Ann-Britt Höglund.

Wallander hatte noch immer nicht auf Svedbergs Frage geantwortet. Warum hatte Gösta Runfelt dieses Büro geheim gehalten? Denn ein Büro war es. Daran gab es keinen Zweifel.

Wallander ließ den Blick über die Wände gleiten. Dort war noch eine Tür. Er nickte Svedberg zu. Der trat heran und legte die Hand auf die Klinke. Die Tür war offen. Er schaute hinein.

»Es sieht nach einem Fotolabor aus«, sagte er. »Voll eingerichtet.«

Wallander und Ann-Britt Höglund schauten über Svedbergs Schultern. Es war tatsächlich ein kleines Fotolabor. Wallander entschied, dass sie nicht auf Nyberg zu warten brauchten. Sie konnten den Raum selbst durchsuchen.

Als erstes hatte er nach einem Koffer Ausschau gehalten, aber keinen gesehen. Er setzte sich in den Schreibtischstuhl und begann in den Papieren auf dem Tisch zu blättern. Svedberg und Ann-Britt Höglund konzentrierten sich auf die Aktenschränke.

Wallander zog die Schreibtischschubfächer heraus. In dem obersten lag ein tragbarer Computer. Wallanders Fähigkeiten im Umgang mit Computern waren begrenzt. Oft musste er jemanden um Hilfe bitten, wenn er an dem Gerät arbeiten sollte, das in seinem Zimmer im Präsidium stand. Sowohl Svedberg als auch Ann-Britt Höglund waren an den Umgang mit Computern gewöhnt und betrachteten sie als ganz normale Arbeitsgeräte.

»Lasst uns einmal nachsehen, was sich in dem hier verbirgt«, sagte er und hob den Laptop auf den Schreibtisch. Er stand auf, Ann-Britt Höglund übernahm seinen Platz. Neben dem Schreibtisch war eine Steckdose. Sie öffnete den Computer und schaltete ihn ein. Nach einem kurzen Augenblick leuchtete der Bildschirm auf. Svedberg wühlte noch in einem der Aktenschränke. Sie drückte ein paar Tasten und war im Programm.

»Kein Password«, sagte sie.

Wallander beugte sich vor, um besser zu sehen. So nah, dass er den Duft ihres diskreten Parfüms wahrnahm. Er dachte an seine Augen. Er durfte nicht mehr warten. Er brauchte eine Brille.

»Das ist ein Register«, sagte sie. »Personennamen.«

»Versuch mal, ob Harald Berggren dabei ist«, sagte er.

Sie blickte ihn erstaunt an. »Glaubst du das?«

»Ich glaube gar nichts«, sagte er. »Aber wir können es ja versuchen.«

Svedberg stand jetzt auch neben Wallander. Ann-Britt suchte im Register. Dann schüttelte sie den Kopf.

»Holger Eriksson?« schlug Svedberg vor.

Wallander nickte. Sie suchte. Nichts.

»Geh aufs Geratewohl ins Register«, sagte Wallander.

»Hier haben wir einen Mann namens Lennart Skoglund«, sagte sie. »Versuchen wir den mal?«

»Aber verdammt, das ist doch Nacka!« platzte Svedberg heraus.

Sie sahen ihn verständnislos an.

»Es gab einen bekannten Fußballspieler, Lennart Skoglund«, sagte Svedberg. »Er wurde Nacka genannt. Ihr müsst doch von ihm gehört haben.«

Wallander nickte. Ann-Britt Höglund dagegen kannte ihn nicht.

»Lennart Skoglund hört sich an wie ein ganz normaler Name«, sagte Wallander. »Sehen wir ihn uns mal an.«

Sie holte den Text auf den Bildschirm. Wallander kniff die Augen zusammen, und es gelang ihm, den sehr kurzen Text zu lesen.

Lennart Skoglund. Begonnen 10. Juni 1994. Abgeschlossen 19. August 1994. Nichts veranlasst. Fall zu den Akten.

»Was bedeutet das?« fragte Svedberg. »Was meint er mit Fall zu den Akten? Welcher Fall?«

»Es sieht fast aus wie etwas, was wir hätten schreiben können«, sagte sie.

Im gleichen Augenblick ahnte Wallander, was die Erklärung bedeuten konnte. Er dachte an die technische Ausrüstung, die Gösta Runfelt beim Postversand in Borås gekauft hatte. An das Fotolabor. An das geheime Büro. Das Ganze wirkte unwahrscheinlich, aber trotzdem durchaus denkbar. Als sie über das Register gebeugt standen, schien es sogar wahrscheinlich.

Wallander streckte den Rücken. »Die Frage ist, ob Gösta Runfelt sich nicht doch noch für andere Dinge interessiert hat als für Orchideen«, sagte er. »Die Frage ist, ob er nicht auch Privatdetektiv gewesen ist.«

Viele Einwände waren möglich. Aber Wallander wollte die Spur verfolgen, und zwar sofort.

»Ich glaube, ich habe Recht«, sagte er. »Jetzt müsst ihr beide mich davon zu überzeugen versuchen, dass ich Unrecht habe. Geht alles durch, was ihr hier findet. Haltet die Augen auf und vergesst Holger Eriksson nicht. Ich möchte außerdem, dass einer von euch Kontakt mit Vanja Andersson aufnimmt. Ohne sich dessen bewusst geworden zu sein, kann sie Dinge gehört oder gesehen haben, die mit dieser Tätigkeit zu tun haben. Ich fahre ins Präsidium und spreche mit Runfelts Kindern.«

»Was machen wir mit der Pressekonferenz heute Abend um halb sieben? Ich habe versprochen, dabei zu sein.«

»Es ist besser, du bleibst hier.«

Svedberg reichte Wallander seine Autoschlüssel, aber der schüttelte den Kopf.

»Ich hole meinen eigenen. Ich muss mich bewegen.«

Als er auf die Straße hinauskam, bereute er es sofort. Der Wind war scharf, und es wurde immer kälter. Wallander überlegte einen Moment, ob er nicht zunächst nach Hause gehen und sich einen dickeren Pullover holen sollte. Aber er ließ es sein. Er hatte es eilig. Außerdem war er unruhig. Sie entdeckten Neues. Aber was sie entdeckten, passte nicht ins Bild. Warum war Gösta Runfelt Privatdetektiv gewesen? Er lief durch die Stadt und holte sein Auto. Die Benzinanzeige stand auf Null, und das rote Licht leuchtete. Aber er wollte jetzt nicht tanken. Die Unruhe machte ihn ungeduldig.

Er kam um halb fünf ins Präsidium. Ebba reichte ihm einen Stapel mit Telefonnachrichten, die er in die Tasche stopfte. Von seinem Zimmer aus rief er als erstes Lisa Holgersson an.

Wallander informierte sie kurz über den Kellerraum in der Harpegatan, sagte aber vorläufig noch nichts darüber, dass es den Anschein hatte, als habe Gösta Runfelt einen Teil seiner Zeit als Privatdetektiv verbracht. Danach rief er Hansson an. Gösta Runfelts Tochter saß bei ihm. Sie kamen überein, sich kurz im Flur zu unterhalten.

»Den Sohn habe ich weggeschickt«, sagte Hansson. »Er wohnt im Hotel Sekelgården.«

Wallander nickte. Er wusste, wo das lag. »Hat es was gebracht?«

»Kaum. Er hat bestätigt, dass Gösta Runfelt ein leidenschaftlicher Orchideenliebhaber war.«

»Und die Mutter? Gösta Runfelts Frau?«

»Ein tragisches Unglück. Willst du die Details?«

»Nicht jetzt. Was sagt die Tochter?«

»Ich wollte gerade mit ihr anfangen. Das Gespräch mit dem Sohn hat gedauert. Ich will das ja gründlich machen.«

Wallander sah auf die Uhr. Viertel vor fünf. Er sollte eigentlich die Pressekonferenz vorbereiten. Aber ein paar Minuten konnte er noch mit der Tochter sprechen. »Hast du was dagegen, wenn ich ihr zunächst ein paar Fragen stelle?«

»Warum sollte ich?«

»Ich habe jetzt keine Zeit, es dir zu erklären. Aber die Fragen werden in deinen Ohren etwas wunderlich klingen.«

Sie gingen in Hanssons Zimmer. Die Frau auf dem Besucherstuhl war jung. Er nahm an, dass sie kaum älter als dreiundzwanzig oder vierundzwanzig war. Wallander ahnte, dass sie im Aussehen ihrem Vater ähnelte. Sie stand auf, als er hereinkam. Wallander lächelte und gab ihr die Hand. Hansson lehnte sich an den Türpfosten, während Wallander sich auf seinen Stuhl setzte.

Auf einem Blatt Papier hatte Hansson einen Namen notiert, Lena Lönnerwall. Wallander blickte schnell zu Hansson auf, der nickte. Dann zog er die Jacke aus und legte sie auf den Fußboden neben den Stuhl. Die ganze Zeit folgte sie seinen Bewegungen mit dem Blick.

»Als erstes möchte ich sagen, wie leid es mir tut, was da passiert ist.«

»Danke«, sagte sie.

Wallander merkte, dass sie gefasst war. Mit einer gewissen Erleichterung registrierte er, dass sie nicht im Begriff war, in Weinen auszubrechen. »Sie sind Lena Lönnerwall aus Eskistuna«, fuhr Wallander fort. »Gösta Runfelts Tochter.«

»Ja.«

»Alle übrigen Angaben zur Person, die wir leider brauchen, wird Inspektor Hansson aufnehmen. Ich habe nur ein paar Fragen. Sind Sie verheiratet?«

»Ja.«

»Was arbeiten Sie?«

»Ich bin Basketballtrainerin.«

Wallander dachte über ihre Antwort nach. »Heißt das, dass Sie Sportlehrerin sind?«

»Das heißt, das ich Basketballtrainerin bin.«

Wallander nickte. Er überließ Hansson das Weitere. Aber eine Basketballtrainerin war ihm noch nie begegnet.

»Ihr Vater war Blumenhändler?«

»Ja.«

»Schon immer?«

»In seiner Jugend ist er zur See gefahren. Als er und Mama heirateten, blieb er an Land.«

»Wenn ich richtig verstanden habe, ist Ihre Mutter ertrunken?«

»Ja.«

»Wie lange ist das her?«

»Ungefähr zehn Jahre. Ich war damals erst dreizehn.«

Wallander merkte, dass sie plötzlich angespannt war. Er ging vorsichtig weiter. »Können Sie etwas ausführlicher erzählen, was passiert ist? Wo ist es passiert?«

»Hat das hier wirklich mit Papa zu tun?«

»Es gehört zur grundlegenden polizeilichen Routine, chronologische Rückgriffe zu machen«, sagte Wallander und versuchte, sich gewichtig anzuhören. Hansson starrte ihn von seinem Platz an der Tür mit offenem Mund an.

»Ich weiß nicht viel«, sagte sie.

Falsch, dachte Wallander schnell. Sie wissen schon, aber Sie wollen lieber nicht darüber sprechen. »Erzählen Sie, was Sie wissen«, sagte er.

»Es war im Winter. Aus irgendeinem Grund sind sie nach Älmhult gefahren, um einen Sonntagsspaziergang zu machen. Sie ist draußen auf dem Eis eingebrochen. Papa hat versucht, sie zu retten. Aber es ging nicht.«

Wallander saß reglos. Etwas in dem, was sie sagte, hatte mit ihrer Ermittlung zu tun. Dann kam er darauf. Es betraf nicht Gösta Runfelt, sondern Holger Eriksson. Ein Mann, der in ein sichtbares Erdloch fällt und aufgespießt wird. Lena Lönnerwalls Mutter stürzte in ein Eisloch. Alle polizeilichen Instinkte sagten Wallander, dass hier ein Zusammenhang bestand. Aber wie der aussah, ahnte er nicht. Auch nicht, warum die junge Frau ihm gegenüber nicht über den Tod ihrer Mutter sprechen wollte.

Er ließ das Thema fallen und ging direkt auf die Hauptfrage zu. »Ihr Vater hatte einen Blumenladen. Er war außerdem ein passionierter Orchideenliebhaber.«

»Das ist das erste, woran ich mich erinnern kann. Wie er mir und meinem Bruder von Blumen erzählte.«

»Warum war er ein so passionierter Orchideenliebhaber?«

Sie sah ihn mit plötzlicher Verwunderung an. »Warum wird man passioniert? Kann man darauf antworten?«

Wallander schüttelte den Kopf. »Wussten Sie, dass Ihr Vater Privatdetektiv war?«

Hansson an der Tür zuckte zusammen. Wallander sah die Frau unverwandt an. Ihre Verblüffung wirkte überzeugend. »Mein Papa soll Privatdetektiv gewesen sein?«

»Ja. Haben Sie das nicht gewusst?«

»Das kann nicht stimmen.«

»Warum nicht?«

»Ich verstehe es nicht. Ich weiß nicht einmal, was das eigentlich heißt, Privatdetektiv. Gibt es die wirklich in Schweden?«

»Das ist eine andere Frage, die man sich stellen kann«, sagte Wallander. »Aber Ihr Vater hat sich ganz offensichtlich in einem Teil seiner Zeit als privat praktizierender Detektiv betätigt.«

»Ich habe noch nie davon gehört, dass mein Vater mit so etwas zu tun gehabt haben soll. Was hat er gemacht?«

»Es ist noch zu früh, darauf zu antworten.«

Wallander war jetzt überzeugt davon, dass sie nicht wusste, womit ihr Vater sich heimlich beschäftigt hatte. Es gab natürlich die Möglichkeit, dass Wallander sich irrte, dass die Voraussetzung nicht ein Faktum war, sondern ein Irrtum. Aber schon jetzt wusste er im Innersten, dass ein Irrtum ausgeschlossen war. Die Entdeckung von Gösta Runfelts geheimem Raum bedeutete keinen Durchbruch in der Ermittlung, dessen Konsequenzen sie sogleich überblicken konnten. Der geheime Raum führte sie vielleicht nur weiter zu anderen geheimen Räumen. Aber Wallander hatte das Gefühl, dass die ganze Ermittlung einen Stoß bekommen hatte. Ein kaum spürbares Erdbeben war eingetreten und hatte alles in Bewegung versetzt.

Er stand auf. »Das war alles«, sagte er und streckte ihr die Hand hin. »Wir treffen uns sicher noch einmal.«

Sie betrachtete ihn ernst. »Wer hat das getan?« fragte sie.

»Ich weiß es nicht«, sagte Wallander, »aber ich bin davon überzeugt, dass wir den- oder diejenigen, die Ihren Vater getötet haben, fassen werden.«

Hansson folgte ihm auf den Flur.

»Privatdetektiv?« sagte er. »Sollte das ein Witz sein?«

»Nein«, antwortete Wallander. »Wir haben ein geheimes Büro gefunden, das Runfelt unterhielt. Du hörst nachher noch Genaueres.«

Hansson nickte.

Wallander holte eine Tasse Kaffee und schloss die Tür seines Zimmers hinter sich. Am liebsten hätte er sich vor der Pressekonferenz gedrückt. Er hatte allzu viel anderes, woran er denken musste. Mit einer Grimasse zog er seinen Block zu sich und schrieb die wichtigsten Punkte auf, die er der Presse mitteilen konnte. Er lehnte sich zurück und schaute durchs Fenster nach draußen. Der Wind heulte.

Wenn der Mörder eine Sprache spricht, können wir versuchen, ihm zu antworten, dachte er. Wenn es so ist, wie ich denke, dass er nämlich anderen zeigen will, was er tut, dann werden wir auch davon reden, dass wir verstanden haben. Aber wir haben uns nicht einschüchtern lassen.

Er machte noch ein paar Notizen. Dann stand er auf und ging hinüber zu Lisa Holgersson. Er referierte kurz, was er sich dachte. Sie hörte ihm aufmerksam zu und nickte dann. Sie würden tun, was er vorschlug.

Die Pressekonferenz fand im großen Versammlungsraum des Polizeigebäudes statt. Wallander hatte das Gefühl, wieder in den Sommer zurückversetzt zu sein, als er eine tumultartige Pressekonferenz wutentbrannt verlassen hatte. Viele der Gesichter erkannte er wieder.

»Ich bin froh, dass du die Sache übernimmst«, flüsterte Lisa Holgersson.

»Einer muss es ja tun«, erwiderte Wallander.

»Ich mache nur die Begrüßung«, sagte sie. »Den Rest übernimmst du.«

Sie stiegen auf das Podium an der einen Schmalseite des Saales. Lisa Holgersson begrüßte die Anwesenden und gab Wallander das Wort. Er merkte, wie ihm der Schweiß lief.

Er gab einen gründlichen Überblick über die Morde an Holger Eriksson und Gösta Runfelt. Er trug eine Reihe ausgewählter Einzelheiten vor und brachte seine eigene Meinung zum Ausdruck, dass es sich um die gröbsten Gewaltverbrechen handelte, mit denen er und seine Kollegen je zu tun gehabt hatten. Die einzige wesentliche Information, die er zurückhielt, war die Entdeckung, dass Gösta Runfelt vermutlich einer geheimen Tätigkeit als Privatdetektiv nachgegangen war. Er erwähnte auch nicht, dass sie nach einem Tagebuchschreiber suchten, der einmal Söldner in einem entlegenen afrikanischen Krieg gewesen war und sich Harald Berggren genannt hatte.

Dagegen sagte er etwas ganz anderes. Das, was er mit Lisa Holgersson abgesprochen hatte. Dass die Polizei eine klare Spur verfolge. Er könne nicht ins Detail gehen. Aber es gebe Spuren und Hinweise. Die Polizei habe sich ein deutliches Bild gemacht, über das er indessen aus verständlichen ermittlungstechnischen Gründen nichts sagen könne. Der Gedanke dahinter war sehr einfach. Wallander wollte den Täter dazu bringen, sich zu bewegen. Bewegliches Wild war leichter zu sehen als solches, das sich still verhielt und sich im Schatten verbarg.

Wallander war sich natürlich darüber im klaren, dass es auch den gegenteiligen Effekt haben konnte. Der Täter konnte sich unsichtbar machen. Dennoch fand er, dass es den Versuch wert war. Außerdem hatte er Lisa Holgerssons Zustimmung, etwas zu sagen, das nicht ganz korrekt war.

Sie hatten keine Spur. Alles, was sie hatten, waren fragmentarische Erkenntnisse, die nicht zusammenhingen. Als Wallander schwieg, kamen die Fragen. Auf die meisten war er vorbereitet. Er hatte sie schon früher gehört und beantwortet, er würde sie hören, solange er Polizist war.

Erst gegen Ende der Pressekonferenz, als Wallander langsam ungeduldig wurde und Lisa Holgersson ihm zugenickt hatte, dass es an der Zeit sei aufzuhören, nahm das Ganze eine Wendung in eine vollkommen andere Richtung. Der Mann, der die Hand hob und dann aufstand, hatte ganz außen in einer Ecke gesessen.

»Ich komme von der Zeitung *Anmärkaren*«, sagte der Mann. »Ich möchte gern eine Frage stellen.«

»Ich muss zugeben, dass ich noch nie von dieser Zeitung gehört habe. Welche Frage wollten Sie stellen?«

»*Anmärkaren* hat ehrwürdige Ahnen«, antwortete der Mann in der Ecke ungerührt. »Anfang des 19. Jahrhunderts gab es eine Zeitung dieses Namens. Eine gesellschaftskritische Zeitung. Wir rechnen damit, dass unsere erste Nummer in Kürze erscheint.«

»Eine Frage«, sagte Wallander. »Wenn Ihre erste Nummer erschienen ist, antworte ich auf zwei Fragen.«

Im Saal breitete sich eine gewisse Heiterkeit aus. Aber der Mann in der Ecke blieb weiter ungerührt. »Wie stellt sich die Polizei in Ystad dazu, dass die Bewohner von Lödinge beschlossen haben, eine Bürgerwehr zu bilden?« fragte er.

Wallander konnte sein Gesicht nicht richtig erkennen. »Ich habe noch nichts davon gehört, dass die Leute in Lödinge vorhaben, kollektive Dummheiten zu begehen«, erwiderte er.

»Nicht nur in Lödinge«, sagte der Mann in der Ecke. »Es gibt Pläne für eine landesweite Volksbewegung. Eine Dachorganisation für die Bürgerwehren. Ein vom Volk gebildetes Polizeikorps, das die Bürger schützt. Das die Dinge tut, um die sich die Polizei nicht kümmert. Oder die sie nicht schafft. Einer der Ausgangspunkte sollte die Gegend um Ystad sein.«

Es war plötzlich still geworden im Saal.

»Warum gibt man Ystad die Ehre?« fragte Wallander.

»Im Laufe weniger Monate hat es eine große Anzahl Morde gegeben. Zwar hat die Polizei das, was im Sommer geschah, aufgeklärt. Aber jetzt scheint es wieder anzufangen. Die schwedische Polizei hat vor dem Verbrechen kapituliert, das heute überall aus seinen Löchern kriecht. Deshalb ist die Bürgerwehr die einzige Möglichkeit, der Sicherheitsprobleme Herr zu werden.«

»Seitens der Polizei in Ystad gibt es nur eine Antwort, und die ist klar und eindeutig und nicht misszuverstehen«, sagte Wallander. »Jede private Initiative zur Errichtung einer parallelen Ordnungsmacht wird von unserer Seite als Gesetzesverstoß betrachtet und entsprechend geahndet werden.«

»Soll ich das so verstehen, dass Sie gegen Bürgerwehren sind?« fragte der Mann in der Ecke.

Wallander konnte jetzt sein blasses und mageres Gesicht sehen. Er nahm sich vor, es sich einzuprägen. »Ja«, antwortete er. »Wir sind gegen alle Versuche, Bürgerwehren aufzustellen.« Danach beendete er die Pressekonferenz.

»Glaubst du, er hat das ernst gemeint«, fragte Lisa Holgersson, als sie allein im Raum zurückgeblieben waren.

»Vielleicht«, erwiderte Wallander. »Wir sollten auf jeden Fall im Auge behalten, was in Lödinge vor sich geht. Wenn die Leute mit der Forderung nach Bürgerwehren offen auftreten, hat sich die Situation gegenüber früher verändert. Dann können wir Probleme bekommen.«

Es war sieben Uhr geworden. Wallander verabschiedete sich von Lisa Holgersson und ging zu seinem Büro. Er setzte sich. Er musste denken. Er konnte sich nicht erinnern, wann er zuletzt bei einer Ermittlung so wenig Zeit zum Nachdenken und für Zusammenfassungen gehabt hatte.

Das Telefon klingelte. Er nahm sofort ab. Es war Svedberg. »Wie lief die Pressekonferenz?« fragte er.

»Nur ein bisschen schlimmer als gewöhnlich. Wie ist es bei euch?«

»Ich denke, du solltest mal herkommen. Wir haben eine Kamera mit einem Film gefunden. Nyberg ist hier. Wir wollen den Film entwickeln.«

»Können wir jetzt davon ausgehen, dass er ein Doppelleben als Privatdetektiv geführt hat?«

»Wir glauben es. Und wir glauben noch etwas.«

Wallander wartete gespannt auf die Fortsetzung.

»Wir glauben, dass der Film Bilder seines letzten Klienten enthält.«

»Ich komme«, sagte Wallander.

Er trat aus dem Polizeigebäude in den stürmischen Wind. Am Himmel trieben zerfetzte Wolken. Während er zu seinem Auto ging, fragte er sich, ob Zugvögel bei Nacht in so starkem Wind auch unterwegs waren.

Auf dem Weg zur Harpegatan hielt er und tankte. Er fühlte sich matt und leer und fragte sich, wann er wohl Zeit hätte, sich ein Haus anzusehen. Und an seinen Vater zu denken. Und wann Baiba kommen würde.

Dann fuhr er los. Die Uhr zeigte fünf nach halb acht. Kurz darauf parkte er in der Harpegatan und ging hinunter in den Keller.

17

Gespannt sahen sie zu, wie das Bild im Entwicklerbad hervortrat. Wallander wusste nicht, was er erwartete – oder zumindest erhoffte, als er neben seinen Kollegen in dem dunklen Raum stand. Das rote Licht gab ihm das Gefühl, dass etwas Unanständiges geschehen würde. Nyberg besorgte das Entwickeln. Er hüpfte mit einer Krücke umher. Als Wallander in die Harpegatan zurückgekehrt war, hatte Ann-Britt Höglund ihm zugeflüstert, dass Nyberg ungewöhnlich schlechter Laune war.

Aber sie hatten Fortschritte gemacht in der Zeit, die Wallander den Journalisten gewidmet hatte. Es bestand nun kein Zweifel mehr, dass Gösta Runfelt sich als Privatdetektiv betätigt hatte. Den verschiedenen Kundenregistern, die sie gefunden hatten, konnten sie entnehmen, dass er seit mindestens zehn Jahren dieses Geschäft betrieben hatte. Die ältesten Unterlagen waren vom September 1983.

»Seine Aktivitäten sind nicht sehr umfangreich gewesen«, sagte Ann-Britt Höglund. »Meistens hatte er sieben, acht Aufträge pro Jahr. Man könnte meinen, dass es eine Freizeitbeschäftigung war.«

Svedberg hatte eine vollständige Übersicht über die Art der Aufträge gemacht, die Runfelt übernommen hatte. »Bei der Hälfte der Aufträge handelt es sich um Verdacht auf Untreue«, sagte er, nachdem er seine Aufzeichnungen konsultiert hatte. In mindestens zwei Fällen pro Jahr verdächtigt ein Unternehmer Angestellte des Diebstahls. Außerdem haben wir eine Reihe von Überwachungsaufträgen gefunden, die nicht ganz klar sind. Das Ganze ergibt ein ziemlich gemischtes Bild. Seine Aufzeichnungen sind nicht besonders ausführlich. Aber er hat ganz ordentlich kassiert.«

»Da haben wir auf jeden Fall die Erklärung dafür, wie er sich so teure Auslandsreisen leisten konnte«, sagte Wallander. »Er hat 30 000 Kronen für die Reise nach Nairobi bezahlt, aus der nichts wurde.«

»Er hatte einen Auftrag, als er starb«, sagte Ann-Britt Höglund.

Sie legten einen Kalender auf den Schreibtisch. Wallander dachte an die Brille, die er noch immer nicht hatte. Er sah gar nicht hin.

»Es scheint einer seiner gewöhnlichsten Aufträge gewesen zu sein«, fuhr sie fort. »Eine Frau Svensson hat ihren Mann im Verdacht, ihr untreu zu sein.«

»Hier in Ystad?« fragte Wallander. »Oder hat er auch außerhalb gearbeitet?«

»Südliches und östliches Schonen«, erwiderte Svedberg.

»Holger Eriksson?« fragte Wallander. »Habt ihr seinen Namen gefunden?«

Ann-Britt Höglund sah Svedberg an, der den Kopf schüttelte.

»Harald Berggren?«

»Auch nicht.«

»Ich begreife diesen Menschen nicht«, sagte Ann-Britt Höglund. »Es kann kein Zweifel daran bestehen, dass er ein passionierter Blumenliebhaber ist. Gleichzeitig betätigt er sich als Privatdetektiv.«

»Menschen sind selten das, wofür man sie hält«, sagte Wallander und fragte sich im selben Moment, ob das auch für ihn galt.

»Er scheint also einiges Geld mit seiner Tätigkeit verdient zu haben«, sagte Svedberg. »Aber wenn ich mich richtig erinnere, hat er diese Einkünfte nicht in seiner Steuererklärung angegeben. Ist es vielleicht so einfach, dass er das hier geheim gehalten hat, damit das Finanzamt ihm nicht auf die Schliche kommt?«

»Wohl kaum«, sagte Wallander. »Privatdetektiv zu sein ist wohl in den Augen der meisten etwas Zwielichtiges.«

Das Bild, das im Entwicklerbad hervortrat, zeigte einen Mann. Das Foto war im Freien aufgenommen. Keiner von ihnen konnte den Hintergrund identifizieren. Der Mann war in den Fünfzigern. Er hatte schütteres, kurz geschnittenes Haar. Nyberg vermutete, dass die Bilder aus ziemlich großer Entfernung aufgenommen worden waren. Einige der Negative waren unscharf. Das konnte darauf hindeuten, dass Runfelt ein Teleobjektiv benutzt hatte, das auf Bewegungen empfindlich reagierte.

»Frau Svensson nimmt zum ersten Mal am 9. September Kontakt zu ihm auf«, sagte Ann-Britt Höglund. »Am 14. und 17. September hat Runfelt notiert, ›an dem Auftrag gearbeitet‹.«

»Das ist nur wenige Tage bevor er nach Nairobi fliegen will«, sagte Wallander.

Sie waren aus dem Fotolabor in den angrenzenden Raum gegangen. Nyberg hatte sich an den Schreibtisch gesetzt und sah eine Reihe von Dokumentenmappen mit Fotografien durch.

»Wer ist seine Klientin?« fragte Wallander. »Diese Frau Svensson?«

»Seine Kundenkartei und die Aufzeichnungen sind unklar«, sagte Svedberg. »Er scheint ein schreibfauler Detektiv gewesen zu sein. Es gibt nicht einmal eine Adresse von Frau Svensson.«

»Wie bekommt ein Privatdetektiv Kunden?« fragte Ann-Britt Höglund. »Er muss ja seine Tätigkeit bekannt machen.«

»Ich habe Annoncen in Zeitungen gesehen«, sagte Wallander. »Vielleicht nicht gerade in *Ystads Allehanda*. Aber in den überregionalen Zeitungen. Irgendwie muss es doch möglich sein, diese Frau Svensson ausfindig zu machen.«

»Ich habe mit dem Hausmeister gesprochen«, sagte Svedberg. »Er nahm an, Runfelt hätte hier eine Art Lager. Er hat nie gesehen, dass Leute gekommen sind.«

»Er hat seine Kunden wohl an anderen Stellen getroffen«, sagte Wallander. »Dies hier war der geheime Raum in seinem Leben.«

Sie dachten eine Weile über das nach, was er gesagt hatte.

»Wir müssen Frau Svensson finden«, sagte Svedberg. »Fragt sich nur, wie.«

»Wir müssen sie finden«, bestätigte Wallander. »Und wir werden sie finden. Wir bewachen hier das Telefon und gehen alle Papiere noch einmal durch. Irgendwo ist sie. Da bin ich sicher. Ich überlasse das euch. Ich werde mich jetzt mit Runfelts Sohn unterhalten.«

Als er die Harpegatan verließ und in dem immer noch stürmischen Wind auf die Österleden hinausfuhr, wirkte die Stadt verlassen. Er bog in die Hamngatan ein und parkte vor der Post. Dann trat er wieder hinaus in den Wind. Er sah sich selbst als eine lächerliche Figur: ein Kriminalpolizist in einem viel zu dünnen Pullover, der im Herbst in einer menschenleeren schwedischen Stadt gegen den Wind ankämpft. Das schwedische Rechtswesen, dachte er. Das, was davon noch übrig ist. So sieht es aus. Frierende Polizeibeamte in zu dünnen Pullovern.

Er bog bei der Sparkasse nach links ab und folgte der Straße, in der das Hotel Sekelgården lag. In der Rezeption saß ein junger Mann und las. Wallander nickte ihm zu.

»Hej«, sagte der Junge.

Plötzlich wurde Wallander klar, dass er ihn kannte, aber es dauerte einen Moment, bis ihm einfiel, dass es der älteste Sohn des früheren Polizeichefs Björk war.

»Das ist aber lange her«, sagte Wallander. »Wie geht es deinem Vater?«

»Der fühlt sich unwohl in Malmö.«

Der fühlt sich nicht unwohl in Malmö, dachte Wallander. Er fühlt sich unwohl als Chef.

»Was liest du da?« fragte Wallander.

»Etwas über Fraktale.«

»Fraktale?«

»Das ist ein Begriff aus der Mathematik. Ich studiere in Lund. Dies hier ist nur ein Nebenjob.«

»Das hört sich gut an«, sagte Wallander. »Und ich bin nicht hier, um ein Zimmer zu mieten. Sondern um mit einem deiner Gäste zu sprechen. Bo Runfelt.«

»Der ist gerade reingekommen.«

»Können wir hier irgendwo ungestört reden?«

»Wir haben heute Abend fast keine Gäste«, sagte der Junge. »Ihr könnt euch ins Frühstückszimmer setzen.«

Er zeigte auf den Flur.

»Ich warte da«, sagte Wallander. »Ruf hoch in sein Zimmer und sag ihm, wer hier ist.«

»Ich habe es in den Zeitungen gesehen«, sagte der Junge. »Wie kommt es, dass alles immer schlimmer wird?«

Wallander sah ihn voller Interesse an. »Was meinst du damit?«

»Schlimmer. Gröber. Kann man mehr als das eine meinen?«

»Ich weiß nicht«, sagte Wallander. »Ich weiß ehrlich gesagt nicht, warum es so ist. Gleichzeitig glaube ich selbst nicht an das, was ich hier gerade sage. Eigentlich weiß ich es besser. Eigentlich wissen alle, warum es so geworden ist.«

Björks Sohn wollte das Gespräch weiterführen, aber Wallander hob abwehrend die Hand und zeigte auf das Telefon. Dann ging er ins Frühstückszimmer und setzte sich.

Nur wenige Minuten später trat Bo Runfelt ein. Wallander erhob sich und begrüßte ihn. Er war ein großer und gutgebauter Mann. Wallander schätzte ihn auf etwa siebenundzwanzig. Sein Händedruck war kräftig. Wallander bat ihn, sich zu setzen.

»Ich möchte Ihnen als erstes mein Beileid aussprechen«, begann Wallander.

Bo Runfelt nickte, sagte aber nichts. Seine Augen hatten ein intensives Blau, der Blick war ein wenig blinzelnd. Möglicherweise war er kurzsichtig.

»Ich weiß, dass Sie mit meinem Kollegen schon ausführlich gesprochen haben, mit Inspektor Hansson. Aber ich muss Ihnen auch ein paar Fragen stellen.«

Bo Runfelt schwieg weiter. Jetzt empfand Wallander seinen Blick als durchdringend.

»So weit ich verstanden habe, sind Sie Wirtschaftsprüfer.«

»Ich arbeite für Price Waterhouse«, sagte Bo Runfelt. Seine Stimme verriet einen Menschen, der es gewohnt war, sich auszudrücken.

»Das hört sich nicht richtig schwedisch an.«

»Das ist es auch nicht. Price Waterhouse ist eine der größten Wirtschaftsprüfungsfirmen der Welt. Es ist leichter, die Länder zu nennen, wo wir nicht tätig sind, als die anderen.«

Wallander spürte, dass der Mann, der ihm gegenübersaß, nur schwer verbergen konnte, dass er ein Gespräch mit einem Polizeibeamten für weit unter seiner Würde hielt. Im Normalfall führte das dazu, dass Wallander wütend wurde. Aber er fühlte sich unsicher gegenüber Bo Runfelt. Etwas an ihm brachte Wallander dazu, sich zurückzuhalten. Ihm fuhr der Gedanke durch den Kopf, ob er vielleicht die Unterwürfigkeit geerbt hatte, die sein Vater so oft an den Tag gelegt hatte. Vor allem gegenüber den Männern in ihren chromglänzenden amerikanischen Wagen, die seine Bilder kauften. Er hatte noch nie zuvor daran gedacht. Vielleicht war dies das Erbe seines Vaters. Ein Minderwertigkeitsgefühl, unter einer dünnen Schicht von demokratischem Firnis verborgen.

Er betrachtete den Mann mit den blauen Augen. »Ihr Herr Vater ist ermordet worden«, sagte er betont förmlich. »Ich habe am Nachmittag mit Ihrer Schwester gesprochen. Eine Frage, die ich ihr gestellt habe, ist besonders wichtig. Jetzt stelle ich sie auch Ihnen. Wussten Sie, dass Ihr Vater neben seinem Blumengeschäft auch einer Tätigkeit als Privatdetektiv nachging?«

Bo Runfelt saß unbeweglich. Dann brach er in Lachen aus. »Das ist das Idiotischste, was ich seit langem gehört habe.«

»Idiotisch oder nicht. Aber es ist wahr.«

»Privatdetektiv?«

»Privater Ermittler, wenn Sie das vorziehen. Er hat ein Büro gehabt und verschiedene Formen von Nachforschungsaufträgen übernommen. Mindestens in den letzten zehn Jahren.«

Bo Runfelt sah ein, dass Wallander meinte, was er sagte. Seine Verblüffung war echt.

»Er hat diese Tätigkeit ungefähr zu der Zeit begonnen, als Ihre Mutter ertrank.«

Wallander hatte wieder das Gefühl, das er am Nachmittag hatte, als er mit Bo Runfelts Schwester sprach. Eine beinahe unmerkliche Veränderung in seinem Gesicht, als habe Wallander ein Gelände betreten, von dem er sich hätte fernhalten sollen.

»Sie haben gewusst, dass Ihr Vater nach Nairobi reisen wollte«, fuhr er fort. »Einer meiner Kollegen hat mit Ihnen am Telefon gesprochen. Es war Ihnen vollkommen unbegreiflich, dass er nicht in Kastrup erschienen war.«

»Ich hatte am Tag davor mit ihm telefoniert.«

»Wie wirkte er da?«

»Wie immer. Er sprach von seiner Reise.«

»Sie haben sicher darüber nachgegrübelt, was eigentlich geschehen ist. Haben Sie eine denkbare Erklärung dafür, dass er freiwillig auf die Reise verzichtet haben könnte? Oder Sie hinters Licht geführt hat?«

»Dafür gibt es keine plausible Erklärung.«

»Es scheint, als habe er seinen Koffer gepackt und die Wohnung verlassen. Dann enden alle Spuren.«

»Jemand muss auf ihn gewartet haben.«

»Wer?«

»Ich weiß nicht.«

»Hatte Ihr Vater irgendwelche Feinde?«

»Nicht, so weit ich weiß. Nicht mehr.«

Wallander horchte auf. »Was meinen Sie damit? Nicht mehr?«

Bo Runfelt holte ein Päckchen Zigaretten aus der Tasche. Wallander sah, dass seine Hand leicht zitterte.

»Haben Sie etwas dagegen, wenn ich rauche?«

»Nein, bitte!«

Wallander wartete. Er wusste, dass eine Fortsetzung kommen würde. Er hatte auch eine Vorahnung, dass er sich einem wichtigen Punkt näherte.

»Ich weiß nicht, ob mein Vater Feinde hatte«, sagte Bo Runfelt. »Aber ich weiß einen Menschen, der Grund hatte, ihn wirklich zu verabscheuen.«

»Wer?«

»Meine Mutter.«

Bo Runfelt wartete, dass Wallander eine Frage stellte. Aber es kam keine. Wallander schwieg weiter.

»Mein Vater war ein Mann, der Orchideen aufrichtig liebte«, sagte Bo Runfelt. »Er war auch ein Mann mit großem Wissen. Ein gelehrter Autodidakt als Blumenforscher, kann man sagen. Aber er war auch etwas anderes.«

»Was?«

»Er war ein brutaler Mensch. Er hat meine Mutter in all den Jahren, in denen sie verheiratet waren, misshandelt. Manchmal so schwer, dass sie sich in ärztliche Behandlung begeben musste. Wir wollten, dass sie ihn verließ. Aber das ging nicht. Er schlug sie. Danach war er zerknirscht, und sie ließ sich wieder überreden. Es war ein Albtraum ohne Ende. Die Brutalität hörte erst auf, als sie ertrank.«

»Ich habe es so verstanden, dass sie in ein Loch im Eis eingebrochen ist.«

»Das ist auch alles, was ich weiß. Das war das, was Gösta sagte.«

»Aber Sie sind nicht wirklich überzeugt?«

Bo Runfelt zerdrückte die halbgerauchte Zigarette im Aschenbecher. »Vielleicht hatte sie vorher ein Loch ins Eis gesägt? Vielleicht hat sie dem Ganzen ein Ende gemacht?«

Wallander dachte an das Pfahlgrab. Die angesägten Planken. Gösta Runfelt war ein brutaler Mann gewesen. Er hatte seine Frau misshandelt. Wallander suchte intensiv nach der Bedeutung dessen, was Bo Runfelt erzählte.

»Ich trauere nicht um meinen Vater«, sagte Runfelt. »Ich glaube auch nicht, dass meine Schwester das tut.«

»Gegen Sie war er nie brutal?«

»Nie. Nur gegen meine Mutter.«

»Warum hat er sie misshandelt?«

»Ich weiß es nicht, und man soll nicht schlecht über Tote reden. Aber er war ein Monstrum.«

Wallander dachte nach. »Ist Ihnen mal in den Sinn gekommen, dass Ihr Vater Ihre Mutter umgebracht haben könnte?«

Die Antwort kam prompt und bestimmt. »Sehr oft. Aber natürlich ist es nicht zu beweisen. Es gab keine Zeugen. Sie waren an jenem Wintertag allein auf dem Eis.«

»Wie hieß der See?«

»Stångsjön. Er liegt nicht weit von Älmhult entfernt. Im südlichen Småland.«

Wallander überlegte. Hatte er eigentlich noch mehr Fragen? Es war, als habe ihre Ermittlung sich selbst in den Würgegriff genommen. Es sollte viele Fragen geben. Es gab auch viele. Aber es gab niemanden, dem man sie stellen konnte.

»Sagt Ihnen der Name Harald Berggren etwas?«

Bo Runfelt dachte gründlich nach, bevor er antwortete. »Nein. Nichts. Aber ich kann mich irren. Es ist ein gewöhnlicher Name.«

»Hat Ihr Vater jemals Kontakt zu Söldnern gehabt?«

»So weit ich weiß, nicht. Aber ich erinnere mich, dass er häufig von der Fremdenlegion erzählte, als ich Kind war. Nicht meiner Schwester. Aber mir.«

»Und was erzählte er?«

»Abenteuer. In die Fremdenlegion einzutreten war vielleicht ein unreifer Traum, den er selbst einmal hatte. Aber ich bin ganz sicher, dass er nie mit ihnen Kontakt hatte. Oder mit anderen Söldnern.«

»Holger Eriksson. Haben Sie den Namen schon einmal gehört?«

»Der Mann, der eine Woche vor meinem Vater ermordet wurde? Ich habe davon in der Zeitung gelesen. Aber so weit ich weiß, hatte mein Vater nie mit ihm zu tun. Ich kann mich natürlich irren. So eng war unser Kontakt nicht.«

Wallander nickte. »Wie lange bleiben Sie hier in Ystad?«

»Die Beerdigung findet statt, sobald wir alles geregelt haben. Wir müssen noch entscheiden, was wir mit dem Blumenladen machen sollen.«

»Es ist sehr gut möglich, dass ich noch einmal von mir hören lasse«, sagte Wallander und stand auf.

18

Sie wartete, bis es halb drei in der Nacht war. Aus Erfahrung wusste sie, dass einen da die Müdigkeit beschlich. Sie dachte an alle Nächte zurück, in denen sie selbst gearbeitet hatte. Es war immer so gewesen. Zwischen zwei und vier war die Gefahr einzuschlummern am größten.

Sie wartete seit neun Uhr in der Wäschekammer. Wie bei ihrem ersten Besuch war sie durch den Haupteingang des Krankenhauses hineingegangen. Niemand hatte sie beachtet. Eine Krankenschwester in Eile. In der Kleiderkammer, wo sie sich vage an den Duft frischgewaschener, gemangelter Laken aus ihrer Kindheit erinnerte, hatte sie viel Zeit zum Nachdenken. Sie hatte dort im Dunkeln gesessen, auch wenn sie ruhig die Lampe hätte anmachen können. Erst nach Mitternacht hatte sie die Taschenlampe hervorgeholt, die sie auch im Dienst benutzte, und den letzten Brief gelesen, den ihre Mutter ihr geschrieben hatte. Er war ebenso unvollendet wie all die anderen Briefe, die Françoise Bertrand ihr geschickt hatte. Aber im letzten Brief hatte die Mutter angefangen, von sich selbst zu sprechen. Über die Ereignisse, die dazu geführt hatten, dass sie sich das Leben nehmen wollte. Sie hatte verstanden, dass ihre Mutter ihre Bitterkeit nie überwunden hatte. *Wie ein herrenloses Schiff treibe ich durch die Welt*, hatte sie geschrieben. *Ich bin wie ein verfluchter fliegender Holländer, der gezwungen ist, die Schuld eines anderen zu sühnen. Ich habe geglaubt, dass das Alter den Abstand vergrößern würde, dass die Erinnerungen immer schwächer werden, verblassen und schließlich verschwinden. Aber ich sehe ein, dass es nicht so ist. Erst mit dem Tod kann ich den Schlusspunkt setzen. Und weil ich nicht sterben will, jedenfalls noch nicht, wähle ich auch die Erinnerung.*

Der Brief trug das Datum des letzten Tages, bevor die Mutter zu den französischen Nonnen gekommen war, bevor Schatten sich aus der Dunkelheit gelöst und sie getötet hatten.

Nachdem sie den Brief gelesen hatte, knipste sie die Taschenlampe aus. Alles war sehr still.

Sie hatte viel Zeit zum Nachdenken gehabt. In ihrem Zeitplan standen jetzt drei freie Tage. Erst in neunundvierzig Stunden würde sie wieder im Dienst sein, um 17 Uhr 44. Sie hatte Zeit, und sie wollte sie nutzen. Bisher war alles gegangen, wie es gehen musste. Frauen machten nur Fehler, wenn sie dachten wie Männer. Das wusste sie seit langem. Sie fand auch, dass sie das bereits jetzt bewiesen hatte.

Es gab jedoch etwas, das sie störte. Sie hatte genau verfolgt, was alles in den Zeitungen geschrieben worden war. Es war ihr vollkommen klar, dass die Polizei nichts begriff. Es war auch ihre Absicht gewesen, keine Spuren zu hinterlassen, die Hunde wegzulocken von dem Pfad, wo sie eigentlich suchen mussten. Aber jetzt überkam sie eine Ungeduld angesichts dieser ganzen Unfähigkeit. Die Polizei würde nie verstehen, was geschehen war. Mit ihren Handlungen schuf sie Rätsel, die in die Geschichte eingehen würden. Aber in der späteren Erinnerung würde die Polizei immer nach einem Mann suchen, der diese Verbrechen begangen hatte. Sie wollte nicht mehr, dass es so wäre.

Sie saß in der dunklen Wäschekammer und machte einen Plan. Von jetzt an würde sie kleine Veränderungen vornehmen. Nichts, was ihren Zeitplan durcheinander brachte. Es gab stets einen eingeplanten Spielraum, auch wenn das nach außen nicht sichtbar wurde.

Sie wollte dem Rätsel ein Gesicht geben.

Um halb drei verließ sie die Wäschekammer. Der Krankenhauskorridor lag verlassen. Sie ging die Treppe hinauf, die zur Entbindungsstation führte. Sie wusste, dass dort in der Regel nur vier Personen Dienst hatten. Am Tage war sie da gewesen und hatte so getan, als wolle sie eine Frau besuchen, von der sie wusste, dass sie mit ihrem Kind schon wieder zu Hause war. Sie hatte der Schwester über die Schulter geblickt und gesehen, dass alle Zimmer belegt waren. Es fiel ihr schwer zu verstehen, warum Frauen in dieser Jahreszeit Kinder zur Welt brachten, wo der Herbst in den Winter überging. Aber sie wusste die Antwort. Frauen wählten immer noch nicht selbst, wann sie ihre Kinder bekommen wollten.

Als sie zur Glastür kam, die zur Entbindungsstation führte, verharrte sie und spähte vorsichtig zum Schwesternzimmer. Sie hielt die Tür einen Spaltweit offen. Es waren keine Stimmen zu hören. Das bedeutete, dass die Hebammen und die Schwestern beschäftigt waren. Sie würde weniger als fünfzehn Sekunden brauchen bis zu dem Zimmer, in dem die Frau lag, die sie besuchen wollte. Wahrscheinlich würde ihr niemand begegnen. Aber sie konnte nicht sicher sein. Sie zog den selbst genähten Handschuh hervor. Sie hatte die Außenseite mit Blei verstärkt, das sie geformt hatte, bis es sich den Konturen der Knöchel anpasste. Sie zog ihn über die rechte Hand, öffnete die Tür und betrat schnell die Abteilung. Das Schwesternzimmer war leer, irgendwo spielte ein Radio, und sie ging lautlos und mit schnellen Schritten zu dem Zimmer. Dort glitt sie durch die Tür, die lautlos hinter ihr wieder zufiel.

Die Frau im Bett war wach. Sie zog sich den Handschuh ab und stopfte ihn in die Tasche. Dieselbe Tasche, in der der Brief von ihrer Mutter lag. Sie setzte sich auf die Bettkante. Die Frau war sehr blass, und ihr Bauch wölbte sich unter dem Laken. Sie nahm die Hand der Frau.

»Hast du dich entschieden?«

Die Frau nickte. Die Frau auf der Bettkante war nicht erstaunt. Aber sie empfand dennoch eine Art Triumph. Auch die verkrüppeltsten Frauen konnten sich wieder dem Leben zuwenden.

»Eugen Blomberg«, sagte die Frau im Bett. »Er wohnt in Lund. Er ist Forscher an der Universität. Ich weiß nicht, wie ich näher erklären kann, was er tut.«

Sie streichelte die Hand der Frau. »Das finde ich schon selbst heraus«, sagte sie. »Daran brauchst du nicht zu denken.«

»Ich hasse den Mann«, sagte die Frau im Bett.

»Ja«, sagte die auf der Bettkante. »Und du hasst ihn zu Recht.«

»Wenn ich könnte, würde ich ihn umbringen.«

»Ich weiß. Aber das kannst du nicht. Denk stattdessen lieber an dein Kind.«

Sie beugte sich vor und streichelte der Frau die Wange. Dann erhob sie sich und zog den Handschuh wieder an. Sie war höchstens zwei Minuten im Zimmer gewesen. Vorsichtig schob sie die Tür auf. Keine der Hebammen oder der Schwestern war zu sehen. Sie ging wieder zur Ausgangstür.

Als sie am Schwesternzimmer vorbeikam, trat eine Frau heraus. Das war Pech. Aber es war nicht zu ändern. Die Frau starrte sie an. Es war eine ältere Frau, vermutlich eine der beiden Hebammen.

Sie ging weiter zum Ausgang. Aber die Frau hinter ihr rief etwas und lief ihr nach. Immer noch hatte sie vor, einfach weiterzugehen und durch die Tür zu verschwinden. Aber die Frau ergriff ihren Arm und fragte, wer sie sei und was sie hier tue. Es war betrüblich, dachte sie, dass Frauen immer so viele Schwierigkeiten machten. Dann wandte sie sich schnell um und schlug mit dem Handschuh zu. Sie wollte nicht verletzen, nicht zu hart schlagen. Sie achtete genau darauf, nicht die Schläfe zu treffen, das konnte verhängnisvoll sein. Sie schlug der Frau auf die Wange, mäßig hart. Genug, um sie zu betäuben, damit sie ihren Arm los ließ. Die Frau stöhnte auf und sank auf den Fußboden. Sie wandte sich um und wollte weitergehen. Da spürte sie, wie zwei Hände ihre Füße fassten. Sie hatte nicht fest genug zugeschlagen. Gleichzeitig hörte sie, wie im Hintergrund eine Tür geöffnet wurde. Sie war drauf und dran, die Kontrolle über die Situation zu verlieren. Sie zerrte an ihrem Bein und beugte sich nieder, um noch einmal zuzuschlagen. Da fuhr die Frau ihr mit den Nägeln ins Gesicht. Jetzt schlug sie zu, ohne daran zu denken, ob es zu fest war oder nicht. Genau an die Schläfe. Die Frau ließ ihre Beine los und sank zusammen. Sie floh durch die Glastüre und spürte, dass die Nägel ihre Wange aufgerissen hatten. Sie lief den Korridor entlang. Niemand rief ihr nach. Sie wischte sich das Gesicht ab. Der weiße Ärmel hatte Blutflecken. Sie steckte den Handschuh in die Tasche und zog die Holzschuhe aus, um schneller laufen zu können. Sie fragte sich, ob das Krankenhaus eine interne Alarmanlage hatte. Aber sie kam hinaus, ohne jemandem zu begegnen. Erst als sie im Auto saß und ihr Gesicht im Rückspiegel betrachtete, sah sie, dass es nicht viele Kratzer waren, und tief waren sie auch nicht.

Es war nicht ganz so verlaufen, wie sie es sich gedacht hatte. Damit konnte man auch nicht immer rechnen. Das wichtigste war trotz allem, dass es ihr jetzt gelungen war, die Frau, die das Kind bekommen sollte, dazu zu bewegen, den Namen des Mannes preiszugeben, der ihr so viel Leid zugefügt hatte.

Eugen Blomberg.

Noch hatte sie zwei Tage Zeit, um Nachforschungen anzustellen, einen Plan auszudenken und einen Zeitplan zu erarbeiten. Sie hatte auch keine Eile. Es brauchte eben seine Zeit. Aber sie rechnete nicht damit, dass sie länger benötigen würde als eine Woche.

Der Backofen war leer und wartete.

Kurz nach acht Uhr am Donnerstagmorgen war die Fahndungsgruppe im Besprechungszimmer versammelt. Wallander hatte auch Per Åkesson hinzugebeten. Gerade als er anfangen wollte, entdeckte er, dass jemand fehlte.

»Svedberg?« fragte er. »Ist er nicht gekommen?«

»Er ist gekommen und wieder gegangen«, sagte Martinsson. »Im Krankenhaus hat es in der Nacht einen Überfall gegeben. Er meinte, er würde bald wieder zurück sein.«

Eine undeutliche Erinnerung tauchte in Wallanders Kopf auf, ohne dass er sie festhalten konnte. Es hatte mit Svedberg zu tun. Und mit dem Krankenhaus.

»Dies zeigt deutlich, dass wir mehr Personal brauchen«, sagte Per Åkesson. »Um diese Diskussion kommen wir nicht mehr herum. Leider.«

»Wir greifen diese Frage am Schluss auf«, sagte Wallander. »Lasst uns damit anfangen, wo wir eigentlich stehen in diesem Durcheinander.«

Er wurde dadurch unterbrochen, dass die Tür aufging. Nyberg kam herein. Wallander wusste, dass er mit dem kriminaltechnischen Laboratorium in Linköping telefoniert hatte. Er humpelte mit seiner Krücke zum Tisch.

»Was macht der Fuß?« fragte Wallander.

»Es ist auf jeden Fall besser, als von Bambusstäben aufgespießt zu werden, die aus Thailand importiert sind«, gab Nyberg zurück.

Wallander sah ihn forschend an. »Wissen wir das mit Sicherheit? Dass sie aus Thailand kommen?«

»Das wissen wir. Sie werden als Angelruten und als Dekorationsmaterial importiert, über ein Handelshaus in Bremen. Es ist unmöglich zu sagen, wo genau die gekauft wurden, die uns interessieren. Aber ich habe gerade mit Linköping gesprochen. Sie können uns auf jeden Fall sagen, wie lange sie sich im Land befunden haben. Bambus wird importiert, wenn er ein bestimmtes Alter erreicht hat.«

Wallander nickte. »Noch was anderes?« fragte er, weiterhin an Nyberg gewandt.

»Meinst du im Fall Eriksson oder Runfelt?«

»Beide. Der Reihe nach.«

Nyberg schlug seinen Block auf. »Die Planken vom Steg kommen vom Baumarkt in Ystad«, begann er. »Wenn uns das nun Spaß macht zu wissen. Der Mordplatz ist frei von Gegenständen, an denen wir eventuell Freude haben könnten. Auf der Rückseite des Hügels, auf dem er seinen Vogelturm hatte, war ein Feldweg, den der Mörder höchstwahrscheinlich benutzt hat. Wenn er mit dem Auto gekommen ist. Was er getan haben dürfte. Wir haben Abdrücke von allen Wagenspuren, die wir finden konnten. Aber das Ganze ist ein eigentümlich aufgeräumter Tatort.«

»Und das Haus?«

»Das Problem ist, dass wir nicht wissen, wonach wir suchen sollen. Alles scheint seine gewohnte Ordnung gehabt zu haben. Der Einbruch, den er vor einem Jahr angezeigt hat, ist auch ein Rätsel. Möglicherweise bemerkenswert ist allein, dass Holger Eriksson erst vor wenigen Monaten ein paar zusätzliche Schlösser in den Türen hat anbringen lassen, die ins eigentliche Wohnhaus führen.«

Wallander wandte sich von Nyberg fort und blickte in die Runde. »Nachbarn«, sagte er. »Irgendwelche Tipps. Wer war Holger Eriksson? Wer kann einen Grund gehabt haben, ihn zu töten? Harald Berggren? Es wird Zeit, dass wir das alles einmal gründlich durchsprechen. Es dauert dann eben seine Zeit.«

Später sollte Wallander an diesen Donnerstagmorgen als an einen scheinbar endlosen Aufwärtshang denken. Jeder legte das Ergebnis seiner Arbeit vor, und das Ganze lief darauf hinaus, dass nirgendwo ein Zeichen für einen Durchbruch sichtbar wurde. Der mühsame Aufstieg ging weiter. Holger Erikssons Leben schien uneinnehmbar. Sie hatten sich vollständig festgefahren, als Svedberg vom Krankenhaus zurückkam. Später dachte Wallander, dass er wirklich als der Retter in der Not erschienen war. Denn erst als Svedberg sich an eine Längsseite des Tisches gesetzt und mühsam seine Papiere geordnet hatte, erreichten sie einen Punkt, an dem sich die Tür wieder einen Spaltweit zu öffnen schien.

Svedberg hatte damit angefangen, sich für sein Fehlen zu entschuldigen. Wallander meinte, dass er fragen musste, was im Krankenhaus eigentlich passiert war.

»Das Ganze ist sehr eigenartig«, sagte Svedberg. »Kurz vor drei Uhr heute Nacht erschien eine Krankenschwester in der Entbindungsstation. Ylva Brink, eine der Hebammen und nebenbei gesagt meine Cousine, hatte Nachtdienst. Sie kannte die Schwester nicht, und als sie versuchte, herauszufinden, was sie dort zu suchen hatte, wurde sie niedergeschlagen. Es hat den Anschein, als hätte diese Krankenschwester einen Schläger aus Blei oder etwas Ähnliches in der Hand gehabt. Ylva wurde ohnmächtig. Als sie wieder zu Bewusstsein kam, war die Frau verschwunden. Es war natürlich ein großer Aufstand. Niemand weiß, was sie dort verloren hatte. Sie haben alle Frauen gefragt, die dort liegen und entbinden sollen. Aber keine hat sie gesehen. Ich bin da gewesen und habe mit dem Personal gesprochen, das Nachtdienst hatte. Sie waren natürlich äußerst aufgebracht.

»Wie geht es der Hebamme?« fragte Wallander. »Deiner Cousine?«

»Sie hat eine Gehirnerschütterung.«

Wallander wollte gerade wieder zu Holger Eriksson zurückkehren, als Svedberg noch einmal ansetzte. Er wirkte verlegen und kratzte sich nervös den kahlen Schädel.

»Noch eigentümlicher ist, dass diese Krankenschwester schon einmal dort gewesen ist. In einer Nacht vor einer Woche. Zufällig arbeitete Ylva in jener Nacht auch. Sie ist sicher, dass es eigentlich keine Krankenschwester ist. Dass sie sich verkleidet hat.«

Wallander zog die Stirn in Falten. Er erinnerte sich an das Blatt Papier, das seit einer Woche auf seinem Schreibtisch lag. »Du hast auch damals mit Ylva Brink gesprochen«, sagte er, »und hast dir Notizen gemacht.«

»Die habe ich weggeworfen«, sagte Svedberg. »Weil damals nichts passiert war, dachte ich, dass es nichts wäre, womit wir uns befassen müssten. Wir haben ja wichtigere Dinge zu tun.«

Wallander sagte nichts davon, dass Svedbergs Papier auf seinem Schreibtisch lag. »Das klingt wirklich seltsam«, sagte er nur. »Welche Maßnahmen ergreift das Krankenhaus?«

»Vorläufig wollen sie eine Wachgesellschaft beauftragen. Dann sehen sie ja, ob die falsche Krankenschwester wieder auftaucht.«

Und Svedberg hatte noch weitere Neuigkeiten zu berichten. »In der letzten Woche habe ich mit einem von Holger Erikssons Angestellten gesprochen«, sagte er. »Tore Karlhammar, dreiundsiebzig Jahre alt, wohnhaft in Svarte. Er hat über dreißig Jahre als Autoverkäufer für Eriksson gearbeitet. Anfangs saß er nur da und bedauerte, was geschehen war. Und Holger Eriksson sei ein Mann gewesen, über den jeder nur Gutes sagen könne. Karlhammars Frau war in der Küche und machte Kaffee. Die Küchentür war offen. Plötzlich kam sie herein, knallte das Kaffeetablett auf den Tisch, dass die Sahne überschwappte, und sagte, Holger Eriksson sei ein Schurke gewesen. Dann ging sie.«

»Und weiter?« fragte Wallander erstaunt.

»Es war natürlich ein bisschen peinlich. Aber Karlhammar blieb bei seiner Version. Als ich nachher mit seiner Frau sprechen wollte, war sie weg. Ich habe danach noch ein paarmal angerufen. Da hat sich keiner gemeldet. Aber heute Morgen kam ein Brief von Karlhammars Frau. Wenn es stimmt, was sie schreibt, dann ist das ein sehr interessanter Brief.«

»Fasse es zusammen«, sagte Wallander. »Du kannst ja nachher den Brief für uns kopieren.«

»Sie behauptet, Holger Eriksson habe in seinem Leben immer wieder Zeichen von Sadismus erkennen lassen. Er behandelte seine Angestellten schlecht. Er konnte ihnen dermaßen zusetzen, dass sie sich entschlossen, bei ihm aufzuhören. Sie wiederholt ständig, dass sie zahllose Beispiele dafür anführen könne, dass das, was sie schreibt, wahr ist.«

Svedberg suchte in dem Text. »Sie schreibt, dass er sehr wenig Respekt vor anderen Menschen gehabt habe. Er war hart und habgierig. Gegen Ende des Briefes deutet sie an, dass er häufig Reisen nach Polen unternommen habe. Da sollen irgendwelche Frauen im Spiel gewesen sein. Frau Karlhammar zufolge würden die auch einiges erzählen können. Aber das ist natürlich Klatsch. Woher sollte sie wissen, was er in Polen getrieben hat?«

»Sie deutet nicht an, dass er homosexuell gewesen sein könnte?« fragte Wallander.

»Das mit den Reisen nach Polen macht kaum den Eindruck.«

Wallander hatte das Bedürfnis, sich zu strecken. Was Svedberg über den Inhalt des Briefes erzählte, war zweifellos wichtig. Zum zweiten Mal im Laufe von vierundzwanzig Stunden war ihm ein Mann als brutal beschrieben worden. Er schlug eine kurze Pause vor, damit sie Luft schnappen konnten. Per Åkesson blieb im Raum zurück.

»Es ist klar jetzt«, sagte er. »Mit dem Sudan.«

»Wann fährst du?«

»Nach Weihnachten. Zwischen Weihnachten und Neujahr.«

»Und deine Frau?«

Per Åkesson schlug die Hände zusammen. »Eigentlich glaube ich, dass sie froh ist, mich eine Zeit lang mal nicht sehen zu müssen.«

»Und du? Bist du auch froh, sie eine Zeit lang nicht zu sehen?«

Per Åkesson zögerte mit der Antwort. »Ja«, sagte er dann. »Ich glaube, es wird schön sein, fortzukommen. Manchmal habe ich das Gefühl, dass ich vielleicht nie zurückkomme. Ich werde nie in einem selbst gebauten Boot nach Westindien segeln. Ich habe noch nicht einmal davon geträumt. Aber ich reise in den Sudan. Und was danach passiert, weiß ich nicht.«

»Ich hoffe, du schreibst mal. Du wirst mir fehlen.«

»Darauf freue ich mich direkt. Briefe zu schreiben. Briefe, die nicht mit dem Dienst zu tun haben. Sondern private Briefe. Ich denke, ich werde dabei herausfinden, wie viele Freunde ich habe. Die auf die Briefe antworten, die ich hoffentlich schreibe.«

Die kurze Pause war vorüber. Martinsson, ständig in Sorge, sich zu erkälten, schloss die Fenster. Sie setzten sich wieder.

»Wir warten noch mit der Zusammenfassung«, sagte Wallander. »Gehen wir zunächst zu Gösta Runfelt über.«

Er ließ Ann-Britt Höglund von der Entdeckung des Kellerraums in der Harpegatan berichten und davon, dass Runfelt Privatdetektiv war. Als weder sie, Svedberg oder Nyberg noch mehr zu sagen hatten und die von Nyberg entwickelten und kopierten Fotografien um den Tisch gewandert waren, berichtete er von seinem Gespräch mit Runfelts Sohn.

»Ich werde das Gefühl nicht los, dass wir uns ganz dicht an einem entscheidenden Punkt bewegen«, schloss Wallander ab. »Wir suchen weiter einen Berührungspunkt. Noch haben wir ihn nicht gefunden. Aber was bedeutet es, dass sowohl Holger Eriksson als auch Gösta Runfelt als brutale Menschen beschrieben werden? Was bedeutet es, dass dies erst jetzt herauskommt?«

Er machte eine Pause, um Kommentaren und Fragen Raum zu geben.

Niemand sagte etwas.

»Es wird Zeit, dass wir noch tiefer bohren«, fuhr er fort. »Es gibt viel zu viele Dinge, über die wir mehr wissen müssen. Alles Material muss von jetzt an in Bezug auf Berührungspunkte zwischen diesen beiden Männern kreuz und quer verglichen werden. Martinsson ist dafür zuständig, dass das geschieht. Dann sind ein paar Dinge wichtiger als andere. Ich denke an das Unglück, bei dem Runfelts Frau ertrunken ist. Das kann entscheidend sein. Und dann die Sache mit dem Geld, das Holger Eriksson der Kirche in Svenstavik vermacht hat. Das übernehme ich. Es kann notwendig werden, ein paar Reisen zu machen. Zum Beispiel zu dem See da oben in Småland, in der Nähe von Älmhult, wo Runfelts Frau ertrunken ist. Die ganze Geschichte kommt mir, wie gesagt, seltsam vor. Vielleicht irre ich mich. Aber wir können es nicht unbearbeitet lassen. Vielleicht wird es auch nötig, nach Svenstavik zu fahren.«

»Was hatte Holger Eriksson denn mit dem Ort zu tun?«

»Genau das müssen wir rausfinden«, sagte Wallander. »Warum schenkt er das Geld nicht einer Kirche hier in der Gegend? Was bedeutet es, dass er eine spezielle Kirche gewählt hat?«

Keiner hatte irgendwelche Einwände, als er geendet hatte. Sie würden weiter Heuhaufen durchsuchen.

Nachdem sie schon viele Stunden zusammengesessen hatten, entschloss sich Wallander, die Frage der Personalverstärkung selbst aufzugreifen. Er erinnerte sich auch, dass er den Vorschlag machen musste, einen psychologischen Experten hinzuzuziehen. »Ich habe nichts dagegen einzuwenden, dass wir Hilfe in Form von Verstärkung bekommen«, sagte er. »Wir haben viel zu klären, und es wird zeitraubend werden.«

»Ich kümmere mich darum«, sagte Lisa Holgersson.

»Dagegen bezweifle ich, ob wir wirklich einen Psychologen brauchen, der uns über die Schulter schaut«, fuhr Wallander fort, nachdem die Frage wegen der Verstärkung entschieden war. »Ich gebe zu, dass Mats Ekholm, den wir im Sommer hier hatten, ein guter Gesprächspartner war. Aber die Situation heute ist eine andere. Mein Vorschlag ist, dass wir ihm Zusammenfassungen unseres Ermittlungsmaterials schicken, seine Kommentare zur Kenntnis nehmen und uns vorläufig damit begnügen. Wenn etwas Dramatisches eintrifft, können wir die Situation neu beurteilen.«

Auch jetzt gab es keine Einwände.

Es war bereits nach ein Uhr, als sie die Sitzung schlossen. Wallander verließ in aller Eile das Präsidium. Nach der langen Sitzung war sein Kopf schwer. Er fuhr zu einem der Mittagsrestaurants im Zentrum. Während des Essens versuchte er, sich klar zu machen, was eigentlich bei der Besprechung herausgekommen war. Da er in Gedanken ständig zu der Frage zurückkehrte, was an jenem Wintertag vor zehn Jahren auf dem See bei Älmhult geschehen war, beschloss er, seiner Intuition zu folgen. Nach dem Essen rief er im Hotel Sekelgården an. Bo Runfelt war in seinem Zimmer. Wallander bat die Frau in der Rezeption, dem Gast mitzuteilen, dass er um kurz nach zwei komme. Dann fuhr er zum Präsidium. Er nahm Hansson und Martinsson mit in sein Zimmer und bat Hansson, in Svenstavik anzurufen.

»Was soll ich eigentlich fragen?«

»Komm direkt zur Sache. Warum hat Holger Eriksson diese einzige Ausnahme in seinem Testament gemacht? Warum will er ausgerechnet dieser Gemeinde Geld geben?«

»Soll ich wirklich fragen, ob er Sündenvergebung sucht?«

Wallander bekam einen Lachanfall. »Fast«, sagte er. »Finde heraus, was du kannst. Ich fahre mit Bo Runfelt nach Älmhult. Bitte Ebba, ein Hotelzimmer in Älmhult zu buchen.«

Martinsson wirkte skeptisch. »Was willst du eigentlich rausfinden, indem du einen See betrachtest?« fragte er.

»Ich weiß nicht«, erwiderte Wallander aufrichtig. »Aber die Reise gibt mir zumindest Gelegenheit, ausführlich mit Bo Runfelt zu sprechen. Ich habe das bestimmte Gefühl, dass sich dort Informationen verbergen, die wichtig für uns sind. Außerdem müsste es dort jemanden geben, der in der Nähe war, als das Unglück geschah. Leistet ein wenig Fußarbeit. Ruft die Kollegen in Älmhult an. Ein Unglücksfall vor zehn Jahren. Das exakte Datum könnt ihr von der Tochter bekommen. Eine Frau, die ertrunken ist. Ich melde mich, wenn ich da bin.«

Der Wind war noch immer böig, als Wallander zu seinem Wagen ging. Er fuhr zum Sekelgården und betrat die Rezeption. Bo Runfelt saß in einem Stuhl und wartete auf ihn.

»Holen Sie Ihren Mantel«, sagte Wallander. »Wir machen einen Ausflug.«

Bo Runfelt betrachtete ihn abwartend: »Wohin fahren wir?«
»Das erzähle ich Ihnen im Auto.«
Kurz darauf verließen sie Ystad.

19

Als Wallander Bo Runfelt erzählte, wohin sie fuhren, reagierte der irritiert und fragte, ob das ein Witz sein solle. Was hatte der tragische Tod seiner Mutter mit dem Mord an seinem Vater zu tun?

Wallander antwortete: »Ihre Schwester und Sie sprechen ungern über das, was geschehen ist. Auf eine Weise kann ich das natürlich verstehen. Man erinnert sich nicht gern an ein tragisches Unglück. Aber ich kann einfach nicht glauben, dass es die Tragik des Geschehens ist, die Sie beide davon abhält, darüber zu reden. Wenn Sie mir hier und jetzt eine zufriedenstellende Erklärung geben, kehren wir auf der Stelle um. Und vergessen Sie nicht, dass Sie selbst es waren, der von der Brutalität Ihres Vaters erzählt hat.«

»Damit habe ich schon die Antwort gegeben«, sagte Bo Runfelt.

Wallander bemerkte eine leichte Veränderung in seiner Stimme. Ein Zug von Ermüdung, eine Verteidigungshaltung, die aufzuweichen begann.

Er näherte sich mit vorsichtigen Fragen, während sie durch die einförmige Landschaft fuhren. »Ihre Mutter hatte also davon gesprochen, sich das Leben nehmen zu wollen?«

Es dauerte etwas, bis der Mann an seiner Seite antwortete. »Eigentlich ist es komisch, dass sie es nicht schon getan hatte. Ich glaube nicht, dass Sie sich vorstellen können, in was für einem Inferno sie leben musste. Nicht Sie, nicht ich. Niemand.«

»Warum ließ sie sich nicht scheiden?«

»Er drohte damit, sie zu erschlagen, wenn sie ihn verließe. Und sie hatte allen Grund, ihm zu glauben. Mehrere Male misshandelte er sie so, dass sie ins Krankenhaus musste. Ich wusste damals nichts. Aber es ist mir nachher klar geworden.«

Das Gespräch stockte, während Wallander einen Bus überholte. Er merkte, dass Runfelt sich verspannte. Wallander fuhr nicht schnell. Aber sein Beifahrer hatte offenbar Angst.

»Ich glaube, was sie davon abhielt, Selbstmord zu begehen, waren wir Kinder«, sagte er, als der Bus hinter ihnen lag.

»Das ist natürlich«, sagte Wallander. »Aber lassen Sie uns lieber auf das zurückkommen, was Sie eben gesagt haben. Dass Ihr Vater Ihre Mutter bedrohte. Wenn ein Mann eine Frau misshandelt, hat er meistens nicht die Absicht, sie zu töten. Er will sie unter Kontrolle behalten. Manchmal schlägt er zu fest zu, und die Misshandlung führt zum Tod, obwohl es nicht beabsichtigt war. Aber wirklich jemanden zu töten, das hat meistens einen anderen Grund. Das ist ein Schritt weiter.«

Wieder trat eine kurze Gesprächspause ein. Dann sagte Wallander: »Kehren wir zurück zu dem Tag vor zehn Jahren. Was passierte?«

»Es war ein Sonntag im Winter«, sagte Bo Runfelt. Anfang Februar. Der 5. Februar 1984. Ein kalter und schöner Wintertag. Sie machten häufig Sonntagsausflüge. Waldspaziergänge. Und Strandwanderungen. Oder sie gingen auf zugefrorenen Seen.«

»Das hört sich sehr idyllisch an«, sagte Wallander. »Wie soll ich das mit dem vereinbaren, was Sie vorher gesagt haben?«

»Es war natürlich keine Idylle. Es war genau das Gegenteil. Meine Mutter war ständig in Panik. Ich übertreibe nicht. Sie hatte schon lange die Grenze überschritten, wo die Angst die Oberhand gewonnen hat und das ganze Leben beherrscht. Sie muss seelisch ausgelaugt gewesen sein. Aber wenn er einen Sonntagsspaziergang machen wollte, dann machten sie einen. Ich bin überzeugt davon, dass mein Vater ihre panische Angst nie wahrnahm. Er dachte wahrscheinlich nach jedem Mal, dass alles vergessen und vergeben wäre. Ich nehme an, dass er die Misshandlungen als momentane Entgleisungen ansah. Kaum als mehr.«

»Ich glaube, ich verstehe. Was geschah also?«

»Warum sie an dem Sonntag nach Småland gefahren sind, weiß ich nicht. Sie hatten den Wagen auf einem Waldweg abgestellt. Es war Schnee gefallen, aber er war nicht besonders hoch. Dann gingen sie den Forstweg entlang und kamen an den See. Sie gingen aufs Eis. Plötzlich gab es nach, und sie brach ein. Er konnte sie nicht rausziehen. Dann lief er zurück zum Auto und fuhr, um Hilfe zu holen. Sie war natürlich tot, als sie sie fanden. Die Beerdigung war eine Woche später. Einmal sprach ich am Telefon mit einem Polizeibeamten. Er sagte, dass das Eis unerwartet schwach gewesen sein müsse. Meine Mutter war ja außerdem keine besonders groß gewachsene Person.«

»Hat er das gesagt? Der Polizist? Dass das Eis ›unerwartet schwach‹ gewesen sei?«

»Ich habe ein gutes Gedächtnis für Einzelheiten. Vielleicht weil ich Revisor bin.«

Wallander nickte. Sie kamen an einem Schild vorbei, das ein Café ankündigte. Während der kurzen Pause fragte Wallander Bo Runfelt nach seiner Arbeit als internationaler Wirtschaftsprüfer. Aber er hörte nur unaufmerksam zu. Stattdessen ging er in Gedanken noch einmal das Gespräch durch, das sie im Wagen geführt hatten. Etwas daran war wichtig gewesen, aber er wusste noch nicht, was es war. Als sie das Café verließen, piepte sein Telefon. Es war Martinsson. Bo Runfelt ging ein Stück zur Seite, um Wallander allein zu lassen.

»Ich habe den Mann gefunden, der Gösta Runfelt damals Hilfe geleistet hat«, sagte Martinsson. »Ich weiß, wie er heißt und wo er wohnt. Das Problem ist nur, dass er kein Telefon hat.«

»Gibt es in diesem Land wirklich noch Leute ohne Telefon?«

»Offensichtlich. Hast du was zu schreiben?«

Wallander suchte. Er hatte wie üblich keinen Stift – und einen Block schon gar nicht. Er winkte Bo Runfelt zu sich, der ihm einen goldgefassten Kugelschreiber und eine seiner Visitenkarten gab.

»Der Mann heißt Jacob Hoslowski«, sagte Martinsson. »Er ist so eine Art Dorforiginal und lebt allein in einer Hütte nicht weit von dem See. Der heißt Stångsjön und liegt direkt nördlich von Älmhult. Ich habe mit einer freundlichen Person in der Gemeindeverwaltung gesprochen. Sie hat gesagt, der Stångsjön wäre auf der Informationstafel vor der Ortseinfahrt eingezeichnet. Sie konnte aber nicht erklären, wie man zu Hoslowski kommt. Du musst in ein Haus gehen und fragen.«

»Wo können wir übernachten?«

»IKEA hat ein Hotel, wo Zimmer für euch reserviert sind. IKEA Värdshus.«

»Ist sonst etwas passiert?«

»Alle sind schwer beschäftigt. Aber es scheint, als käme Hamrén von Stockholm herunter, um uns zu helfen.«

Wallander erinnerte sich an die beiden Kriminalbeamten aus Stockholm, die ihnen im Sommer beigestanden hatten. Er hatte nichts dagegen, sie wiederzutreffen.

Wallander beendete das Gespräch und reichte den Kugelschreiber zurück. »Der sieht teuer aus«, sagte er.

»Wirtschaftsprüfer bei einem Unternehmen wie Price Waterhouse zu sein ist einer der besten Berufe, die es gibt«, sagte Bo Runfelt. »Auf jeden Fall, was Bezahlung und Zukunftsaussichten angeht. Kluge Eltern raten ihren Kindern, Wirtschaftsprüfer zu werden.«

»Wie hoch ist ein Durchschnittsgehalt?« fragte Wallander.

»Die meisten, die oberhalb eines gewissen Niveaus arbeiten, haben persönliche Verträge. Die außerdem geheim sind.«

Das bedeutete also sehr hohe Gehälter. Wie alle anderen war Wallander immer wieder verblüfft über verschiedene Enthüllungen über Abfindungen, Gehaltsniveaus und so genannte Fallschirmabsprachen. Sein eigenes Gehalt als Kriminalbeamter mit langjähriger Berufserfahrung war niedrig. Wenn er eine Stelle im privaten Sicherheitsbereich vorgezogen hätte, könnte er mindestens doppelt so viel verdienen. Aber er hatte sich entschieden. Er blieb Polizeibeamter. Zumindest so lange, wie er mit seinem Gehalt überleben konnte. Aber er hatte oft gedacht, dass das Bild Schwedens als ein Vergleich zwischen verschiedenen Verträgen gezeichnet werden könnte.

Sie kamen um fünf Uhr in Älmhult an. Bo Runfelt hatte wissen wollen, ob es wirklich nötig war, über Nacht zu bleiben. Wallander hatte eigentlich keine überzeugende Antwort. Im Grunde konnte Bo Runfelt den Zug zurück nach Malmö nehmen. Aber Wallander behauptete, dass sie erst am folgenden Tag den See aufsuchen konnten, weil es bald dunkel war. Und er wollte Runfelt dabei haben.

Als sie sich im Hotel einquartiert hatten, fuhr Wallander sofort wieder los, um Jacob Hoslowskis Haus zu suchen, bevor es dunkel wurde. Sie hatten an der Informationstafel am Ortseingang von Älmhult gehalten. Wallander hatte sich gemerkt, wo der Stångsjön lag. Er verließ die Ortschaft. Es war schon dämmerig. Er bog nach links ab und dann noch einmal nach links. Der Wald war dicht. Die schonische Landschaft lag schon weit zurück. Er hielt, als er einen Mann sah, der ein Gartentor an der Straße reparierte. Der Mann erklärte ihm, wie er zu Hoslowskis Häuschen kam. Wallander fuhr weiter. Der Motor machte ein sonderbares Geräusch. Wallander dachte, dass es bald wieder Zeit wäre, den Wagen zu wechseln. Sein Peugeot wurde alt.

Er hielt an, als er zur nächsten Abzweigung kam. Wenn er die Wegbeschreibung richtig verstanden hatte, musste er hier nach rechts abbiegen, und nach ungefähr achthundert Metern sollte Hoslowskis Hütte zu sehen sein. Der Weg war in schlechtem Zustand. Nach hundert Metern hielt Wallander an und setzte zurück, um nicht stecken zu bleiben. Er ließ den Wagen stehen und ging zu Fuß. Die Bäume auf beiden Seiten des schmalen Waldwegs rauschten. Er ging schnell, um warm zu bleiben.

Das Häuschen lag dicht am Weg. Es war eine alte Kätnerhütte. Der Hofplatz war voller Schrottautos. Ein einsamer Hahn saß auf einem Baumstumpf und betrachtete ihn. Nur in einem Fenster war Licht – eine Petroleumlampe. Er zögerte und fragte sich, ob er den Besuch bis zum nächsten Morgen aufschieben sollte. Aber er war weit gefahren. Unter dem Druck der Ermittlung durfte er die Zeit nicht ungenutzt verstreichen lassen. Er trat an die Haustür. Der Hahn auf dem Baumstumpf rührte sich nicht. Die Tür wurde geöffnet. Der Mann, der dort im Dunkeln stand, war jünger, als Wallander gedacht hatte, kaum vierzig Jahre. Wallander stellte sich vor.

»Jacob Hoslowski«, sagte der Mann. Wallander nahm einen schwachen, kaum merklichen Akzent wahr. Der Mann war ungewaschen. Er roch nicht angenehm. Sein langes Haar und der Bart waren verfilzt. Wallander begann, durch den Mund zu atmen.

»Darf ich ein paar Minuten stören?« sagte er. »Ich bin Polizeibeamter und komme aus Ystad.«

Hoslowski lächelte und trat zur Seite. »Komm rein. Wer bei mir anklopft, den lasse ich immer rein.«

Wallander trat in den dunklen Flur und stolperte beinah über eine Katze. Dann sah er, dass das ganze Haus voller Katzen war. Er hatte noch nie so viele Katzen an einem Ort gesehen. Der Gestank war entsetzlich. Er sperrte den Mund auf, um überhaupt Luft zu bekommen und folgte Hoslowski in den größeren der beiden Räume, aus denen die Hütte bestand. Es gab so gut wie keine Möbel. Nur Matratzen und Kissen und Bücherstapel und eine einsame Petroleumlampe auf einem Schemel. Und Katzen. Überall Katzen.

»Man kommt selten in ein Haus ohne Strom«, sagte Wallander.

»Ich lebe außerhalb der Zeit«, antwortete Hoslowski einfach. »In meinem nächsten Leben werde ich als Katze wiedergeboren.«

Wallander nickte. »Ich verstehe«, sagte er wenig überzeugend. »Wenn ich richtig informiert wurde, haben Sie auch vor zehn Jahren hier gewohnt?«

»Ich wohne hier, seit ich die Zeit verlassen habe.«

Wallander ahnte, das er keine erschöpfendere Antwort erwarten konnte. Mit gewisser Überwindung ließ er sich auf ein Kissen nieder und hoffte nur, dass es nicht voller Katzenpisse war. »Vor zehn Jahren ist eine Frau hier in der Nähe auf dem Stångsjön ins Eis eingebrochen und ertrunken«, sagte er. »Weil es vermutlich nicht so häufig vorkommt, dass Leute hier ertrinken, können Sie sich vielleicht daran erinnern? Ein Sonntag im Winter vor zehn Jahren. Der Mann soll hierher gekommen sein und um Hilfe gebeten haben.«

Hoslowski nickte. Er erinnerte sich. »Ein Mann kam und klopfte an meine Tür. Er wollte mein Telefon benutzen.«

Wallander blickte sich im Zimmer um. »Aber Sie haben kein Telefon?«

»Mit wem sollte ich sprechen?«

Wallander nickte. »Was geschah dann?«

»Ich zeigte ihm den Weg zu meinem nächsten Nachbarn. Der hat Telefon.«

»Sind Sie mit ihm hingegangen?«

»Ich bin zum See gegangen, um zu sehen, ob ich sie herausholen könnte.«

Wallander hielt inne und tat einen Schritt zurück. »Der Mann, der an die Tür klopfte, war sicher sehr erregt?«

»Vielleicht.«

»Was meinen Sie mit ›vielleicht‹?«

»Ich erinnere mich daran, dass er so gefasst war, wie man es vielleicht nicht erwartet.«

»Ist Ihnen noch etwas anderes aufgefallen?«

»Ich habe vergessen. Es geschah in einer anderen kosmischen Dimension, die sich seitdem viele Male verändert hat.«

»Sehen wir weiter. Sie kamen zum See. Was geschah da?«

»Das Eis war ganz blank. Ich sah das Loch. Ich ging hin. Aber ich sah nichts im Wasser.«

»Sie gingen hin? Hatten Sie keine Angst, dass das Eis brechen könnte?«

»Ich weiß, wo es trägt. Außerdem kann ich mich gewichtslos machen, wenn es nötig ist.«

Mit einem Verrückten kann man nicht vernünftig reden, dachte Wallander resigniert. Aber er stellte seine Fragen dennoch. »Können Sie mir das Loch beschreiben?«

»Es war sicher von einem Angler ins Eis geschlagen worden. Vielleicht war es dann wieder überfroren, aber das Eis war noch nicht wieder dick genug.«

Wallander dachte nach. »Bohren Angler nicht kleinere Löcher?«

»Dies hier war fast viereckig. Vielleicht war es aufgesägt worden?«

»Gibt es denn Eisangler auf dem Stångsjön?«

»Es ist ein fischreicher See. Ich hole selbst Fisch da. Aber nicht im Winter.«

»Und was passierte dann? Sie standen am Eisloch und sahen nichts. Was haben Sie dann getan?«

»Ich habe mich ausgezogen und habe mich ins Wasser hinuntergelassen.«

Wallander starrte ihn an. »Warum um alles in der Welt haben Sie das gemacht?«

»Ich dachte, ich könnte ihren Körper mit meinen Füßen spüren.«

»Sie hätten sich doch den Tod holen können.«

»Ich kann mich gegen zu starke Kälte oder Hitze gefühllos machen, wenn es nötig ist.«

Wallander sah ein, dass er diese Antwort hätte vorhersehen können. »Aber Sie haben sie nicht gefunden?«

»Nein. Ich stemmte mich wieder aufs Eis hoch und hab meine Sachen angezogen. Kurz darauf kamen Menschen gelaufen. Ein Auto mit Leitern. Da bin ich weggegangen.«

Wallander begann, sich aus dem unbequemen Kissen hochzuarbeiten. Der Gestank war unerträglich. Er hatte keine Fragen mehr und wollte nicht länger als nötig bleiben. Gleichzeitig musste er einräumen, dass Jacob Hoslowski entgegenkommend und freundlich gewesen war.

Hoslowski begleitete ihn auf den Hofplatz hinaus. »Sie haben sie dann gefunden«, sagte er. »Mein Nachbar kommt immer einmal vorbei und erzählt mir, was ich seiner Meinung nach über die Umwelt wissen sollte.«

Hoslowski wies er mit der Hand in eine Richtung. »Er wohnt ganz nah. Man sieht sein Haus nicht, vielleicht sind es dreihundert Meter. Irdische Abstände sind schwer zu berechnen.«

Wallander dankte ihm und ging. Es war jetzt dunkel. Er hatte die Taschenlampe eingesteckt und leuchtete auf den Weg. Zwischen den Bäumen schimmerte Licht. Er dachte an Jacob Hoslowski und alle seine Katzen.

Das Haus, zu dem er kam, wirkte relativ neu. Davor stand ein Pritschenwagen mit Verdeck, auf dessen einer Seite ›Rohrservice‹ stand. Wallander läutete. Ein Mann in einem weißen Unterhemd und mit bloßen Füßen öffnete. Er hatte ein offenes und freundliches Gesicht. Im Hintergrund war Kindergeschrei zu hören. Wallander erklärte kurz, wer er war.

»Und Hoslowski hat Sie hergeschickt?« fragte der Mann.

»Woher wissen Sie das?«

»Das merkt man am Geruch«, sagte der Mann. »Aber kommen Sie rein. Ich kann ja nachher lüften.«

Wallander folgte dem groß gewachsenen Mann in eine Küche. Das Kindergeschrei kam vom Obergeschoss. Der Mann sagte, er heiße Rune Nilsson und sei Rohrleger.

Wallander lehnte dankend ab, als Nilsson ihm Kaffee anbot, und erzählte, warum er hier sei.

»So ein Ereignis vergisst man nicht«, sagte Nilsson, nachdem Wallander geendet hatte. »Ist das wirklich schon zehn Jahre her?«

»Genau zehn Jahre, bis auf ein paar Monate.«

»Er kam und hämmerte an die Tür. Es war mitten am Tag.«

»Wie wirkte er?«

»Er war erregt. Aber gefasst. Dann rief er den Rettungsdienst an. In der Zeit zog ich mich an. Dann liefen wir los.«

»Die ganze Zeit machte er einen gefassten Eindruck? Was hat er gesagt? Wie hat er das Unglück erklärt?«

»Sie wäre eingebrochen. Das Eis hätte nachgegeben.«

»Aber das Eis war ziemlich dick?«

»Man weiß nie mit Eis. Es kann unsichtbare Spalten geben oder dünne Stellen. Obwohl, ein bisschen komisch war es schon. Ich habe hinterher viel darüber nachgedacht«, sagte er. »Es war schon komisch mit dem Eisloch, das sich einfach öffnete, und der Frau, die verschwand. Warum hatte er sie nicht rausziehen können?«

»Was war seine eigene Erklärung?«

»Er hätte es versucht. Aber sie wäre so schnell verschwunden und unter das Eis gezogen worden.«

»War das so?«

»Sie fanden sie ein paar Meter vom Eisloch entfernt. Genau unter dem Eis. Sie war nicht gesunken. Ich war dabei, als sie sie rausholten. Das vergesse ich nie. Ich konnte nie verstehen, dass sie so viel gewogen haben konnte.«

Wallander sah ihn fragend an. »Was meinen Sie damit? Dass sie ›so viel gewogen haben konnte‹?«

»Ich kannte Nygren, der damals hier Polizist war. Jetzt ist er tot. Er sagte einmal, der Mann hätte behauptet, sie wöge achtzig Kilo. Das sollte erklären, warum das Eis brach. Ich hab das nie verstanden.«

»Danke, dass Sie sich Zeit genommen haben«, sagte Wallander und stand auf. »Morgen früh möchte ich gern, dass Sie mir zeigen, wo es war.«

Wallander ging auf dem Waldweg zurück. Rune Nilsson hatte zugesagt, bis acht Uhr am folgenden Morgen zu Hause zu bleiben. Wallander ließ den Wagen an und fuhr zurück nach Älmhult. Das komische Geräusch im Motor war jetzt wieder weg. Er war hungrig. Vielleicht war es angebracht, Bo Runfelt vorzuschlagen, gemeinsam zu Abend zu essen.

Aber als er ins Hotel kam, wartete dort eine Nachricht von Bo Runfelt auf ihn. Er hatte sich ein Auto gemietet und war nach Växjö gefahren. Dort hatte er gute Freunde und wollte bei denen die Nacht verbringen. Er würde früh am nächsten Morgen wieder in Älmhult sein. Wallander war einen kurzen Moment verärgert über Runfelts Verhalten. Was, wenn er ihn am

Abend gebraucht hätte. Runfelt hatte eine Telefonnummer in Växjö hinterlassen. Doch Wallander hatte keinen Grund, ihn anzurufen. In gewisser Weise war er auch erleichtert, den Abend allein verbringen zu können. Er ging auf sein Zimmer, um zu duschen. Anschließend aß er in einer Pizzeria. Die ganze Zeit dachte er an das Unglück, bei dem Runfelts Frau ertrunken war. Er spürte, dass es ihm jetzt langsam gelang, sich ein Bild zu machen. Nach dem Essen ging er auf sein Hotelzimmer. Kurz vor neun rief er bei Ann-Britt Höglund zu Hause an. Als sie sich meldete, erzählte er in knappen Worten, was gewesen war. Er selbst wollte wissen, ob sie Frau Svensson ausfindig gemacht hatten, die vermutlich Gösta Runfelts letzte Klientin war.

»Noch nicht«, sagte sie. »Aber irgendwie kriegen wir das noch hin.«

Er beendete das Gespräch. Dann schaltete er den Fernseher ein und hörte abwesend einem Diskussionsprogramm zu. Darüber schlief er ein.

Als er kurz nach sechs am Morgen wach wurde, fühlte er sich ausgeschlafen. Um halb acht hatte er bereits gefrühstückt und sein Zimmer bezahlt. Dann setzte er sich in die Rezeption und wartete. Bo Runfelt kam ein paar Minuten später. Keiner von beiden kommentierte es, dass er die Nacht in Växjö verbracht hatte.

»Wir machen einen Ausflug«, sagte Wallander. »Zu dem See, in dem Ihre Mutter ertrunken ist.«

»Hat die Reise sich gelohnt?« fragte Bo Runfelt.

Wallander war irritiert. »Ja«, sagte er. »Und Ihre Anwesenheit ist praktisch ausschlaggebend gewesen. Ob Sie es glauben oder nicht.«

Das stimmte natürlich nicht. Doch Wallander sprach die Worte mit solchem Nachdruck aus, dass Bo Runfelt zumindest spürbar nachdenklich wurde.

Rune Nilsson wartete auf sie. Sie gingen auf einem Pfad durch den Wald. Es war windstill, nahe null Grad. Der Boden unter ihren Füßen war hart. Vor ihnen breitete sich das Wasser aus. Es war ein lang gestreckter See. Rune Nilsson zeigte auf einen Punkt irgendwo in der Mitte. Wallander spürte, dass es Bo Runfelt unangenehm war, den Ort zu besuchen. Wallander nahm an, dass er noch nie hier gewesen war.

Wallander ging an den Strand. Das Wasser war dunkel. Er glaubte, die Kontur eines kleinen Fisches an einem Stein zu erkennen. Was ist passiert? fragte er sich. Hatte Gösta Runfelt sich im voraus entschieden? Dass er an diesem Sonntag seine Frau ertränken wollte? So musste es gewesen sein. Irgendwie hatte er das Eisloch vorbereitet. Auf die gleiche Art und

Weise, wie jemand die Planken angesägt hatte, die über den Graben bei Holger Eriksson führten. Oder Gösta Runfelt gefangengehalten hatte.

Sie gingen durch den Wald zurück. Beim Wagen verabschiedeten sie sich von Rune Nilsson. Wallander schätzte, dass sie gut und gern vor zwölf Uhr wieder in Ystad sein konnten.

Aber er hatte sich verrechnet. Kaum hatten sie Älmhult hinter sich gelassen, als der Wagen stehen blieb. Der Motor streikte. Wallander rief den örtlichen Vertreter des Pannendienstes an, dem er angeschlossen war. Der Mann kam schon nach knapp zwanzig Minuten und stellte schnell fest, dass es sich um einen schwerwiegenden Defekt handelte, den er nicht an Ort und Stelle beheben konnte. Es gab keine andere Möglichkeit, als den Wagen in Älmhult zurückzulassen und den Zug nach Malmö zu nehmen. Der Abschleppdienst fuhr sie zum Bahnhof. Um 9 Uhr 44 ging der Zug nach Hässleholm und Malmö. In der Zwischenzeit hatte Wallander im Präsidium angerufen und darum gebeten, dass jemand sie in Malmö abholte. Ebba versprach, dass jemand da sein werde.

Vor dem Fenster glitt die Landschaft vorbei. Wallander dachte an Jacob Hoslowski und seine Katzen. Aber er dachte auch daran, dass Gösta Runfelt vermutlich seine Ehefrau ermordet hatte. Was das bedeutete, wusste er nicht. Jetzt war Gösta Runfelt tot. Ein brutaler Mann, der vielleicht selbst einen Mord begangen hatte, war auf ebenso grausame Art getötet worden.

Wallander dachte, dass das natürlichste Motiv Rache war.

Aber wer rächte sich wofür? Wie passte Holger Eriksson ins Bild?

Er wurde in seinen Gedanken unterbrochen. Fahrkartenkontrolle.

Es war eine Frau. Sie lächelte und bat in ausgeprägtem Schonisch um die Fahrkarten.

Wallander hatte das Gefühl, dass sie ihn ansah, als kenne sie ihn. Vielleicht hatte sie ihn auf einem Bild in der Zeitung gesehen. »Wann sind wir in Malmö?« fragte er.

»12 Uhr 15«, antwortete sie. »11 Uhr 13 in Hässleholm.«

Ihren Fahrplan hatte sie im Kopf.

20

Am Hauptbahnhof in Malmö wartete Peters. Bo Runfelt entschuldigte sich bei der Ankunft und sagte, er wolle ein paar Stunden in Malmö bleiben, aber am Nachmittag werde er nach Ystad zurückkehren. Dann werde er mit seiner Schwester die Hinterlassenschaft des Vaters durchgehen und entscheiden, was mit dem Blumengeschäft geschehen solle.

Auf der Fahrt nach Ystad saß Wallander auf der Rückbank und machte Notizen zu den Dingen, die er in Älmhult gehört hatte. Er hatte auf dem Bahnhof in Malmö einen Stift und einen kleinen Notizblock gekauft und balancierte den Block auf den Knien, während er schrieb.

Sie fuhren direkt zum Polizeigebäude. Wallander hatte im Zug ein paar sündhaft teure belegte Brote gegessen und brauchte keine Mittagspause. Er blieb an der Anmeldung stehen und erzählte Ebba, was mit dem Wagen passiert war.

»Ich komme kaum darum herum, einen neuen Wagen zu kaufen«, sagte er. »Aber wie soll ich den bezahlen?«

»Eigentlich ist es eine Schande, wie schlecht wir bezahlt werden«, sagte sie. »Aber am besten denkt man gar nicht daran.«

»Da bin ich mir nicht so sicher«, sagte Wallander. »Die Gehälter werden ja nicht besser dadurch, dass wir sie einfach vergessen.«

Auf dem Weg in sein Büro schaute Wallander bei seinen Kollegen herein. Alle waren unterwegs. Der einzige, den er antraf, war Nyberg, dessen Zimmer am Ende des Korridors lag. Er war sehr selten da. Eine Krücke lehnte am Schreibtisch.

»Was macht der Fuß?« fragte Wallander.

»Na, eben so«, sagte Nyberg mürrisch. »Wir sind dabei, die Wagenspuren vom Feldweg hinter dem Hügel bei Holger Erikssons Turm mit denen zu vergleichen, die wir im Wald gefunden haben. Aber ich bezweifle, ob das was bringt. Es war an beiden Stellen zu regnerisch und zu matschig.«

»Was anderes, was ich wissen sollte?«

»Der Affenkopf«, sagte Nyberg. »Der kein Affen-, sondern ein Menschenkopf war. Es ist ein ausführlicher Brief vom Ethnographischen Museum in Stockholm gekommen. Ich verstehe ungefähr die Hälfte von dem, was sie schreiben. Aber am wichtigsten ist, dass sie jetzt sicher sind, dass er aus Belgisch-Kongo kommt. Oder Zaire, wie es heute heißt. Sie schätzen das Alter auf zwischen vierzig und fünfzig Jahre.«

»Das kommt ja hin mit der Zeit«, sagte Wallander.

»Das Museum ist daran interessiert, ihn zu übernehmen.«

»Das müssen die entscheiden, die nach Ende der Ermittlungen dafür zuständig sind.«

Nyberg sah Wallander plötzlich auffordernd an. »Kriegen wir die, die das getan haben?«

»Wir müssen.«

Wallander wandte sich zum Gehen. Nyberg hielt ihn zurück. »Wir haben bei diesem Postversand Secur in Borås herausgefunden, was Gösta Runfelt da gekauft hatte. Abgesehen von dieser letzten Abhörausrüstung und dem Magnetpinsel hat er dreimal was bei denen bestellt. Die Firma existiert noch nicht lange. Er hat ein Nachtglas gekauft, ein paar Taschenlampen und Kleinigkeiten, die bedeutungslos sind. Die Taschenlampen haben wir in der Harpegatan gefunden. Aber das Nachtglas war weder da noch in der Västra Vallgatan.«

Wallander überlegte. »Kann er es in den Koffer gepackt haben, um es mit nach Nairobi zu nehmen? Sieht man sich nachts Orchideen an?«

»Jedenfalls haben wir es nicht gefunden«, sagte Nyberg.

Wallander ging in sein Zimmer und setzte sich an den Schreibtisch, er suchte nach den Ähnlichkeiten und nach dem, was die beiden Mordfälle unterschied. Beide Opfer waren in unterschiedlicher Weise als brutal beschrieben worden. Holger Eriksson hatte seine Angestellten schlecht behandelt, während Gösta Runfelt seine Frau misshandelt hatte. Darin lag eine Ähnlichkeit. Sie waren beide auf ausgeklügelte Art und Weise ermordet worden. Wallander war noch immer überzeugt, dass Runfelt gefangen gehalten worden war. Es gab keine andere plausible Erklärung für sein langes Verschwinden. Eriksson war dagegen direkt in seinen Tod gelaufen. Da war ein Unterschied. Aber Wallander fand auch, dass eine Ähnlichkeit vorlag, wenn auch undeutlich und schwer zu fassen. Warum war Runfelt gefangen gehalten worden? Warum hatte der Täter damit gewartet, ihn zu töten?

Das einzige Motiv, das Wallander wiederum vor sich sehen konnte, war Rache. Aber Rache wofür?

Wallander ging zum Täter über. Sie hatten davon gesprochen, dass es vermutlich ein einzelner, sehr kräftiger Mann war. Sie konnten sich natürlich irren, doch Wallander glaubte es nicht. Etwas an der Planung des Ganzen deutete auf einen Einzeltäter hin. Die gute Planung war eine der Voraussetzungen. Wäre der Täter nicht allein, könnte die Planung längst nicht so detailliert sein.

Wallander lehnte sich zurück. Er versuchte, die dumpfe Unruhe, die in ihm rumorte, zu deuten. Es war da etwas, was er nicht erkannte. Oder völlig falsch deutete. Er kam nur nicht darauf, was es war.

Nach ungefähr einer Stunde rief Wallander den Optiker an, der vergebens auf seinen Besuch gewartet hatte. Wallander erhielt keinen neuen Termin. Er solle kommen, wann er wolle. Nachdem er zweimal seine Jacke durchsucht hatte, fand Wallander den Zettel mit der Telefonnummer der Autowerkstatt in Älmhult in einer Hosentasche. Die Reparatur würde sehr teuer werden. Aber Wallander hatte keine Alternative, wenn er noch etwas für das Auto bekommen wollte, falls er es verkaufte.

Anschließend rief er Martinsson an.

»Ich wusste nicht, dass du zurück bist. Wie ging es in Älmhult?«

»Ich dachte, wir sollten darüber sprechen. Wer von den anderen ist denn gerade hier?«

»Ich habe eben Hansson gesehen«, sagte Martinsson. »Wir wollten uns um fünf Uhr für einen Augenblick zusammensetzen.«

»Dann warten wir solange.«

Wallander legte den Hörer auf und kehrte in Gedanken nach Älmhult zurück. Was war an jenem Wintertag vor zehn Jahren auf dem Eis des Stångsjön passiert? Hatte Gösta Runfelt das Unglück arrangiert und in Wirklichkeit seine Frau getötet? Dafür gab es Anzeichen. Zu viele Details passten nicht in das Bild eines Unglücksfalls. Irgendwo in einem Archiv würde man sicher ohne große Schwierigkeiten die Akten der damaligen polizeilichen Ermittlung ausgraben können. Auch wenn diese Ermittlung aller Wahrscheinlichkeit nach schlampig durchgeführt worden war, fiel es ihm schwer, die Polizisten zu kritisieren. Was für einen Verdacht hätten sie eigentlich haben können? Warum hätten sie überhaupt Verdacht schöpfen sollen?

Wallander rief Martinsson an und bat ihn, mit Älmhult Kontakt aufzunehmen und eine Kopie des Ermittlungsprotokolls von damals anzufordern.

»Warum hast du das denn nicht selbst gemacht?« fragte Martinsson verwundert.

»Ich habe mit keinem einzigen Polizisten gesprochen. Stattdessen habe ich auf dem Fußboden in einem Haus gesessen, in dem es unzählbare Katzen gab und einen Mann, der sich gewichtslos machen kann, wenn es nötig ist. Es wäre gut, wenn wir die Kopie so schnell wie möglich bekämen.«

Er legte auf, bevor Martinsson die Möglichkeit hatte, weitere Fragen zu stellen. Es war inzwischen drei Uhr geworden, und das Wetter war noch immer schön. Er fand, dass er ebenso gut sofort zum Optiker gehen konnte. Um fünf Uhr würden sie sich treffen. Vorher konnte er sowieso nicht mehr viel ausrichten. Außerdem war sein Kopf müde. Er zog die Jacke an und verließ sein Zimmer. Ebba telefonierte. Er schrieb einen Zettel, dass er um fünf Uhr zurück wäre, und schob ihn ihr hin. Er brauchte zehn Minuten zu Fuß bis ins Zentrum. Beim Optiker in der Stora Östergatan musste er ein paar Minuten warten. Er blätterte Zeitungen durch, die auf einem Tisch lagen. In einer davon war ein Bild von ihm, das vor mehr als fünf Jahren aufgenommen worden war. Er erkannte sich kaum wieder. Die Berichte über die Morde waren groß aufgemacht. »Die Polizei verfolgt sichere Spuren.« Wallander hatte das gesagt. Was nicht stimmte. Er fragte sich, ober der Täter Zeitungen las. Verfolgte er die Arbeit der Polizei? Wallander blätterte weiter. Auf einer der Innenseiten hielt er inne und las mit wachsendem Befremden. Betrachtete das Bild. Der Journalist der Zeitung *Anmärkaren*, die noch nicht erschienen war, hatte Recht gehabt. Eine Anzahl von Menschen aus dem ganzen Land hatte sich in Ystad getroffen, um eine landesweite Organisation für Bürgerwehren zu gründen. Sie äußerten sich ohne Umschweife. Falls es nötig werden sollte, würden sie nicht zögern, Handlungen zu begehen, die außerhalb des Gesetzes lagen. Sie unterstützten die Arbeit der Polizei. Aber sie akzeptierten die Kürzungen nicht. Vor allem akzeptierten sie die Rechtsunsicherheit nicht. Wallander las mit einer Mischung aus wachsendem Unbehagen und Verbitterung. Es war jetzt tatsächlich so weit. Die Fürsprecher bewaffneter und organisierter Bürgerwehren verbargen sich nicht mehr im Schatten. Sie traten offen in Erscheinung. Mit Namen und Fotos. Auf einem Treffen in Ystad, um eine Organisation zu bilden.

Wallander warf die Zeitung auf den Tisch. Bald war er an der Reihe, saß mit einem eigentümlichen Apparat vor den Augen da und starrte auf verschwommene Buchstaben. Er fürchtete plötzlich, er könne langsam blind werden. Aber hinterher, als der Optiker eine Brille auf seine Nase gesetzt hatte und eine Zeitung vor ihn hinlegte, eine Zeitung, in der auch ein Artikel über die Bürgerwehren und die geplante Organisation stand, konnte er den Text lesen, ohne die Augen anzustrengen.

»Sie brauchen eine Lesebrille«, sagte der Optiker freundlich. »Nichts Ungewöhnliches in Ihrem Alter. Plus 1,5 reicht fürs erste. So nach und nach werden Sie die Stärke alle paar Jahre erhöhen müssen.«

Anschließend betrachtete Wallander Brillengestelle. Er wunderte sich über die Preise. Als er hörte, dass es auch billige Kunststoffbrillen gab, entschloss er sich sofort für diese Alternative.

Es war erst vier Uhr, als er beim Optiker fertig war. Ohne es vorher geplant zu haben, ging er zum Maklerbüro, vor dessen Fenster er vor einigen Tagen gestanden und die Fotos der zum Verkauf angebotenen Häuser angesehen hatte. Diesmal ging er hinein, setzte sich an einen Tisch und studierte die Mappen mit den einzelnen Angeboten. Zwei der Häuser interessierten ihn. Er bekam Kopien und versprach anzurufen, wenn er eins der Häuser besichtigen wollte.

Dann verließ er das Maklerbüro und ging zum Präsidium hinauf.

Als er im Sitzungszimmer seinen gewohnten Platz eingenommen hatte, setzte er als erstes seine neue Brille auf die Nase. Im Raum machte sich eine gewisse Heiterkeit breit. Aber niemand sagte etwas.

»Wer fehlt noch?« fragte er.

»Svedberg«, sagte Ann-Britt Höglund. »Ich weiß nicht, wo er ist.«

Sie hatte den Satz kaum zu Ende gesprochen, da riss Svedberg die Tür zum Sitzungszimmer auf. Wallander wusste sofort, dass etwas passiert war.

»Ich habe Frau Svensson gefunden«, sagte Svedberg. »Gösta Runfelts letzte Klientin. Wenn es stimmt, was wir glauben.«

»Gut«, sagte Wallander und spürte, wie die Spannung stieg.

»Ich dachte, dass sie vielleicht bei irgendeiner Gelegenheit im Blumenladen gewesen sein könnte«, fuhr Svedberg fort. Sie hätte Runfelt ja dort treffen können. Ich nahm das Bild mit, das wir entwickelt hatten. Vanja Andersson erinnerte sich, dass ein Foto desselben Mannes einmal auf dem Tisch im Hinterzimmer gelegen hatte. Sie wusste auch, dass eine Dame namens Svensson mehrfach den Blumenladen besucht hatte. Einmal kaufte sie Blumen, die geschickt werden sollten. Der Rest war einfach. Adresse und Telefonnummer waren aufgeschrieben worden. Sie wohnt im Byabacksvägen in Sövestad. Ich bin hingefahren. Sie hat eine kleine Gärtnerei. Ich nahm das Bild mit und sagte klar heraus, dass wir glaubten, sie habe Gösta Runfelt als Privatdetektiv angeheuert. Sie antwortete sofort, dass das richtig sei.«

»Gut«, sagte Wallander. »Was hat sie noch gesagt?«

»Ich habe nichts weiter gefragt. Sie hatte Handwerker im Haus, und ich dachte, es wäre besser, wenn wir gemeinsam das Gespräch mit ihr vorbereiteten.«

»Ich will noch heute Abend mit ihr reden«, sagte Wallander. »Lasst uns diese Sitzung so kurz wie möglich machen.«

Sie waren ungefähr eine halbe Stunde zusammen. Während der Sitzung kam Lisa Holgersson dazu und nahm still am Tisch Platz. Wallander gab einen Bericht über seine Fahrt nach Älmhult. Zum Schluss sagte er, sie könnten seines Erachtens nicht von der Möglichkeit absehen, dass Gösta Runfelt seine Frau umgebracht habe. Sie mussten auf die Kopie der Untersuchung von damals warten. Dann konnten sie dazu Stellung nehmen, wie sie weiter vorgehen wollten.

Als Wallander endete, sagte keiner der anderen etwas. Alle sahen ein, dass er Recht haben konnte. Doch keiner war sicher, was es eigentlich bedeutete.

»Die Fahrt war wichtig«, sagte Wallander nach einer Weile. »Ich glaube auch, dass die Reise nach Svenstavik uns weiterbringen kann.«

»Mit einem Stopp in Gävle«, sagte Ann-Britt Höglund. »Ich weiß nicht, ob es etwas bedeutet. Aber ich habe einen guten Freund in Stockholm gebeten, in eine Spezialbuchhandlung zu gehen und mir ein paar Exemplare einer Zeitschrift zu beschaffen, die ›*Terminator*‹ heißt. Sie sind heute gekommen.«

»Was ist das eigentlich für eine Zeitschrift?« fragte Wallander, der bisher nur in Andeutungen davon gehört hatte.

»Sie erscheint in den USA«, fuhr sie fort. »Eine schlecht getarnte Fachzeitung, könnte man sagen. Für Leute, die sich als Söldner, Leibwächter oder sonst irgendwie als Soldaten verdingen wollen. Es ist eine sehr unangenehme Zeitung. Unter anderem sehr rassistisch. Aber ich fand eine kleine Annonce, die uns interessieren sollte. Es gibt einen Mann in Gävle, der annonciert, dass er Aufträge vermitteln kann an ›kampfwillige und vorurteilsfreie Männer‹, wie er es nennt. Ich habe die Kollegen in Gävle angerufen. Sie wussten, wer er war, hatten aber noch nie direkt mit ihm zu tun. Sie glaubten aber, dass er umfangreiche Kontakte mit Männern in Schweden hat, die eventuell eine Vergangenheit als Söldner haben.«

»Das kann wichtig sein«, sagte Wallander. »Mit dem müssen wir unbedingt in Kontakt kommen. Es müsste möglich sein, die Fahrt nach Svenstavik mit einem Besuch in Gävle zu kombinieren.«

»Ich habe mal auf die Karte gesehen«, sagte sie. »Man kann nach Östersund fliegen und dann einen Wagen mieten. Oder die Kollegen da oben um Hilfe bitten.«

Wallander klappte seinen Block zu. »Sorgt dafür, dass mir jemand eine Rundreise arrangiert«, sagte er. »Wenn möglich, schon morgen.«

»Obwohl Samstag ist?« fragte Martinsson.

»Die, die ich treffen will, können mich sicher trotzdem empfangen«, sagte Wallander. »Wir haben keine Zeit zu verlieren. Ich schlage vor, wir hören jetzt auf. Wer fährt mit nach Sövestad?«

Ann-Britt Höglund und Svedberg meldeten sich. Sie beendeten die Sitzung. Es wurde sechs, bis sie das Präsidium verließen. Wolken waren aufgezogen, und es würde wahrscheinlich im Laufe des Abends oder der Nacht zu regnen beginnen. Sie fuhren in ihrem Wagen. Wallander hatte sich auf die Rückbank gesetzt. Er fragte sich plötzlich, ob er noch immer nach Jacob Hoslowskis Katzenhaus roch.

»Maria Svensson«, sagte Svedberg. »Sie ist sechsunddreißig Jahre alt und hat eine kleine Gärtnerei in Sövestad. Wenn ich sie richtig verstanden habe, handelt sie nur mit ökologisch angebautem Gemüse.«

»Du hast sie nicht gefragt, warum sie Kontakt mit Runfelt aufgenommen hat?«

»Als sie die Verbindung bestätigt hatte, habe ich nichts weiter gefragt.«

»Das wird sehr interessant«, sagte Wallander. »In all meinen Jahren bei der Polizei habe ich noch nie einen Menschen getroffen, der bei einem Privatdetektiv Hilfe gesucht hat.«

»Die Fotografie war von einem Mann«, sagte Ann-Britt Höglund. »Ist sie verheiratet?«

»Keine Ahnung«, antwortete Svedberg. »Ich habe alles gesagt, was ich weiß. Von jetzt an wissen wir gleich viel.«

»Gleich wenig«, sagte Wallander. »Wir wissen so gut wie nichts.«

Nach ungefähr zwanzig Minuten kamen sie nach Sövestad. Svedberg bremste vor einem Haus mit angrenzendem Gewächshaus und Ladenlokal. »Svenssons Gemüse« stand auf einem Schild. Sie stiegen aus.

»Sie wohnt in dem Haus«, sagte Svedberg. »Ich nehme an, sie hat den Laden geschlossen.«

»Blumen- und Gemüsehandel«, sagte Wallander. »Bedeutet das etwas, oder ist es nur ein Zufall?«

Er erwartete keine Antwort, und er bekam auch keine. Als sie ungefähr die Hälfte des Kieswegs zurückgelegt hatten, wurde die Haustür geöffnet.

»Maria Svensson«, sagte Svedberg. »Sie hat uns erwartet.«

Wallander betrachtete die Frau, die auf der Haustreppe stand. Sie trug Jeans und eine weiße Bluse. An den Füßen Holzschuhe. Ihr Aussehen war irgendwie unbestimmt. Er sah, dass ihr Gesicht vollkommen ungeschminkt war. Svedberg stellte sie vor. Maria Svensson bat sie herein. Sie setzten sich in ihr Wohnzimmer. Wallander dachte flüchtig, dass auch ihre Wohnung etwas Unbestimmtes an sich hatte, als sei sie im Grunde nicht daran interessiert, wie sie wohnte.

»Ich mache gern Kaffee«, sagte Maria Svensson.

Alle drei lehnten dankend ab.

»Wie Sie sich denken können, sind wir hergekommen, um ein wenig mehr über Ihr Verhältnis zu Gösta Runfelt zu erfahren.«

»Solange Sie nicht meinen, dass ich ein Verhältnis mit ihm hatte.«

»Ich meine das Verhältnis zwischen Privatdetektiv und Klient«, sagte Wallander.

»Ja, das stimmt.«

»Gösta Runfelt ist ermordet worden. Es hat eine Weile gedauert, bis uns klar wurde, dass er nicht nur Blumenhändler war, sondern auch Privatdetektiv. Meine erste Frage ist deshalb, wie Sie Kontakt zu ihm bekommen haben.«

»Ich habe eine Annonce in der Zeitung gesehen. Das war im Sommer.«

»Wie kam der erste Kontakt zu Stande?«

»Ich besuchte ihn in dem Blumengeschäft. Später am gleichen Tag trafen wir uns in einem Café in Ystad. Es liegt am Stortorget. Aber ich weiß nicht mehr, wie es heißt.«

»Warum haben Sie Kontakt mit ihm aufgenommen?«

»Darauf möchte ich lieber nicht antworten.«

Sie war sehr bestimmt. Wallander war erstaunt, weil ihre Antworten bis dahin so offen waren.

»Trotzdem glaube ich, dass Sie darauf antworten müssen«, sagte er.

»Ich kann versichern, dass es nichts mit seinem Tod zu tun hat. Ich bin ebenso entsetzt und schockiert wie alle anderen über das, was ihm passiert ist.«

»Ob es mit der Sache zu tun hat oder nicht, entscheidet die Polizei«, sagte Wallander. »Leider müssen Sie wohl auf die Frage antworten. Sie können sich entscheiden, es hier zu tun. Dann bleibt alles, was nicht direkt mit der Ermittlung zu tun hat, unter uns. Wenn wir gezwungen sind, Sie zu einem formellen Verhör vorzuladen, kann es schwerer werden zu verhindern, dass Details zu den Massenmedien durchsickern.«

Sie schwieg lange. Sie warteten. Wallander legte die Fotografie, die sie in der Harpegatan entwickelt hatten, auf den Tisch. Sie betrachtete das Bild mit ausdruckslosem Gesicht.

»Ist das Ihr Mann?« fragte Wallander.

Sie starrte ihn an. Dann lachte sie schallend. »Nein. Das ist nicht mein Mann«, sagte sie. »Aber er hat meine Beziehung zerstört.«

Wallander begriff nicht. Ann-Britt Höglund hingegen verstand sofort.

»Wie heißt sie?«

»Annika.«

»Und dieser Mann ist zwischen Sie gekommen?«

Sie war nun wieder ganz gefasst. »Ich hatte einen Verdacht. Schließlich wusste ich nicht mehr, was ich tun sollte. Da kam ich auf die Idee, einen Privatdetektiv aufzusuchen. Ich musste wissen, ob sie im Begriff war, mich zu verlassen. Sich zu verändern. Zu einem Mann zu gehen. Schließlich sah ich ein, dass sie es getan hatte. Gösta Runfelt kam her und erzählte es mir. Am Tag danach schrieb ich Annika, dass ich sie nie wiedersehen wollte.«

»Wann war das?« fragte Wallander. »Wann war er hier und erzählte Ihnen das?«

»Am 20. oder 21. September.«

»Danach hatten Sie keinen Kontakt mehr?«

»Nein. Ich bezahlte ihn über sein Postgirokonto.«

»Was hatten Sie für einen Eindruck von ihm?«

»Er war sehr freundlich. Er liebte Orchideen. Ich glaube, wir kamen gut miteinander aus, weil er ebenso reserviert wirkte wie ich.«

Wallander überlegte. »Ich habe nur noch eine Frage«, sagte er. »Könnten Sie sich einen Grund denken, warum er ermordet wurde? Etwas, was er gesagt hat oder tat? Ist Ihnen irgendetwas aufgefallen?«

»Nein«, sagte sie. »Nichts. Und ich habe wirklich darüber nachgedacht.«

Wallander sah seine Kollegen an und erhob sich. »Dann wollen wir nicht weiter stören«, sagte er. »Und dies alles bleibt unter uns. Das kann ich versprechen.«

»Dafür bin ich dankbar«, sagte sie. »Ich möchte ungern meine Kunden verlieren.«

Sie verabschiedeten sich. Sie schloss hinter ihnen die Tür, bevor sie die Straße erreicht hatten.

»Was hat das jetzt gebracht?« fragte Svedberg.

Wallander wusste, dass es nur eine Antwort gab. »Es hat uns weder vorangebracht noch zurückgeworfen«, sagte er. »Die Wahrheit über diese beiden Mordermittlungen ist sehr einfach. Wir wissen nichts mit Sicherheit. Wir haben eine Reihe loser Enden. Aber wir haben keine ordentliche Spur. Wir haben nichts.«

Sie saßen schweigend im Wagen. Wallander fühlte sich für einen Augenblick schuldbewusst. Als habe er der ganzen Ermittlung einen Dolchstoß in den Rücken versetzt. Aber dennoch wusste er, dass es die Wahrheit war.

Sie hatten nichts, dem sie nachgehen konnten.

Absolut nichts.

21

In dieser Nacht hatte Wallander einen Traum. Er war wieder in Rom. Er ging mit seinem Vater auf einer Straße, der Sommer war plötzlich vorbei, es war Herbst geworden, römischer Herbst. Sie hatten sich über irgendetwas unterhalten, er wusste nicht mehr, worüber. Plötzlich war der Vater verschwunden. Es war sehr schnell gegangen. Im einen Augenblick hatte er sich noch an seiner Seite befunden, im nächsten war er verschwunden, verschluckt vom Menschengewimmel der Straße.

Er war mit einem Ruck aufgewacht. In der Stille der Nacht war der Traum klar und durchsichtig gewesen. Die Trauer um den Vater, um das Gespräch, das sie begonnen, aber nicht zu Ende geführt hatten. Seinen toten Vater konnte er nicht bedauern. Aber sich selbst, der übrig geblieben war.

Es gelang ihm nicht mehr einzuschlafen. Er sollte auch früh aufstehen.

Als sie am Abend zuvor nach dem Besuch bei Maria Svensson in Sölvestad ins Präsidium zurückgekehrt waren, lag dort eine Mitteilung, dass für Wallander ein Flug um sieben Uhr am folgenden Morgen von Sturup gebucht war, mit Umsteigen in Arlanda und Ankunft in Östersund um 9 Uhr 50. Er hatte den Reiseplan durchgesehen und festgestellt, dass er wählen konnte, ob er den Samstagabend in Svenstavik oder in Gävle verbringen wollte. Am Flugplatz Frösön stand ein Auto für ihn. Er blickte auf die Schwedenkarte, die an der Wand neben der vergrößerten Karte von Schonen hing. Dann suchte er Svedberg und fand ihn schließlich im Gymnastikraum im Untergeschoss. Svedberg ging dort an Freitagabenden in aller Ruhe in die Sauna. Wallander bat ihn um den Gefallen, für den Samstagabend zwei Zimmer in einem guten Hotel in Gävle für ihn zu buchen. Am Tag danach könnte er ihn über sein Mobiltelefon erreichen.

Dann ging er nach Hause. Und als er schlief, kam der Traum zu ihm, von der Straße im herbstlichen Rom.

Um sechs Uhr stand das vorbestellte Taxi vor dem Haus. In Sturup holte er seine Flugscheine ab. Da es Samstagmorgen war, war die Maschine kaum mehr als halb voll. Es war ein kühler Morgen auf dem Flugplatz in Östersund. Der Pilot hatte von einem Grad plus gesprochen. Die Kälte fühlte sich anders an, dachte er auf dem Weg zum Flughafengebäude. Es riecht auch nicht nach Lehm. Er fuhr von Frösön über die Brücke und dachte, dass die Landschaft schön war. Die Stadt ruhte sanft an einem zum Storsjön abfallenden Hang. Er hatte den Weg nach Süden gesucht und ein befreiendes Gefühl dabei empfunden, in einem fremden Auto zu sitzen und durch eine unbekannte Landschaft zu fahren.

Um halb zwölf kam er nach Svenstavik. Von Svedberg hatte er unterwegs erfahren, dass er einen Mann namens Melander aufsuchen sollte. Er war der Mann im Kirchenvorstand, mit dem Anwalt Bjurman verhandelt hatte. Melander wohnte in einem roten Haus neben dem alten Amtsgericht in Svenstavik, das nur noch für die Kurse des Arbeiterbildungsverbands genutzt wurde.

Wallander parkte vor dem ICA-Supermarkt mitten im Zentrum. Es dauerte eine Weile, bis er erkannte, dass das alte Amtsgericht auf der anderen Seite des neugebauten Einkaufszentrums lag. Er ließ den Wagen stehen und ging zu Fuß. Es war bewölkt, regnete aber nicht. Er betrat den Hofplatz des Hauses, in dem Robert Melander wohnen sollte. Ein Elchspitz lag angekettet vor einer Hundehütte. Die Tür stand offen. Wallander klopfte. Niemand antwortete. Da glaubte Wallander, von der Rückseite des Hauses Geräusche zu hören. Er ging um die Giebelseite des gut-erhaltenen und gepflegten Holzhauses herum. Das Grundstück war groß. Es gab einen Kartoffelacker und Johannisbeersträucher. Auf der Rückseite des Hauses stand ein Mann in Stiefeln und sägte Äste von einem gefällten Baum. Als er Wallander bemerkte, hörte er sofort auf und streckte den Rücken. Er war in Wallanders Alter. Er lächelte und legte die Säge zur Seite.

»Ich vermute, dass Sie es sind«, sagte er und streckte die Hand aus. »Der Polizist aus Ystad.«

Sein Dialekt war sehr ausdrucksvoll, dachte Wallander, als er ihn begrüßte.

»Wann sind Sie losgefahren«, fragte Melander. »Gestern Abend?«

»Um sieben heute Morgen ging der Flug«, antwortete Wallander.

»So schnell«, sagte Melander.

»Drinnen wartet Essen«, meinte er dann. »Meine Frau arbeitet in der Sozialpflegezentrale, aber sie hat es vorbereitet.«

»Es ist sehr schön hier«, sagte Wallander.

»Sehr«, antwortete Melander. »Und die Schönheit hält sich. Von Jahr zu Jahr.«

Sie setzten sich an den Küchentisch. Wallander aß mit Appetit. Das Essen war reichlich. Melander war außerdem ein guter Erzähler. Wenn Wallander es richtig verstand, so war er ein Mann, der eine Vielzahl verschiedener Beschäftigungen zu einem Auskommen verband. Unter anderem gab er im Winter Volkstanzkurse. Erst beim Kaffee begann Wallander von seinem Anliegen zu sprechen.

»Es war natürlich auch für uns eine Überraschung«, sagte Melander. 100 000 Kronen sind nicht wenig. Besonders wenn es ein Geschenk von einem Unbekannten ist.«

»Niemand wusste also, wer Holger Eriksson war?«

»Er war vollkommen unbekannt. Ein Autohändler aus Schonen, der erschlagen worden ist. Das war ziemlich sonderbar. Wir von der Kirche haben angefangen, uns zu erkundigen. Wir haben auch dafür gesorgt, dass eine Meldung in die Zeitung kam, mit seinem Namen. Die Zeitung schrieb, dass wir Auskünfte suchten. Aber niemand hat sich gemeldet.«

Wallander hatte daran gedacht, ein Foto von Holger Eriksson einzustecken, das sie in einer seiner Schreibtischschubladen gefunden hatten. Robert Melander studierte das Bild, während er seine Pfeife stopfte. Wallander begann zu hoffen. Doch dann schüttelte Melander den Kopf. »Den Mann kenne ich nicht«, sagte er. »Ich habe ein gutes Gedächtnis für Gesichter. Aber den habe ich nie gesehen. Vielleicht erkennt ihn jemand anders. Aber ich nicht.«

Wallander nahm das Foto wieder an sich.

»Sie sind also wohl vergebens hergekommen«, sagte Melander. »Wir haben viel Geld für die Kirche geschenkt bekommen. Aber wir wissen nicht, warum. Und wir wissen nicht, wer dieser Eriksson war.«

»Es muss eine Erklärung geben«, sagte Wallander.

»Wollen Sie die Kirche sehen?« fragte Melander plötzlich, als wolle er Wallander aufmuntern. Wallander nickte.

»Sie ist schön«, sagte Melander. »Wir haben da geheiratet.«

Sie gingen zur Kirche hinauf und traten in das Kircheninnere ein. Wallander hatte bemerkt, dass die Tür unverschlossen war. Durch die Fenster fiel Licht herein.

»Das ist schön«, sagte Wallander.

»Aber ich glaube nicht, dass Sie besonders religiös sind«, sagte Melander und lächelte.

Wallander antwortete nicht. Er setzte sich in eine der Holzbänke. Melander blieb im Mittelgang stehen. Wallander suchte in seinem Kopf nach einem Weg, auf dem sie weiterkämen. Er wusste, dass es eine Antwort gab. Holger Eriksson würde nie der Kirche in Svenstavik ohne einen Grund ein Geschenk gemacht haben. Und zwar einen starken Grund.

»Holger Eriksson schrieb Gedichte«, sagte Wallander. »Er war das, was man einen Heimatdichter nennt.«

»Solche haben wir hier auch«, sagte Melander. »Wenn ich ehrlich sein soll, ist das, was sie schreiben, nicht immer besonders gut.«

»Er war auch Vogelbeobachter. In den Nächten hielt er nach Zugvögeln Ausschau, die nach Süden flogen. Er sah sie nicht, aber er wusste, dass sie da waren, hoch über ihm. Vielleicht kann man das Rauschen von Tausenden von Flügeln hören?«

»Ich weiß von ein paar Leuten, die einen Taubenschlag haben, aber Ornithologen hatten wir nur eine.«

»Hatten?« fragte Wallander.

Melander setzte sich in die Bank auf der anderen Seite des Ganges. »Das war eine seltsame Geschichte«, sagte er. »Eine Geschichte ohne Schluss.« Er lachte auf. »Fast wie Ihre«, sagte er. »Ihre hat ja auch keinen Schluss.«

»Wir finden den Täter schon«, sagte Wallander. »Meistens jedenfalls. Was war das für eine Geschichte?«

»Mitte der sechziger Jahre kam eine Polin hierher«, sagte Melander. »Woher sie kam, wusste niemand. Sie arbeitete im Pensionat. Mietete ein Zimmer. Hatte wenig Kontakt mit den Leuten hier. Obwohl sie sehr schnell Schwedisch lernte, hatte sie keine Freunde. Später kaufte sie sich ein Haus. In der Gegend Richtung Sveg. Ich war damals ziemlich jung. So jung, dass ich oft dachte, dass sie schön war. Obwohl sie zurückgezogen lebte. Und sie interessierte sich für Vögel. Auf der Post sagten sie, dass sie Karten und Briefe aus ganz Schweden bekam. Ansichtskarten mit Angaben über beringte Uhus und Gott weiß was. Und sie schrieb selbst massenweise Karten und Briefe. Sie verschickte neben der Gemeinde die meiste Post. Im Laden mussten sie extra für sie Ansichtskarten bestellen. Die Motive waren ihr egal. Sie nahmen Ansichtskarten, die woanders nicht verkäuflich waren.«

»Woher wissen Sie das alles?«

»In einem kleinen Ort weiß man viel, ob man will oder nicht«, sagte Melander. »So ist das nun mal.«

»Und was geschah dann?«

»Sie verschwand.«

»Verschwand?«

»Na, wie sagt man: Sie löste sich in Luft auf. War weg.«

Wallander war nicht sicher, ob er richtig verstanden hatte. »Ist sie abgereist?«

»Sie ist eine Menge gereist. Aber sie kam immer zurück. Als sie verschwand, war sie hier. Sie hatte an einem Nachmittag im Oktober einen Spaziergang durch den Ort gemacht. Sie ging viel. Spazierte. Nach dem Tag hat man sie nie wieder gesehen. Es wurde damals viel geschrieben. Sie hatte keine Taschen gepackt. Die Leute fingen an, sich zu wundern, als sie nicht ins Pensionat kam. Sie gingen zu ihr nach Hause. Sie war weg. Sie wurde gesucht. Aber sie blieb weg. Das ist ungefähr fünfundzwanzig Jahre her. Man hat nie irgendwas gefunden.«

»Wie hieß sie?«

»Krista. Haberman mit Nachnamen.«

Wallander erinnerte sich schwach an den Fall. Damals war viel spekuliert worden. »Die schöne Polin«, lautete eine Zeitungsüberschrift, an die er sich erinnerte.

Wallander überlegte. »Sie hat also mit anderen Vogelbeobachtern korrespondiert«, sagte er. »Und hat sie manchmal besucht?«

»Ja.«

»Ich erinnere mich ganz schwach an das Ganze«, sagte er. »Aber gab es nie irgendeinen Verdacht? Dass sie Selbstmord begangen hätte oder einem Verbrechen zum Opfer gefallen wäre?«

»Natürlich gingen viele Gerüchte um. Und ich glaube, dass die Polizisten, die den Fall untersuchten, gute Arbeit geleistet haben. Es waren Leute hier aus der Gegend, die zwischen Gerede und Worten mit Inhalt unterscheiden konnten. Es gab Gerüchte über geheimnisvolle Autos. Dass sie nachts Besuche empfangen hätte. Und es wusste auch keiner, was sie trieb, wenn sie auf ihren Reisen war. Das wurde nie geklärt. Sie verschwand. Und sie ist immer noch verschwunden. Wenn sie noch lebt, ist sie also fünfundzwanzig Jahre älter. Alle werden älter. Auch die Verschwundenen.«

Schon wieder, dachte Wallander. Aus der Vergangenheit taucht etwas auf. Ich reise hierher, um herauszufinden, warum Holger Eriksson der Kirche in Svenstavik Geld vermacht hat. Auf die Frage bekomme ich keine Antwort. Dagegen bekomme ich zu hören, dass es auch hier eine Hobby-Ornithologin gab, eine Frau, die seit über fünfundzwanzig Jahren verschwunden ist. Aber möglicherweise habe ich trotz allem die Antwort auf meine Frage bekommen. Auch wenn ich sie noch nicht verstehe.

»Die Ermittlungsunterlagen liegen bestimmt in Östersund«, sagte Melander. »Sie wiegen sicher viele Kilo.«

Sie verließen die Kirche und gingen zum Einkaufszentrum und zu Wallanders Wagen zurück.

»Wollen Sie weiter?« fragte Melander. »Oder müssen Sie zurück nach Schonen?«

»Ich fahre nach Gävle«, antwortete Wallander. »Wie lange dauert das? Drei, vier Stunden?«

»Eher fünf. Die Straßen sind schneefrei und auch nicht glatt. Es ist gut zu fahren. Aber die Zeit brauchen Sie. Es sind fast vierhundert Kilometer.«

»Ich danke Ihnen für die Hilfe«, sagte Wallander. »Und das gute Essen.«

»Aber auf Ihre Fragen haben Sie keine Antwort gekriegt.«

»Vielleicht doch«, sagte Wallander. »Das wird sich zeigen.«

Sie verabschiedeten sich.

»Wenn Sie mal zu uns runterkommen, müssen Sie reinschauen«, sagte Wallander.

Melander lächelte. Die Pfeife war ausgegangen. »Meine Wege führen meistens nach oben«, sagte er. »Aber man weiß ja nie.«

»Ich wäre Ihnen dankbar, wenn Sie Bescheid sagten«, meinte Wallander zum Schluss, »falls sich noch etwas tut, was erklärt, warum Holger Eriksson der Kirche Geld geschenkt hat.«

Sie schüttelten sich die Hand. Wallander setzte sich in den Wagen und fuhr davon. Im Rückspiegel sah er Melander stehen und ihm nachblicken.

Er fuhr durch endlose Wälder.

Als er Gävle erreichte, war es bereits dunkel. Er suchte das Hotel, das Svedberg ihm genannt hatte, fand ein kleines Restaurant, wo er etwas aß, und ging dann früh zu Bett.

22

Am nächsten Morgen wartete eine Mitteilung von Melander in Svenstavik auf ihn. Er ging auf sein Zimmer und rief ihn an. Melanders Frau war am Apparat. Wallander stellte sich vor und bedankte sich auch gleich für das gute Essen, das er am Tag zuvor bekommen hatte. Dann kam Melander selbst ans Telefon.

»Ich konnte nicht anders gestern Abend, als mir noch ein paar Gedanken zu machen«, sagte er. »Über dies und das. Ich habe auch den alten Postmeister angerufen. Ture Emmanuelsson heißt er. Er konnte bekräftigen, dass Krista Haberman regelmäßig Ansichtskarten aus Schonen bekam, und viele. Aus Falsterbo, meinte er sich zu erinnern. Ich weiß ja nicht, ob das etwas zu bedeuten hat. Aber ich wollte es Ihnen auf jeden Fall sagen. Ihre Vogelpost war groß.«

»Woher wussten Sie, wo ich wohne?« fragte Wallander.

»Ich habe einfach die Polizei in Ystad angerufen und gefragt«, antwortete Melander.

»Skanör und Falsterbo sind bekannte Treffpunkte für Vogelbeobachter«, sagte Wallander. »Das ist die einzige plausible Erklärung dafür, dass sie so viele Karten von dort bekommen hat. Danke, dass Sie sich die Mühe gemacht haben, mich anzurufen.«

»Man macht sich ja seine Gedanken«, sagte Melander. »Warum dieser Autohändler unserer Kirche Geld vermacht.«

»Früher oder später wissen wir die Antwort«, sagte Wallander. »Danke jedenfalls, dass Sie angerufen haben.«

Wallander blieb sitzen, nachdem das Gespräch zu Ende war. Es war noch nicht acht. Er dachte an das, was Melander gesagt hatte, und was ihm nun bevorstand. Er befand sich in Gävle, weil er einen Auftrag hatte. Es waren noch sechs Stunden bis zum Abflug seiner Maschine. Den Mietwagen würde er in Arlanda zurückgeben. Er holte ein paar Papiere, die er in einer Plastikhülle in seiner Tasche hatte. Ann-Britt Höglund hatte geschrieben, er solle als erstes Kontakt mit einem Polizeiinspektor namens Sten Wenngren aufnehmen. Er war den Sonntag über zu Hause und auf Wallanders Anruf vorbereitet. Außerdem hatte sie den Namen des Mannes aufgeschrieben, der in der Zeitung der Söldner annonciert hatte. Er hieß Johan

Ekberg und wohnte in Brynäs. Wallander trat ans Fenster. Das Wetter war mehr als trist. Es hatte zu regnen begonnen, ein kalter Herbstregen. Wallander fragte sich, ob er wohl in Schneeregen übergehen würde. Und er fragte sich, ob der Wagen Winterreifen hatte. Vor allem aber fragte er sich, was er eigentlich hier in Gävle verloren hatte. Mit jedem Schritt, den er tat, schien er sich weiter von einem Zentrum fortzubewegen, das ihm zwar unbekannt war, das es aber doch irgendwo geben musste.

Das Gefühl, dass er etwas übersah, dass er ein grundlegendes Muster im Bild dieses Verbrechens missverstand oder falsch interpretierte, überkam ihn aufs neue. Das Gefühl führte ihn zu der immer gleichen Frage: Warum diese demonstrative Brutalität? Was wollte der Täter mitteilen?

Die Sprache des Mörders. Der Kode, den er noch nicht geknackt hatte.

Er schüttelte sich, gähnte und packte seine Tasche. Da er nicht wusste, worüber er mit Sten Wenngren sprechen sollte, entschied er sich, direkt zu Johan Ekberg zu fahren. Wenn es auch sonst nichts brachte, würde er vielleicht einen Einblick in die dunkle Welt bekommen, in der Soldaten für den Meistbietenden zu haben waren. Er nahm die Tasche und verließ das Zimmer, bezahlte an der Rezeption und erkundigte sich nach dem Weg zur Södra Fältskärnsgatan in Brynäs. Dann fuhr er mit dem Aufzug in die Tiefgarage und machte sich auf den Weg. Irgendwie fühlte er sich plötzlich sehr kraftlos. Wurde er krank? Dann sagte er sich, dass es mit seinem Vater zu tun hatte. Es war eine Reaktion auf alles, was geschehen war. Vielleicht ein Teil der Trauer. Der Versuch, sich nach der dramatischen Veränderung seines Lebens der neuen Situation anzupassen. Es gab keine andere Erklärung. Er reagierte auf den Verlust des Vaters mit wiederkehrenden Anfällen von Kraftlosigkeit.

Der Mann an der Rezeption hatte eine klare und deutliche Wegbeschreibung gegeben. Trotzdem fuhr Wallander von Anfang an falsch. Die Stadt war sonntäglich leer. Wallander hatte das Gefühl, als irre er in einem Labyrinth umher. Er brauchte zwanzig Minuten, um das Haus zu finden. Da war es halb zehn. Er stand vor einem Mietshaus im alten Stadtteil von Brynäs.

Wallander saß im Wagen und betrachtete das Haus. Es regnete. Oktober war der Monat der Trostlosigkeit. Alles wurde grau. Das Herbstlaub verblich.

Einen Moment lang war er drauf und dran, alles aufzugeben und davonzufahren. Er konnte ebenso gut nach Schonen zurückkehren und einen der anderen bitten, diesen Johan Ekberg anzurufen. Oder es selbst tun.

Wenn er jetzt losfuhr, konnte er vielleicht eine frühere Maschine nach Sturup bekommen.

Aber natürlich fuhr er nicht. Es war Wallander noch nie gelungen, den symbolischen Unteroffizier in seinem Inneren zu besiegen, der überwachte, dass er tat, was er tun musste. Er war nicht auf Kosten der Steuerzahler hergekommen, um in einem Auto zu sitzen und in den Regen zu starren. Er stieg aus und überquerte die Straße.

Johan Ekberg wohnte ganz oben. Es gab keinen Aufzug. Aus einer Wohnung drang fröhliche Ziehharmonikamusik. Jemand sang. Wallander blieb stehen und hörte zu. Es war ein schottischer Tanz. Er lächelte vor sich hin. Wer Ziehharmonika spielt, sieht sich nicht blind an dem tristen Regen, dachte er und ging weiter.

Johan Ekbergs Tür hatte eingearbeitete Stahlleisten und ein Extraschloss. Wallander klingelte. Er spürte, dass ihn jemand durch das Guckloch betrachtete. Er klingelte noch einmal, wie um zu signalisieren, dass er nicht aufgeben würde. Die Tür wurde geöffnet. Sie hatte eine Sicherheitskette. Der Flur war dunkel. Der Mann, der sich im Dunkeln abzeichnete, war sehr groß.

»Ich suche Johan Ekberg«, sagte Wallander. »Ich bin Kriminalbeamter und komme aus Ystad. Ich muss mit Ihnen sprechen, falls Sie Ekberg sind. Sie stehen unter keinem Verdacht. Ich benötige nur Auskünfte.«

Die Stimme, die ihm antwortete, war scharf, fast schrill. »Ich rede nicht mit Polizisten. Ob sie aus Gävle kommen oder von woanders.«

Auf einmal war die Kraftlosigkeit verflogen. Wallander reagierte unmittelbar auf die abweisende Haltung des Mannes. Er zog seinen Polizeiausweis hervor und hielt ihn hoch. »Ich arbeite an der Aufklärung von zwei Morden in Schonen«, sagte er. »Sie haben vermutlich in der Zeitung darüber gelesen. Ich bin nicht hergekommen, um vor Ihrer Tür zu stehen und zu diskutieren. Es ist Ihr volles Recht, mich abzuweisen. Aber dann komme ich zurück. Und dann werden Sie gezwungen, mit ins Polizeipräsidium hier in Gävle zu kommen. Sie können wählen, was Ihnen lieber ist.«

»Was wollen Sie wissen?«

»Entweder Sie lassen mich rein, oder Sie kommen hier raus«, sagte Wallander. »Ich rede nicht durch einen Türspalt mit Ihnen.«

Die Tür wurde zugeschlagen. Wurde wieder geöffnet. Die Sicherheitskette war ausgehakt. Eine starke Lampe leuchtete im Flur auf. Sie überraschte Wallander. Sie war bewusst so angebracht, dass sie einem Besucher direkt in die Augen strahlte. Wallander folgte dem Mann, dessen Gesicht er noch nicht gesehen hatte. Sie kamen in ein Wohnzimmer. Wallander blieb in der Tür stehen. Es war, als trete man in eine andere Zeit ein. Der Raum war wie ein Museumszimmer im Stil der fünfziger Jahre ausgestattet. An einer Wand stand eine Jukebox. An den Wänden Filmplakate, James Dean war auf einem davon zu erkennen, aber ansonsten hauptsächlich Motive aus Kriegsfilmen. *Men in Action.* Amerikanische Marinesoldaten kämpften an japanischen Stränden. Auch Waffen hingen da. Bajonette, Schwerter, alte Reiterpistolen. Eine Sitzgruppe aus schwarzem Leder.

Der große Mann, der Johan Ekberg hieß, musterte ihn. Er hatte kurz geschnittenes Haar und hätte einem der Plakate an den Wänden entstiegen sein können. Er trug Khakishorts und ein weißes Unterhemd. An den Armen hatte er Tätowierungen. Die Muskeln wölbten sich. Wallander ahnte, dass er einen Bodybuilder vor sich hatte. Ekbergs Augen waren sehr wachsam. »Was wollen Sie?«

Wallander zeigte fragend auf einen der Sessel. Der Mann nickte. Wallander setzte sich, während Ekberg stehen blieb. Er fragte sich, ob Ekberg überhaupt schon geboren war, als Harald Berggren in seinem widerwärtigen Krieg im Kongo gekämpft hatte. »Wie alt sind Sie?«, fragte er.

»Sind Sie den ganzen Weg von Schonen hochgekommen, um mich das zu fragen?«

Wallander merkte, wie der Mann ihn irritierte. Er versuchte nicht, das zu verbergen. »Unter vielem anderem«, sagte er. »Wenn Sie nicht auf meine Fragen antworten, hören wir auf der Stelle auf. Dann werden Sie ins Präsidium geholt. Fangen wir also noch einmal an«, sagte Wallander. »Wie alt sind Sie?«

»Zweiunddreißig.«

»Ich bin gekommen, um mit Ihnen über schwedische Söldner zu sprechen«, sagte er. »Dass ich mich hier befinde, beruht auf dem Umstand, dass Sie offen Ihr Schild aushängen. Sie annoncieren im ›*Terminator*‹.«

»Das dürfte kaum gesetzwidrig sein. Ich halte auch ›*Combat & Survival*‹ und ›*Soldier of Fortune*‹.«

»Das habe ich auch nicht behauptet. Das Gespräch wird bedeutend schneller zu Ende sein, wenn Sie auf meine Fragen antworten und keine eigenen stellen.«

Ekberg setzte sich und zündete sich eine Zigarette an. Wallander sah, dass er Zigaretten ohne Filter rauchte.

»Schwedische Söldner«, wiederholte Wallander. »Wann hat das alles angefangen? Mit dem Krieg im Kongo Anfang der sechziger Jahre? Begnügen wir uns – sagen wir – mit der Zeit nach dem Zweiten Weltkrieg.«

»Wie Sie wollen. Es gab Schweden, die als Freiwillige in sämtliche Armeen eintraten, die gegeneinander kämpften. Es gab Schweden in deutscher Uniform, russischer Uniform, in japanischer, amerikanischer, englischer und italienischer.«

»Ich stelle mir vor, dass die freiwillige Kriegsteilnahme nicht das gleiche ist, wie Söldner zu sein.«

»Ich spreche vom Kriegswillen«, sagte Ekberg. »Es hat immer Schweden gegeben, die bereit waren, Waffendienst zu leisten.«

Wallander ahnte etwas von der hilflosen Forschheit, die Menschen mit großschwedischen Wahnideen zu prägen pflegte. Er warf einen schnellen Blick über die Wände, um zu sehen, ob ihm vielleicht ein paar Nazisymbole entgangen waren. Aber er fand keine. »Lassen wir die Freiwilligkeit«, sagte er dann. »Söldner. Leute, die sich anwerben lassen.«

»Die Fremdenlegion«, sagte Ekberg. »Das ist der klassische Ausgangspunkt. Da hat es immer Schweden gegeben. Viele liegen in der Wüste begraben.«

»Kongo«, sagte Wallander. »Da beginnt etwas Neues. Stimmt das?«

»Da gab es nicht viele Schweden. Aber einige haben die ganze Zeit auf der Seite Katangas gekämpft.«

»Was für Leute waren das?«

Ekberg sah ihn erstaunt an. »Suchen Sie Namen?«

»Noch nicht. Ich möchte wissen, was für Menschen das waren.«

»Ehemalige Militärs. Manche suchten das Abenteuer. Andere waren überzeugt von der Mission. Der eine oder andere Polizist, der gefeuert worden war.«

»Überzeugt wovon?«

»Vom Kampf gegen den Kommunismus.«

»Haben sie nicht unschuldige Afrikaner getötet?«

Ekberg war plötzlich wieder auf der Hut. »Auf Fragen nach politischen Ansichten brauche ich nicht zu antworten. Ich kenne meine Rechte.«

»Ich bin nicht auf Ihre Ansichten aus. Ich möchte wissen, was das für Leute waren. Und warum sie Söldner wurden.«

Ekberg betrachtete ihn mit seinen wachsamen Augen. »Warum wollen Sie das wissen?« fragte er.

Wallander hatte nichts zu verlieren, indem er mit offenen Karten spielte. »Es kann sein, dass jemand mit einer Vergangenheit unter schwedischen Söldnern zumindest mit einem der Morde zu tun hat. Deshalb stelle ich meine Fragen. Deshalb können Ihre Antworten von Bedeutung sein.«

Ekberg nickte. Er hatte verstanden.

»Was sind Sie von Beruf?« fragte Wallander.

Ekbergs Antwort verblüffte ihn. Was er erwartet hatte, wusste er nicht. Aber kaum das, was Ekberg sagte. »Ich habe eine Beraterfirma, die im personaladministrativen Sektor arbeitet. Ich konzentriere mich darauf, Methoden für Konfliktlösungen zu entwickeln.«

»Das klingt interessant«, sagte Wallander. Er war unsicher, ob Ekberg ihn zum Narren hielt.

»Außerdem habe ich ein Aktienpaket, das sich im Augenblick ganz gut macht. Meine Liquidität ist derzeit stabil.«

Wallander entschied sich dafür, dass Ekberg die Wahrheit sagte. Er kehrte zu den Söldnern zurück. »Wie kommt es, dass Sie sich so für Söldner interessieren?«

»Sie repräsentieren so viel vom Besten in unserer Kultur, das leider im Begriff ist zu verschwinden.«

Wallander fühlte sich sofort unangenehm berührt von Ekbergs Antwort. Am unbegreiflichsten war, dass Ekberg felsenfest überzeugt zu sein schien. Wie konnte das möglich sein, dachte Wallander und fragte sich gleichzeitig, ob auch andere Männer der schwedischen Börse solche Tätowierungen trugen wie Ekberg. War es vorstellbar, dass die Männer des Finanz- und Wirtschaftslebens im Schweden der Zukunft Bodybuilder waren, die echte Jukeboxen in ihren Wohnzimmern hatten?

Wallander kehrte zum Thema zurück. »Wie wurden diese Personen, die in den Kongo fuhren, rekrutiert?«

»Es gab bestimmte Bars in Brüssel. Auch in Paris. Alles ging sehr diskret vor sich. Das tut es übrigens immer noch.«

»Und weshalb werden die Leute Söldner? Weil sie eine Gemeinschaft suchen?«

»Das Geld kommt zuerst. Dann das Abenteuer. Dann die Gemeinschaft. In der Reihenfolge.«

»Die Wahrheit ist also, dass die Söldner für Geld töten?«

Ekberg nickte. »Natürlich ist es so. Söldner sind keine Monster. Es sind Menschen.«

Wallander merkte, wie sein Befremden wuchs. Aber er sah ein, dass Ekberg jedes Wort, das er sagte, auch so meinte. Es war lange her, dass er einen Menschen getroffen hatte, der so überzeugt war. Es gab nichts Monströses an diesen Soldaten, die für die richtige Summe Geld beliebig töteten. Im Gegenteil, es war eine Definition ihrer Menschlichkeit. Laut Ekberg.

Wallander nahm eine Kopie der Fotografie und legte sie auf den Glastisch vor sich. Dann schob er sie Ekberg hinüber. »Sie haben Filmplakate an den Wänden«, sagte er. »Hier haben Sie ein echtes Bild. Im damaligen Belgisch-Kongo aufgenommen. Vor mehr als dreißig Jahren. Bevor Sie geboren waren. Es zeigt drei Söldner, von denen einer Schwede ist.«

Ekberg beugte sich vor und nahm das Foto auf. Wallander wartete. »Kennen Sie einen von den drei Männern?« fragte er dann. Er nannte zwei der Namen. Terry O'Banion und Simon Marchand.

Ekberg schüttelte den Kopf.

»Das brauchen nicht ihre richtigen Namen zu sein. Sondern ihre Söldnernamen.«

»In dem Fall sind das die Namen, die ich kenne«, sagte Ekberg.

»Der Mann in der Mitte ist Schwede«, fuhr Wallander fort.

Ekberg stand auf und verschwand in ein angrenzendes Zimmer. Er kam mit einem Vergrößerungsglas in der Hand zurück. Er studierte das Bild von neuem.

»Er heißt Harald Berggren«, sagte Wallander. »Und seinetwegen bin ich hier.«

Ekberg sagte nichts. Er betrachtete weiter das Bild.

»Harald Berggren«, wiederholte Wallander. »Er schrieb ein Tagebuch über den Krieg damals im Kongo. Kennen Sie ihn? Wissen Sie, wer er ist?«

»Klar weiß ich, wer Harald Berggren ist«, antwortete er.

Wallander fuhr zusammen. Was für eine Antwort er erwartet hatte, wusste er nicht. Jedenfalls nicht die, die er bekam.

»Wo ist er jetzt?«

»Er ist tot. Er ist vor sieben Jahren gestorben.«

Wallander hatte an die Möglichkeit gedacht. Dennoch fühlte er Enttäuschung darüber, dass es so lange her war.

»Wie ist er gestorben?«

»Er beging Selbstmord. Nichts Ungewöhnliches bei Menschen mit großem Mut. Und mit Kampferfahrung in bewaffneten Einheiten unter schwierigen Bedingungen.«

»Warum beging er Selbstmord?«

Ekberg zuckte die Achseln. »Ich glaube, er hatte genug.«

»Genug wovon?«

»Wovon hat man genug, wenn man sich das Leben nimmt? Vom Leben. Von der Langeweile. Vom Überdruss, der einen befällt, wenn man jeden Morgen sein Gesicht im Spiegel sieht.«

»Wie ist es passiert?«

»Er wohnte in Sollentuna, nördlich von Stockholm. Eines Sonntagmorgens steckte er seine Pistole ein und nahm einen Bus bis zur Endstation irgendwo. Da ging er in den Wald und erschoss sich.«

»Und woher wissen Sie das alles?«

»Ich weiß es. Und das bedeutet, dass er kaum mit einem Mord in Schonen zu tun haben kann.«

»Harald Berggren schrieb ein Tagebuch aus dem Kongo. Das haben wir im Safe eines der beiden ermordeten Männer gefunden. Eines Autohändlers, der Holger Eriksson hieß. Sagt Ihnen der Name etwas?«

Ekberg schüttelte den Kopf.

»Könnten Sie sich eine Erklärung dafür denken, wie das Tagebuch da gelandet ist?«

»Nein.«

»Können Sie sich eine Erklärung denken, dass diese zwei Männer sich vor mehr als sieben Jahren kannten?«

»Ich habe Harald Berggren nur ein einziges Mal getroffen. Das war im Jahr, bevor er starb. Ich wohnte damals in Stockholm. Er kam eines Abends zu mir. Er war sehr rastlos. Er erzählte, dass er sein Warten auf einen neuen Krieg damit verbrachte, im Land herumzufahren und einen Monat hier und einen Monat da zu arbeiten. Er hatte ja einen Beruf.«

Wallander sah ein, dass er diese Möglichkeit nicht bedacht hatte. Obwohl es im Tagebuch stand, auf einer der ersten Seiten.

»Sie meinen, dass er Kfz-Mechaniker war?«

Ekberg war zum ersten Mal erstaunt. »Woher wissen Sie das?«

»Es stand im Tagebuch.«

»Ich dachte, dass ein Autohändler vielleicht einen eigenen Mechaniker gebraucht haben kann. Dass Harald Berggren vielleicht durch Schonen gekommen ist und mit diesem Eriksson in Kontakt kam.«

Wallander nickte. Das war natürlich eine Möglichkeit. »War Harald Berggren homosexuell?« fragte Wallander.

Ekberg lachte. »Und wie.«

»Ist das gewöhnlich unter Söldnern?«

»Nicht notwendigerweise. Aber auch nicht ungewöhnlich. Ich nehme an, es kommt auch unter Polizisten vor.«

Wallander antwortete nicht.

»Sie annoncieren im ›*Terminator*‹«, sagte er stattdessen. »Sie bieten Ihre Dienste an. Aber es steht nicht da, worin diese Dienste bestehen.«

»Ich vermittle Kontakte.«

»Was für Kontakte?«

»Verschiedene Arbeitgeber, die interessant sein können.«

»Kriegsaufträge?«

»Manchmal. Leibwachen, Transportschutz. Das wechselt. Wenn ich wollte, könnte ich die schwedischen Zeitungen mit erstaunlichen Geschichten füttern.«

»Aber das tun Sie nicht?«

»Ich habe das Vertrauen meiner Kunden.«

»Ich gehöre nicht der Zeitungswelt an.«

Ekberg hatte sich wieder gesetzt. »Terre'Blanche in Südafrika«, sagte er. »Der Führer der Nazi-Partei unter den Buren. Er hat zwei schwedische Leibwächter. Nur als Beispiel. Aber wenn Sie das öffentlich behaupten, werde ich es natürlich abstreiten.«

»Ich werde nichts behaupten«, sagte Wallander.

Er hatte nichts mehr zu fragen. Was die Antworten, die er von Ekberg bekommen hatte, wirklich bedeuteten, wusste er noch nicht. Wallander verabschiedete sich.

Als er auf die Straße kam, war der Regen mit Schnee vermischt. Es war elf Uhr. Er hatte nichts mehr in Gävle zu tun. Er setzte sich in den Wagen. Harald Berggren hatte Holger Eriksson nicht getötet, und natürlich auch nicht Gösta Runfelt. Was vielleicht eine Spur hätte sein können, löste sich in Nichts auf.

Wir müssen wieder von vorn anfangen, dachte Wallander. Wir müssen zum Ausgangspunkt zurückkehren. Wir vergessen Schrumpfköpfe und Tagebücher. Was sehen wir dann? Es muss möglich sein, Harald Berggren unter Holger Erikssons früheren Angestellten zu finden. Wir dürften auch als gesichert ansehen, dass er homosexuell war.

Die oberste Schicht der Ermittlung ergab nichts.

Wir müssen tiefer graben.

Wallander ließ den Motor an. Er fuhr auf dem kürzesten Weg nach Arlanda. Um zwei Uhr saß er in der Abflughalle und wartete auf seine Maschine. Er blätterte zerstreut in einer Abendzeitung, die jemand liegen gelassen hatte. Der Schneeregen hatte nördlich von Uppsala aufgehört.

Die Maschine startete pünktlich. Wallander saß am Gang. Er schlief ein, sobald sie abgehoben hatte. Als er Druck auf den Ohren spürte, weil sie zum Landeanflug auf Sturup angesetzt hatte, wurde er wach. Er würde ein Taxi nach Ystad nehmen. Aber als er aus der Maschine stieg und zum Ausgang ging, entdeckte er plötzlich Martinsson. Es musste etwas passiert sein.

Nicht noch einer, dachte er.

Alles, nur das nicht.

Martinsson hatte ihn entdeckt.

»Was ist passiert?« fragte Wallander.

»Du musst dein Mobiltelefon eingeschaltet lassen«, sagte Martinsson. »Man kriegt dich ja nicht zu fassen.«

Wallander wartete. Er hielt den Atem an. »Wir haben Gösta Runfelts Koffer gefunden«, sagte er.

»Wo?«

»Er lag notdürftig versteckt an der Straße nach Höör.«

»Wer hat ihn gefunden?«

»Jemand, der angehalten hat, um zu pinkeln. Er hat den Koffer gesehen und aufgemacht. Es lagen Papiere darin mit Runfelts Namen. Er hatte von dem Mord gelesen und rief direkt an. Nyberg ist jetzt da.«

»Gut«, dachte Wallander. »Immerhin eine Spur.«

»Dann lass uns hinfahren«, sagte er.

»Musst du erst nach Hause?«

»Nein«, sagte Wallander. »Wenn ich eins nicht muss, dann das.«

Sie gingen zu Martinssons Wagen.

Plötzlich spürte Wallander, dass er es eilig hatte.

23

Der Koffer lag noch da, wo er gefunden worden war.

Nyberg war damit beschäftigt, Spuren am Fundplatz zu sichern. Einer seiner Assistenten hielt seine Krücke, während er auf dem Boden kniete und an etwas herumstocherte. Er blickte auf, als Wallander kam. »Wie war Norrland?« fragte er.

»Ich habe keinen Koffer gefunden«, antwortete Wallander. »Aber schön ist es. Und sehr kalt.«

»Mit ein bisschen Glück können wir genau sagen, wie lange der Koffer hier gelegen hat«, sagte Nyberg. »Ich nehme an, das könnte eine wichtige Information sein.«

Der Koffer war geschlossen. Wallander sah keinen Adressenanhänger. Auch keinen Reklameaufkleber von Specialresor. »Habt ihr mit Vanja Andersson gesprochen?« fragte er.

»Sie war schon hier«, antwortete Martinsson. »Sie hat den Koffer erkannt. Außerdem haben wir ihn geöffnet. Zuoberst lag Gösta Runfelts verschwundenes Nachtglas. Also das ist sein Koffer.«

Wallander versuchte nachzudenken. Die Stelle, an der sie sich befanden, lag etwa in der Mitte zwischen den beiden Tatorten. Sie befanden sich sehr nah an allem, dachte er. In einem unsichtbaren Mittelpunkt.

Nyberg hatte Recht damit, dass es eine große Hilfe für sie wäre, zu wissen, wie lange der Koffer hier gelegen hatte, bevor er gefunden wurde.

»Wann können wir ihn mitnehmen?« fragte er.

»In einer Stunde habt ihr ihn in Ystad. Ich bin bald klar hier«, erwiderte Nyberg.

Wallander nickte Martinsson zu. Sie gingen zu seinem Wagen. Wallander hatte während der Fahrt vom Flugplatz berichtet, dass seine Reise in einem wichtigen Punkt Klarheit gebracht hatte, sie aber in Bezug auf andere Fragestellungen nicht weiterbrachte. Warum Holger Eriksson der Kirche in Jämtland Geld hinterlassen hatte, war noch immer ein Rätsel. Dagegen wussten sie jetzt, dass Harald Berggren tot war. Wallander war sicher, dass Ekberg die Wahrheit gesagt hatte und dass er wusste, wovon er sprach. Berggren konnte nicht direkt mit Holger Erikssons Tod zu tun haben. Sie würden stattdessen herausfinden, ob er bei Eriksson gearbeitet hatte. Aber sie könnten nicht damit rechnen, dass sie das wirklich weiterbrachte.

Sie fuhren zurück nach Ystad.

»Vielleicht hat Holger Eriksson vorübergehend arbeitslose Söldner beschäftigt«, sagte Martinsson. »Vielleicht kam jemand nach Harald Berggren, der kein Tagebuch geschrieben hat. Aber der plötzlich auf die Idee kam, ein Pfahlgrab für Eriksson zu graben. Aus dem einen oder anderen Grund.«

»Das ist natürlich eine Möglichkeit«, sagte Wallander zögernd. »Aber wie erklären wir das mit Gösta Runfelt?«

»Die Erklärung haben wir noch nicht. Vielleicht sollten wir uns auf den konzentrieren.«

Martinsson saß eine Weile schweigend. Sie fuhren durch Sövestad. »Warum landet Runfelts Koffer an dieser Straße?« fragte er plötzlich. »Wenn er in eine andere Richtung unterwegs ist? Nach Kopenhagen. Marsvinsholm liegt auf der richtigen Seite, wenn er nach Kastrup wollte. Was hat sich da eigentlich abgespielt?«

»Das würde ich auch gern wissen«, sagte Wallander. Ihm fiel ein, dass er noch immer nicht gehört hatte, ob Runfelt an dem Morgen, an dem er abreisen wollte, ein Taxi bestellt hatte.

»Hansson hat mit der Taxizentrale gesprochen. Runfelt hatte für fünf Uhr früh einen Wagen bestellt. Er sollte nach Malmö fahren. Aber bei der Zentrale ist die Bestellung nachher als Fehltour eingetragen worden. Der Fahrer wartete. Dann riefen sie bei Runfeldt an, weil sie dachten, er hätte verschlafen. Sie bekamen keine Antwort. Dann fuhr der Wagen wieder weg. Hansson sagte, dass die Person, mit der er gesprochen habe, sehr exakt Auskunft über den Hergang gegeben habe.«

»Es scheint ein gut geplanter Überfall gewesen zu sein«, sagte Wallander.

»Das deutet auf mehr als eine Person hin«, sagte Martinsson. »Die auch ganz genau Runfelts Pläne kannte. Dass er früh am Morgen verreisen wollte. Wer konnte davon wissen?«

»Die Liste ist begrenzt. Und die haben wir. Ich glaube, Ann-Britt Höglund hat sie gemacht. Anita Lagergren im Reisebüro wusste davon, seine Kinder. Die Tochter wusste nur das Datum, nicht die Uhrzeit. Aber sonst kaum einer.«

»Vanja Andersson?«

»Sie glaubte, es zu wissen. Aber das tat sie nicht.«

Wallander schüttelte langsam den Kopf. »Es wusste noch jemand davon. Der fehlt auf unserer Liste. Und den suchen wir.«

»Wir haben Runfelts Klientenkartei durchgesehen. Insgesamt haben wir herausgefunden, dass er über die Jahre ungefähr vierzig Nachforschungsaufträge hatte, oder wie man das nun nennt. Mit anderen Worten nicht besonders viele. Vier pro Jahr. Aber wir können kaum von der Möglichkeit absehen, dass die Person, die wir suchen, sich darunter befindet.«

»Wir müssen das untersuchen«, antwortete Wallander. »Das wird mühsam. Aber du kannst natürlich Recht haben.«

Sie näherten sich Ystad. Es war halb sechs.

»Sie wollen offenbar den Blumenladen verkaufen«, sagte Martinsson. »Die Kinder sind sich einig. Sie haben Vanja Andersson gefragt, ob sie ihn übernehmen will. Aber es ist fraglich, ob sie das Geld hat.«

»Wer hat das erzählt?«

»Bo Runfelt hat angerufen. Er wollte wissen, ob er und seine Schwester nach der Beerdigung Ystad verlassen könnten.«

»Wann ist die?«

»Mittwoch.«

»Lass sie fahren«, sagte Wallander. »Wir melden uns bei ihnen, wenn es notwendig wird.«

Sie bogen auf den Parkplatz vor dem Präsidium ein.

»Ich habe mit der Werkstatt in Älmhult gesprochen«, sagte Martinsson. »Der Wagen ist Mitte nächster Woche fertig. Leider sieht es so aus, als würde das Ganze ziemlich teuer. Das hast du wohl gewusst? Aber er hat zugesagt, dass sie das Auto hierherbringen.«

Hansson saß bei Svedberg, als sie kamen. Wallander gab ein kurz gefasstes Referat über seine Reise. Hansson war stark erkältet. Wallander schlug ihm vor, nach Hause zu gehen.

»Lisa Holgersson ist auch krank«, sagte Svedberg. »Sie hat offenbar Grippe.«

»Ich bin nur erkältet«, sagte Hansson. »Morgen bin ich hoffentlich wieder fit.«

»Ann-Britt Höglunds Kinder sind beide krank«, sagte Martinsson. »Aber ihr Mann soll, glaube ich, morgen nach Hause kommen.«

Wallander verließ den Raum. Er bat die Kollegen, ihm Bescheid zu sagen, wenn der Koffer käme. Er wollte sich hinsetzen und einen Bericht über seine Reise schreiben. Vielleicht auch die Quittungen für die Reisekostenabrechnung zusammenstellen. Aber auf dem Weg zu seinem Zimmer besann er sich eines anderen und ging zurück. »Kann mir einer ein Auto leihen?« fragte er. »Ich bin in einer halben Stunde zurück.«

Gleich mehrere Autoschlüssel wurden ihm hingehalten. Er nahm Martinssons.

Es war dunkel, als er zur Västra Vallgatan fuhr. Der Himmel war wolkenlos. Die Nacht würde kalt werden. Vielleicht Minusgrade. Er parkte vor dem Blumengeschäft. Ging die Straße entlang zu dem Haus, in dem Runfelt gewohnt hatte. Er sah, dass Licht brannte. Er nahm an, dass es Runfelts Kinder waren, die die Wohnung ausräumten. Die Polizei hatte sie freigegeben.

Er war vor Runfelts Haustür stehen geblieben. Die Straße war menschenleer. Er hatte das Bedürfnis, sich den Hergang auszumalen. Er stellte sich vor die Haustür und blickte sich um. Dann ging er hinüber auf die andere Straßenseite und tat das gleiche. *Runfelt befindet sich auf der Straße. Der Zeitpunkt ist noch unklar. Er kann am Abend oder in der Nacht aus der Haustür gekommen sein. Da hatte er seinen Koffer nicht bei sich. Etwas anderes hat ihn bewogen, die Wohnung zu verlassen. Wenn er dagegen am Morgen aus der Tür gekommen ist, hatte er seinen Koffer bei sich. Die Straße ist leer. Er stellt den Koffer auf den Bürgersteig. Von welcher Seite kommt das Taxi? Wartet er vor der Haustür, oder geht er über die Straße? Etwas geschieht. Runfelt und sein Koffer verschwinden. Der Koffer wird an der Straße nach Höör gefunden. Runfelt selbst hängt tot an einen Baum gebunden in der Nähe von Marsvinsholm.* Wallander betrachtete die Eingänge links und rechts des Hauses. Keiner davon war so tief, dass ein Mensch sich darin verstecken konnte. Er betrachtete die Straßenlaternen. Die, die Gösta Runfelts Haustür beleuchteten, waren intakt. Ein Auto, dachte er. Ein Auto hat hier gestanden, direkt vor der Haustür. Runfelt kommt auf die Straße. Jemand steigt aus. Wenn Runfelt Angst bekommen hätte, müsste er sich durch Geräusche bemerkbar gemacht haben. Das hätte der aufmerksame Nachbar gehört. Wenn es ein unbekannter Mensch ist, war Runfelt vielleicht nur erstaunt. Der Mann ist auf Runfelt zugegangen. Hat er ihn niedergeschlagen? Ihn bedroht? Wallander dachte an Vanja Anderssons Reaktion draußen im Wald. Runfelt war in der kurzen Zeit seines Verschwindens stark abgemagert. Wallander war überzeugt davon, dass dies von der Gefangenschaft herrührte. Aushungern. Mit Gewalt, bewusstlos oder unter Drohungen ist Runfelt zu dem Auto gebracht worden. Dann ist er verschwunden. Der Koffer wird an der Straße nach Höör gefunden. Direkt am Straßenrand.

Wallanders erster Eindruck, als er an den Fundort kam, war gewesen, dass der Koffer dort abgelegt worden war, um gefunden zu werden.

Wieder dieser demonstrative Moment.

Wallander ging zurück zur Haustür. Fing noch einmal von vorn an. *Runfelt kommt auf die Straße. Er will eine Reise machen, auf die er sich freut. Er will nach Afrika fliegen, um Orchideen anzusehen.*

Wallander wurde in seinem Gedankengang durch ein vorbeifahrendes Auto unterbrochen.

Er begann, vor der Haustür auf und ab zu gehen. Er dachte an die Möglichkeit, dass Runfelt vor zehn Jahren seine Frau getötet hatte. Ein Loch im Eis vorbereitet hatte und sie einbrechen ließ. Er war ein brutaler Mensch gewesen. Hatte die Mutter seiner Kinder misshandelt. Nach außen ist er ein freundlicher Blumenhändler mit einer Leidenschaft für Orchideen. Und jetzt will er nach Nairobi fliegen. Alle, die in den Tagen vor seiner Abreise mit ihm gesprochen haben, bezeugen einstimmig seine aufrichtige Vorfreude. Ein freundlicher Mann und ein Monster zugleich.

Wallander dehnte seinen Spaziergang bis zum Blumenladen aus. Dachte an den Einbruch. Den Blutfleck auf dem Fußboden. Zwei oder drei Tage nachdem Runfelt zuletzt gesehen worden ist, bricht jemand ein. Nichts wird gestohlen. Nicht einmal eine Blume. Auf dem Fußboden ist Blut.

Wallander schüttelte resigniert den Kopf. Da war etwas, was er nicht sah. Eine Schicht verdeckte die andere. Gösta Runfelt, Orchideenliebhaber und Monstrum. Holger Eriksson, Vogelbeobachter, Dichter und Autohändler. Auch er umgeben von dem Ruf, brutal mit anderen Menschen umgegangen zu sein.

Die Brutalität vereint sie, dachte Wallander.

Richtiger gesagt, die verborgene Brutalität. In Runfelts Fall klarer als in Erikssons. Aber es gibt Ähnlichkeiten.

Wallander merkte, dass er nicht weiterkam. Aber eins war vollkommen klar: Was vor Runfelts Haustür geschehen war, war sorgfältig geplant gewesen. Von jemandem, der wusste, dass Runfelt nach Nairobi reisen wollte.

Wallander fuhr zurück zum Polizeipräsidium. Er sah Nybergs Wagen schlampig geparkt vor dem Eingang. Also war der Koffer gekommen.

Sie hatten eine Plastikfolie auf dem Tisch ausgebreitet und den Koffer daraufgestellt. Das Schloss war noch nicht aufgeklappt. Nyberg trank mit Svedberg und Hansson Kaffee. Wallander sah, dass sie auf ihn gewartet hatten. Martinsson telefonierte. Wallander hörte, dass er mit einem seiner Kinder sprach. Er gab ihm den Wagenschlüssel.

»Wie lange hat der Koffer da draußen gelegen?« fragte er.

Nybergs Antwort überraschte ihn. Er hatte mit etwas anderem gerechnet.

»Höchstens ein paar Tage«, sagte Nyberg. »Auf keinen Fall länger als drei.«

»Er ist mit anderen Worten ziemlich lange an einem anderen Ort aufbewahrt worden«, sagte Hansson.

»Das wirft eine andere Frage auf«, sagte Wallander. »Warum will der Täter ihn erst jetzt loswerden?«

Keiner hatte eine Antwort. Nyberg streifte sich ein Paar Plastikhandschuhe über und öffnete das Schloss. Er wollte gerade das Kleidungsstück herausnehmen, das zuoberst lag, als Wallander ihn bat, zu warten. Er beugte sich über den Tisch. Was seine Aufmerksamkeit erregt hatte, wusste er nicht. »Haben wir ein Foto hiervon?« fragte er.

»Nicht von dem offenen Koffer«, antwortete Nyberg.

»Mach eins«, sagte Wallander. Er war überzeugt davon, dass etwas an der Art, wie der Koffer gepackt war, ihn aufmerken ließ. Er konnte nur nicht auf Anhieb sagen, was es war.

Nyberg verließ das Zimmer und kam mit einer Kamera zurück. Weil sein Fuß schmerzte, gab er Svedberg Anweisung, auf einen Stuhl zu steigen und die Bilder zu machen.

Danach packten sie den Koffer aus. Wallander sah einen Mann vor sich, der mit leichtem Gepäck nach Afrika hatte reisen wollen. In dem Koffer waren keine unerwarteten Gegenstände oder Kleidungsstücke. In einem Seitenfach fanden sie seine Reiseunterlagen. Außerdem eine größere Summe in Dollarnoten. Am Boden des Koffers lagen Notizbücher, Literatur über Orchideen und eine Kamera. Sie standen still und betrachteten die Gegenstände.

Wallander betrachtete den leeren Koffer. Er entdeckte, dass etwas im Futter des Deckels festgeklemmt war. Nyberg machte es los. Es war eine blaue Plastikklemme für Namensschildchen. »Gösta Runfelt hat vielleicht Kongresse besucht«, schlug Nyberg vor.

»In Nairobi wollte er auf eine Fotosafari«, sagte Wallander. Sie kann natürlich von einer früheren Reise stammen.« Er nahm eine Papierserviette vom Tisch und fasste damit die Nadel auf der Rückseite an. Er hielt sie nah an seine Augen. Da spürte er den Duft von Parfüm. Er wurde nachdenklich. Er hielt sie Svedberg hin, der neben ihm stand.

»Weißt du, wonach das riecht?«

»Rasierwasser?«

Wallander schüttelte den Kopf. »Nein«, sagte er. »Das ist Parfüm.«

Sie rochen der Reihe nach. Hansson verzichtete wegen seiner Erkältung. Sie waren sich einig, dass es nach Parfüm roch. Frauenparfüm. Wallander wurde immer nachdenklicher. Er hatte auch das Gefühl, diese Klemme zu kennen.

»Wer hat schon einmal so eine Klemme gesehen?« fragte er.

Martinsson hatte die Antwort. »Ist das nicht so eine, wie sie das Landsting von Malmöhus längst benutzt?« sagte er. »Alle, die im Krankenhaus arbeiten, haben diesen Typ.«

Wallander gab ihm Recht. »Da stimmt was nicht«, sagte er. »Eine Plastikklemme, die nach Parfüm riecht, liegt in Gösta Runfelts für die Afrikareise gepacktem Koffer.«

Im selben Augenblick kam er darauf, was ihn beim Öffnen des Kofferdeckels hatte stutzen lassen. »Ich möchte, dass Ann-Britt Höglund herkommt«, sagte er. »Kranke Kinder her oder hin. Vielleicht kann ihre fantastische Nachbarin eine halbe Stunde einspringen. Die Rechnung übernimmt die Polizei.«

Martinsson rief an. Das Gespräch war sehr kurz. »Sie kommt«, sagte er.

»Warum willst du sie kommen lassen?« fragte Hansson.

»Ich will nur, dass sie etwas mit diesem Koffer macht«, sagte er. »Nichts sonst.«

»Sollen wir die Sachen wieder einpacken?« fragte Nyberg.

»Genau das wollen wir nicht«, sagte Wallander. »Deshalb soll sie herkommen. Um den Koffer zu packen.«

Sie sahen ihn fragend an. Aber keiner sagte etwas. Hansson schniefte. Nyberg setzte sich und ruhte seinen schmerzenden Fuß aus. Martinsson verschwand in sein Zimmer, vermutlich um zu Hause anzurufen. Wallander verließ den Sitzungsraum und trat vor eine Wandkarte von Ystads Polizeidistrikt. Er folgte den Straßen zwischen Marsvinsholm, Lödinge und Ystad. Irgendwo gibt es immer ein Zentrum, dachte er. Ein Berührungspunkt zwischen verschiedenen Ereignissen hat auch in der Wirklichkeit eine Entsprechung. Dass ein Verbrecher zum Ort des Verbrechens zurückkehrt, ist nur sehr selten richtig. Dagegen passiert ein Täter häufig den gleichen Punkt mindestens zweimal, wenn nicht öfter.

Ann-Britt Höglund kam eilig den Korridor entlang. Wie üblich bekam Wallander ein schlechtes Gewissen, weil er sie gebeten hatte zu kommen. Er verstand jetzt besser, welche Probleme sie damit hatte, so oft mit ihren zwei Kindern allein zu sein. Diesmal glaubte er jedoch, einen guten Grund dafür zu haben, dass er sie herholte.

»Ist was passiert?« fragte sie.

»Du weißt, dass wir Gösta Runfelts Koffer gefunden haben?«

»Ich habe es gehört.«

Sie gingen ins Sitzungszimmer.

»Was hier auf dem Tisch liegt, war in dem Koffer«, sagte Wallander. »Ich möchte, dass du ein Paar Handschuhe anziehst und alles einpackst.«

»In einer bestimmten Weise?«

»So, wie es für dich natürlich ist. Du hast mir einmal erzählt, dass du deinem Mann immer die Koffer packst. Du bist es, mit anderen Worten, gewohnt.«

Sie tat, was er sagte. Wallander war ihr dankbar, dass sie keine Fragen stellte. Sie sahen ihr zu. Gewohnt und bestimmt wählte sie die Gegenstände und packte den Koffer. Dann trat sie einen Schritt zurück.

»Soll ich den Deckel zumachen?«

»Nicht nötig.«

Sie standen um den Tisch und betrachteten das Resultat. Es war, wie Wallander geahnt hatte.

»Woher wusstest du, wie Runfelt seinen Koffer gepackt hatte?« wollte Martinsson wissen.

»Wir warten mit den Kommentaren«, sagte Wallander. »Ich habe einen Verkehrspolizisten im Essraum gesehen. Holt ihn her.«

Der Verkehrspolizist, Laurin, kam ins Zimmer. Inzwischen hatten sie den Koffer wieder geleert. Wallander bat ihn, ein Paar Plastikhandschuhe anzuziehen und die Gegenstände auf dem Tisch in den Koffer zu packen. Auch Laurin stellte keine Fragen. Wallander sah, dass er nicht nachlässig war, sondern die Kleidungsstücke sorgsam behandelte. Als er fertig war, dankte Wallander ihm, und er ging wieder.

»Völlig anders«, sagte Svedberg.

»Ich will nicht unbedingt etwas beweisen«, sagte Wallander. »Ich glaube auch nicht, dass das geht. Aber als Nyberg den Kofferdeckel aufklappte, hatte ich das Gefühl, dass da etwas nicht stimmt. Ich habe immer den Eindruck gehabt, dass Männer und Frauen unterschiedlich packen. Und mein Eindruck war, dass dieser Koffer von einer Frau gepackt worden ist.«

»Vanja Andersson?« schlug Hansson vor.

»Nein«, erwiderte Wallander. »Nicht sie. Gösta Runfelt hat den Koffer selbst gepackt. Da können wir ganz sicher sein.«

Ann-Britt Höglund begriff als erste, worauf er hinaus wollte. »Du meinst also, dass er nachher neu gepackt wurde? Von einer Frau?«

»Ich meine nichts Bestimmtes. Aber ich versuche, laut zu denken. Der Koffer hat ein paar Tage draußen gelegen. Gösta Runfelt war entschieden länger verschwunden. Wo war der Koffer in der Zeit? Das kann im Übrigen einen eigentümlichen Mangel an seinem Inhalt erklären.«

Keiner außer Wallander hatte vorher daran gedacht. Aber jetzt verstanden alle, was er meinte.

»In dem Koffer sind keine Unterhosen«, sagte Wallander. »Ich finde es komisch, dass Gösta Runfelt auf eine Afrikareise gehen will, ohne eine einzige Unterhose einzupacken.«

»Das hat er also bestimmt nicht getan«, sagte Hansson.

»Was wiederum darauf schließen lässt, dass jemand den Koffer umgepackt hat«, sagte Martinsson. »Beispielsweise eine Frau. Und dabei verschwindet Runfelts gesamte Unterwäsche.«

Wallander spürte die Spannung im Raum. »Noch etwas«, sagte er langsam. »Aus irgendeinem Grund sind Runfelts Unterhosen verschwunden. Aber gleichzeitig ist ein fremder Gegenstand in dem Koffer gelandet.«

Er zeigte auf die blaue Plastikklemme. Ann-Britt Höglund hatte noch die Handschuhe an.

»Riech da mal dran«, sagte Wallander.

Sie tat, was er sagte. »Ein diskretes weibliches Parfüm«, war ihre Reaktion.

Es war still im Raum. Zum ersten Mal hielten die Ermittler den Atem an.

Schließlich brach Nyberg das Schweigen. »Soll das besagen, dass eine Frau in all diese Abscheulichkeiten verwickelt ist?«

»Wir können das auf jeden Fall nicht mehr ausschließen«, gab Wallander zurück. »Auch wenn nichts direkt dafür spricht. Außer diesem Koffer.«

Es wurde wieder still. Lange.

Es war halb acht geworden. Sonntag, der 16. Oktober.

Kurz nach sieben war sie zur Eisenbahnbrücke gekommen. Es war kalt. Sie bewegte die ganze Zeit die Füße, um sie warm zu halten. Es würde noch dauern, bis der Mann kam, auf den sie wartete. Mindestens eine halbe Stunde. Aber sie kam stets sehr früh. Mit Schaudern erinnerte sie sich an die Gelegenheiten in ihrem Leben, als sie zu spät gekommen war. Als sie Menschen hatte warten lassen. Als sie Räume betreten hatte, wo Menschen sie angestarrt hatten.

Sie war vollkommen ruhig. Der Mann, der bald unter der Brücke durchgehen würde, war ein Mann, der es nicht verdiente zu leben. Sie konnte ihn nicht hassen. Hassen konnte die Frau, der so übel mitgespielt worden war. Sie stand hier im Dunkeln und wartete nur darauf, das Notwendige zu tun.

Sie hatte den Beschluss gefasst, dass es sofort geschehen musste. Sie war auch nicht im Zweifel darüber gewesen, wie es vor sich gehen sollte. Die Frau, die von ihrem Leben erzählt hatte und die ihr schließlich seinen Namen verriet, hatte von einer mit Wasser gefüllten Badewannne erzählt. Wie es sich anfühlte, unter Wasser gepresst zu werden und fast zu ersticken, von innen heraus zersprengt zu werden.

Sie hatte sich nach dem letzten Augenblick im Leben ihrer Mutter gefragt. Die algerische Polizistin, Françoise Bertrand, hatte geschrieben, dass alles sehr schnell gegangen sei. Sie könne nicht gelitten haben. Es könne ihr kaum bewusst geworden sein, was mit ihr geschah. Aber woher wollte sie das wissen? Hatte sie trotz allem versucht, einen Teil der Wahrheit zu verschweigen, der allzuschwer zu ertragen war?

Sie sah auf ihre Uhr. Merkte, dass einer der Schnürsenkel ihrer Turnschuhe aufging. Sie beugte sich nieder und knotete ihn. Fest. Ihre Finger waren stark. Der Mann, auf den sie wartete und den sie in den letzten Tagen überwacht hatte, war klein und fett. Er würde ihr keine Probleme bereiten. Das Ganze würde in einem Augenblick vorüber sein.

Ihr Auto stand auf der anderen Seite der Eisenbahnbrücke. Obwohl sie sich mitten in Lund befanden, war der Verkehr spärlich. Sie fühlte sich bereit. Nichts würde schiefgehen.

Dann erblickte sie den Mann, auf den sie wartete. Er näherte sich auf ihrer Seite der Straße. Irgendwo hörte sie ein Auto. Sie krümmte sich, als habe sie Bauchschmerzen. Der Mann blieb neben ihr stehen. Er fragte, ob ihr unwohl sei. Statt zu antworten, sank sie auf die Knie. Er tat, was sie erwartet hatte. Trat dicht an sie heran und beugte sich nieder. Sie sagte, ihr sei plötzlich übel geworden. Konnte er ihr zu ihrem Auto helfen? Es stand ganz in der Nähe. Er nahm sie unter den Arm. Sie machte sich schwer. Er musste sich anstrengen, um sie aufrecht zu halten. Genau das, womit sie gerechnet hatte. Seine Körperkraft war begrenzt. Er stützte sie auf dem Weg zum Auto. Fragte, ob sie weitere Hilfe brauche. Aber sie verneinte. Er öffnete ihr die Tür. Sie streckte schnell die Hand zu dem Lappen aus. Damit der Äther nicht so schnell verdunstete, hatte sie ihn in eine Plastiktüte gewickelt. Sie brauchte nur ein paar Sekunden, um ihn herauszuholen. Die Straße war immer noch menschenleer. Sie drehte sich schnell um, presste den Lappen fest gegen sein Gesicht. Er wehrte sich, aber sie war stärker. Als er zusammensackte, hielt sie ihn mit einem Arm, während sie die hintere Tür öffnete. Es war nicht schwer, ihn hineinzustoßen. Sie setzte sich auf den Vordersitz. Ein Auto fuhr vorüber, kurz darauf ein Radfahrer. Sie beugte sich nach hinten zur Rückbank und drückte den Lappen gegen sein Gesicht. Dann war er bewusstlos. In der Zeit, die sie brauchte, um zum See zu fahren, würde er nicht aufwachen.

Sie fuhr über Svaneholm und Brodda zum See. Bei dem kleinen verlassenen Campingplatz am Strand bog sie ein. Schaltete das Licht aus und stieg aus dem Wagen. Lauschte. Es war ganz still. Die Wohnwagen standen verlassen. Sie zog den bewusstlosen Mann aus dem Wagen auf die Erde. Dann holte sie den Sack aus dem Kofferraum. Die Gewichte schlugen an ein paar Steine. Es dauerte länger, als sie berechnet hatte, ihn in den Sack zu stecken und diesen zu verschnüren.

Er war immer noch bewusstlos. Sie zog den Sack auf den kleinen Steg, der ins Wasser hinausführte. Nicht weit entfernt flatterte ein Vogel in der Dunkelheit vorüber. Sie zog den Sack ans äußerste Ende des Stegs. Jetzt stand ihr nur noch eine kurze Zeit des Wartens bevor. Sie zündete eine Zigarette an. Im Licht der Glut betrachtete sie ihre Hand. Sie war ruhig. Nach ungefähr zwanzig Minuten kam der Mann im Sack langsam wieder zu Bewusstsein. Er bewegte sich darin.

Sie dachte an das Badezimmer. Was die Frau erzählt hatte. Und sie erinnerte sich an die Katzen, die ertränkt wurden, als sie klein war. Sie trieben in Säcken davon, noch immer lebend, verzweifelt kämpfend, um zu atmen und zu überleben.

Er begann zu rufen. Jetzt zerrte er an dem Sack. Die Zigarette hatte sie auf dem Steg ausgedrückt.

Sie stieß den Sack mit einem Fuß ins Wasser und ging davon.

24

Sie tagten, bis der Sonntag in den Montag übergegangen war.

Sie gingen alles durch, was bis zu diesem Zeitpunkt geschehen war, wobei sie voraussetzten, dass nichts von der Arbeit, die sie bisher getan hatten, als vergeudete Mühe betrachtet werden konnte. Ihrer Rückbesinnung lag auch das gemeinsame Bedürfnis zugrunde, Blicke nach rechts und links zu werfen, bei einzelnen Details zu verweilen und zu hoffen, dass sie etwas bis dahin Übersehenes entdeckten.

Aber sie fanden nichts, was ihnen das Gefühl gab, den Durchbruch geschafft zu haben. Noch immer waren die Ereignisse dunkel, ihr Zusammenhang unklar, die Motive unbekannt. Um Viertel nach zwölf setzte Wallander den Schlusspunkt. Sie verabredeten sich für den folgenden Morgen, um das weitere Vorgehen zu planen. Was vor allem bedeutete, dass sie sich darüber Gedanken machen mussten, ob infolge des Kofferfundes ihr bisheriges Vorgehen geändert werden musste.

Ann-Britt Höglund hatte die ganze Zeit dabeigesessen. Als sie die Sitzung beendeten, bat Wallander sie, noch einige Minuten zu bleiben. Sie setzte sich nur auf ihren Stuhl und wartete, bis die anderen gegangen waren.

»Ich möchte, dass du etwas für mich tust«, sagte er. »Ich möchte, dass du alle diese Ereignisse noch einmal durchgehst und dabei eine weibliche Perspektive anlegst. Dass du das Untersuchungsmaterial durchgehst und dir vorstellst, dass wir eine Täterin suchen, also keinen Mann.«

Sie nickte.

»So schnell wie möglich«, fuhr Wallander fort. »Am besten morgen. Ich möchte, dass du das hier als erstes tust. Wenn du andere wichtige Dinge hast, die nicht warten können, übergibst du sie an jemand anderen.«

»Ich glaube, Hamrén aus Stockholm kommt morgen«, sagte sie. »Es kommen auch ein paar Beamte aus Malmö. Ich kann es einem von denen geben.«

Wallander hatte nichts mehr zu sagen. Aber sie blieben sitzen.

»Glaubst du wirklich, dass es eine Frau ist?« fragte sie.

»Ich weiß es nicht«, sagte er. »Es besteht natürlich die Gefahr, dass wir diesen Koffer und den Parfümduft überbewerten. Aber ich kann auch nicht davon absehen, dass diese ganze Ermittlung eine Tendenz hat, uns zu entgleiten. Schon von Anfang an war etwas komisch an der ganzen Sache. Schon als wir draußen am Graben standen, wo Eriksson auf seinen Bambusstäben hing, sagtest du etwas, woran ich oft gedacht habe.

»Dass alles so demonstrativ wirkte?«

»Die Sprache des Mörders. Was wir da sahen, roch nach Krieg. Holger Eriksson war in einer Raubtierfalle hingerichtet worden.«

»Vielleicht sollen wir es genauso interpretieren, wie es ist. In Pfahlgruben fängt man Raubtiere. Außerdem kommen sie manchmal im Krieg vor.«

Wallander wusste sofort, dass sie etwas Wichtiges gesagt hatte. »Mach weiter«, bat er.

Sie biss sich auf die Lippe. »Ich kann nicht«, erwiderte sie. »Die Frau, die auf meine Kinder aufpasst, muss nach Hause. Ich kann sie nicht länger warten lassen. Sonst wird sie ärgerlich. Da hilft es nichts, wenn ich sie gut bezahle.«

Wallander wollte das Gespräch, das sie begonnen hatten, nicht einfach fallen lassen. Einen Moment lang empfand er Irritation über ihre Kinder – oder über ihren Mann, der nie zu Hause war. Aber er besann sich sofort wieder.

»Du kannst ja mit nach Hause kommen«, sagte sie. »Da können wir weiterreden.«

Er sah, wie blass und müde sie war. Er durfte sie nicht überfordern. Dennoch stimmte er zu. Sie fuhren in ihrem Wagen durch die nächtliche leere Stadt. Die Kinderfrau stand in der Tür und wartete. Wallander grüßte, entschuldigte sich und übernahm die Verantwortung dafür, dass sie so spät kam. Dann setzten sie sich in ihr Wohnzimmer. Es war gemütlich, was man von seiner Wohnung keineswegs sagen konnte. Sie fragte, ob er etwas trinken wolle, aber er lehnte ab.

»Raubtierfallen und Krieg«, sagte er. »So weit waren wir gekommen.«

»Es sind Männer, die jagen, Männer, die Soldaten sind. Wir sehen, was wir sehen, wir finden außerdem einen geschrumpften Kopf und ein Tagebuch, das von einem Söldner geschrieben wurde. Wir sehen, was wir sehen, und wir interpretieren es.«

»Wie interpretieren wir es?«

»Wir interpretieren es richtig. Wenn der Mörder eine Sprache hat, so können wir klar und deutlich lesen, was er schreibt. Wir haben alles gesehen und alles gedeutet, und trotzdem wird es falsch.«

»Wir sehen das, was der Mörder uns sehen lassen will?«

»Wir werden vielleicht dazu verlockt, in die falsche Richtung zu sehen.«

Wallander überlegte. Sein Kopf war jetzt vollkommen klar. Die Müdigkeit war verschwunden. Sie folgten einer Spur, die entscheidend sein konnte. Einer Spur, die in seinem Bewusstsein schon einmal aufgetaucht war, über die er aber nie die Kontrolle gewonnen hatte.

»Das Demonstrative ist also ein Täuschungsmanöver«, sagte er. »Meinst du das?«

»Ja.«

»Mach weiter.«

»Die Wahrheit ist vielleicht genau das Gegenteil.«

»Wie sieht das aus?«

»Das weiß ich nicht. Aber wenn wir glauben, wir denken richtig, und es ist falsch, dann muss das, was falsch ist, am Schluss richtig sein.«

»Ich verstehe«, sagte Wallander. »Ich verstehe, und ich bin deiner Ansicht.«

»Eine Frau würde nie einen Mann auf Bambuspfählen in einem Graben aufspießen«, sagte sie. »Sie würde auch einen Mann nicht an einen Baum binden und ihn dann mit ihren bloßen Händen erwürgen.«

Wallander sagte lange Zeit nichts.

»Wir haben die ganze Zeit ein Gefühl gehabt, dass dies alles gut geplant gewesen ist«, meinte er schließlich. »Die Frage ist, ob es in mehr als einer Hinsicht gut geplant gewesen ist?« begann er schließlich

»Ich kann mir natürlich nicht vorstellen, dass eine Frau diese Dinge getan haben soll«, sagte sie. »Aber jetzt sehe ich ein, dass es vielleicht so ist.«

»Deine Zusammenfassung wird wichtig«, sagte Wallander. »Ich glaube auch, dass wir mit Mats Ekholm hierüber sprechen müssen.«

Er stand auf. Es war ein Uhr. »Wir sehen uns morgen. Kannst du mir ein Taxi rufen?«

»Du kannst mein Auto nehmen«, sagte sie. »Morgen früh brauche ich einen langen Spaziergang, um klar im Kopf zu werden.« Sie gab ihm die Schlüssel. »Mein Mann kommt bald nach Hause. Dann wird alles leichter, mit den Kindern.«

Sie begleitete ihn hinaus. Die Nacht war klar. Es war unter Null.

»Aber ich bereue es nicht«, sagte sie plötzlich.

»Bereust was nicht?«

»Dass ich zur Polizei gegangen bin.«

»Du bist eine gute Polizistin«, sagte Wallander. »Eine sehr gute Polizistin. Falls du das noch nicht gewusst hast.«

Er spürte, dass sie sich freute. Er nickte, setzte sich in ihren Wagen und fuhr davon.

Am folgenden Tag, dem 17. Oktober, war Wallander um Viertel nach sieben im Polizeipräsidium. Er holte Kaffee und setzte sich in sein Büro. Er nahm einen Block und suchte nach einem Schreiber. In einer der Schubladen fand er Svedbergs Papier.

Irritiert stand er auf und ging hinaus in den Korridor. Svedbergs Tür stand offen. Er legte das Papier auf den Tisch, ging zurück in sein Zimmer, schloss die Tür und verbrachte die nächste halbe Stunde damit, alle Fragen aufzuschreiben, auf die er so schnell wie möglich eine Antwort haben wollte. Dabei entschied er sich, den Inhalt seines nächtlichen Gesprächs mit Ann-Britt Höglund schon am gleichen Morgen aufzugreifen, wenn die Gruppe zusammenkam.

Um Viertel vor acht bollerte es an der Tür. Es war Hamrén vom Mordkommissariat in Stockholm. Sie begrüßten sich. Wallander mochte ihn. Sie hatten im Sommer hervorragend zusammengearbeitet.

»Schon hier?« sagte er. »Ich dachte, du kämst erst im Laufe des Tages.«

»Ich bin gestern mit dem Wagen heruntergekommen. Ich konnte mich nicht bremsen.«

»Wie ist es in Stockholm?«

»Wie hier. Nur größer.«

»Ich weiß nicht, wo du sitzen sollst«, sagte Wallander.

»Bei Hansson. Das ist schon geklärt.«

»Wir treffen uns in ungefähr einer halben Stunde.«

»Ich muss mich in eine Menge einlesen.«

Hamrén verließ das Zimmer. Wallander griff zerstreut nach dem Telefonhörer, um seinen Vater anzurufen. Zuckte zurück. Die Trauer war stark und kam plötzlich, wie aus dem Nichts. Es gab keinen Vater mehr, den er anrufen konnte. Nicht heute, nicht morgen. Nie mehr.

Er saß reglos in seinem Stuhl, hatte Angst, dass es anfangen könnte, irgendwo weh zu tun.

Einen Moment lang hatte er Lust zu fliehen. Er fragte sich, wann er zuletzt mit Baiba gesprochen hatte. Auch sie hatte nicht angerufen. War ihre Beziehung im Begriff einzuschlafen? Wann würde er Zeit haben, sich ein Haus anzusehen? Einen Hund zu kaufen? Und sich endlich um Gertrud zu kümmern? Es gab Augenblicke, in denen er seinen Beruf verabscheute. Gerade jetzt war so einer.

Er stellte sich ans Fenster. Heftiger Wind und Herbstwolken. Zugvögel auf dem Weg in wärmere Länder. Er dachte an Per Åkesson, der sich schließlich für einen Aufbruch entschieden hatte. Der zu der Ansicht gelangt war, dass das Leben immer etwas mehr sein konnte.

Baiba hatte im Spätsommer, als sie am Strand von Skagen wanderten, gesagt, es käme ihr vor, als habe das gesamte westliche Europa einen gemeinsamen Traum von einem gigantischen Segelboot, das den ganzen Kontinent in die Karibik bringen würde. Sie hatte gesagt, der Zusammenbruch der ehemaligen Ostblockstaaten habe ihr die Augen geöffnet. In dem armen Lettland habe es Inseln von Reichtum gegeben, die einfache Freude. Sie hatte entdeckt, dass die Armut auch in den reichen Ländern, die sie jetzt besuchen konnte, sehr groß war. Es gab ein Meer von Unzufriedenheit und Leere. Und da kam das Segelboot ins Spiel.

Wallander versuchte, an sich selbst als einen zurückgelassenen oder vielleicht unentschlossenen Zugvogel zu denken. Aber der Gedanke kam ihm so idiotisch und sinnlos vor, dass er ihn verwarf.

Er machte sich eine Notiz, dass er versuchen musste, noch am gleichen Abend Baiba anzurufen. Dann sah er, dass es Viertel nach acht geworden war. Er ging ins Sitzungszimmer. Außer Hamrén waren noch zwei weitere Polizisten aus Malmö anwesend. Wallander hatte sie noch nie gesehen. Er begrüßte sie. Der eine hieß Augustsson und der andere Hartman. Lisa Holgersson kam, und sie setzten sich. Sie hieß die Neuankömmlinge willkommen. Mehr Zeit war nicht. Dann sah sie Wallander an und nickte.

Er fing an, wie er es sich vorher überlegt hatte. Mit dem Gespräch, das er nach dem Experiment mit dem Packen des Koffers mit Ann-Britt Höglund geführt hatte. Er merkte sofort, dass die Reaktion im Raum von Skepsis geprägt war. Das hatte er auch erwartet. Er war selbst skeptisch. »Ich nenne dies nur als eine von mehreren Möglichkeiten. Da wir nichts wissen, können wir auch von nichts absehen.«

Er nickte Ann-Britt Höglund zu.

»Ich habe um eine Zusammenstellung unserer bisherigen Untersuchung unter weiblichem Vorzeichen gebeten«, sagte er. »So etwas haben wir noch nie gemacht. Aber im vorliegenden Fall können wir nichts unversucht lassen.«

Eine intensive Diskussion schloss sich an. Auch das hatte Wallander erwartet. Hansson, dem es an diesem Morgen besser zu gehen schien, führte an. Mitten in ihrer Sitzung kam Nyberg. Er bewegte sich an diesem Morgen ohne Krücke.

Wallander begegnete seinem Blick. Er hatte das Gefühl, dass Nyberg etwas sagen wollte. Er sah ihn fragend an. Aber Nyberg schüttelte den Kopf.

Wallander verfolgte die Diskussion, ohne sich selbst besonders aktiv daran zu beteiligen. Hansson drückte sich klar aus und argumentierte gut. Es war auch richtig, dass sie schon jetzt alle Gegenvorstellungen fanden, die man geltend machen konnte.

Gegen neun machten sie eine kurze Pause. Svedberg zeigte Wallander in der Zeitung ein Bild von der neugebildeten Schutzwehr in Lödinge. Verschiedene andere Orte in Schonen schienen sich anzuschließen. Lisa Holgersson hatte am Abend zuvor einen Spot in der Abendsendung von *Rapport* gesehen. »Wir werden bald im ganzen Land Bürgerwehren haben«, sagte sie. »Stellt euch eine Situation mit zehnmal so vielen Hobby-Polizisten wie richtigen Polizisten vor.«

Wallander wollte darüber jetzt nicht nachdenken und setzte sich neben Nyberg, der nicht vom Tisch aufgestanden war. »Ich hatte das Gefühl, du wolltest etwas sagen.«

»Nur eine Kleinigkeit«, sagte Nyberg. »Kannst du dich erinnern, dass ich im Wald bei Marsvinsholm einen künstlichen Fingernagel gefunden habe?«

Wallander erinnerte sich. »Von dem du glaubtest, er könnte schon lange da gelegen haben?«

»Geglaubt habe ich gar nichts. Aber ich habe es nicht ausgeschlossen. Jetzt sollten wir besser sagen, dass er nicht besonders lange dort gelegen hat.«

Wallander nickte. Er winkte Ann-Britt Höglund zu sich. »Benutzt du künstliche Fingernägel?«

»Normalerweise nicht«, antwortete sie. »Aber natürlich habe ich welche gehabt.«

»Sitzen die fest?«

»Sie brechen sehr leicht.«

Wallander nickte.

»Ich dachte, du solltest es wissen«, sagte Nyberg.

Svedberg kam zurück. »Danke für das Papier«, sagte er. »Aber du hättest es wegwerfen können.«

»Rydberg hat immer gesagt, dass es eine unverzeihliche Sünde ist, die Aufzeichnungen eines Kollegen fortzuwerfen«, sagte Wallander.

»Rydberg hat viel gesagt.«

Die Sitzung ging weiter. Sie verteilten bestimmte Arbeitsbereiche neu, sodass Hamrén und die beiden Polizisten aus Malmö sofort voll in die Ermittlung einbezogen wurden. Um Viertel vor elf fand Wallander es an der Zeit, die Besprechung abzuschließen. Ein Telefon klingelte. Martinsson, der am nächsten saß, griff nach dem Hörer. Wallander war hungrig. Er würde vielleicht sogar Zeit finden, am Nachmittag nach Löderup hinauszufahren und Gertrud zu besuchen. Da sah er, dass Martinsson die Hand erhoben hatte. Es wurde still um den Tisch. Martinsson lauschte konzentriert. Er sah Wallander an, der sogleich begriff, dass etwas Ernstes geschehen war. Nicht noch einer, dachte er. Das geht nicht, das schaffen wir nicht.

Martinsson legte den Hörer auf. »Sie haben im Krageholmssjön eine Leiche gefunden.«

Wallander dachte schnell, dass das nicht bedeuten musste, dass der Täter wieder zugeschlagen hatte. Ein Ertrunkener war nichts Ungewöhnliches.

»Wo?« fragte Wallander.

»Auf dem östlichen Ufer ist ein kleiner Campingplatz. Der Körper lag unmittelbar vor dem Steg.«

Dann wurde Wallander klar, dass er zu früh Erleichterung gespürt hatte. Martinsson hatte noch mehr zu sagen. »Die Leiche liegt in einem Sack«, sagte er. »Ein Mann.«

Es ist wieder passiert, dachte Wallander. Der Knoten in seinem Magen war wieder gekommen.

»Wer hat denn angerufen?« fragte Svedberg.

»Ein Camper. Er rief von seinem Mobiltelefon aus an. Er war völlig außer sich. Es hat sich angehört, als ob er mir direkt ins Ohr gekotzt hätte.«

»Dann ist es wohl das beste, wenn wir sofort fahren«, sagte Wallander.

Da Hansson den Weg kannte, setzte Wallander sich zu ihm in den Wagen. Hansson fuhr schnell und riskant. Wallander bremste mit den Füßen. Wallander dachte, dass sie auf dem Weg in die gleiche Richtung waren, in der sie den Koffer gefunden hatten. Der Krageholmssjön lag in dem gleichen Dreieck, das er zu einem früheren Zeitpunkt schon einmal vor sich gesehen hatte.

Hansson schien in den gleichen Bahnen zu denken. »Der See liegt mitten zwischen Lödinge und dem Wald von Marsvinsholm«, sagte er. »Das sind keine großen Entfernungen.«

Sie erreichten Sövestad und bogen links ab. Wallander dachte an die Frau, die Gösta Runfelts Klientin gewesen war. Überall waren Erinnerungen an die Ereignisse. Wenn es ein geographisches Zentrum gab, dann war es Sövestad.

Zwischen den Baumstämmen konnte man den See erkennen. Wallander versuchte sich auf das, was ihn erwartete, vorzubereiten. Als sie zu dem verlassen daliegenden Campingplatz einbogen, kam ihnen ein Mann entgegengelaufen. Wallander stieg aus, noch bevor Hansson richtig angehalten hatte.

»Da unten«, sagte der Mann. Seine Stimme zitterte, und er stotterte.

Wallander ging langsam zu dem kleinen Hang, der zum Steg hinabführte. Schon aus der Entfernung erkannte er etwas im Wasser, auf der einen Seite des Stegs. Martinsson schloss neben ihm auf, blieb aber am Anfang des Stegs stehen. Die anderen blieben abwartend im Hintergrund. Wallander betrat vorsichtig den schwankenden Steg. Das Wasser war braun und sah kalt aus. Ihn schauderte.

Der Sack war nur teilweise oberhalb der Wasseroberfläche zu sehen. Ein Fuß ragte heraus. Der Schuh war braun. Ein Schnürschuh. Durch ein Loch im Hosenbein sah man die weiße Haut.

Wallander winkte Nyberg zu sich. Hansson sprach mit dem Mann, der angerufen hatte, Martinsson wartete etwas oberhalb, Ann-Britt Höglund stand abseits. Wallander kam es vor wie eine Fotografie. Die Wirklichkeit eingefroren, geschlossen. Nichts würde mehr geschehen.

Diese Wahrnehmung brach ab, als Nyberg den Steg betrat. Die Wirklichkeit kehrte zurück. Wallander ging in die Hocke. Nyberg tat das gleiche.

»Jutesack«, sagte Nyberg. »Die sind meistens kräftig. Trotzdem hat der hier ein Loch gehabt. Er muss alt gewesen sein.«

Wallander wünschte, Nyberg hätte Recht. Aber er wusste schon, dass es nicht so war.

Der Sack hatte kein Loch gehabt. Man konnte sehen, dass der Mann das Loch in den Sack getreten hatte. Die Fibern des Gewebes waren gedehnt worden und dann gerissen.

Wallander wusste, was das bedeutete.

Der Mann hatte gelebt, als er in den Sack gesteckt und in den See geworfen worden war.

Nyberg sah ihn forschend an. Sagte aber nichts. Er wartete.

Wallander holte mehrmals tief Luft. Dann sagte er, was er dachte und was seiner Überzeugung nach die Wahrheit war. »Er hat ein Loch in den Sack getreten. Das bedeutet, dass er gelebt hat, als er in den See geworfen wurde.«

»Derselbe Täter?« fragte Nyberg.

Wallander nickte. »Sieht so aus.«

Wallander erhob sich mühsam. Es zog in den Knien. Er ging zurück zum Strand. Nyberg blieb auf dem Steg. Die Polizeitechniker waren gerade mit ihrem Wagen angekommen. Wallander ging zu Ann-Britt Höglund hinauf. Sie stand jetzt mit Lisa Holgersson zusammen. Die anderen kamen nach. Schließlich waren sie alle versammelt. Der Mann, der den Sack entdeckt hatte, saß auf einem Stein und stützte den Kopf in die Hände.

»Es kann derselbe Täter sein«, sagte Wallander. »Falls ja, hat er diesmal einen Mann in einem Sack ertränkt.«

Der Abscheu ging wie ein Ruck durch die Gruppe.

»Glaubst du immer noch, dass eine Frau so etwas tun könnte?« fragte Hansson. Sein Tonfall war spürbar aggressiv.

Wallander stellte sich schweigend die gleiche Frage. Was glaubte er eigentlich? Im Laufe einiger weniger Sekunden zogen alle Ereignisse in seinem Kopf vorüber. »Nein«, sagte er dann. »Ich glaube es nicht. Weil ich es nicht glauben will. Aber trotzdem kann eine Frau es getan haben. Oder zumindest beteiligt gewesen sein.«

Er kehrte ans Seeufer zurück. Ein einsamer Schwan näherte sich dem Steg. Lautlos glitt er über die dunkle Wasserfläche.

Wallander betrachtete ihn lange.

Dann zog er den Reißverschluss seiner Jacke hoch und kehrte zurück zu Nyberg, der bereits dort draußen auf dem Steg an die Arbeit gegangen war.

25

Nyberg zerschnitt vorsichtig den Sack. Wallander trat auf die Brücke, um das Gesicht des toten Mannes zu sehen, neben ihm ging ein Arzt, der gerade angekommen war.

Er kannte den Toten nicht. Er hatte ihn noch nie gesehen. Was er natürlich auch nicht erwartet hatte.

Wallander glaubte, dass der Mann zwischen vierzig und fünfzig Jahre alt war. Er betrachtete die Leiche, die vor noch nicht einmal einer Minute aus dem Sack gezogen worden war. Er konnte einfach nicht mehr. Das Schwindelgefühl in seinem Kopf wollte nicht weichen.

Nyberg war die Taschen des Mannes durchgegangen.

»Er hat einen teuren Anzug«, sagte er. »Die Schuhe sind auch nicht billig.«

Die Leiche lag jetzt für sich. Der Sack auf einer Plastikfolie. Nyberg winkte Wallander zu sich auf die Seite. »Das Ganze ist sehr genau ausgerechnet«, sagte er. »Man könnte glauben, der Mörder hätte eine Waage benutzt. Oder Kenntnisse über Gewichtsverteilung und Wasserwiderstand gehabt.«

»Wie meinst du das?« fragte Wallander.

Nyberg zeigte auf ein paar dicke Wülste, die auf der Innenseite des Sackes verliefen. »Alles ist genau vorbereitet. Der Sack hat eingenähte Gewichte, die dem, der dies gemacht hat, zwei Dinge garantierten. Einerseits, dass der Sack mit nur einem schmalen Luftkissen oberhalb der Wasseroberfläche blieb. Anderseits, dass die Gewichte zusammen mit dem Gewicht des Mannes nicht so viel ausgemacht haben, dass der Sack auf den Grund gesunken ist. Weil es so genau ausgerechnet ist, muss der, der den Sack vorbereitet hat, das Gewicht des Toten gekannt haben. Auf jeden Fall ungefähr. Mit einer Fehlermarge von vielleicht vier bis fünf Kilo.«

Wallander zwang sich zum Denken, obwohl der Gedanke daran, wie der Mann getötet worden war, ihm Übelkeit bereitete.

»Das schmale Luftkissen hat also garantiert, dass der Mann wirklich ertränkt wurde?«

»Ich bin kein Arzt«, sagte Nyberg. »Trotzdem tippe ich, dass dieser Mann lebendig war, als er in den See geworfen wurde. Er ist also ermordet worden.«

Wallander verließ die Brücke und versammelte seine nächsten Mitarbeiter um sich. Hansson hatte das Gespräch mit dem Mann beendet, der den Sack im Wasser entdeckt hatte.

»Wir wissen nicht, wer er ist«, begann Wallander. »Das ist jetzt am wichtigsten. Wir müssen seine Identität feststellen. Vorher können wir nichts machen. Ihr müsst mit den Vermisstenlisten anfangen.«

»Es besteht natürlich das Risiko, dass er noch nicht vermisst wird«, sagte Hansson. »Dieser Mann, der ihn gefunden hat, er heißt Nils Göransson, behauptet, dass er noch gestern Nachmittag hier war. Er ist Schichtarbeiter bei einer Maschinenfabrik in Svedala, und fährt hier heraus, weil er Schlafschwierigkeiten hat. Er hat gerade erst angefangen, Schicht zu arbeiten. Er war also gestern hier. Er geht immer auf den Steg. Und da war kein Sack. Er muss also im Laufe der Nacht ins Wasser geworfen worden sein. Oder gestern Abend.«

»Oder heute früh«, sagte Wallander. »Wann ist er gekommen?«

Hansson sah in seinen Aufzeichnungen nach. »Um Viertel nach acht. Seine Schicht war um sieben zu Ende, und da ist er direkt hergefahren. Unterwegs hat er angehalten und gefrühstückt.«

»Dann wissen wir das«, sagte Wallander. »Es ist also nicht viel Zeit vergangen. Das bringt uns Vorteile. Die Schwierigkeit wird also sein, ihn zu identifizieren.«

»Der Sack kann natürlich woanders in den See geworfen worden sein«, sagte Nyberg.

Wallander schüttelte den Kopf. »Er hat nicht lange im Wasser gelegen. Und nennenswerte Strömungen gibt es hier nicht.«

Martinsson trat unruhig gegen den Sand, als friere er. »Muss das wirklich derselbe Täter sein?« fragte er. »Ich finde trotz allem, dass es anders wirkt.«

Wallander war seiner Sache so sicher, wie er nur sein konnte. »Nein, das ist derselbe Täter. Auf jeden Fall ist es am schlausten, davon auszugehen.«

Dann schickte er sie fort. Sie konnten hier draußen am Ufer des Krageholmssjön nichts mehr ausrichten.

Die Autos fuhren davon. Wallander schaute aufs Wasser. Der Schwan war verschwunden. Er betrachtete die Männer, die auf der Brücke arbeiteten. Den Krankenwagen, die Polizeiautos, die Absperrungsbänder. Das Ganze gab ihm plötzlich ein Gefühl großer Unwirklichkeit. Er begegnete der Natur, umgeben von Plastikbändern, die Schauplätze von Verbrechen abschirmten. Überall, wo er ging, waren Tote. Er konnte mit dem Blick einen Schwan auf dem Wasser suchen, doch im Vordergrund lag ein

Mensch, der gerade tot aus einem Sack herausgeholt worden war. Er dachte, dass seine Arbeit im Grunde nichts anderes war als schlecht bezahlte Unerträglichkeit. Er wurde dafür bezahlt, dass er durchhielt. Das Absperrungsband aus Plastik ringelte sich wie eine Schlange durch sein Leben.

Er trat zu Nyberg, der den Rücken streckte.

»Wir haben eine Zigarettenkippe gefunden«, sagte Nyberg. »Das ist alles. Auf jeden Fall hier auf der Brücke.«

»Hältst du es für sinnvoll, dass wir im Wasser suchen?«

Wallander zögerte. »Ich glaube nicht«, sagte er dann. »Der Mann war bewusstlos, als er hierhergekommen ist. Es muss mit einem Auto gewesen sein. Dann ist der Sack ins Wasser geworfen worden, und der Wagen ist weggefahren.«

»Dann lassen wir das mit dem Wasser«, sagte Nyberg.

»Erzähl mal, was du siehst«, sagte Wallander.

Nyberg verzog das Gesicht. »Natürlich kann es derselbe Täter sein«, sagte er dann. »Die Gewalt, die Brutalität, das ist ähnlich. Auch wenn er variiert.«

»Glaubst du, dass eine Frau das getan haben kann?«

»Ich sage das gleiche wie du«, antwortete Nyberg. »Ich will es nicht glauben. «

Nyberg machte sich wieder an die Arbeit. Wallander ging zu einem der Polizeiautos und bat darum, nach Ystad gefahren zu werden. Unterwegs versuchte er zu denken. Was er am meisten befürchtet hatte, war eingetreten. Der Täter war nicht fertig. Sie wussten nichts von ihm. Befand er sich am Anfang oder am Schluss dessen, was er sich vorgenommen hatte. Sie wussten auch nicht, ob er überlegt handelte oder wahnsinnig war.

Es muss ein Mann sein, dachte Wallander. Alles andere widerspricht jeder gesunden Vernunft. Frauen morden äußerst selten. Und noch seltener begehen sie gut geplante Morde. Grausame und ausgeklügelte Gewaltakte.

Es muss ein Mann sein. Vielleicht mehrere. Wir werden diese Geschichte auch nie lösen, wenn wir nicht herausfinden, was die Ermordeten verbindet. Jetzt sind es drei. Das müsste unsere Möglichkeiten verbessern. Aber sicher ist nichts. Nichts enthüllt sich von selbst.

Er lehnte das Gesicht ans Wagenfenster. Die Landschaft braun, mit einem Zug ins Graue. Das Gras jedoch noch grün. Auf einem Feld ein einsamer Traktor.

Ihm war auf einmal klar, dass das Motiv nichts anderes sein konnte als Rache. Doch dies hier überstieg alle fassbaren Proportionen. Was rächte der Täter? Was war der Hintergrund? Etwas so Ungeheuerliches, dass es nicht ausreichte, einfach zu töten, sondern dass denen, die starben, auch bewusst werden sollte, was mit ihnen geschah. Dahinter verbergen sich keine Zufälle, dachte Wallander. Alles ist genau ausgedacht – und ausgewählt.

Bei dem letzten Gedanken hielt er inne.

Der Täter wählte. Jemand wurde ausgewählt. Ausgewählt aus einer Gruppe? Aus welcher?

Als er ins Präsidium kam, schob er den Stoß mit Telefonmitteilungen auf seinem Tisch zur Seite und legte die Füße auf einen Stapel mit Rundschreiben der Reichspolizeibehörde. Der schwierigste Gedanke war der an die Frau. Dass eine Frau beteiligt sein könnte. Er versuchte, sich an die Gelegenheiten zu erinnern, bei denen er mit weiblichen Gewalttätern zu tun hatte. Es war nicht oft vorgekommen. Immer hatten die Frauen impulsiv und in Notwehr Gewalt angewendet. Bei den Opfern handelte es sich um ihre eigenen Männer, oder um Männer, die sie vergeblich abzuweisen versucht hatten. In vielen Fällen war Alkohol mit im Spiel gewesen. Niemals hatte er erlebt, dass eine Frau geplant hatte, eine Gewalttat zu begehen. Zumindest nicht nach einem sorgfältig ausgedachten Plan.

Er wurde aus seinen Gedanken gerissen, als Martinsson an seiner Tür klopfte. »Die Übersicht über vermisst gemeldete Personen ist bald klar«, sagte er.

Wallander nickte. »Dann versammeln wir uns«, sagte er und schob Martinsson vor sich in den Korridor.

Als sie die Tür des Sitzungszimmers hinter sich geschlossen hatten, fühlte er, dass die Kraftlosigkeit verschwunden war. Gegen seine Gewohnheit blieb er an einer der Schmalseiten des Tisches stehen. Normalerweise setzte er sich. Jetzt war es, als habe er nicht einmal dafür Zeit.

»Was haben wir?« fragte er.

»In Ystad in den letzten Wochen keine Vermisstenmeldungen«, sagte Svedberg. »Die, nach denen wir seit längerem suchen, passen nicht zu dem Toten, den wir im Krageholmssjön gefunden haben. Ein paar weibliche Teenager und ein Junge, der aus einem Flüchtlingslager abgehauen ist. Und die anderen Distrikte?«

»Wir überprüfen ein paar Fälle in Malmö«, sagte Ann-Britt Höglund. »Aber die passen auch nicht.«

Sie gingen die Anzeigen durch, die in den nächstliegenden Distrikten eingegangen waren. Wallander wusste, dass sie notfalls landesweit und sogar im übrigen Skandinavien suchen mussten. Sie konnten nur hoffen, dass der Mann aus der Nähe von Ystad stammte.

»Lund hat gestern Abend spät eine Vermisstenanzeige reinbekommen«, sagte Hansson. »Eine Frau rief an und meldete, dass ihr Mann von einem Abendspaziergang nicht zurückgekommen sei. Das Alter könnte stimmen. Er ist Forscher an der Universität.«

Wallander schüttelte zweifelnd den Kopf. »Ich bin skeptisch«, sagte er. »Aber wir müssen es natürlich kontrollieren.«

»Sie sind dabei, ein Foto zu beschaffen«, fuhr Hansson fort. »Sie faxen es her, sobald sie es haben.«

Wallander hatte die ganze Zeit gestanden. Jetzt setzte er sich. Im gleichen Augenblick betrat Per Åkesson den Raum. »Du kommst gerade recht«, sagte er. »Ich wollte jetzt versuchen, den Stand der Ermittlungen zusammenzufassen.«

»Gibt es überhaupt einen Stand der Ermittlungen?« fragte Per Åkesson.

Wallander wusste, dass dies nicht als boshafter oder kritischer Kommentar gemeint war. Wer Per Åkesson nicht kannte, konnte mit seiner unverblümten Art Probleme haben. Aber Wallander hatte so viele Jahre mit ihm zusammengearbeitet; er wusste, dass seine Worte ein Ausdruck seiner Besorgnis und des Willens waren, zu helfen, wenn er konnte.

Hamrén, der neu war, betrachtete Per Åkesson mit Missbilligung. Wallander fragte sich, wie die Staatsanwälte, mit denen er es in Stockholm zu tun hatte, sich auszudrücken pflegten.

»Einen Ermittlungsstand gibt es immer«, sagte Wallander. »Den haben wir auch jetzt. Aber er ist sehr unklar. Eine Reihe von Spuren, die wir verfolgt haben, sind nicht mehr aktuell. Ich glaube, wir sind an einem Punkt angelangt, wo wir zum Ausgangspunkt zurückkehren müssen. Was dieser neue Mord bedeutet, können wir noch nicht sagen. Dafür ist es zu früh.«

»Ist es derselbe Täter?« fragte Per Åkesson.

»Ich nehme es an«, sagte Wallander.

»Weshalb?«

»Die Vorgehensweise. Die Brutalität. Die Grausamkeit. Ein Sack ist natürlich nicht das gleiche wie angespitzte Bambusstangen. Aber man kann vielleicht sagen, dass es eine Variation eines Themas ist.«

Per Åkesson hatte keine weiteren Fragen.

Die Tür wurde vorsichtig einen Spaltbreit geöffnet. Eine Schreibkraft brachte ein Bild, das per Fax gekommen war.

»Das haben wir aus Lund erhalten«, sagte das Mädchen und schloss die Tür.

Alle standen gleichzeitig auf und scharten sich um Martinsson, der mit dem Bild in der Hand dastand.

Wallander atmete tief durch. Es gab keinen Zweifel. Es war der Mann, den sie im Krageholmssjön gefunden hatten.

»Gut«, sagte Wallander leise. »Damit haben wir einen Großteil des Vorsprungs wettgemacht, den der Mörder hat.«

Sie setzten sich wieder.

»Wer ist es?« fragte Wallander.

Hansson hatte gute Ordnung in seinen Papieren. »Eugen Blomberg, einundfünfzig Jahre. Forschungsassistent an der Universität Lund. Forscht irgendwas, was mit Milch zu tun hat.«

»Milch?« sagte Wallander erstaunt.

»So steht es hier. ›Wie Milchallergien sich zu verschiedenen Darmkrankheiten verhalten‹.«

»Wer hat ihn als vermisst gemeldet?«

»Seine Frau. Kristina Blomberg. Siriusgatan in Lund.«

»Dann fahren wir hin«, sagte Wallander und stand auf. »Teilt den Kollegen mit, dass wir ihn identifiziert haben. Sie sollen die Frau verständigen, damit ich mit ihr reden kann. Ich kenne in Lund einen Kriminalbeamten, der Birch heißt. Kalle Birch. Redet mit dem. Ich fahre hin.«

»Kannst du wirklich mit ihr sprechen, bevor wir eine definitive Identifikation haben?«

»Jemand anders soll ihn identifizieren. Jemand von der Universität. Ein anderer Milchforscher. Und jetzt muss außerdem alles Material über Eriksson und Runfelt neu gesichtet werden. Eugen Blomberg. Ist er irgendwo mit im Bild? Wir sollten schon heute einen großen Teil schaffen.«

Wallander holte seine Jacke und die Schlüssel zu einem der Wagen der Polizei. Um Viertel nach zwei verließ er Ystad.

Er erreichte Lund gegen halb vier. Ein Streifenwagen erwartete ihn an der Ortseinfahrt und lotste ihn zur Siriusgatan. Sie lag in einem Villenviertel östlich vom Stadtzentrum. Vor dem Einbiegen in die Straße bremste der Streifenwagen. Ein anderer Wagen stand am Straßenrand. Wallander sah Kalle Birch aussteigen. Sie hatten sich vor ein paar Jahren bei einer großen Konferenz der Polizeidistrikte von Südschweden auf Tylosand vor Halmstad kennen gelernt. Es war um die Verbesserung der Zusammenarbeit in der Region gegangen. Beim Mittagessen saß Wallander zufällig neben Birch. Dabei stellten sie fest, dass sie sich beide für Opern interessierten. Im Laufe der Jahre hatten sie dann und wann Kontakt gehabt. Sie schüttelten sich die Hand.

»Ich bin gerade erst ins Bild gesetzt worden«, sagte Birch. »Ein Kollege von Blomberg hat den Toten identifiziert. Wir wurden telefonisch benachrichtigt.«

»Und die Witwe?«

»Noch nicht informiert.«

»Sie wird natürlich geschockt sein«, sagte Wallander.

»Daran können wir wohl nicht viel ändern.«

»Gehen wir also rein«, sagte Wallander.

»Wenn du willst, kannst du ja warten, während wir die Ehefrau informieren«, sagte Birch. »Es ist meistens quälend.«

»Ich gehe mit«, sagte Wallander. »Lieber das, als hier zu sitzen und untätig zu sein. Außerdem kann es mir Aufschluss darüber geben, was für ein Verhältnis sie zu ihrem Mann hatte.«

Die Frau, die ihnen gegenübertrat, war erstaunlich gefasst und schien sogleich die Bedeutung dessen zu verstehen, dass Polizisten vor ihrer Tür standen. Wallander hielt sich im Hintergrund, während Birch ihr die Todesbotschaft überbrachte. Sie hatte sich auf die äußerste Kante eines Stuhls gesetzt, wie um sich mit den Füßen abstützen zu können, und sie nickte schweigend. Wallander schätzte, dass sie im gleichen Alter war wie ihr Mann. Aber sie wirkte älter, als sei sie vor der Zeit gealtert. Sie war sehr mager, ihre Haut spannte sich hart über den Wangenknochen. Wallander beobachtete sie insgeheim. Er glaubte nicht, dass sie zusammenbrechen würde. Zumindest noch nicht.

Birch nickte Wallander zu, der nach vorn trat. Birch hatte nur gesagt, dass sie ihren Mann tot im Krageholmssjön gefunden hatten. Nichts davon, was geschehen war. Das würde Wallanders Aufgabe sein.

»Der Krageholmssjön liegt im Polizeidistrikt von Ystad«, sagte Birch. »Deshalb ist einer der Kollegen von dort hergekommen. Er heißt Kurt Wallander.«

Kristina Blomberg blickte auf. »Ich kenne Ihr Gesicht«, sagte sie. »Ich muss Sie in der Zeitung gesehen haben.«

»Das ist nicht unmöglich«, sagte Wallander und setzte sich auf einen Stuhl ihr gegenüber. Birch hatte inzwischen Wallanders Position im Hintergrund eingenommen.

Das Haus war sehr still. Geschmackvoll möbliert. Aber wirklich sehr still. Wallander fiel ein, dass er noch nicht wusste, ob es Kinder in der Familie gab.

Das war auch seine erste Frage.

»Nein«, sagte sie. »Wir haben keine Kinder.«

»Auch nicht aus früheren Ehen?«

Wallander bemerkte sofort ihre Unsicherheit. Sie zögerte mit der Antwort, kaum merkbar zwar, aber er nahm es wahr.

»Nein«, sagte sie. »So weit ich weiß, nicht. Und nicht von mir.«

Wallander wechselte einen Blick mit Birch, der auch ihr Zögern angesichts einer Frage bemerkt hatte, die eigentlich nicht schwer zu beantworten war. Wallander ging langsam weiter. »Wann haben Sie Ihren Mann zuletzt gesehen?«

»Er machte gestern Abend einen Spaziergang. Das tat er immer.«

»Wissen Sie, welchen Weg er ging?«

Sie schüttelte den Kopf. »Er war oft über eine Stunde draußen. Wohin er ging, weiß ich nicht.«

»War gestern Abend alles wie immer?«

»Ja.«

Wallander ahnte wieder den Schatten von Unsicherheit in ihrer Antwort. Er fuhr vorsichtig fort. »Er kam also nicht zurück? Was haben Sie dann gemacht?«

»Um zwei Uhr in der Nacht habe ich die Polizei angerufen.«

»Aber konnte er nicht jemanden besucht haben?«

»Er hatte sehr wenige Freunde. Die habe ich angerufen, bevor ich bei der Polizei anrief. Da war er nicht.«

Sie blickte ihn an. Immer noch gefasst. Wallander sah ein, dass er nicht länger warten konnte. »Ihr Mann ist also tot im Krageholmssjön gefunden worden. Wir haben festgestellt, dass er ermordet wurde. Es tut mir leid, was geschehen ist. Aber ich muss es sagen, wie es ist.«

Wallander betrachtete ihr Gesicht. Sie ist nicht erstaunt, dachte er. Weder darüber, dass er tot ist, noch darüber, dass er ermordet wurde.

»Es ist natürlich wichtig, dass wir den oder die Täter fassen. Haben Sie einen Verdacht, wer es sein könnte? Hatte Ihr Mann Feinde?«

»Ich weiß nicht«, antwortete sie. »Ich kannte meinen Mann sehr schlecht.«

Wallander überlegte, bevor er fortfuhr. Ihre Antwort beunruhigte ihn. »Ich bin nicht sicher, wie ich diese Antwort verstehen soll«, sagte er.

»Ist das so schwer? Einmal, vor langer Zeit, glaubte ich, ihn zu verstehen. Aber das war damals. Wir haben uns auseinander gelebt. Wir wohnen im gleichen Haus. Aber wir haben getrennte Zimmer. Er lebt sein Leben. Ich lebe meins.«

»Wenn ich Recht verstanden habe, war er Forscher an der Universität?«

»Ja.«

»Arbeiten Sie auch da?«

»Ich bin Lehrerin.«

Wallander nickte. »Sie wissen also nicht, ob Ihr Mann irgendwelche Feinde hatte?«

»Nein.«

»Sie können sich also niemanden vorstellen, der ihn hätte umbringen wollen? Und warum?«

Ihr Gesicht war hart angespannt. Wallander hatte das Gefühl, als sehe sie direkt durch ihn hindurch. »Niemand außer mich selbst«, antwortete sie. »Aber ich habe ihn nicht umgebracht.«

Wallander sah sie lange an, ohne etwas zu sagen. Birch war an seine Seite getreten. »Warum hätten Sie ihn umbringen können?« fragte er.

Sie stand vom Stuhl auf und zerrte sich so heftig die Bluse herunter, dass sie zerriss. Es ging so schnell, dass Wallander und Birch nicht verstanden, was geschah. Dann hielt sie ihnen ihre Arme hin. Sie waren mit Narben übersät. »Das hier hat er mir angetan«, sagte sie. »Und noch vieles andere, von dem ich gar nicht reden will.«

Sie verließ das Zimmer mit der zerrissenen Bluse in der Hand. Wallander und Birch sahen sich an.

»Er hat sie misshandelt«, sagte Birch. »Glaubst du, sie kann es getan haben?«

»Nein«, sagte Wallander. »Sie war es nicht.«

Sie warteten schweigend. Nach einigen Minuten kam sie zurück. Sie hatte ein Hemd angezogen, das sie über dem Rock trug. »Ich trauere nicht um ihn«, sagte sie. »Ich weiß nicht, wer das getan hat. Ich glaube, ich will es auch nicht wissen. Aber ich begreife, dass Sie ihn finden müssen.«

»Ja«, sagte Wallander. »Das müssen wir. Und wir benötigen jede denkbare Hilfe.«

Sie sah ihn an, und ihr Gesicht war plötzlich vollkommen hilflos. »Ich weiß nichts mehr von ihm«, sagte sie. »Ich kann Ihnen nicht helfen.«

Wallander dachte, dass sie sicher die Wahrheit sagte. Sie konnte ihnen nicht helfen.

Doch sie glaubte das nur. Sie hatte ihnen schon geholfen.

Als Wallander ihre Arme gesehen hatte, waren seine letzten Zweifel verflogen.

Er wusste jetzt, dass sie eine Frau suchten.

26

Als sie das Haus in der Siriusgatan verließen, hatte es zu regnen begonnen. Sie blieben neben Wallanders Wagen stehen. Er war unruhig und hatte es eilig.

»Ich glaube, ich habe noch nie eine Frau getroffen, die gerade Witwe geworden ist und den Verlust ihres Mannes so leicht genommen hat«, sagte Birch unangenehm berührt.

»Gleichzeitig ist das ein Punkt, an dem wir ansetzen müssen«, erwiderte Wallander.

»Wir müssen seine persönlichen Sachen hier zu Hause und in der Universität durchgehen«, sagte er. »Das ist natürlich eure Aufgabe. Aber ich hätte gern, dass jemand aus Ystad dabei ist. Wir wissen nicht, wonach wir suchen. Aber es kann sein, dass wir auf diese Weise schneller etwas entdecken, was von Interesse ist.«

Birch nickte. »Du selbst bleibst nicht?«

»Nein. Ich lasse Martinsson und Svedberg herkommen. Ich bitte sie, sofort loszufahren. Ich würde bleiben, aber ich muss mich daranmachen, die Ermittlung noch einmal von hinten aufzurollen. Ich habe den Verdacht, dass die Lösung des Mordes an Blomberg schon daliegt. Wir haben sie nur nicht gesehen. Die Lösung aller drei Morde. Es ist, als hätten wir uns in einem komplizierten Höhlensystem verirrt.«

»Es wäre schon gut, wenn uns weitere Tote erspart blieben«, sagte Birch. »Es reicht auch so.«

Sie verabschiedeten sich. Wallander fuhr nach Ystad zurück. Der Regen kam und ging in Schauern. Unterwegs plante er, wie er vorgehen wollte, wenn er nach Ystad zurückkam.

Um Viertel vor sechs parkte er den Wagen und hastete ins Polizeigebäude.

Er traf Ann-Britt Höglund in ihrem Zimmer. »Ich dachte, wir setzen uns zu mir rein«, sagte er. »Wir müssen das Ganze noch einmal gründlich durchgehen.«

Sie folgte ihm in sein Büro. Wallander rief die Vermittlung an und bat darum, nicht gestört zu werden. Er sagte nicht, für wie lange. Was er sich vorgenommen hatte, brauchte eben seine Zeit.

»Du erinnerst dich, dass ich dich gebeten habe, die ganze Sache unter weiblichem Vorzeichen durchzugehen«, sagte er.

Ich glaube jetzt ganz sicher, dass eine Frau mit im Spiel ist.«

»Warum glaubst du das?«

Er erzählte ihr von dem Gespräch mit Kristina Blomberg. Wie sie sich die Bluse vom Leib gerissen und die Narben von den Misshandlungen vorgezeigt hatte, denen sie ausgesetzt gewesen war.

»Du redest von einer misshandelten Frau«, sagte sie. »Nicht von einer mordenden Frau.«

»Das ist vielleicht ein und dasselbe«, sagte Wallander. »Ich muss mich auf jeden Fall davon überzeugen, falls ich mich irre.«

»Wo fangen wir an?«

»Am Anfang. Wie im Märchen. Und das erste, was geschah, war, dass jemand in einem Graben eine Pfahlgrube für Holger Eriksson in Lödinge vorbereitete. Stell dir vor, dass es eine Frau war. Was siehst du dann?«

»Dass es natürlich keine Unmöglichkeit ist. Nichts war zu groß oder zu schwer.«

»Warum hat sie gerade diese Vorgehensweise gewählt?«

»Um den Eindruck zu erwecken, dass es ein Mann getan hat.«

Wallander dachte lange über ihre Antwort nach, bevor er fortfuhr. »Sie hat uns also auf eine falsche Fährte gelockt.«

»Nicht unbedingt. Es kann auch sein, dass sie demonstrieren wollte, wie die Gewalt wiederkehrt. Wie ein Bumerang. Oder warum nicht beides?«

Wallander dachte nach. Ihre Erklärung war nicht unmöglich. »Das Motiv«, fuhr er fort. »Wer wollte Holger Eriksson töten?«

»Das ist weniger klar als im Fall Gösta Runfelt. Es gibt zumindest verschiedene Möglichkeiten. Über Holger Eriksson wissen wir noch immer nur wenig. So wenig, dass es schon sonderbar ist. Sein Leben scheint nahezu gegen jeden Einblick abgeschottet gewesen zu sein. Als sei sein Leben ein Gelände, zu dem der Zutritt verboten ist.«

»Wie meinst du das?«

»Wie ich es sage. Wir müssten mehr wissen. Über einen Mann, der achtzig Jahre alt ist und sein ganzes Leben in Schonen verbracht hat. Eine Person, die gut bekannt war. Dass wir so wenig wissen, ist nicht natürlich.«

»Wir haben die Schenkung an die Kirche in Jämtland«, sagte Wallander. »Das muss etwas bedeuten. Warum tut er das? Und die Polin, die verschwand. Eins an ihr macht sie zu etwas Speziellem. Hast du darüber nachgedacht, was das ist?«

Ann-Britt Höglund schüttelte den Kopf.

»Dass sie die einzige Frau ist, die überhaupt in dem Untersuchungsmaterial über Holger Eriksson auftaucht.«

»Die Kopien des Untersuchungsmaterials aus Östersund sind gekommen«, sagte sie. »Aber ich glaube nicht, dass sich schon jemand damit befasst hat. Außerdem ist sie nur eine Randfigur. Wir haben keine Beweise dafür, dass sie und Holger Eriksson sich kannten.«

Wallander war auf einmal sehr bestimmt. »Das ist richtig«, sagte er. »Das muss so schnell wie möglich geklärt werden. Wir müssen herausfinden, ob diese Verbindung existiert.«

»Wer soll das machen?«

»Hansson. Er liest schneller als wir alle. Außerdem trifft er oft direkt das, was wichtig ist.«

Sie machte sich eine Notiz. Dann verließen sie für einen Augenblick Holger Eriksson.

»Gösta Runfelt war ein brutaler Mann«, sagte Wallander. »Das können wir festhalten. Darin erinnert er also an Holger Eriksson. Außerdem hat Runfelt seine Frau misshandelt. Wie Blomberg. Wohin führt uns das?«

»Dass wir drei Männer haben, die zu Gewalt neigten. Von denen mindestens zwei Frauen misshandelten.«

»Nein«, sagte Wallander. »Nicht ganz so. Wir haben drei Männer. Von zweien wissen wir, dass sie Frauen misshandelt haben. Aber das kann auch für den dritten gelten, Holger Eriksson. Das wissen wir noch nicht.«

»Die Polin? Krista Haberman?«

»Zum Beispiel sie. Es kann außerdem sein, dass Gösta Runfelt seine Frau sogar umgebracht hat. Ein Loch im Eis vorbereitet hat. Sie hineinstieß. Und sie ertrank.«

Sie spürten beide, dass etwas klickte. Wallander ging noch einmal zurück. »Das Pfahlgrab«, sagte er. »Was war das?«

»Vorbereitet, sorgfältig geplant. Eine Todesfalle.«

»Mehr als das. Eine Methode, einen Menschen langsam zu töten.«

Wallander suchte ein Papier auf seinem Tisch. »Dem Gerichtsmediziner in Lund zufolge kann Holger Eriksson mehrere Stunden dort aufgespießt gehangen haben, bevor er starb.«

Er legte das Blatt angewidert weg. »Gösta Runfelt«, sagte er dann. »Abgemagert, erwürgt, an einem Baum hängend. Was sagt das?«

»Dass er gefangen gehalten wurde. Er hat nicht in einem Pfahlgrab gehangen.«

Wallander hob die Hand. Sie verstummte. Er überlegte. Erinnerte sich an den Besuch am Stångsjön. *Sie fanden sie unter dem Eis.*

»Ertrinken unter dem Eis«, sagte er. »Ich habe mir das immer als das Grauenhafteste vorgestellt, was einem Menschen passieren kann. Unter dem Eis zu landen. Nicht durchkommen können. Vielleicht das Licht durch das Eis ahnen können.«

»Eine Gefangenschaft unter dem Eis«, sagte sie.

»Genau. Genau das denke ich.«

»Du meinst, dass die Methode der Rache, die der Täter gewählt hat, an das erinnert, was er rächt?«

»So ungefähr. Es ist auf jeden Fall eine Möglichkeit.«

»In dem Fall erinnert das, was Eugen Blomberg geschehen ist, mehr an Runfelts Frau.«

»Ich weiß«, sagte Wallander. »Vielleicht können wir auch das verstehen, wenn wir noch eine Weile weitermachen.«

Sie machten weiter. Redeten über den Koffer.

Dann kamen sie zu Blomberg. Das Muster kehrte wieder.

»Er sollte ertränkt werden. Aber nicht zu schnell. Ihm sollte bewusst sein, was geschah.«

Wallander lehnte sich im Stuhl zurück und sah sie über den Tisch hinweg an. »Erzähl, was du siehst.«

»Ein Rachemotiv nimmt Form an. Es kehrt auf jeden Fall als gemeinsamer Nenner wieder. Männer, die Gewalt gegen Frauen anwenden, werden von einer ausgeklügelt männlichen Gewalt zurückgetroffen. Als sollten sie gezwungen werden, ihre eigenen Hände an ihren Körpern zu spüren.«

»Die Formulierung ist gut«, warf Wallander ein. »Mach weiter.«

»Wir wissen aber immer noch sehr wenig. Außerdem wenden Frauen Gewalt fast nur an, wenn sie sich selbst oder ihre Kinder verteidigen. Es ist keine geplante Gewalt. Es sind nur instinktive Schutzreflexe. Eine Frau gräbt normalerweise kein Pfahlgrab. Oder hält einen Mann gefangen. Oder wirft einen Mann in einem Sack in einen See.«

Wallander betrachtete sie forschend. »Normalerweise«, sagte er. »Dein Wort.«

»Wenn eine Frau an dieser Geschichte beteiligt ist, muss sie krank sein.«

Wallander stand auf und ging zum Fenster. »Noch etwas«, sagte er. »Was das gesamte Gebäude, das wir hier zu bauen versuchen, zum Einsturz bringen kann. Sie rächt nicht sich selbst. Sie rächt andere. Gösta Runfelts Frau ist tot. Eugen Blombergs Frau hat es nicht getan. Da bin ich mir sicher.

Holger Eriksson hat keine Frau. Wenn es Rache ist, und wenn es eine Frau ist, dann rächt sie *andere*. Und das hört sich unsinnig an. Wenn das stimmen sollte, dann habe ich so etwas noch nie erlebt.«

»Es können ja mehr als eine sein«, sagte Ann-Britt Höglund unsicher. »Eine Anzahl Mordengel? Eine Gruppe Frauen? Eine Sekte?«

»Das klingt nicht wahrscheinlich.«

»Nein«, sagte Wallander. »Das tut es nicht.«

Sie kamen nicht weiter. Wallander war ungeduldig, weil weder Martinsson noch Svedberg anriefen. Dann fiel ihm ein, dass das Telefon blockiert war. Er rief die Vermittlung an. Keiner von beiden hatte sich gemeldet. Er sagte, dass ihre Gespräche durchgestellt werden sollten, aber nur ihre.

»Der Einbruch«, sagte sie plötzlich. »Im Blumenladen. Wie passt der ins Bild?«

»Ich weiß es nicht«, antwortete er. »Auch nicht der Blutfleck auf dem Fußboden. Ich glaubte, ich hätte eine Erklärung. Aber jetzt weiß ich nicht mehr so recht.«

»Ich habe nachgedacht«, sagte sie.

Wallander merkte, dass ihr das, was sie sagen wollte, wichtig war. Er nickte ihr aufmunternd zu.

»Gösta Runfelt verlässt seine Wohnung. Entweder wird er herausgelockt oder es ist früh am Morgen. Er geht auf die Straße, um auf das Taxi zu warten. Da verschwindet er spurlos. Vielleicht ist er zum Laden gegangen? Es sind nur ein paar Minuten. Den Koffer kann er hinter der Haustür abgestellt haben. Oder mitgenommen haben. Der war nicht schwer.«

»Warum sollte er zum Laden gegangen sein?«

»Ich weiß nicht. Vielleicht hatte er etwas vergessen.«

»Du meinst, dass er im Laden überfallen wurde?«

»Ich weiß, dass das kein guter Gedanke ist. Aber ich habe ihn trotzdem gedacht.«

»Er ist nicht schlechter als viele andere«, sagte Wallander.

Er sah sie an. »Ist überhaupt untersucht worden, ob das Blut auf dem Fußboden Runfelts gewesen sein kann?«

»Ich glaube, das haben wir gar nicht gemacht. Das ist dann mein Fehler.«

»Wenn man fragen wollte, wer die Verantwortung für alle Fehler hat, die bei Verbrechensermittlungen gemacht werden, hätte man für nichts anderes Zeit. Ich nehme an, es gibt keine Spuren von dem Blut mehr?«

»Ich kann mit Vanja Andersson sprechen.«

»Tu das. Wir können es ja untersuchen lassen. Nur um sicher zu sein.«

Sie stand auf und verließ das Zimmer. Wallander war müde. Es war ein gutes Gespräch. Aber seine Unruhe hatte sich vertieft. Sie waren so weit von einem Zentrum entfernt, wie sie nur sein konnten. Der Ermittlung fehlte es noch immer an einer Gravitationskraft, die sie in eine bestimmte Richtung zog.

Auf dem Korridor hob jemand irritiert die Stimme. Dann dachte er an Baiba, zwang sich aber wieder zurück an die Arbeit. Da sah er vor seinem inneren Auge den Hund, den er kaufen wollte. Es hatte aufgehört zu regnen. Die Wolkendecke lag unbeweglich über dem Wasserturm.

Das Telefon klingelte. Es war Martinsson.

»Svedberg ist gerade von der Universität zurückgekommen. Eugen Blomberg scheint einer von den Menschen gewesen zu sein, von denen man ein bisschen boshaft sagt, dass sie im Tapetenmuster aufgehen. Er scheint auch kein herausragender Forscher gewesen zu sein, was Milchallergien betrifft. Irgendwie hat er ziemlich lose mit der Kinderklinik in Lund in Kontakt gestanden, scheint aber vor vielen Jahren in seiner Entwicklung stehen geblieben zu sein. Seine Forschungen müssen sich auf einem sehr elementaren Niveau bewegt haben. Behauptet Svedberg jedenfalls. Andererseits, was versteht Svedberg von Milchallergien?«

»Mach weiter«, sagte Wallander und versuchte nicht, seine Ungeduld zu verbergen.

»Es fällt mir schwer zu verstehen, wie ein Mensch so vollkommen bar aller Interessen sein kann«, sagte Martinsson. »Er scheint seine verdammte Milch gehabt zu haben, sonst nichts. Abgesehen von einem.«

Wallander wartete.

»Es hat den Anschein, als habe er ein Verhältnis mit einer Frau gehabt. Ich habe ein paar Briefe gefunden. Die Initialen KA tauchen da auf. Interessant daran ist, dass sie offenbar ein Kind erwartet hat.«

»Woher hast du das?«

»Aus den Briefen. Aus dem jüngsten Brief geht hervor, dass sie am Ende der Schwangerschaft ist.«

»Wann ist der datiert?«

»Er ist undatiert. Aber sie erwähnt einen Film im Fernsehen, der ihr gefallen hat. Und wenn ich mich richtig erinnere, lief der vor ungefär einem Monat. Wir finden das raus.«

»Hat sie eine Adresse?«

»Geht nicht aus den Briefen hervor.«

»Auch nicht, ob es Lund ist?«

»Nein. Aber sie ist sicher aus Schonen. Sie benutzt ein paar Wendungen, die darauf schließen lassen.«

»Hast du die Witwe danach gefragt?«

»Darüber wollte ich mit dir sprechen. Ob sich das schickt. Oder ob ich nicht lieber warten soll.«

»Frag sie«, sagte Wallander. »Wir können nicht warten. Außerdem habe ich das Gefühl, dass sie es sowieso weiß. Wir brauchen Namen und Anschrift von dieser Frau. Und zwar verdammt fix. Melde dich, sobald du mehr weißt.«

Wallander blieb mit dem Hörer in der Hand sitzen. Ein kalter Hauch von Unlust durchfuhr ihn. Was Martinsson gesagt hatte, erinnerte ihn an etwas anderes.

Es hatte mit Svedberg zu tun.

Aber er kam nicht darauf, was es war.

Hansson erschien in der Tür und sagte, dass er noch am gleichen Abend versuchen wolle, einen Teil des Materials, das aus Östersund gekommen war, durchzusehen.

»Es sind elf Kilo«, sagte er. »Nur damit du es weißt.«

»Hast du es gewogen?« fragte Wallander erstaunt.

»Nicht ich«, sagte Hansson. »Aber Jetpack. Elf Komma drei Kilo vom Polizeipräsidium in Östersund. Willst du wissen, was es gekostet hat?«

»Lieber nicht.«

Hansson ging wieder. Wallander pulte an seinen Nägeln. Dachte an einen schwarzen Labrador, der neben seinem Bett schlief. Es war zwanzig vor acht.

Endlich rief Martinsson an. »Sie hat geschlafen«, sagte er. »Ich wollte sie eigentlich nicht wecken. Deshalb hat es gedauert.«

Wallander sagte nichts. Er wusste, dass er selbst Kristina Blomberg, ohne zu zögern, geweckt hätte.

»Was hat sie gesagt?«

»Du hattest Recht. Sie weiß, dass ihr Mann andere Frauen hatte. Diese hier war nicht die erste. Aber sie weiß nicht, wer sie ist. KA sagt ihr nichts.«

»Weiß sie, wo die Frau wohnt?«

»Sie sagt ›Nein‹. Und ich neige dazu, ihr zu glauben.«

»Aber sie muss doch gewusst haben, wenn er verreist war?«

»Das habe ich sie auch gefragt. Sie sagt ›Nein‹. Außerdem hatte er kein Auto. Er hatte nicht einmal einen Führerschein.«

»Das heißt, dass sie in der Nähe wohnen muss.«

»Das denke ich auch.«

»Eine Frau mit den Initialen KA. Wir müssen sie finden. Lass alles andere vorläufig liegen. Wo ist Svedberg?«

»Er wollte mit jemandem sprechen, der Blomberg angeblich am besten kannte.«

»Er soll sich darauf konzentrieren herauszufinden, wer die Frau mit den Initialen KA ist.«

Wallander hatte den Hörer schon aufgelegt, als ihm plötzlich einfiel, was er vergessen hatte. Er suchte die Nummer des Polizeipräsidiums in Lund heraus. Er hatte Glück und bekam Birch in kurzer Zeit an den Apparat.

»Wir sind vielleicht auf etwas gekommen«, sagte Wallander.

»Martinsson hat mit Hamrén gesprochen, der mit ihm in der Siriusgatan zusammenarbeitet«, antwortete Birch. »Ich habe die Sache so verstanden, dass wir nach einer unbekannten Frau suchen, die möglicherweise die Initialen KA hat.«

»Nicht möglicherweise«, erwiderte Wallander. »Die hat sie. Karin Andersson, Katarina Ahlström, wir müssen sie finden, wie sie auch heißt. Es gibt da ein Detail, das wichtig ist, glaube ich.«

»Die Erwähnung in einem Brief, dass sie bald ein Kind bekommen sollte?«

Birch dachte schnell.

»Genau«, sagte Wallander. »Wir sollten also die Entbindungsstation in Lund kontaktieren. Frauen, die in der letzten Zeit ein Kind bekommen haben. Oder bekommen sollen. Mit den Initialen KA.«

»Ich kümmere mich persönlich darum«, sagte Birch. »So etwas ist immer ein bisschen heikel.«

Wallander beendete das Gespräch. Er schwitzte – etwas war in Bewegung gekommen. Hamrén erschien in der Tür.

Wallander hatte ihn kaum gesehen, seit er nach Ystad gekommen war. Er fragte sich auch, womit die beiden Beamten aus Malmö beschäftigt waren.

»Ich habe die Abgleichung zwischen Eriksson und Runfelt übernommen, jetzt, wo Martinsson in Lund ist«, sagte Hamrén. »Bisher hat es nichts gebracht. Ihre Wege haben sich wohl nie gekreuzt.«

»Trotzdem ist es wichtig, dass wir es zu Ende durchziehen«, sagte Wallander. »Irgendwo werden diese Ermittlungen zusammenlaufen. Davon bin ich überzeugt.«

»Und Blomberg?«

»Auch der bekommt seinen Platz in diesem Muster. Etwas anderes ist einfach nicht denkbar.«

»Seit wann ist Polizeiarbeit eine Frage dessen, was denkbar ist?« sagte Hamrén und lachte.

»Du hast natürlich recht«, sagte Wallander. »Aber hoffen darf man ja.«

Hamrén stand mit seiner Pfeife in der Hand da. »Ich gehe nach draußen und rauche«, sagte er. »Das reinigt das Gehirn.«

Es war kurz nach acht. Wallander wartete, dass Svedberg von sich hören ließe. Er holte sich eine Tasse Kaffee und ein paar Kekse. Gegen halb neun stellte er sich in die Tür der Kantine und sah gedankenverloren eine Weile in den Fernseher. Schöne Bilder von den Komoren. Um Viertel vor neun saß er wieder an seinem Platz. Um zehn Minuten nach neun rief Svedberg an.

»Es gibt keine Person mit den Initialen KA«, sagte er. »Jedenfalls keine, die der Mann, der Blombergs bester Freund gewesen sein soll, kennt.«

»Dann wissen wir das«, sagte Wallander, ohne seine Enttäuschung zu verbergen.

»Ich fahre jetzt nach Hause«, sagte Svedberg.

Wallander hatte kaum den Hörer aufgelegt, als es wieder klingelte. Es war Birch.

»Leider«, sagte er. »Es gibt keine Frau, die in den vergangenen zwei Monaten ein Kind geboren hat oder in den kommenden zwei entbinden soll mit den Initialen KA. Und diese Information dürfte zuverlässig sein.«

»Scheiße«, sagte Wallander.

Beide überlegten einen Augenblick.

»Sie kann ja ihr Kind woanders bekommen haben«, sagte Birch. »Es muss ja nicht Lund sein.«

»Du hast Recht«, sagte Wallander. »Wir müssen morgen weitermachen.«

Er legte auf.

Er wusste jetzt, was es war, das mit Svedberg zu tun hatte. Ein Blatt Papier, das durch ein Versehen auf seinem Schreibtisch gelandet war. Etwas mit nächtlichen Vorkommnissen auf der Entbindungsstation in Ystad. War es ein Überfall gewesen? Irgendwas mit einer falschen Krankenschwester?

Er rief Svedberg an, der aus seinem Auto antwortete.

»Wo bist du?« fragte Wallander.

»Ich bin noch nicht mal in Staffanstorp.«

»Komm her«, sagte Wallander. »Wir müssen da eine Sache untersuchen.«

»Ja«, sagte Svedberg. »Ich komme.«

Es dauerte genau zweiundvierzig Minuten.

Um fünf vor zehn stand Svedberg in der Tür von Wallanders Büro. Da waren Wallander bereits wieder Zweifel gekommen.

Die Wahrscheinlichkeit, dass er sich etwas eingebildet hatte, war zu groß.

27

Es dauerte eine Viertelstunde, bis Svedberg das Blatt Papier fand, das Wallander haben wollte. Wallander war sehr deutlich gewesen, als Svedberg kurz vor zehn in sein Büro gekommen war.

»Es kann ein Schuss ins Blaue sein«, sagte Wallander. »Aber wir suchen eine Frau mit den Initialen KA, die gerade hier unten in Schonen ein Kind gekriegt hat oder kriegen soll. Wir haben zuerst geglaubt, es wäre Lund. Aber da war nichts. Vielleicht ist es stattdessen hier in Ystad. Wenn ich mich nicht irre, haben sie hier bestimmte Methoden, die die Entbindungsstation von Ystad auch überregional bekannt gemacht haben. Und da passiert eines Nachts etwas Merkwürdiges. Später noch einmal. Es kann also ein Schuss ins Blaue sein. Aber ich will trotzdem wissen, was da passiert ist.«

Svedberg fand das Papier mit den Notizen. Er kehrte zu Wallander zurück, der ungeduldig wartete.

»Ylva Brink«, sagte Svedberg. »Sie ist meine Cousine. Was man so eine entfernte Cousine nennt. Und sie ist Hebamme auf der Entbindungsstation. Sie kam her und erzählte, dass eine unbekannte Frau eines Nachts auf der Entbindungsstation aufgetaucht war. Deshalb war sie beunruhigt.«

»Warum denn?«

»Es ist einfach nicht in Ordnung, dass eine unbekannte Person sich nachts auf der Entbindungsstation aufhält.«

»Lass uns das mal der Reihe nach durchgehen«, sagte Wallander. »Wann ist es zum ersten Mal passiert?«

»In der Nacht vom 30. September auf den 1. Oktober.«

»Vor fast drei Wochen. Und sie war beunruhigt?«

»Sie ist am Tag danach hergekommen. Das war ein Samstag. Ich habe eine Zeit lang mit ihr geredet. Damals habe ich diese Notizen gemacht.«

»Und dann ist es wieder passiert?«

»In der Nacht auf den 13. Oktober. Zufällig arbeitete Ylva auch in der Nacht. Und da ist sie niedergeschlagen worden. Ich wurde am Morgen hingerufen.«

»Was war passiert?«

»Die unbekannte Frau war wieder aufgetaucht. Als Ylva versuchte, sie aufzuhalten, wurde sie niedergeschlagen. Ylva sagte, es wäre gewesen, als ob ein Pferd sie getreten hätte.«

»Sie hatte die Frau vorher nie gesehen?«

»Nein.«

»Und sie trug Schwesterntracht?«

»Ja. Aber Ylva war sicher, dass sie nicht im Krankenhaus angestellt war.«

»Wie konnte sie sicher sein? Es müssen doch viele im Krankenhaus arbeiten, die sie nicht kennt.«

»Sie war sicher. Leider habe ich sie nicht gefragt, warum.«

Wallander überlegte. »Diese Frau hat sich zwischen dem 30. September und dem 13. Oktober für die Entbindungsstation interessiert«, sagte er. »Sie macht zwei nächtliche Besuche und zögert nicht, eine Hebamme niederzuschlagen. Die Frage ist, was sie eigentlich da getan hat.«

»Das fragt Ylva sich auch.«

»Und sie hatte keine Antwort?«

»Sie sind beide Male durch alle Zimmer der Station gegangen. Aber alles war normal.«

Wallander sah auf die Uhr. Bald Viertel vor elf. »Ruf bitte deine Cousine an«, sagte er. »Es ist nicht zu ändern, wenn wir sie vielleicht wecken.«

Svedberg nickte. Wallander zeigte auf sein Telefon. Er wusste, dass Svedberg, der oft vergesslich war, ein ausgeprägtes Gedächtnis für Telefonnummern hatte. Svedberg wählte. Ließ es lange klingeln. Niemand nahm ab.

»Wenn sie nicht zu Hause ist, bedeutet das, dass sie arbeitet«, sagte er, nachdem er den Hörer aufgelegt hatte.

Wallander erhob sich hastig. »Um so besser«, sagte er. »Ich war nicht mehr auf einer Entbindungsstation, seit Linda geboren wurde.«

Sie brauchten nur ein paar Minuten, um in Svedbergs Wagen zur Ambulanz des Krankenhauses zu fahren. Sie läuteten. Kurz darauf kam eine Wache und öffnete ihnen. Wallander zeigte seinen Polizeiausweis. Sie gingen die Treppen hinauf zur Entbindungsstation. Die Wache hatte sie angemeldet. An der Tür der Station wartete eine Frau auf sie.

»Meine Cousine«, sagte Svedberg. »Ylva Brink.«

Wallander begrüßte sie. Im Hintergrund ging eine Schwester. Ylva Brink nahm die beiden mit in einen kleinen Büroraum. »Im Moment ist es ziemlich ruhig«, sagte sie. »Aber das kann sich sehr schnell ändern.«

»Ich möchte direkt zur Sache kommen«, sagte Wallander. »Ich weiß, dass alle Informationen über Personen, die sich aus irgendeinem Grund im Krankenhaus befinden, vertraulich behandelt werden müssen. Ich beabsichtige auch nicht, gegen diese Regel zu verstoßen. Das einzige, was ich vorläufig wissen möchte, ist, ob zwischen dem 30. September und dem 13. Oktober eine Frau hier auf der Station war, die ein Kind bekommen sollte, und die die Initialen KA hatte. Zum Beispiel K wie Karin, A wie Andersson.«

Ein Schatten von Besorgnis zog über Ylva Brinks Gesicht. »Ist etwas passiert?«

»Nein«, sagte Wallander. »Ich muss nur eine Person identifizieren. Sonst nichts.«

»Ich kann darauf nicht antworten«, sagte sie. »Das sind ganz und gar vertrauliche Informationen. Wenn nicht die Entbindende schriftlich erklärt hat, dass Auskünfte darüber, dass sie hier ist, erteilt werden dürfen. Das gilt meiner Ansicht nach auch für Initialen.«

»Früher oder später muss jemand meine Frage beantworten«, sagte Wallander. »Mein Problem ist, dass ich es jetzt wissen muss.«

»Ich kann Ihnen trotzdem nicht helfen.«

Svedberg hatte nichts gesagt. Wallander sah, dass er die Stirn in Falten zog. »Gibt es hier eine Toilette?« fragte er.

»Um die Ecke.«

Svedberg nickte Wallander zu. »Du hast doch gesagt, du müsstest mal auf die Toilette. Am besten nutzt du jetzt die Gelegenheit.«

Wallander verstand. Er erhob sich und verließ das Zimmer.

Er wartete fünf Minuten auf der Toilette, bevor er zurückging. Ylva Brink war nicht da. Svedberg stand über ein paar Papiere gebeugt, die auf dem Tisch lagen.

»Was hast du gesagt?« fragte Wallander.

»Dass sie der Familie keine Schande machen soll«, antwortete Svedberg. »Hier hast du alle Namen. Ich glaube, am besten lesen wir schnell zusammen.«

Sie gingen die Liste durch. Keine der Frauen hatte die Initialen KA. Es war so, wie Wallander es befürchtet hatte. Eine Niete.

»Vielleicht sind es gar keine Initialen«, sagte Svedberg nachdenklich. »KA bedeutet vielleicht etwas anderes?«

»Und was sollte das sein?«

»Es gibt ja eine Katarina Taxell hier«, sagte Svedberg und wies auf einen Namen. »Die Buchstaben KA sind vielleicht nur eine Abkürzung von Katarina.«

Wallander nickte und ging die Liste noch einmal durch. Es gab keine andere Frau mit der Kombination KA. Keine Karin, keine Karoline. Weder mit C noch mit K.

»Du kannst Recht haben«, sagte er. »Schreib die Adresse auf.«

»Die steht nicht da. Nur die Namen. Vielleicht ist es das beste, wenn du unten wartest, während ich noch einmal mit Ylva spreche. Aber das wird wohl eine Weile dauern«, sagte Svedberg. »Ylva ist gerade bei einer Geburt.«

»Ich warte«, sagte Wallander. »Wenn es sein muss, die ganze Nacht.«

Er nahm einen Zwieback aus einer Schale und verließ die Station.

Wallander ging hinaus auf den Parkplatz. Es war kalt. Er dachte, dass sie auch untersuchen mussten, ob es in Lund eine Karin oder Katarina gab. Das konnte Birch übernehmen. Es war halb zwölf. Die Türen von Svedbergs Wagen waren verschlossen. Er überlegte, ob er die Schlüssel holen sollte. Die Wartezeit konnte lang werden. Aber er ließ es sein.

Er begann, auf dem Parkplatz auf und ab zu gehen.

Plötzlich war er wieder in Rom. Vor ihm, ein Stück entfernt, ging sein Vater. Die Spanische Treppe, dann ein Brunnen. Das Glänzen in seinen Augen. Ein alter Mann allein in Rom. Wusste er, dass er bald sterben würde? Dass er die Reise nach Italien jetzt machen musste, bevor es zu spät war?

Wallander hielt inne. Ihm steckte ein Kloß im Hals. Wann würde er endlich Zeit haben, die Trauer um seinen Vater anzunehmen? Das Leben warf ihn hin und her. Bald wäre er fünfzig. Jetzt war Herbst. Nacht. Und er ging auf der Rückseite eines Krankenhauses umher und fror. Am meisten fürchtete er, dass das Leben so unbegreiflich würde, dass er nicht mehr damit zurechtkäme. Was blieb ihm dann? Vorzeitige Pensionierung? Ein Gesuch um einfachere Arbeit? Sollte er fünfzehn Jahre durch die Schulen tingeln und über Drogen und Gefahren im Straßenverkehr reden?

Das Haus, dachte er. Und ein Hund. Und vielleicht auch Baiba. Eine äußere Veränderung tut not. Damit fange ich an. Dann werde ich sehen, wie es mit mir selbst weitergeht. Meine Arbeitsbelastung ist immer groß. Ich schaffe es nicht, wenn ich mich zusätzlich noch mit mir selbst abschleppen muss.

Mitternacht war vorüber. Er patrouillierte auf dem Parkplatz. Der Krankenwagen war wieder abgefahren. Alles war still. Er wusste, dass er viele Dinge zu durchdenken hatte. Aber er war zu müde. Das einzige, was er noch schaffte, war, zu warten. Und sich zu bewegen, damit er nicht fror.

Um halb eins kam Svedberg. Er ging schnell. Wallander sah, dass er Neuigkeiten hatte. »Katarina Taxell kommt aus Lund«, sagte er.

Wallanders Spannung stieg. »Ist sie noch da?«

»Sie hat am 15. Oktober ihr Kind bekommen. Sie ist schon wieder zu Hause.«

»Hast du die Adresse?«

»Ich habe noch mehr. Sie ist alleinstehend. Und ein Vater ist nicht angegeben. Außerdem hatte sie nie Besuch, während sie hier war.«

Wallander hielt den Atem an. »Dann kann sie es sein«, sagte er. »Sie muss es sein. Die Frau, die Eugen Blomberg ›KA‹ nannte.«

Sie fuhren zurück zum Polizeipräsidium. Unmittelbar vor der Einfahrt machte Svedberg eine Vollbremsung, um nicht einen Hasen zu überfahren, der sich in die Stadt verirrt hatte.

Sie setzten sich in die Kantine, die leer war. Irgendwo lief leise ein Radio. Bei den wachhabenden Polizisten klingelte das Telefon. Wallander hatte sich einen Becher mit bitterem Kaffee eingeschenkt.

»Aber es kann kaum sie sein, die Blomberg in einen Sack gesteckt hat«, sagte Svedberg und kratzte sich mit dem Kaffeelöffel die Glatze. »Es fällt mir schwer zu glauben, dass eine junge Mutter hingeht und Leute umbringt.«

»Sie ist ein Zwischenglied«, sagte Wallander. »Wenn meine Auffassung richtig ist. Sie steht zwischen Blomberg und der Person, die jetzt die wichtigste ist.«

»Die Krankenschwester, die Ylva niedergeschlagen hat?«

»Die und keine andere.«

Svedberg strengte sich an, um Wallanders Gedanken zu folgen. »Du meinst also, diese unbekannte Krankenschwester ist auf der Entbindungsstation aufgetaucht, um sie zu treffen?«

»Ja.«

»Aber warum tut sie das in der Nacht? Warum kommt sie nicht zur normalen Besuchszeit? Es gibt doch feste Besuchszeiten. Und keiner schreibt auf, wer kommt und wer Besuch hat.«

Wallander sah ein, dass Svedbergs Fragen ausschlaggebend waren. Er musste sie beantworten, um weiterzukommen. »Sie will nicht gesehen werden«, sagte er. »Das ist die einzig denkbare Erklärung.«

Svedberg gab nicht nach. »Von wem nicht gesehen? Hatte sie Angst, erkannt zu werden? Wollte sie nicht einmal, dass Katarina Taxell sie sah? Hat sie das Krankenhaus in der Nacht besucht, um eine schlafende Frau zu betrachten?«

»Ich weiß es nicht«, sagte Wallander. »Ich gebe dir Recht, es ist merkwürdig.«

»Es gibt nur eine denkbare Erklärung«, fuhr Svedberg fort. »Sie kommt in der Nacht, weil sie am Tag erkannt werden kann.«

Wallander grübelte über Svedbergs Kommentar nach. »Das könnte zum Beispiel bedeuten, dass jemand, der am Tag arbeitet, sie erkannt hätte?«

»Man kann kaum davon ausgehen, dass sie es ohne Grund vorzieht, die Entbindungsstation in der Nacht aufzusuchen. Um sich außerdem noch in eine Situation zu begeben, in der es nötig wird, meine Cousine niederzuschlagen, die nichts Böses getan hat.«

»Es gibt vielleicht eine alternative Erklärung«, sagte Wallander.

»Welche?«

»Dass sie die Entbindungsstation nur in der Nacht besuchen *kann.*«

Svedberg nickte nachdenklich. »Das kann natürlich sein. Aber warum?«

»Dafür kann es viele Erklärungen geben. Wo sie wohnt. Ihre Arbeit. Außerdem will sie diese Besuche vielleicht heimlich machen.«

Svedberg schob seinen Kaffeebecher zur Seite. »Ihre Besuche müssen wichtig gewesen sein. Sie war zweimal da.«

»Wir können einen Zeitplan aufstellen«, sagte Wallander. »Sie kommt zum erstenmal in der Nacht auf den 1. Oktober. Und zwar zu dem Zeitpunkt in der Nacht, wo alle, die arbeiten, besonders müde und am wenigsten aufmerksam sind. Sie bleibt ein paar Minuten und verschwindet wieder. Zwei Wochen später wiederholt sich das Ganze. Der gleiche Zeitpunkt. Diesmal wird sie von Ylva Brink aufgehalten und schlägt sie nieder. Die Frau verschwindet spurlos.«

»Ein paar Tage später bringt Katarina Taxell ihr Kind zur Welt.«

»Die Frau kommt nicht wieder. Aber Eugen Blomberg wird ermordet.«

»Sollte eine Krankenschwester hinter dem Ganzen stecken?«

Sie sahen einander an, ohne etwas zu sagen.

Wallander fiel plötzlich ein, dass er vergessen hatte, Svedberg nach einem wichtigen Detail zu fragen. »Erinnerst du dich an die Plastikklemme, die wir in Gösta Runfelts Koffer gefunden haben?«

Svedberg nickte.

»Ruf noch einmal auf der Entbindungsstation an. Frag Ylva, ob sie sich erinnern kann, dass die Frau, die sie niedergeschlagen hat, ein Namensschild trug.«

Svedberg stand auf und nahm ein Telefon, das an der Wand hing.

Eine von Ylvas Kolleginnen war am Apparat. Svedberg wartete. Wallander trank ein Glas Wasser. Dann begann Svedberg zu fragen. Es war ein kurzes Gespräch.

»Sie ist sicher, dass sie ein Namensschild hatte«, sagte er. »Beide Male.«

»Konnte sie den Namen darauf lesen?«

»Sie war nicht sicher, ob ein Name draufstand.«

Wallander dachte nach. »Sie kann das erste verloren haben«, sagte er. »Irgendwo hat sie die Schwesterntracht her. Da kann sie sich auch eine neue Klemme beschafft haben.«

»Dass wir für uns wichtige Fingerabdrücke im Krankenhaus finden, halte ich für unmöglich«, sagte Svedberg. »Da wird ja ständig geputzt. Außerdem wissen wir nicht, ob sie überhaupt etwas angefasst hat.«

»Auf jeden Fall hatte sie keine Handschuhe an«, sagte Wallander. »Das wäre Ylva aufgefallen.«

Svedberg schlug sich mit dem Kaffeelöffel an die Stirn.

»Vielleicht trotzdem«, sagte er. »Wenn ich Ylva richtig verstanden habe, hatte die Frau sie gepackt, als sie sie niederschlug.«

»Sie hat nur die Kleidung berührt«, sagte Wallander. »Und daran findet man ja nichts.«

Für eine Weile schien ihn der Mut zu verlassen. »Wir müssen trotzdem mit Nyberg reden«, sagte er dann. »Vielleicht hat sie das Bett angefasst, in dem Katarina Taxell lag. Wir müssen es versuchen. Wenn wir Fingerabdrücke finden, die mit etwas übereinstimmen, was wir in Runfelts Koffer gefunden haben, dann sind wir einen großen Schritt weiter. Dann können wir anfangen, die gleichen Fingerabdrücke bei Holger Eriksson und Eugen Blomberg zu verfolgen.«

Svedberg schob ihm den Zettel hin, auf dem er Katarina Taxells Personalien aufgeschrieben hatte. Wallander sah, dass sie dreiunddreißig Jahre alt und selbstständig war, ohne dass daraus hervorging, was sie beruflich tat. Sie hatte eine Adresse im Zentrum von Lund.

»Morgen früh um sieben sind wir da«, sagte er. »Weil wir zwei heute Nacht hier zusammengearbeitet haben, können wir auch damit weitermachen. Aber jetzt tun wir gut daran, ein paar Stunden zu schlafen.«

Wallander machte sich nicht die Mühe, ein Taxi zu bestellen. Er ging durch die menschenleere Stadt nach Hause. Er dachte an Katarina Taxell.

Als er in seine Wohnung hinaufkam, zog er nur die Schuhe und die Jacke aus, legte sich aufs Sofa und deckte sich mit einer Wolldecke zu. Der Wecker war gestellt. Aber er konnte nicht einschlafen. Außerdem bekam er Kopfschmerzen. Er ging in die Küche und löste Tabletten in einem Glas Wasser auf. Die Straßenlaterne vor dem Fenster schwankte im Wind. Dann legte er sich wieder hin. Er verfiel in eine Art Halbschlaf, bis der Wecker klingelte. Als er sich aufsetzte, war er noch müder als vorher. Er ging ins

Badezimmer und sprengte sich kaltes Wasser ins Gesicht. Dann wechselte er das Hemd und machte sich Kaffee.

Um sechs hielt Svedberg vor seiner Tür. Wallander stand mit der Kaffeetasse am Küchenfenster und sah ihn kommen.

»Ich habe mit Martinsson gesprochen«, sagte Svedberg, als Wallander sich neben ihn gesetzt hatte. »Er wollte Nyberg bitten, sich die Plastikklemme vorzunehmen.«

»Ist ihm klar geworden, worauf wir aus sind?«

»Ich glaube, ja.«

»Dann fahren wir.«

Wallander lehnte sich zurück und schloss die Augen. Das Beste, was er auf dem Weg nach Lund tun konnte, war schlafen.

Katarina Taxell wohnte in einem Mietshaus an einem Platz, den Wallander nicht kannte. »Vielleicht ist es besser, wir rufen Birch an«, sagte er. »Damit es nachher keinen Ärger gibt.«

Svedberg erreichte ihn zu Hause. Er gab Wallander den Hörer. Wallander erklärte in aller Kürze, was geschehen war. Birch versprach, in zwanzig Minuten da zu sein. Sie saßen im Auto und warteten. Der Himmel war grau. Es regnete nicht. Aber der Wind war stärker geworden. Birchs Auto hielt hinter ihnen. Wallander erklärte ihm genauer, was bei dem Gespräch mit Ylva Brink herausgekommen war. Birch hörte aufmerksam zu. Wallander konnte aber sehen, dass er skeptisch war.

Dann gingen sie hinein. Katarina Taxell wohnte im ersten Stock links.

»Ich halte mich im Hintergrund«, sagte Birch. »Das Gespräch musst du führen.«

Svedberg klingelte an der Tür. Sie wurde fast augenblicklich geöffnet. Vor ihnen stand eine Frau im Morgenrock. Sie hatte vor Müdigkeit dunkle Ringe unter den Augen. Wallander dachte, dass sie ihn an Ann-Britt Höglund erinnerte.

Wallander grüßte und versuchte, so freundlich wie möglich zu klingen. Aber als er sagte, dass er Polizeibeamter sei und aus Ystad komme, sah er, dass sie reagierte. Sie gingen in die Wohnung, die einen kleinen und engen Eindruck machte. Überall sah man Zeichen davon, dass sie gerade ein Kind bekommen hatte. Wallander erinnerte sich daran, wie es in seiner eigenen Wohnung ausgesehen hatte, als Linda geboren war. Sie betraten ein Wohnzimmer mit hellen Holzmöbeln. Auf dem Tisch lag eine Broschüre, die Wallanders Aufmerksamkeit erweckte: *Taxells Haarpflegemittel.* Das gab ihm eine denkbare Erklärung, womit sie sich als Selbstständige beschäftigte.

»Es tut mir Leid, dass wir so früh kommen«, sagte er, nachdem sie sich gesetzt hatten. »Aber unser Anliegen kann nicht warten.«

Er war sich nicht sicher, wie er fortfahren sollte. Sie saß ihm genau gegenüber und ließ sein Gesicht nicht aus den Augen. »Sie haben gerade auf der Entbindungsstation in Ystad ein Kind bekommen«, sagte er.

»Einen Jungen«, sagte sie. »Er wurde am 15. geboren. Um drei Uhr am Nachmittag.«

»Meine herzlichen Glückwünsche«, sagte Wallander. Svedberg und Birch schlossen sich murmelnd an.

»Ungefähr zwei Wochen vorher«, fuhr Wallander fort, »um genau zu sein in der Nacht zwischen dem 30. September und dem 1. Oktober – ich möchte gern wissen, ob Sie Besuch hatten, erwartet oder unerwartet, irgendwann nach Mitternacht.«

Sie blickte ihn verständnislos an. »Wer sollte das gewesen sein?«

»Eine Krankenschwester, die Sie vielleicht früher noch nicht gesehen hatten?«

»Ich kannte alle, die nachts gearbeitet haben.«

»Diese Frau kam zwei Wochen später noch einmal«, sagte er. »Und wir glauben, dass sie da war, um Sie zu besuchen.«

»In der Nacht?«

»Ja. Irgendwann nach zwei Uhr.«

»Mich hat niemand besucht. Außerdem habe ich geschlafen.«

Wallander nickte langsam. Birch stand hinter dem Sofa, Svedberg saß auf einem Stuhl an der Wand. Alles war plötzlich sehr still.

Sie warteten darauf, dass Wallander fortfuhr.

Es fiel ihm schwer, sich zu konzentrieren. Er war immer noch müde. Eigentlich hätte er fragen sollen, warum sie so lange auf der Entbindungsstation gelegen hatte. Waren während der Schwangerschaft Komplikationen aufgetreten? Aber er ließ es auf sich beruhen.

Etwas anderes war wichtiger.

Es war ihm nicht entgangen, dass sie nicht die Wahrheit sagte. Er war überzeugt davon, dass sie Besuch gehabt hatte. Und dass sie wusste, wer die Frau war.

28

Ein Kind begann plötzlich zu schreien. Katarina Taxell stand auf und verließ das Zimmer. Wallander hatte sich im gleichen Moment entschieden, wie er das Gespräch weiterführen wollte. Schon vom ersten Augenblick an hatte er etwas Unbestimmtes und Ausweichendes an ihr wahrgenommen. Die langen Jahre als Polizist, in denen er gezwungen war, den Unterschied zwischen Lüge und Wahrheit zu erspüren, hatten ihm ein fast unfehlbares Gefühl dafür gegeben, wann jemand von der Wahrheit abwich. Er stand auf und trat ans Fenster zu Birch. Svedberg kam hinzu. Sie steckten die Köpfe zusammen, und Wallander sprach mit leiser Stimme. Die ganze Zeit behielt er die Tür im Auge.

»Sie sagt nicht die Wahrheit«, flüsterte er.

Die anderen schienen nichts gemerkt zu haben. Oder sie waren weniger überzeugt. Aber sie machten keine Einwände.

»Es ist möglich, dass das hier seine Zeit braucht«, sagte Wallander. »Aber weil ich der Meinung bin, dass sie für uns von entscheidender Bedeutung ist, gebe ich nicht klein bei. Sie weiß, wer diese Frau ist. Und ich bin überzeugter davon denn je, dass sie wichtig ist.«

Birch schien erst jetzt den Zusammenhang zu begreifen. »Meinst du, dass hinter dem allen eine Frau steckt? Eine Frau als Täterin?«

Er klang, als sei er über seine eigenen Worte erschrocken.

»Sie muss nicht notwendigerweise die Mörderin sein«, sagte Wallander. »Aber es gibt eine Frau irgendwo im Zentrum dieser Ermittlung. Davon bin ich überzeugt. Und wenn sie nur etwas verdeckt, was sich wiederum dahinter befindet. Deshalb müssen wir sie so schnell wie möglich fassen. Wir müssen wissen, wer sie ist.«

Das Kind hörte auf zu schreien. Svedberg und Wallander gingen schnell zurück an ihre früheren Plätze. Es dauerte eine Minute. Dann kam Katarina Taxell zurück und setzte sich aufs Sofa. Wallander sah, dass sie äußerst wachsam war.

»Kommen wir zurück zur Entbindungsstation in Ystad«, sagte er freundlich. »Sie sagen, dass Sie geschlafen haben. Und dass niemand Sie in diesen Nächten besucht hat?«

»Ja.«

»Ich stelle Ihnen jetzt eine persönliche Frage«, fuhr er fort. »Da dies hier kein Verhör ist, brauchen Sie nicht zu antworten. Aber dann muss ich Ihnen sagen, dass es nötig sein kann, dass wir Sie ins Polizeipräsidium mitnehmen und ein formelles Verhör durchführen müssen. Wir sind hergekommen, weil wir Informationen im Zusammenhang mit mehreren schweren Gewaltverbrechen suchen.«

Sie reagierte noch immer nicht. Ihr Blick fixierte ihn, als wollte sie ihm direkt in den Kopf starren. Etwas in ihren Augen bereitete ihm Unbehagen.

»Es hat den Anschein, dass Sie hier allein leben. Sie sind nicht verheiratet?«

»Nein.«

Die Antwort kam schnell und bestimmt. Hart, dachte Wallander. Als schlüge sie zu.

»Darf ich fragen, wer der Vater Ihres Kindes ist?«

»Darauf will ich nicht antworten. Das braucht niemanden zu interessieren außer mich selbst. Und das Kind.«

»Wenn der Vater des Kindes Opfer eines Gewaltverbrechens geworden ist, muss man wohl sagen, dass es mit der Sache zu tun hat.«

»Das würde voraussetzen, dass Sie wissen, wer der Vater meines Kindes ist. Aber das wissen Sie nicht. Also ist die Frage unsinnig.«

Wallander sah ein, dass sie Recht hatte. Auf den Kopf gefallen war sie nicht.

»Lassen Sie mich eine andere Frage stellen«, fuhr er fort. »Kennen Sie einen Mann namens Eugen Blomberg?«

»Ja.«

»Auf welche Weise kennen Sie ihn?«

»Ich kenne ihn.«

»Wissen Sie, dass er ermordet wurde?«

»Ja.«

»Woher wissen Sie das?«

»Ich habe es heute Morgen in der Zeitung gelesen.«

»Ist er der Vater Ihres Kindes?«

»Nein.«

Sie lügt gut, dachte Wallander. Aber nicht überzeugend genug. »Hatten Sie nicht ein Verhältnis mit Eugen Blomberg?«

»Das stimmt.«

»Und trotzdem ist er nicht der Vater Ihres Kindes?«

»Nein.«

»Wie lange dauerte Ihr Verhältnis?«

»Zweieinhalb Jahre.«

»Es muss heimlich gewesen sein, weil er verheiratet war.«

»Er hat mich belogen. Ich habe es erst viel später erfahren.«

»Was geschah da?«

»Ich habe Schluss gemacht.«

»Wann war das?«

»Vor ungefähr einem Jahr.«

»Danach haben Sie sich nicht mehr getroffen?«

»Nein.«

Wallander nutzte die Gelegenheit und ging zum Angriff über. »Wir haben Briefe bei ihm gefunden, die Sie ihm noch vor ein paar Monaten geschrieben haben.«

Sie ließ sich nicht erschüttern. »Wir haben uns geschrieben. Aber wir haben uns nicht gesehen. Er wollte, dass wir uns wieder treffen. Das wollte ich nicht.«

»Weil Sie einen anderen Mann getroffen hatten?«

»Weil ich ein Kind erwartete.«

Wallander warf einen Blick auf Svedberg, der auf den Fußboden starrte. Birch sah zum Fenster hinaus. Wallander wusste, dass beide unter Hochspannung standen.

»Wer, glauben Sie, kann Eugen Blomberg getötet haben?«

Wallander ließ die Frage mit aller Wucht los. Birch bewegte sich am Fenster. Svedberg ging dazu über, seine Hände anzustarren.

»Ich weiß nicht, wer ihn hätte töten wollen.«

Das Kind gab wieder Laute von sich. Sie sprang auf. Wieder war sie fort. Wallander sah die beiden anderen an. Birch schüttelte den Kopf. Wallander versuchte, die Situation einzuschätzen. Es würde große Probleme bereiten, eine Frau zum Verhör vorzuladen, die ein drei Tage altes Kind hatte. Außerdem lag kein Verdacht gegen sie vor. Er entschloss sich schnell. Sie stellten sich wieder ans Fenster.

»Ich breche hier ab«, sagte Wallander. »Aber ich will, dass sie beschattet wird. Und ich will alles über sie wissen, was es überhaupt gibt. Sie scheint eine Firma zu haben, die irgendwelche Produkte für Haarpflege verkauft. Ich will alles über ihre Eltern wissen, Freunde, was sie früher gemacht hat. Sucht sie in allen Karteien, die es gibt. Ich brauche ein lückenloses Bild.«

»Wir nehmen das in die Hand«, sagte Birch.

»Svedberg bleibt hier in Lund. Wir brauchen hier jemand, der über die früheren Morde im Bild ist. Außerdem können wir es uns im Augenblick nicht leisten, dass Leute unnötig hin- und herfahren.«

Plötzlich stand sie in der Tür. Sie hielt das Kind im Arm. Wallander lächelte. Sie gingen zu ihr und betrachteten den Jungen. Svedberg, der Kinder liebte, obwohl er selbst keine hatte, fing an, mit dem Baby herumzualbern.

Wallander merkte plötzlich, dass etwas eigentümlich war. Er dachte daran, wie es war, als Linda geboren wurde. Als Mona sie herumgetragen hatte. Als er selbst es getan hatte, ständig in Angst, sie fallen zu lassen.

Dann kam er darauf. Sie hielt das Kind nicht an ihren Körper gedrückt. Sie hielt es wie etwas, was eigentlich nicht zu ihr gehörte.

Ihm wurde beklommen zumute. Aber er ließ sich nichts anmerken.

»Wir wollen nicht länger stören«, sagte er. »Wir lassen mit Sicherheit wieder von uns hören.«

»Ich hoffe, Sie kriegen die Person, die Eugen ermordet hat«, sagte sie.

Wallander sah sie an. Dann nickte er.

»Ja«, sagte er. »Wir klären das auf. Das kann ich Ihnen versprechen.«

Sie kamen auf die Straße. Der Wind war noch stärker geworden.

»Was hältst du von ihr?« fragte Birch.

»Sie sagt natürlich nicht die Wahrheit«, sagte Wallander. »Aber es war, als ob sie auch nicht gelogen hätte. Was das bedeutet, weiß ich auch nicht.«

»Mir ist eine Kleinigkeit aufgefallen«, sagte Svedberg plötzlich. »Dass sie ›die Person‹ gesagt hat und nicht ›ihn‹ oder ›den Täter‹.«

Wallander nickte, es war ihm auch aufgefallen.

»Muss das etwas zu bedeuten haben?« fragte Birch skeptisch.

»Nein«, sagte Wallander. »Aber sowohl Svedberg als auch mir ist es aufgefallen. Und das wiederum bedeutet vielleicht etwas.«

Sie kamen überein, dass Wallander mit Svedbergs Wagen nach Ystad zurückfahren sollte. Er versprach erneut, jemand zu schicken, der ihn in Lund so schnell wie möglich ablöste.

»Das hier ist wichtig«, sagte er noch einmal zu Birch. »Katarina Taxell hat im Krankenhaus Besuch von dieser Frau gehabt. Wir müssen rausfinden, wer sie ist. Die Hebamme, die von ihr niedergeschlagen wurde, hat eine ziemlich gute Personenbeschreibung von ihr gegeben.«

»Gib sie mir«, sagte Birch. »Es kann ja sein, dass sie sie auch hier besucht.«

»Sie war sehr groß«, sagte Wallander. »Ylva Brink ist selbst 1,74. Sie glaubt, dass die Frau ungefähr 1,80 war. Dunkles Haar, halblang und glatt. Blaue Augen, spitze Nase, schmale Lippen. Sie war kräftig, aber nicht dick.

Nicht besonders auffällige Figur. Die Wucht des Schlags lässt vermuten, dass sie stark ist. Vielleicht gut trainiert.«

»Das passt aber auf ziemlich viele Personen«, sagte Birch.

»Das tun alle Personenbeschreibungen«, sagte Wallander. »Und doch begreift man sofort, wenn man die richtige gefunden hat.«

Birch hatte sich Notizen gemacht. Er nickte. »Mal sehen, was wir tun können«, sagte er. »Die Überwachung hier vor dem Haus muss sehr diskret ablaufen. Sie wird auf der Hut sein.«

Sie gingen auseinander. Svedberg gab Wallander seine Wagenschlüssel. Unterwegs versuchte Wallander zu verstehen, warum Katarina Taxell nicht zugeben wollte, dass sie in den Nächten, als sie auf der Entbindungsstation lag, zweimal Besuch hatte. Wer war die Frau? Wie hing sie mit Katarina Taxell und Eugen Blomberg zusammen? Wie liefen die Drähte weiter? Wie sah die Kette aus, die zu dem Mord führte?

Gleichzeitig fühlte Wallander eine innere Unruhe und fürchtete, auf einem vollkommen falschen Weg zu sein. Möglicherweise brachte er die Ermittlung völlig vom Kurs ab, auf ein Gebiet mit Unterwasserriffs, die zu guter Letzt dazu führen konnten, dass sie Schiffbruch erlitten.

Nichts konnte ihn mehr quälen, ihm den Schlaf rauben, ihm Magenschmerzen verursachen, als die Vorstellung, dass er die Ermittlung mit voller Fahrt in den Untergang steuerte. Er hatte das schon früher erlebt. Dass Ermittlungen sich plötzlich bis zur Unkenntlichkeit zersplitterten. Dass nichts übrig blieb, als ganz von vorn anzufangen. Und es war sein Fehler gewesen.

Zurück in Ystad parkte Wallander vor dem Präsidium, ging aber erst ins Zentrum. Telefonisch hatte er für fünf Uhr eine Besprechung angesetzt und außerdem dafür gesorgt, dass Svedberg durch Augustsson, einen der Polizisten aus Malmö, abgelöst wurde. Ein kräftiger Wind wehte. Er setzte sich in die Konditorei am Bushalteplatz und aß ein paar belegte Brote. Der ärgste Hunger verging. Er blätterte achtlos in einer zerlesenen Zeitschrift. Auf dem Rückweg ins Präsidium blieb er noch einmal stehen und aß einen Hamburger. Er warf die Serviette in den Papierkorb und wandte sich in seinen Gedanken wieder Katarina Taxell zu.

Um zehn nach fünf waren sie im Sitzungszimmer versammelt. Wallander fasste zunächst zusammen, was sie bisher über Katarina Taxell wussten. Er spürte sofort die gespannte Aufmerksamkeit der Anwesenden. Zum ersten Mal während der laufenden Ermittlung hatte er das Gefühl, dass sie sich einem Punkt näherten, an dem ihnen vielleicht ein Durchbruch gelingen würde. Das Gefühl verstärkte sich durch das, was Hansson zu sagen hatte.

»Das Nachforschungsmaterial über Krista Haberman ist uferlos«, sagte er. »Ich habe viel zu wenig Zeit, und es kann sein, dass ich etwas Wesentliches übersehen habe. Aber eine Sache habe ich gefunden, die von Interesse sein kann.«

Er blätterte in seinen Notizen, bis er das Richtige gefunden hatte. »In der zweiten Hälfte der sechziger Jahre hat Krista Haberman dreimal Schonen besucht. Sie war mit einem Vogelbeobachter aus Falsterbo in Kontakt gekommen. Viele Jahre später, als sie bereits lange verschwunden war, reist ein Polizist mit Namen Fredrik Nilsson den ganzen Weg von Östersund herunter, um mit diesem Mann in Falsterbo zu sprechen. Er hat im Übrigen notiert, dass er mit dem Zug gefahren ist. Der Mann in Falsterbo heißt Tandvall. Erik Gustav Tandvall. Er erzählt ohne Umschweife, dass er Besuch von Krista Haberman hatte. Ohne dass es direkt zur Sprache kommt, ahnt man, dass sie ein Verhältnis hatten. Aber der Polizeibeamte Nilsson aus Östersund kann an dem Ganzen nichts Verdächtiges finden. Das Verhältnis zwischen Haberman und Tandvall war lange vor ihrem spurlosen Verschwinden zu Ende. Tandvall hat mit Sicherheit nichts mit ihrem Verschwinden zu tun. Damit wird er abgeschrieben und taucht in der Ermittlung nie wieder auf.«

Hansson hatte aus seinen Notizen gelesen. Jetzt blickte er in die Runde der Zuhörenden. »Der Name kam mir irgendwie bekannt vor. Tandvall. Ein ungewöhnlicher Name. Ich hatte das Gefühl, ihn schon einmal gelesen zu haben. Es dauerte eine Weile, bis mir einfiel, wo. In einer Liste von Leuten, die als Autoverkäufer für Holger Eriksson gearbeitet hatten.«

Es war jetzt vollkommen still im Raum. Die Spannung war groß. Alle erkannten, dass Hansson sich zu einem sehr wichtigen Zusammenhang vorgearbeitet hatte.

»Der Autoverkäufer hieß nicht Erik Tandvall«, fuhr Hansson fort, »sondern Göte. Göte Tandvall. Unmittelbar vor dieser Sitzung bekam ich die Bestätigung, dass er Erik Tandvalls Sohn ist. Ich sollte vielleicht noch sagen, dass Erik Tandvall vor ein paar Jahren gestorben ist. Den Sohn habe ich noch nicht ausfindig gemacht.«

Hansson schwieg.

Lange Zeit sagte keiner etwas.

»Das heißt mit anderen Worten«, sagte Wallander langsam, »dass es eine Möglichkeit gibt, dass Holger Eriksson Krista Haberman gekannt hat: eine Frau, die dann spurlos verschwindet. Eine Frau aus Svenstavik. Wo es eine

Kirche gibt, die einer Verfügung in Holger Erikssons Testament zufolge eine Schenkung erhält.«

Wieder wurde es still im Raum.

Alle sahen, was das bedeutete.

Endlich zeigten sich die ersten Zusammenhänge.

29

Kurz vor Mitternacht sah Wallander ein, dass sie nicht mehr konnten. Sie saßen seit fünf Uhr zusammen und hatten nur kurze Pausen gemacht, um zu lüften.

Hansson hatte den Anstoß gegeben. Sie hatten einen Zusammenhang gesichert. Die Konturen eines Menschen, der sich schattengleich zwischen den drei getöteten Männern bewegte, begannen hervorzutreten. Auch wenn sie immer noch nur mit Vorsicht das Motiv als bekannt bezeichneten, hatten sie jetzt das Gefühl, sich am äußeren Rand einer Reihe von Ereignissen zu bewegen, deren gemeinsamer Nenner Rache war.

Wallander hatte zu einem gemeinsamen Vorrücken durch das unwegsame Terrain gesammelt, Hansson war gekommen und hatte ihnen die Richtung gewiesen. Aber noch immer hatten sie keine Karte, der sie folgen konnten.

Es hatte auch Zweifel in der Gruppe gegeben. Konnte dies wirklich richtig sein? Dass ein sonderbares Verschwinden vor vielen Jahren, beleuchtet durch fast elf Kilo Untersuchungsmaterial von inzwischen toten Polizisten in Jämtland, ihnen helfen konnte, einen Täter zu entlarven, der unter anderem in einem schonischen Graben angespitzte Bambusstäbe aufstellte?

Erst als sich einige Minuten nach sechs die Tür öffnete und Nyberg hereinkam, verflogen die Zweifel. Nyberg machte sich nicht einmal die Mühe, sich auf seinen Platz unten am Tisch zu setzen. Er ließ ganz gegen seine Art Anzeichen von Erregung erkennen.

»Es lag ein Zigarettenstummel draußen auf dem Steg«, sagte er. »Wir konnten einen Fingerabdruck darauf identifizieren.«

Wallander sah ihn fragend an. »Das geht doch nicht«, sagte er. »Fingerabdrücke auf einer Zigarettenkippe?«

»Wir haben Glück gehabt«, sagte Nyberg. »Du hast Recht, dass es normalerweise nicht geht. Aber es gibt eine Ausnahme. Wenn sie nämlich selbst gedreht ist. Und das war diese.«

Es wurde still im Raum. Zuerst hatte Hansson ein denkbares, ja sogar wahrscheinliches Verbindungsglied zwischen einer seit vielen Jahren verschwundenen Polin und Holger Eriksson gefunden, und jetzt kam Nyberg und sagte, dass Fingerabdrücke auf Runfelts Koffer und von der Stelle, wo Blomberg in seinem Sack gefunden worden war, identisch waren.

Es war beinahe zu viel auf einmal. Eine Ermittlung, die sich bis dahin mühsam vorangeschleppt und noch kaum Bewegung gezeigt hatte, kam plötzlich eindeutig in Fahrt.

Nachdem er seine Neuigkeit präsentiert hatte, setzte sich Nyberg.

»Wir müssen diese Morde noch einmal miteinander abgleichen«, sagte Wallander. »Bei drei Toten brauchen wir mindestens neun Kombinationen. Fingerabdrücke, Zeitpunkte, alles, was auf einen gemeinsamen Nenner hinweist.«

Er blickte sich im Raum um. »Wir müssten einen ordentlichen Zeitplan aufstellen«, sagte er. »Wir wissen, dass die Person oder die Personen, die hinter dieser Sache stecken, mit erheblicher Brutalität zu Werke gehen. Wir haben in der Art und Weise, wie die drei Menschen getötet wurden, ein demonstratives Element gefunden. Aber es ist uns noch nicht gelungen, die Sprache des Mörders zu entziffern, den Kode, von dem wir früher gesprochen haben. Wir haben eine vage Ahnung, dass er zu uns spricht. Er oder sie. Aber was soll uns gesagt werden? Das wissen wir nicht. Die Frage ist, ob es noch ein weiteres Muster in dem Ganzen gibt, das wir nicht entdeckt haben.«

Ann-Britt Höglund versprach, die Informationen, die sie besaßen, zusammenzustellen und einen Zeitplan zu machen. Dann sprachen sie darüber, dass es tatsächlich ein Zentrum gab. Ann-Britt Höglund legte einen Ausschnitt einer Generalstabskarte in den Projektor. Wallander stellte sich neben das Bild. »Es fängt an in Lödinge«, sagte er und zeigte auf den Ort. »Von irgendwo kommt ein Mensch und fängt an, Holger Erikssons Hof zu beobachten. Wir können annehmen, dass er mit dem Auto kommt und den Feldweg auf der anderen Seite des Hügels benutzt hat, auf dem Holger Erikssons Vogelturm steht. Ein Jahr zuvor ist vielleicht dieselbe Person bei Holger Eriksson eingebrochen. Ohne etwas zu stehlen. Möglicherweise, um ihn zu warnen, sich anzukündigen. Das wissen wir nicht. Es muss sich auch nicht unbedingt um dieselbe Person handeln.«

Wallander zeigte auf Ystad. »Gösta Runfelt freut sich auf eine Reise nach Nairobi, wo er seltene Orchideen studieren will. Alles ist bereit. Der Koffer ist gepackt, Geld gewechselt, die Tickets sind abgeholt. Er hat sogar für den Morgen seiner Abreise ein Taxi bestellt. Aber aus der Reise wird nichts. Er verschwindet spurlos und taucht erst nach drei Wochen wieder auf.«

Sein Finger wanderte weiter. Jetzt zum Wald von Marsvinsholm, westlich der Stadt. »Ein Orientierungsläufer auf seiner nächtlichen Trainingsrunde findet ihn. Festgebunden an einen Baum, erwürgt. Irgendwie muss er in der Zeit seines Verschwindens gefangen gehalten worden sein. Wir haben also zwei Morde an zwei verschiedenen Stellen, und Ystad als eine Art Mittelpunkt.«

Sein Finger ging nach Nordosten. »Wir finden einen Koffer an der Straße nach Sjöbo. Nicht weit entfernt von einer Stelle, wo man zu Holger Erikssons Hof abbiegen kann. Der Koffer liegt sichtbar am Straßenrand. Wir denken sofort, dass er dort hingelegt worden ist, um gefunden zu werden. Man kann sich zu recht fragen: Warum gerade da? Weil diese Straße für den Täter günstig liegt? Wir wissen es nicht. Aber die Frage ist wichtiger, als wir vielleicht bisher gemeint haben.«

Wallanders Hand fuhr nun nach Südwesten, zum Krageholmssjön. »Hier finden wir Eugen Blomberg. Das bedeutet, dass wir ein nicht besonders großes, abgegrenztes Gebiet haben. Dreißig, vierzig Kilometer zwischen den äußersten Punkten. Zwischen den verschiedenen Stellen braucht man mit dem Wagen nicht länger als eine halbe Stunde.«

Er setzte sich. »Lasst uns daraus ein paar vorsichtige und vorläufige Schlussfolgerungen ziehen«, sagte er. »Worauf lässt dieses Bild schließen?«

»Ortskenntnis«, sagte Ann-Britt Höglund. »Die Stelle im Wald bei Marsvinsholm ist gut gewählt. Der Koffer ist an einer Stelle hingelegt worden, wo es kein Haus gibt, von dem aus man einen Autofahrer sehen könnte, der anhält und etwas abstellt.«

»Woher weißt du das?« fragte Martinsson.

»Weil ich es persönlich kontrolliert habe.«

Martinsson sagte nichts mehr.

»Man verschafft sich Ortskenntnis, oder man hat Ortskenntnis«, fuhr Wallander fort. »Was von beidem liegt hier vor?«

Sie waren sich nicht einig. Hansson meinte, ein Fremder könne sehr leicht lernen, sich an den aktuellen Stellen zurechtzufinden. Svedberg meinte das Gegenteil. Nicht zuletzt die Wahl des Platzes, wo sie Gösta Runfelt gefunden hatten, deute auf grundlegende Ortskenntnis des Täters.

Wallander selbst war im Zweifel. Zunächst hatte er sich eine Person vorgestellt, die von außen kam. Jetzt war er nicht mehr so sicher.

Es war noch nicht eindeutig. Beide Möglichkeiten mussten weiter bedacht werden. Auch ein Zentrum ließ sich noch nicht benennen. Mit Lineal und Zirkel würden sie irgendwo in der Nähe des Fundorts von Runfelts Koffer landen. Aber das brachte sie nicht weiter.

Um neun Uhr machten sie eine Pause und öffneten die Fenster. Martinsson verschwand in seinem Büro, um zu Hause anzurufen, Svedberg zog seine Jacke über, um einen kurzen Spaziergang zu machen. Wallander ging auf eine Toilette und wusch sich das Gesicht. Als er sich im Spiegel sah, hatte er plötzlich das Gefühl, dass sein Aussehen sich nach dem Tod seines Vaters verändert hatte. Worin der Unterschied bestand, konnte er jedoch nicht sagen. Er schüttelte vor dem Spiegel den Kopf. Bald musste er Zeit bekommen, über das, was geschehen war, nachzudenken. Sein Vater war schon mehrere Wochen tot. Das hatte er immer noch nicht ganz verinnerlicht, und es verursachte ihm auf unklare Weise ein schlechtes Gewissen. Er dachte auch an Baiba. Die er so gern hatte, die er aber nie anrief.

Er bezweifelte häufig, dass ein Polizeibeamter seinen Beruf mit etwas anderem kombinieren konnte. Was natürlich nicht stimmte. Martinsson hatte ein ausgezeichnetes Verhältnis zu seiner Familie. Ann-Britt Höglund hatte mehr oder weniger die alleinige Verantwortung für zwei Kinder. Es war die Privatperson Wallander, die an dieser Kombination scheiterte, nicht der Polizeibeamte.

Er gähnte sein Spiegelbild an. Vom Korridor konnte er hören, dass sie sich wieder sammelten. Er nahm sich vor, das Gespräch jetzt auf die Frau zu bringen, die im Hintergrund zu ahnen war. Sie mussten versuchen, sie zu sehen und die Rolle, die sie spielte, einzukreisen.

Das war auch das erste, was er sagte, nachdem er die Tür geschlossen hatte. »Immer wieder fällt uns im Hintergrund eine Frau auf. Für den Rest des Abends, solange wir durchhalten, müssen wir uns mit diesem Hintergrund befassen. Wir sprechen von einem Rachemotiv. Aber wir sehen nicht besonders klar. Heißt das, dass wir falsch denken? Dass wir in die falsche Richtung sehen? Dass es eine ganz andere Erklärung geben kann?«

Sie warteten schweigend auf seine Fortsetzung. Obwohl die Stimmung von Erschöpfung und Müdigkeit geprägt war, spürte er, dass noch Konzentration da war.

Er begann mit einem Rückwärtsschritt. Kehrte zu Katarina Taxell in Lund zurück. »Sie hat hier in Ystad ihr Kind bekommen«, sagte er. »In zwei Nächten bekam sie Besuch. Obwohl sie das abstreitet, bin ich davon überzeugt, dass diese fremde Frau gerade sie besucht hat. Sie lügt also. Fragt sich, warum. Wer ist diese Frau? Warum will sie ihre Identität nicht preisgeben? Von allen Frauen, die in dieser Ermittlung auftauchen, sind Katarina Taxell und die Frau in Schwesterntracht die beiden wichtigsten. Ich glaube weiter, dass Eugen Blomberg der Vater des Kindes ist, das er nie zu Gesicht bekommen hat. Ich glaube, dass Katarina Taxell in Bezug auf die Vaterschaft lügt. Dass sie einen wichtigen Schlüssel zu diesem ganzen Wirrwarr in der Hand hat, davon können wir ausgehen.«

»Warum holen wir sie nicht einfach?« fragte Hansson beinahe hitzig.

»Mit welcher Begründung sollten wir das tun?« erwiderte Wallander. »Sie ist gerade Mutter geworden. Wir können nicht nach Belieben mit ihr umspringen. Ich glaube außerdem, dass sie nicht mehr oder etwas anderes sagen würde als bisher. Und wenn wir sie auf einen Stuhl ins Präsidium in Lund setzen. Wir müssen versuchen, um sie herumzugehen, in ihrer Nähe suchen, die Wahrheit auf andere Art und Weise herauskitzeln.«

Hansson nickte widerstrebend.

»Die dritte Frau in Eugen Blombergs Umfeld ist seine Witwe«, fuhr Wallander nach dem Wortwechsel mit Hansson fort. »Sie hat ein paar wichtige Dinge gesagt. Aber entscheidend ist die Tatsache, dass sie nicht im Geringsten um ihn trauert. Er hat sie misshandelt. Den Narben nach zu urteilen sogar schwer – und außerdem über einen langen Zeitraum hinweg. Sie bestätigt auch indirekt die Geschichte mit Katarina Taxell, wenn sie sagt, dass er außereheliche Affären hatte.«

Als er die letzten Worte aussprach, dachte er, dass er sich anhörte wie ein altmodischer Freikirchenprediger. Er fragte sich, wie Ann-Britt Höglund sich wohl ausgedrückt hätte.

»Halten wir fest, dass die Details um Blomberg eine Art Schablone bilden, auf die wir zurückkommen.«

Er ging zu Gösta Runfelt über, immer noch den frühesten Ereignissen zugewandt. »Gösta Runfelt war ein brutaler Mann. Das bezeugen sowohl der Sohn als auch die Tochter. Hinter dem Orchideenliebhaber verbarg sich ein ganz anderer Mensch. Er war außerdem Privatdetektiv. Wofür wir eigentlich kein verständliches Motiv haben. Suchte er Spannung? Reichten die Orchideen nicht? Wir wissen es nicht. Jedenfalls eine komplizierte und widersprüchliche Natur.«

Dann kam er zu Runfelts Frau. »Ich bin zu einem See bei Älmhult gefahren, ohne eigentlich sicher zu sein, was ich da finden wollte. Beweise habe ich nicht. Aber ich kann mir denken, dass Runfelt tatsächlich seine Frau getötet hat. Was da draußen auf dem Eis geschah, werden wir wohl nie erfahren. Die Hauptpersonen sind tot. Zeugen gibt es nicht. Trotzdem habe ich das Gefühl, dass jemand außerhalb der Familie davon wusste. In Ermangelung eines Besseren müssen wir uns die Möglichkeit denken, dass der Tod seiner Ehefrau irgendwie mit Runfelts Schicksal zu tun hat.«

Wallander dachte plötzlich an ein Detail. »Das Namensschild«, sagte er. »Das wir in Runfelts Koffer gefunden haben. Hatte das Fingerabdrücke?«

Nyberg schüttelte den Kopf.

»Das müsste es aber«, sagte Wallander erstaunt. »Man nimmt doch wohl die Finger, wenn man sich ein Namensschild ansteckt.«

Keiner konnte ihm eine brauchbare Erklärung geben.

Wallander ging weiter. »Bisher haben wir uns einer Anzahl von Frauen genähert, von denen eine wiederkehrt. Außerdem haben wir misshandelte Frauen und vielleicht eine ermordete. Was wir uns fragen müssen, ist: Wer kann davon gewusst haben? Wer kann Grund gehabt haben, das rächen zu wollen? Wenn das Motiv denn Rache ist.«

»Vielleicht haben wir noch etwas«, sagte Svedberg und kratzte sich im Nacken. »Wir haben zwei alte polizeiliche Ermittlungen, die zu den Akten gelegt worden sind. Ohne dass etwas veranlasst wurde. Eine in Östersund und eine in Älmhult.«

Wallander nickte. »Bleibt noch Holger Eriksson«, sagte er. »Noch ein brutaler Mann. Mit viel Mühe, genauer gesagt mit viel Glück, finden wir auch bei ihm eine Frau im Hintergrund. Eine seit fast dreißig Jahren verschwundene Polin.«

Er sah sich am Tisch um, bevor er seine Zusammenfassung abschloss. »Es gibt mit anderen Worten ein Muster. Brutale Männer und misshandelte, verschwundene und vielleicht ermordete Frauen. Und noch einen Schritt dahinter einen Schatten, der in der Spur dieser Ereignisse folgt. Ein Schatten, der vielleicht eine Frau ist. Eine rauchende Frau.«

Hansson ließ seinen Bleistift auf den Tisch fallen und schüttelte den Kopf. »Es wirkt trotz allem nicht wahrscheinlich«, sagte er. »Wenn wir uns nun vorstellen, dass eine Frau beteiligt ist. Die über kolossale Kräfte und eine makabre Fantasie verfügt, was ausgeklügelte Mordmethoden anbelangt. Was für ein Interesse sollte sie daran haben, was diesen Frauen passiert ist? Ist sie ihre Freundin? Wie haben sich die Spuren all dieser Menschen gekreuzt?«

»Die Frage ist nicht nur wichtig«, sagte Wallander, »sie ist vermutlich ausschlaggebend. Wie sind alle diese Menschen miteinander in Kontakt gekommen? Wo sollen wir anfangen zu suchen? Wo sind die Berührungspunkte?«

Das Schweigen dauerte lange. Alle versuchten, eine Antwort zu finden. Wallander wartete. Der Augenblick war wichtig. Am meisten hoffte er, dass einer von ihnen eine unerwartete Schlussfolgerung zog. Rydberg hatte ihm oft gesagt, dass es die wichtigste Aufgabe des Leiters einer Ermittlung war, seine Mitarbeiter dazu anzuregen, das Unerwartete zu denken. Die Frage war jetzt, ob es ihm gelungen war.

Schließlich brach Ann-Britt Höglund das Schweigen. »Es gibt Arbeitsplätze, wo Frauen dominieren. Wenn wir darüber hinaus nach einer Krankenschwester suchen, entweder einer echten oder einer falschen, dann bietet sich das Krankenhausmilieu an.«

»Außerdem kommen die Patienten von überall her«, fuhr Martinsson fort. »Nehmen wir einmal an, die Frau, die wir suchen, hat in einer Ambulanz gearbeitet, dann dürfte sie mit vielen misshandelten Frauen in Kontakt gekommen sein. Sie haben sich untereinander nicht gekannt, aber sie hat sie kennen gelernt. Ihre Namen, die Krankengeschichten.«

»Das müsste relativ leicht herauszufinden sein«, sagte Hansson. »Auch wenn Krankenakten heilige Objekte sind, die weder berührt noch geöffnet werden dürfen, sollte es möglich sein, herauszufinden, ob Gösta Runfelts Frau wegen Misshandlung im Krankenhaus war. Und warum nicht auch Krista Haberman?«

Wallander ging in eine andere Richtung. »Sind Runfelt und Eriksson jemals wegen Misshandlung angezeigt worden? Das kann man doch zurückverfolgen. Das wäre vielleicht ein denkbarer Weg.«

»Gleichzeitig gibt es ja auch andere Möglichkeiten«, sagte Ann-Britt Höglund, als habe sie das Bedürfnis, ihren früheren Vorschlag in Frage zu stellen. »Es gibt ja noch mehr Arbeitsplätze, wo Frauen dominieren. Zum Beispiel Krisengruppen für Frauen. Sogar die weiblichen Polizeiangestellten in Schonen haben ein eigenes Netzwerk.«

»Wir müssen alle Alternativen untersuchen«, sagte Wallander. »Das kostet Zeit. Aber ich glaube, wir müssen einsehen, dass diese Ermittlung sich in viele Richtungen gleichzeitig verliert. Nicht zuletzt in die Vergangenheit. Alte Unterlagen durchzuarbeiten ist immer mühsam. Aber ich sehe keine andere Möglichkeit.«

In den letzten beiden Stunden bis Mitternacht berieten sie verschiedene Strategien, die parallel verfolgt werden sollten. Da Martinsson bei seiner Computersuche bisher keine neuen Verbindungen zwischen den drei Opfern gefunden hatte, mussten sie gleichzeitig auf verschiedenen Wegen weitersuchen.

Kurz vor Mitternacht kamen sie nicht mehr weiter.

Hansson stellte die letzte Frage, auf die alle den ganzen Abend gewartet hatten. »Wird es noch einmal passieren?«

»Niemand weiß es«, sagte Wallander.

»Kann es nicht so sein, dass einfach eine Mordserie auf uns zukommt, die sich ins Unendliche fortsetzt?« fragte Svedberg in die Runde. »Wenn es jemand ist, der mit seinem rächenden Finger auf Männer zeigt, die Frauen schlecht behandelt haben? Dann nimmt es nie ein Ende.«

Wallander wusste, dass Svedberg sehr wohl Recht haben konnte. Er selbst hatte die ganze Zeit versucht, sich gegen den Gedanken zu wehren. »Die Gefahr besteht«, sagte er. »Was wiederum bedeutet, dass wir die betreffende Person so schnell wie möglich fassen müssen.«

»Verstärkung«, sagte Nyberg, der sich in den letzten zwei Stunden kaum geäußert hatte. »Sonst geht es nicht.«

»Ja«, sagte Wallander. »Ich sehe ein, dass wir die brauchen. Vor allem nach dem, was wir heute Abend besprochen haben. Wir können nicht noch mehr arbeiten.«

Hamrén hob die Hand zum Zeichen, dass er etwas sagen wollte. Er saß zusammen mit den beiden Beamten aus Malmö an der unteren Schmalseite des Tisches. »Das letzte will ich gern unterstreichen«, sagte er. »Ich habe selten oder noch nie eine so effektive Polizeiarbeit mit so wenigen Personen erlebt wie hier. Weil ich im Sommer auch hier war, kann ich feststellen, dass das offenbar keine Ausnahme war. Wenn ihr Verstärkung anfordert, wird kein vernünftiger Mensch das abschlagen.«

Die beiden Polizisten aus Malmö nickten zustimmend.

»Ich werde morgen mit Lisa Holgersson darüber sprechen«, sagte Wallander. »Außerdem will ich mich darum bemühen, dass wir ein paar Frauen dazubekommen. Und sei es nur, um die Stimmung zu heben.«

Die Atmosphäre bleierner Müdigkeit verflog für einen Augenblick. Wallander ergriff die Gelegenheit und erhob sich. Es war wichtig zu wissen, wann man eine Sitzung beenden musste. Jetzt war es so weit. Sie kamen nicht mehr weiter. Sie mussten schlafen.

Wallander ging in sein Büro, um seine Jacke zu holen. Er blätterte den ständig wachsenden Stapel von Telefonmitteilungen durch. Statt die Jacke anzuziehen, ließ er sich auf den Stuhl sinken. Schritte entfernten sich auf dem Korridor. Kurz danach war es still. Er senkte die Arbeitslampe auf den Tisch, sodass der Raum im Halbdunkel lag.

Es war halb eins. Ohne nachzudenken, griff er zum Telefon und wählte Baibas Nummer in Riga. Sie hatte unregelmäßige Schlafgewohnheiten, wie er. Manchmal ging sie früh ins Bett, aber ebenso oft konnte sie halbe Nächte auf sein. Er wusste es nie im voraus. Jetzt meldete sie sich sofort. Sie war wach gewesen. Wie immer versuchte er, ihrem Tonfall zu entnehmen, ob sie sich über seinen Anruf freute. Er war sich nie sicher. Diesmal hatte er das Gefühl, dass sie irgendwie abwartend klang. Das verunsicherte ihn sofort. Er wollte Garantien dafür, dass alles war, wie es sein sollte. Er fragte, wie es ihr ginge, erzählte von der mühsamen Ermittlung. Sie stellte ein paar Fragen. Dann wusste er nicht, was er noch sagen sollte. Schweigen auf beiden Seiten zwischen Ystad und Riga.

»Wann kommst du?« fragte er schließlich.

Ihre Gegenfrage überraschte ihn. Auch wenn sie eigentlich logisch war. »Willst du wirklich, dass ich komme?«

»Warum sollte ich das nicht?«

»Du rufst nie an. Und wenn du anrufst, erklärst du mir, dass du eigentlich keine Zeit hast, mit mir zu sprechen. Wie solltest du da Zeit haben, mich zu treffen, wenn ich komme?«

»So ist es nicht.«

»Wie ist es dann?«

Woher die Reaktion kam, wusste er nicht. Weder als es geschah noch nachher. Er versuchte, seinen eigenen Impuls zu stoppen. Aber es gelang ihm nicht. Er knallte den Hörer auf. Starrte das Telefon an. Dann stand er auf und ging. Schon bevor er an der Vermittlung vorbeikam, bereute er es. Aber er kannte Baiba gut genug, um zu wissen, dass sie nicht abnehmen würde, wenn er jetzt wieder anriefe.

Er trat in die Nachtluft hinaus. Ein Streifenwagen rollte gerade fort und verschwand unten am Wasserturm.

Es war windstill. Die Nachtluft kühl. Klarer Himmel. Dienstag, der 19. Oktober.

Er begriff seine eigene Reaktion nicht. Was wäre geschehen, wenn sie in seiner Nähe gewesen wäre?

Er dachte an die ermordeten Männer. Es war, als sähe er plötzlich etwas, das er vorher nicht gesehen hatte. Ein Teil von ihm steckte verborgen in all der Brutalität, die ihn umgab. Er war ein Teil dieser Brutalität.

Der Unterschied war graduell. Nichts anderes.

Er schüttelte den Kopf. Er musste bis zum Tagesanbruch warten, um Baiba wieder anzurufen. Dann würde sie antworten. Es konnte nicht so schlimm sein. Sie verstand. Erschöpfung konnte auch sie irritieren. Und dann wäre es an ihm, Verständnis zu haben.

Es war ein Uhr. Er sollte nach Hause gehen und schlafen. Oder eine der Nachtstreifen bitten, ihn nach Hause zu fahren. Er machte sich auf den Weg. Die Stadt war verlassen. Irgendwo schlitterte ein Auto mit quietschenden Reifen. Dann Stille. Die Straße hinunter zum Krankenhaus.

Sieben Stunden hatte die Gruppe zusammengesessen. Nichts war eigentlich passiert. Dennoch war der Abend ereignisreich gewesen.

Er war auf der Höhe des Krankenhauses. Blieb stehen. Zögerte, aber nur einen Moment. Dann ging er um die Giebelseite des Gebäudes und kam zur Ambulanz. Er betätigte die Nachtglocke. Als eine Stimme antwortete, nannte er seinen Namen und fragte, ob die Hebamme Ylva Brink Dienst habe. Sie war da. Er bat um Einlass. Sie kam ihm außerhalb der Glastüren entgegen. Er sah ihrem Gesicht an, dass sie beunruhigt war. Er lächelte. Ihre Unruhe legte sich nicht.

Sie gingen hinein. Ylva Brink fragte ihn, ob er Kaffee haben wolle. Er schüttelte den Kopf. »Ich bleibe nur einen Augenblick«, sagte er.

Sie gingen in das Bürozimmer. Wallander lehnte sich an den Schreibtisch. Ylva Brink hatte sich gesetzt.

»Sie müssen nachgedacht haben«, begann er. »Diese Frau, die Sie niedergeschlagen hat. Wer sie war. Warum sie hier war. Warum sie sich so verhalten hat. Sie müssen immer wieder darüber nachgedacht haben. Sie haben eine gute Beschreibung von ihrem Gesicht gegeben. Aber vielleicht ist Ihnen im Nachhinein noch ein Detail eingefallen?«

»Sie haben Recht, dass ich nachgedacht habe. Aber ich habe alles über ihr Gesicht gesagt, woran ich mich erinnern kann.«

»Aber nicht, welche Augenfarbe sie hatte.«

»Weil ich sie nicht gesehen habe.«

»Man pflegt sich an die Augen von Menschen zu erinnern.«

»Es ging so schnell.«

Er glaubte ihr. »Es muss nicht ihr Gesicht sein. Vielleicht eine bestimmte Art, wie sie sich bewegte. Oder eine Narbe an der Hand. Ein Mensch ist aus so vielen Einzelheiten zusammengesetzt. Wir glauben, dass wir uns im Zeitraffertempo erinnern. Als flöge die Erinnerung. Eigentlich ist es umgekehrt. Stellen Sie sich einen Gegenstand vor, der fast schwimmt. Der durchs Wasser sinkt, ganz langsam. So funktioniert die Erinnerung.«

Sie schüttelte den Kopf. »Es ging so schnell. Ich erinnere mich an nichts anderes als an das, was ich schon erzählt habe. Und ich habe mich wirklich angestrengt.«

Wallander nickte. Er hatte auch nichts anderes erwartet.

»Was hat sie getan?«

»Sie hat Sie niedergeschlagen. Wir suchen nach ihr. Wir glauben, dass sie uns gewisse Informationen geben kann. Mehr kann ich nicht sagen.«

Eine Wanduhr zeigte drei Minuten vor halb zwei. Er streckte die Hand aus, um sich zu verabschieden. Sie verließen das Büro.

Plötzlich hielt sie inne. »Vielleicht ist doch noch etwas«, sagte sie zögernd.

»Was denn?«

»Ich habe nicht gleich daran gedacht. Als ich auf sie zuging und sie mich niederschlug. Erst nachher.«

»Was?«

»Sie hatte ein ausgefallenes Parfüm.«

»In welcher Weise?«

Sie sah ihn fast flehend an. »Ich weiß nicht. Wie beschreibt man einen Duft?«

»Es gehört zum Schwierigsten überhaupt. Aber versuchen Sie es wenigstens.«

Er sah, dass sie sich wirklich anstrengte.

»Nein«, sagte sie. »Ich finde keine Worte. Ich weiß nur, dass es ausgefallen war. Vielleicht kann man sagen: herb?«

»Eher wie Rasierwasser?«

Sie sah ihn erstaunt an. »Ja«, sagte sie. »Woher wussten Sie das?«

»Das war nur so ein Einfall.«

»Ich hätte es vielleicht nicht sagen sollen. Wenn ich mich schon nicht deutlicher ausdrücken kann.«

»Doch«, sagte er. »Das kann sich als wichtig erweisen. Das weiß man immer erst nachher.«

Sie trennten sich an der Glastür. Wallander nahm den Aufzug nach unten und verließ das Krankenhaus. Er ging schnell. Jetzt musste er schlafen.

Er dachte an das, was sie gesagt hatte.

Wenn es an dem Namensschild noch eine Spur des Parfüms gab, würden sie Ylva Brink morgen früh daran riechen lassen. Doch er wusste schon jetzt, dass es der gleiche Duft war.

Sie suchten nach einer Frau. Ihr Parfüm war ausgefallen.

Er fragte sich, ob sie sie jemals finden würden.

30

Um 7 Uhr 35 endete ihre Nachtschicht. Sie hatte es eilig, von plötzlicher Unruhe getrieben. Es war ein kalter, feuchter Morgen in Malmö. Sie hastete zum Parkplatz, wo ihr Auto stand. Normalerweise wäre sie sofort nach Hause gefahren, um zu schlafen. Jetzt wusste sie, dass sie auf dem schnellsten Weg nach Lund fahren musste. Sie warf die Tasche auf die Rückbank und stieg ein. Als sie das Steuer anfasste, merkte sie, dass ihre Hände schwitzten.

Sie hatte sich nie ganz auf Katarina Taxell verlassen können. Sie war zu schwach. Es bestand ständig die Gefahr, dass sie nachgab. Sie dachte, dass Katarina Taxell ein Mensch war, der allzuleicht blaue Flecken bekam, wenn man ihn hart anfasste.

Ich muss sie da wegholen, hatte sie während der Nacht gedacht. Zumindest so lange, bis sie Abstand von allem bekommt.

Es würde auch nicht schwer sein, sie aus ihrer Wohnung zu holen. Es war nichts Ungewöhnliches, dass eine Frau im Zusammenhang mit einer Geburt oder kurze Zeit danach psychische Probleme hatte.

Als sie in Lund ankam, begann es zu regnen. Ihre Unruhe wich nicht. Sie parkte in einer Seitenstraße und ging zu dem Platz, an dem Katarina Taxell wohnte. Plötzlich blieb sie stehen. Dann ging sie langsam ein paar Schritte zurück, als sei vor ihr ein Raubtier aufgetaucht. Sie stellte sich an eine Hauswand und beobachtete den Eingang von Katarina Taxells Haus.

Ein Wagen war davor geparkt. Ein Mann saß darin, vielleicht zwei. Sie war sich sofort sicher, dass es Polizisten waren. Katarina Taxell wurde überwacht.

Die Panik kam aus dem Nichts. Ohne dass sie es sehen konnte, wusste sie, dass sie schon rote Flecken im Gesicht hatte.

Außerdem Herzklopfen. Die Gedanken rasten durch ihren Kopf wie aufgescheuchte Nachttiere in einem Raum, in dem plötzlich Licht gemacht wird. Was hatte Katarina Taxell gesagt? Warum saßen sie vor ihrer Haustür und bewachten sie?

Sie stand reglos da und versuchte zu denken. Einer Sache meinte sie sicher sein zu können: dass Katarina Taxell trotz allem nichts gesagt hatte. Sonst hätten sie sie nicht bewacht, sondern sie abgeholt. Also war es noch nicht zu spät. Sie hatte vermutlich nicht viel Zeit. Aber die brauchte sie auch nicht. Sie wusste, was zu tun war.

*

Als Wallander an diesem Mittwochmorgen um kurz nach sechs aufwachte, war er immer noch sehr müde. Sein Schlafdefizit war groß. Die Kraftlosigkeit lag wie ein Bleilot tief in seinem Bewusstsein. Er blieb mit offenen Augen unbeweglich im Bett. Der Mensch ist ein Tier, das lebt, um durchzuhalten. Im Augenblick sieht es so aus, als sei ich dazu nicht mehr in der Lage.

Er setzte sich auf die Bettkante. Der Fußboden unter seinen Füßen war kalt. Er sah auf seine Zehennägel. Sie mussten geschnitten werden. Seine ganze Person brauchte eine Totalrenovierung. Vor einem Monat war er in Rom gewesen und hatte Kraft gesammelt. Jetzt war sie verbraucht. In weniger als einem Monat. Er zwang sich in die Senkrechte. Dann ging er ins Badezimmer. Das kalte Wasser war wie eine Ohrfeige. Er dachte, dass er eines Tages auch damit aufhören würde. Mit dem kalten Wasser, das ihn dazu zwang, wieder zu funktionieren. Er trocknete sich ab, zog den Morgenrock an und ging in die Küche. Immer die gleiche Routine. Das Kaffeewasser, danach das Fenster, das Thermometer. Es regnete. Vier Grad plus. Herbst, die Kälte, die sich schon festgesetzt hatte.

Als der Kaffee fertig war, setzte er sich an den Küchentisch. Inzwischen hatte er die Morgenzeitung geholt. Er trank ein paar Schluck. Schon jetzt hatte er die erste und höchste Müdigkeitsschwelle überstiegen. Seine Morgen konnten wie komplizierte Hindernisbahnen sein. Er blickte auf die Uhr. Zeit, Baiba anzurufen.

Sie meldete sich beim zweiten Klingeln. Es war, wie er schon in der Nacht gewusst hatte. Jetzt war es anders.

»Ich bin müde«, entschuldigte er sich.

»Ich weiß«, antwortete sie. »Aber meine Frage ist die gleiche.«

»Ob ich will, dass du kommst?«

»Ja.«

»Es gibt nichts, was ich lieber will.«

Sie glaubte ihm. Und sie antwortete, dass sie vielleicht in ein paar Wochen käme. Anfang November. Sie würde die Möglichkeit noch heute untersuchen.

Sie brauchten nicht lange zu reden. Keiner von ihnen hatte viel für das Telefon übrig. Hinterher, als Wallander zu seiner Kaffeetasse zurückgekehrt war, dachte er, dass er diesmal ernsthaft mit ihr reden müsste. Dass sie nach Schweden übersiedeln sollte. Dass er ein Haus kaufen wollte. Vielleicht würde er auch von dem Hund erzählen.

Er blieb müde sitzen. Erst um halb acht zog er sich an. Lange musste er im Kleiderschrank suchen, bis er ein sauberes Hemd fand, sein letztes. Noch für heute musste er sich in die Waschliste eintragen. Als er im Begriff war zu gehen, läutete das Telefon. Es war die Autowerkstatt in Älmhult. Wallander erschrak, als er hörte, was die Reparatur kosten sollte. Aber er sagte nichts. Der Mechaniker versprach, den Wagen noch heute bringen zu lassen. Sein Bruder würde ihn nach Ystad fahren und dann den Zug zurücknehmen. Es würde Wallander nur den Zugfahrschein kosten.

Als Wallander auf die Straße kam, war der Regen stärker, als er vom Fenster aus erkannt hatte. Er ging zurück in den Hauseingang und rief im Polizeipräsidium an. Ebba versprach, sofort einen Wagen zu schicken, der ihn holte. Nach nur fünf Minuten bremste der Wagen vor der Haustür. Um acht war er in seinem Büro.

Wallander erfuhr, dass Lisa Holgersson in Stockholm war. Sie würde am Nachmittag zurückkommen. Wallander suchte Svedberg und Hamrén. Nyberg war wegen weiterer Fingerabdrücke draußen auf Holger Erikssons Hof. Die beiden Polizisten aus Malmö waren irgendwo unterwegs. Er ging mit Svedberg und Hamrén ins Sitzungszimmer. Sie hatten nur eine kurze Unterredung, dann ging jeder an seine Arbeit. Sie hatten am Abend vorher die Aufgaben genau verteilt. Wallander rief Nyberg über sein Mobiltelefon an.

»Wie läuft's?« fragte er.

»Es ist schwierig«, sagte Nyberg. »Aber vielleicht haben wir auf seinem Vogelturm einen undeutlichen Abdruck gefunden. An der Unterseite des Geländers. Es kann ja sein, dass es keiner von ihm ist. Wir suchen weiter.«

Wallander überlegte. »Meinst du, dass der, der ihn getötet hat, auf dem Turm gewesen ist?«

»Ganz unwahrscheinlich ist es doch nicht.«

»Du kannst Recht haben. In dem Fall gibt es vielleicht auch Zigarettenkippen.«

»Die hätten wir beim ersten Mal gefunden. Jetzt ist es definitiv zu spät.«

Wallander erzählte von seinem nächtlichen Gespräch mit Ylva Brink im Krankenhaus.

»Das Namensschild liegt in einer Plastiktüte«, sagte Nyberg. »Wenn sie eine gute Nase hat, riecht sie vielleicht noch etwas.«

»Wir sollten es sofort versuchen. Du kannst sie selbst anrufen. Svedberg hat ihre Telefonnummer.«

Nyberg versprach, das zu erledigen. Wallander entdeckte, dass jemand ein Papier auf seinen Tisch gelegt hatte. Es war ein Schreiben vom Patent- und Meldeamt, dass eine Person namens Harald Berggren diesen Namen nicht offiziell geändert oder angenommen hatte. Wallander legte das Papier zur Seite. Es war zehn Uhr, und es regnete immer noch. Er dachte an ihre Sitzung vom Vorabend. Wieder kehrte die Unruhe zurück. Waren sie wirklich auf der richtigen Spur? Oder folgten sie einem Weg, der ins Nichts führte? Er trat ans Fenster. Der Wasserturm sah ihn an. Katarina Taxell ist unsere wichtigste Zeugin. Sie hat die Frau getroffen. Was wollte die Frau nachts auf der Entbindungsstation?

Er ging zurück zum Schreibtisch und rief Birch in Lund an. Erst nach zehn Minuten hatte er ihn lokalisiert.

»Vor ihrem Haus ist alles ruhig«, sagte Birch. »Keine anderen Besuche als die einer Frau, die wir eindeutig als ihre Mutter identifiziert haben. Katarina war einmal draußen und hat eingekauft, als die Mutter da war und auf das Kind aufgepasst hat. Es liegt ein Supermarkt in der Nähe.«

»Habt ihr den Eindruck, sie weiß, dass wir in der Nähe sind?«

»Das glaube ich nicht. Sie ist angespannt. Aber sie sieht sich nie um. Ich glaube, sie hat noch keinen Verdacht, dass wir sie überwachen.«

Wallander beugte sich über den Schreibtisch und schlug seinen Kollegblock auf. »Wie kommt ihr mit ihren Personalien voran? Wer ist sie?«

»Sie ist also dreiunddreißig Jahre alt«, sagte Birch. »Das macht einen Altersunterschied zu Blomberg von achtzehn Jahren.«

»Es ist ihr erstes Kind«, sagte Wallander. »Sie ist ziemlich spät dran. Frauen, die es eilig haben, nehmen es mit dem Altersunterschied vielleicht nicht so genau? Aber im Grunde weiß ich von so was sehr wenig.«

»Ihr zufolge ist Blomberg ja auch nicht der Vater.«

»Das ist eine Lüge«, sagte Wallander und fragte sich einen Moment lang, woher er eigentlich so sicher war. »Was hast du noch?«

»Katarina Taxell ist in Arlöv geboren«, fuhr Birch fort. »Ihr Vater war Ingenieur bei der Zuckerraffinerie. Er starb, als sie noch klein war. Er wurde in seinem Auto von einem Zug überfahren. In der Nähe von Landskrona. Sie hat keine Geschwister. Wuchs bei ihrer Mutter auf. Nach dem Tod des Vaters sind sie nach Lund gezogen. Die Mutter hatte eine Teilzeitstelle an der Stadtbibliothek. Katarina hatte gute Zeugnisse in der Schule. Hat an der Universität studiert. Geographie und Sprachen. Eine etwas ungewöhnliche Kombination. Lehrerhochschule. Seitdem unterrichtet sie.

Gleichzeitig hat sie eine kleine Firma aufgebaut, die mit verschiedenen Produkten für Haarpflege handelt. Sie dürfte also ziemlich tatkräftig sein. In unseren Karteien finden wir sie natürlich nicht. Sie macht einen ziemlich normalen Eindruck.«

»Das ist ja schnell gegangen«, sagte Wallander anerkennend.

»Ich habe getan, was du gesagt hast«, antwortete Birch. »Ich habe eine Menge Leute dafür abgestellt.«

»Offenbar weiß sie also noch nichts davon. Sonst hätte sie sich auf der Straße umgeblickt.«

»Wir werden sehen, wie lange es so bleibt. Die Frage ist, ob wir sie nicht ein wenig unter Druck setzen können.«

»Ich habe das gleiche gedacht«, antwortete Wallander.

»Sollen wir sie herholen?«

»Nein. Aber ich glaube, ich komme nach Lund. Dann können du und ich ja noch einmal mit ihr reden. Sagen wir, dass wir uns um zwölf vor ihrem Haus treffen?«

Wallander ließ sich einen Wagen geben und verließ Ystad.

Er nahm sich vor, dass Eugen Blomberg der Ausgangspunkt seiner Fragen an Katharina Taxell sein sollte. Schließlich war es ein Mordfall. Sie brauchten jede Information über ihn, die sie bekommen konnten. Katarina Taxell war nur eine von vielen Personen, die sie befragten.

Um Viertel vor zwölf war es Wallander nach vielem Hin und Her gelungen, im Zentrum von Lund einen Parkplatz zu finden. Im Kopf hatte er angefangen, seine Fragen an Katarina Taxell zu formulieren. Er sah Birch schon von weitem.

»Wonach willst du sie fragen?« erkundigte er sich.

»Eugen Blomberg. Wie sie sich getroffen haben. Sie soll das Gefühl haben, dass ich die Fragen, die ich ihr stelle, auch einer großen Zahl anderer Menschen stelle. Routinefragen eher.«

»Und was willst du erreichen?«

»Ich weiß nicht. Aber ich glaube trotzdem, dass es nötig ist.«

Sie gingen ins Haus. Wallander hatte plötzlich eine Vorahnung, dass nicht alles war, wie es sollte. Er blieb auf der Treppe stehen. Birch sah ihn an. »Was ist?«

»Ich weiß nicht. Vermutlich nichts.«

Sie stiegen in den ersten Stock hinauf. Birch klingelte. Sie warteten. Das Klingeln hallte drinnen in der Wohnung. Sie blickten sich an. Wallander bückte sich und öffnete den Briefschlitz. Alles war sehr still.

Birch klingelte noch einmal. Mehrere lange Signale. Niemand kam.

»Sie muss zu Hause sein«, sagte er. »Keiner hat gemeldet, dass sie das Haus verlassen hat.«

»Dann ist sie durch den Schornstein verschwunden«, sagte Wallander. »Hier ist sie nicht.«

Sie liefen die Treppe hinunter. Birch riss die Tür des Polizeiwagens auf. Der Mann am Steuer las die Zeitung.

»Ist sie rausgegangen?« fragte Birch.

»Sie ist drinnen.«

»Genau das ist sie nicht.«

»Gibt es einen Hinterausgang?« fragte Wallander.

»So weit ich weiß, nicht.«

»Das ist keine Antwort«, gab Birch wütend zurück. »Entweder gibt es einen Hinterausgang oder es gibt keinen.«

Sie gingen wieder ins Haus. Eine halbe Treppe hinunter. Die Tür zum Kellergeschoss war verschlossen.

»Gibt es einen Hausmeister?« fragte Wallander.

»Dafür haben wir keine Zeit«, sagte Birch.

Er untersuchte die Scharniere. Sie waren rostig. »Wir können es ja versuchen«, murmelte er vor sich hin.

Er nahm Anlauf und warf sich gegen die Tür, die aus den Scharnieren brach.

Sie gingen hinein. Der Gang zwischen verschiedenen mit Gittern abgesperrten Kellerräumen führte zu einer Tür. Birch öffnete. Sie standen am Fuß einer Hintertreppe.

»Sie ist also über die Hintertreppe verschwunden«, sagte er. »Und keiner hat sich auch nur die Mühe gemacht, nachzusehen, ob es eine gibt.«

»Sie kann noch in der Wohnung sein«, sagte Wallander.

Birch verstand. »Selbstmord?«

»Ich weiß nicht. Aber wir müssen rein. Und wir haben kaum die Zeit, auf einen Schlosser zu warten.«

»Ich krieg Schlösser meistens auf«, sagte Birch. »Ich muss nur erst ein paar Werkzeuge holen.«

Fünf Minuten später kam er atemlos zurück. Wallander war inzwischen wieder zu Katarina Taxells Wohnungstür gegangen und hatte weiter geklingelt. Ein älterer Mann hatte die Tür daneben aufgemacht und gefragt, was los sei. Wallander reagierte gereizt. Er holte seinen Polizeiausweis hervor und hielt ihn dem Mann dicht vors Gesicht. »Wir wären dankbar, wenn Sie Ihre Tür geschlossen hielten«, sagte er. »Sofort. Und sie bleibt zu, bis wir etwas anderes sagen.«

Der Mann verschwand. Wallander hörte, wie er eine Sicherheitskette vor die Tür hakte.

Birch hatte das Türschloss nach wenigen Minuten geöffnet. Sie gingen hinein. Die Wohnung war leer. Katarina Taxell hatte ihr Kind mitgenommen. Der Hintereingang führte auf eine Seitenstraße. Birch schüttelte den Kopf. »Dafür muss sich jemand verantworten«, sagte er.

Sie gingen durch die Wohnung. Der Aufbruch hatte offenbar in großer Eile stattgefunden. Wallander blieb vor einem Kinderwagen und einem Tragesitz in der Küche stehen.

»Sie muss mit dem Wagen abgeholt worden sein«, sagte er. Auf der anderen Straßenseite ist eine Tankstelle. Jemand muss gesehen haben, wie eine Frau mit Kind das Haus verlassen hat.«

Birch verschwand. Wallander ging noch einmal durch die Wohnung. Er versuchte, sich vorzustellen, was passiert sein konnte. Warum verlässt eine Frau mit ihrem Neugeborenen die Wohnung? Der Hintereingang gab die Antwort, dass sie heimlich verschwinden wollte. Also musste sie auch gewusst haben, dass das Haus bewacht wurde.

Sie oder jemand anders.

Jemand kann von außen die Bewachung entdeckt haben. Der sie dann angerufen und die Abholung organisiert hat. Er setzte sich auf einen Küchenstuhl. Noch eine Frage war wichtig. Befanden sich Katarina Taxell und ihr Kind in Gefahr? Oder war die Flucht aus der Wohnung freiwillig? Nachbarn hätten bemerkt, wenn sie Widerstand geleistet hätte. Also ist sie freiwillig gegangen. Dafür gibt es eigentlich nur einen Grund. Sie will die Fragen der Polizei nicht beantworten.

Er stand auf und ging zum Fenster. Er sah Birch unten stehen und mit einem Angestellten von der Tankstelle sprechen. In diesem Augenblick klingelte das Telefon. Wallander zuckte zusammen. Er ging ins Wohnzimmer. Es klingelte wieder. Er nahm den Hörer ab.

»Katarina?« fragte eine Frauenstimme.

»Sie ist nicht hier«, antwortete er. »Wer ist denn da?«

»Wer sind Sie?« fragte die Frau. »Ich bin Katarinas Mutter.«

»Mein Name ist Kurt Wallander. Ich bin Polizeibeamter. Es ist nichts passiert. Nur Katarina ist nicht hier. Weder sie noch ihr Kind.«

»Das ist unmöglich.«

»Das sollte man meinen. Aber sie ist nicht hier. Sie wissen nicht vielleicht, wohin sie gegangen sein kann?«

»Sie sollte nicht weggehen, ohne mir Bescheid zu sagen.«

Wallander entschloss sich schnell. »Es wäre gut, wenn Sie herkommen könnten. Wenn ich richtig verstanden habe, wohnen Sie nicht weit von hier.«

»Es dauert keine zehn Minuten«, antwortete sie. »Was ist denn passiert?«

Er konnte hören, dass sie Angst hatte. »Es gibt sicher eine einfache Erklärung«, sagte er. »Wir können darüber sprechen, wenn Sie herkommen.«

Als er den Hörer auflegte, hörte er Birch eintreten.

»Wir haben Glück«, sagte Birch. »Ich habe mit einem gesprochen, der auf der Tankstelle arbeitet. Ein hellwacher Kerl, der aufgepasst hat.«

Er hatte ein paar Notizen auf einem ölbefleckten Blatt Papier gemacht. »Heute Morgen hielt hier ein roter Golf. Ungefähr zwischen neun und zehn, eher gegen zehn. Eine Frau kam aus der Hintertür des Hauses. Sie trug ein Kind. Sie setzte sich ins Auto, das daraufhin wegfuhr.«

»Hat er auf den Fahrer geachtet?«

»Der Fahrer ist nicht ausgestiegen.«

»Er weiß also nicht, ob es ein Mann oder eine Frau war?«

»Ich habe ihn gefragt. Er gab eine Antwort, die interessant ist. Er sagte, das Auto wäre weggefahren, als hätte ein Mann am Steuer gesessen.«

Wallander wunderte sich. »Und woraus hat er das geschlossen?«

»Dass der Wagen einen Kavaliersstart gemacht hat. Losschoß. Frauen fahren selten so.«

»Hat er sonst noch etwas bemerkt?«

»Nein. Aber vielleicht erinnert er sich an mehr, wenn man ein bisschen hilft. Er schien, wie gesagt, ein aufmerksamer Mensch zu sein.«

Wallander berichtete, dass Katarina Taxells Mutter auf dem Weg sei.

Sie gingen ins Wohnzimmer. Eine Babysocke lag verlassen auf dem Fußboden.

Wallander schaute sich im Zimmer um. Birchs Augen folgten seinem Blick.

»Irgendwo hier muss die Lösung stecken«, sagte Wallander. »In dieser Wohnung existiert etwas, das uns zu der Frau führt, die wir suchen. Wenn wir sie finden, finden wir auch Katarina Taxell. Etwas hier wird uns sagen, in welche Richtung wir uns wenden müssen. Das müssen wir finden, und wenn wir das Parkett rausreißen.«

Birch sagte nichts.

Sie hörten das Schloss schnappen. Sie hatte also einen eigenen Schlüssel. Dann trat Katarina Taxells Mutter ins Wohnzimmer.

31

Den Rest dieses Tages blieb Wallander in Lund. Mit jeder Stunde, die verging, wuchs seine Überzeugung, dass sie über Katarina Taxell die größten Möglichkeiten zur Lösung des Rätsels hatten, wer die drei Männer ermordet hatte. Sie suchten nach einer Frau. Es bestand kein Zweifel mehr, dass sie in der einen oder anderen Weise tief in den Fall verwickelt war. Aber sie wussten nicht, ob sie allein war und welche Motive sie antrieben.

Das Gespräch mit Katarina Taxells Mutter führte zu nichts. Sie begann in der Wohnung umherzulaufen und hysterisch nach ihrer Tochter und ihrem Enkelkind zu suchen. Schließlich war sie so verwirrt, dass sie gezwungen waren, Hilfe anzufordern und dafür zu sorgen, dass sie in ärztliche Behandlung kam. Aber zu diesem Zeitpunkt war Wallander überzeugt, dass sie nicht wusste, wohin ihre Tochter verschwunden war. Die wenigen Freundinnen, von denen die Mutter sich vorstellen konnte, dass sie sie geholt haben könnten, wurden sofort angerufen. Alle wirkten gleich ratlos. Wallander wollte sich jedoch nicht auf das verlassen, was er am Telefon hörte. Auf seine Bitte hin fuhr Birch sogleich zu den Personen nach Hause, mit denen Wallander gesprochen hatte. Katarina Taxell blieb verschwunden. Wallander war sicher, dass die Mutter einen guten Überblick über den Freundeskreis ihrer Tochter hatte. Außerdem war ihre Sorge echt. Hätte sie es gewusst, hätte sie gesagt, wo ihre Tochter sich aufhielt.

Wallander war auch die Treppe hinunter und über die Straße zu der Tankstelle gegangen. Er ließ den Zeugen, der Jonas Hader hieß und vierundzwanzig Jahre alt war, noch einmal von seinen Beobachtungen erzählen. Wallander hatte das Gefühl, den perfekten Zeugen zu treffen. Jonas Hader schien ständig seine Umwelt zu betrachten, als könnten sich seine Beobachtungen jederzeit in eine entscheidende Zeugenaussage verwandeln. Er wiederholte, dass der Wagen mit quietschenden Reifen gestartet war, dass er auf eine männliche Art und Weise gefahren wurde. Aber den Fahrer hatte er nicht sehen können. Es hatte geregnet, die Scheibenwischer waren gegangen. Dagegen war er sicher, dass Katarina Taxell einen hellgrünen Mantel trug und eine große Adidastasche in der Hand hatte und dass das Kind auf ihrem Arm in eine blaue Wolldecke gewickelt war. Das Ganze war sehr schnell gegangen. Sie war in dem Moment aus der Tür gekommen, als der Wagen anhielt. Jemand hatte von innen die Tür geöffnet. Sie hatte das Kind hineingelegt und dann die Tasche in den Kofferraum gestellt. Dann hatte sie die hintere Tür auf der Straßenseite geöffnet und war ins Auto gestiegen. Das Nummernschild hatte Jonas Hader nicht erkannt. Aber Wallander bekam das Gefühl, dass er es tatsächlich versucht hatte. Jonas Hader war jedoch sicher, dass er den roten Golf hier vor dem Hintereingang zum erstenmal hatte anhalten sehen.

Wallander war mit dem Gefühl zum Haus zurückgekehrt, eine Bestätigung bekommen zu haben, nur wusste er nicht richtig, wofür. Dass es sich um eine überstürzte Flucht gehandelt hatte? Wie lange war sie geplant gewesen? Und warum? In der Zwischenzeit hatte Birch mit den Beamten gesprochen, die sich bei der Bewachung des Hauses abgewechselt hatten. Wallander hatte darauf bestanden, dass sie jede Person, die sie beobachtet hatten, identifizierten. Da in dem Haus vierzehn Familien wohnten, waren den ganzen Nachmittag Polizisten im Haus auf und ab gelaufen und hatten die Bewohner kontrolliert. Auf diese Weise hatte Birch auch einen Mann gefunden, der vielleicht eine wichtige Beobachtung gemacht hatte. Der Mann wohnte zwei Stockwerke über Katarina Taxell. Er war pensionierter Musiker, der zu Birch gesagt hatte, dass er stundenlang am Fenster stehe, in den Regen hinaussehe und im Kopf die Musik höre, die er nie mehr spielen würde. Er hatte im Sinfonieorchester von Helsingborg Fagott gespielt und machte – immer noch laut Birch – den Eindruck einer melancholischen und düsteren Person, die sehr einsam lebte. Gerade an diesem Morgen meinte er, eine Frau auf der anderen Seite des Platzes gesehen zu haben. Eine Frau, die herankam, plötzlich stehen blieb, einige Schritte zurückgegangen war und dann unbeweglich dagestanden und das Haus betrachtet hatte, bevor sie sich umwandte und verschwand. Als Birch mit dieser Auskunft kam, dachte Wallander sofort, dass dies die Frau gewesen sein konnte, die sie suchten. Jemand war in die Nähe der Wohnung gekommen und hatte das Auto gesehen, das natürlich nicht unmittelbar vor der Haustür hätte stehen dürfen. Jemand wollte Katarina Taxell besuchen. Wie sie im Krankenhaus besucht worden war.

Birch hatte versucht, dem pensionierten Fagottisten eine Beschreibung der Frau zu entlocken. Doch das einzige, was dieser sagen konnte, war, dass es eine Frau gewesen war. Es war ungefähr acht Uhr gewesen. Diese Auskunft war allerdings etwas vage, da die drei Uhren, die sich in seiner Wohnung befanden, einschließlich seiner Armbanduhr, alle verschiedene Zeiten anzeigten.

Wallander hatte Birch, der es ihm nicht übel zu nehmen schien, dass

Wallander ihm Order erteilte wie einem Untergebenen, mit verschiedenen Aufträgen losgeschickt, während er selbst methodisch Katarina Taxells Wohnung durchsuchte. Als erstes hatte er Birch gebeten, dass ein paar von Lunds Beamten von der Spurensicherung Fingerabdrücke in der Wohnung sicherten. Sie sollten dann mit denen, die Nyberg gefunden hatte, verglichen werden. Den ganzen Tag hatte er auch telefonisch Kontakt mit Ystad gehabt. Viermal hatte er mit Nyberg gesprochen. Ylva Brink hatte an dem Namensschild gerochen, das noch immer einen sehr schwachen Rest des früheren Parfümdufts an sich hatte. Sie war sehr unsicher gewesen. Es konnte das Parfüm sein, das sie in jener Nacht auf der Entbindungsstation gerochen hatte. Aber sicher war sie nicht. Das Ganze blieb in der Schwebe.

Die wichtigste Neuigkeit an diesem Tag kam aber von Hamrén, der einen Teil der Aufgaben von Hansson übernommen hatte. Kurz nach drei Uhr am Nachmittag war es ihm gelungen, Göte Tandvall zu lokalisieren. Er rief sogleich Wallander an.

»Er hat einen Antiquitätenladen in Simrishamn«, sagte Hamrén. »Wenn ich es richtig verstanden habe, fährt er viel herum und kauft Antiquitäten auf, die er unter anderem nach Norwegen exportiert.«

»Ich möchte, dass du ihn besuchst«, sagte Wallander. »Wir haben keine Zeit zu verlieren. Außerdem sind wir sowieso zersplittert. Fahr nach Simrishamn. Vor allem brauchen wir eine Bestätigung der Frage, ob wirklich eine Verbindung zwischen Holger Eriksson und Krista Haberman bestand. Aber das heißt nicht, dass Göte Tandvall nicht auch andere Informationen von Interesse für uns haben kann.«

Drei Stunden später rief Hamrén wieder an. Er saß in seinem Wagen und war auf dem Rückweg von Simrishamn. Er hatte Göte Tandvall angetroffen. Wallander wartete mit Spannung.

»Göte Tandvall ist eine äußerst resolute Person«, sagte Hamrén. »Er scheint ein sehr gemischtes Gedächtnis zu haben. An manche Dinge konnte er sich überhaupt nicht erinnern, an andere wieder sehr deutlich.«

»Krista Haberman?«

»Er konnte sich an sie erinnern. Ich bekam den Eindruck, dass sie eine sehr schöne Frau gewesen ist. Und er war sicher, dass Holger Eriksson ihr begegnet war. Mindestens bei zwei verschiedenen Gelegenheiten. Unter anderem glaubte er sich an einen frühen Morgen auf der Landspitze von Falsterbo zu erinnern, als sie dort standen und zurückkehrende Wildgänse beobachteten. Oder vielleicht Kraniche. Da war er nicht sicher.«

»Ist er auch Vogelbeobachter?«

»Der Vater hat ihn mitgeschleppt.«

»Auf jeden Fall wissen wir das Wichtigste«, sagte Wallander.

»Es sieht tatsächlich so aus, als hinge das zusammen. Krista Haberman, Holger Eriksson.«

Wallander wurde von einem plötzlichen Unbehagen befallen. Er sah mit bedrückender Deutlichkeit, was er nun zu glauben begann.

»Ich möchte, dass du zurückfährst nach Ystad«, sagte er. »Und dass du alle Informationen durchgehst, die direkt mit ihrem Verschwinden zu tun haben. Wer hat sie zuletzt gesehen, und wann? Mach eine Zusammenfassung dieses Teils der Ermittlung.«

»Du denkst an etwas Bestimmtes«, sagte Hamrén.

»Sie verschwand«, sagte Wallander. »Man hat sie nie gefunden. Worauf lässt das schließen?«

»Dass sie tot ist.«

»Mehr als das. Vergiss nicht, dass wir uns im Umfeld einer Ermittlung befinden, bei der es darum geht, dass gegen Männer und Frauen gleichermaßen die denkbar schwerste Gewalt verübt worden ist.«

»Sollte Holger Eriksson sie getötet haben?«

Wallander war überzeugt, dass Hamrén den Gedanken zum ersten Mal dachte.

»Ich weiß es nicht«, sagte Wallander. »Aber von jetzt an dürfen wir nicht von der Möglichkeit absehen.«

Nach dem Gespräch verließ Wallander Katarina Taxells Wohnung. Er musste etwas essen. In einer Pizzeria in der Nähe aß er viel zu schnell und bekam Bauchschmerzen. Hinterher konnte er sich nicht einmal daran erinnern, wie es geschmeckt hatte.

Er hatte keine Zeit. Das Gefühl, dass bald etwas passieren würde, beunruhigte ihn. Da nichts darauf hindeutete, dass die Mordkette abgerissen war, arbeiteten sie gegen die Zeit. Sie wussten auch nicht, wie viel Zeit sie noch hatten. Er blieb unter dem Regenschutz einer Bushaltestelle stehen und rief in Ystad an. Ann-Britt Höglund war da. Sie hatte bereits mit Hamrén gesprochen und kannte die Bestätigung, dass Krista Haberman und Holger Eriksson sich begegnet waren. Sie war dabei, den Zeitplan zu machen, den sie für heute zugesagt hatte.

»Ich weiß nicht, ob es wichtig ist«, sagte er. »Aber wir wissen zu wenig darüber, wie diese Frau sich bewegt. Vielleicht klärt sich das Bild eines geographischen Zentrums, wenn wir dieses Zeitschema aufstellen.«

»Jetzt sagst du ›diese Frau‹«, meinte Ann-Britt Höglund.

»Ja«, erwiderte Wallander. »Das tue ich. Aber wir wissen nicht, ob sie allein ist. Wir wissen auch nicht, welche Rolle sie spielt.«

»Was ist deiner Meinung nach mit Katarina Taxell passiert?«

»Sie ist abgehauen. Es ist sehr schnell gegangen. Jemand hat entdeckt, dass ihr Haus überwacht wurde. Sie hat sich aus dem Staub gemacht, weil sie etwas zu verbergen hat.«

»Ist es wirklich denkbar, dass sie Eugen Blomberg umgebracht hat?«

»Ich kann mir nur schwer vorstellen, dass sie einen Mord begangen hat. Sie gehört vermutlich zu der Gruppe misshandelter Frauen.«

Ann-Britt Höglund klang ausgesprochen verwundert. »Ist sie auch misshandelt worden? Das habe ich nicht gewusst.«

»Sie ist vielleicht nicht geschlagen oder mit dem Messer verletzt worden«, sagte Wallander. »Aber ich habe den Verdacht, dass sie auf andere Weise misshandelt worden ist.«

»Seelisch?«

»Ungefähr, ja.«

»Von Blomberg?«

»Ja.«

»Und doch kriegt sie sein Kind? Wenn es stimmt, was du über die Vaterschaft glaubst.«

»Danach zu urteilen, wie sie ihr Kind hielt, war sie nicht besonders froh darüber. Aber natürlich gibt es viele Lücken«, räumte Wallander ein. »Unsere Arbeit besteht doch immer darin, provisorische Lösungen zusammenzupuzzeln. Wir müssen versuchen, durch die Ereignisse hindurchzusehen und sie auf den Kopf zu stellen, um sie auf die Füße zu bekommen.«

Er beendete das Gespräch, verließ den Unterstand und hastete durch den Regen zurück zu Katarina Taxells Wohnung. In einem Karton in der hintersten Ecke eines Kleiderschranks fand er eine große Anzahl Tagebücher, die weit in die Vergangenheit zurückreichten. Das erste hatte sie mit zwölf Jahren begonnen. Wallander sah mit Erstaunen, dass es eine schöne Orchidee auf dem Umschlag hatte. Mit gleichbleibender Energie hatte sie diese Tagebücher durch ihre Jugend bis ins Erwachsenenalter weitergeführt. Das letzte war von 1993. Aber nach September gab es keine Eintragungen mehr. Er suchte weiter, fand aber keine Fortsetzung. Doch er war sicher, dass es eine gab. Er bat Birch um Hilfe, der jetzt damit fertig war, auf der Jagd nach Zeugen durchs Haus zu sausen.

Birch hatte den Schlüssel zu Katarina Taxells Kellerraum. Er brauchte eine Stunde, um ihn zu durchsuchen, fand aber keine Tagebücher. Wallander war jetzt überzeugt, dass sie sie mitgenommen hatte. Schließlich war nur noch ihr Schreibtisch übrig. Wallander hatte die Schubladen vorher schon hastig durchsucht. Jetzt wollte er es gründlich tun. Er setzte sich in den alten Stuhl, dessen Armlehnen mit geschnitzten Drachenköpfen verziert waren. Der Schreibtisch war ein Sekretär, dessen Schreibplatte man wie eine Schranktür hochklappen konnte. Auf dem Sekretär standen gerahmte Fotografien. Katarina Taxell als Kind. Sie sitzt im Gras. Weiße Gartenmöbel im Hintergrund. Unscharfe Gestalten. Jemand trägt einen weißen Hut. Katarina Taxell sitzt neben einem großen Hund. Sie blickt direkt in die Kamera. Ein Haarband mit Rosette. Die Sonne fällt schräg von links ein. Daneben ein anderes Bild: Katarina Taxell mit ihrer Mutter und ihrem Vater. Dem Ingenieur bei der Zuckerraffinerie. Er hat einen Schnauzbart und strahlt Selbstbewusstsein aus. Im Aussehen gleicht Katarina Taxell mehr dem Vater als der Mutter. Wallander nahm das Bild herunter und blickte auf die Rückseite. Keine Jahreszahl. Das Bild war in einem Fotoatelier in Lund aufgenommen. Das nächste Bild. Abiturfoto. Weiße Mütze, Blumen um den Hals. Sie ist dünner geworden, blasser. Der Hund und die Stimmung vom Gartenfoto sind weit weg. Katarina Taxell lebt in einer anderen Welt. Das letzte Bild, ganz außen. Eine alte Fotografie, die Konturen sind verblichen. Eine karge Landschaft am Meer. Ein altes Paar starrt steif in die Kamera. Weit draußen im Hintergrund ein Dreimaster, ohne Segel. Wallander dachte, dass das Bild von Öland sein konnte. Irgendwann am Anfang des Jahrhunderts aufgenommen. Katarina Taxells Großeltern? Auch hier stand nichts auf der Rückseite. Er stellte das Bild zurück. Kein Mann, dachte er. Blomberg ist nicht da. Das ist erklärlich. Aber auch kein anderer Mann. Der Vater, den es geben muss. Nacheinander zog er die kleinen Schubfächer im oberen Teil des Sekretärs heraus. Briefe, Dokumente, Rechnungen. In einem Fach alte Schulzeugnisse. Das nächste Fach. Fotos aus einem Passbildautomaten. Drei Mädchengesichter, dicht zusammengedrängt, Grimassen schneidend. Ein anderes Bild. Strøget in Kopenhagen. Sie sitzen auf einer Bank. Lachen. Katarina Taxell ganz rechts, am Ende der Bank. Auch sie lacht. Noch ein Fach mit Briefen. Einige noch von 1972. Wenn der Sekretär Katarina Taxells persönlichste Geheimnisse verbirgt, so hat sie kaum welche, dachte Wallander. Ein unpersönliches Leben. Keine Leidenschaften, keine Sommerabenteuer auf griechischen Inseln. Er sah die Fächer weiter durch, aber nichts erregte seine Aufmerksamkeit. Dann ging er zu den drei großen unteren Schubladen über. Noch immer keine Tagebücher. Nicht einmal Kalender. Wallander schob den Stuhl zurück und schloss die letzte Schublade. Nichts. Er wusste nicht mehr als vorher. Er runzelte die Stirn. Etwas stimmte da nicht. Wenn ihr Entschluss fortzugehen schnell gefasst worden war, und davon war er überzeugt, hatte sie nicht viel Zeit gehabt, alles mitzunehmen, was sie eventuell nicht offenbaren wollte. Die Tagebücher hatte sie sicher in Reichweite. Die würde sie retten können, wenn es brannte. Aber es gibt fast immer auch eine ungeordnete Seite im Leben eines Menschen. Hier gab es nichts. Er rückte vorsichtig den Sekretär von der Wand ab. Nichts war an der Rückseite befestigt. Nachdenklich setzte er sich wieder. Da war etwas, was er gesehen hatte, was ihm aber erst jetzt bedeutungsvoll schien. Er saß unbeweglich und versuchte; sich zu erinnern. Nicht die Fotos, auch nicht die Briefe. Aber was dann? Der Mietvertrag? Die Rechnungen von ihrer Kreditkarte? Nichts von alledem. Was blieb dann noch?

Dann war es das Möbelstück. Der Sekretär. Es war etwas mit den kleinen Schubfächern. Er zog eines davon vor, dann das nächste, verglich sie. Dann nahm er sie heraus und guckte hinein. Auch nichts. Er schob die Fächer wieder zurück. Zog das oberste auf der linken Seite heraus, dann das nächste. Da entdeckte er es. Die Fächer waren verschieden hoch. Er zog das kleinere heraus und drehte es um. Dort war noch eine Öffnung. Das Fach war unterteilt, es hatte auf der Unterseite ein Geheimfach. Er öffnete es. Da lag nur ein kleines Heft. Er nahm es heraus und legte es vor sich auf den Tisch.

Ein Fahrplan der Schwedischen Eisenbahn. Vom Frühjahr 1991. Die Verbindungen zwischen Malmö und Stockholm.

Er nahm die anderen Schubladen heraus und fand noch ein weiteres Geheimfach. Es war leer.

Er lehnte sich in den Stuhl zurück und betrachtete den Fahrplan. Er konnte nicht verstehen, was das zu bedeuten hatte. Aber noch schwerer zu verstehen war, warum er in einem Geheimfach lag. Er konnte nicht durch einen Irrtum dort hingekommen sein.

Birch betrat das Zimmer.

»Sieh dir das einmal an«, sagte Wallander.

Birch stellte sich hinter ihn. Wallander zeigte auf den Fahrplan. »Der hier lag in Katarina Taxells geheimstem Winkel.«

»Ein Fahrplan?«

Wallander schüttelte den Kopf. »Ich verstehe das nicht«, sagte er.

Er blätterte ihn durch, Seite für Seite. Birch hatte einen Stuhl herangezogen und sich neben ihn gesetzt. Wallander blätterte weiter. Erst als er zur vorletzten Seite kam, hielt er ein. Birch hatte es auch entdeckt. Eine Abfahrtszeit von Nässjö war unterstrichen. Nässjö nach Malmö. Abfahrt 16 Uhr. Ankunft in Lund 18 Uhr 42. Malmö 18 Uhr 57.

Nässjö 16 Uhr. Jemand hatte sämtliche Zeiten unterstrichen. Wallander sah Birch an. »Sagt dir das was?«

»Nichts.«

Wallander legte den Fahrplan hin.

»Kann Katarina Taxell etwas mit Nässjö zu tun haben?« fragte Birch.

»So weit ich weiß, nicht«, antwortete Wallander. »Aber es ist natürlich möglich.«

Wallander hatte von dem Kollegen von der Spurensicherung, der zuvor die Wohnung nach Fingerabdrücken abgesucht hatte, die nicht von Katarina Taxell oder ihrer Mutter stammten, ein paar Plastiktüten bekommen. Er steckte den Fahrplan in eine davon.

»Ich nehm ihn mit«, sagte er. »Wenn du nichts dagegen hast.«

Birch zuckte mit den Schultern. »Du kannst ihn ja nicht einmal mehr benutzen«, sagte er. »Er ist seit dreieinhalb Jahren ungültig.«

»Ich fahre so selten Zug«, sagte Wallander.

»Es kann erholsam sein«, sagte Birch. »Ich reise lieber im Zug als im Flugzeug. Man hat eine Zeit nur für sich allein.«

Wallander dachte an seine letzte Zugreise. Als er in Älmhult gewesen war. Birch hatte Recht. Unterwegs hatte er tatsächlich eine Weile geschlafen.

»Das bringt uns hier jetzt nicht weiter«, sagte er. »Ich glaube, es wird Zeit, dass ich nach Ystad zurückkomme.«

»Wir sollen noch nicht nach Katarina Taxell und ihrem Kind fahnden?«

»Noch nicht.«

Sie verließen die Wohnung. Birch schloss ab. Es regnete kaum noch. Der Wind kam in Böen und war eisig. Es war schon Viertel vor neun. Sie trennten sich bei Wallanders Wagen.

Wallander fuhr aus der Stadt hinaus. Der Herbst drückte gegen den Wagen. Er machte die Heizung an. Trotzdem fühlte er sich verfroren.

Wie geht es jetzt bloß weiter, fragte er sich. Katarina Taxell ist verschwunden. Nach einem langen Tag in Lund kehre ich mit einem Eisenbahnfahrplan in einer Plastiktüte nach Ystad zurück.

Trotz allem waren sie an diesem Tag einen wichtigen Schritt weitergekommen. Holger Eriksson hatte Krista Haberman gekannt. Er gab unwillkürlich Gas. Er wollte so schnell wie möglich wissen, was Hamrén herausgefunden hatte. Bei der Abzweigung nach Sturup hielt er an einer Bushaltestelle an und rief in Ystad an. Er bekam Svedberg an den Apparat.

Doch der war schlecht informiert. Er war eben erst von einer Besprechung mit Per Åkesson zurückgekommen, der bei der Beschaffung des Untersuchungsmaterials über den Tod von Gösta Runfelts Frau in Älmhult Hilfestellung leisten sollte.

Wallander bat ihn, die Gruppe zu einer Besprechung um zehn Uhr zu sammeln. »Hast du Hamrén gesehen?« fragte er.

»Der sitzt mit Hansson zusammen und geht das Haberman-Material durch. Du hattest ihm etwas aufgetragen, das eilte.«

»Um zehn«, sagte Wallander. »Es wäre gut, wenn sie bis dahin fertig würden.«

»Sollen sie bis dahin Krista Haberman gefunden haben?«, fragte Svedberg.

»Nicht richtig. Aber so ungefähr.«

Um zehn Uhr waren sie versammelt. Als Einziger fehlte Martinsson.

»Was ist denn passiert?« fragte Wallander.

»Seine Tochter Terese ist vor der Schule angegriffen worden«, sagte Ann-Britt Höglund. »Er ist sofort hingefahren. Wenn ich Svedberg richtig verstanden habe, hatte es etwas damit zu tun, dass Martinsson Polizist ist.«

Wallander sah sie verständnislos an. »Ist es schlimm?«

»Sie wurde gestoßen und mit Fäusten ins Gesicht geschlagen. Anscheinend ist sie auch getreten worden. Sie hat keine physischen Schäden. Aber sie hat natürlich einen Schock.«

»Wer hat das getan?«

»Andere Schüler. Die größer sind als sie.«

Wallander setzte sich. »Das ist ja widerlich! Aber warum?«

»Ich weiß nicht alles, was passiert ist. Aber offenbar diskutieren auch die Schüler das mit den Bürgerwehren. Dass die Polizei nichts tut. Dass wir aufgegeben haben.«

»Und da machen sie sich über Martinssons Tochter her?«

»Ja.«

Wallander spürte wieder den Kloß im Hals. Terese war dreizehn, und Martinsson erzählte ständig von ihr. Jetzt überlegte er offenbar, bei der Polizei aufzuhören.

»Ich rede mit ihm«, sagte Wallander.

Mehr wurde nicht gesagt. Wallander fasste kurz zusammen, was in Lund geschehen war. Sie spielten verschiedene Erklärungen durch, warum Katarina Taxell verschwunden war und was ihr Motiv sein konnte. Sie fragten sich auch, ob es möglich wäre, den roten Golf aufzuspüren. Wie viele rote Golfs gab es eigentlich in Schweden?

»Eine Frau mit einem neugeborenen Kind kann nicht spurlos verschwinden«, sagte Wallander zum Schluss. »Ich glaube, es ist das Beste, wir üben uns in Geduld. Wir müssen mit dem arbeiten, was wir in Händen haben.«

Er sah Hansson und Hamrén an. »Krista Habermans Verschwinden«, sagte er. »Vor siebenundzwanzig Jahren.«

Hansson nickte Hamrén zu.

»Du wolltest Details, was ihr eigentliches Verschwinden angeht«, sagte er. »Zum letztenmal sieht sie jemand in Svenstavik, am Dienstag, dem 22. Oktober 1967. Sie macht einen Spaziergang durch den Ort. Danach hat sie niemand mehr gesehen. Es gibt jedoch ein paar Zeugenaussagen, dass an dem Abend ein fremder Wagen durch den Ort gefahren ist. Einer der Zeugen, ein Landwirt namens Johansson, behauptet, dass es ein Chevrolet war. Ein dunkelblauer Chevrolet. Er war seiner Sache sicher. Es hatte früher in Svenstavik ein Taxi vom gleichen Typ gegeben. Allerdings war das hellblau.«

Wallander nickte. »Svenstavik und Lödinge liegen weit auseinander«, sagte er. »Aber wenn ich mich nicht ganz täusche, hat Holger Eriksson zu der Zeit Chevrolets verkauft.«

Es wurde still im Raum.

»Ich frage mich, ob es so sein kann, dass Holger Eriksson die lange Strecke nach Svenstavik gefahren ist«, fuhr er fort. »Und dass Krista Haberman mit ihm zurückgefahren ist.«

Wallander wandte sich an Svedberg. »Hatte Eriksson damals schon seinen Hof?«

Svedberg nickte bekräftigend.

Wallander sah sich am Tisch um. »Holger Eriksson ist in einer Pfahlgrube aufgespießt worden«, sagte er. »Wenn es stimmt, wie wir glauben, dass der Mörder seine Opfer auf eine Art und Weise umbringt, die früher begangene Untaten widerspiegelt, dann fürchte ich, dass wir an eine sehr unschöne Schlussfolgerung denken müssen.«

Er wünschte, dass er sich irrte. Aber er glaubte es nicht mehr. »Wir müssen anfangen, auf Holger Erikssons Grundstück zu suchen. Ich frage mich, ob Krista Haberman dort nicht irgendwo begraben liegt.«

Es war zehn Minuten vor elf. Mittwoch, der 19. Oktober.

32

Sie fuhren in der frühen Morgendämmerung zum Hof hinaus. Wallander hatte Nyberg, Hamrén und Hansson gebeten mitzukommen. Jeder fuhr für sich, Wallander in seinem eigenen Wagen, der aus Älmhult zurückgekommen war. Sie hielten in der Einfahrt zu dem unbewohnten Haus, das wie ein einsames und abgetakeltes Schiff dort draußen im Nebel lag.

Gerade an diesem Morgen, am Donnerstag, dem 20. Oktober, war der Nebel sehr dicht.

Sie begrüßten sich fröstelnd. Hansson hatte eine Skizze vom Hof und dem dazugehörenden Land bei sich. Sie breiteten die Karte auf der Motorhaube von Nybergs Wagen aus und sammelten sich darum.

»1967 sah der zum Hof gehörende Besitz anders aus«, sagte Hansson und zeigte auf die Karte. »Erst Mitte der siebziger Jahre hat Eriksson das ganze Land gekauft, das südlich von hier liegt.«

Wallander sah, dass dies zwar die Fläche, die in Frage kam, um ein Drittel reduzierte. Es war aber dennoch unmöglich, sich durch das ganze Gelände zu graben. Sie mussten mit anderen Methoden die Stelle finden. »Der Nebel spielt uns einen Streich«, sagte er. »Ich hatte gehofft, wir könnten uns einen Überblick über das Gelände verschaffen. Es muss möglich sein, gewisse Teile auszuschließen. Ich gehe davon aus, dass man den Platz, wo man jemanden vergräbt, den man getötet hat, nicht dem Zufall überlässt.«

»Man wählt wohl eine Stelle, von der man glaubt, dass da garantiert keiner sucht«, sagte Nyberg.

»Das Gelände ist groß«, sagte Hamrén.

»Deshalb müssen wir es als erstes kleiner machen«, sagte Wallander. »Es stimmt, was Nyberg sagt. Ich bezweifle, dass Holger Eriksson – wenn er Krista Haberman nun ermordet hat – sie einfach irgendwo vergraben hat. Ich stelle mir zum Beispiel vor, dass man nicht gern eine Leiche direkt vor der Haustür unter der Erde liegen hat. Es sei denn, man ist völlig verrückt. Worauf bei Holger Eriksson nichts hindeutet.«

»Außerdem ist da Kopfsteinpflaster«, sagte Hansson. »Den Hofplatz können wir schon mal ausschließen.«

Wallander überlegte, ob sie nach Ystad zurückkehren und ein andermal wiederkommen sollten, wenn es nicht neblig war. Er beschloss, dass sie trotz allem eine Stunde damit verbringen konnten, sich einen Überblick zu verschaffen.

Sie gingen in den großen Garten auf der Rückseite des Hauses. Der nasse Boden war mit verfaulten Äpfeln übersät. Eine Elster flatterte von einem Baum auf. Sie blieben stehen und blickten sich um. Hier auch nicht, dachte Wallander. Ein Mann in der Stadt, der einen Mord begeht und nur seinen Garten hat, vergräbt vielleicht eine Leiche zwischen Obstbäumen und Beerensträuchern. Aber nicht jemand, der auf dem Land wohnt.

Er sprach den Gedanken aus. Keiner hatte etwas einzuwenden. Sie gingen auf die Felder hinaus. Der Nebel war noch immer sehr dicht. Hasen tauchten schemenhaft auf und flitzten wieder davon. Sie gingen zuerst an die nördliche Grenze des Besitzes.

Der Lehm klumpte unter ihren Stiefeln. Sie versuchten, auf dem schmalen ungepflügten Grasstreifen zu balancieren, der die Grenze von Erikssons Besitz markierte. Eine rostige Egge lag im Feld. Nicht nur der Auftrag drückte auf Wallanders Stimmung, sondern auch der Nebel und die graue, nasse Erde. Er liebte die Landschaft, in der er lebte und geboren war, aber der Herbst war nicht seine Jahreszeit. Zumindest nicht an Tagen wie diesem.

»Wer hat eigentlich diesen ganzen Boden bewirtschaftet?« fragte Hansson. »Doch bestimmt nicht er selbst. Er hat ihn verpachtet. Aber Land muss bearbeitet werden, sonst wächst es zu. Und dieser Boden hier ist gut gepflegt.«

Hansson war auf einem Bauernhof vor Ystad aufgewachsen und wusste, wovon er redete.

»Das ist eine wichtige Frage«, sagte Wallander. »Das müssen wir rausfinden.«

»Das kann uns auch eine andere Frage beantworten«, sagte Hamrén. »Ob es eine Veränderung des Landes gegeben hat. Ein Hügel, der plötzlich da war. Gräbt man an einer Stelle, wird der Boden an einer anderen aufgeworfen. Ich denke nicht an ein Grab, aber zum Beispiel an einen Graben. Oder etwas anderes.«

»Wir reden von Dingen, die fast dreißig Jahre zurückliegen«, sagte Nyberg. »Wer hat so ein Gedächtnis?«

»Es kommt vor«, sagte Wallander. »Aber wir müssen es natürlich herausfinden. Wer also hat Holger Erikssons Land bewirtschaftet?«

»Dreißig Jahre sind eine lange Zeit«, sagte Hansson. »Es können mehrere Personen sein.«

»Dann müssen wir mit allen reden«, sagte Wallander. »Wenn wir sie zu fassen kriegen. Wenn sie noch leben.«

Sie gingen weiter. Wallander fiel plötzlich ein, dass er im Haus ein paar alte Luftaufnahmen des Hofes gesehen hatte. Er bat Hansson, in Lund anzurufen und jemand mit den Schlüsseln kommen zu lassen.

»Es ist kaum wahrscheinlich, dass jemand morgens um Viertel nach sieben da ist.«

»Dann sprich mit Ann-Britt Höglund«, sagte Wallander. »Bitte sie, den Anwalt anzurufen, Erikssons Testamentsvollstrecker. Er hat vielleicht noch Schlüssel.«

»Vielleicht sind Anwälte Frühaufsteher«, sagte Hansson zweifelnd und wählte die Nummer.

»Ich muss diese Luftaufnahmen sehen«, sagte Wallander. »Und zwar so schnell wie möglich.«

Sie gingen weiter. Hansson telefonierte mit Ann-Britt Höglund. Das Terrain wurde jetzt abschüssig. Der Nebel war so dicht wie vorher. Von irgendwo kam das Geräusch eines Traktors und verklang wieder. Hanssons Telefon summte. Ann-Britt Höglund hatte mit dem Anwalt gesprochen, aber er hatte die Schlüssel bereits abgegeben. Sie hatte versucht, jemand in Lund zu erreichen, aber bisher ohne Erfolg. Sie versprach, sich wieder zu melden.

Sie brauchten fast zwanzig Minuten, um an die nächste Grenzlinie zu gelangen. Hansson zeigte sie auf der Karte. Sie befanden sich jetzt am südwestlichen Ende. Der Besitz erstreckte sich noch einmal fünfhundert Meter nach Süden, aber diesen Teil hatte Holger Eriksson 1976 dazugekauft. Sie gingen nach Osten und näherten sich jetzt dem Graben und dem Hügel mit dem Vogelturm. Wallander spürte, wie sein Unbehagen wuchs. Er glaubte, bei den anderen die gleiche stille Reaktion zu bemerken.

Es wurde zu einem Bild seines Lebens, dachte er. Mein Leben als Polizeibeamter in Schweden in den letzten Jahrzehnten des 20. Jahrhunderts. Ein früher Morgen. Dämmerung. Herbst, Nebel, klamme Kälte. Vier Männer, die durch den Lehm stapfen. Sie nähern sich einer unbegreiflichen Raubtierfalle, wo ein Mann auf exotischen Bambusstangen aufgespießt worden ist. Gleichzeitig suchen sie nach einem denkbaren Ort für ein Grab einer polnischen Frau, die seit siebenundzwanzig Jahren verschwunden ist.

In diesem Lehm werde ich umherstapfen, bis ich falle. An anderen Plätzen im Nebel hocken Menschen an ihren Küchentischen und organisieren Bürgerwehren, und deren Kinder schlagen Polizistentöchter.

Plötzlich waren sie da. Wallander ging als letzter. Der Graben lag neben ihnen. Jetzt waren sie an der Pfahlgrube. Ein abgerissener Streifen des Absperrungsbandes der Polizei war unter einer der herabgefallenen Planken eingeklemmt. Ein unaufgeräumter Tatort, dachte Wallander. Die Bambusstäbe waren fort. Er fragte sich, wo sie aufbewahrt wurden. Im Keller des Polizeipräsidiums? Im Kriminaltechnischen Labor in Linköping? Der Vogelturm stand rechts von ihnen. Er war im Nebel kaum zu sehen.

Wallander merkte, wie ein Gedanke in seinem Kopf Form annahm. Er trat ein paar Schritte zur Seite und wäre beinah im Lehm ausgerutscht und gefallen. Nyberg starrte in den Graben. Hamrén und Hansson diskutierten leise über ein Detail auf der Karte.

Jemand beobachtet Holger Eriksson und seinen Hof, dachte Wallander. Jemand, der weiß, was Krista Haberman zugestoßen ist, einer seit siebenundzwanzig Jahren verschwundenen Frau, die für tot erklärt wurde. Eine Frau, die irgendwo in einem Acker begraben liegt. Holger Erikssons Zeit wird bemessen. Ein anderes Grab wird mit spitzen Pfählen vorbereitet. Noch ein Grab im Lehm.

Er trat zu Hansson und Hamrén. Nyberg war im Nebel verschwunden. Wallander sagte, was er eben gedacht hatte. »Wenn der Täter so gut informiert ist, wie wir glauben, dann weiß er auch, wo Krista Haberman begraben ist. Wir haben bei verschiedenen Gelegenheiten davon gesprochen, dass der Mörder eine Sprache hat. Er oder sie versucht, uns etwas zu erzählen. Wir haben den Kode nur teilweise entschlüsseln können. Holger Eriksson wurde mit demonstrativer Brutalität getötet. Sein Körper sollte garantiert gefunden werden. Aber möglicherweise wurde der Platz auch aus einem anderen Grund gewählt. Eine Aufforderung an uns, weiterzusuchen. Gerade hier. Und wenn wir das tun, finden wir auch Krista Haberman.«

Nyberg tauchte aus dem Nebel auf. Wallander wiederholte, was er gesagt hatte. Alle sahen ein, dass er Recht haben konnte. Sie gelangten über den Graben und gingen zum Turm hinauf. Das Waldstück unterhalb war vom Nebel verschluckt.

»Zu viele Wurzeln«, sagte Nyberg. »An das Wäldchen glaube ich nicht.«

Sie gingen in östlicher Richtung zurück, bis sie wieder an ihrem Ausgangspunkt anlangten. Es war inzwischen fast acht. Der Nebel hatte sich nicht gelichtet. Ann-Britt Höglund hatte angerufen und mitgeteilt, dass die Schlüssel unterwegs seien. Alle waren durchgefroren und nass, und Wallander wollte sie nicht unnötig hier festhalten. Hansson hatte vor, in den nächsten Stunden herauszufinden, wer das Land bewirtschaftet hatte.

»Eine plötzliche Veränderung vor siebenundzwanzig Jahren«, schärfte Wallander ihm ein. »Davon wollen wir etwas wissen. Aber sag ja nicht, dass wir glauben, hier könnte eine Leiche vergraben sein. Dann kriegen wir eine Invasion.«

Hansson nickte. Er verstand.

»Wir müssen das hier wiederholen, wenn kein Nebel ist«, sagte Wallander. »Aber ich glaube, es ist trotzdem gut, dass wir schon jetzt diesen Überblick haben.«

Die anderen fuhren los. Wallander blieb stehen, bis er allein war. Dann setzte er sich in seinen Wagen. Er wartete, dachte an die drei Frauen: Krista Haberman, Eva Runfelt, Katarina Taxell. Und an die vierte, die keinen Namen hatte. Was für einen gemeinsamen Berührungspunkt hatten sie? Er hatte das Gefühl, dass dieser Punkt so nahe lag, dass er ihn sehen müsste. Er lag ganz nahe. Er sah ihn, ohne zu sehen.

In Gedanken ging er wieder zurück. Misshandelte, vielleicht ermordete Frauen. Eine große Zeitspanne wölbte sich über das Ganze.

Es war kalt im Wagen. Er stieg aus, um sich zu bewegen. Die Schlüssel müssten bald gebracht werden. Er trat auf den Hofplatz und erinnerte sich daran, wie er zum ersten Mal hier gewesen war. Der Krähenschwarm unten am Graben. Er betrachtete seine Hände. Sie waren nicht mehr gebräunt. Die Erinnerung an die Sonne über Villa Borghese gehörte der Vergangenheit an. Wie sein Vater.

Er starrte in den Nebel. Ließ den Blick über den Hofplatz wandern. Das Haus war wirklich in gutem Zustand. Hier hatte einmal ein Mann gesessen, der Holger Eriksson hieß und Gedichte über Vögel schrieb. Eines Tages setzt er sich in einen dunkelblauen Chevrolet und macht die weite Reise nach Jämtland. Hatte ihn eine Leidenschaft getrieben? Oder etwas anderes? Krista Haberman war eine schöne Frau. In dem umfangreichen Untersuchungsmaterial aus Östersund gab es ein Foto von ihr. War sie ihm freiwillig gefolgt? Das war anzunehmen. Sie reisen nach Schonen. Dann verschwindet sie. Holger Eriksson lebt allein. Er gräbt ein Grab. Sie ist unauffindbar. Die Ermittlung dringt nie bis zu ihm vor. Bis jetzt. Als Hansson den Namen Tandvall findet und ein früher nicht beachteter Zusammenhang erkennbar wird.

Wallander merkte, dass er dastand und den leeren Hundezwinger anstarrte. Er runzelte die Stirn. Warum hatte er keinen Hund gesehen? Niemand hatte bisher danach gefragt. Wann war der Hund weggebracht worden? Hatte das überhaupt eine Bedeutung? Fragen, auf die er eine Antwort haben wollte.

Ein Auto bremste vor dem Haus. Kurz darauf kam ein Junge von kaum zwanzig Jahren auf den Hof. Er ging auf Wallander zu. »Sind Sie der Polizist, der den Schlüssel haben soll?«

»Der bin ich.«

Der Junge betrachtete ihn zweifelnd. »Und woher soll ich das wissen? Sie können doch irgendjemand sein.«

Wallander war irritiert. Gleichzeitig sah er ein, dass die Skepsis des Jungen berechtigt war. Seine Hosenbeine waren bis hoch hinauf lehmbespritzt. Er holte seinen Ausweis hervor. Der Junge nickte und gab ihm ein Schlüsselbund.

»Ich sorge dafür, dass es nach Lund zurückkommt«, sagte Wallander.

Der Junge nickte, er hatte es eilig. Wallander hörte das Auto losfahren, während er den Schlüssel für die Haustür suchte.

Er öffnete die Tür, trat ins Haus und machte das Licht im Flur an. Er setzte sich auf einen Schemel und zog die lehmigen Stiefel aus. Als er in das große Zimmer kam, sah er zu seiner Verwunderung, dass das Gedicht über den Mittelspecht noch immer auf dem Schreibtisch lag. Der Abend des 21. September. Morgen war genau ein Monat vergangen. Waren sie eigentlich einer Lösung näher gekommen?

Der Nebel vor den Fenstern war noch immer sehr dicht. Er fühlte sich beklommen. Die Gegenstände im Raum schienen ihn zu betrachten. Er ging zur Wand, an der die beiden gerahmten Luftaufnahmen hingen. Er suchte in seinen Taschen nach der Brille. Gerade an diesem Morgen hatte er daran gedacht, sie mitzunehmen. Er setzte sie auf und beugte sich vor. Die eine Aufnahme war schwarzweiß, die andere in verblichenen Farben. Das Schwarzweißbild war von 1949, zwei Jahre bevor Holger Eriksson den Hof gekauft hatte. Die Farbaufnahme war von 1965. Wallander zog eine Gardine zurück, um mehr Licht hereinzulassen. Er wandte sich wieder den beiden Fotografien zu, die von der Firma »Flygfoto« aufgenommen waren. Zwischen ihnen lagen sechzehn Jahre. Das Flugzeug mit der Kamera war direkt von Süden gekommen. Alle Details waren sehr deutlich. 1965 hatte Eriksson seinen Turm noch nicht gebaut, aber der Hügel war da, ebenso der Graben. Wallander kniff die Augen zusammen, konnte aber keinen Steg entdecken. Er folgte den Konturen der Äcker. Das Bild war im Frühjahr entstanden. Die Äcker waren gepflügt, aber es wuchs noch nichts. Der Teich war deutlich zu sehen. Eine Baumgruppe stand neben einem schmalen Feldweg, der zwei der Äcker teilte. Er runzelte die

Stirn; er konnte sich nicht an die Bäume erinnern. An diesem Morgen hatte er sie wegen des Nebels nicht gesehen, doch auch von seinen früheren Besuchen her waren sie ihm nicht in Erinnerung. Die Bäume waren sehr hoch, er hätte sie bemerken müssen. Einsam draußen zwischen den Äckern. Er betrachtete nun das Haus, den Mittelpunkt des Bildes. Zwischen 1949 und 1965 hat das Haus sein neues Dach bekommen. Ein Nebengebäude, vielleicht ein Schweinestall, ist abgerissen worden. Die Auffahrt ist breiter. Aber sonst ist alles unverändert. Er nahm die Brille ab und blickte durchs Fenster. Dann setzte er sich in einen Ledersessel und überließ sich seinen Gedanken. Ein Chevrolet fährt nach Svenstavik. Eine Frau kommt mit zurück nach Schonen. Dann verschwindet sie. Siebenundzwanzig Jahre später stirbt der Mann, der vielleicht einst nach Svenstavik fuhr und sie holte.

Er blieb eine halbe Stunde in der Stille sitzen. Er dachte daran, dass sie jetzt nach nicht weniger als drei Frauen suchten. Krista Haberman, Katarina Taxell und einer, die für sie noch keinen Namen hatte, die aber einen roten Golf fuhr und vielleicht manchmal falsche Fingernägel hatte und selbstgedrehte Zigaretten rauchte.

Oder suchten sie vielleicht nur nach zwei Frauen? Wenn zwei von ihnen identisch waren? Wenn Krista Haberman trotz allem noch lebte? Dann könnte sie jetzt fünfundsechzig Jahre alt sein. Die Frau, die Ylva Brink niedergeschlagen hatte, war bedeutend jünger.

Es passte nicht. Das ebenso wenig wie vieles andere.

Er blickte auf die Uhr. Viertel vor neun. Er stand auf und verließ das Haus. Der Nebel war so dicht wie zuvor. Er dachte an den leeren Hundezwinger. Dann schloss er ab und fuhr davon.

Um zehn war es Wallander gelungen, die Ermittlungsgruppe zu einer Besprechung zusammenzutrommeln. Nur Martinsson fehlte. Er hatte versprochen, am Nachmittag zu kommen. Während der Morgenstunden war er in Tereses Schule. Ann-Britt Höglund konnte erzählen, dass er sie spät am Vorabend angerufen hatte. Sie hatte den Eindruck, dass er nicht nüchtern gewesen war, was sie an ihm nicht kannte.

»Er scheint wirklich entschlossen zu sein, aufzuhören«, sagte sie. »Aber ich hatte das Gefühl, dass er wünschte, ich würde ihm widersprechen.«

»Ich werde mit ihm reden«, sagte Wallander.

Sie schlossen die Tür des Sitzungszimmers. Per Åkesson und Lisa Holgersson kamen als letzte.

Sobald es ruhig geworden war, ergriff Lisa Holgersson das Wort. »Ich wollte euch nur informieren«, sagte sie, »dass euer ehemaliger Chef angerufen hat und euch Glück wünscht. Es tut ihm leid, was mit Martinssons Tochter passiert ist.«

»Der hat es verstanden, rechtzeitig aufzuhören«, sagte Svedberg. »Was haben wir ihm eigentlich zum Abschied geschenkt? Eine Angelrute? Wenn er hier weitergemacht hätte, wäre er nie dazu gekommen, sie zu benutzen.«

»Er hat jetzt sicher auch eine Menge um die Ohren«, wandte Lisa Holgersson ein.

»Björk war gut«, sagte Wallander. »Aber ich glaube, wir sollten jetzt weitermachen.«

Sie fingen mit Ann-Britt Höglunds Zeitplan an. Neben Wallanders Kollegblock lag der Eisenbahnfahrplan aus Katarina Taxells Sekretär.

Ann-Britt Höglund hatte wie üblich gründliche Arbeit geleistet. Alle Zeitpunkte, die auf irgendeine Weise mit den verschiedenen Ereignissen zu tun hatten, waren aufgeführt und zueinander in Beziehung gesetzt. Während Wallander zuhörte, dachte er, dass er diese Aufgabe sicher nicht besonders gut bewältigt hätte. Er hätte ganz bestimmt gepfuscht. Kein Polizist ist wie ein anderer, dachte er. Erst wenn wir uns mit dem beschäftigen können, was unsere starken Seiten herausfordert, sind wir wirklich nützlich.

»Ich sehe eigentlich kein Muster, das sich abzeichnet«, sagte Ann-Britt Höglund, als sie sich dem Schluss ihrer Darstellung näherte. Die Gerichtsmediziner in Lund haben also festgestellt, dass Holger Erikssons Tod spät am Abend des 21. September eingetreten ist. Wie sie das herausgefunden haben, kann ich nicht genau beantworten, aber sie sind sich ihrer Sache sicher. Gösta Runfelt wird auch in der Nacht getötet. Da stimmt der Zeitpunkt überein, ohne dass man irgendwelche sinnvollen Schlüsse daraus ableiten kann. Es gibt auch keine Übereinstimmungen, was die Wochentage anbelangt. Wenn man die beiden Besuche auf der Entbindungsstation und den Mord an Eugen Blomberg dazunimmt, kann man möglicherweise Fragmente eines Musters ahnen.«

Sie brach ab und blickte in die Runde. Weder Wallander noch einer der anderen schien verstanden zu haben, was sie meinte.

»Das ist beinahe reine Mathematik«, sagte sie. »Aber es hat den Anschein, dass unser Täter einem so unregelmäßigen Muster folgt, dass es wieder interessant wird. Am 21. September stirbt Holger Eriksson. In der Nacht auf den 1. Oktober bekommt Katarina Taxell Besuch auf der Entbindungsstation in Ystad. Am 11. Oktober stirbt Gösta Runfelt. In der Nacht auf den 13. Oktober ist die Frau wieder auf der Entbindungsstation und schlägt Svedbergs Cousine nieder. Am 17. Oktober schließlich stirbt Eugen Blomberg. Wahrscheinlich kann man noch den Tag dazunehmen, an dem Gösta Runfelt vermutlich verschwunden ist. Das Muster, das ich sehe, zeichnet sich dadurch aus, dass es keinerlei Regelmäßigkeit gibt. Was möglicherweise erstaunlich ist. Da alles andere so minuziös geplant und vorbereitet zu sein scheint. Man kann es also entweder so sehen, dass keine Intervalle existieren, die uns irgendetwas verraten. Oder man betrachtet die Unregelmäßigkeit als die Folge von irgendetwas. Und da fragt es sich, wovon?«

Wallander merkte, dass er ihr nicht folgen konnte. »Noch einmal«, bat er. »Langsam.«

Sie wiederholte, was sie gesagt hatte. »Es muss nicht unbedingt ein Zufall sein«, schloss sie. »Weiter will ich mich nicht vorwagen. Es kann eine Unregelmäßigkeit sein, die sich wiederholt. Aber es muss nicht so sein.«

»Nehmen wir an, dass es trotz allem ein Muster ist«, sagte Wallander. »Wie interpretierst du das? Was sind das für äußere Faktoren, die den Zeitplan des Täters beeinflussen?«

»Es kann verschiedene Erklärungen geben. Der Täter wohnt nicht in Schonen. Macht aber regelmäßig Besuche hier. Er oder sie hat einen Beruf, der einem bestimmten Rhythmus unterliegt. Oder etwas anderes, was ich mir bisher nicht habe vorstellen können.«

»Du meinst also, dass diese Tage gesammelte arbeitsfreie Tage sein können, die regelmäßig wiederkehren? Wenn wir es einen Monat länger verfolgen könnten, würde es deutlicher werden?«

»Das kann eine Möglichkeit sein. Der Täter hat eine Arbeit, die einem ständig wechselnden Schema folgt. Die arbeitsfreien Tage fallen mit anderen Worten nicht ausschließlich auf Samstag und Sonntag.«

»Das kann wichtig sein«, sagte Wallander nachdenklich. »Aber es fällt mir schwer, das zu glauben.«

»Ansonsten kann ich aus diesen Zeiten nichts herauslesen«, sagte sie. »Die Person ist nicht zu fassen.«

»Was wir nicht klar festmachen können, ist auch eine Art von Erkenntnis«, sagte Wallander und hielt die Plastiktüte hoch. »Und da wir bei Zeitplänen sind; das hier habe ich in einem Geheimfach in Katarina Taxells Sekretär gefunden. Wenn sie ihren wichtigsten Besitz vor der Welt verbergen wollte, dann muss es das hier sein. Ein Fahrplan der Intercityzüge von SJ. Frühjahr 1991. Eine Zugabfahrt ist unterstrichen: Nässjö 16 Uhr. Er geht täglich.«

Er schob die Plastiktüte zu Nyberg hinüber. »Fingerabdrücke«, sagte er.

Dann ging er zu Krista Haberman über. Er legte seine Gedanken dar. Erzählte von dem morgendlichen Besuch im Nebel. Die ernste Stimmung im Raum war unverkennbar. »Ich bin also der Meinung, wir sollten anfangen zu graben«, schloss er. »Wenn der Nebel sich gelichtet und Hansson Gelegenheit gehabt hat zu untersuchen, wer das Land bestellt hat und ob dort nach 1967 einschneidende Veränderungen stattgefunden haben.«

Lange war es vollkommen still. Alle dachten nach über das, was Wallander gesagt hatte. Schließlich meldete sich Per Åkesson zu Wort. »Das klingt einerseits unglaublich und andererseits sehr bestechend«, sagte er. »Ich nehme an, wir müssen diese Möglichkeit ernsthaft in Erwägung ziehen.«

Sie hatten ihren Beschluss gefasst.

Wallander wollte jetzt so schnell wie möglich abbrechen, weil auf sie alle viel Arbeit wartete. »Katarina Taxell«, sagte er. »Sie ist also verschwunden. Ihre Mutter möchte, dass wir sie suchen lassen. Was wir ihr kaum abschlagen können, da sie die nächste Angehörige ist. Aber ich glaube, wir sollten noch warten, wenigstens einen Tag.«

»Warum?« fragte Per Åkesson.

»Ich vermute, dass sie sich meldet«, sagte Wallander. »Natürlich nicht bei uns. Aber bei ihrer Mutter. Katarina Taxell weiß, dass sie sich Sorgen macht. Sie wird sie anrufen, um sie zu beruhigen.«

Wallander wandte sich jetzt direkt an Per Åkesson. »Ich möchte also jemand zu Hause bei Katarina Taxells Mutter haben. Der das Gespräch aufnehmen kann. Früher oder später wird sie anrufen.«

»Wenn das nicht schon geschehen ist«, sagte Hansson und stand auf. »Gib mir mal Birchs Telefonnummer.«

Er bekam sie von Ann-Britt Höglund und verließ eilig den Raum.

»Das war im Augenblick alles«, sagte Wallander. »Sagen wir, dass wir uns um fünf hier wieder treffen, falls bis dahin nichts passiert.«

Als Wallander in sein Zimmer kam, klingelte das Telefon. Es war Martinsson. Er wollte wissen, ob Wallander ihn um zwei Uhr treffen könnte, bei ihm zu Hause. Wallander versprach, zu kommen. Dann verließ er das Präsidium und aß in einem Restaurant etwas zu Mittag.

Um zwei läutete er an Martinssons Tür. Der Kollege machte selbst auf. Sie setzten sich in die Küche. Es war still im Haus, Martinsson war allein. Wallander fragte nach Terese. Sie ging wieder zur Schule. Martinsson war blass und verschlossen. Wallander hatte ihn noch nie so bedrückt und deprimiert gesehen.

»Was soll ich tun?«, fragte Martinsson.

»Was sagt deine Frau? Was sagt Terese?«

»Natürlich, dass ich weitermachen soll. Sie sind es nicht, die wollen, dass ich aufhöre. Das bin ich selbst.«

Wallander wartete. Aber Martinsson sagte nichts mehr.

»Das einzige, wozu ich dir raten kann, ist, nicht übereilt zu handeln. Warte ab. Arbeite noch eine Zeit lang, und dann entscheide dich. Ich bitte dich nicht darum, zu vergessen. Ich bitte dich darum, Geduld zu haben. Alle vermissen dich. Alle wissen, dass du ein guter Polizist bist. Man merkt, dass du nicht da bist.«

Martinsson machte eine abwehrende Handbewegung. »So wichtig bin ich nicht. Ich kann dies und das. Aber rede mir nicht ein, dass ich irgendwie unersetzbar bin.«

»Keiner kann gerade dich ersetzen«, sagte Wallander. »Davon rede ich.«

Wallander hatte damit gerechnet, dass das Gespräch sehr lang werden konnte. Martinsson saß eine Weile schweigend da. Dann stand er auf und verließ die Küche. Als er zurückkam, hatte er seine Jacke an. »Gehen wir?« fragte er.

»Ja«, sagte Wallander. »Wir haben viel zu tun.«

Im Wagen auf dem Weg zum Präsidium gab ihm Wallander einen kurz gefassten Bericht über das, was sich zuletzt getan hatte. Martinsson hörte zu, ohne etwas zu sagen.

Als sie an die Anmeldung kamen, wurden sie von Ebba aufgehalten. Da sie sich nicht die Zeit nahm, Martinsson zu sagen, dass sie sich freute, ihn wieder zu sehen, wusste Wallander sogleich, dass etwas passiert war.

»Ann-Britt Höglund will euch unbedingt sprechen«, sagte sie. »Es ist sehr dringend.«

»Was ist denn passiert?«

»Eine Frau, die Katarina Taxell heißt, hat ihre Mutter angerufen.«

Wallander sah Martinsson an.

Er hatte also Recht gehabt.

Aber es war schneller gegangen, als er erwartet hatte.

33

Sie waren nicht zu spät gekommen.

Birch hatte es gerade noch mit einem Aufnahmegerät geschafft. Eine gute Stunde später war das Band in Ystad. Sie sammelten sich in Wallanders Zimmer, wo Svedberg ein Tonbandgerät aufgestellt hatte.

Sie lauschten dem Gespräch zwischen Katarina Taxell und ihrer Mutter unter großer Spannung. Das Gespräch war kurz. Das war auch Wallanders erster Gedanke. Katarina Taxell wollte nicht mehr sprechen als unbedingt nötig.

»*Mama? Ich bin es.*«

»*Um Gottes willen. Wo bist du? Was ist passiert?*«

»*Nichts ist passiert. Uns geht es gut.*«

»*Wo bist du?*«

»*Bei einer guten Freundin. Ich wollte nur anrufen und sagen, dass alles in Ordnung ist.*«

»*Was ist denn passiert? Warum bist du verschwunden?*«

»*Das erkläre ich dir ein andermal.*«

»*Bei wem bist du?*«

»*Du kennst sie nicht. Ich mach jetzt Schluss. Ich wollte nur anrufen, damit du dir keine Sorgen machst.*«

Die Mutter versuchte, noch etwas zu sagen, aber Katarina Taxell hatte aufgelegt.

Sie hörten sich das Band mindestens zwanzigmal an. Svedberg schrieb mit.

»›Du kennst sie nicht.‹ Der Satz interessiert uns«, sagte Wallander. »Was meint sie damit?«

»Das, was sie sagt«, erwiderte Ann-Britt Höglund.

»Ganz so meine ich es nicht«, verdeutlichte Wallander. »›Du kennst sie nicht‹ kann zwei Sachen bedeuten. Dass die Mutter ihr noch nicht begegnet ist. Oder dass die Mutter nicht verstanden hat, was sie für Katarina Taxell bedeutet.«

»Das erste ist wohl das Wahrscheinlichere«, sagte Ann-Britt Höglund.

Während dessen saß Nyberg mit den Kopfhörern da und lauschte. Dem

Geräusch, das heraussickerte, konnten sie entnehmen, dass er die Lautstärke voll aufgedreht hatte.

»Man hört was im Hintergrund«, sagte Nyberg. »Da pocht etwas.«

Wallander setzte die Kopfhörer auf. Nyberg hatte Recht. Im Hintergrund waren dumpfe Stöße zu hören. Die anderen lauschten der Reihe nach. Keiner konnte mit Sicherheit sagen, was es war.

»Wo ist sie?« fragte Wallander. »Sie ist irgendwo angekommen. Sie ist bei der Frau, die sie abgeholt hat. Und irgendwo im Hintergrund ist ein Pochen.«

»Kann es in der Nähe eines Bauplatzes sein?« schlug Martinsson vor. Es war das erste, was er sagte, nachdem er sich entschlossen hatte, wieder zu arbeiten.

»Das ist eine Möglichkeit«, sagte Wallander.

Sie hörten es noch einmal. Das Pochen war eindeutig. Wallander fasste einen Beschluss.

»Schick das Band nach Linköping hoch«, sagte er. »Bitte sie um eine Analyse. Wenn wir das Geräusch identifizieren können, hilft uns das vielleicht weiter.«

Nyberg verschwand mit dem Band. Sie blieben in Wallanders Zimmer zurück, an Schreibtisch und Wände gelehnt.

»Von jetzt an gelten drei Dinge«, sagte Wallander. »Wir müssen Prioritäten setzen. Bestimmte Aspekte müssen wir vorläufig auf sich beruhen lassen. Wir müssen Katarina Taxells Leben noch genauer durchforsten. Wer ist sie? Wer ist sie gewesen? Ihre Freunde? Bewegungen in ihrem Leben. Das ist das erste. Und das zweite hängt damit zusammen: Bei wem ist sie?«

Er mache eine kurze Pause, bevor er fortfuhr. »Wir warten ab, bis Hansson aus Lödinge zurück ist. Aber ich rechne damit, dass unsere dritte Aufgabe sein wird, draußen bei Holger Eriksson zu graben.«

Keiner hatte Einwände, und sie trennten sich. Wallander wollte nach Lund fahren und Ann-Britt Höglund mitnehmen. Es war bereits spät am Nachmittag.

»Passt jemand auf deine Kinder auf?« fragte er, als sie allein im Zimmer waren.

»Ja«, sagte sie. »Meine Nachbarin braucht im Moment Gott sei Dank Geld.«

Wallander ließ Ann-Britt Höglund fahren. Er traute seinem eigenen Wagen nicht mehr, trotz der teuren Reparatur.

Die Landschaft versank langsam in der Dämmerung. Ein kalter Wind strich über die Äcker.

»Wir fangen bei Katarina Taxells Mutter an«, sagte er. »Danach gehen wie noch einmal in ihre Wohnung.«

»Was glaubst du denn da noch finden zu können? Du hast die Wohnung doch schon durchsucht. Und du bist meistens sehr genau.«

»Vielleicht nichts Neues. Aber vielleicht einen Zusammenhang zwischen zwei Details, den ich bisher nicht gesehen habe.«

Er sah durch das Seitenfenster hinaus. Sie kamen gerade an Schloss Marsvinsholm vorbei.

»Es gibt etwas, was wir nicht sicher wissen«, sagte er. »Aber wovon ich immer mehr überzeugt bin.«

»Was?«

»Dass sie allein ist. Es gibt keinen Mann in ihrer Nähe. Es gibt überhaupt niemand. Wir suchen nicht nach einer Frau, die uns eventuell weiterbringt. Sie hat keinen Hintergrund. Hinter ihr ist nichts. Sie ist es. Kein anderer.«

»Sie hat also die Morde begangen? Das Pfahlgrab gegraben. Runfelt erwürgt, nachdem sie ihn gefangen gehalten hat? Blomberg lebend in einem Sack in den See geworfen?«

Wallander antwortete, indem er eine andere Frage stellte. »Weißt du noch, dass wir am Anfang dieser Ermittlung von der Sprache des Täters geredet haben? Dass er oder sie uns etwas erzählen wollte? Über die demonstrative Vorgehensweise?«

Sie erinnerte sich.

»Es kommt mir jetzt so vor, als hätten wir von Anfang an das Richtige gesehen, aber das Falsche gedacht.«

»Dass eine Frau sich verhielt wie ein Mann?«

»Vielleicht nicht das Verhalten an sich. Aber sie hat Dinge getan, die uns an brutale Männer denken ließen.«

»Dann hätten wir also an die Opfer denken müssen. Weil sie brutal waren?«

»Genau. Nicht an den Täter. Wir haben in das, was wir sahen, die falsche Geschichte hineingelesen.«

»Und trotzdem wird es gerade hier schwer«, sagte sie. »Dass eine Frau all dieser Dinge wirklich fähig ist. Ich meine nicht die physische Kraft. Ich bin zum Beispiel genauso stark wie mein Mann. Er hat große Schwierigkeiten, mich beim Armdrücken unterzukriegen.«

Wallander sah sie verblüfft an. Sie bemerkte es und lachte. »Jeder amüsiert sich auf seine Weise.« Sie bogen nach Sturup ab.

»Ich weiß nicht, wie diese Frau ihre Taten begründet«, sagte Wallander.

»Aber wenn wir sie finden, glaube ich, dass wir einem Menschen begegnen, wie wir noch nie einen erlebt haben.«

»Ein weibliches Monstrum?«

»Vielleicht. Aber auch das ist nicht sicher.«

Das Autotelefon unterbrach sie. Wallander nahm das Gespräch an. Es war Birch. Er erklärte ihm, wie sie fahren mussten, um zur Wohnung von Katarina Taxells Mutter zu kommen.

»Wie heißt sie mit Vornamen?«

»Hedwig. Hedwig Taxell.«

Birch versprach, sie anzukündigen. Wallander rechnete damit, dass sie in einer halben Stunde da wären.

Die Abenddämmerung brach an.

Hedwig Taxell wohnte am Ende einer Reihenhauskette am Stadtrand von Lund. Birch stand auf der Treppe und begrüßte sie. »Ich habe gerade noch rechtzeitig das Tonbandgerät anschließen können, bevor das Gespräch kam«, sagte er.

»Wir sind ja sonst nicht gerade vom Glück verwöhnt worden«, sagte Wallander. »Wie ist dein Eindruck von Hedwig Taxell?«

»Sie macht sich große Sorgen um ihre Tochter und das Kind. Aber sie wirkt doch gefasster als beim letztenmal.«

»Wird sie uns helfen? Oder schützt sie ihre Tochter?«

»Ich glaube ganz einfach, sie will wissen, wo sie ist.«

Birch führte sie ins Wohnzimmer. Hedwig Taxell begrüßte sie. Birch hielt sich wie gewöhnlich im Hintergrund. Wallander beobachtete sie. Sie war blass. Ihre Augen flackerten unruhig. Wallander war nicht verwundert. Sie machte sich Sorgen und war extrem angespannt. Deshalb hatte er Ann-Britt Höglund mitgenommen. Sie hatte eine großartige Fähigkeit, Menschen zu beruhigen. Hedwig Taxell schien nicht misstrauisch oder wachsam zu sein. Er hatte das Gefühl, dass sie in erster Linie froh darüber war, nicht allein zu sein. Sie setzten sich. Wallander hatte seine ersten Fragen vorbereitet.

»Frau Taxell. Wir benötigen Ihre Hilfe, um Antwort auf einige Fragen zu bekommen, die Katarina betreffen.«

»Können Sie sie nicht lieber suchen? Ich verstehe überhaupt nicht, was los ist.«

»Ich glaube absolut nicht, dass sie in Gefahr ist«, sagte Wallander, vermochte aber seinen Zweifel nicht ganz zu verbergen.

»So etwas hat sie noch nie gemacht.«

»Und Sie haben keine Ahnung, wo sie sich befinden könnte?«

»Nein. Es ist mir unbegreiflich.«

»Katarina hat vielleicht viele Freunde?«

»Hat sie nicht. Aber die, die sie hat, stehen ihr nahe.«

»Vielleicht gibt es jemand, den sie nicht so häufig trifft? Jemand, den sie erst kürzlich kennen gelernt hat?«

»Das wüsste ich. Wir haben ein gutes Verhältnis zueinander. Viel besser, als es zwischen Müttern und Töchtern sonst so ist.«

»Ich glaube auch nicht, dass es Geheimnisse zwischen Ihnen gab«, sagte Wallander geduldig. »Aber es ist sehr selten, dass man von einem anderen Menschen alles weiß. Wissen Sie zum Beispiel, wer der Vater von Katarinas Kind ist?«

Wallander hatte nicht beabsichtigt, sie mit der Frage zu schockieren, aber sie zuckte zusammen.

»Ich wusste nicht einmal, dass sie mit einem Mann eine Beziehung hatte.«

»Aber Sie wussten, dass sie mit Eugen Blomberg zusammen war?«

»Das wusste ich. Aber ich mochte ihn nicht.«

»Warum nicht? Weil er schon verheiratet war?«

»Das habe ich erst erfahren, als ich die Todesanzeige in der Zeitung las. Es war ein Schock.«

»Warum mochten Sie ihn nicht?«

»Ich weiß nicht. Er war mir unangenehm.«

»Wussten Sie, dass er Katarina misshandelt hat?«

Ihr Entsetzen war ganz und gar echt. Einen Moment lang tat sie Wallander Leid. Für sie brach eine Welt zusammen. Sie musste jetzt einsehen, dass es vieles gab, was sie über ihre Tochter nicht wusste. Dass die Vertrautheit, an die sie geglaubt hatte, kaum mehr war als eine äußere Hülle.

»Ich glaube auch, dass es möglich ist, dass Eugen Blomberg der Vater ihres Kindes ist. Obwohl sie miteinander gebrochen hatten.«

Sie schüttelte langsam den Kopf. Aber sie sagte nichts.

Wallander fürchtete, dass sie wieder zusammenbrechen könnte. Er blickte Ann-Britt Höglund an. Sie nickte. Er deutete das so, dass er weiterfragen konnte. Birch stand unbeweglich im Hintergrund.

»Katarinas Freunde«, sagte Wallander. »Wir müssen sie treffen und mit ihnen sprechen.«

»Ich habe doch schon gesagt, wer sie sind. Und Sie haben schon mit ihnen gesprochen.«

Sie zählte drei Namen auf. Birch nickte im Hintergrund.

»Sonst niemand?«

»Nein.«

»Ist sie Mitglied in einer Vereinigung?«

»Nein.«

»Hat sie Auslandsreisen gemacht?«

»Wir verreisen einmal im Jahr zusammen. Meistens in den Schulferien im Februar. Nach Madeira, Marokko, Tunesien.«

»Hat sie keine Hobbys?«

»Sie liest viel. Hört gern Musik. Aber ihre Firma für Haarpflegemittel beansprucht ihre meiste Zeit. Sie arbeitet viel.«

»Sonst nichts?«

»Sie hat manchmal Badminton gespielt.«

»Mit wem? Mit einer von den drei Freundinnen?«

»Mit einer Lehrerin. Ich glaube, sie hieß Carlman. Aber ich habe sie nie gesehen.«

Wallander wusste nicht, ob es wichtig war. Aber es war immerhin ein neuer Name. »Arbeiten sie an derselben Schule?«

»Jetzt nicht mehr. Aber früher. Vor ein paar Jahren.«

»Sie erinnern sich nicht an ihren Vornamen?«

»Ich bin ihr nie begegnet.«

»Und wo spielten sie?«

»Im Victoriastadion. Das liegt so nah, dass sie von ihrer Wohnung zu Fuß hingehen konnte.«

Birch verließ unauffällig seinen Platz und ging in den Flur. Wallander wusste, dass er jetzt die Frau namens Carlman aufspürte.

Es dauerte weniger als fünf Minuten.

Birch machte Wallander ein Zeichen, in den Flur hinauszukommen. Ann-Britt Höglund versuchte in der Zwischenzeit, sich Klarheit darüber zu verschaffen, was Hedwig Taxell über das Verhältnis ihrer Tochter zu Eugen Blomberg wusste.

»Das war leicht«, sagte Birch. »Annika Carlman. Sie hat den Platz gebucht und bezahlt. Ich habe die Adresse. Es ist nicht weit von hier. Lund ist noch immer eine Kleinstadt.«

»Dann fahren wir hin«, sagte Wallander.

Er ging zurück ins Zimmer. »Annika Carlman«, sagte er. »Sie wohnt hier in der Bankgatan.«

»Ich habe ihren Vornamen nie gehört«, sagte Hedwig Taxell.

»Wir lassen euch beide jetzt eine Weile allein«, fuhr Wallander fort. »Wir müssen am besten gleich mit ihr reden.«

Sie fuhren in Birchs Wagen. Es dauerte keine zehn Minuten. Es war halb sieben. Annika Carlman wohnte in einem Mietshaus vom Anfang des Jahrhunderts. Birch klingelte an der Sprechanlage. Eine Männerstimme antwortete, Birch stellte sich vor, die Haustür wurde geöffnet. Im ersten Stock stand eine Wohnungstür offen. Ein Mann erwartete sie. Er stellte sich vor.

»Ich bin Annikas Mann«, sagte er. »Was ist passiert?«

»Nichts«, sagte Birch. »Wir müssen nur ein paar Fragen stellen.«

Der Mann bat sie herein. Die Wohnung war groß und aufwendig eingerichtet. Aus einem der Zimmer waren Musik und Kinderstimmen zu hören. Kurz darauf erschien Annika Carlman. Sie war groß und trug einen Trainingsanzug.

»Hier sind zwei Polizisten, die mit dir reden wollen. Aber es scheint nichts passiert zu sein.«

»Wir müssen ein paar Fragen stellen, die Katarina Taxell betreffen«, sagte Wallander.

Sie setzten sich in ein Zimmer, dessen Wände von Bücherregalen bedeckt waren. Wallander fragte sich, ob Annika Carlmans Mann auch Lehrer war.

Er kam sofort zur Sache. »Wie gut kennen Sie Katarina Taxell?«

»Wir haben zusammen Badminton gespielt. Sonst hatten wir keinen Kontakt.«

»Sie wissen natürlich, dass sie ein Kind bekommen hat?«

»Wir haben fünf Monate nicht gespielt. Aus genau dem Grund.«

»Wollten Sie jetzt wieder anfangen?«

»Wir hatten verabredet, dass sie sich melden wollte.«

»Sie haben sie nie mit jemand anderem gesehen?« fragte Wallander.

»Mann oder Frau?«

»Fangen wir mit Mann an.«

»Nein.«

»Auch nicht, als Sie zusammen gearbeitet haben?«

»Sie war sehr zurückhaltend. Ein Lehrer dort war an ihr interessiert. Sie verhielt sich sehr kühl. Direkt abweisend, muss man schon sagen. Aber mit den Schülern kam sie gut klar. Sie war tüchtig. Eine hartnäckige und tüchtige Lehrerin.«

»Haben Sie sie jemals mit einer Frau zusammen gesehen?«

Wallander hatte die Hoffnung, dass die Frage etwas bringen könnte, schon aufgegeben, bevor er sie stellte. Aber er hatte zu früh resigniert.

»Ja, tatsächlich«, antwortete sie. »Vor ungefähr drei Jahren.«

»Wer war das?«

»Ich weiß nicht, wie sie heißt. Aber ich weiß, was sie tut. Das Ganze war ein sonderbarer Zufall.«

»Und was tut sie?«

»Was sie jetzt tut, weiß ich nicht. Aber damals servierte sie jedenfalls in einem Speisewagen.«

Wallander legte die Stirn in Falten. »Sie haben Katarina Taxell in einem Zug getroffen?«

»Ich sah sie zufällig mit einer anderen Frau in der Stadt. Ich ging auf der anderen Straßenseite. Wir haben uns nicht einmal gegrüßt. Ein paar Tage danach bin ich nach Stockholm gefahren. Irgendwo hinter Alvesta bin ich in den Speisewagen gegangen. Als ich bezahlen wollte, erkannte ich die Frau, die da arbeitete. Es war die Frau, die ich zusammen mit Katarina gesehen hatte.«

»Sie wissen natürlich nicht, wie sie heißt?«

»Nein.«

Wallander dachte plötzlich an den Zugfahrplan, den er in Katarina Taxells Sekretär gefunden hatte. »An welchem Tag war das? Welcher Zug?«

»Wie soll ich denn das noch wissen?« sagte sie erstaunt. »Das ist drei Jahre her.«

»Sie haben vielleicht einen alten Kalender? Wir möchten gern, dass Sie versuchen, sich zu erinnern.«

Ihr Mann, der schweigend zugehört hatte, stand auf. »Ich hole mal den Kalender«, sagte er. »War es 1991 oder 1992?«

Sie dachte nach. »1991 im Februar oder März.«

Sie warteten schweigend einige Minuten. Die Musik aus einem der Zimmer war vom Geräusch eines Fernsehers abgelöst worden. Der Mann kam zurück und gab ihr einen alten schwarzen Kalender. Sie blätterte ein paar Monate vor. Rasch hatte sie es gefunden.

»Ich bin am 19. Februar 1991 nach Stockholm gefahren. Mit einem Zug, der um 7 Uhr 12 abfuhr. Drei Tage später bin ich zurückgefahren. Ich habe meine Schwester besucht.«

»Sie haben diese Frau auf dem Rückweg nicht gesehen?«

»Ich habe sie nie wieder gesehen.«

»Aber Sie sind sicher, dass sie es war? Die Sie in Lund auf der Straße gesehen haben, zusammen mit Katarina?«

»Ja.«

Wallander betrachtete sie nachdenklich. »Es gibt nichts anderes, von dem Sie meinen, dass es wichtig für uns sein könnte?«

Sie schüttelte den Kopf. »Ich merke erst jetzt, dass ich wirklich nichts von Katarina weiß. Aber sie spielt gut Badminton.«

»Wie würden Sie sie als Person beschreiben?«

»Das ist schwer. Und das sagt vielleicht schon das meiste. Eine schwer zu beschreibende Person. Sie hat wechselhafte Stimmungen. Sie kann niedergeschlagen sein. Aber damals, als ich sie mit der Kellnerin auf der Straße gesehen habe, lachte sie.«

»Sind Sie sicher?«

»Ja.«

Wallander nickte Birch zu und stand auf. »Dann wollen wir nicht weiter stören«, sagte er.

»Ich bin natürlich neugierig«, sagte sie. »Warum stellt die Polizei Fragen, wenn nichts passiert ist?«

»Passiert ist viel«, sagte Wallander. »Aber nicht mit Katarina. Das ist leider die einzige Antwort, die ich Ihnen geben kann.«

Sie verließen die Wohnung. Im Treppenhaus blieben sie stehen. »Wir müssen diese Kellnerin ausfindig machen«, sagte Wallander. »Abgesehen von einem Foto, als sie jung und auf einem Ausflug in Kopenhagen war, gibt es keinen Hinweis dafür, dass Katarina Taxell ein lachender Mensch sein konnte.«

»Die Bahn hat sicher Listen ihrer Beschäftigten«, sagte Birch. »Ihr habt genug zu tun. Ich mach das.«

Wallander spürte, dass Birch aufrichtig war. Es war kein Opfer.

Sie fuhren zurück zu Hedwig Taxells Reihenhaus. Birch setzte Wallander ab und fuhr zum Polizeipräsidium, um mit der Suche nach der Speisewagenkellnerin zu beginnen. Wallander fragte sich, ob das Ganze nicht ein Ding der Unmöglichkeit war.

Gerade als er klingeln wollte, summte sein Telefon. Es war Martinsson. Wallander hörte an seiner Stimme, dass er im Begriff war, seine Niedergeschlagenheit zu überwinden. Es ging offensichtlich schneller, als Wallander zu hoffen gewagt hatte.

»Wie geht es?« fragte Martinsson. »Bist du noch in Lund?«

»Wir sind dabei, eine Speisewagenkellnerin ausfindig zu machen«, antwortete Wallander.

Martinsson war klug genug, keine weiteren Fragen zu stellen. »Hier ist einiges passiert«, sagte er. »Zunächst einmal ist es Svedberg gelungen, den Mann aufzuspüren, der Holger Erikssons Gedichte gedruckt hat. Er ist wohl sehr alt. Aber klar im Kopf. Er hatte nichts dagegen, zu sagen, was er von Holger Eriksson hielt.«

»Hatte er etwas zu sagen, wovon wir noch nichts wussten?«

»Holger Eriksson scheint seit den Nachkriegsjahren regelmäßig Reisen nach Polen unternommen zu haben. Er hat das Elend dort ausgenutzt, um sich Frauen zu kaufen. Und dann, wenn er nach Hause kam, pflegte er mit seinen Eroberungen zu prahlen.«

Wallander wurde nachdenklich, Krista Haberman war also nicht die einzige polnische Frau in Holger Erikssons Leben.

»Es ist noch etwas«, sagte Martinsson. »Ich reiche dich mal an Hansson weiter.«

Es knarrte im Hörer. Dann hörte Wallander Hanssons Stimme. »Ich glaube, ich habe ein ziemlich klares Bild davon, wer Holger Erikssons Boden bestellt hat«, begann er. »Das Ganze zeichnet sich vor allem durch eins aus.«

»Wodurch?«

»Ununterbrochenen Streit. Wenn ich meinen Informanten glauben kann, hatte Holger Eriksson eine enorme Fähigkeit, sich bei den Leuten unbeliebt zu machen. Man könnte meinen, dass das die größte Leidenschaft in seinem Leben war. Sich ständig neue Feinde zu schaffen.«

»Der Boden«, sagte Wallander ungeduldig.

Hanssons Stimme veränderte sich, als er antwortete. Sie war ernster geworden. »Der Graben«, sagte Hansson, »wo wir Holger Eriksson gefunden haben.«

»Was ist damit?«

»Der war ursprünglich nicht da. Er wurde später angelegt. Keiner hat eigentlich verstanden, wofür Holger Eriksson ihn brauchte. Für die Drainage war er nicht nötig. Die Erde wurde auf den Hügel gebracht. Wo der Turm steht.«

Wallander hielt den Atem an.

»Der Graben wurde 1967 ausgehoben. Der Bauer, mit dem ich gesprochen habe, war seiner Sache sicher. Er entstand im Spätherbst 1967.«

»Das bedeutet also, dass der Graben ungefähr zu der Zeit ausgehoben wurde, als Krista Haberman verschwand«, sagte Wallander.

»Mein Bauer war noch präziser. Er war sicher, dass er Ende Oktober gegraben wurde. Er konnte sich daran erinnern, weil am letzten Tag im Oktober 1967 in Lödinge eine Hochzeit gefeiert wurde. Wenn wir von dem Datum ausgehen, an dem Krista Haberman zum letzten Mal lebend gesehen wurde, dann passen die Zeiten exakt zusammen. Eine Autofahrt herunter von Svenstavik. Er tötet sie. Vergräbt sie. Ein Graben entsteht. Ein Graben, der eigentlich nicht gebraucht wird.«

»Gut«, sagte Wallander. »Das bedeutet etwas.«

»Wenn sie da ist, dann weiß ich, wo wir anfangen müssen zu suchen«, fuhr Hansson fort. »Der Bauer behauptet, dass sie mit dem Graben unmittelbar südöstlich vom Hügel begonnen haben. Eriksson hatte einen Bagger gemietet. Die ersten Tage hat er selbst gegraben. Den Rest hat er andere machen lassen.«

»Dann fangen wir da an«, sagte Wallander und spürte, wie seine Beklommenheit wuchs. Am liebsten wäre ihm gewesen, wenn er sich irrte. Aber jetzt war er sicher, dass Krista Haberman irgendwo in der Nähe der Stelle lag, die Hansson beschrieben hatte.

»Wir fangen morgen an«, fuhr Wallander fort. »Ich möchte, dass du alles vorbereitest.«

»Eins frage ich mich«, sagte Hansson nachdenklich, »wenn wir sie nun finden; was beweist das eigentlich? Dass Holger Eriksson sie getötet hat? Davon können wir ausgehen, auch wenn wir die Schuld eines toten Mannes nie beweisen können. Auch in diesem Fall nicht. Aber was bedeutet es eigentlich für die Mordermittlung, mit der wir es zu tun haben?«

Die Frage war mehr als berechtigt.

*

Sie öffnete vorsichtig die Tür zu den Schlafenden. Das Kind lag auf dem Rücken in dem Kinderbett, das sie am selben Tag gekauft hatte, Katarina Taxell in Embryonalstellung im Bett daneben. Sie stand vollkommen still und betrachtete sie. *Es war, als sähe sie sich selbst. Oder vielleicht war es ihre Schwester in dem Kinderbett.*

Plötzlich konnte sie nicht mehr klar sehen. Überall war sie umgeben von Blut. Nicht nur ein Kind wurde in Blut geboren. Das Leben selbst hatte seinen Ursprung in dem Blut, das floss, wenn man in die Haut schnitt. Blut, das seine eigenen Erinnerungen hatte an die Adern, in denen es einmal geflossen war. Sie sah es ganz deutlich. Ihre Mutter, die schrie, und den Mann, der über sie gebeugt stand, wie sie da mit gespreizten Beinen auf einem Tisch lag. Obwohl es mehr als vierzig Jahre her war, brauste die Zeit aus der Vergangenheit auf sie zu. Ihr ganzes Leben hatte sie versucht, dem zu entkommen. Aber es ging nicht. Die Erinnerungen holten sie immer wieder ein.

Aber jetzt musste sie diese Erinnerungen nicht mehr fürchten. Nicht jetzt, da ihre Mutter tot war und sie tun konnte, was sie wollte. Was sie tun musste. Um all diese Erinnerungen von sich fern zu halten.

Das Schwindelgefühl verflog ebenso rasch, wie es gekommen war. Vorsichtig trat sie an das Bett und betrachtete das schlafende Kind. Es war nicht ihre Schwester. Dieses Kind hatte bereits ein Gesicht. Ihre Schwester hatte gar nicht so lange gelebt, dass sich etwas hätte entwickeln können. Dies war das neugeborene Kind von Katarina Taxell. Nicht das ihrer Mutter. Katarina Taxells Kind, das für immer frei sein würde davon, gequält zu werden, von Erinnerungen gejagt zu werden.

Sie war jetzt wieder ganz ruhig. Die Erinnerungsbilder waren verschwunden. Sie kamen nicht mehr aus der Vergangenheit auf sie zugebraust.

Was sie tat, war richtig. Sie verhinderte es, dass Menschen auf die gleiche Weise gequält wurden wie sie selbst. Die Männer, die sich schuldig gemacht hatten und die die Gesellschaft selbst nicht strafte, ließ sie den schwersten aller Wege wandern. Auf jeden Fall stellte sie sich vor, dass es so war. Dass ein Mann, der durch eine Frau des Lebens beraubt wurde, nie verstehen konnte, was ihm eigentlich geschah.

Alles war still. Das war am wichtigsten. Es war richtig gewesen, sie und das Kind zu holen. Ruhig zu sprechen, zuzuhören und zu sagen, dass alles, was geschehen war, zum Besten war. Eugen Blomberg war ertrunken. Was in den Zeitungen von einem Sack stand, waren nichts als Gerüchte und dramatische Übertreibungen. Eugen Blomberg war fort. Wenn er gestolpert oder ausgeglitten und dann ertrunken war, so war das niemandes Fehler. Das Schicksal hatte es so bestimmt. Und das Schicksal war gerecht. Das hatte sie wiederholt, ein ums andere Mal, und das hatte Katarina Taxell jetzt zu verstehen begonnen.

Es war richtig gewesen, sie herzuholen. Auch wenn sie deshalb den Frauen, die kommen sollten, Nachricht hatte geben müssen, dass sie ihre Zusammenkunft in dieser Woche ausfallen lassen mussten. Das schuf Unordnung und ließ sie schlecht schlafen. Aber es war notwendig gewesen. Man konnte nicht alles planen. Auch wenn sie sich das nur ungern eingestehen wollte.

Solange Katarina und ihr Kind bei ihr waren, wohnte auch sie selbst in dem Haus in Vollsjö. Aus der Wohnung in Ystad hatte sie nur das Nötigste mitgenommen. Ihre Uniformen und den kleinen Kasten, in dem sie die Zettel aufbewahrte, und das Buch mit Namen. Nun, wo Katarina und ihr Kind schliefen, brauchte sie nicht länger zu warten. Sie schüttete die Zettel auf die Oberseite des Backofens, mischte sie und begann dann zu ziehen. Schon der neunte Zettel, den sie auswickelte, hatte das schwarze Kreuz. Sie schlug das Buch auf und folgte langsam der Reihe mit Namen. Hielt bei der Ziffer Neun an und las den Namen: *Tore Grundén*. Sie stand vollkommen still und starrte vor sich hin. Sein Bild tauchte langsam auf. Zuerst nur als vager Schatten, nur kaum wahrnehmbare Konturen. Danach ein Gesicht, eine Identität. Jetzt erinnerte sie sich an ihn. Wer er war. Was er getan hatte.

Es war mehr als zehn Jahre her. Sie hatte damals im Krankenhaus in Malmö gearbeitet. Ein Abend kurz vor Weihnachten. Sie hatte Dienst in der Ambulanz. Die Frau, die eingeliefert wurde, war bei der Ankunft bereits tot. Sie war bei einem Autounfall ums Leben gekommen. Ihr Mann war dabei gewesen. Er war erregt, aber doch gefasst. Sie hatte sogleich Verdacht geschöpft. Sie hatte das schon so oft gesehen. Da die Frau tot war, hatten sie nichts tun können. Sie hatte einen der anwesenden Polizisten beiseite genommen und gefragt, was passiert sei. Es war ein tragischer Unfall. Ihr Mann war rückwärts aus der Garage gefahren und hatte nicht gesehen, dass sie hinter dem Wagen stand. Er hatte sie überfahren, und ihr Kopf war unter eines der Hinterräder des schwerbeladenen Wagens geraten. Es war ein Unglücksfall, wie er eigentlich nicht passieren durfte. Aber er war doch passiert. In einem unbewachten Augenblick hatte sie das Laken zurückgeschlagen und die tote Frau betrachtet. Auch wenn sie kein Arzt war, meinte sie, sehen zu können, dass der Körper mehr als einmal überrollt worden war. Dann hatte sie Nachforschungen angestellt. Die Frau, die jetzt tot auf der Bahre lag, war schon früher mehrmals ins Krankenhaus eingeliefert worden. Einmal war sie von einer Leiter gefallen. Ein anderes Mal hatte sie sich den Kopf schwer an einem Zementfußboden verletzt, als sie im Keller ausgerutscht war. Sie schrieb einen anonymen Brief an die Polizei und sagte, dass es sich um Mord handelte. Sie sprach mit dem Arzt, der den Körper untersucht hatte. Aber nichts geschah. Der Mann erhielt eine Geldstrafe, oder vielleicht ein Urteil auf Bewährung für das, was ihm als grobe Fahrlässigkeit angelastet wurde. Und die Frau war ermordet worden. Danach nichts mehr.

Bis jetzt. Wo alles wieder gerade gebogen werden sollte. Alles, außer dem Leben der toten Frau. Das würde sie nicht zurückbekommen.

Sie begann zu planen, wie es vor sich gehen sollte.

Sie sah den Backofen. Dachte an Tore Grundén. Dass er in Hässleholm wohnte und in Malmö arbeitete.

Plötzlich war ihr klar, wie es vor sich gehen würde. Es war beinahe peinlich, wie einfach es war.

Was sie zu tun hatte, konnte sie während ihres Dienstes ausführen.

In ihrer Arbeitszeit. Und gegen Bezahlung.

34

Sie begannen früh am Morgen zu graben; es war Freitag, der 21. Oktober. Das Licht war noch sehr schwach. Wallander und Hansson hatten das erste Quadrat mit Absperrungsband eingegrenzt. Die Polizisten in ihren Overalls und Gummistiefeln wussten, wonach sie suchen sollten. Wallander hatte ein Gefühl, als befinde er sich auf einem Friedhof. Er hatte Hansson die Aufsicht über die Grabung übertragen. Er selbst musste mit Birch zusammen so schnell wie möglich die Kellnerin aufspüren, die Katarina Taxell einmal in einer Straße in Lund zum Lachen gebracht hatte.

Wallander blieb eine halbe Stunde draußen im Lehm, wo die Polizisten angefangen hatten zu graben. Dann ging er den Pfad zum Hof hinauf, wo sein Wagen wartete. Er rief Birch an und erreichte ihn in seiner Wohnung in Lund. Am Abend vorher hatte Birch nur noch herausgefunden, dass sie möglicherweise in Malmö den Namen der Kellnerin, die sie suchten, in Erfahrung bringen konnten. Birch trank Kaffee, als Wallander anrief. Sie verabredeten, sich vor dem Bahnhof in Malmö zu treffen.

Wallander fuhr los. Während der Fahrt beschäftigte er sich gedanklich mit der Kellnerin, die sie suchten. Er dachte, dass es die vierte Frau war, die in ihrer Ermittlung auftauchte, die jetzt seit genau einem Monat andauerte. Krista Haberman, Eva Runfelt, Katarina Taxell; die unbekannte Kellnerin war die vierte Frau. Er fragte sich, ob es wohl noch eine Frau gab, eine fünfte. War es die, nach der sie suchten? Oder waren sie am Ziel, wenn sie die Zugkellnerin aufgespürt hatten? Hatte sie nächtliche Besuche auf der Entbindungsstation in Ystad gemacht? Ohne es genau begründen zu können, zweifelte er jedoch daran, dass die Kellnerin die Frau war, nach der sie eigentlich suchten. Vielleicht konnte sie sie weiterführen? Mehr konnte er kaum hoffen.

Er hatte Glück und fand gleich vor dem Haupteingang des Bahnhofs einen Parkplatz. Er entdeckte Birch auf der anderen Seite des Kanals. Er kam über die Brücke. Vermutlich hatte er oben am Markt geparkt. Sie begrüßten sich. Birch hatte eine viel zu kleine Zipfelmütze auf dem Kopf. Er war unrasiert und hatte nicht genug Schlaf bekommen.

Birch zeigte auf den Bahnhof. »Wir sollen einen Mann treffen, der Karl-

Henrik Bergstrand heißt«, sagte er. Normalerweise fängt er nicht so zeitig an zu arbeiten. Er hat aber versprochen, extra früh zu kommen, um uns zu empfangen.«

Sie betraten das Verwaltungsgebäude der Eisenbahngesellschaft SJ und wurden von Karl-Henrik Bergstrand in Empfang genommen, einem Mann um die Dreißig. Sie begrüßten sich und stellten sich vor.

»Ihr Anliegen ist ungewöhnlich«, sagte Bergstrand und lachte. »Aber wir wollen sehen, was wir tun können.«

Er führte sie in sein geräumiges Büro. Wallander empfand seine Selbstsicherheit als auffallend. Als er selbst dreißig war, war er in Bezug auf das meiste im Leben noch sehr unsicher gewesen.

Bergstrand hatte sich hinter den großen Schreibtisch gesetzt. Wallander betrachtete die Möbel im Raum. Möglicherweise erklärten sie, warum die Fahrpreise der SJ so hoch waren.

»Wir suchen also eine Angestellte in einem Speisewagen«, begann Birch. »Wir wissen nicht viel mehr, als dass es eine Frau ist.«

»Eine überwältigende Mehrheit derer, die bei ›Service im Zug‹ arbeiten, sind Frauen«, antwortete Bergstrand. »Ein Mann wäre entschieden leichter zu finden.«

»Wir wissen nicht, wie sie heißt«, sagte Wallander. »Wir wissen auch nicht, wie sie aussieht.«

Bergstrand sah ihn fragend an. »Muss man wirklich jemanden finden, von dem man so wenig weiß?«

»Manchmal geht es nicht anders«, gab Wallander zurück.

»Wir wissen aber, in welchem Zug sie gearbeitet hat«, sagte Birch.

Sie gaben Bergstrand die Auskünfte, die sie von Annika Carlman bekommen hatten.

»Das ist ja drei Jahre her«, sagte er.

»Das ist uns klar, aber wir nehmen an, dass die SJ Karteien ihrer Angestellten hat?« Wallander merkte, dass er ungeduldig und gereizt wurde. »Wollen wir mal eins klarstellen«, fügte er hinzu. »Wir suchen nicht zu unserem Vergnügen nach dieser Kellnerin. Wir brauchen sie, weil sie uns in einem komplizierten Mordfall möglicherweise wichtige Auskünfte geben kann. Uns liegt daran, dass es so schnell wie möglich geschieht.«

Die Worte taten ihre Wirkung. Bergstrand schien verstanden zu haben. Birch warf Wallander einen aufmunternden Blick zu, bevor dieser fortfuhr. »Ich nehme an, Sie können uns die Person kommen lassen, die uns antworten wird. Und wir bleiben hier sitzen und warten.«

»Geht es um die Morde bei Ystad?« fragte Bergstrand neugierig.

»Genau die. Und die Kellnerin kann etwas wissen, was für uns von Bedeutung ist.«

»Steht sie unter Verdacht?«

»Nein«, erwiderte Wallander. »Sie steht nicht unter Verdacht. Kein Schatten wird auf die Züge oder die belegten Brote fallen.«

Bergstrand stand auf und verließ den Raum.

Während sie auf den Mann warteten, rief Wallander Hansson in Lödinge an. Die Antwort war negativ. Sie gruben sich gerade zur Mitte des ersten Quadrats vor. Noch hatten sie nichts gefunden.

»Nyberg wollte mit dir sprechen«, sagte Hansson. »Es ging um diese Aufnahme des Telefongesprächs zwischen Katarina Taxell und ihrer Mutter.«

»Haben sie das Pochen im Hintergrund identifiziert?«

»Wenn ich Nyberg richtig verstanden habe, war das Ergebnis negativ. Aber du sprichst am besten mit ihm selbst.«

Im gleichen Augenblick kehrte Bergstrand zurück ins Zimmer. Wallander beeilte sich, das Gespräch zu beenden.

»Es wird eine Weile dauern«, sagte Bergstrand. »Eine Sache ist, dass es ein drei Jahre alter Dienstplan ist, den Sie haben wollen. Eine andere Sache ist, dass der Konzern seit damals zahlreiche Veränderungen durchlaufen hat. Aber ich habe erklärt, dass es wichtig ist. ›Service im Zug‹ arbeitet auf Hochtouren.«

»Wir warten«, sagte Wallander.

Bergstrand schien nicht gerade erbaut davon zu sein, die beiden Polizeibeamten in seinem Zimmer sitzen zu haben. Aber er sagte nichts.

»Kaffee«, sagte Birch. »Eine von den Spezialitäten der SJ. Gibt es den auch außerhalb der Speisewagen?«

Bergstrand verließ das Zimmer.

»Ich glaube kaum, dass er es gewohnt ist, Kaffee zu holen«, sagte Birch feixend.

Wallander antwortete nicht.

Bergstrand kam mit einem Tablett zurück. Dann entschuldigte er sich damit, dass er eine dringende Besprechung habe. Sie blieben im Zimmer sitzen. Wallander trank Kaffee und fühlte seine Ungeduld wachsen. Er dachte an Hansson. Überlegte, ob er Birch nicht allein darauf warten lassen sollte, dass die Kellnerin identifiziert wurde.

Nach einer halben Stunde kam Bergstrand zurück. »Es sieht so aus, als könnten wir es lösen«, sagte er aufmunternd. »Aber eine Weile dauert es noch.«

»Wie lange?«

Wallander verbarg seine Ungeduld und Irritation nicht. Er sah ein, dass er wahrscheinlich ungerecht war. Aber er konnte es nicht ändern.

»Vielleicht eine halbe Stunde. Sie drucken die Register aus. So etwas braucht seine Zeit.«

Wallander nickte stumm. Sie warteten weiter. Birch legte die Broschüre zur Seite und schloss die Augen. Wallander trat an ein Fenster und blickte über Malmö. Rechts erkannte er den Flugbootterminal. Er dachte daran, wie er dort gestanden und auf Baiba gewartet hatte. Wie oft bisher? Zweimal. Es kam ihm vor, als sei es öfter gewesen. Er setzte sich wieder und rief Hansson an. Noch immer hatten sie nichts gefunden. Das Graben brauchte seine Zeit. Hansson sagte auch, dass es angefangen habe zu regnen. Wallander stellte sich düster das Ausmaß der deprimierenden Arbeit vor.

Die Geschichte ist total verfahren, dachte er plötzlich. Ich habe diese ganze Ermittlung in den Sand gesetzt.

Birch fing an zu schnarchen. Wallander sah unentwegt auf die Uhr.

Bergstrand kam zurück. Birch fuhr mit einem Ruck hoch.

Bergstrand hatte ein Papier in der Hand. »Margareta Nystedt«, sagte er. »Das dürfte die Person sein, die Sie suchen. Sie hatte bei der Abfahrt an dem fraglichen Tag die Bedienung allein.«

Wallander sprang auf. »Wo ist sie jetzt?«

»Das weiß ich nicht. Sie hat vor ungefähr einem Jahr bei uns aufgehört.«

»Mist«, sagte Wallander.

»Aber ihre Adresse haben wir«, fuhr Bergstrand fort. »Sie braucht ja nicht umgezogen zu sein, nur weil sie aufgehört hat, bei ›Service im Zug‹ zu arbeiten.«

Wallander riss ihm das Blatt aus der Hand. Es war eine Adresse in Malmö.

»Carl Gustafs väg«, sagte Wallander. »Wo liegt das?«

»Beim Pildammsparken«, antwortete Bergstrand.

Wallander sah, dass sie Telefon hatte. Aber er entschied sich, nicht anzurufen. Er wollte direkt hinfahren.

»Vielen Dank für die Hilfe«, sagte er zu Bergstrand. »Lass uns fahren«, wandte er sich dann an Birch.

Sie verließen den Bahnhof und stiegen in Wallanders Auto. Sie brauchten weniger als zehn Minuten, um die Adresse zu finden. Es war ein vierstöckiges Mietshaus. Sie nahmen den Aufzug. Wallander klingelte an der Tür, noch bevor Birch den Aufzug verlassen hatte. Wartete. Klingelte noch einmal. Niemand öffnete. Er fluchte innerlich. Dann klingelte er an der

Tür daneben. Sie wurde fast im gleichen Augenblick geöffnet. Ein älterer Mann sah Wallander streng an. Sein Hemd war über dem Bauch aufgeknöpft. In der Hand hielt er einen zur Hälfte ausgefüllten Spielkupon. Wallander glaubte, dass es um Trabrennen ging. Er zeigte seinen Ausweis. »Wir suchen Margareta Nystedt«, sagte er.

»Was hat sie getan?« fragte der Mann. »Sie ist eine sehr freundliche junge Dame. Und ihr Mann ist auch sehr freundlich.«

»Wir benötigen nur ein paar Auskünfte«, sagte Wallander. »Sie ist nicht zu Hause. Es macht keiner auf. Sie wissen nicht zufällig, wo wir sie finden können?«

»Sie arbeitet auf den Flugbooten«, antwortete der Mann. »Sie kellnert.«

Wallander blickte Birch an.

»Vielen Dank für die Hilfe«, sagte er. »Viel Glück mit den Pferden.«

Zehn Minuten später bremsten sie vor dem Flugbootterminal.

»Hier können wir nicht parken«, sagte Birch.

»Da scheißen wir drauf«, sagte Wallander.

Er hatte das Gefühl, dass er lief. Wenn er stehen blieb, würde alles zusammenfallen.

Schon nach ein paar Minuten wussten sie, dass Margareta Nystedt an diesem Vormittag auf der »Springaren« arbeitete. Das Boot hatte gerade Kopenhagen verlassen und sollte in einer guten halben Stunde am Kai anlegen. Wallander nutzte die Zeit, um seinen Wagen wegzufahren. Birch saß auf einer Bank in der Abfertigungshalle und las in einer zerrissenen Zeitung. Der Leiter des Terminals kam und sagte, sie könnten im Personalaufenthaltsraum warten. Er fragte, ob er mit dem Boot Kontakt aufnehmen solle.

»Wie viel Zeit hat sie?« fragte Wallander.

»Eigentlich soll sie mit der nächsten Tour wieder zurück nach Kopenhagen.«

»Das geht nicht.«

Der Mann war hilfreich. Er versprach, dafür zu sorgen, dass Margareta Nystedt an Land bleiben konnte. Wallander hatte ihm versichert, dass sie in keiner Weise unter dem Verdacht einer kriminellen Handlung stand.

Wallander war in den stürmischen Wind hinausgegangen, als das Boot am Kai anlegte. Die Passagiere kämpften gegen den Wind an. Wallander wunderte sich darüber, dass an einem normalen Werktag so viele Menschen über den Sund fuhren. Er wartete ungeduldig. Der letzte Passagier war ein Mann mit Krücken. Kurz danach kam eine Frau in Kelleruniform an Deck. Der Mann, der zuvor Wallander empfangen hatte, stand an ihrer Seite und zeigte auf ihn. Die Frau, die Margareta Nystedt war, kam den Landungssteg herunter. Sie war blond, hatte sehr kurz geschnittene Haare und war jünger, als Wallander erwartet hatte. Sie blieb vor ihm stehen und verschränkte die Arme vor der Brust. Sie fror.

»Sie wollen mit mir sprechen?« fragte sie.

»Margareta Nystedt?«

»Das bin ich.«

»Dann gehen wir rein. Wir brauchen nicht hier zu stehen und zu frieren.«

»Ich habe nicht viel Zeit.«

»Mehr, als Sie glauben. Sie fahren nicht mit auf der nächsten Tour.«

Sie hielt erstaunt inne. »Warum nicht? Wer hat das bestimmt?«

»Ich muss mit Ihnen reden. Aber Sie brauchen sich keine Sorgen zu machen.«

Sie kamen ins Terminalgebäude, wo Birch wartete. Sie nahmen im Aufenthaltsraum des Personals auf einer durchgesessenen Sitzgarnitur aus Plastik Platz. Der Raum war leer. Birch stellte sich vor. Sie gab ihm die Hand. Ihre Hand war spröde. Wie ein Vogelfuß, dachte Wallander flüchtig.

Er betrachtete ihr Gesicht. Sie musste siebenundzwanzig oder achtundzwanzig Jahre alt sein. Sie trug einen schwarzen Rock und hatte schöne Beine. Ihr Gesicht war stark geschminkt. Er hatte den Eindruck, dass sie etwas, was ihr nicht gefiel, übermalt hatte. Sie war unruhig.

»Es tut mir Leid, dass ich in dieser Form mit Ihnen Kontakt aufnehmen muss«, sagte Wallander.

»Katarina Taxell«, sagte Wallander. »Sie kennen sie?«

»Ich weiß, wer sie ist. Wie gut ich sie kenne, ist eine andere Frage.«

»Wie haben Sie sie kennen gelernt? Wie ist Ihr Kontakt zustande gekommen?«

Sie fuhr plötzlich auf dem schwarzen Plastiksofa zusammen. »Ist ihr etwas passiert?«

»Nein. Beantworten Sie meine Frage.«

»Antworten Sie auf meine! Ich habe nur die eine. Warum fragen Sie mich nach ihr?«

Wallander erkannte, dass er zu ungeduldig gewesen war. Ihre Aggressivität war eigentlich erklärlich.

»Katarina ist nichts passiert. Sie steht auch nicht im Verdacht, ein Verbrechen begangen zu haben. Genauso wenig wie Sie. Aber wir brauchen verschiedene Informationen über sie. Das ist alles, was ich sagen kann.

Wenn Sie auf meine Fragen geantwortet haben, verschwinde ich von hier, und Sie können wieder an Ihre Arbeit gehen.«

Sie betrachtete forschend sein Gesicht. Er spürte, dass sie jetzt angefangen hatte, ihm zu glauben.

»Vor ungefähr drei Jahren waren Sie viel mit ihr zusammen. Damals haben Sie als Speisewagenkellnerin bei ›Service im Zug‹ gearbeitet.«

Sie wirkte erstaunt darüber, dass er diese Dinge aus ihrer Vergangenheit kannte. Wallander bekam den Eindruck, dass sie jetzt wachsam wurde, was wiederum dazu führte, dass er seine Aufmerksamkeit schärfte.

»Stimmt das?« fuhr er fort.

»Natürlich stimmt das. Warum sollte ich das abstreiten?«

»Wie haben Sie sie kennen gelernt?«

»Wir haben zusammen gearbeitet.«

Wallander sah sie fragend an, bevor er fortfuhr. »Aber sie ist doch Lehrerin?«

»Sie hat eine Weile ausgesetzt. Und in der Zeit hat sie in Zügen gearbeitet.«

Wallander blickte Birch an, der den Kopf schüttelte. Auch er hatte davon nichts gehört.

»Wann war das?«

»Im Frühjahr 1991. Genauer kann ich es nicht sagen.«

»Und Sie haben zusammen gearbeitet?«

»Nicht immer. Aber häufig.«

»Außerdem haben Sie sich auch in der Freizeit getroffen?«

»Manchmal. Aber wir waren nicht eng befreundet. Wir hatten Spaß zusammen. Mehr war es nicht.«

»Wann haben Sie sie das letztemal getroffen?«

»Wir haben uns aus den Augen verloren, als sie aufhörte, als Kellnerin zu arbeiten. Tiefer ging die Freundschaft nicht.«

Wallander spürte, dass sie die Wahrheit sagte. Ihre Wachsamkeit hatte auch nachgelassen.

»Haben Sie den Namen Eugen Blomberg einmal gehört?«

»War das nicht der, der ermordet wurde?«

»Genau der. Können Sie sich erinnern, dass Katarina Taxell jemals von ihm gesprochen hat?«

Sie sah ihn plötzlich ernst an. »Hat sie das getan?«

Wallander hakte sofort ein. »Glauben Sie, dass sie jemand hätte töten können?«

»Nein. Katarina war ziemlich friedlich.«

Wallander wusste nicht recht, wie er weiterkommen sollte. »Sie sind zwischen Malmö und Stockholm hin- und hergefahren«, sagte er. »Sicher hatten Sie viel zu tun. Aber Sie müssen sich doch auch miteinander unterhalten haben. Sind Sie sicher, dass sie nie eine andere Freundin erwähnte? Das ist sehr wichtig.«

Er sah, dass sie sich anstrengte.

»Nein«, sagte sie. »Daran kann ich mich nicht erinnern.«

In diesem Moment nahm Wallander ein sekundenschnelles Zögern an ihr wahr. Sie spürte, dass er es gesehen hatte.

»Vielleicht«, sagte sie. »Aber ich kann mich so schwer erinnern.«

»Woran?«

»Es muss gewesen sein, kurz bevor sie aufhörte. Ich war eine Woche mit Grippe krankgeschrieben.«

»Was war da?«

»Als ich zurückkam, war sie verändert.«

Wallander stand unter Hochspannung. Auch Birch spürte, dass sich etwas anbahnte.

»Wieso verändert?«

»Ich weiß nicht, wie ich es erklären soll. Sie wechselte zwischen Düsterkeit und Ausgelassenheit. Es war, als hätte sie sich verändert.«

»Versuchen Sie, die Veränderung zu beschreiben. Das kann sehr wichtig sein.«

»Normalerweise, wenn wir nichts zu tun hatten, saßen wir in der kleinen Küche im Speisewagen. Wir quatschten und blätterten in Zeitungen. Aber als ich zurückkam, taten wir das nicht mehr.«

»Sondern?«

»Sie ging weg.«

»Sie verließ den Speisewagen? Sie kann ja kaum den Zug verlassen haben. Was sagte sie, was sie tun wolle?«

»Sie sagte nichts.«

»Aber Sie müssen sie doch gefragt haben. Sie war verändert. Sie saßen nicht mehr zusammen und haben sich unterhalten?«

»Vielleicht habe ich gefragt. Das weiß ich nicht mehr. Aber sie hat nichts geantwortet. Sie ging einfach weg.«

»Passierte das ständig?«

»Nein. Die letzte Zeit, bevor sie aufhörte, wurde sie anders. Als ob sie sich verschlösse.«

»Glauben Sie, dass sie jemand getroffen hat? Einen Passagier, der jedesmal mitfuhr? Das klingt sehr merkwürdig.«

»Ich weiß nicht, ob sie jemand getroffen hat.«

Wallander hatte keine Fragen mehr. Er blickte Birch an. Der auch nichts hinzuzufügen hatte.

Das Flugboot verließ gerade den Hafen.

»Sie haben jetzt eine Pause«, sagte Wallander. »Ich möchte, dass Sie von sich hören lassen, falls Ihnen noch etwas einfällt.«

Er schrieb seinen Namen und die Telefonnummer auf einen Zettel und reichte ihn ihr.

»Mehr weiß ich nicht«, sagte sie.

Sie stand auf und ging.

»Wen trifft Katarina in einem Zug?« fragte Birch. »Einen Passagier, der ununterbrochen zwischen Malmö und Stockholm hin- und herpendelt? Außerdem bedienen sie doch sicher nicht die ganze Zeit in dem gleichen Zug? Das klingt sehr unwahrscheinlich.«

Wallander bekam nur nebenbei mit, was Birch sagte. Er hatte sich in einen Gedanken verbissen, den er nicht loslassen wollte. Es konnte kein Passagier sein. Also musste es jemand sein, der sich aus dem gleichen Grund im Zug befand wie sie selbst. Jemand, der dort arbeitete.

Wallander sah Birch an. »Wer arbeitet in einem Zug?« fragte er.

»Ich nehme an, es gibt einen Lokführer.«

»Und weiter.«

»Schaffner, einer oder mehrere. Zugbegleiter heißt das heute.«

Wallander nickte. Er dachte an das Ergebnis, zu dem Ann-Britt Höglund gelangt war. Der schwache Abglanz eines Musters. Ein Mensch mit unregelmäßigen, aber wiederkehrenden arbeitsfreien Zeiten. Wie Menschen, die in einem Zug arbeiten.

Er stand auf.

Außerdem der Zugfahrplan im Geheimfach.

»Ich glaube, wir müssen noch einmal zu Karl-Henrik Bergstrand«, sagte Wallander.

»Suchst du noch mehr Kellnerinnen?«

Wallander antwortete nicht. Er war schon auf dem Weg aus dem Terminal.

Karl-Henrik Bergstrand wirkte keineswegs erbaut, als er Wallander und Birch wiedersah. Wallander steuerte direkt auf ihn zu, trieb ihn beinah durch die Tür seines Büros vor sich her und drückte ihn auf den Stuhl.

»Die gleiche Periode. Frühjahr 1991«, sagte er. »Da war eine Person namens Katarina Taxell bei Ihnen angestellt. Oder der Firma, die den Kaffee verkauft. Und jetzt möchte ich, dass Sie mir alle Schaffner oder Zugbegleiter und Lokführer raussuchen, die auf den Fahrten dabei waren, die Katarina Taxell gemacht hat. Vor allem eine Woche im Frühjahr 1991 interessiert mich, als Margareta Nystedt krankgeschrieben war. Haben Sie gehört, was ich gesagt habe?«

»Das kann nicht Ihr Ernst sein«, sagte Karl-Henrik Bergstrand. »Es ist vollkommen unmöglich, alle diese Informationen zusammenzupuzzeln. Das dauert Monate.«

»Sagen wir, dass Sie ein paar Stunden haben«, erwiderte Wallander freundlich. »Wenn es nötig wird, bitte ich den Reichspolizeichef, bei seinem Kollegen, dem Generaldirektor von SJ, anzurufen. Und ich werde ihn auffordern, sich über die Langsamkeit eines Beamten namens Bergstrand in Malmö zu beschweren.«

Der Mann hinter dem Schreibtisch begriff. Es hatte den Anschein, als nähme er die Herausforderung an.

»Versuchen wir also das Unmögliche«, sagte er. »Aber es wird mehrere Stunden dauern.«

»Wenn Sie so schnell wie möglich arbeiten, darf es dauern, so lange es will«, erwiderte Wallander.

»Sie können in einem der Schlafräume von SJ bei der Lokstation übernachten«, sagte Bergstrand. »Oder im Hotel Prize, mit dem wir einen Vertrag haben.«

»Nein«, sagte Wallander. »Wenn Sie die Auskünfte haben, dann schicken Sie sie per Fax an das Polizeipräsidium in Ystad.«

Als sie aus dem Bahnhof traten, war es fast halb elf geworden.

»Du glaubst also, es ist jemand anders, der damals bei der Bahn gearbeitet hat?«

»So muss es sein. Eine andere plausible Erklärung gibt es nicht.«

Birch setzte seine Zipfelmütze auf. »Das heißt also, dass wir warten.«

»Du in Lund und ich in Ystad. Lass das Tonbandgerät bei Hedwig Taxell. Katarina kann noch mal anrufen.«

Sie trennten sich vor dem Bahnhofsgebäude. Wallander setzte sich in seinen Wagen und fuhr aus der Stadt hinaus. Er fragte sich, ob er jetzt bei der innersten der chinesischen Schachteln angelangt war. Was würde er finden? Einen Leerraum? Er wusste es nicht. Seine Unruhe war groß.

Kurz vor dem letzten Kreisverkehr vor der Abzweigung nach Ystad fuhr er in eine Tankstelle. Er tankte voll und ging hinein und bezahlte. Als er zurückkam, hörte er das Telefon summen, das er auf den Sitz gelegt hatte. Er riss die Tür auf und ergriff den Apparat.

Es war Hansson. »Wo bist du?« fragte er.

»Auf dem Weg nach Ystad.«

»Ich glaube, es ist das Beste, wenn du herkommst.«

Wallander fuhr zusammen. Beinah wäre ihm das Telefon aus der Hand gefallen. »Habt ihr sie gefunden?«

»Ich glaube, ja.«

Wallander sagte nichts. Er fuhr auf direktem Weg nach Lödinge.

Der Wind hatte aufgefrischt und gedreht, er kam jetzt direkt aus Norden.

35

Sie hatten einen Schenkelknochen gefunden. Mehr nicht. Erst nach mehreren Stunden fanden sie weitere Skelettteile. Der kalte und böige Wind drang durch ihre Kleidung und verstärkte das Trostlose und Widerwärtige der Situation.

Der Schenkelknochen lag auf einem Stück Plastikfolie.

Ein Arzt kam und betrachtete fröstelnd den Schenkelknochen. Natürlich konnte er nicht mehr sagen, als dass er von einem Menschen stammte. Doch Wallander brauchte keine weitere Bestätigung. Für ihn bestand kein Zweifel, dass es sich um einen Teil des Skeletts von Krista Haberman handelte. Sie würden weitergraben und vielleicht alte Knochen finden und danach möglicherweise feststellen können, wie sie getötet worden war. Hatte Holger Eriksson sie erwürgt? Hatte er sie erschossen? Was war damals eigentlich geschehen?

Wallander fühlte sich an diesem langen Nachmittag müde und traurig. Es half ihm nicht, dass er Recht gehabt hatte. Ihm war, als blicke er geradewegs in eine entsetzliche Geschichte hinein, mit der er sich am liebsten überhaupt nicht befasst hätte. Nachdem er ein paar Stunden mit Hansson und den grabenden Polizisten draußen im Lehm verbracht hatte, war er ins Präsidium nach Ystad zurückgekehrt. Er hatte Hansson bei dieser Gelegenheit auch darüber informiert, was sie in Lund erlebt hatten, die Begegnung mit Margareta Nystedt und die Entdeckung, dass Katarina Taxell während einer kurzen Periode als Kellnerin in den Zügen zwischen Malmö und Stockholm gearbeitet hatte. Irgendwann hatte sie dort auf einer Reise einen unbekannten Menschen getroffen, der sie stark beeinflusst hatte.

Als er ins Präsidium kam, versammelte er seine Mitarbeiter, so weit er sie zu fassen bekam, und wiederholte noch einmal, was er vor einer halben Stunde zu Hansson gesagt hatte. Sie konnten jetzt nur noch darauf warten, dass aus dem Faxgerät Papier zu kriechen begann.

Als sie im Besprechungszimmer zusammensaßen, rief Hansson an und berichtete, dass sie nun auch ein Schienbein gefunden hatten. Die Bedrücktheit am Tisch war greifbar. Wallander dachte, dass alle jetzt dasaßen und darauf warteten, dass der Schädel aus dem Lehm auftauchte.

Es wurde ein langer Nachmittag. Ein weiterer Herbststurm braute sich über Schonen zusammen. Das Laub wirbelte über den Parkplatz vor dem Polizeigebäude. Sie waren im Besprechungszimmer geblieben, obwohl nichts mehr gemeinsam zu diskutieren war. Wallander dachte, dass sie jetzt vor allem Kräfte sammeln mussten. Wenn ihnen mit Hilfe der Auskünfte aus Malmö der Durchbruch gelänge und die Ermittlung in Bewegung käme, war damit zu rechnen, dass sehr viele Dinge in sehr kurzer Zeit erledigt werden mussten. Deshalb saßen oder hingen sie in ihren Stühlen um den großen Tisch und ruhten sich aus. Irgendwann am Nachmittag rief Birch an und sagte, dass Hedwig Taxell noch nie von Margareta Nystedt gehört hatte. Sie hatte selbst keine Erklärung, warum sie vollständig vergessen hatte, dass ihre Tochter eine Zeit lang als Zugkellnerin gearbeitet hatte. Birch betonte, dass er ihr glaube.

Um vier Uhr rief Hansson an und sagte, dass sie auf einen Mittelfinger gestoßen waren, und kurz darauf rief er erneut an und teilte mit, dass der Schädel bloßgelegt worden sei.

Wallander fragte ihn, ob er abgelöst werden wolle, doch Hansson meinte, er könne ebenso gut bleiben. Es reichte, wenn einer sich eine Erkältung holte.

Ein kalter Hauch strich durch den Raum, als Wallander erzählte, er gehe davon aus, dass es Krista Habermans Schädel sei, den sie gefunden hatten. Svedberg legte abrupt das halbgegessene belegte Brot weg.

In der Stimmung müden Wartens, als die Mitglieder der Gruppe wie kleine isolierte Inseln um den Tisch verstreut waren, entstanden zwischendurch kurze Gespräche. Verschiedene Details wurden erörtert. Jemand fragte etwas. Ein anderer antwortete, etwas wurde geklärt, dann war es wieder still.

Svedberg fing auf einmal an, von Svenstavik zu sprechen. »Holger Eriksson muss ein sehr seltsamer Mann gewesen sein. Zuerst lockt er eine polnische Frau hier herunter nach Schonen. Gott weiß, was er ihr versprochen hat. Die Ehe? Reichtum? Dass sie eine Autohändlerbaronin wird? Und dann bringt er sie mir nichts, dir nichts um. Es ist fast dreißig Jahre her. Aber als er selbst den Tod näher kommen fühlt, kauft er sich einen Ablassbrief, indem er der Kirche da oben in Jämtland Geld vermacht.«

»Ich habe seine Gedichte gelesen«, sagte Martinsson. »Zumindest einen Teil davon. Es lässt sich nicht leugnen, dass er zwischendurch eine gewisse Empfindsamkeit an den Tag legte.«

»Gegenüber Tieren«, sagte Ann-Britt Höglund. »Gegenüber Vögeln. Nicht gegenüber Menschen.«

Wallander fiel der verlassene Hundezwinger ein. Er wollte wissen, wie lange er leer gestanden hatte. Hamrén griff nach einem Telefon und erreichte Sven Tyrén in seinem Tanklaster. Da erhielten sie die Antwort. Holger Erikssons letzter Hund hatte plötzlich eines Morgens tot im Zwinger gelegen. Es war ein paar Wochen, bevor Holger Eriksson selbst in das Pfahlgrab gestürzt war. Tyrén hatte es von seiner Frau gehört, die es ihrerseits von der Landbriefträgerin wusste. Woran der Hund gestorben war, konnte er nicht sagen, aber er war schon sehr alt gewesen. Wallander dachte insgeheim, dass jemand den Hund getötet haben musste, damit er nicht bellte. Und das konnte nur die Person sein, nach der sie jetzt suchten.

Um halb fünf rief Wallander in Malmö an. Karl-Henrik Bergstrand kam ans Telefon. Sie seien bei der Arbeit, antwortete er. Binnen kurzem würden sie alle Namen und übrigen Auskünfte herüberfaxen, die Wallander verlangt habe.

Sie warteten weiter. Ein Journalist rief an und fragte, wonach sie auf Holger Erikssons Land suchten. Wallander antwortete, dass sie aus ermittlungstechnischen Gründen nichts darüber sagen konnten. Aber er war nicht abweisend, sondern so freundlich, wie er nur konnte.

Hamrén spielte Schiffeversenken mit sich selbst, Svedberg suchte nach den letzten verbliebenen Haaren auf seiner Glatze, und Ann-Britt Höglund saß mit geschlossenen Augen da. Von Zeit zu Zeit ging Wallander auf den Korridor hinaus und vertrat sich die Beine. Er war entsetzlich müde und fragte sich, ob es etwas zu bedeuten hatte, dass Katarina Taxell nicht mehr von sich hatte hören lassen. Sollten sie trotz allem eine Suchaktion veranlassen? Er konnte sich nicht entscheiden, weil er fürchtete, dass sie die Frau, die sie abgeholt hatte, aufschrecken würden. Er hörte im Besprechungszimmer das Telefon klingeln, lief hin und blieb in der Tür stehen. Svedberg griff nach dem Hörer. Er hörte kurz hinein, dann reichte er ihn Wallander.

»Jetzt kommt es gleich über Fax«, sagte Karl-Henrik Bergstrand. »Ich glaube, wir haben alles erfasst, was Sie haben wollten.«

»Dann haben Sie gut gearbeitet«, erwiderte Wallander. »Wenn wir noch eine Erklärung oder Ergänzung brauchen, melde ich mich.«

»Davon bin ich überzeugt«, sagte Karl-Henrik Bergstrand.

Sie sammelten sich draußen um das Faxgerät. Nach ein paar Minuten kamen die Papiere. Wallander sah sogleich, dass es viel mehr Namen waren, als er sich vorgestellt hatte. Als die Übermittlung zu Ende war, rissen sie die Bögen ab und machten Kopien. Wieder im Sitzungszimmmer, studierten sie die Mitteilung unter Schweigen. Wallander zählte zweiunddreißig Namen. Siebzehn der Zugbegleiter waren Frauen. Er kannte keinen der Namen. Die Liste der Arbeitszeiten und die verschiedenen Kombinationen schienen unendlich zu sein. Er musste lange suchen, bis er die Woche fand, in der Margareta Nystedts Name nicht dabei war. Nicht weniger als elf Zugbegleiterinnen waren in den Tagen bei den Abfahrten im Dienst gewesen, als Katarina Taxell im Speisewagen arbeitete. Er war auch nicht sicher, ob er alle Abkürzungen und Kodes für die verschiedenen Personen und ihre Arbeitszeiten wirklich verstand.

Einen kurzen Augenblick lang fühlte Wallander die Kraftlosigkeit zurückkehren, aber er bezwang sie und klopfte mit einem Bleistift auf den Tisch. »Wir haben hier eine große Anzahl von Personen«, sagte er. »Wenn ich mich nicht ganz irre, so müssen wir uns in erster Linie auf die elf Zugbegleiterinnen und weiblichen Zugchefs konzentrieren. Außerdem haben wir vierzehn Männer. Aber ich möchte, dass wir mit den Frauen anfangen. Kennt einer von euch irgendeinen Namen?«

Sie beugten die Köpfe über die Papiere, aber keiner konnte sich von anderen Teilen der Ermittlung an einen der Namen erinnern. Wallander vermisste Hansson, der das beste Namengedächtnis hatte. Er bat einen der Polizisten aus Malmö, noch eine Kopie zu machen und dafür zu sorgen, dass sie zu Hansson hinausgebracht wurde.

»Dann fangen wir an«, sagte er, als der Kollege aus Malmö den Raum verlassen hatte. »Elf Frauen. Wir müssen sie einzeln durchgehen. Irgendwo finden wir hoffentlich einen Punkt, an dem wir einen Zusammmenhang mit unserer Ermittlung erkennen. Wir teilen sie auf. Das wird ein langer Abend.«

Sie verteilten die Namen und gingen auseinander. Der kurze Augenblick von Kraftlosigkeit, den Wallander gespürt hatte, war vergangen. Er fühlte, dass die Jagd begonnen hatte. Die Zeit des Wartens war endlich vorbei.

Viele Stunden später, als es schon fast elf Uhr war, begann Wallander wieder mutlos zu werden. Sie waren nicht weiter gekommen, als dass sie zwei der Namen abschreiben konnten. Eine der Frauen war bei einem Autounfall umgekommen, lange bevor sie Holger Erikssons Leiche in dem Graben gefunden hatten. Die andere war durch einen Irrtum auf der Liste gelandet, obwohl sie damals bereits in die Verwaltung in Malmö übergewechselt war. Karl-Henrik Bergstrand hatte den Fehler selbst entdeckt und Wallander sofort angerufen.

Sie suchten nach Berührungspunkten, ohne welche zu finden.

Hansson war gegen acht Uhr aus Lödinge gekommen, als der Wind und der Regen die Fortsetzung der Arbeit unmöglich gemacht hatten. Er teilte auch mit, dass er von jetzt an mehr Helfer zum Graben brauchte. Danach hatte er sich sofort in die Arbeit mit der Durchleuchtung der verbliebenen neun Frauen gestürzt. Wallander hatte vergebens versucht, ihn nach Hause zu schicken, damit er wenigstens seine nassen Sachen wechselte. Doch Hansson wollte nicht. Wallander ahnte, dass er so schnell wie möglich das bedrückende Erlebnis des Grabens im Regen nach den Überresten von Krista Haberman von sich abschütteln wollte.

Um kurz nach elf saß Wallander am Telefon und versuchte, eine Angehörige einer Zugbegleiterin namens Wedin ausfindig zu machen. Sie hatte im Laufe des vergangenen Jahres nicht weniger als fünfmal die Adresse gewechselt. Sie hatte eine schwierige Ehescheidung hinter sich und war die meiste Zeit krankgeschrieben gewesen. Er wollte gerade wieder die Auskunft anrufen, als Martinsson in der Tür erschien. Wallander legte schnell wieder auf. Er konnte an Martinssons Gesicht sehen, dass etwas geschehen war. »Ich glaube, ich habe sie gefunden«, sagte er langsam. »Yvonne Ander. Siebenundvierzig Jahre.«

»Warum glaubst du, dass sie es ist?«

»Erstens wohnt sie hier in Ystad. Sie hat eine Anschrift in der Liregatan.«

»Was hast du noch?«

»Sie wirkt in vieler Hinsicht eigenartig. Ungreifbar. Genau wie die ganze Ermittlung. Aber sie hat einen Hintergrund, der uns interessieren sollte. Sie war einmal Hilfsschwester, außerdem hat sie in einer Unfallambulanz gearbeitet.«

Wallander sah ihn einen Augenblick schweigend an. Dann sprang er auf. »Hol die anderen«, sagte er. »Sofort.«

Nach ein paar Minuten waren sie im Besprechungszimmer versammelt.

»Martinsson hat sie vielleicht gefunden«, sagte Wallander. »Und sie wohnt hier in Ystad.«

Martinsson ging alles durch, was er über Yvonne Ander herausgefunden hatte. »Sie ist also siebenundvierzig Jahre«, begann er. » Geboren in Stockholm. Sie scheint schon seit fünfzehn Jahren in Schonen zu leben. Die ersten Jahre hat sie in Malmö gewohnt. Dann ist sie nach Ystad gezogen. Die letzten zehn Jahre hat sie bei der Bahn gearbeitet. Aber vorher, vermutlich schon, als sie noch jung war, hat sie eine Ausbildung als Hilfsschwester gemacht und viele Jahre im Krankenhaus gearbeitet. Warum sie plötzlich etwas anderes anfängt, kann ich natürlich nicht beantworten.

Sie war auch Helferin in einer Unfallambulanz. Dann hat es den Anschein, als hätte sie jahrelang gar nicht gearbeitet.«

»Was hat sie in der Zeit gemacht?« fragte Wallander.

»Da sind große Lücken.«

»Ist sie verheiratet?«

»Sie ist alleinstehend.«

»Geschieden?«

»Ich weiß nicht. Es tauchen keine Kinder auf. Ich glaube nicht, dass sie verheiratet war. Aber ihre Arbeitszeiten passen zu denen von Katarina Taxell.«

Martinsson hatte von seinem Block abgelesen. Jetzt ließ er ihn auf den Tisch fallen. »Noch etwas«, sagte er, »worauf ich als erstes reagiert habe. Sie ist aktives Mitglied im Eisenbahner-Sportverein in Malmö. Das sind sicher viele. Aber was mich überrascht hat, ist, dass sie Krafttraining betreibt.«

Es wurde ganz still im Raum.

»Sie ist also mit anderen Worten vermutlich stark«, fuhr Martinsson fort. »Und wir suchen doch nach einer Frau mit großen Körperkräften.«

Wallander überschlug rasch die Situation. Konnte sie es sein? Dann entschied er. »Wir lassen alle anderen Namen bis auf weiteres liegen«, sagte er. »Jetzt konzentrieren wir uns auf Yvonne Ander.«

Er sah auf seine Uhr. Viertel vor zwölf. »Ich glaube, wir reden noch heute Abend mit ihr.«

»Wenn sie nicht arbeitet«, sagte Ann-Britt Höglund. »Wenn man die Listen anguckt, sieht man, dass sie dann und wann Nachtzüge hat. Was komisch wirkt. Ansonsten arbeiten die Zugbegleiter und Zugchefs entweder tagsüber oder in der Nacht, nicht beides. Aber vielleicht irre ich mich?«

»Entweder ist sie zu Hause, oder sie ist es nicht«, sagte Wallander.

»Worüber wollen wir eigentlich mit ihr reden?« Die Frage kam von Hamrén, und sie war berechtigt.

»Ich halte es nicht für unwahrscheinlich, dass Katarina Taxell bei ihr ist«, sagte Wallander. »Notfalls können wir das als Vorwand nehmen. Dass ihre Mutter sich Sorgen macht. Damit müssen wir anfangen. Wir haben keine Beweise gegen sie. Wir haben nichts. Aber ich will auch an Fingerabdrücke kommen.«

»Wir rücken also nicht mit voller Besetzung aus«, sagte Svedberg.

Wallander nickte Ann-Britt Höglund zu. »Ich dachte, dass wir zwei sie besuchen. Wir können ja zur Sicherheit einen Wagen im Hintergrund haben. Falls etwas passiert.«

»Was sollte das sein?« fragte Martinsson.

»Das weiß ich nicht.«

»Ist das nicht ein bisschen unverantwortlich?« meinte Svedberg. »Immerhin verdächtigen wir sie der Beteiligung an schweren Gewaltverbrechen.«

»Wir nehmen natürlich Waffen mit«, erwiderte Wallander.

»Aber ich glaube nicht, dass etwas passiert«, wiederholte er.

»Und was sagen wir, wenn Katarina Taxell nicht da ist? Wir klingeln sie immerhin mitten in der Nacht raus.«

»Wir fragen nach Katarina«, sagte Wallander. »Wir suchen sie. Sonst nichts.«

»Und was, wenn sie nicht zu Hause ist?«

Wallander brauchte keine Bedenkzeit. »Dann gehen wir rein«, sagte er. »Und die im Wagen passen auf, falls sie nach Hause kommt. Wir haben unsere Telefone eingeschaltet. In der Zwischenzeit wartet ihr anderen hier. Ich weiß, dass es spät ist. Aber das ist nicht zu ändern.«

Keiner hatte etwas einzuwenden.

Kurz nach Mitternacht verließen sie das Polizeigebäude. Der Wind hatte inzwischen Sturmstärke erreicht. Wallander und Ann-Britt Höglund fuhren in ihrem Wagen. Martinsson und Svedberg bildeten die Nachhut. Die Liregatan lag mitten im Stadtzentrum. Sie parkten einen Block weiter. Die Stadt war wie ausgestorben, sie begegneten nur einem Auto, einer Nachtstreife der Polizei.

Yvonne Ander wohnte in einem restaurierten Fachwerkhaus. Ihre Tür führte direkt auf die Straße. Von den drei Wohnungen hatte sie die in der Mitte. Wallander und Ann-Britt Höglund gingen auf die gegenüberliegende Straßenseite und betrachteten die Fassade. Abgesehen von einem erleuchteten Fenster ganz links lag das Haus im Dunkeln.

»Entweder sie schläft«, sagte Wallander, »oder sie ist nicht zu Hause. Aber wir müssen davon ausgehen, dass sie da drinnen ist.«

Es war zwanzig Minuten nach zwölf.

»Ist sie die Mörderin?« fragte Ann-Britt Höglund.

Wallander merkte, dass sie fror und sich unwohl fühlte.

War es, weil sie jetzt eine Frau jagten?

»Ja«, antwortete er. »Klar ist sie es.«

Sie überquerten die Straße. Links stand, ohne Licht, der Wagen, in dem Martinsson und Svedberg saßen. Ann-Britt Höglund läutete an der Tür.

Wallander presste das Ohr an die Tür und hörte es drinnen klingeln.

Sie warteten angespannt. Er nickte ihr zu, noch einmal zu läuten. Immer noch nichts. Auch beim drittenmal das gleiche Ergebnis.

»Ob sie schläft?« fragte Ann-Britt Höglund.

»Nein«, sagte Wallander. »Ich glaube, sie ist nicht zu Hause.« Die Tür war verschlossen. Er trat einen Schritt auf die Straße und winkte zum Wagen. Martinsson kam. Er war der Beste, wenn es darum ging, verschlossene Türen zu öffnen, ohne Gewalt anzuwenden. Er hatte eine Taschenlampe und ein Bund mit Dietrichen bei sich. Wallander hielt die Lampe, während Martinsson arbeitete. Es dauerte mehr als zehn Minuten, bis er das Schloss aufbekam. Er nahm die Taschenlampe und ging zum Wagen zurück, während Wallander sich umblickte. Die Straße war leer. Ann-Britt Höglund und er traten ein, blieben in der Stille stehen und lauschten. Der Flur schien kein Fenster zu haben. Wallander machte Licht. Links lag ein Wohnzimmer mit niedriger Decke, rechts eine Küche. Vor ihnen führte eine schmale Treppe zum Obergeschoss. Sie knarrte unter ihren Füßen. Hier oben waren drei Schlafzimmer, alle waren leer; in der ganzen Wohnung war niemand.

Er versuchte, die Situation einzuschätzen. Es war bald ein Uhr. Konnten sie damit rechnen, dass die Frau, die hier wohnte, in der Nacht zurückkam? Vieles sprach dagegen, und eigentlich nichts dafür. Nicht zuletzt der Umstand, dass sie mit Katarina Taxell und ihrem Baby zusammen war. Würde sie nachts mit ihnen herumziehen?

Sie kehrten in den Flur zurück.

»Hol Martinsson her«, sagte er. »Und bitte Svedberg, ins Präsidium zurückzufahren. Sie müssen weiter suchen. Ich glaube, dass Yvonne Ander noch eine andere Wohnung hat. Vermutlich ein Haus.«

»Und was ist mit der Wache auf der Straße?«

»Sie kommt heute Nacht nicht. Aber natürlich brauchen wir draußen einen Wagen. Sag Svedberg, dass er das regelt.«

Als sie gehen wollte, hielt er sie zurück. Dann blickte er sich um, trat in die Küche und machte die Lampe über der Spüle an. Da standen zwei benutzte Kaffeetassen. Er wickelte sie in ein Handtuch und gab sie ihr.«

»Fingerabdrücke«, sagte er. »Gib sie Svedberg mit. Und der soll sie Nyberg geben. Das kann entscheidend sein.«

Er ging wieder die Treppe hinauf, hörte, wie sie die Tür öffnete. Er stand still im Dunkeln. Dann tat er etwas, was ihn selbst überraschte. Er ging ins Badezimmer, nahm ein Handtuch und roch daran. Er nahm den schwachen Duft eines sehr speziellen Parfüms wahr.

Doch der Duft erinnerte ihn plötzlich auch an etwas anderes.

Er versuchte, das Erinnnerungsbild einzufangen, die Erinnerung an einen Duft. Er roch noch einmal. Aber er fand es nicht. Obwohl er das Gefühl hatte, ganz nahe daran zu sein.

Er hatte diesen Duft auch irgendwo anders gerochen, bei einer anderen Gelegenheit. Aber er kam nicht darauf, wann oder wo. Aber es war noch nicht lange her.

Er zuckte zusammen, als er hörte, wie die Tür im Untergeschoss geöffnet wurde. Kurz danach tauchten Martinsson und Ann-Britt Höglund auf.

»Jetzt fangen wir an zu suchen«, sagte Wallander. »Wir suchen nicht nur etwas, was den Mordverdacht erhärtet. Wir suchen auch etwas, was darauf hindeutet, dass sie tatsächlich eine zweite Wohnung hat. Ich will wissen, wo.«

»Warum sollte sie eine haben?« fragte Martinsson.

Sie sprachen die ganze Zeit leise, als befinde sich die Person, nach der sie suchten, trotz aller Anzeichen in ihrer Nähe und könne sie hören.

»Katarina Taxell«, sagte Wallander. »Ihr Kind. Außerdem sind wir davon ausgegangen, dass Gösta Runfelt drei Wochen gefangen gehalten wurde. Ich vermute stark, dass das nicht hier gewesen ist, mitten in Ystad.«

Martinsson und Ann-Britt Höglund blieben oben. Wallander ging die Treppe hinunter. Er zog die Gardinen im Wohnzimmer zu und machte Licht. Dann stellte er sich in die Mitte des Zimmers und drehte sich langsam im Kreis, während er den Raum betrachtete. Er dachte, dass die Frau, die hier wohnte, schöne Möbel hatte. Und sie rauchte. In einem Aschenbecher auf dem Beistelltisch neben einem Ledersofa waren keine Kippen, aber schwache Spuren von Asche. An den Wänden hingen Gemälde und Fotos. Er trat näher und sah sich einige der Bilder an, Stilleben, Blumenvasen. Nicht besonders gut gelungen. Ganz unten in der rechten Ecke eine Signatur: *Anna Ander -58*. Also eine Verwandte. Ander war ein ungewöhnlicher Name, dachte er. Er betrachtete eine der gerahmten Fotografien. Ein Hof in Schonen. Das Bild war von schräg oben aufgenommen. Wallander vermutete, dass der Fotograf auf einem Dach oder einer hohen Leiter gestanden hatte. Er ging im Zimmer umher. Versuchte, ihre Gegenwart zu spüren. Er fragte sich, warum das so schwer war. Alles macht den Eindruck von Verlassenheit, dachte er. Eine pedantische Verlassenheit. Sie ist nicht oft hier. Sie verbringt ihre Zeit woanders.

Er trat an ihren kleinen Schreibtisch an der Wand. Durch den Spalt neben der Gardine erkannte er einen kleinen Hinterhof. Das Fenster war nicht gut abgedichtet, der kalte Wind drang ins Zimmer. Er zog den Stuhl zurück und setzte sich. Versuchte die erste Schublade. Sie war unverschlossen. In der Schublade lagen Stapel zusammengebundener Briefe. Er suchte seine Brille und nahm den obersten heraus. Absender war A. Ander, mit einer Adresse in Spanien. Er nahm den Brief aus dem Umschlag und überflog ihn. Anna Ander war ihre Mutter. Das war eindeutig. Sie schilderte eine Reise. Auf der letzten Seite schrieb sie, dass sie auf dem Weg nach Algerien sei. Der Brief war vom April 1993. Er legte ihn zurück auf den Stapel. Über ihm im ersten Stock knarrten die Fußbodendielen. Er fühlte mit der Hand ganz hinten in der Schublade. Nichts. Danach sah er die anderen Schubläden durch. Er fand nichts, was ihn aufmerken ließ. *Es war zu leer, um natürlich zu sein.* Jetzt war er endgültig überzeugt, dass sie woanders wohnte. Er ging die Schubläden weiter durch.

Der Fußboden über ihm knarrte.

Es war halb zwei.

Sie fuhr durch die Nacht und war sehr müde.

Es war ein Uhr. Normalerweise würde sie jetzt schlafen, sie hatte früh am nächsten Tag Dienst. Außerdem hatte sie geplant, in Vollsjö zu schlafen. Doch sie wagte es jetzt, Katarina mit ihrem Kind allein zu lassen. Sie hatte sie davon überzeugt, dass sie bleiben musste, wo sie war. Noch ein paar Tage, vielleicht eine Woche. Morgen Abend würden sie ihre Mutter wieder anrufen. Katarina würde anrufen. Sie selbst würde neben ihr sitzen. Sie glaubte nicht, dass Katarina etwas sagen würde, was sie nicht sagen sollte. Aber sie wollte doch dabei sein.

Um zehn nach eins kam sie nach Ystad.

Instinktiv ahnte sie die Gefahr, als sie in die Liregatan einbog. Das Auto, das mit ausgeschalteten Scheinwerfern parkte. Sie konnte nicht umkehren, sie musste weiterfahren. Sie warf im Vorüberfahren schnell einen Blick in das Auto. Zwei Männer saßen darin. Sie ahnte auch, dass in ihrer Wohnung Licht war. Sie hatten sie also gefunden. Die Männer, die Katarina Taxells Haus bewacht hatten. Jetzt waren sie in ihrer Wohnung. Sie merkte, wie ihr schwindelig wurde. Aber es war keine Angst. Sie hatte dort nichts, was sie nach Vollsjö führen konnte. Nichts, was ihnen verriet, wer sie war. Nichts außer ihrem Namen.

Sie saß unruhig da. Der Wind rüttelte an ihrem Wagen. Sie hatte den Motor abgestellt und die Scheinwerfer ausgeschaltet. Jetzt war sie gezwungen, nach Vollsjö zurückzukehren. Immer noch hatte sie einen großen Vorsprung. Sie würden sie nie einholen. Sie würde ihre Zettel auseinanderfalten, solange noch ein einziger Name in dem Buch stand.

Sie ließ den Motor wieder an und fuhr davon. Zwang sich, es achtsam zu tun, ohne dass die Räder durchdrehten wie sonst bei ihr.

*

Wallander war zu dem Briefbündel zurückgekehrt, als er eilige Schritte auf der Treppe hörte. Er stand auf. Es war Martinsson. Kurz hinter ihm kam Ann-Britt Höglund.

»Ich glaube, du siehst dir das hier einmal an«, sagte Martinsson. Er war bleich, seine Stimme zitterte. Er legte ein abgegriffenes Notizbuch mit schwarzem Umschlag auf den Tisch. Es war aufgeschlagen. Wallander beugte sich darüber und setzte seine Brille auf. Da stand eine Reihe von Namen. Am Rand hatten alle eine Nummer. Er runzelte die Stirn.

»Blättre mal ein paar Seiten weiter«, sagte Martinsson.

Wallander blätterte. Die Namenreihe kam wieder. Da es Pfeile, Streichungen und Änderungen gab, hatte er das Gefühl, eine Kladde vor sich zu haben.

»Noch ein paar Seiten«, sagte Martinsson.

Wallander hörte, dass er aufgewühlt war.

Die Reihe der Namen kam noch einmal. Diesmal mit weniger Änderungen und Umstellungen.

Da sah er es.

Den ersten Namen kannte er. Gösta Runfelt. Dann fand er auch die anderen, Holger Eriksson und Eugen Blomberg. Am äußersten Rand neben den Namen waren Daten eingetragen.

Ihre Todestage.

Wallander blickte Martinsson und Ann-Britt Höglund an. Beide waren bleich.

Es gab keinen Zweifel mehr. Sie waren am Ziel ihrer Suche.

»In diesem Buch stehen über vierzig Namen«, sagte Wallander. »Hat sie vor, die alle umzubringen?«

»Wir wissen auf jeden Fall, wer als nächster an der Reihe ist«, sagte Ann-Britt Höglund und wies auf einen Namen.

Tore Grundén. Vor seinem Namen stand ein rotes Ausrufezeichen. Aber auf der rechten Seite war kein Todesdatum eingetragen.

»Ganz hinten liegt ein loses Blatt«, sagte Ann-Britt Höglund.

Wallander nahm es vorsichtig heraus. Es waren pedantisch geschriebene Aufzeichnungen. Die Buchstaben waren gerundet, die Zeilen gerade und regelmäßig. Ohne Streichungen und Änderungen. Doch was da stand, war schwer zu deuten. Was bedeuteten die Notizen? Ziffern, der Ortsname Hässleholm, ein Datum. Etwas, was eine Uhrzeit aus einem Fahrplan sein konnte, 7 Uhr 50. Das Datum von morgen. Samstag, der 22. Oktober.

»Was zum Teufel bedeutet das?« sagte Wallander. »Steigt Tore Grundén um 7 Uhr 50 in Hässleholm aus?«

»Vielleicht steigt er ein«, sagte Ann-Britt Höglund.

»Ruf Birch in Lund an. Er hat die Telefonnummer eines Mannes in Malmö, der Karl-Henrik Bergstrand heißt. Er soll ihn wecken und ihm eine Frage stellen: Arbeitet Yvonne Ander in dem Zug, der morgen früh um 7 Uhr 50 in Hässleholm hält oder abfährt?«

Martinsson holte sein Telefon heraus. Wallander starrte das aufgeschlagene Notizbuch an.

»Wo ist sie?« fragte Ann-Britt Höglund. »Ich meine, jetzt? Wir wissen, wo sie sich vermutlich morgen früh befindet.«

Wallander sah sie an. Hinter ihr hatte er die Bilder und Fotografien im Blickfeld. Plötzlich war es ihm klar. Er hätte sofort darauf kommen müssen. Er ging zur Wand und nahm die gerahmte Fotografie des Hofes herunter. Drehte sie um. *Hansgården in Vollsjö. 1965*, hatte jemand mit Tinte darauf geschrieben.

»Hier wohnt sie«, sagte er. »Und da befindet sie sich vermutlich im Augenblick.«

»Was tun wir?« fragte sie.

»Wir fahren hin und nehmen sie fest«, erwiderte Wallander.

Martinsson hatte Birch erreicht. Sie warteten. Das Gespräch war kurz.

»Er schmeißt Bergstrand aus dem Bett«, sagte Martinsson.

Wallander hielt noch das Notizbuch in der Hand. »Dann gehen wir«, sagte er. »Die anderen nehmen wir auf dem Weg mit.«

»Wissen wir, wo der Hansgården liegt?« fragte sie.

»Den finden wir in unseren Grundstücksregistern«, sagte Martinsson. »Dafür brauche ich keine zehn Minuten.«

Sie hatten es jetzt sehr eilig. Um fünf nach zwei waren sie zurück im Präsidium. Sie sammelten ihre müden Kollegen zusammen. Martinsson suchte auf seinem Computer nach dem Hansgården. Er brauchte länger, als er geglaubt hatte. Erst kurz vor drei hatte er ihn gefunden. Sie suchten ihn auf der Karte. Er lag am Rande von Vollsjö.

»Sollen wir bewaffnet sein?« fragte Svedberg.

»Ja«, antwortete Wallander. »Aber denkt daran, dass Katarina Taxell da ist. Und ihr Baby.«

Nyberg kam ins Sitzungszimmer. Mit struppigen Haaren und blutunterlaufenen Augen. »Auf der einen Tasse haben wir gefunden, was wir suchten«, sagte er. »Der Fingerabdruck passt. Zu dem auf dem Koffer und auf der Zigarettenkippe. Weil es kein Daumen ist, kann ich nicht sagen, ob er auch zu dem Abdruck vom Vogelturm passt. Das komische ist übrigens, dass der später dorthin gekommen zu sein scheint. Als wäre sie noch einmal da gewesen. Wenn sie es nun ist. Aber das dürfte sie wohl sein. Wer ist sie?«

»Yvonne Ander«, sagte Wallander. »Und jetzt holen wir sie. Wenn nur Bergstrand von sich hören lässt.«

»Müssen wir darauf eigentlich warten?« fragte Martinsson.

»Eine halbe Stunde«, sagte Wallander. »Länger nicht.«

Sie warteten. Martinsson verließ das Zimmer, um zu kontrollieren, ob die Wohnung in der Liregatan weiter bewacht wurde.

Nach zweiundzwanzig Minuten kam Bergstrands Anruf. »Yvonne Ander arbeitet morgen früh auf einem Zug von Malmö nach Norden«, sagte er.

»Dann wissen wir das«, sagte Wallander einfach.

Um Viertel vor vier verließen sie Ystad. Der Sturm hatte jetzt seinen Höhepunkt erreicht.

Wallander führte noch zwei Telefongespräche. Eins mit Lisa Holgersson, das andere mit Per Åkesson.

Keiner erhob Einwände.

Sie mussten sie so schnell wie irgend möglich festnehmen.

36

Um kurz nach fünf hatten sie sich um den Hof, der Hansgården hieß, verteilt. Der Wind war stark und böig, sie waren alle durchgefroren und hatten jetzt das Haus umstellt, Schatten gleich. Wallander und Ann-Britt Höglund sollten hineingehen.

Die Wagen hatten sie außer Sichtweite des Hofes abgestellt und waren das letzte Stück zu Fuß herangekommen. Wallander bemerkte sofort den roten Golf vor dem Haus. Während der Autofahrt nach Vollsjö hatte er befürchtet, sie könne schon aufgebrochen sein. Aber ihr Wagen stand da, also war sie noch nicht fort. Das Haus war dunkel und still, nichts bewegte sich. Wallander hatte auch keine Wachhunde entdeckt.

Alles ging sehr schnell. Sie nahmen ihre Positionen ein. Wallander stand mit Ann-Britt Höglund im Windschutz einer verfallenen Scheune. Die Haustür war ungefähr fünfundzwanzig Meter entfernt. Die Zeit verging; bald Morgendämmerung. Sie konnten nicht länger warten.

Wallander hatte gesagt, dass sie sich bewaffnen sollten. Aber er wollte, dass alles ruhig verlief. Vor allem, weil Katarina Taxell und ihr Baby im Haus waren.

Nichts durfte schiefgehen. Am wichtigsten war, dass sie die Ruhe behielten.

»Jetzt los«, sagte er. »Gib Bescheid.«

Sie sprach leise ins Walkie-Talkie. Bekam eine Reihe Bestätigungen, dass sie sie verstanden hatten. Sie zog ihre Pistole. Wallander schüttelte den Kopf.

»Steck sie in die Tasche«, sagte er. »Aber denk dran, in welche.«

Das Haus war noch immer still. Keine Bewegungen. Sie gingen, Wallander als erster, Ann-Britt Höglund schräg hinter ihm. Der Wind die ganze Zeit in schweren Böen. Wallander warf noch einmal einen Blick auf die Uhr. Neunzehn Minuten nach fünf. Yvonne Ander müsste jetzt aufgestanden sein, wenn sie noch rechtzeitig zur Arbeit in ihrem frühen Morgenzug kommen wollte. Sie blieben vor der Tür stehen. Wallander holte tief Luft. Klopfte und trat einen Schritt zurück. Die Hand lag auf der Pistole in der rechten Jackentasche. Nichts passierte. Er trat einen Schritt vor und klopfte noch einmal. Fühlte gleichzeitig am Schloss. Die Tür war verriegelt. Er klopfte noch einmal. Plötzlich packte ihn Unruhe. Er schlug mit der Faust. Noch immer keine Reaktion. Irgendetwas stimmte nicht.

»Wir brechen die Tür auf«, sagte er. »Sag Bescheid. Wer hat das Stemmeisen mitgenommen? Warum haben wir es nicht?«

Ann-Britt Höglund sprach mit fester Stimme ins Walkie-Talkie. Stellte sich mit dem Rücken gegen den Wind. Wallander behielt die Fenster auf beiden Seiten der Haustür im Auge. Svedberg kam mit dem Stemmeisen gelaufen. Wallander bat ihn, sofort in seine Position zurückzugehen. Dann steckte er das Stemmeisen in den Spalt zwischen Tür und Rahmen. Er legte seine ganze Kraft in den Zug. Die Tür brach aus dem Schloss. Im Flur war Licht. Ohne es geplant zu haben, zog er seine Waffe. Ann-Britt Höglund folgte dicht hinter ihm. Wallander duckte sich und ging hinein. Sie stand schräg hinter ihm und gab ihm mit ihrer Pistole Deckung. Alles war still.

»Polizei!« rief Wallander. »Wir suchen Yvonne Ander.«

Nichts geschah. Er rief noch einmal. Vorsichtig bewegte er sich auf das Zimmer zu, das ihnen gegenüber lag. Sie folgte schräg hinter ihm. Er trat schnell in einen großen, offenen Raum, schwenkte mit der Pistole darüberhin. Alles war leer. Er ließ den Arm sinken. Ann-Britt Höglund stand auf der anderen Seite der Tür. Der Raum war riesig. Lampen brannten. Ein eigentümlich geformter Backofen war an der einen Längsseite.

Plötzlich wurde auf der anderen Seite des Raums eine Tür geöffnet. Wallander fuhr herum und hob wieder die Waffe, Ann-Britt Höglund ging auf ein Knie nieder. Katarina Taxell kam aus der Tür. Sie trug ein Nachthemd und sah aus, als hätte sie Angst.

Wallander senkte die Waffe, Ann-Britt Höglund tat das gleiche.

In diesem Augenblick wusste Wallander, dass Yvonne Ander nicht im Haus war.

»Was ist denn los?« fragte Katarina Taxell.

Wallander war mit wenigen Schritten bei ihr. »Wo ist Yvonne Ander?«

»Sie ist nicht hier.«

»Wo ist sie?«

»Ich nehme an, sie ist auf dem Weg zu ihrer Arbeit.«

Wallander hatte es jetzt sehr eilig. »Wer hat sie abgeholt?«

»Sie ist allein gefahren.«

»Ihr Auto steht aber vor der Tür.«

»Sie hat zwei Autos.«

So einfach, dachte Wallander. »Geht es Ihnen gut?« fragte er dann. »Und Ihrem Kind?«

»Warum sollte es uns nicht gut gehen?«

Wallander sah sich hastig im Raum um, dann bat er Ann-Britt Höglund, die anderen hereinzurufen. Sie hatten wenig Zeit und mussten weiter.

»Hol Nyberg her«, sagte er. »Dieses Haus muss vom Keller bis zum Dachfirst untersucht werden.«

Die verfrorenen Polizisten sammelten sich in dem großen weißen Raum.

»Sie ist weg«, sagte Wallander. »Sie ist unterwegs nach Hässleholm. Zumindest gibt es keinen Grund, etwas anderes anzunehmen. Dort fängt sie an zu arbeiten. Da steigt auch ein Fahrgast namens Tore Grundén zu, der als nächster Mann auf ihrer Todesliste steht.«

»Will sie ihn wirklich im Zug töten?« fragte Martinsson ungläubig.

»Wir wissen es nicht«, sagte Wallander. »Aber wir wollen keine weiteren Morde. Wir müssen sie fassen.«

»Wir sollten die Kollegen in Hässleholm vorwarnen«, sagte Hansson.

»Das machen wir unterwegs«, sagte Wallander. »Ich dachte, dass Martinsson und Hansson mit mir kommen. Ihr anderen fangt mit dem Haus an, und ihr redet mit Katarina Taxell.«

Er nickte zu ihr hinüber.

Sie fuhren los. Hansson saß am Steuer. Martinsson wollte gerade in Hässleholm anrufen, als Wallander ihn bat, zu warten.

»Ich glaube, es ist am besten, wenn wir es selbst machen«, sagte er. »Wenn es ein Chaos gibt, kann weiß Gott was geschehen.

»Wir wissen nicht einmal, wie Grundén aussieht«, sagte Martinsson. »Sollen wir ihn über den Lautsprecher auf dem Bahnhof ausrufen lassen? Sie hat ja wohl auf jeden Fall eine Uniform an?«

»Vielleicht«, sagte Wallander. »Lass uns abwarten, bis wir hinkommen. Schalte mal Blaulicht ein, wir haben es eilig.«

Hansson fuhr schnell. Dennoch war die Zeit knapp. Als sie noch ungefähr zwanzig Minuten bis Hässleholm hatten, wusste Wallander, dass sie es schaffen würden.

Wallander versuchte, sich darüber klar zu werden, wie sie vorgehen sollten. Es fiel ihm schwer, sich vorzustellen, dass Yvonne Ander vor den Augen von Passagieren, die in einen Zug stiegen oder ihn verließen, Tore Grundén umbringen würde. Das passte nicht zu ihrer bisherigen Vorgehensweise. Er kam zu dem Schluss, dass sie Tore Grundén bis auf weiteres vergessen konnten. Sie würden nach ihr Ausschau halten, einer Frau in Uniform, und sie würden sie so unauffällig wie möglich festnehmen.

Sie kamen nach Hässleholm, und Hansson begann, nervös zu werden und falsch zu fahren, obwohl er behauptete, den Weg zu kennen. Jetzt war auch Wallander nervös, und als sie am Bahnhof ankamen, waren sie kurz davor, sich anzuschreien. Sie sprangen aus dem Wagen, dessen Blaulicht noch eingeschaltet war. Drei Männer, dachte Wallander, in ihren besten Jahren, die aussahen, als wollten sie die Kasse des Fahrkartenschalters rauben oder zumindest einen Zug erreichen, der in wenigen Augenblicken abfahren sollte. Die Uhr zeigte, dass sie noch genau drei Minuten Zeit hatten: 7 Uhr 47. Durch den Lautsprecher wurde der Zug angesagt. Aber Wallander hatte nicht gehört, ob die Einfahrt oder die Abfahrt angekündigt wurde. Sie mussten jetzt ruhig bleiben.

Draußen wehte immer noch ein harter, böiger Wind. Der Zug war noch nicht eingefahren. Die Passagiere suchten Schutz vor dem Wind, wo sie ihn finden konnten. Es waren auffallend viele, die an diesem Samstagmorgen nach Norden reisen wollten. Sie gingen auf den Bahnsteig, Wallander als erster, Hansson dicht hinter ihm, Martinsson ganz außen an der Bahnsteigkante. Wallander entdeckte sogleich einen männlichen Zugbegleiter, der rauchend wartete. Er merkte, dass ihm vor Anspannung der Schweiß ausbrach. Yvonne Ander konnte er nicht sehen. Keine Frau in Uniform. Er wechselte ein paar Blicke mit Hansson und Martinsson. Dann sah er zum Bahnhofsgebäude hinüber, ob sie vielleicht von dort kam. Gleichzeitig fuhr der Zug ein. Wallander ahnte, dass irgendetwas total falsch lief. Noch immer wollte er nicht glauben, dass sie vorhatte, Tore Grundén auf dem Bahnsteig zu töten, aber er konnte nicht sicher sein. Allzu häufig hatte er erlebt, dass berechnende Personen plötzlich die Kontrolle verloren und begannen, impulsiv und gegen ihre bisherigen Gewohnheiten zu handeln. Die Wartenden nahmen ihre Koffer auf, der Zug rollte ein. Der Zugbegleiter hatte die Zigarette fortgeworfen.

Wallander sah ein, dass er keine Wahl hatte, er musste mit ihm reden. Ihn fragen, ob Yvonne Ander sich bereits im Zug befand. Oder ob ihr Dienstplan sich geändert hatte. Der Zug bremste. Wallander musste sich durch die Reisenden drängen, die es eilig hatten, aus dem kalten Wind in den Zug zu kommen. Plötzlich entdeckte Wallander einen Mann, der allein ein Stück weiter entfernt auf dem Bahnsteig stand und gerade nach seiner Tasche griff. Unmittelbar neben ihm stand eine Frau in einem langen Mantel, an dem der Wind zerrte. Ein anderer Zug fuhr von der entgegengesetzten Seite ein. Wallander wurde sich nie darüber klar, ob er eigentlich den Zusammenhang verstanden hatte. Aber er reagierte, als sei alles vollkommen klar gewesen. Er stieß die Menschen zur Seite, die im Weg standen. Irgendwo hinter ihm kamen Hansson und Martinsson nach, ohne zu wissen, wohin sie eigentlich liefen. Wallander sah, dass die Frau plötzlich den Mann von hinten gepackt hatte. Sie schien gewaltige Kräfte zu haben. Sie hob ihn fast vom Boden. Wallander ahnte mehr, als dass er verstand, dass sie den Mann vor den Zug auf dem anderen Gleis werfen wollte. Weil er sie nicht rechtzeitig erreichen würde, rief er. Trotz des donnernden Lärms der Lokomotive musste sie ihn gehört haben. Ein kurzer Augenblick des Zögerns war genug, sie blickte zu Wallander hin, an dessen Seite in diesem Augenblick Martinsson und Hansson auftauchten. Sie stürmten auf die Frau zu, die jetzt den Mann losgelassen hatte. Ihr langer Mantel hatte sich im Wind geöffnet, und Wallander erkannte darunter ihre Uniform. Plötzlich hob sie die Hand und tat etwas, was sowohl Martinsson als auch Hansson stoppen ließ. Sie riss sich das Haar ab. Es wurde sofort vom Wind erfasst und wirbelte den Bahnsteig entlang. Unter der Perücke war ihr Haar kurz geschnitten. Sie begannen wieder zu laufen. Tore Grundén schien immer noch nicht begriffen zu haben, was ihm beinahe geschehen wäre.

»Yvonne Ander«, rief Wallander. »Polizei.«

Martinsson war jetzt unmittelbar hinter ihr. Wallander sah, wie er den Arm ausstreckte, um sie zu fassen. Dann ging alles sehr schnell. Sie schlug mit ihrer rechten Faust hart und entschlossen zu. Der Schlag traf Martinsson an der rechten Wange. Er fiel ohne einen Laut auf den Bahnsteig. Hinter Wallander rief jemand, ein Reisender hatte entdeckt, was los war. Hansson war wie angewurzelt stehen geblieben, als er sah, was mit Martinsson geschah. Er machte eine Bewegung, um seine Pistole aus der Tasche zu ziehen. Aber es war schon zu spät. Sie hatte Hanssons Jacke gepackt und stieß ihm mit aller Kraft das Knie in den Schritt. Für einen kurzen Augenblick beugte sie sich über ihn, dann lief sie den Bahnsteig entlang. Sie zerrte sich den Mantel vom Körper und warf ihn fort. Er flatterte auf und wurde von einer Windbö davongetragen.

Wallander blieb bei Martinsson und Hansson stehen. Martinsson war bewusstlos. Hansson stöhnte und war weiß im Gesicht. Als Wallander aufblickte, war sie fort. Er begann den Bahnsteig entlangzulaufen und sah sie ein Stück entfernt über die Gleise verschwinden. Er konnte sie nicht einholen. Außerdem wusste er nicht, was wirklich mit Martinsson war. Er rannte zurück und bemerkte, dass Tore Grundén fort war. Mehrere Eisenbahnbedienstete kamen gelaufen. Keiner begriff natürlich in dem Wirrwarr, was eigentlich passiert war.

Später sollte Wallander an die nächste Stunde als an ein nicht enden wollendes Chaos zurückdenken. Er hatte versucht, viele verschiedene Dinge gleichzeitig zu tun. Aber keiner hatte verstanden, was er sagte. Außerdem irrten Zugreisende um ihn herum. Mitten in diesem Durcheinander begann Hansson, sich wieder zu erholen. Aber Martinsson war immer noch bewusstlos, Wallander verfluchte den Krankenwagen, der nicht kam, und erst als ein paar verwirrte Hässleholm-Polizisten auf dem Bahnsteig erschienen, gelang es ihm, die Situation einigermaßen zu überblicken. Martinsson hatte sich einen klassischen K.o. eingefangen. Aber sein Atem ging ruhig. Als die Sanitäter ihn forttrugen, war Hansson mit Mühe wieder auf die Beine gekommen und fuhr mit ins Krankenhaus. Wallander erklärte den Polizisten, dass sie im Begriff gewesen waren, eine Zugbegleiterin festzunehmen, die jedoch entkommen war. In diesem Augenblick registrierte Wallander, dass der Zug abgefahren war. Er fragte sich, ob Tore Grundén eingestiegen war. Ahnte der Mann überhaupt, wie nah er dem Tod gewesen war? Wallander sah ein, dass eigentlich keiner begriff, wovon er redete. Nur sein Polizeiausweis und seine Autorität bewirkten, dass man ihn trotz allem als Kriminalbeamten akzeptierte und nicht für einen Verrückten hielt.

Das einzige, was ihn außer Martinssons Gesundheitszustand interessierte, war, wohin Yvonne Ander geflohen war. Er hatte in den erregten Minuten auf dem Bahnsteig Ann-Britt Höglund angerufen und berichtet, was geschehen war. Sie versprach, dafür zu sorgen, dass in Vollsjö eine Gruppe für den Fall in Bereitschaft gehalten wurde, dass sie dorthin zurückkehrte. Auch die Wohnung in Ystad würde bewacht werden. Aber Wallander hatte seine Zweifel. Er glaubte nicht, dass sie dort auftauchen würde. Sie wusste jetzt, dass sie nicht nur überwacht wurde, sondern dass man ihr dicht auf den Fersen war und nicht nachlassen würde, bis sie gefasst war. Wohin konnte sie sich wenden? Eine planlose Flucht? Die Möglichkeit musste er in Betracht ziehen. Doch gleichzeitig sprach etwas dagegen. Sie plante die ganze Zeit. Sie war ein Mensch, der durchdachte Auswege suchte.

Wallander wurde von einem Polizeiwagen zum Krankenhaus gelotst. Hansson ging es schlecht, er lag auf einer Bahre. Sein Hodensack war geschwollen, und er sollte zur Beobachtung dabehalten werden. Martinsson war noch immer bewusstlos. Ein Arzt sprach von einer schweren Gehirnerschütterung. »Der Mann, der solch einen Schlag hat, muss stark gewesen sein«, sagte er.

»Ja«, antwortete Wallander. »Abgesehen davon, dass der Mann eine Frau war.«

Er verließ das Krankenhaus. Wohin sollte er gehen? Etwas nagte in seinem Unterbewusstsein. Etwas, was die Antwort auf die Frage enthalten konnte, wo sie sich befand oder wohin sie eventuell unterwegs war.

Dann kam er darauf. Er stand völlig reglos vor dem Krankenhaus. Nyberg war sehr deutlich gewesen. *Die Fingerabdrücke auf dem Turm mussten zu einem späteren Zeitpunkt dorthin gekommen sein.* Das war eine Möglichkeit, auch wenn sie nicht groß war. Yvonne Ander konnte ein Mensch sein wie er selbst. In bedrängten Situationen suchte sie Abgeschiedenheit. Einen Punkt, wo sie Überblick gewinnen, einen Entschluss fassen konnte. Alle ihre Handlungen erweckten den Eindruck detaillierter Vorbereitung und exakter Zeitplanung. Jetzt war alles um sie her zusammengestürzt.

Er sagte sich, dass es auf jeden Fall einen Versuch wert war.

Der Ort war natürlich abgesperrt. Aber Hansson hatte gesagt, dass sie die Arbeit dort erst wieder aufnehmen würden, wenn sie die angeforderte Hilfe bekommen hätten. Wallander nahm auch an, dass die Überwachung lediglich durch Streifenwagen erfolgte. Außerdem konnte sie den Weg benutzen, den sie auch früher genommen hatte.

Wallander verabschiedete sich von den Polizisten, die ihm geholfen hatten. Sie hatten noch immer nicht richtig verstanden, was auf dem Bahnhof passiert war. Aber er versprach ihnen, dass sie im Laufe des Tages informiert würden. Es habe sich lediglich um eine routinemäßige Festnahme gehandelt, die ihnen aus den Händen geglitten sei. Aber eigentlich war kein großer Schaden entstanden. Die Polizisten, die im Krankenhaus bleiben mussten, würden bald wieder auf den Beinen sein.

Wallander setzte sich ins Auto und rief zum dritten Mal Ann-Britt Höglund an. Er sagte nicht, worum es ging. Nur dass er sie bei der Abzweigung zu Holger Erikssons Hof treffen wolle.

Es war nach zehn Uhr, als Wallander Lödinge erreichte. Ann-Britt Höglund stand neben ihrem Wagen und wartete. Sie fuhren das letzte Stück zu Erikssons Hof in Wallanders Wagen. Hundert Meter vom Haus entfernt hielt er an. Bisher hatte er noch nichts gesagt. Jetzt sah sie ihn fragend an.

»Ich kann mich sehr wohl irren«, sagte er. »Aber die Möglichkeit besteht, dass sie hierher zurückkommt. Zum Vogelturm. Sie ist schon einmal hier gewesen.« Er erinnerte sie an das, was Nyberg über die Fingerabdrücke gesagt hatte.

»Was kann sie hier wollen?« fragte sie.

»Ich weiß nicht. Aber sie wird gejagt. Sie muss zu irgendeinem Entschluss kommen.«

Sie stiegen aus dem Wagen. Der Wind fiel sie an.

»Wir haben Schwesterntracht gefunden«, sagte sie. »Außerdem eine Plastiktüte mit Unterhosen. Wir können wohl davon ausgehen, dass Gösta Runfelt in Vollsjö gefangen gehalten worden ist.«

Sie waren beim Haus angekommen.

»Was tun wir, wenn sie auf dem Turm steht?«

»Dann greifen wir sie. Ich gehe um den Hügel herum auf die andere Seite. Wenn sie kommt, stellt sie da ihr Auto ab. Dann gehst du den Pfad hinunter. Diesmal haben wir aber die Waffen gezogen.«

»Ich glaube kaum, dass sie kommt«, sagte Ann-Britt Höglund.

Wallander antwortete nicht. Er wusste, dass sie sehr gut Recht haben konnte.

Sie stellten sich auf dem Hofplatz in den Windschatten. Die Absperrbänder unten am Graben, wo sie nach Krista Habermans Skelett gruben, waren von dem starken Wind abgerissen worden. Der Turm lag verlassen. Er zeichnete sich scharf gegen den klaren Herbsthimmel ab.

»Wir warten auf jeden Fall eine Weile«, sagte Wallander. »Wenn sie kommt, dann sicher bald.«

»Im Distrikt ist Alarm ausgelöst worden«, sagte sie. »Wenn wir sie nicht finden, wird sie bald im ganzen Land gesucht.«

Einen Augenblick standen sie schweigend.

»Was treibt sie an?« fragte Ann-Britt Höglund.

»Darauf kann wohl nur sie allein antworten«, sagte Wallander. »Aber sollte man nicht davon ausgehen, dass auch sie misshandelt worden ist?«

Ann-Britt Höglund antwortete nicht.

»Ich glaube, sie ist ein sehr einsamer Mensch«, sagte Wallander. »Und sie fühlt sich dazu berufen, im Namen anderer zu töten. Das sieht sie wohl als den Sinn ihres Lebens.«

»Vor kurzem haben wir noch geglaubt, einen Söldner zu suchen«, sagte sie. »Und jetzt warten wir darauf, dass eine Zugbegleiterin auf einem verlassenen Vogelturm auftaucht.«

»Das mit dem Söldner war vielleicht trotz allem nicht so ganz falsch«, sagte Wallander nachdenklich. »Abgesehen davon, dass sie eine Frau ist und kein Geld bekommt, so weit wir wissen. Trotzdem ist da etwas, was an unseren falschen Ausgangspunkt von damals erinnert.«

»Katarina Taxell sagte, sie habe sie durch eine Gruppe von Frauen kennen gelernt, die sich regelmäßig in Vollsjö trafen. Ihre erste Begegnung fand allerdings in einem Zug statt. Da hattest du Recht. Anscheinend hat sie nach einem blauen Fleck gefragt, den Katarina Taxell an der Stirn hatte. Sie durchschaute ihre Ausflüchte. Es war Eugen Blomberg, der sie misshandelt hatte. Ich habe nicht richtig rausbekommen, wie das Ganze passiert ist. Aber sie hat bekräftigt, dass Yvonne Ander früher im Krankenhaus und außerdem als Hilfe in einer Notfallambulanz gearbeitet hat. Da hat sie viele misshandelte Frauen gesehen. Später hat sie Kontakt mit ihnen aufgenommen und sie nach Vollsjö eingeladen. Man kann vielleicht sagen, dass es sich um eine äußerst formlose Krisengruppe gehandelt hat. Sie hat herausgefunden, welche Männer diese Frauen misshandelt hatten. Und dann ist etwas passiert. Katarina hat auch zugegeben, dass es natürlich Yvonne Ander war, die sie im Krankenhaus besucht hat. Beim zweiten Mal hat sie Yvonne Ander den Namen des Vaters genannt. Eugen Blomberg.«

»Und damit war sein Todesurteil unterschrieben«, sagte Wallander. »Außerdem glaube ich, dass sie sich lange auf das hier vorbereitet hat. Irgendetwas ist passiert und hat alles ausgelöst. Was das ist, wissen weder du noch ich.«

Sie warteten. Der Wind kam und ging in harten Stößen. Ein Streifenwagen kam zur Hofeinfahrt. Wallander bat die Beamten, vorläufig nicht wieder zu kommen. Er gab keine Erklärung, war aber sehr bestimmt.

Sie warteten weiter. Keiner hatte etwas zu sagen.

Um Viertel vor elf legte Wallander vorsichtig die Hand auf ihre Schulter. »Da ist sie«, sagte er leise.

Ein Mensch war auf dem Hügel aufgetaucht. Es konnte niemand anders sein als Yvonne Ander. Sie stand da und sah sich um. Dann begann sie, auf den Turm hinaufzusteigen.

»Ich brauche zwanzig Minuten hintenherum«, sagte Wallander. »Dann gehst du los. Ich bin auf der Rückseite, falls sie versucht abzuhauen.«

Er lief zum Wagen und fuhr so schnell wie möglich zum Feldweg, der zur Rückseite des Hügels führte. Er wagte jedoch nicht, bis ganz ans Ende zu fahren. Er kam aus der Puste vom schnellen Laufen. Es dauerte länger, als er geglaubt hatte. Auf dem Feldweg stand ein Wagen. Auch ein Golf, aber schwarz. Das Telefon in Wallanders Jackentasche piepte. Er hielt im Laufen inne. Es konnte Ann-Britt Höglund sein. Er meldete sich und lief weiter den Feldweg entlang.

Es war Svedberg. »Wo bist du denn? Was zum Teufel ist eigentlich los?«

»Ich kann dir das jetzt nicht erklären. Aber wir sind auf Holger Erikssons Hof. Es wäre gut, wenn du kämst und noch jemand. Hamrén zum Beispiel. Ich kann jetzt nicht mehr reden.«

»Ich rufe an, weil ich dich was fragen soll«, sagte Svedberg. »Hansson hat sich aus Hässleholm gemeldet. Ihm und Martinsson geht es besser.

Martinsson ist jedenfalls wieder zu sich gekommen. Aber Hansson wollte wissen, ob du seine Pistole mitgenommen hast.«

Wallander blieb wie vom Schlag gerührt stehen. »Seine Pistole?«

»Er sagte, sie wäre weg.«

»Ich hab sie nicht.«

»Sie kann ja wohl kaum auf dem Bahnsteig liegen geblieben sein.«

Im selben Augenblick wusste Wallander Bescheid. Er sah die Szene ganz klar vor sich: *Sie hatte Hansson an der Jacke gepackt und ihm mit aller Kraft das Knie in den Schritt gestoßen. Dann hatte sie sich hastig über ihn gebeugt. Da hatte sie die Pistole genommen.*

»Scheiße!« rief Wallander.

Bevor Svedberg antworten konnte, hatte er das Gespräch abgebrochen und das Telefon in die Tasche gesteckt. Er hatte Ann-Britt Höglund in Lebensgefahr gebracht. Wallander lief. Das Herz hämmerte in seiner Brust. Zwanzig Minuten waren vergangen – sie musste auf dem Pfad sein. Er blieb stehen und wählte die Nummer ihres Mobiltelefons. Er bekam keinen Kontakt, sie hatte das Telefon im Wagen gelassen.

Er lief weiter. Seine einzige Chance war, dass er als erster ankam. Ann-Britt Höglund wusste nicht, dass Yvonne Ander bewaffnet war.

Die Angst zwang ihn, noch schneller zu laufen. Er war auf der Rückseite des Hügels. Sie musste jetzt beim Graben sein. Er hatte die Pistole gezogen und stolperte und krabbelte an der Rückseite des Turms den Hügel hinauf. Als er oben ankam, sah er, dass sie schon am Graben war. Sie hatte ihre Pistole in der Hand. Die Frau auf dem Turm hatte ihn noch nicht bemerkt. Er rief geradewegs in die Luft hinaus, dass sie bewaffnet war, dass Ann-Britt Höglund weglaufen solle.

Gleichzeitig richtete er seine Pistole auf die Frau auf dem Turm, die ihm den Rücken zugewandt hatte.

Im selben Augenblick knallte ein Schuss. Wallander sah, wie Ann-Britt Höglund zusammenzuckte und rückwärts in den Lehm fiel. Es war, als habe jemand ein Schwert durch seinen eigenen Körper gestoßen. Er starrte auf den reglosen Körper im Lehm und ahnte nur, dass die Frau auf dem Turm sich blitzschnell umgedreht hatte. Er warf sich zur Seite und begann, auf den Turm zu schießen. Der dritte Schuss traf. Sie zuckte zusammen und ließ Hanssons Pistole fallen. Wallander rannte am Turm vorbei in den Lehm. Er rutschte in den Graben und kletterte auf der anderen Seite hoch. Als er Ann-Britt Höglund da sah, auf dem Rücken im Lehm liegend, dachte er, dass sie tot sei. Sie war mit Hanssons Pistole getötet worden, und alles war sein Fehler.

Für einen kurzen Augenblick sah er keinen anderen Ausweg, als sich selbst zu erschießen. Genau da, wo er stand, ein paar Meter neben ihr.

Dann merkte er, dass sie sich schwach bewegte. Er fiel neben ihr auf die Knie. Die ganze Vorderseite ihrer Jacke war blutig. Sie war sehr blass und starrte ihn mit angstvollen Augen an.

»Es wird gut«, sagte er. »Es wird gut.«

»Sie war bewaffnet«, murmelte sie. »Warum haben wir das nicht gewusst?«

Wallander merkte, wie ihm die Tränen übers Gesicht liefen. Dann telefonierte er nach einem Krankenwagen.

Später erinnerte er sich, dass er, während er wartete, ein ununterbrochenes und wirres Gebet an einen Gott gerichtet hatte, an den er eigentlich nicht glaubte. Wie durch einen Nebelschleier nahm er wahr, dass Svedberg und Hamrén kamen. Kurz danach wurde Ann-Britt Höglund auf einer Bahre fortgetragen. Wallander saß im Lehm. Es gelang ihnen nicht, ihn aufzurichten.

In der Zwischenzeit hatten Svedberg und Hamrén Yvonne Ander vom Turm heruntergeschafft. Wallander hatte sie am Oberschenkel getroffen. Sie blutete stark, aber es bestand wohl keine Lebensgefahr. Auch sie wurde mit einem Krankenwagen fortgebracht. Svedberg und Hamrén gelang es schließlich, Wallander aus dem Lehm hochzuziehen und ihn mit hinauf zum Hof zu schleppen.

Da kam auch die erste Nachricht aus dem Krankenhaus in Ystad. Ann-Britt Höglund hatte einen Bauchschuss. Die Verletzung war schwer. Ihr Zustand war kritisch.

Wallander war mit Svedberg gefahren, um seinen eigenen Wagen zu holen. Svedberg war bis zum Schluss nicht sicher, ob er Wallander allein nach Ystad fahren lassen durfte. Aber Wallander hatte gesagt, dass keine Gefahr bestünde. Er war auf direktem Weg ins Krankenhaus gefahren und hatte im Korridor gesessen und auf einen Bescheid über Ann-Britt Höglunds Zustand gewartet. Er hatte sich noch nicht gewaschen, und erst als die Ärzte nach vielen Stunden zusicherten, dass ihr Zustand sich stabilisiert habe, verließ er das Krankenhaus.

Plötzlich war er einfach verschwunden. Keiner hatte bemerkt, dass er nicht mehr da war. Svedberg begann, sich Sorgen zu machen. Aber er glaubte doch, Wallander so gut zu kennen, dass er begriff, dass dieser jetzt nur in Ruhe gelassen werden wollte.

Wallander hatte das Krankenhaus kurz vor Mitternacht verlassen. Der Wind war noch immer schneidend, und es würde eine kalte Nacht werden. Er setzte sich in den Wagen und fuhr zum Friedhof hinaus, auf dem sein Vater begraben lag. Er suchte im Dunkeln das Grab und stand da und war vollkommen leer, und noch immer hatte er sich den Lehm nicht abgewaschen. Gegen ein Uhr kam er nach Hause und rief Baiba in Riga an. Erst danach zog er seine Sachen aus und legte sich in die Badewanne.

Nachdem er sich wieder angezogen hatte, fuhr er zurück ins Krankenhaus. Früh im Morgengrauen kam Lisa Holgersson ins Krankenhaus und sagte, dass sie Ann-Britts Mann erreicht hätten, der sich in Dubai befand. Er würde im Laufe des Tages nach Kastrup kommen.

Keiner wusste, ob Wallander aufnahm, was sie zu ihm sagten. Er saß reglos auf einem Stuhl oder stand an einem Fenster und starrte hinaus in den stürmischen Wind. Als eine Krankenschwester ihm eine Tasse Kaffee bringen wollte, brach er plötzlich in Tränen aus und schloss sich in einer Toilette ein. Aber die meiste Zeit saß er unbeweglich auf seinem Stuhl und starrte seine Hände an.

Ungefähr zur gleichen Zeit, als Ann-Britt Höglunds Mann in Kastrup landete, konnte ein Arzt die Nachricht bringen, auf die sie alle warteten. Sie würde durchkommen. Wahrscheinlich würde sie auch keine ernsthaften Folgeschäden davontragen. Sie hatte Glück gehabt. Aber die Genesung würde Zeit brauchen, es würde lange dauern, bis sie wieder voll hergestellt war.

Wallander hatte den Arzt stehend angehört, als ob er ein Urteil entgegennähme. Danach hatte er einfach das Krankenhaus verlassen und war irgendwo im Sturm verschwunden.

Am Montag, dem 24. Oktober, wurde gegen Yvonne Ander Anklage wegen Mordes erhoben. Sie war zu diesem Zeitpunkt noch im Krankenhaus. Sie hatte noch kein einziges Wort gesprochen, nicht einmal zu dem Verteidiger, der ihr zugeteilt wurde. Nun machten sie sich in dieser Zeit an die mühsame Arbeit des Verstehens: Was war eigentlich geschehen? Das einzige, wofür sie keinen Beweis erbringen konnten, war, ob das Skelett, das sie aus Holger Erikssons Lehmacker ausgruben, wirklich als das Skelett von Krista Haberman angesehen werden konnte. Es sprach nichts dagegen, aber zu beweisen war es nicht.

Ein Bruch der Schädeldecke gab auch die erwünschte Auskunft, wie Holger Eriksson sie vor mehr als fünfundzwanzig Jahren getötet hatte. Aber alles andere klärte sich, wenn auch langsam und mit Fragezeichen, die sie nicht vollständig auszulöschen vermochten. Hatte Gösta Runfelt seine Frau getötet? Oder war es ein Unglück gewesen? Die einzige, die ihnen die Antwort geben konnte, war Yvonne Ander, und die sagte noch immer nichts.

Wallander besuchte Ann-Britt Höglund jeden Tag im Krankenhaus. Die Schuld, die er fühlte, wurde er nicht los. Es half nichts, was andere sagten. Er fand, dass er die Verantwortung trug für das, was geschehen war, Punkt und basta. Damit musste er fortan leben.

Yvonne Ander schwieg weiter. Eines späten Abends saß Wallander allein in seinem Zimmer und las noch einmal die große Sammlung von Briefen, die sie von ihrer Mutter bekommen hatte.

Am Tag danach besuchte er sie in ihrer Zelle.

An diesem Tag begann sie auch zu sprechen.

Es war der 3. November 1994.

Schonen

4. – 5. Dezember 1994

Epilog

Am Nachmittag des 4. Dezember sprach Kurt Wallander zum letztenmal mit Yvonne Ander. Es gab plötzlich nichts mehr hinzuzufügen. Nichts zu fragen, nichts zu beantworten. Und erst da begann die lange und komplizierte Ermittlung aus seinem Bewusstsein zu schwinden. Obwohl mehr als ein Monat vergangen war, seit Yvonne Ander gefasst wurde, hatte die Ermittlung weiterhin sein Leben beherrscht. Nie zuvor in den vielen Jahren als Verbrechensermittler hatte er ein so intensives Bedürfnis empfunden, wirklich zu verstehen. Verbrecherische Handlungen stellten immer eine Oberfläche dar. Oft war diese Oberfläche mit der Vegetation darunter verwachsen; doch manchmal, wenn es einem gelungen war, die Oberfläche des Verbrechens zu durchstoßen, öffneten sich Abgründe, von denen man vorher nicht einmal etwas ahnen konnte. So geschah es im Fall von Yvonne Ander. Wallander schlug ein Loch in die Oberfläche und wusste sofort, dass er in einen Abgrund blickte.

Der erste Schritt war es, sie überhaupt dazu zu bringen, ihr Schweigen zu brechen. Es war ihm gelungen, nachdem er zum zweitenmal die Briefe gelesen hatte, die sie mit ihrer Mutter gewechselt hatte. Das war am 3. November, vor über einem Monat. Neben der Anstrengung, sich überhaupt aufrecht zu halten, denn die Schuld wegen Ann-Britt Höglunds Schussverletzung lastete schwer auf ihm, hatte er seine ganze Kraft Yvonne Ander gewidmet. Sie hatte geschossen, sie hätte Ann-Britt Höglund töten können, wenn der Zufall es so gewollt hätte. Aber nur im Anfang hatte er Anfälle von Aggressivität gehabt. Danach wurde es wichtiger für ihn zu verstehen, wer sie eigentlich war.

Was fand er dort unten? Lange war er im Zweifel, ob sie nicht trotz allem wahnsinnig war, ob all das, was sie über sich selbst sagte, nicht verworrene Träume und krankhaft deformierte Einbildungen waren. Aber irgendwo ahnte er die ganze Zeit, dass sie tatsächlich nichts anderes tat, als zu sagen, was war. Sie sagte die Wahrheit. Er erkannte außerdem, dass Yvonne Ander einer der überaus seltenen Menschen war, die praktisch niemals logen.

Er hatte die Briefe von ihrer Mutter gelesen. Im letzten Bündel, das er öffnete, hatte ein eigenartiger Brief einer algerischen Polizeibeamtin namens Françoise Bertrand gelegen. Zuerst hatte er den Inhalt des Briefes nicht begriffen. Dann verstand er. Yvonne Anders Mutter, Anna Ander, war aufgrund eines Irrtums, eines sinnlosen Zufalls, ermordet worden, und die algerische Polizei hatte das Ganze vertuscht. Es gab offenbar einen politischen Hintergrund, einen Terrorakt, wenngleich Wallander sich nicht in der Lage sah, ganz zu verstehen, worum es dabei ging. Aber Françoise Bertrand hatte in größtem Vertrauen geschrieben und erzählt, was wirklich geschehen war. Ohne dass er zu diesem Zeitpunkt schon irgendeine Hilfe von Yvonne Ander bekommen hatte, sprach er mit Lisa Holgersson darüber, was der Mutter zugestoßen war. Lisa Holgersson hatte zugehört und danach Kontakt mit der Reichskriminalbehörde aufgenommen. Da verschwand die Angelegenheit zunächst aus Wallanders Blickfeld. Dann hatte er alle Briefe noch einmal gelesen.

Wallander hatte Yvonne Ander in der Haft aufgesucht. Sie hatte langsam eingesehen, dass er ein Mann war, der sie nicht jagte. Er war anders als die anderen, die Männer, die die Welt bevölkerten, er war in sich selbst versunken, schien sehr wenig zu schlafen, und außerdem wirkte er, als werde er von Unruhe gequält. Zum ersten Mal in ihrem Leben entdeckte Yvonne Ander, dass sie zu einem Mann tatsächlich Vertrauen haben konnte. Das sagte sie ihm auch bei einer ihrer letzten Begegnungen.

Sie fragte ihn nie geradeheraus, aber sie glaubte trotzdem, die Antwort zu wissen. Er hatte bestimmt nie eine Frau geschlagen. Und wenn, dann nur ein einziges Mal. Nicht öfter, nie wieder.

Der Abstieg hatte am 3. November begonnen. Am gleichen Tag wurde Ann-Britt Höglund zum drittenmal operiert. Alles verlief gut, und ihre endgültige Genesung konnte beginnen. Wallander entwickelte in diesem November eine Routine. Nach seinen Gesprächen mit Yvonne Ander fuhr er stets direkt ins Krankenhaus. Ann-Britt Höglund war der Gesprächspartner, den er brauchte, um zu verstehen, wie er tiefer eindringen konnte in den Abgrund, in den er bereits geblickt hatte.

Seine erste Frage an Yvonne Ander betraf das, was sich in Algerien abgespielt hatte. Wer war Françoise Bertrand? Was war eigentlich geschehen?

Ein blasses Licht fiel durch das Fenster des Raums, in dem sie einander gegenüber an einem Tisch saßen. Von irgendwo hörte man ein Radio und jemand, der an eine Wand pochte. Die ersten Sätze, die sie sagte, verstand er gar nicht. Es war wie ein gewaltiges Dröhnen, als das Schweigen endlich gebrochen wurde. Er hatte nur ihre Stimme wahrgenommen, die er bis dahin nicht gehört, sondern sich nur vorzustellen versucht hatte.

Dann begann er zuzuhören. Er machte sehr selten Notizen während ihrer Gespräche und hatte auch kein Tonbandgerät eingeschaltet.

»Irgendwo gibt es einen Mann, der meine Mutter getötet hat. Wer sucht ihn?«

»Ich nicht«, hatte er geantwortet. »Aber wenn Sie erzählen, was passiert ist, und wenn eine schwedische Bürgerin im Ausland getötet worden ist, müssen wir natürlich reagieren.«

Er spürte ihre Verbitterung und ihren Zorn. Sie machte keinen Versuch, sie zu verbergen.

»Warum hielt sie sich bei den Nonnen auf?« fragte er.

»Sie hatte nicht viel Geld. Sie wohnte da, wo es billig war. Sie konnte ja nicht ahnen, dass das ihren Tod bedeutete.«

»Dies ist vor über einem Jahr passiert. Wie haben Sie reagiert, als der Brief kam?«

»Es gab für mich keinen Grund mehr, zu warten. Wie sollte ich rechtfertigen, dass ich nichts tat? Wenn sich sonst niemand darum kümmerte?«

»Um was kümmerte?«

Sie antwortete nicht. Er wartete.

Dann änderte er seine Frage. »Womit zu warten?«

Sie antwortete, ohne ihn anzusehen. »Sie zu töten.«

»Wen?«

»Die Männer, die frei herumliefen, trotz allem, was sie getan hatten.«

Da sah er, dass er richtig gedacht hatte. Als sie den Brief von Françoise Bertrand erhielt, war eine bis dahin gebundene Kraft in ihr freigesetzt worden. Sie hatte sich mit Rachegedanken getragen, sich aber immer noch kontrollieren können. Dann waren alle Dämme gebrochen, und sie hatte begonnen, das Gesetz selbst in die Hand zu nehmen.

»War es so?« fragte er. »Dass Sie Recht sprechen wollten? Sie wollten die bestrafen, die nie vor Gericht kamen?«

»Wer sucht den Mann, der meine Mutter getötet hat?« antwortete sie. »Wer?«

Dann versank sie wieder in Schweigen. Wallander dachte noch einmal darüber nach, wie alles angefangen hatte. Einige Monate nachdem der Brief aus Algerien gekommen war, war sie bei Holger Eriksson eingebrochen. Das war der erste Schritt. Als Wallander sie ohne Umschweife fragte, ob es sich so verhielte, war sie nicht einmal überrascht. Sie ging davon aus, dass er es wusste.

»Ich hatte von Krista Haberman gehört«, sagte sie. »Dass es dieser Autohändler war, der sie getötet hat.«

»Von wem haben Sie das gehört?«

»Von einer Polin, die im Krankenhaus in Malmö lag. Das ist jetzt viele Jahre her.«

»Sie haben damals im Krankenhaus gearbeitet?«

»Ich habe mehrmals dort gearbeitet. Ich habe oft mit Frauen gesprochen, die misshandelt worden waren. Sie hatte eine Freundin, die Krista Haberman kannte.«

»Warum haben Sie die Grube gegraben? Warum die Stäbe? Warum der angesägte Steg? Hatte die Frau, die Krista Haberman kannte, den Verdacht, dass der Körper dort vergraben lag?«

Darauf gab sie nie eine Antwort. Wallander verstand auch so. Obwohl die Ermittlung die ganze Zeit schwer greifbar war, hatten Wallander und seine Kollegen sich auf einer richtigen Spur befunden, ohne dies ganz klar zu erkennen. Yvonne Ander hatte tatsächlich die Brutalität der Männer in der Art, wie sie sie ums Leben brachte, nachgestaltet.

Während der ersten fünf oder sechs Gespräche mit Yvonne Ander ging Wallander systematisch die drei Morde durch, klärte Einzelheiten und montierte die Bilder und Zusammenhänge, die vorher vage gewesen waren, zu einem Gesamtbild. Doch Wallander wusste die ganze Zeit, dass er noch immer nur an einer Oberfläche kratzte. Der eigentliche Abstieg hatte noch kaum begonnen. Die oberen Ablagerungen, die Beweislast, würden sie ins Gefängnis bringen. Aber die eigentliche Wahrheit, auf die er aus war, würde er erst später zutage fördern können, nachdem er ganz unten angekommen war. Wenn überhaupt.

Sie würde sich natürlich einer gerichtspsychologischen Untersuchung unterziehen müssen. Wallander wusste, dass dies unausweichlich war.

Sie tasteten sich weiter voran, langsam, Schritt für Schritt, Tag für Tag. Außerhalb der Haftanstalt ging der Herbst auf den Winter zu. Warum Holger Eriksson Krista Haberman aus Svenstavik geholt und fast unmittelbar danach erschlagen hatte, bekam Wallander nie heraus. Vermutlich hatte sie ihm etwas verweigert, was er gewohnt war zu bekommen. Vielleicht hatte ein Streit auf gewaltsame Art ein Ende gefunden.

Dann gingen sie zu Gösta Runfelt über. Sie war davon überzeugt, dass Gösta Runfelt seine Frau ermordet hatte. Im Stångsjön ertränkt. Und selbst wenn das nicht zutraf, hatte er doch sein Schicksal verdient. Er hatte sie so schwer misshandelt, dass sie eigentlich nichts anderes wünschte, als zu sterben. Ann-Britt Höglund hatte richtig vermutet, dass er im Laden überfallen worden war. Yvonne Ander hatte herausgefunden, dass er nach Nairobi reisen wollte, und ihn mit der Erklärung in den Laden gelockt, dass sie zu einem Empfang früh am nächsten Morgen Blumen brauche. Sie hatte ihn niedergeschlagen, das Blut auf dem Fußboden war tatsächlich seins gewesen. Das zerschlagene Fenster war ein Scheinmanöver, um die Polizei an einen Einbruch glauben zu lassen.

Danach folgte eine Beschreibung dessen, was für Wallander das entsetzlichste Detail war. Bis hierher hatte er versucht, sie zu verstehen, ohne seine gefühlsmäßigen Reaktionen überhand nehmen zu lassen. Aber da ging es nicht mehr. Sie erzählte vollkommen ruhig, wie sie Gösta Runfelt ausgezogen, gefesselt und in den alten Backofen gezwungen hatte.

Dann hatte sie ihn in den Wald gebracht. Er war vollkommen entkräftet, sie hatte ihn an den Baum gebunden und anschließend erwürgt. Erst da, in diesem Augenblick, hatte sie sich in Wallanders Augen in eine Bestie verwandelt. Ob sie ein Mann oder eine Frau war, spielte keine Rolle. Sie war zu einem Ungeheuer geworden, das sie glücklicherweise zur Strecke gebracht hatten, bevor sie Tore Grundén oder einen anderen Mann von ihrer makabren Liste hatte töten können.

Das war auch der einzige Fehler, der ihr unterlaufen war. Dass sie das Notizbuch nicht verbrannt hatte, das sie als Kladde benutzt hatte für die Eintragungen in ihr Hauptbuch, das Journal, das sie nicht in Ystad hatte, sondern in Vollsjö. Wallander fragte sie nicht, aber trotzdem gestand sie diesen Fehler ein. Das war die einzige ihrer Handlungen, die sie nicht verstehen konnte.

Wallander dachte später darüber nach, ob dies bedeutete, dass sie eigentlich eine Spur hinterlassen wollte. Dass sie im Innersten den Wunsch hatte, entdeckt und am Weitermachen gehindert zu werden.

Aber er schwankte. Manchmal glaubte er, dass es sich so verhielt, dann wieder nicht. Er kam in diesem Punkt zu keiner Klarheit.

Über Eugen Blomberg hatte sie nicht viel zu sagen. Sie schilderte, wie sie die Zettel gemischt hatte, von denen ein einziger ein Kreuz hatte. Dann hatte der Zufall entschieden, wann er oben lag. Genau so, wie der Zufall ihre Mutter getötet hatte.

Wallander war später immer sehr wortkarg, wenn er über Yvonne Ander sprach. Er wies stets auf die Abschrift seiner Gesprächsaufzeichnungen hin, die er von den Gesprächen anfertigte. Aber da stand natürlich nicht alles. Die Sekretärin, die sie abtippte, beklagte sich häufig bei ihren Kolleginnen darüber, dass sie kaum lesbar waren.

Was dennoch daraus hervorging, sozusagen Yvonne Anders Vermächtnis, war die Geschichte eines Menschenschicksals mit entsetzlichen Kindheitserlebnissen. Sie hatte erzählt, wie ihre Mutter ständig vom Stiefvater misshandelt worden war, der ihrem leiblichen Vater nachfolgte, der seinerseits einfach verschwunden und in ihrer Erinnerung verblasst war wie eine unscharfe und seelenlose Fotografie. Aber das Schlimmste war gewesen, dass ihr Stiefvater ihre Mutter zu einer Abtreibung gezwungen hatte. Sie hatte nie die Schwester erleben dürfen, die ihre Mutter in sich getragen hatte. Und als sie Wallander von der Abtreibung erzählte, hob sie den Blick vom Tisch und sah ihm direkt in die Augen. Ihre Mutter hatte auf einem Laken auf dem ausgezogenen Küchentisch gelegen, der Abtreibungsarzt war betrunken, der Stiefvater im Keller eingeschlossen, vermutlich ebenfalls betrunken, und da war sie ihrer Schwester beraubt worden, und von dem Augenblick an hatte sie die Zukunft immer als eine Finsternis betrachtet, bedrohliche Männer warteten hinter jeder Straßenecke, Gewalt lauerte hinter jedem freundlichen Lächeln, jedem Atemzug.

Danach hatte sie ihre Erinnerungen in einem geheimen Winkel ihrer Seele verbarrikadiert. Sie hatte eine Ausbildung gemacht, war Krankenschwester geworden, und sie hatte stets die unklare Vorstellung, dass es ihre Pflicht sei, einmal die Schwester, die sie nie bekommen hatte, und die Mutter, die diese Schwester nicht hatte zur Welt bringen dürfen, zu rächen. Sie hatte Erzählungen von misshandelten Frauen gesammelt, sie hatte die toten Frauen in lehmigen Äckern und småländischen Seen aufgespürt, sie hatte ihre Schemata gezeichnet, Namen in ein Journal eingetragen, mit ihren Zetteln gespielt.

Und dann war ihre Mutter ermordet worden.

Sie beschrieb es Wallander beinahe poetisch. *Wie eine stille Flutwelle*, sagte sie. *Mehr war es nicht. Ich erkannte, dass die Zeit gekommen war. Dann verging ein Jahr. Ich habe geplant, den Zeitplan vollendet, der mir in all diesen Jahren geholfen hatte zu überleben. Dann grub ich in den Nächten einen Graben.*

Dann grub sie in den Nächten einen Graben.

Genau diese Worte. *Dann grub ich in den Nächten einen Graben.* Vielleicht fassten diese Worte am besten zusammen, wie Wallander in diesem Herbst die vielen Gespräche mit Yvonne Ander in der Haftanstalt erlebte.

Er dachte, dass dies ein Bild der Zeit war, in der er lebte.

Was für einen Graben grub er selbst?

Eine einzige Frage wurde nie beantwortet. Warum sie sich plötzlich, irgendwann Mitte der achtziger Jahre, zur Zugbegleiterin hatte umschulen lassen. Wallander hatte erkannt, dass Zeitpläne, Fahrpläne die Liturgie darstellten, nach der sie lebte; das Handbuch der Regelmäßigkeit. Aber er sah eigentlich keinen Grund, an diesem Punkt weiterzubohren. Die Züge blieben ihre eigene Welt. Vielleicht die einzige, vielleicht die letzte.

Fühlte sie sich schuldig? Per Åkesson fragte ihn danach. Viele Male. Lisa Holgersson weniger oft, seine Kollegen fast nie. Die einzige außer Åkesson, die wirklich darauf bestand, es zu erfahren, war Ann-Britt Höglund. Wallander antwortete wahrheitsgemäß, dass er es nicht wisse.

»Yvonne Ander ist ein Mensch«, antwortete er ihr, »der an eine gespannte Feder erinnert. Ich kann es nicht besser ausdrücken. Ob die Schuld darin enthalten ist. Oder ob sie weg ist.«

Am 4. Dezember endete es. Wallander hatte nichts mehr zu fragen, Yvonne Ander nichts mehr zu sagen. Das schriftliche Geständnis war fertig. Wallander hatte das Ende des langen Abstiegs erreicht. Die gerichtspsychiatrische Untersuchung würde ihren Anfang nehmen, der Verteidiger, der öffentliches Aufsehen um den Prozess gegen Yvonne Ander witterte, begann, seine Bleistifte zu spitzen, und nur Wallander ahnte, wie es kommen würde.

Yvonne Ander würde wieder schweigen. Mit dem entschiedenen Willen eines Menschen, der weiß, dass er nichts mehr zu sagen hat.

Bevor er ging, fragte er sie nach zwei Dingen, auf die er noch keine Antwort bekommen hatte. Das eine war ein Detail, das nichts mehr bedeutete. Er fragte eher aus Neugier.

»Als Katarina Taxell ihre Mutter aus Vollsjö anrief, war da ein Schlagen oder Pochen. Wir haben nie herausgefunden, woher das Geräusch kam.«

Sie sah ihn verständnislos an. Dann hellte sich ihr ernstes Gesicht zu dem einzigen Lächeln auf, das Wallander während aller Gespräche mit ihr erlebte.

»Auf dem Acker neben dem Haus war ein Traktor kaputtgegangen. Der Bauer stand da und schlug mit einem großen Hammer, um irgendetwas am Untergestell loszubekommen. Konnte man das wirklich durchs Telefon hören?«

Wallander nickte. Er dachte schon an seine letzte Frage.

»Ich glaube, wir sind uns schon einmal begegnet«, sagte er. »In einem Zug.«

Sie nickte.

»Südlich von Älmhult? Ich habe Sie gefragt, wann wir in Malmö ankämen.«

»Ich habe Sie erkannt, aus Zeitungen. Vom letzten Sommer.«

Wallander hatte nichts mehr zu fragen. Er hatte erfahren, was er wollte. Er stand auf, murmelte etwas zum Abschied und ging.

Am Nachmittag suchte er wie gewöhnlich das Krankenhaus auf. Ann-Britt Höglund lag nach ihrer letzten Operation in einem Aufwachzimmer und schlief noch. Aber Wallander erhielt von einem freundlichen Arzt die Bekräftigung, die er erhoffte. Alles war gut verlaufen. In einem halben Jahr würde sie wieder Dienst tun können.

Wallander verließ das Krankenhaus kurz nach fünf Uhr. Es war schon dunkel, zwei oder drei Grad minus, windstill. Er fuhr zum Friedhof und ging zum Grab seines Vaters. Verwelkte Blumen waren am Boden festgefroren. Noch waren keine drei Monate vergangen, seit sie Rom verlassen hatten. Die Reise wurde ihm dort am Grab wieder gegenwärtig. Er fragte sich, was sein Vater wohl gedacht hatte auf seinem einsamen nächtlichen Spaziergang zur Spanischen Treppe und zu den Brunnen, als seine Augen glänzten.

An diesem Abend, dort draußen am Grab auf dem dunklen Friedhof, endete auch die Ermittlung. Noch würde es Papiere zum Durchlesen und Unterschreiben geben. Aber es mussten keine Nachforschungen mehr angestellt werden. Der Fall war geklärt und abgeschlossen. Die gerichtspsychiatrische Untersuchung würde zu dem Ergebnis führen, dass man sie für voll zurechnungsfähig erklärte. Falls sie etwas aus ihr herausbekamen. Dann würde sie verurteilt werden und in Hinseberg hinter Gittern verschwinden. Die Ermittlung dessen, was ihrer Mutter geschehen war, würde weitergehen. Doch das berührte seine Arbeit nicht.

In der Nacht zum 5. Dezember schlief er sehr schlecht. Am nächsten Tag wollte er ein Haus etwas nördlich der Stadt besichtigen. Außerdem wollte er einen Hundezüchter in Sjöbo besuchen, der schwarze Labradorwelpen verkaufte.

Aber vor allem dachte er in dieser unruhigen Nacht zum 5. Dezember an Baiba. Mehrmals erhob er sich und stand am Küchenfenster und starrte auf die schwankende Straßenlaterne.

Unmittelbar nachdem er aus Rom zurückgekehrt war, Ende September, hatten sie beschlossen, dass sie kommen werde, möglichst bald, nicht später als November. Jetzt mussten sie ernsthaft dazu Stellung nehmen, ob sie aus Riga nach Schweden umsiedeln sollte. Aber plötzlich konnte sie nicht kommen, die Reise wurde verschoben, zuerst einmal, dann noch einmal. Es gab Gründe, sogar ausgezeichnete Gründe dafür, dass sie nicht kommen konnte, noch nicht, im Moment gerade nicht. Wallander glaubte ihr natürlich. Aber irgendwo entstand auch eine Unsicherheit. War er schon da, unsichtbar zwischen ihnen? Ein Riss, den er nicht gesehen hatte? Und warum hatte er ihn nicht gesehen? Weil er nicht wollte?

Jetzt würde sie auf jeden Fall kommen. Sie würden sich am 8. Dezember in Stockholm treffen. Er würde sie abholen. Den Abend würden sie mit Linda verbringen und am nächsten Morgen nach Schonen fahren. Wie lange sie bleiben konnte, wusste er nicht. Aber diesmal würden sie ernstlich über die Zukunft sprechen, nicht nur darüber, wann sie sich das nächstemal treffen konnten.

Die Nacht zum 5. Dezember wurde zu einer langen, schlaflosen Nacht.

Vielleicht hatte Wallander in der Morgendämmerung kurz geschlafen. Vielleicht war er die ganze Zeit wach. Um sieben war er jedenfalls schon angezogen.

Um halb acht fuhr er in seinem Wagen, dessen Motor verdächtig stotterte, zum Polizeipräsidium. Gerade an diesem Morgen war es sehr still. Martinsson war erkältet, Svedberg war widerwillig mit einem dienstlichen Auftrag nach Malmö gefahren. Der Korridor war verlassen. Er setzte sich in sein Zimmer und las die Abschrift der Aufzeichnungen von seinem letzten Gespräch mit Yvonne Ander durch. Auf seinem Tisch lag auch die Abschrift einer Vernehmung, die Hansson mit Tore Grundén durchgeführt hatte, dem Mann, den Yvonne Ander in Hässleholm vor den Zug hatte stoßen wollen. Im Hintergrund fanden sich die gleichen Ingredienzien wie bei all den anderen Namen in ihrem makabren Todesjournal. Der Bankbeamte Tore Grundén hatte sogar einmal eine Strafe wegen Misshandlung einer Frau abgesessen. Als Wallander Hanssons Vernehmungsprotokoll durchlas, fiel ihm auf, dass Hansson Grundén mit großem Nachdruck klar gemacht hatte, wie nahe er daran gewesen war, von dem heranbrausenden Zug in Stücke gerissen zu werden.

Wallander hatte bemerkt, dass es unter seinen Kollegen eine Andeutung von Verständnis gab für das, was Yvonne Ander getan hatte. Das erstaunte ihn. Dass dieses Verständnis überhaupt da war. Obwohl sie Ann-Britt Höglund schwer verletzt hatte, und obwohl sie Männer angegriffen und getötet hatte. Es fiel ihm schwer, zu verstehen, woran das lag. Normalerweise war eine Sammlung von Polizeibeamten nicht gerade prädestiniert dafür, eine Anhängerschar für eine Frau wie Yvonne Ander zu sein.

Er kritzelte seine Unterschrift hin und schob die Papiere von sich. Es war Viertel vor neun geworden.

Das Haus, das er besichtigen wollte, lag unmittelbar nördlich der Stadt. Am Tag zuvor hatte er sich beim Makler den Schlüssel geholt. Es war ein eingeschossiges Steinhaus, das inmitten eines großen alten Gartens thronte. Es hatte viele Winkel und Ausbauten, und vom Obergeschoss aus hatte man einen Blick aufs Meer. Er schloss auf und ging hinein. Der frühere Besitzer hatte die Möbel mitgenommen, die Räume waren leer. Er ging in der Stille umher, öffnete die Erkertür, die zum Garten hinausführte, und versuchte sich vorzustellen, dass er hier wohnte.

Zu seiner Verwunderung ging dies leichter, als er geglaubt hatte. Er fragte sich auch, ob Baiba sich hier wohl fühlen könnte. Sie hatte von ihrer eigenen Sehnsucht gesprochen, hinaus aufs Land zu ziehen, weg von Riga, aber nicht zu entlegen, nicht zu isoliert.

Er brauchte nicht lange an diesem Morgen, um sich zu entscheiden. Er würde das Haus kaufen, wenn Baiba nicht dagegen war. Der Preis war auch nicht so hoch, dass er die notwendigen Kredite nicht bewältigen konnte.

Kurz nach zehn verließ er das Haus. Er fuhr direkt zum Makler und versprach, ihm binnen einer Woche seine Entscheidung mitzuteilen.

Nachdem er ein Haus besichtigt hatte, fuhr er weiter, um einen Hund anzusehen. Die Zucht lag an der Straße nach Höör, kurz vor Sjöbo. Hunde bellten aus verschiedenen Zwingern, als er auf den Hof fuhr. Die Besitzerin war eine junge Frau, die zu seiner Verwunderung einen ausgeprägten Göteborger Dialekt sprach.

»Ich möchte mir einen schwarzen Labrador ansehen«, sagte Wallander.

Sie zeigte ihm die Welpen. Sie waren noch klein und noch mit ihrer Mutter zusammen.

»Haben Sie Kinder?« fragte sie.

»Leider keins, das noch zu Hause wohnt«, antwortete er. »Muss man die haben, um einen Welpen zu kaufen?«

»Natürlich nicht. Aber es gibt kaum Hunde, die besser zu Kindern passen.«

Wallander sagte, wie es war. Er würde vielleicht ein Haus außerhalb von Ystad kaufen. Und wenn er sich dazu entschloss, würde er auch einen Hund haben können. Das eine hing mit dem anderen zusammen. Aber es fing mit dem Haus an.

»Nehmen Sie sich Zeit«, sagte sie. »Ich halte einen der Welpen für Sie zurück. Nehmen Sie sich Zeit. Aber nicht zu lange. Für die Labradors habe ich ständig Käufer. Es kommt immer ein Tag, an dem ich sie verkaufen muss.«

Wallander versprach wie bei dem Makler, binnen einer Woche Bescheid zu sagen.

Aber er sagte nichts. Er wusste schon jetzt, dass er den Hund kaufen würde, wenn aus dem Hauskauf etwas würde.

Als er die Zucht verließ, war es zwölf. Als er auf die Hauptstraße hinauskam, wusste er auf einmal nicht mehr, wohin er unterwegs war. War er überhaupt irgendwohin unterwegs? Er sollte Yvonne Ander nicht treffen. Im Moment hatten sie einander nichts mehr zu sagen. Sie würden sich wieder treffen, aber nicht jetzt. Der provisorische Schlusspunkt galt bis auf weiteres. Vielleicht würde Per Åkesson ihn um weitere Details bitten. Aber er bezweifelte das. Die Anklage war schon jetzt mehr als gut untermauert.

Die Wahrheit war, dass er nichts hatte, wohin er fahren konnte. Gerade an diesem Tag, dem 5. Dezember, gab es niemand, der ihn wirklich im Ernst brauchte.

Ohne sich eigentlich darüber im klaren zu sein, fuhr er nach Vollsjö. Hielt vor dem Hansgården. Was mit dem Haus geschehen würde, war unklar. Yvonne Ander war die Besitzerin und würde es vermutlich während all der Jahre, die sie im Gefängnis zubringen würde, bleiben. Sie hatte keine näheren Verwandten, nur ihre tote Schwester und ihre tote Mutter. Es war fraglich, ob sie überhaupt Freunde hatte. Katarina Taxell war von ihr abhängig gewesen, hatte ihre Unterstützung gehabt, wie die anderen Frauen. Aber Freunde? Wallander schauderte es bei dem Gedanken. Yvonne Ander hatte nicht einen einzigen Menschen, der ihr wirklich nahestand. Sie tauchte aus einem Vakuum auf, und sie tötete Menschen.

Wallander stieg aus dem Wagen. Das Haus strahlte Einsamkeit aus. Als er darum herumging, sah er, dass ein Fenster nur angelehnt war. Das hätte nicht sein dürfen. Es konnte leicht eingebrochen werden. Yvonne Anders Haus konnte zum Objekt für Trophäenjäger werden. Wallander holte eine Holzbank und stellte sie unter das Fenster. Dann stieg er ein. Sah sich um. Noch deutete nichts auf einen Einbruch hin. Das Fenster war nur aus Nachlässigkeit nicht geschlossen worden. Er ging durch die Zimmer. Betrachtete mit einem Gefühl von Beklommenheit den Backofen. Da verlief eine unsichtbare Grenze. Darüber hinaus würde er sie nie verstehen.

Er dachte noch einmal, dass die Ermittlung jetzt abgeschlossen war. Sie hatten einen Schlussstrich unter die makabre Liste gezogen, die Sprache der Mörderin gedeutet und sie selbst am Ende auch gefunden.

Deshalb fühlte er sich überflüssig. Er wurde nicht mehr gebraucht. Wenn er aus Stockholm zurückkäme, würde er wieder an die Ermittlung um die Autos gehen, die in die ehemaligen Ostblockstaaten geschmuggelt wurden.

Erst dann würde er eigentlich für sich selbst wieder wirklich werden.

Das Telefon piepte in der Stille. Erst beim zweiten Signal wurde ihm klar, dass es aus seiner Jackentasche piepte. Er holte das Telefon hervor. Es war Per Åkesson.

»Störe ich?« fragte er. »Wo bist du?«

Wallander wollte nicht sagen, wo er war. »Ich sitze im Auto«, sagte er. »Aber ich parke.«

»Ich nehme an, du weißt von nichts«, sagte Per Åkesson. »Aber es wird keinen Prozess geben.«

Wallander verstand nicht. Der Gedanke war ihm ganz einfach nicht gekommen, obwohl er so naheliegend war. Er hätte vorbereitet sein sollen.

»Yvonne Ander hat Selbstmord begangen«, sagte Per Åkesson. »Irgendwann letzte Nacht. Heute früh hat man sie tot aufgefunden.«

Wallander hielt den Atem an. Noch sträubte sich etwas in ihm, weigerte sich zu zerspringen.

»Sie scheint Zugang zu Schlaftabletten gehabt zu haben, was nicht hätte sein dürfen. Jedenfalls nicht zu einer solchen Menge, dass sie sich das Leben nehmen konnte. Richtig bösartige Personen werden sich natürlich fragen, ob du sie ihr gegeben hast.«

Wallander hörte, dass dies keine verdeckte Frage war. Aber er antwortete trotzdem. »Ich habe ihr nicht geholfen.«

»Das Ganze scheint einen friedlichen Eindruck gemacht zu haben. Alles war in bester Ordnung. Sie scheint sich entschlossen und es getan zu haben. Eingeschlafen. Man kann sie natürlich verstehen.«

»Kann man?« fragte Wallander.

»Sie hat einen Brief hinterlassen. Mit deinem Namen drauf. Er liegt hier vor mir auf dem Tisch.«

Wallander nickte ins Telefon. »Ich komme«, sagte er. »Ich bin in einer halben Stunde da.«

Er blieb mit dem Telefon in der Hand stehen. Versuchte zu entscheiden, was er eigentlich fühlte. Leere, vielleicht eine vage Empfindung von Ungerechtigkeit. Etwas anderes? Er kam zu keiner Klarheit.

Er kontrollierte, dass das Fenster ordentlich geschlossen war, und verließ das Haus durch die Vordertür, die ein Schnappschloss hatte.

Der Dezembertag war sehr klar. Irgendwo ganz in der Nähe lauerte schon der Winter.

Er fuhr nach Ystad, um seinen Brief zu holen.

Per Åkesson war nicht da, aber die Sekretärin war informiert. Wallander ging in Åkessons Zimmer. Der Brief lag mitten auf dem Tisch.

Er nahm ihn mit und fuhr hinunter zum Hafen, ging hinaus zum roten Gebäude der Seenotrettung und setzte sich auf die Bank.

Der Brief war sehr kurz. *Irgendwo in Algerien ist ein unbekannter Mann, der meine Mutter getötet hat. Wer sucht ihn?*

Das war alles. Sie hatte eine schöne Handschrift.

Wer sucht ihn?

Sie hatte den Brief mit ihrem vollen Namen unterschrieben. In die rechte obere Ecke hatte sie Datum und Uhrzeit gesetzt.

5. Dezember 1994. 2 Uhr 44.

Die vorletzte Angabe in ihrem Fahrplan, dachte er.

Die letzte schreibt sie nicht selbst.

Das tut der Arzt, wenn er angibt, zu welchem Zeitpunkt seines Erachtens der Tod eingetreten ist.

Danach ist nichts mehr.

Der Fahrplan beendet, das Leben abgeschlossen.

Der Abschied formuliert als Frage oder Anklage? Oder beides?

Wer sucht ihn?

Da es kalt war, blieb er nicht lange auf der Bank sitzen. Den Brief riss er langsam in Streifen, die er übers Wasser streute. Er erinnerte sich, dass er vor vielen Jahren einen misslungenen Brief an Baiba auch an dieser Stelle zerrissen hatte. Auch den hatte er übers Wasser gestreut.

Aber es war doch ein großer Unterschied. Sie würde er wiedertreffen. Und sogar sehr bald.

Er sah den Papierstreifen nach, die langsam verschwanden. Dann verließ er den Hafen und fuhr zum Krankenhaus, um Ann-Britt Höglund zu besuchen.

Etwas war jetzt endlich vorüber.

Der schonische Herbst ging auf den Winter zu.